إدارة المنظمات الدولية
المتخصصة بالتربية والثقافة والعلوم
اليونسكو-الالسكو-الايسيسكو

إدارة النظم المالية والإدارية في المنظمات – مصادر تمويل الموازنات في المنظمات- رواتب
وتعويضات موظفي المنظمات – إدارة العلاقات والأنشطة في المنظمات – علاقة المنظمات
(اليونسكو، الألسكو، الأيسيسكو)بمنظماتها الأم وكالاتها المتخصصة – إدارة الأنشطة
والخطط، وطرق تقييمها في المنظمات

الدكتور
عبد المجيد سعيد مصلح العسالي

المجلد الثاني

الطبعة الأولى
2010

المركــز القومــي للإصــدارات القانونيــة
54 ش علي عبد اللطيف – الشيخ ريحان – عابدين – القاهرة
Mob: 0115555760 – 0102551696 – 0124900337
Tel:002/02/27959200 – 27964395 – Fax: 002/02/27959200
Email: walied_gun@yahoo.com   law_book2003@yahoo.com

القسم الثاني
إدارة النظم المالية والإدارية، والعلائقية والانشطة في المنظمات
اليونسكو، الالكسو، الايسيسكو

الباب الاول
إدارة النظم المالية والإدارية في المنظمات
اليونسكو، الالكسو، الايسيسكو

الباب الثاني
إدارة العلاقات والأنشطة في المنظمات
اليونسكو، الالكسو، الايسيسكو

الباب الاول

إدارة النظم المالية والادارية في المنظمات

(اليونسكو، الالكسو، الايسيسكو)

إن هذه المنظمات المتخصصه، تحتاج لمباشرة اختصاصاتها وتحقيق أهدافها - مثل سائر المنظمات الدولية - الى موارد مالية ثابتة، لمواجهة نفقاتها، وهذا بدوره يستلزم أن يكون للمنظة ميزانية خاصه بها، بل إن وجود ميزانية مستقله للمنظمة الدولية، إنما يعد تجسيداً للشخصيه القانونية المستقله التي تتمتع بها المنظمة، فوضع ميزانية خاصه بالمنظمة للصرف منها على أنشطتها المختلفه الفنية والادارية، بما في ذلك مرتبات الموظفين، فكما هو معلوم أن هذه المنظمات، إنما تستعين في اداء مهامها بمجموعة من العاملين بعضهم فني، والاخر إداري، وبعضهم يعمل بصفه دائمه، بينما يعمل البعض الاخر بصفه مؤقتة أو لانجاز أعمال محدده، ويكون إرتباط بعضهم بالمنظمة في صورة علاقه تعاقدية، والبعض الاخر في صوره علاقه تنظيمية[1]. وكل هذه الامور المتعلقه بالموظفين، وأنواع تعيناتهم، وشروطها، والرواتب والتعويضات المتعلقه بها، وكذا نظم إجازات وترقيات الموظفين وسبل تأديبهم ومحاسبتهم وانهاء خدماتهم، انما سيتم تناولها من

---

(1) انظر بهذا الخصوص د. مفيد محمود شهاب، المنظمات الدولية الطبعه العاشرة مرجع سابق ص147.

- د. عبد السلام عرفه، التنظيم الدولي، مرجع سابق ص63.

- محمد المجذوب، التنظيم الدولي، النظرية والمنظمات العالمية والاقليمية والمتخصصه مرجع سابق ص103.

خلال النظام الاداري (الفصل الثاني) حيث سيتم الحديث في هذا الباب بداية عن،النظام المالي، (الفصل الاول) وكما يلي:-

الفصل الاول

النظام المالي للمنظمات (اليونسكو، الالكسو، الايسيسكو)

تقتضي دراسة النظام المالي لهدذ المنظمات المتخصصة - مثل سائر المنظمات الدولية - الحديث عن موازناتها، ومصادر تمويلها، وعن النفقات التي تدفعها لممارسة أنشطتها ومهامها المختلفة، وكذا عن أوجه الرقابة المالية المتبعة في هذه المنظمات[1].

وكل هذه المواضيع هي مجال حديثنا في هذا الفصل بمبحثيه، بدءاً باعداد الموازنات (المبحث الاول) وانتهاءاً بنفقات ورقابة الموازنات (المبحث الثاني) وكما يلي:-

المبحث الاول

إعداد الموازنات في المنظمات (اليونسكو، الالكسو، الايسيسكو)

إن الحديث عن إعداد موازنات هذه المنظمات، خلال دوراتها المالية المتعاقبه، إنما يتطلب منا معرفه بنود وأبواب الموازنات المعده، وكذا الفترات الزمنيه التي تغطيها هذه الموازنات، وعن

(1) انظر د. أحمد ابو الوفا، الوسيط في قانون المنظمات الدولية، طبعة (5) مرجع سابق ص223.

المصادر المختلفه التي يستند اليها عند إعدادها، وكذا المراحل المختلفه لاعداد مشاريع الخطط وموازناتها التقديرية متظمنه مصادر التمويل من اشتراكات الدول الاعضاء، ومن مصادر التمويل الاخرى الخارجه عن تلك الموازنات، وعن الصناديق والاحتياطيات و الحسابات التي تنشئها هذه المنظمات، وعن كيفيه إستثمار بعض مواردها، وعن المهام المسنده للادارات العامه في كل هذا الاعداد، ودور كل من الدول الاعضاء والاجهزة السيادية في هذه المنظمات بالمصادقه على مشاريع الخطط والموازنات التقديرية، وهذه المواضيع تحديداً سيتم تناولها في هذا المبحث، بدءاً بطريقة إعداد الموازنات (المطلب الاول) وانتهاءاً بمصادر تمويل الموازنات (المطلب الثاني) وكما يلي:-

المطلب الأول

طريقة إعداد الموازنات في المنظمات

(اليونسكو، الالكسو، الايسيسكو)

إن طريقة إعداد مشاريع الموازنات والبرامج خلال الدورات المالية القصيرة أو المتوسطة الأجل، تعد من أهم السمات الرئيسية لطريقة عمل هذه المنظمات المتخصصة، فبالإضافة إلى ما تقوم به الإدارات العامة للمنظمات من جهد واضح في سبيل إعداد الخطوط العامة لمشاريع الموازنات والخطط، فإنها تطلب من الدول الأعضاء، ممثلة بلجانها الوطنية، التي عادة ما تكون على اتصال مباشر مع جميع السلطات الحكومية المعنية بالتعاون مع هذه المنظمات المتخصصة، كما تطلب من المنظمات الدولية الحكومية وغير الحكومية، تحديد الأولويات التي يجب على المنظمات التركيز عليها عند الشروع في إعداد برامجها وميزانياتها خلال الفترات المالية المعنية[1]. وعلى العموم فإن المنظمات المتخصصة

(1) انظر بهذا الخصوص:

- د. بشير أحمد سعيد، وآخرون، ليبيا واليونسكو، خمسون عاماً من التعاون 1953م -

اليونسكو، الالكسو، الايسيسكو، تستخدم نوعين من الألفاظ عند إعداد مشاريع برامجها وخططها خلال الفترات المالية، وهذين اللفظين هما (ميزانية أو موازنة)، وبهذا الخصوص نجد أن المنظمات اليونسكو والالكسو تستخدمان لفظ ميزانية للتعبير عن مجموع الإيرادات والنفقات التي تعدها أي منها خلال فترة زمنية معينة، بينما تستخدم الايسيسكو لفظ موازنة للدلالة على ذلك[1]، وهذه الألفاظ مستخدمة أصلاً في المواثيق المنشئة وأيضاً في الانظمة المالية لهذه المنظمات، بخلاف النظام المالي للالكسو، فكما نعرف أن هذه الأخيرة ليس لها نظام مالي خاص بها مثل اليونسكو والايسيسكو، ذلك أنه يسري عليها النظام المالي والمحاسبي الموحد، المطبق على المنظمات العربية المتخصصة المنبثقة عن الجامعة العربية، وذلك منذ بداية عقد التسعينات من القرن الماضي، فهذا النظام المالي الموحد - خلافاً لدستور الالكسو - يستخدم لفظ موازنة، مثله في ذلك مثل النظام المالي للايسيسكو، وعلى أيه حال، فإنه وأيا كان نوع اللفظ المستخدم، فإن المحصلة النهائية من وراء استخدامهما واحد - بالرغم من اختلاف الفترات الزمنية التي قد تغطيها كل منها - والقاعدة أن تكون هذه (الميزانية أو الموازنة) لمدة سنة، على غرار ما هو معمول به في ميزانية الدول، إلا أن هذه القاعدة لا تأخذ بها بعض المنظمات، أو بالأصح الغالبية

2003م منشورات اللجنة الوطنية الليبية للتربية والثقافة والعلوم، الطبعة الأولى، لعام 2003م ص43.
- مرشد عملي من أجل اللجان الوطنية لليونسكو لعام 1996م مرجع سابق ص99.
[1] انظر: المواد (9 الفقرات (2،1) ، (9 فقرة (2) ، (16) من مواثيق هذه المنظمات مراجع سابقة ص 18، 32، 19 بالترتيب.

منهـا، ويرجـع السـبب في ذلـك إلى أن إجـراءات اعتمادهـا مـن قبـل الجهـاز العـام للمنظمة، وما ينتج عن ذلك من تكبد المنظمة لمبالغ طائلة، ومن ثم لم يكن هنـاك معنـى يبرر الأخذ بقاعدة سنوية الميزانية، وهو ما سارت عليه منظمة الأرصاد الجوية، حيث تعـد ميزانيتها لفترة أربع سنوات، وتعد منظمة الأغذية والزراعة ميزانيتها لمدة سنتين[1]. مثلها في ذلك مثل كل من منظمة اليونسكو والالكسو، حيث يقضي دستور هذه الأخيرة، بأن المؤتمر العام يوافق على الميزانية التي تعد عن فترة عامين كاملين، ويعمل بهـا مـن أول ينـاير مـن العام الأول إلى أخر ديسمبر من العام الثاني[2]. ويقضي النظام المالي لليونسـكو بـأن الميزانيـة تشمل تقديرات الإيرادات والمصروفات لفترة مالية مقدارها سنتين تقويميتين متتاليتين، على أن تبدأ بسنة زوجيـة، ويعـبر عـن هـذه الميزانيـة بالـدولار الأمـريكي[3]. بيـنما تعـد موازنـة الايسيسكو لمدة ثلاث سنوات ويعمل بها لكل سنة ابتداءً من أول شهر يناير إلى أخر شـهر ديسمبر من السنة نفسها[4]. ويعرف النظام المالي لهذه الأخيرة، الموازنة: بأنها البرنـامج المـالي للمنظمة، لثلاث سنوات، حيث تتضمن كل النفقات والإيـرادات الخاصـة بمختلـف نشـاط المنظمة، مقدره بالدولار الأمريكي[5].

(1) انظر: د. مصطفى أحمد فواد، المنظمات الدولية، النظرية العامة، مرجع سابق ص156 بتصرف.

(2) انظر: م9 فقرة (2) من دستور الالكسو نفس المرجع السابق ص32.

(3) انظر: المواد (م2 ، م3 الفقرة (3، 2) من النظام المـالي لليونسـكو في مرجـع النصـوص الأساسـية 2004م مرجـع سـابق ص105.

(4) انظر: م16 من ميثاق الايسيسكو مرجع سابق ص19.

(5) انظر: المواد (1، 2، 5) من النظام المالي للايسيسكو في مرجـع ميثـاق الايسيسـكو وأنظمتهـا ولوائحهـا الداخليـة لعـام 2005م مرجع سابق ص85.

ويأتي النظام المالي والمحاسبي الموحد - على العكس من دستور الالكسو - ليعرف الموازنة: بأنها الوثيقة المعبرة عن الجانب المالي لتنفيذ خطة المنظمة وأهدافها لسنة مالية، بحيث تتضمن الموارد الممولة للمنظمة والتخصيصات المعتمدة لمواجهة متطلبات تنفيذ خططها وأهدافها[1]. إلا أن الالكسو مع ذلك، وطبقاً لدستورها، تعد ميزانيتها لفترة عامين، مقدره بالدولار الأمريكي، مثلها في ذلك مثل اليونسكو تماماً[2]. وبالرغم من أن الكثير من المنظمات الدولية، ومنها جامعة الدول العربية، ومنظمة المؤتمر الإسلامي، والأمم المتحدة[3]. أنما تستخدم هذه المنظمات لفظ ميزانية، بعكس الايسيسكو، وعلى العكس أيضاً من النظام المالي والمحاسبي الموحد، فعلى أي من اللفظين سنعتمد في حديثنا ضمن سياق هذا المطلب وخلافة من المواضيع التي ستتطرق لمشاريع (الميزانيات أو الموازنات) وكذا مشاريع الخطط المالية بشكل عام؟ وللإجابة عن هذا التساؤل أقول: إن بعض أساتذة المحاسبة يفرقون بين اللفظين، على اعتبار أن الموازنة تشتمل على تقدير كافة المصروفات والإيرادات عن سنة مقبلة، في حين أن الميزانية هي: بمثابة عرض لمصادر الأموال واستخداماتها لدى شركة أو مؤسسة، أو

---

(1) انظر: م2 فقرة (ز) من النظام المالي والمحاسبي الموحد للمنظمات العربية المتخصصة (المعدل) مايو 2001م مرجع سابق ص11.

- وبحسب الفقرة (ح) فإن السنة المالية: هي المدة التي تنفذ خلالها الموازنة وتبدأ في أول يناير من كل سنة وتنتهي في 31 ديسمبر من نفس السنة.

(2) انظر: مشاريع الميزانية والبرنامج للفترات المالية (1999م - 2000م) ، (2001م - 2002م) إصدارات الالكسو للأعوام 1998م، 2000م بالترتيب.

(3) انظر: المواد (13، 7، 17) من مواثيق الجامعة العربية، المؤتمر الإسلامي، الأمم المتحدة، بالترتيب.

منظمة، أو أيه هيئه أخرى، وأن غرضها إنما يتمثل في بيان المركز المالي لهذه الهيئات نهاية كل سنة مالية[1]. مما سبق يتضح أن الموازنة، إنما يتم وضعها في بداية الفترة المالية ومبالغها تقديرية وتخص فترة مالية مقبلة، أما الميزانية فإن وضعها لا يتم إلا في أخر الفترة المالية بغرض إظهار المركز المالي الحقيقي، لما تم صرفة من نفقات وما تم تحصيله من إيرادات خلال تلك الفترة المنصرمة، وعليه فإن وضع كل من المنظمات اليونسكو والالكسو كلمة مشروع على ميزانياتهما وبرامجهما أثناء فترة الإعداد، مع إزالة كلمة مشروع بعد المصادقة عليها من قبل مؤتمراتهما العامة، فإن هذا الإجراء في تقديري لا يكفي، لأن هذه الميزانيات وإن تم اعتمادها من قبل تلك المؤتمرات، إلا إنها مع ذلك لازالت مبالغها ليست فعلية، بل تقديرية ولفترات مالية مقبلة، بعكس الايسيسكو تماماً. ذلك أن هذه الأخيرة محقة من وجهه نظري، ذلك أنها تعد مشاريع الخطط والموازنات، وعند اعتمادها من قبل مؤتمراتها العامة، تحذف كلمة مشروع فقط بينما يبقى لفظ الخطة والموازنة قائماً، إذ لا زالت مبالغها تقديرية لفترات مقبلة، وعلى ذلك فإني أرجح استخدام لفظ موازنة بشكل عام، إلا أني مع ذلك سأكون مضطر لاستخدام اللفظ الأخر(ميزانية) وكلما كان ذلك ممكناً بالأخص مع المنظمتين اليونسكو والالكسو.

---

(1) انظر د. حسن أحمد غلاب، والأستاذ. محمد باكحيل، دراسات في التنظيم المالي والمحاسبي الموحد، المعهد القومي للإدارة العامة صنعاء الجزء الأول، شركة دار التنوير للطباعة والنشر بيروت لبنان عام 1985م ص 544.

- كذلك انظر د. محمد لطفي حسونة، د. أحمد عمر باشموس، الحسابات الحكومية والقومية في الجمهورية العربية اليمنية (سابقاً) دراسة نظرية تطبيقية، جامعة صنعاء، كلية التجارة والاقتصاد، مطابع الأهرام التجارية، القاهرة عام 1982 ص75.

الجدير بالذكر أن موازنات هذه المنظمات المتخصصة - مثل موازنات سائر المنظمات الدولية - تنقسم إلى أبواب وفصول وأقسام، وبنود رئيسية وفرعية حسب مقتضيات الأمور، كما قد تلحق بهذه الموازنات الملاحق التفسيرية والبيانات التفصيلية التي قد تطلبها مؤتمراتها العامة، أو ما قد يراه مدراء عموم هذه المنظمات مفيداً وضرورياً من تلك الملاحق والمذكرات[1]. وعلى سبيل المثال لا الحصر ـ فإننا نجد أن الميزانية المعتمدة لليونسكو خلال الفترة المالية 2004م - 2005م تشتمل على أربعة أبواب، خصصت، للسياسة العامة والإدارة، البرامج ومرافق خدمة البرنامج، ومساندة تنفيذ البرنامج والإدارة، وكذا الزيادة المتوقعة في التكاليف، وبلغت جملة الاعتمادات للفترة المالية المذكورة (610.000.000 دولار)، والموارد الخارجة عن الميزانية (234.497.800 دولار) لتبلغ بذلك إجمالي موارد الفترة المالية المذكورة مبلغ (853.497.800 دولار)[2]. بينما تشتمل الجداول الإجمالية لميزانية الالكسو للفترة المالية 2005م - 2006م على ثمانية أبواب، خصصت، لنفقات الأفراد العاملين، ومصروفات السفر والتنقلات، والمستلزمات الخدمية، والمستلزمات السلعية، والمصروفات الرأسمالية، ونفقات اجتماعات المجالس الرئيسية، والأنشطة والبرامج، والالتزامات العربية، و بلغ إجمالي ميزانية الدورة (17.000.000 مليون

[1] انظر المواد (م3 الفقرة (3.3) ، (م4 ، م6) من الأنظمة المالية لليونسكو والايسيسكو نفس المراجع السابقة ص 105، (86.85) بالترتيب.

[2] انظر: البرنامج والميزانية 2004م - 2005م المعتمد من المؤتمر العام لليونسكو في دورته الاعتيادية (32) إصدارات اليونسكو باريس لعام 2003 ص19.

- وحسب هذا المرجع فإن الموارد الخارجة عن الميزانية عبارة عن الأموال الواردة بالفعل أو التي توجد تعهدات ثابتة بتقديمها.

دولار) من هذا المبلغ مليون دولار عبارة عن تمويل ذاتي ينبغي على المنظمة تدبيره خلال الفترة المالية من مصادر خارجه عن الميزانية العادية[1]. ويشمل الملخص العام للموازنة الثلاثية للايسيسكو للدورة المالية 2004م - 2006م على عدد ثلاثة فصول، تتعلق بالسياسة العامة، والبرامج وأنشطة الدعم، والبرامج المشتركة، وقد بلغ إجمالي موازنة هذه الفترة المالية مبلغ (41.100.453 دولار) إلا أنه لم يوضح في هذه الموازنة

(1) انظر: الميزانية والبرنامج لعامي 2005م - 2006م المقر من المؤتمر العام في دورته العادية (17) إصدارات الالكسو تونس، ديسمبر 2004م ص 9، 10، 11، 14.

- وحسب هذا المرجع فإنه طبقاً لقرار المجلس الاقتصادي والاجتماعي رقم 1533 الصادر في دورته العادية (74) في شهر سبتمبر 2004م باعتماد موازنة المنظمة للدورة المالية المذكورة، بمبلغ 8.5 مليون دولار لكل عام منها 8 مليون دولار من مساهمات الدول الأعضاء، ومبلغ 500 ألف دولار تمويلاً ذاتياً وعليه فإن تمويل ميزانية المنظمة للدورة المالية المذكورة يتكون من: أ- مساهمات الدول الأعضاء ب- التمويل الذاتي للمنظمة. حيث قامت المنظمة بعقد العديد من الاتفاقيات مع جهات خارجية تساهم فيها تلك الجهات في تنفيذ بعض مشروعات وبرامج المنظمة للدورة المذكورة، بمبلغ 899.000 دولار، وجاري التباحث مع عدد من المؤسسات والمنظمات العربية والدولية والإقليمية بشأن عقد اتفاقات لتمويل مشروعات المنظمة للدورة المالية المذكورة ص 9،10.

- ويقضي النظام المالي والمحاسبي الموحد، في مادته (8) فقرة (هـ) بأن تصنف مجموعة حسابات الموارد (الإيرادات) في الموازنة إلى ستة أبواب، تخصص بالترتيب لمساهمات الدول الأعضاء، وعوائد الاستثمار، وعوائد النشاط المباشر، والهبات والوصايا والتبرعات، والموارد الرأسمالية، وموارد أخرى متفرقة.

- انظر بهذا الخصوص: النظام المالي والمحاسبي الموحد المعدل لعام 2001م مرجع سابق ص 19 - 21.

- كذلك فإن دستور الالكسو قضى بأن موارد المنظمة يتكون من مساهمات الدول الأعضاء، ومن الحساب الخاص الذي يتكون من الهبات والتبرعات.

- انظر بهذا الخصوص: م9 الفقرات (أ،ب) من دستور الالكسو مرجع سابق ص32.

المبلغ المقرر تحصيله من مساهمات الدول الأعضاء، ونسب التحصيل المقـررة عـلى كل دوله عضو، كما أنه لم يتم التطرق كذلك لذكر المصادر المختلفة للإيرادات الخارجة عن الموازنة وهو ما كان ينبغي إظهاره ضمن الجدول الإجمالي لميزانية الـدورة الماليـة السـالفة الذكر، وعليه فإن الايسيسكو بهذه الموازنة الثلاثية، تكون حتى على العكـس مـن موازنتهـا السابقة (2001م - 2003م)[1]. وعل العكس مما هو متبع في ميزانيـات المـنظمات الموازيـة لها، وتظهر الجداول الإجمالية، لموازنات المنظمات اليونسكو، الالكسـو، الايسيسـكو، خـلال الفترات المالية المذكورة بعالية

(موضوع المقارنة) ولكل منظمة على حده وكما يلي:-

(1) انظر بهذا الخصوص الأتي:

الخطة والموازنة للدورة المالية2004م - 2006م المقرة في الدورة الثامنة للمؤتمر العام للايسيسكو المنعقد في طهران في الفترة من 27 - 29 ديسمبر 2003م ص7.

- وبحسب هذا المرجع فإننا نجد أن من ضمن قرار مصادقه المؤتمر العام على مشروع الخطة والموازنة الفقرة الثالثـة من القرار التي تنص على دعوة الدول الأعضاء إلى دفع مساهماتها كاملة في هذه الخطة، مع دعوة المـدير العـام إلى مواصله جهوده لتحصيل الموارد المالية من خارج الموازنة، وذلك لتنفيذ أكبر جزء من خطة العمل المقرة. القرار رقـم: م. ع 2003/8/ق 5،1 ص2.

الخطة والموازنة للدورة المالية 2001م - 2003م المقر من المؤتمر العام للايسيسـكو في دورتـه (7) في الفـترة مـن 22 - 24 نوفمبر 2000م بالعاصمة المغربية الرباط ص 310،6.

- وحسب هذا المرجع فإن مساهمة الدول الأعضاء في موازنة الايسيسكو في هذه الـدورة الماليـة تبلـغ (38.585.166 دولار) ص310.

- كذلك فإن الموارد الخارجة عن الموازنة تبلغ في حدود (15) مليون دولار، وذلك في ضـوء التزامـات جهـات التعـاون ووعودها نفس المرجع ص8.

الملخص العام لميزانية اليونسكو للدورة المالية 2004م - 2005م[1]

الأبواب	الميزانية العادية				الموارد الخارجة عن الميزانية	إجمالي موارد الدورة المالية 2004 - 2005 دولار
	الموظفون دولار	الأنشطة دولار	تكاليف البرامج غير المباشرة دولار	إجمالي الاعتمادات 2004 - 2005		
الباب الأول: السياسة العامة والإدارة ألف- الهيئتان الرئاسيتان باء: الإدارة جيم: الإسهام في الأجهزة المشتركة لمنظومة الأمم المتحدة	2071000 15777200 -	12023000 2601500 3579500	- - -	14094000 18378700 3579500	305800 753000 -	14399800 19131700 3579500
مجموع	17848200	18204000	-	36052200	1058800	37111000

(1) انظر: البرنامج والميزانية المعتمدان 2004م - 2005م إصدارات اليونسكو باريس لعام 2003م مرجع سابق ص19.

						الباب الأول
						الباب الثاني: البرامج ومرافق خدمه البرنامج
5544000	220844900	331595100	1560600	148244100	181790400	ألف: البرنامج
23000000	-	23000000	-	23000000	-	بـأء: برنـامج المساهمه
36002500	4577200	31425300	-	8220500	23204800	جـيم: مرافـق خدمه البرنامج
611442500	225422100	386020400	1560600	179464600	204995200	مجموع البـاب الثاني
						البـاب الثالـث: مسانده تنفيـذ البرنــامج والإدارة ألــف: إدارة وتنسـيق الوحدات
1851100	-	18511000	14107100	531600	3872300	
25962000	2768000	23194000	-	4350300	18843700	
31089300	289000	30800300	-	15302100	15498200	
14124700	13959900	100164800	-	33875900	66288900	

527

						الميدانية باء: العلاقـات الخارجيــــــة والتعاون جـــــيم: إدارة الموارد البشرية دال: إدارة مبـــــاني المقر وصيانتها وتجديدها
189687000	17016900	172670100	14107100	54059900	104503100	مجموع البـاب الثالث
838240500 1500000 13757300	243497800 - -	594742700 1500000 13757300	15667700 - -	251728500 - 6569900	327346500 1500000 7187400	مجموع الأبواب من الأول إلى الثالث احتيـــــاطي لاعاده تصنيف الوظائف البـــاب الرابع: الزيادة المتوقعة

528

في التكاليف						
مجموع الأبواب من الأول إلى الرابع	336033900	258298400	15667700	610000000	243497800	853497800

إجمالي ميزانية الدورة المالية 2005م - 2006م لمنظمة الالكسو[1]

البيان	اعتمادات 2003 - 2004	اعتمادات الدورة المالية		اجمالي	ايرادات 2005 - 2006
		2005	2006		
الباب الأول: نفقات الأفراد العاملين	7675078	3524866	3524491	7049357	- مساهمات الدول الأعضاء 16000000
الباب الثاني: مصروفات سفر وتنقلات	120000	60000	60000	120000	- التمويل الذاتي 89900
الباب الثالث: المستلزمات الخدمية	630250	300479	301129	601608	
الباب الرابع: المستلزمات السلعية	418750	158375	158375	316750	
الباب الخامس: المصروفات الرأسمالية	269000	56500	95250	151750	
الباب السادس: المجالس الرئيسية	106300	21300	85000	106300	
الباب السابع: الأنشطة والبرامج	7530622	4253480	4150755	8404235	
الباب الثامن: التزامات عربية	250000	125000	12000	250000	
إجمالي	17000000	8500000	8500000	17000000	16899000

(1) انظر: الميزانية والبرنامج لعامي 2005م - 2006م إصدارات الالكسو تونس ديسمبر 2004م مرجع سابق ص14.

الملخص العام للموازنة الثلاثية للايسيسكو 2004 - 2006م[1]:

(1) الفصل الأول: السياسة العامه	(2) مبالغ الموازنة بالدولار	(3) النسبه	(4) الانشطة	(5) رواتـــــــب وتعويضات الموظفين	(6) المـــــوارد الخارجـه عـن الموازنه	مساهمات الدول الاعضاء
الدورة التاسعه للمؤتمر العام	65000	58،1	472000	178000	-	
اجتماعات المجلس التنفيذي	600000	46،1	525000	75000	-	
اجتماعات لجنه المراقبه المالية	25000	61،0	250000	-	-	
مكتب المدير العام والدراسات والانشطة	1300000	16،3	170000	1130000	-	
مكتب المدير العام المساعد	601100	46،1	-	601100	-	
امانه المؤتمر العام والمجلس التنفيذي	250000	61،0	20390	229610		
المجموع	3651100	88،8	1437390	2213710	-	
الفصل الثاني: البرامج وأنشطه الدعم						
برامج التربية	8310000	22،20	7018000	1292000	5800000	
برامج العالوم	7418500	05،18	6722750	695750	1955000	
برامج الثقافة والاتصال	7330770	84،17	6280000	1050770	1660000	
برامج العلاقات الخارجية والتعاون والقدس وسرايفو	4804000	69،11	4232630	571370	1315000	
برنامج مركز المعلومات والتوثيق	2557000	22،6	1284500	1272500	950000	
برامج التخطيط والدراسات والتقييم	700200	70،1	334000	366200	-	
برامج الصحافه	710073	72،1	446425	263648	-	
برامج الترجمه	512000	25،1	144870	367130	-	
برامج المنح الدراسيه	400000	97،0	400000	-	-	
البرامج العامه المشتركه بين المديريات	-	-	-	-	-	
المجموع	32742543	66،79	26863175	5879368	11680000	
الفصل الثالث: البرامج المشتركة						
التسيير	1517210	70،3	1517210	-	-	
التجهيزات	1025600	50،2	1025600	-	-	
تبادل الخبرات	39000	09،0	39000	-	-	
نفقات الموظفين الاداريين	2125000	17،5	-	212500	-	
المجموع	4706810	45،11	2581810	2125000	-	

(1) انظر: الخطة والموازنة 2004م - 2006م إصدارات الايسيسكو، مرجع سابق ص7.

- مع ملاحظة أن الخانات رقم (1، 2، 3) هي المعدة فقط من قبل المنظمة كملخص عام للموازنة الثلاثية.

- أما الخانات رقم (4، 5، 6) فهي من عمل الباحث، وذلك بهدف الفصل بين الأنشطة والبرامج، وبين رواتب وتعويضات الموظفين انظر بهذا الخصوص نفس المرجع الصفحات 102، 330، 332، 342، 343، 341.

	11680000	10218078	30882375	%100	41100453	المجموع العام

ومما يلاحظ على موازنات هذه المنظمات المتخصصة، من خلال تلك الجداول الإجمالية لموازناتها خلال الفترات المالية الخاصة بكل منها الآتي:-
من حيث الشكل العام للموازنات.

نلاحظ أن موازنة اليونسكو والايسيسكو قد خصصت كل منها باب أو فصل مستقل خاص بالمبالغ المقدرة خلال الفترة المالية لتنفيذ السياسة العامة، المتعلقة بالهيئتين الرئاسيتين (المؤتمر العام والمجلس التنفيذية) وكذا نشاط الإدارة العليا المتعلقة بالمدراء العامين ونوابهم ومساعديهم، كما هو موضح في تلك الموازنات، في حين أن ميزانية الالكسو لم تظهر إلا اعتمادات المجالس الرئيسية فقط في الباب السادس، أما نشاط الإدارة، فهو متداخل مع معظم تلك الأبواب، وعلى أيه حال فإن ميزانية هذه الأخيرة، إنما تشبه والى حد ما الميزانيات التي تعدها معظم الدول، وبالأخص الدول العربية، وذلك فيما يتعلق بأبواب الاعتمادات وبالتحديد من الباب الأول إلى الباب الخامس، على العكس من ميزانيات المنظمات الموازية لها، فهناك تشابه وإلى حد ما بين موازنة اليونسكو والايسيسكو فيما يتعلق بالتبويب العام، مع جود خلافات بسيطة بينهما وبهذا الخصوص نجد أن ميزانية اليونسكو قد خصصت الباب الثاني ليشمل البرامج الرئيسية وبرنامج المساهمة، ومرافق خدمة البرنامج، بينما خصصت الباب الثالث للأنشطة المتعلقة بمساندة تنفيذ البرنامج، في حين أن موازنة الايسيسكو قد إشتملت

على أنشطة البرامج الرئيسية وأيضا على أنشطة الـدعم ضـمن الفصـل الثاني، وعـلى العكس من ذلك نجد أن ميزانية الالكسو في هذا الجانب ربما كانت الأفضل من المـنظمات الموازية، ذلك أنها خصصت الباب السابع بالكامـل للأنشـطة والـبرامج بشكـل عـام، بيـنما خصصت الايسيسكو الفصـل الثالـث مـن موازنتها للـبرامج المشـتركة المتعلقـة بالتسـيير والتجهيز، وتبادل الخبرات، ونفقات الموظفين الإداريين، وهذه البنود نجد بعض مـا يقابلها في الباب الثالث والرابع من ميزانية اليونسكو، بينما يقابلها في ميزانية الالكسو والى حد ما، ما تتضمنه الأبواب من الأول إلى الخامس. كذلك فإن موازنة الايسيسكو - بعكس ميزانيات المنظمات الموازية لها - تطرقت لتحديد النسب المئوية الخاصة بكل بنـد مـن بنـود مبـالغ الموازنة، مقارنة بالمبلغ الاجمالي، وهذه ربما تكون ميزة قد انفردت بها هذه المنظمة - مـع افتراض الدقة في احتساب تلك النسب - إذ عن طريق معرفة مثل هذه النسب، فإنه يمكن إجراء المقارنات والمقاربات اللازمة لبنود الموازنة بحسب الأهمية التي تشكلها كـل منهـا، سواء أكان ذلك لفائدة راسمي السياسة العامة، أو حتى لجهات التقييم والمراقبة الداخليـة والخارجية، كذلك فإن ميزانية اليونسكو تمتاز، بما اشتملت عليه بنود الميزانية العاديـة مـن تخصيص عمود لتكاليف الموظفين، وأخر للأنشطة وعلى مستوى كل بند من بنود الميزانية، مثل ما هو عليه واقع الحال كذلك بالنسبة لبنود الموارد الخارجـة عـن الميزانية، وإجمالي موارد الفترة المالية. أما الملخص العام لموازنة الايسيسكو كما أعدته المنظمـة والمكون مـن الثلاثة الأعمـدة الأولى، فإنها لم تظهر إلا المبالغ الإجمالية المتعلقـة بكل بنـد مـن بنـود الموازنة، ونسبة ذلك كما أسلفنا، الا أن هذه الأخيرة مع ذلك قد سارت على نفس النـهج - تقريباً - مما سارت عليه

532

ميزانية اليونسكو، حيث تضمنت موازنة الايسيسكو ضمن بنود موازناتها الفرعية الملحقة وعلى مستوى بعض البنود، الفصل بين الأنشطة من جهه، والرواتب وتعويضات الموظفين من جهة أخرى، علاوة على الموارد الخارجة عن الموازنة.

وهذا هو فعلاً ما تم عمله وأضافته من قبلنا، ليظهر ضمن الملخص العام للموازنة في الأعمدة من الرابع إلى السادس، مع ملاحظة أن إظهار هذه الأعمدة الأخيرة، بالأخص الرابع والخامس، من شأنها إعطاء نسب تفصيلية لكل بند من بنود الموازنة وهذا بدورة سيساعد على إجراء المقارنات مع المنظمات الموازية وكما سيتضح ذلك لاحقاً.

من حيث إمكانية إجراء المقارنات بين الموازنات الإجمالية

إن عملية إجراء المقارنات بين الموازنات الإجمالية لهذه المنظمات، يعتريها - دون شك - الكثير من العقبات، بدءاً بالفترات المالية التي تغطيها هذه الموازنات، علاه على ذلك فإنه لا يوجد تبويب نمطي موحد لأبواب وبنود تلك الموازنات، كما سبق أن بينا ذلك، إلا أننا مع ذلك سنحاول -قدر الإمكان - إبراز بعض المقارنات التي نرى أنها ضرورية لبعض أوجه تلك الموازنات وكما يلي:-

بلغ إجمالي الموازنات العادية، والموارد الخارجية لهذه المنظمات الثلاث خلال فتراتها المالية السالفة الذكر مبلغ (923177253 دولا)، خصص من هذا المبلغ للموازنات العادية مبلغ (667100453 دولار)، بنسبة 72.3% لتحتل بذلك الموارد الخارجة عن تلك الموازنات مبلغ (256076800 دولا) بنسبة 27.7%.

من إجمالي مبلغ الموازنات العادية، والموارد الخارجية للمنظمات نجد أن:-

اليونسكو تحتل بطبيعة الحال المرتبة الأولى خلال فترتها المالية (2 سنة) بمبلغ موازنة إجمالية قدرها (853497800 دولار) بنسبة 92.5%، شكلت ميزانيتها العادية من هذا المبلغ (610000000 دولار) بنسبة 71.5% بينما شكلت الموارد الخارجة عن الميزانية مبلغ (243497800 دولار) بنسبة 28.5%.

الايسيسكو تحتل المرتبة الثانية خلال فترتها المالية (3 سنوات) بمبلغ موازنة إجمالية قدرها (52780453 دولار) بنسبة 5.7%، شكلت موازنتها العادية من هذا المبغ (41100453 دولار) بنسبة 77.9%، بينما شكلت الموارد الخارجة عن الموازنة مبلغ (11680000 دولار) بنسبه 22.1%.

أما منظمة الالكسو خلال فترتها المالية (2 سنة) فقد جاءت في المرتبة الثالثة بمبلغ موازنة إجمالية (16899000 دولار) بنسبة 1.8% شكلت الميزانية العادية من هذه المبلغ (16000000 بنسبة)94.7%، بينما شكلت الموارد الخارجية مبلغ (899000 دولار) نسبة 5.3%.

من حيث مدى الثبات أو التغيير في موازنات هذه المنظمات

إن موازنات المنظمات اليونسكو، الالكسو، الايسيسكو خلال فتراتها المالية المتعاقبة كانت على النحو الاتي:-

فخلال الدورات المالية لليونسكو، منذ الدورة 1998م- 1999م، وحتى نهاية الدورة المالية 2006 - 2007م، حصل لميزانية هذه المنظمة ثلاثة تعديلات، فبينما نجد أنه خلال الثلاث الدورات المالية منذ عام 1998م وحتى نهاية عام 2003م ظلت الميزانية العادية للمنظمة ثابتة عند مبلغ (544367250 دولار)، إلا أن هذا المبلغ زاد بعد ذلك بمعدل 12.1%

تقريباً في الدورة المالية 2004م - 2005م، ليصل حجم المبلغ المعتمد للموازنة (610000000 دولار). وقد اقترح لزيادة هذا المبلغ بنسبة 4.1% تقريباً للدورة المالية 2006م - 2007م ليصل حجم المبلغ المراد اعتماده (635000000 دولار)[1].

أما موازنة الايسيسكو فإنه لم يحصل لها سوى تعديل واحد خلال دوراتها المالية منذ الدورة 1998م - 2000م وحتى نهاية الدورة المالية 2007م - 2009م، حيث ظلت موازنة المنظمة ثابتة للدورات المالية من عام 1998م وحتى نهاية عام 2003م وذلك عند مبلغ موازنة قدره (38585166 دولار) إلا أن هذا المبلغ زاد بمعدل6.5% اعتباراً من الدورة المالية 2004م - 2006م ليصل مبلغ موازنة الدورة إلى (41100453 دولار)، وقد ظل هذا المبلغ ثابتاً بعد ذلك إلى نهاية الدورة المالية 2007م - 2009م[2].

---

(1) انظر بهذا الخصوص:

- مشروع البرنامج والميزانية 2000م - 2001م إصدارات اليونسكو، باريس لعام 1999 صXXXIII.
- البرنامج والميزانية المعتمدان 2002م - 2003م إصدارات اليونسكو باريس لعام 2002م ص XXI.
- البرنامج والميزانية المعتمدان 2004م - 2005م مرجع سابق ص19.
- مشروع البرنامج والميزانية 2006م - 2007م إصدارات اليونسكو باريس لعام 2005م صXXI.

(2) انظر بهذا الخصوص

- الخطة والموازنة 1998م - 2000م المقرة من المؤتمر العام السادس الرياض ديسمبر عام 1997م مرجع سابق ص13.
- الخطة والموازنة 2001م - 2003م المقرة من المؤتمر العام السابع نوفمبر عام 2000

أما ميزانية الالكسو فعلى العكس من ميزانيات المنظمات الموازية لها، حيث اتسمت ميزانية هذه المنظمة بالثبات خلال فتراتها المالية منذ الدورة 1997م - 1998م وحتى نهاية الدورة المالية 2005م - 2006م[1].

وعلى العموم فإن المؤتمرات العامة لهذه للمنظمات المتخصصة إنما هي المعنية بالمصادقة على الخطط والموازنات التقديرية لهذه المنظمات، ويعتبر إقرار المؤتمرات العامة للموازنات بمثابة ترخيص لمدراء العموم في أي منها للارتباط بمصروفات وأداء مدفوعات للأغراض التي أقرت من أجلها الاعتمادات وفي حدود المبالغ المخصصة لذلك[2]. وعلى أيه حال

م مرجع سابق ص9.

- الخطة والموازنة 2004م - 2006م المقرة من المؤتمر العام الثامن ديسمبر 2003م مرجع سابق ص7.

- مشروع الخطة والموازنة 2007م - 2009م المقرة من المؤتمر العام التاسع ديسمبر 2006م مرجع سابق ص9.

(1) انظر بهذا الخصوص

مشروع الميزانية والبرنامج لعامي 1997م - 1998م المعروضة على المؤتمر العام الدورة (13) ديسمبر 1996م ص18.

مشروع الميزانية والبرنامج 1999م - 2000م المعروضة على المجلس التنفيذي الدورة (68) ديسمبر 1998م ص10.

مشروع الميزانية والبرنامج 2001م - 2002م المعروضة على المجلس التنفيذي الدورة (71) ابريل 2000م ص14.

مشروع الميزانية والبرنامج 2003م - 2004م المعروضة على المجلس التنفيذي الدورة (75) ابريل 2002م ص20.

الميزانية والبرنامج 2005م - 2006م مرجع سابق ص 14.

(2) انظر د. أحمد أبو الوفاء، جامعة الدول العربية كمنظمة دولية إقليمية، مرجع سابق ص528.

فإننا سنتطرق ضمن سياق هذا المطلب لذكر المصادر التي يستند إليها لإعداد خطط الموازنات، وكذا المراحل المختلفة الخاصة بإعداد مشاريع الخطط والموازنات وكما يلي:-

مصادر خطط موازنات المنظمات (اليونسكو، الالكسو، الايسيسكو)

تستند هذه المنظمات المتخصصة عند إعدادها الموازنات والبرامج التقديرية، خلال دوراتها المالية، على المواثيق المنشئة لكل منها، وعلى قرارات هيئاتها الرئاسية (المؤتمر العام، والمجلس التنفيذي) وعلى المشاورات التي يجريها مدراء العموم مع الدول الأعضاء، (علاوة على الأعضاء المنتسبين لليونسكو، والمنظمات الدولية الحكومية وغير الحكومية) كما تستند اليونسكو في إعداد ميزانياتها وبرامجها كل فترة عامين، وتحديدا خلال الفترة الواقعة بين الأعوام من 2002م - 2007م على الإستراتيجية متوسطة المدى،مثلها في ذلك مثل كل من الالكسو والايسيسكو، إذ تستند هذه الأخيرة كذلك عند إعدادها لخطط موازناتها الثلاثية، على الخطة متوسطه المدى 2001م - 2009م، بينما تستند الالكسو عند إعداد ميزانياتها عل خطه العمل المستقبلي للمنظمة 2005م - 2010م، كما تراعي كل من الالكسو والايسيسكو، قرارات مؤتمرات وزراء الثقافة، والتربية والتعليم، والتعليم العالي والبحث العلمي، وكذا الاستراتيجيات المقررة في كل منها حول التربية، والثقافة، والعلوم، والتكنولوجيا، علاوة على إستراتيجية العمل الثقافي الإسلامي في الغرب بالنسبة للايسيسكو، وتراعي هذه الأخيرة كذلك قرارات المؤتمرات الدولية وتوصياتها حول

انظر كذلك م9 الفقرات 2،1 و (م9 فقرة (2) ، (م11 فقرة (2) من مواثيق هذه المنظمات مراجع سابقة ص 18، 32، 15 بالترتيب.

البيئة، وقضايا السكان والتنمية الاجتماعية، وحقوق الطفل والمرأة، وعالمية المعرفة، والتعليم التقني والمهني، والتعليم العالي، والعلوم والتكنولوجيا والسياسات الثقافية، وكل هذه المواضيع هي كذلك تؤخذ في الحسبان عند إعداد برامج وميزانيات الالكسو، علاوة على توسيع مجال الاستشارة، والاستفادة من الخبراء ذوي الاختصاص في ميادين التربية والثقافة والعلوم والاتصال والإعلام في أي من هاتين الأخيرتين[1].

كذلك فإن اليونسكو تسترشد عند إعداد خططها وميزانياتها بالعديد من الأهداف والالتزامات الدولية، التي منها على سبيل المثال[2]. أهداف التعليم للجميع (دكار 2000م)، الأهداف الإنمائية للألفية، وخطة عمل عقد الأمم المتحدة لمحو الأمية (2003م - 2012م)، والخطة التنفيذية الدولية لعقد التعليم من أجل التنمية المستدامه (2005م / 2014م)، والعقد الدولي لثقافة السلام واللاعنف لأطفال العالم (2001م - 2010م)، والبرنامج العالمي

---

(1) انظر بهذا الخصوص الآتي:-
الميزانية والبرنامج للالكسو لعامي 2005م - 2006م مرجع سابق ص 8،7.
مشروع الميزانية والبرنامج الالكسو لعامي 2003م - 2004م مرجع سابق ص7.
الخطة والموازنة الايسيسكو 2001م - 2003م مرجع سابق ص 1، 2، 4.
مرشد عملي من أجل اللجان الوطنية لليونسكو طبعة 1996م مرجع سابق ص40.
د. بشير أحمد سعيد، وآخرون: ليبيا واليونسكو خمسون عاماً من التعاون مرجع سابق ص46.
مشروع الخطة المتوسطة المدى للايسيسكو للأعوام 2001م - 2009م، في مرجع المؤتمر العام الدورة (7) الرباط 22 - 24 نوفمبر 2000م (قرار م. ت 19 / 98 / ق 3.1 ص 2،1.

(2) انظر: مشروع البرنامج والميزانية اليونسكو 2006م - 2007م مرجع سابق ص 17، 79، 125، 155، 191.

للتربية في مجال حقوق الإنسان (المرحلة الأولى 2005م - 2007م)، والعقد الدولي للعمل (الماء من أجل الحياة (2005م - 2015م)، والإعلان العالمي لبرنامج عمل فيينا لحقوق الإنسان 1993م ، وتعزيز وحماية التنوع الثقافي العالمي (إعلان اليونسكو العالمي بشأن التنوع العالمي 2001م)، والاتفاقية الخاصة بشأن حماية الممتلكات الثقافية في حال قيام نزاع مسلح 1954م.

علاوة على ما سبق فإن أي من هذه المنظمات المتخصصة، قد تستأنس عند إعداد موازناتها القصيرة، أو المتوسطة المدى، بالوثائق المرجعية التي قد تعدها أي من هذه المنظمات، بالأخص ما تعده منظمة اليونسكو، اذ غالباً ما تستفيد من الوثائق المرجعية لهذه الأخيرة، كل من الالكسو، والايسيسكو في إعداد مشاريع خططهما وموازناتهما، وللتدليل على ذلك فإن هذه الأخيرة قد كلفت لجنة من الخبراء لإعداد الخطوط العريضة لمشروع خطة العمل الثلاثية 1998م - 2000م وكذا وضع التصور الأولى لمشروع الخطة متوسطة المدى للسنوات 2001م - 2009م، والعمل على مراجعة الخطة متوسطة المدى السابقة 1991م - 2000م بالاستئناس للوثائق المرجعية التي منها، إستراتيجية اليونسكو المتوسطة المدى 1996م - 2001م وكذا البرنامج والميزانية المعتمدان 1996م - 1997م[1].

مراحل إعداد مشاريع الخطط والموازنات التقديرية

تعد مشاريع الخطط والموزنات التقديرية للمنظمات اليونسكو، الالكسو، الايسيسكو لفترات مالية قصيرة وهي كما راينا إما أن تكون سنتان

---

(1) انظر: الخطوط العريضة لمشروع خطة العمل الثلاثية 1998م - 2000م، في مرجع المجلس التنفيذي للايسيسكو الدورة (17) الرباط ديسمبر 1996م ص3.

(اليونسكو، الالكسو) أو ثلاث سنوات (الايسيسكو) وأيضاً لفترات متوسطة المدى مقدارها تسع سنوات لهذه الاخيرة، وست سنوات لكل من المنظمتين الموازيتين لها، معنى ذلك أن الخطة الإستراتيجية المتوسطة المدى لاي من هذه المنظمات الثلاث إنما تحتوي على ثلاث دورات مالية قصيرة في كل منها، وكقاعدة عامة، فإنه لا بد أن يتزامن بداية العمل بالخطة المتوسطة المدى مع الموازنات المالية القصيرة في أولى دوراتهما، كذلك فإن أي من هذه الخطط المتوسطة المدى أو القصيرة إنما تخضعان أيضاً لنفس الإجراءات من حيث مراحل الإعداد وإجراءات التصديق وبالتزامن بينهما في بداية الأمر، ويتكرر نفس الإجراء بالنسبة للخطط المتوسطة المدى كل ست أو تسع سنوات، في حين أنه يتكرر بالنسبة للخطط والموازنات القصيرة كل فترة من فتراتها المالية (سنتان أو ثلاث)، إلا أنه وكما جرت العادة فإن أي من الموازنات القصيرة، أو المتوسطة المدى فإنه لا يتم البدء بإجراءات الإعداد لاي منها فور الانتهاء منهما، بل لا بد أن يبدأ الإعداد لكل منها منذ بداية تنفيذ الدورة المالية القصيرة السابقة التي جرى اعتمادها، ولتوضيح هذا الأمر بشكل عام، كان لابد من استعراض النصوص القانونية المنظمة لذلك، ومن ثم تتبع المراحل المختلفة التي تسلكها هذه المنظمات على أرض الواقع لإعداد مشاريع خططها وموازناتها القصيرة أو المتوسطة المدى ولكل منظمة على حده وكما يلي:-

النصوص القانونية المنظمة لإعداد مشاريع الخطط والموازنات

وبهذا الصدد فإننا نجد أن مواثيق هذه المنظمات المتخصصة وأنظمتها المالية، علاوة على بعض الأنظمة الداخلية الأخرى، قد تطرقت بشكل مجمل للخطوات الإجرائية الخاصة بإعداد مشايع الموازنات والبرامج،

وإجراءات التصديق عليها، حيث نجد أن مدراء العموم في هذه المنظمات يقومون بإعداد مشاريع الموازنات والبرامج للفترات المالية السالفة ذكرها، وعرضها على المجالس التنفيذية مصحوبة بتقديرات الموازنات الخاصة بذلك، ومن ثم فإن هذه المجالس تقوم بدراستها وإصدار التوصيات اللازمة بشأنها إلى المؤتمرات العامة لهذه المنظمات[1]. إلا أنه قبل انعقاد المؤتمرات العامة يقوم مدراء العموم، بإحاطة الدول أعضاء هذه المنظمات وكذا الأعضاء المنتسبون (في اليونسكو) بمشاريع هذه الموازنات بحيث تصلهم قبل افتتاح الدورة العادية للمؤتمر العام لليونسكو بثلاثة أشهر على الأقل، وقبل شهرين من موعد اجتماع المؤتمرات العامة في لكل من الالكسو والايسيسكو[2]. ويقضي النظام المالي لهذه الأخيرة، بأن مشروع الموازنة الذي يتم إرساله إلى الدول الأعضاء لا بد أن يكون مصحوباً بالمستندات الاثباتية والدراسات التحليلية لمبالغ النفقات مقارنة (بمبالغ السنة المالية المنصرمة) فهذه الفقرة الواقعة بين قوسين والتي وردت ضمن المادة (8) من النظام في رأي أنها غير ملائمة، لذا فإنه ينبغي تعديلها بحيث تصبح (بالمبالغ المنصرفة لدورة الميزانية السابقة) لأن مشروع الموازنة يعد لفترة ثلاث سنوات قادمة، ومقارنتها ينبغي أن تكون أيضاً للدورة السابقة كاملة،

---

(1) انظر المواد (م5 باء فقرة (6 - أ) ، م6 فقرة (3 - أ) ، (م 5 (ب) فقرة (1 - أ) ، م 6 فقرة (2)) ، (م12 ثانيا فقرة (3)) من مواثيق المنظمات مراجع سابقة ص (14 - 16) ، (29،27) ، (17) بالترتيب.

(2) انظر ((م 3 الفقرة (4،3)) ، ((م3 فقرة (ج)) ، (م 8) من الأنظمة المالية للمنظمات في مراجع النصوص الأساسية لليونسكو 2004م، والنظام المالي و المحاسبي الموحد 2001م، وميثاق الايسيسكو وأنظمتها ولوائحها 2005م مراجع سابقة ص 106، 15، 86 بالترتيب.

وليس لسنة مالية منصرمة[1].

مراحل إعداد مشاريع الخطط والموازنات

إن المتتبع لمراحل إعداد مشايع الخطط والموازنات الخاصة بهذه المنظمات سيجد أن الخطة المتوسطة المدى للايسيسكو المعتمدة للأعوام من 2001م - 2009م، وكذا خطتها المالية القصيرة (الخطة والموازنة) المعتمدة للأعوام (2001م - 2003م) أنه قد جرى البدأ بالأعداد لهاتين الخطتين منذ اعتماد مشروع خطة العمل و الموازنة الثلاثية السابقة (1998م - 2000م)، أي منذ عام 1997م، وذلك تنفيذاً لقرار المجلس التنفيذي في دورته (18) من العام نفسه الذي دعا بموجبه المدير العام إلى تشكيل لجنة من كبار العلماء من الدول الأعضاء لوضع الخطوط العريضة لمشروع الخطة متوسطة المدى السالفة الذكر[2]. وتنفيذاً لقرار المجلس التنفيذي في دورته (19) لعام 1998م الذي قضى بتوصية المدير العام بتوجيه الخطوط العريضة للخطة متوسطة المدى مع ملاحظات أعضاء المجلس الى جهات الاختصاص في الدول الأعضاء، لإبداء ملاحظاتها عليها واغنائها وإعادتها إلى الإدارة العامة خلال أربعة أشهر، كما أقر المجلس أيضاً تفويض المدير العام بتشكيل لجنة مكونة من سته خبراء

---

(1) تنص المادة (8) من النظام المالي للايسيسكو بأن (يبعث المدير العام إلى الدول الأعضاء قبل اجتماع المؤتمر العام بشهرين مشروع الموازنة بعد دراسته من المجلس التنفيذي، ويكون مصحوباً بالمستندات الاثباتية والدراسات التحليلية لمبالغ النفقات مقارنة بمبالغ السنة المالية المنصرمة).

(2) انظر: قرار المجلس التنفيذي رقم م. ت 18 / 7 9 19/ ق. 4. 3) في مرجع التقرير الختامي للمجلس التنفيذي في دورته (19) الرباط نوفمبر 1998م ص16.

يمثلون مختلف المناطق الجغرافية، لتقوم بدراسة ملاحظات الدول الأعضاء، وإعداد مشروع الخطة متوسطة المدى في صيغتها التي ستعرض على المجلس في دورتة العشرين، كما فوض المجلس التنفيذي المدير العام لإعداد الخطوط العريضة لمشروع الخطة والموازنة الثلاثية 2001م - 2003م إنطلاقاً من مشروع الخطة متوسطة المدى المعدلة[1] لعرضها على المجلس في دورته العشرين[2]. وقد قام المجلس خلال هذه الدورة الأخيرة عام 1999م بإعتماد مشروع الخطة متوسطو المدى للاعوام 2001م - 2009م، كما أقر توصية المؤتمر العام السابع للايسيسكو الذي سينعقد عام 2000م بإعتماد مشروع الخطة، كذلك أقر المجلس في هذه الدورة المصادقة على الخطوط العريضة لمشروع خطة العمل الثلاثية 2001م - 2003م مع الأخذ بعين الاعتبار ملاحظات أعضاء المجلس، كما أقر تفويض المدير العام بإتخاذ جميع الإجراءات اللازمة لإعداد مشروع خطة العمل الثلاثية السالف ذكرها، انطلاقاً من الخطوط العريضة لمشروع

(1) جرى مراجعه الخطة متوسطة المدى 1991م - 2000م وتم تعديلها عام 1996م، وذلك قبل إعداد الخطوط العريضة لمشروع خطه العمل الثلاثية (1998م - 2000م) وبهذا الصدد شكلت الإدارة العامة للايسيسكو لجنة من الخبراء تظم في عضويتها عدداً من المفكرين المسلمين والمتخصصين في قضايا التخطيط، بالاضافة الى لجنة خبراء من داخل المنظمة، حيث عكفت اللجنتان على مراجعة الخطتين المتوسطة المدى والثلاثية الانف ذكرهما، علاوة على ذلك فقد اسند لهذه اللجان البدء بإعداد التصورات الأولية لمشروع الخطة متوسطة المدى الجديدة للسنوات 2001م- 2009م. انظر بهذا الخصوص: الخطوط العريضة لمشروع خطة العمل الثلاثية 1998م - 2000م في مرجع المجلس التنفيذي للايسيسكو الدورة (17) الرباط 1 - 6 ديسمبر 1996م ص3.

(2) انظر: التقرير الختامي للمجلس التنفيذي الدورة (19) لعام 1998م نفس المرجع السابق ص 16،15.

الخطة المتوسطة المدى السالف ذكرها، على أن يتم عرض مشروع خطة العمل الثلاثية على الدورة (21) للمجلس التنفيذي[1]. وعلى العموم فإن المؤتمر العام للايسيسكو في دوته العادية السابعة عام 2000م، قام بالمصادقة على مشروع الخطة المتوسطة المدى للاعوام 2001م - 2009م مع الأخذ بعين الاعتبار الملاحظات التي أبداها أعضاء المؤتمر[2]. الجدير بالذكر أن المجلس التنفيذي في دورته (21) عام 2000م أقر اعتماد مشروع خطة العمل الثلاثية 2001م - 2003م، ووافق على رفعها إلى الدورة السابعة للمؤتمر العام للمصادقة عليها، إلا أننا نلاحظ بهذا الخصوص، أن مصادقه المؤتمر العام لم تكن صريحة، بل موافقة ضمنية كما يفهم من منطوق القرار، إذ شكر المؤتمر العام في بندة الأول من القرار المجلس التنفيذي على جهوده ومتابعته وعلى للجان التي شكلها لوضع الاسس العامة لمشروع الخطة والموازنة[3]. وهكذا تستمر دورة إعداد مشاريع الموازنات والخطط الثلاثية والمتوسطة المدى للمنظمة الاسلامية، إذ ينبغي أن يتم البدأ في إعداد مشروع الخطة والموازنة القادمة للاعوام

---

(1) انظر: التقرير الختامي للمجلس التنفيذي للايسيسكو الدورة (20) الرباط نوفمبر 1999م ص 18 - 20.

(2) انظر: التقرير الختامي للمؤتمر العام للايسيسكو الدورة (7) نوفمبر عام 2000م، المرفق رقم (9) ص2.

(3) انظر: التقرير الختامي للمؤتمر العام للايسيسكو الدورة (7) نفس المرجع السابق وبنفس المرفق ص5.
وحسب هذا المرجع: فقد تناولت الفقرة الثانية والثالثة من القرار، شكر المدير العام ومعاونية على مساهمتهم المتميزة في إعداد مشروع الخطة، مع الإشادة بالمنهجية الجديدة التي اتبعتها الإدارة العامة.

2004م - 2006م اعتباراً من عام 2001م أما الخطة متوسطة المدى الجديدة فسيتم الشروع والبدأ بالاعداد لها مطلع العام 2007م وهكذا.

أما منظمة اليونسكو فإننا سنتتبع بخصوصها كذلك الطريقة المتعلقة بكيفية إعداد مشروع الإستراتيجية المتوسطه المدى (م/4) للفترة من 1996م - 2001، وكذا ومشروع البرنامج والميزانية لعامي 1996م - 1997م (م/5)[1]، حيث يتزامن الشروع في إعدادهما جنباً إلى جنب منذ الانتهاء من الدورة السابعة والعشرين للمؤتمر العام، اذ لا يكاد الستار ينسدل على هذه الدورة حتى يبدء المدير العام في حث الأمانة العامة على الشروع في تحضير خلاصة للاستراتيجية المتوسطة الاجل التي سيجرى المصادقة عليها في الدورة (28) للمؤتمر العام (28م/4) وكذا الشروع في إعداد مشروع البرنامج والميزانية لعامي 1996م - 1997م لإقرارها في نفس الدورة القادمة للمؤتمر العام (28م/5) وبهذا الخصوص نجد أن المنظمة تقوم بإرسال خطابات دورية إلى الدول الأعضاء والأعضاء

---

(1) يطلق على وثائق المؤتمر العام لليونسكو الرموز الاتية:-

م / 1 جدول اعمال الدورة　　م / 2 تنظيم المؤتمر العام والجدول الزمني لاعمالة

م / 3 تقرير المدير العام　　م / 4 الاستراتيجية المتوسطة الأجل (المدى)

م / 5 مشروع البرنامج والميزانية　م / 6 توصيات المجلس التنفيذي

- أما 28 م / 4 (فإن الرقم 28 يطلق على تسلسل دورات انعقاد المؤتمر العام، م / 4 على الاستراتيجية المتوسطة الاجل.

28م /5 (مشروع البرنامج والميزانية المعروضان على الدورة (28) للمؤتمر العام لليونسكو لاعتمادة).

انظر بهذا الخصوص: مرشد عملي من أجل اللجان الوطنية لليونسكو لعام 1996م مرجع سابق ص116.

المنتسبين، والى المنظمات الدولية الحكومية وغير الحكومية من أجل تقصي- آرائها جميعاً قبل إعداد الوثيقتين (م/4 ، م/5)، في نفس الوقت تستأنف الأمانة العامة للمنظمة عملها فتشكل أفرقة عمل قطاعية أو مشتركة بين القطاعات وتقدم التقارير اللازمة بذلك، كما تقوم المنظمة بتنظيم العديد من المشاورات التي يجريها المدير العام مع اللجان الوطنية في المناطق الجغرافية الخمس الموزعة على أرجاء العالم وذلك من أجل الحصول على آرائها بشأن أسلوب عرض الوثيقتين (م/4 ، م/5) ومضمون كل منها، وتستمر الأمانة العامة بعملها حيث تقوم بجمع البيانات المحصلة من خلال الردود الكتابية التي وردتها من الدول، ومن مختلف المنظمات الدولية، ثم من خلال التقارير التي صدرت عن المشاورات، ومن ثم فإن المنظمة تقوم بإعداد مقترحات أولية، لإحاطة المجلس التنفيذي في دورته (145) علماً بتلك المقترحات حيث يعتمد المجلس بهذا الخصوص قراراً يتضمن خلاصة بموقفة من تلك المقترحات الأولية المقدمة من المدير العام بشأن مشايع الوثيقتين السالف ذكرهما وبعد ذلك يصدر المدير العام تعليماته بشأن إعداد مشروع الإستراتيجية المتوسطة الأجل 1996م - 2001م، (28م/4) ومشروع البرنامج والميزانية 1996م - 1997م (28م/5)، وتقدم هذه المشاريع للمجلس التنفيذي في دورته (146) لدراستها ومناقشتها بإسهاب، ومن ثم فإنه يقوم برفع توصياته بشأنهما إلى المؤتمر العام (الوثيقة 28م/6)، وتأتي المرحلة الأخيرة بانعقاد المؤتمر العام في دورته الاعتيادية (28)، حيث يقوم بتداول الرأي حول مشاريع الوثيقتين، ليقوم في نهاية الأمر بالمصادقة عليهما، وتحذف كلمة مشروع من كلا الوثيقتين لتصبحا (البرنامج والميزانية المعتمدان لعامي 1996م - 1997م، والإستراتيجية

المتوسطة الأجل (1996م - 2001م) وهكذا تؤدى هذه العملية كل سنتين بالنسبة للوثيقة (م/5) وكل ست سنوات بالنسبة للوثيقة (م/4) مع ملاحظة أن كل الخطوات الإجرائية السالف ذكرها، إنما تتم وفقاً لضوابط معينة وفي أزمنة محددة[1]. وتتشابه إلى حد كبير المراحل المختلفة لإعداد مشروع خطة عمل الالكسو المستقبلية (2005م - 2010م) و مشروع الميزانية والبرنامج للفترة المالية كل عامين، مع ما يعتمل في منظمة اليونسكو، وعليه فإننا سنتطرق لذكر المراحل المختلفة المتعلقة بإعداد مشروع الميزانية والبرنامج في الالكسو فقط، وبشكل عام، لأنه بنفس الكيفية كذلك يتم إعداد مشاريع خطط العمل المستقبلي للمنظمة، وعليه فإن إعداد مشروع الميزانية والبرنامج يبدأ - مثل المنظمات الموازية - مباشرة عقب إنتهاء المؤتمر العام، ففي دورة المجلس التنفيذي التي تعقد خلال شهري يوليو إلى أغسطس من السنة الأولى للدورة المالية، تتقدم المنظمة بوثيقة الإطار العام لمشروع الميزانية والبرنامج متضمنه التوجيهات الرئيسية والأولويات التي تقترحها في ضوء محاور وأهداف الخطة طويلة المدى والخطة متوسطة

---

(1) انظر:- مرشد عملي من أجل اللجان الوطنية لليونسكو نفس المرجع السابق ص 40 - 41.
كذلك انظر د. بشير أحمد سعيد، (وآخرون)، ليبيا واليونسكو خمسون عاماً من التعاون مرجع سابق ص 44 - 46.
وحسب هذا المرجع الأخير وبنفس الصفحات لاحظ الأزمنة المحددة لمراحل إعداد مشروع البرنامج والميزانية لعامي 2004م - 2005م.
انظر كذلك مشروع الخطة المتوسطة الأجل 1996م - 2001م ومشروع البرنامج والميزانية لعامي 1996م - 1997م المعروضتين أمام المؤتمرالسابع عشر للجان الوطنية العربية لليونسكو صنعاء 12 - 17 نوفمبر عام 1994 ص 1 - 27.

المدى للمنظمة[1]. وتعرض هذه الوثيقة قبل ذلك وخلال شهر مايو من السنة الأولى للدورة المالية على اللجان الوطنية لدراستها والتعرف على مدى استجابتها لمقترحاتها وأولويات احتياجاتها، ولا بد أن تتقدم اللجان الوطنية بملاحظاتها كتابه إلى المنظمة حتى يتم أخذها بعين الاعتبار أثناء مناقشة الوثيقة في المجلس التنفيذي، وبعد الانتهاء من الدورة الأولى للمجلس التنفيذي وحتى شهر فبراير من العام الثاني للدورة المالية، تقوم المنظمة بإعداد وثيقة مشروع الميزانية والبرنامج، على ضوء ما أبدته الدول من أراء وملاحظات، وما يصدر عن المجلس التنفيذي من توجيهات وقرارات، كما يمكن للدول الأعضاء خلال هذه الفترة التقدم بما تراه ضرورياً حتى يتم إدراجه ضمن مشروع الوثيقة[2]. ومن ثم فإن المنظمة تقوم بإعداد وثيقة ملحقة بمشروع الميزانية والبرنامج تضمنها المشروعات المقترحة من الدول وترتب هذه المشاريع وفق الأولويات المقرة من قبل المنظمة[3]. وفي

---

(1) يقضي النظام المالي والمحاسبي الموحد بأن تعد الإدارة العامة مشروع الموازنة على أساس البرامج والمشروعات والأنظمة والنفقات المشتركة المتممة لها وذلك في نطاق الأهداف الرئيسية للمنظمة باعتبارها الأداة المالية لتنفيذ السياسات والخطط المقرة من قبل الهيئة المختصة ويتم إعدادها على أساس المقاييس والأنماط والدراسات والإيضاحات التي تؤدي إلى تحقيق الأهداف المنشودة، مع تبرير رصد كل مبلغ من المبالغ المطلوب تخصيصها وأسباب الزيادة أو النقص عما كانت عليه في السنة السابقة.

انظر بهذا الخصوص: م3 فقرة (أ) من النظام المالي والمحاسبي الموحد مرجع سابق ص14.

(2) انظر بهذا دليل عمل اللجان الوطنية العربية للتربية والثقافة والعلوم الطبعة المعدلة مرجع سابق ص 61 - 63.

(3) انظر: دليل عمل اللجان الوطنية نفس المرجع السابق ص62 وبحسب المرجع فإن المشروعات المقترحة من الدول الأعضاء، ترتب وفق الأولويات الآتية:

الدورة الثانية للمجلس التنفيذي التي تنعقد في شهر ابريل من العام الثاني للدورة المالية يقوم المجلس بدراسة مشروع الميزانية والبرنامج بشكل مفصل، كما ينظر في المقترحات الواردة من الدول الاعضاء، وعلى ضوء توجيهات وملاحظات المجلس التنفيذي، وما يصدر عنه من قرارات، تعد المنظمة مشروع الميزانية والبرنامج بصيغتها النهائية، لتقوم بتقديمها أيضاً الى المجلس التنفيذي في دورة انعقاده الثالث خلال شهر ديسمبر من العام الثاني للدورة المالية للموافقة عليه، وعرضها على المؤتمر العام الذي ينعقد مباشرة بعد الانتهاء من هذه الدورة الاخيرة للمجلس، حيث يقوم المؤتمر بإحالة مشروع الميزانية والبرنامج مشفوعة بآراء وملاحظات المجلس الى لجان المؤتمر لدراستها وعرض تقاريرها بهذا الشأن إلى المؤتمر العام لاعتمادها، وتحذف كلمة مشروع بعد ذلك ليصبح الميزانية والبرنامج للدورة المالية المعنية[1].

وعلى العموم فإن قرارات المؤتمرات العامة لهذه للمنظمات المتخصصة، على مشاريع الموازنات والبرامج للفترات المالية القصيرة السالف ذكرها، إنما تعد ترخيصاً لمدراء العموم للارتباط بمصروفات واداء مدفوعات للأغراض التي أقرت من أجلها الاعتمادات وفي حدود المبالغ المخصصة لذلك، إلا أن النظام المالي لليونسكو مع ذلك، قد إشترط موافقة

مشروعات ذات طابع قومي، تمس اهتمامات الدول العربية، ولهذا النوع الأولوية الأولى.

مشروعات ذات طابع إقليمي، تمس اهتمام مجموعة من الدول العربية ولهذا النوع الأولوية الثانية.

مشروعات ذات طابع وطني، تمس اهتمام الدولة صاحبة الاقتراح، ولهذا النوع الأولوية الثالثة.

[1] إنظر دليل عمل اللجان الوطنية نفس المرجع السابق ص63.

المجلس التنفيذي عندما يتعلق الصرف بمنح اعانات أو تقديم مساعدات مالية إلى منظمات أخرى[1]. وكما هو معلوم فإن الاعتمادات المالية، إنما تستخدم لتغطية المصروفات أثناء تلك الفترة المالية المتعلقة بها طبقاً لقرار فتح الاعتمادات[2]. إلا أن السؤال الذي يتم اثارته هنا، هو أنه في حالة عدم تمكن أي من المؤتمرات العامة لهذه المنظمات المتخصصة، من التصديق على الموازنة الخاصة بأي منها قبل بداية الفترة المالية الجديدة، هل يحق لمدراء العموم في أي من هذه المنظمات البدء بتنفيذ مشاريع الموازنات الجديدة قبل اعتمادها من تلك المؤتمرات العامة؟ وللإجابة عن هذا التساؤل نقول بأن النظم المالية لهذه المنظمات تعطي الحق للمدراء العامين بها في تسيير أمور منظماتهم لفترات محددة حتى لا تتوقف حركة الحياة بها بسبب عدم اعتماد موازناتها المالية، ولذلك فإننا نجد أن النظام المالي لليونسكو يقضي بأن تظل الاعتمادات قابلة للاستعمال لمدة أثني عشر شهراً بعد نهاية الفترة المالية المتعلقة بها، وذلك بالقدر اللازم للوفاء بالالتزامات الخاصة بسلع وردت أو خدمات قدمت خلال الفترة المالية، ولتغطية أيه مصروفات أخرى ارتبطت بها المنظمة بصورة قانونية ولم تسدد بعد خلال الفترة المالية[3]. كذلك نجد أن النظم المالية لكل من الالكسو والايسيسكو تعطي مدراء العموم صلاحية إصدار قرارات أو تعليمات بالانفاق بنسب محددة، ولفترات متباينة

(1) انظر المواد: (م 4 فقرة (4،1)) ، (م15) من الأنظمة المالية لليونسكو والايسيسكو نفس المراجع السابق ص 89،106 بالترتيب.

(2) انظر م4 الفقرة (4،2) من النظام المالي لليونسكو المرجع سابق ص107.

(3) انظر م4 الفقرة (4،3) من النظام المالي لليونسكو المرجع السابق وبنفس الصفحة.

وكما يلي[1]:-

- بالنسبة للالكسو، فإنه يجري العمل بقرار من المدير العام، والى أن تقر الموازنة، الإنفاق شهرياً في حدود جزء من أثني عشر من إجمالي التخصيصات المعتمدة في ميزانية السنة المنصرمة باستثناء النفقات الرأسمالية، إلا أنه يجوز استمرار الصرف لهذا النوع الأخير من النفقات الملتزم بها في السنة المالية السابقة بموجب عقود تتجاوز مدة تنفيذها حدود السنة المالية التي تم التعاقد فيها.

- وبالمثل فإن المدير العام للايسيسكو يصدر تعليماته بالإنفاق بنسبة (1) إلى (12) من اعتمادات السنة المالية المنصرمة (باستثناء المبالغ المستحقة) وذلك لحين المصادقة على الموازنة من قبل المؤتمر العام، إلا أن النظام المالي للايسيسكو - بعكس نظام الالكسو - نجده يحدد موعد نهائي لانعقاد المؤتمر العام للمصادقة على مشروع الموازنة اذ يشترط بأن يعقد هذا الاجتماع في موعد لا يتجاوز نهاية شهر مارس من العام الأول للفترة الثلاثية الجديدة، وتكون الموازنة الثلاثية الموالية ذات اثر رجعي بدءاً من أول يناير، وطبقاً لمقتضيات للمادة (16) من ميثاق المنظمة.

وبناءاً على ما سبق، نجد أن النظام المالي للايسيسكو يتناغم والى حد ما مع النظم المالية للمنظمات الموازية - وبالأخص مع نظام الالكسو - إلا أننا مع ذلك نجد أن هذا النظام، من خلال ما ورد في المادة (15) فإنه فيما يبدو لي يتناقض مع منطوق المادة (17) من نفس النظام كما تطرقنا إليه أنفاً، كما يتناقض أيضاً مع نص المادة (16) من ميثاق المنظمة، اذ تنص

---

(1) انظر المواد (م6 الفقرات (أ ، ب))، (م17) من الأنظمة المالية للالكسو، والايسيسكو مراجع سابقة ص (16 - 17) ، 88 بالترتيب.

المادة (15) من النظام المـالي للايسيسـكو بـأن (تصـبح الموازنـة قابلـة للتنفيـذ بعـد مصادقة المؤتمر العام عليها وبمفعول رجعي إذا إقتضى الحال لمده ثـلاث سـنوات متتاليـة، وتبدأ كل سنة منهـا في (1) ينـاير وتنتهـي في (31) ديسـمبر) في حـين أن المـادة (16) مـن ميثاق المنظمة تنص على أن (تعد الموازنة لمده ثلاث سنوات ويعمل بها لكـل سـنة ابتـداء من أول شهر يناير إلى أخر شهر ديسمبر من السنة نفسها وتنفذ بعد إقرارهـا مـن المـؤتمر العام طبقاً لمقتضيات النظام المالي...)[1]. وعليـه فإنـه ينبغـي لإزالـة ذلـك التنـاقض، أن يـتم حذف المادة (15) من النظام المالي للايسيسكو لتعارضها مع المواد (16) من الميثـاق، وكـذا المادة (17) من النظام المالي للمنظمة.

وعلى العموم فإن اليونسكو - إعمالاً لميثاقها التأسيسي، وللاتفاق المعقودة بينها وبـين الأمم المتحدة - تتشاور مع هذه الأخيرة عند إعـداد ميزانيتهـا، وترسـل لهـا مشروع هـذه الميزانية في نفس الوقت الذي ترسل فيه هذا المشروع إلى أعضاء المنظمة، وتقوم الجمعيـة العامـة للأمـم المتحـدة بفحـص ميزانيـة المنظمـة أو مشروع الميزانيـة، ولهـا أن تقـدم إلى اليونسكو

(1) انظر المواد (16) ، (15) من كل من الميثاق والنظام المالي للايسيسكو، نفس المراجع السابقة ص 88،19 بالترتيب. وبحسب النظام المالي للايسيسكو فإن المادة (17) تنص بأنه ((أذا لم يتيسر للمؤتمر العام المصادقة على الموازنـة قبـل بداية الفترة الثلاثية الجديدة، يصدر المدير العام تعليماته بالإنفاق بنسبة 12/1 من اعتمادات السنة المالية المنصرمة (عدا المبالغ المستحقة) لحين المصادقة على الموازنة من قبل المؤتمر العام خـلال أول اجـتماع لـه عـلى أن يعقـد هـذا الاجتماع في موعد لا يتجاوز نهاية شهر مارس من العام الأول للفترة الثلاثية الجديدة، وتكون الموازنة الثلاثية المواليـة ذات أثر رجعي بدءاً من أول يناير طبقاً للمادة (16) من الميثاق)).

توصيات خاصة ببند أو أكثر من البنود المدرجة بها[1]. وقد سبق تناول هذا الموضوع بشئ من التفصيل عند التطرق لعلاقات المنظمات المتخصصة، بمنظماتها الأم، وبهذا نكون قد وصلنا الى نهاية المراحل الخاصة بطرق إعداد الموازنات التقديرية لهذه المنظمات المتخصصة، فماذا عن نفقاتها ومصادر تمويلها وهذا ما سيتم التطرق له ضمن المطالب الموالية وكما يلي.

المطلب الثاني

مصادر تمويل الموازنات في المنظمات

(اليونسكو، الالكسو، الايسيسكو)

إن المنظمات الدولية المتخصصة (اليونسكو، الالكسو، الايسيسكو) - مثل سائر المنظمات الدولية الأخرى - لا بد لها من إنفاق الأموال اللازمة لتحقيق الأهداف التي أنشئت من أجلها، إذ لا يتصور نجاح أي مشروع بصفة عامة، دون أن ترصد له مبالغ مالية يستطيع الإنفاق منها على أهدافه المنشودة[2]. وكما هو معلوم، فإن المورد الأساسي للمنظمات الدولية، هو ما يدفعه أعضاؤها من اشتراكات مالية يسهمون من خلال التزامهم بدفعها في تحقيق الغاية التي من أجلها ارتضوا الارتباط بالاتفاق المنشئ للمنظمة[3].

(1) انظر المواد م10 من الميثاق، م16 من الاتفاق المعقود بين اليونسكو والأمم المتحدة في مرجع النصوص الأساسية لليونسكو 2004م مرجع سابق ص (18)، (190 - 191).

(2) انظر: د. مصطفى أحمد فؤاد، المنظمات الدولية، النظرية العامة، مرجع سابق ص152 بتصرف.

(3) انظر: د. محمد سامي عبد الحميد، د. محمد السعيد الدقاق، التنظيم الدولي، دار المطبوعات الجامعية الإسكندرية مصر الجزء الأول، الجماعة الدولية، لعام 2002م ص309.

وهذا هو واقع الحال بالنسبة لمورد هذه المنظمات المتخصصة، إذ يتمثل المورد الرئيسي لأي منها من مساهمات الدول الأعضاء بها، إلا أنه عادة ما يثور البحث حول المعيار الذي يتم على أساسة توزيع الأعباء المالية بين الدول الأعضاء، وهذا المعيار بطبيعة الحال يختلف من منظمة لأخرى، ومن هذه المعايير أن يتم الدفع على أساس استعداد كل دولة للإسهام في نفقات المنظمة، وقد أخذت بهذا المعيار منظمة إتحاد البريد العالمي، ويوجد أيضاً معيار (المقدرة على الدفع) وهو معيار مركب يقوم أساساً على المقارنة بين الدخول القومية المختلفة للدول الأعضاء (متوسط الناتج القومي الصافي بأسعار السوق في ثلاث سنوات) مع مراعاة متوسط دخل الفرد وحصيلة الدولة من العملات الصعبة وما قد تتعرض له بعض الدول من أزمات وكوارث في بعض الفترات، ولعل هذا المعيار الأقرب إلى العدالة، وقد سارت عليه الأمم المتحدة وكثير من المنظمات المرتبطة بها[1]. وعلى العموم فإن أنصبة الدول الأعضاء في موازنات المنظمات (الالكسو، والايسيسكو) إنما يتحدد بنفس النسب التي تساهم بها كل منها في موازنات المنظمات الأم (جامعة الدول العربية، ومنظمة المؤتمر الإسلامي)، وذلك إلى أن يصدر المؤتمر العام للايسيسكو قراراً بتعديلها، وعلى أن تتحمل الدول الأعضاء في الالكسو كامل ميزانيتها، كما قضى بذلك دستورها، في حين أن المؤتمر العام لليونسكو هو من يحدد مقدار المساهمة المالية لكل

---

(1) انظر: بهذا الخصوص

- د. محمد سامي عبد الحميد، ومحمد الدقاق، نفس المرجع السابق وبنفس الصفحة.
- د. مصطفى أحمد فؤاد نفس المرجع السابق ص153.
- لمحات عن اليونسكو لعام 1974م مرجع سابق ص41.

دولة من الدول الأعضاء وبحسب جدول التوزيع الذي يضعه[1]. إلا أنه وكما جرت العادة في هذه الأخيرة فإن جدول توزيع اشتراكات الدول الأعضاء، إنما يتحدد دائماً على أساس أحدث جداول الاشتراكات التي تعتمدها الأمم المتحدة، مع تحديد حد أدنى، وحد أعلى لنسب هذه المساهمات، ومع الأخذ بعين الاعتبار إجراء التعديلات اللازمة وما قد تدعو الضرورة إلى إدخاله من تعديلات نتيجة لإختلاف العضوية بين المنظمتين[2]. علاوة على هذا المورد الرئيسي، فإن لهذه المنظمات المتخصصة موارد مالية أخرى، تتمثل في المساهمات الطوعية والهبات والوصايا والتبرعات والإعانات، حيث تقضي المواثيق المنشئة، وكذا الأنظمة المالية لأي من هذه المنظمات، بأنه يجوز لمدراء العموم أن يقبلوا المساهمات الطوعية والهبات والوصايا والتبرعات والمساعدات من الحكومات أو المؤسسات العامة أو الخاصة أو الجمعيات أو الأفراد، سواء كانت نقدية أو غير نقدية، بشرط أن تقدم لأغراض تتفق مع سياسات هذه المنظمات وأهدافها، وأوجه أنشطتها، ويشترط النظام المالي والمحاسبي الموحد بأنه ينبغي على المدير العام للالكسو بعد اتخاذ قراره بقبول التبرع أن يعرض الموضوع على الهيئة المختصة أو أيه جهة تخولها ذلك، وذلك في أولى جلسات انعقادها لتتخذ قرارها بهذا الشأن، وهذا هو واقع الحال بالنسبة للايسيسكو، إذ يشترط

---

(1) انظر: المواد (م9 فقرة (1) ، (م9 فقرة (1- أ) ، (م17 فقرة (1) من مواثيق المنظمات، مراجع سابقة ص 18، 32، 19 بالترتيب.

- كذلك انظر المواد (م 5 فقرة (1،5)، (م11)، (م9 فقرة (أ) من الأنظمة المالية للمنظمات مراجع سابقة ص 86،23،107 بالترتيب.

(2) انظر: مشروع البرنامج والميزانية لليونسكو 2000م - 2001م مرجع سابق ص XXII، د. اسكندر الديك مرجع سابق ص29.

موافقة المجلس التنفيذي وبأن يتم عرض الموضوع لاحقاً على المؤتمر العام، قصد الموافقة عليه أو إلغائه، في حين يشترط النظام المالي لليونسكو على المدير العام أن يطلب ترخيص المجلس التنفيذي، وذلك فيما يتعلق بقبول المساهمات الطوعية والهبات والوصايا والإعانات التي يترتب عليها بطريقة مباشرة أو غير مباشرة تحميل المنظمة إلتزامات مالية إضافية[1]. ويضيف النظام المالي لهذه الأخيرة، بأنه يجوز للمدير العام أن يتلقى مساهمات نقدية من الدول التي تشترك في بعض أنشطة البرنامج أو التي تفيد من بعض التسهيلات أو الخدمات التي تقدمها المنظمة، حتى وإن لم تكن من الدول الأعضاء أو الأعضاء المنتسبين، وعليه تقديم تقرير بذلك إلى المجلس التنفيذي[2]. كما أن من الموارد الأخرى لهذه المنظمات، الريع الناتج عن استثمار أموال الالكسو، والاستثمارات والممتلكات العقارية في الايسيسكو، وفوائد الاستثمارات باليونسكو[3]. علاوة على ما سبق فإن النظام المالي للالكسو يقضي بأن من الموارد أيضاً دخل المنظمة من خدماتها وأنشطتها الخاصة، والموارد الرأسمالية، وغير ذلك من الموارد المختلفة الأخرى[4]. وتعتبر الايسيسكو - بخلاف اليونسكو - أن من ضمن بنود

---

(1) انظر: المواد (م9 فقرة (3) ، (م9 فقرة (3) ، (م17 فقرة (3) من مواثيق المنظمات مراجع سابقة ص 19،32،18 بالترتيب.

- كذلك انظر: المواد (م 7 فقرة (3،7)، (م10 فقرة (د) ، م 14) ، (م9 فقرة (ج) من الأنظمة المالية للمنظمات مراجع سابقة ص110،(25،23) ، 86 بالترتيب.

(2) انظر: م7 الفقرة (5،7) من النظام المالي لليونسكو مرجع سابق ص110.

(3) انظر: المواد (م7 الفقرة (1،7 - د)، (م10 فقرة (ب) ، (9 فقرة (ج) من الأنظمة المالية لهذه المنظمات مراجع سابقة ص 86،23،109 بالترتيب.

(4) انظر: م10 الفقرات (جـ،هـ،و) من النظام المالي والمحاسبي الموحد، مرجع سابق

الموارد الممولة لموازناتها إنما يتمثل في الاعتمادات المتوفرة الناجمة عن نقل الرصيد المتبقي من السنة المالية المنصرمة[1]. في حين أن فائض الميزانية في اليونسكو والذي هو عبارة عن رصيد الاعتمادات الذي يتبقى غير مرتبط به في نهاية الفترة المالية، مضافاً إليه الوفورات المحققة لدى تصفية الالتزامات المرتبط بها والتي لم تسدد بعد في نهاية الفترة المالية، يوزع هذا الفائض بين الدول الأعضاء بنسبة الاشتراكات المقررة عليها عن نفس الفترة المالية، وذلك بعد أن تخصم منه الاشتراكات المستحقة على الدول الأعضاء والتي لم تدفع بعد عن الفترة المالية المذكورة، ويرد المبلغ الآيل على هذا النحو إلى كل دولة عضو إذا كانت هذه الدولة قد أدت الاشتراك المستحق عليها كاملاً عن الفترة المالية المعنية[2]. كذلك فإن الوفورات السنوية التي تنشأ لدى الالكسو نتيجة لزيادة الموارد، على النفقات لسنة معينة، وفقاً لنتيجة الحساب الختامي، فإن هذه الوفورات تعتبر مورداً من موارد المنظمة يتم إيداعها لدى الحساب الموحد في حساب الاحتياطي العام للمنظمة[3]. وبالرغم من أني أميل إلى الإجراءات المتخذة من قبل المنظمات (الايسيسكو والالكسو) بخصوص التعامل مع هذه الوفورات والاحتفاظ بها لمصلحة هاتين المنظمتين، عوضاً عن إعادتها إلى الدول الأعضاء - كما هو عليه الحال في اليونسكو - إلا أني مع ذلك، أرى أن

ص23.

[1] انظر: م9 فقرة (ب) من النظام المالي للايسيسكو مرجع سابق ص86.

[2] انظر: م7 الفقرة (1.7) (ب،ج) من النظام المالي لليونسكو مرجع سابق ص110.

[3] انظر: المواد (م5 الفقرة (9.5) ، (م 12) ، (م10) من الأنظمة المالية للمنظمات مراجع سابق ص 87،24،109 بالترتيب.

التعامل مع هذه الوفورات، وكأنها موارد جديدة أمر غير وارد، وذلك على اعتبار أنه قد سبق احتساب هذه الأموال في بداية السنة أو الفترة المالية، ضمن الإيرادات المحققة، ومعنى هذا أنه لا ينبغي التعامل مع أي وفورات محققة من هذه الموارد وكأنها موارد جديدة لفترة مالية قادمة، إذ أنه سيترتب على هذا الإجراء من وجهة نظري أنه سيؤدي إلى الازدواجية في حسبة هذه الموارد لفترتين متتاليتين، على أن الإجراء الذي أراه مناسباً، إظهار هذا الوفر - كما تظهره الحسابات الختامية - كرصيد افتتاحي لموارد السنة أو الفترة المالية الجديدة، وهو عبارة عن فائض الرصيد المنقول من السنة أو الفترة المالية المنصرمة.

وقبل أن نستعرض لمصادر التمويل الرئيسية، والمتمثلة في اشتراك الدول الأعضاء وكذا المصادر التمويلية الخارجة عن الموازنات، سنستعرض بداية للصناديق والاحتياطات والحسابات الخاصة التي تنشئها هذه المنظمات المتخصصة كما سنتطرق أيضاً لكيفية استثمار بعض الموارد في أي من هذه المنظمات وكما يلي:-

الصناديق والاحتياطيات والحسابات الخاصة التي تنشئها المنظمات المتخصصة

تنشئ المنظمات المتخصصة اليونسكو، الالكسو، الايسيسكو، العديد من الصناديق، والحسابات والاحتياطيات، وذلك بغرض تنظيم وإدارة العمليات المالية، صرفاً وإيراداً واستثماراً لما يمكن إستثمارة منها حيث ينشأ في اليونسكو صندوق عام، وصندوق لرأس المال العامل، كما يجوز إنشاء حسابات (خاصة، أو ودائع، أو إحتياطي) وحساب للإيرادات المتنوعة، ويمكن أن ينشأ بالالكسو نوعين من الاحتياطي (العام أو الخاص)،

وحسابات أو صناديق خاصة، وفي الايسيسكو يمكن فتح حساب احتياطي، وإحداث صناديق، وحساب للإيرادات المختلفة، وكل هذه الأمور إنما سيتم التطرق لها وبشيء من الإيجاز قدر الإمكان وكما يلي:-

الصندوق العام

ينشأ هذا الصندوق في اليونسكو وذلك بهدف مواجهة مصروفات المنظمة وتقيد لحساب الصندوق الاشتراكات التي تدفعها الدول الأعضاء، والإيرادات المتنوعة وأية سلف تؤخذ من رأس المال العامل لتمويل المصروفات العامة[1]. ويضيف النظام المالي بأنه (فيما عدا: أ- الاشتراكات التي تقدم للميزانية، ب- الاستردادات المباشرة لمصروفات دفعت أثناء الفترة المالية، ج- السلف أو الودائع في حسابات معينه، د- فوائد الاستثمارات باستثناء فوائد استثمارات رأس المال العامل، تعتبر جميع الإيرادات الأخرى، إيرادات متنوعة تضاف إلى الصندوق العام)[2]. على أنه عند حساب اشتراكات الدول الأعضاء، تسوى جملة الاعتمادات التي أقرها المؤتمر العام للفترة التالية، بالنظر إلى الاعتمادات الإضافية التي لم يسبق تحديد اشتراكات بشأنها، تحصل من الدول الأعضاء، كما تحصل الاشتراكات المستحقة على الأعضاء الجدد، وتنزل الإيرادات المتنوعة (التي لم يسبق أخذ حصيلتها في الحسبان عند إعداد التقديرات وكل تعديلات تطرأ على حصيلة الإيرادات المتنوعة التي أعدت لها تقديرات) من إجمالي

---

[1] انظر: م6 فقرة (1) من النظام المالي لليونسكو مرجع سابق ص109.
- كذلك انظر: مشروع البرنامج والميزانية لليونسكو 2000م - 2001م مرجع سابق ص447.
[2] انظر: م7 الفقرة (1.7) من النظام المالي لليونسكو مرجع سابق ص110.

الاعتمادات، من أجل تحديد الاشتراكات المطلوبة من الدول الأعضاء[1].

صندوق رأس المال العامل

ينشىء هذا الصندوق المؤتمر العام لليونسكو، بمبالغ ولأغراض يحددها من وقت لأخر، ويمول هذا الصندوق من السلف التي تقدمها الدول الأعضاء، والتي تحدد قيمتها طبقاً للجدول الذي يضعه المؤتمر العام لتوزيع مصروفات اليونسكو وتقيد هذه السلف لحساب الدول الأعضاء التي تقدمها، والهدف من إنشاء هذا الصندوق هو تقديم سلف إلى الصندوق العام لتغطية تمويل الاعتمادات المفتوحة للميزانية ولمواجهة النفقات ذات الطبيعة الاستثنائية أو الطارئة، وترد إلى هذا الصندوق السلف المأخوذة منه لتمويل اعتمادات الميزانية خلال الفترة المالية، وذلك بمجرد أن تتوافر الإيرادات التي يمكن استخدامها لهذا الغرض وبالقدر الذي تسمح به هذه الإيرادات[2]. كما ترد إلى هذا الصندوق أيضاً السلف المأخوذة منه لمواجهة المصروفات

---

(1) غير أن المؤتمر العام في دورته (28) قرر أن يجري على أساس تجريبي لمدة ست سنوات ابتداءاً من (1) يناير 1996 استخدام جميع الإيرادات المتنوعة، باستثناء تكاليف الدعم المقدمة من برنامج الأمم المتحدة الإنمائي (بامت) لأغراض مخطط الحفز الايجابي للتشجيع على المسارعة إلى تسديد الاشتراكات.

- انظر: بهذا الخصوص:
- مشروع البرنامج والميزانية 2000م - 2001م مرجع سابق صXX II.
- م5 فقرة (2،5) من النظام المالي لليونسكو مرجع سابق ص 107- 108.

(2) انظر: بهذا الخصوص

- المواد م5 الفقرة (1،5) ، (م6 الفقرات (2،3) من النظام المالي لليونسكو مرجع سابق ص 109،107.
- مشروع البرنامج والميزانية 2000م - 2001م مرجع سابق ص451.
- د. احمد أبو الوفاء، جامعة الدول العربية، كمنظمة دولية إقليمية، مرجع سابق ص535.

الاستثنائية أو الطارئة، وذلك في الأحوال التي يمكن فيها استرداد هذه السلف، أما في الأحوال التي لا يمكن إعادة سلف هذا النوع من المصروفات الطارئة والاستثنائية فإننا نجد أن النظام المالي لليونسكو بهذا الخصوص - على العكس من الأنظمة المالية للالكسو والايسيسكو - يجيز للمدير العام، كلما اقتضت الضرورة ذلك، أن يقدم تقديرات إضافية في حدود ما جملته 7.5% من اعتمادات الفترة المالية، وذلك من أجل سداد السلف المأخوذة من هذا الصندوق، ويتم تحديد الاشتراكات بشأن هذه الاعتمادات الإضافية وتحصل من الدول الأعضاء وذلك بعد موافقة المجلس التنفيذي[1]. وإذا إنسحبت دولة عضو من المنظمة فإن أيه مبالغ لها في هذا الصندوق، يستخدم لتصفية التزاماتها تجاه المنظمة، ويرد لها الرصيد المتبقي بعد ذلك[2]. الجدير بالذكر أن المؤتمر العام في دورته (29) وأفق على أبقاء مستوى الصندوق في حدود (25) مليون دولار، وهذا المستوى

---

(1) انظر: المواد (م3 الفقرات (9،8،7) ، (م5 فقرة (1،5 - أ)، (م6 الفقرة (4،6) من النظام المالي لليونسكو مرجع سابق ص 109،107،106.

وتنص الفقرة (7) من المادة الثالثة بأن ((يعتمد المؤتمر العام الميزانية)) وتنص الفقرة (8) بأن ((للمدير العام أن يقدم تقديرات إضافية كلما اقتضت الضرورة ذلك، وتعد تلك التقديرات في صيغة تتسق مع تقديرات الفترة المالية، وترفع إلى المجلس التنفيذي))، وتنص الفقرة (9) بأنه ((للمجلس التنفيذي أن يوافق مؤقتاً على تقديرات إضافية في حدود ما جملته 7.5% من اعتمادات الفترة المالية، وذلك بعد أن يستوثق من استنفاذ جميع إمكانيات تدبير الوفورات وإجراء التعديلات داخل أبواب الميزانية من الأول إلى السادس على أن تبلغ هذه التقديرات الإضافية بعد ذلك إلى المؤتمر العام لاعتمادها، بصفة نهائية، أما التقديرات الإضافية التي تتجاوز 7.5% من اعتمادات الفترة المالية فيدرسها المجلس التنفيذي ثم ترفع إلى المؤتمر العام مشفوعة بما قد يراه المجلس من توصيات.

(2) انظر: م6 الفقرة (2،6) نفس المرجع السابق ص109.

يعادل 4.59% من الميزانيـة المعتمـدة لعامي 1998م - 1999م، وهـذا المبلغ يمثل نفقات أقل من خمسة أسابيع من متوسط إنفاق البرنامج العادي، وقـد تبـين عـدم كفايـة رصيد هذا الصندوق لتمويل البرنامج المعتمد خلال الفترة المالية 2000م - 2001م، بسبب استمرار المستوى المرتفع للاشتراكات المتأخرة، وقد جرت العـادة بـأن يتقـدم المـدير العام بوثيقة مستقلة إلى المؤتمر العام لمساعدته على تحديد المستوى الملائم لصندوق رأس المـال العامل والأغراض التي يمكن استخدامه فيها[1].

الاحتياطي العام

يتكون هذا الاحتياطي في الالكسو مـن الوفـورات السنوية للمنظمة بسبب زيادة الموارد على النفقات، وكما يظهر ذلك من خلال الرصيد السنوي للحساب الختامي، ويـودع هذا الاحتياطي لدى الحساب الموحد، ويعتبر مورداً لسنـة معينـة عـلاوة عـلى مساهمات الدول المسددة والمستلمة بتلك السنة، إضافة إلى الموارد الأخرى، بغـض النظـر عـن تاريخ استلامها الفعلي، إلا أنه لا يدرج ضمن هذا الاحتياطي المبـالغ المدورة للسنة التي تليها والمشاريع التي لم تكتمل، ويجوز للمدير العام السحب من هذا الاحتياطي في حالـة عـدم توفر السيولة اللازمة لدى المنظمة وذلك لضمان استمرارية عملها، على أن يكون السحـب في حدود الموازنة المعتمدة، وطبقاً للبيانات المؤيدة لذلك، على أن يعرض هـذا الأمـر عـلى المجلس التنفيذي في أول دورة له لاتخاذ ما يلزم بشأنه، وعـلى أن تعتبر المبـالغ المسحوبة سلفه على المنظمة يتم تسويتها من المساهمات التي يتم استلامها من الدول

---

[1] انظر: مشروع البرنامج والميزانية 2000م - 2001م مرجع سابق ص XX II -XX III.

الأعضاء لاحقاً[1]. ومما يلاحظ على رصيد هذا الاحتياطي أنـه بلـغ مـا نسـبته 73.1% من الميزانية المعتمدة لعام 1999م وذلك بمبلغ (5.481.300) دولار، في حين أصبح رصيده في نهاية عام 2003م مبلغ 662.752 دولار وهو ما يشكل نسبة 7.8% من إجمالي الميزانيـة المعتمدة لهذا العام، ويعود السبب في هذا التراجع إلى استخدام الاحتياطي في تمويـل جـزء من موازنة المنظمة[2].

حساب الاحتياطي (الصندوق الاحتياطي)

يقضي النظام المال للايسيسكو بأنه يمكن فتح هذا الحساب، على أن يحـدد رأسـماله ووسائل تمويله المؤتمر العام كي يتيح للمدير العام سحب مبالغ مالية منه لتغطيـة نفقـات المنظمة، على أن تعتبر هذه المبالغ المسحوبة بمثابة سلفه يتم إرجاعهـا إلى هـذا الحسـاب، بعد استلام مساهمات الدول

---

(1) انظر: المواد (17،16 فقرة (أ) من النظام المالي والمحاسبي الموحد مرجع سابق ص 28،26.

- وحسب المادة (37) ص 42 من النظام المالي فإنه يـتم ترحيـل الرصيد السـنوي للحسـاب الختـامي إلى الاحتيـاطي العام، ويظهر في فقرة مستقلة في كشف المركز المالي.

(2) انظر: تقرير هيئة الرقابة المالية عن العام المالي 2003م إصدارات الالكسو ص 7،6.

- كذلك انظر: مشاريع الميزانيات والـبرامج للأعـوام (1999م - 2000م)، (2003م - 2004م) مراجـع سـابقة ص 17،8 بالترتيب.

- انظر: الحساب الختامي للالكسو للعام المالي 2001م إصدارات الالكسو تونس لعام 2002 ص9.

- وحسب هذا المرجع الأخير فإن الاحتياطي العام يتكون من: 1- الوفر الحاصل نتيجة زيادة المساهمات عن النفقات، 2- الموارد الأخرى

3- التبرعات غير المخصصة، أن وجدت. 4 - فائض المشروعات المعلاة.

الأعضاء، أي عندما يكون حساب الإيرادات المختلفة جاهزاً[1]. وقد بلغت موجودات الصندوق الاحتياطي إلى غاية 2002/12/31م مبلغ (32،3.000.109) دولار، وهو ما يشكل نسبة 24.7% من إجمالي الموازنة المعتمدة لهذا العام، بينما بلغ رصيد الصندوق في نهاية شهر ديسمبر 2004م مبلغ (32،640.109) دولار أي بنسبة 4.7% من إجمالي الموازنة المعتمدة لهذه السنة[2].

الاحتياطي الخاص

يتكون هذا الاحتياطي من عوائد الاستثمارات المحققة لدى الحساب الموحد، وكذا عوائد الاستثمارات المحققة لدى الالكسو نتيجة استثمار فائض أموالها، والودائع طرف صندوق النقد العربي، ويودع هذا الاحتياطي ابتداءاً من عام 1990م لدى الحساب الموحد، ويتم الاستمرار في تكوين الاحتياطي الخاص إلى أن يصل ما يعادل 50% من جمله اعتمادات موازنة المنظمة لأخر سنة مالية، ويستخدم هذا الاحتياطي لمواجهة أيه ظروف طارئة على أوضاع المنظمة، ويمكن استخدام فوائض الأرباح للصرف على المنظمة بعد أن يصل تمويل الاحتياطي إلى الحد الأعلى، إلا أنه لا يجوز الصرف

---

(1) انظر: م11 من النظام المالي للايسيسكو مرجع سابق ص87.

(2) انظر: بهذا الخصوص:- التقرير المالي للمدير العام وحسابات الإقفال للأعوام 2001م - 2003م في مرجع المؤتمر العام للايسيسكو الدورة الثامنة طهران 27 - 29 ديسمبر 2003م إصدارات الايسيسكو ص16.

- التقرير المالي للمدير العام وحسابات الإقفال للسنة 2004م في مرجع المجلس التنفيذي الدورة (26) الرباط من 12 - 15 ديسمبر 2005م، إصدارات الايسيسكو ص16.

- الخطة والموازنة للأعوام (2001م - 2003م)، (2004م - 2006م) مراجع سابقة ص 7،310 بالترتيب.

من هذا الاحتياطي إلا بموافقة المجلس الاقتصادي والاجتماعي، وقد بلغ رصيد الاحتياطي الخاص في نهاية الأعوام 2001م، 2003م مبلغ 4.250.000 دولار وهو ما يشكل 50% من إجمالي موازنة المنظمة لعام 2003م[1].

علاوة على ما سبق فإن النظم المالية للمنظمات (اليونسكو، الالكسو، الايسيسكو)، تجيز إنشاء حسابات أو صناديق خاصة، حيث يجوز بقرار من الهيئة المختصة بالالكسو إنشاء حسابات أو صناديق خاصة مهما كانت التسمية، على أن يحدد قرار الإنشاء مصادر التمويل وأوجه الصرف، وعلى أن تطبق على هذه الصناديق أو الحسابات أحكام النظام المالي والمحاسبي الموحد، وبحيث يتم عرض حساباتها بصورة مستقلة ضمن مجموعة الحسابات الختامية للمنظمة[2]. كما يجوز للمدير العام باليونسكو أن ينشىء حسابات للودائع وحسابات للاحتياطي وحسابات خاصة، على أن تحدد بدقة أهداف وشروط إنشاء كل حساب، ويجوز للمدير العام أن يعد نظاماً مالياً خاصاً لإدارة كل حساب منها إذا اقتضى الأمر ذلك، على أن يحاط المجلس التنفيذي علماً بذلك، ولهذا الأخير أن يقدم التوصيات الأزمة بهذا الخصوص إلى المدير العام، وبحيث تدار أموال هذه الحسابات طبقاً

---

(1) انظر: بهذا الخصوص - المواد (16 فقرة (ب) ، (17 فقرة (ب) ، (38) من النظام المالي والمحاسبي الموحد مرجع سابق ص 27،28،42.

- الحساب الختامي للالكسو لعام المالي 2001م إصدارات الالكسو تونس لعام 2002م ص10.
- تقرير هيئة الرقابة المالية للالكسو لعام 2003م إصدارات الالكسو تونس ص8.
- مشروع الميزانية والبرنامج لعامي 2003م - 2004م مرجع سابق ص17.

(2) انظر: م20 من النظام المالي والمحاسبي الموحد مرجع سابق ص31.

للنظام المالي ما لم ينص على خلاف ذلك[1]. ويمكن لمدير عام الايسيسكو أن يقترح على المؤتمر العام، بعد موافقة المجلس التنفيذي، إنشاء صناديق، بحيث توجه مواردها لخدمة الأغراض التي أنشئت من أجلها، وتدار حسابات الإيرادات المختلفة والحسابات الاحتياطية والصناديق المرصودة مواردها لأغراض معينة وفقاً للنظام المالي للمنظمة[2]. وطبقاً لهذه النصوص القانونية، فإن هذه المنظمات المتخصصة تنشىء - علاوة على الصناديق والاحتياطيات العامة والخاصة - العديد من الصناديق والحسابات الخاصة الفرعية، فهناك صندوق نهاية الخدمة، وصندوق الرعاية الاجتماعية والصحية بالالكسو، يقابلها بالايسيسكو صندوق التعويض عن التوقف النهائي عن العمل، وصندوق التكافل لموظفي المنظمة، وهناك الحساب الخاص ببناء مقر الالكسو، وصندوق استخدام مباني المقر في اليونسكو، وهذا الصندوق الأخير ضمن مجموعة من الصناديق ذاتية التمويل (الخارجة عن الميزانية) في اليونسكو، علاوة على هذا الصندوق، هناك أيضاً، حساب النفقات الإدارية لأموال الودائع والحساب الخاص لمساهمة صندوق الأمم المتحدة، وصندوق الإعلام والاتصال والعلاقات العامة، وصندوق المطبوعات والمواد السمعية والبصرية، والحساب الخاص لخدمات الترجمة الفورية، وصندوق اليونسكو للاستنساخ المصغر (الصندوق الخاص لخدمات الوثائق والمطبوعات)، ومرفق الإدخار

---

(1) انظر: م 6 الفقرات (6،6 ، 6،7) من النظام المالي لليونسكو مرجع سابق ص 109 - 110.

(2) انظر: المواد (13،12) من النظام المالي للايسيسكو مرجع سابق ص87.

والإقراض لموظفي اليونسكو[1].

إستثمار بعض موارد المنظمات المتخصصة

تجيز النظم المالية في كل من المنظمات اليونسكو والالكسو - بخلاف الايسيسكو - لمدراء العموم أن يستثمروا بعض موارد منظماتهم من خلال الودائع المصرفية ولآجال قصيرة أو متوسطة في أحد المصارف أو المؤسسات المالية العربية وذلك للمال الاحتياطي العام، أو أي فائض نقدي في الالكسو، أما في اليونسكو فإنه يمكن أن تستثمر المبالغ الموجودة في حسابات الودائع وحسابات الاحتياطي والحسابات الخاصة، وذلك لأجل طويل حسبما تقرره الجهة المختصة لكل حساب، بينما تستثمر لآجال قصيرة الأموال التي لا تكون لازمة لمواجهة احتياجات عاجلة، وقد اشترط النظام المالي على المدير العام لليونسكو أن يضمن هذا النوع الأخير من الاستثمار الحسابات السنوية للمنظمة، بمعلومات عن هذه الاستثمارات، بينما

[1] انظر: بهذا الخصوص
- التقرير المالي للمدير العام للايسيسكو المقدم للمؤتمر العام الدورة (8) طهران، ديسمبر 2003م ص 16 - 18.
- المجلس التنفيذي للايسيسكو الدورة (26) الرباط 12 - 15 ديسمبر 2005م ص 17 - 31.
- تقرير هيئة الرقابة المالية للالكسو لعام 2003م ص16.
- الحساب الختامي للالكسو لعام 2005م إصدارات الالكسو تونس لعام 2006م ص 11 - 12.
- الميزانية والبرنامج المعتمدان لليونسكو للأعوام (2002م - 2003م) ، (2004م - 2005م) مراجع سابقة ص (258 - 262) ، (328 - 332) بالترتيب.
- مشروع البرنامج والميزانية اليونسكو 2000م - 2001م مرجع سابق ص 287 - 291.

يشترط النظام المالي للالكسو، على المدير العام أن يشكل لجنة فنية قبل أقدامه على الاستثمار لإعطاء رأيها وتوصياتها عن طرق الاستثمار وشروطه وأماكنه، وبأن يقدم إلى الهيئة المختصة أو من تفوضه، تقريراً عن حالات استثمار الأموال ونتائجها الفعلية وذلك كل ستة أشهر على الأقل[1]. وبالرغم من أن النظام المالي للايسيسكو لم يتطرق إلى موضوع استثمار بعض موارد المنظمة، إلا أن واقع الحال يظهر أن الايسيسكو مع ذلك تستثمر بعض أموال صناديقها، للحصول على العائدات البنكية، كما في صندوق القدس الشريف وصندوق ابن بطوطة على سبيل المثال[2].

وعلى العموم فإن مصادر التمويل في أي من هذه المنظمات المتخصصة إنما يمكن إرجاعها إلى مصدرين رئيسيين (إذ تفرق هذه المنظمات المتخصصة عادة بين الموارد الممولة للموازنات العادية (البرنامج العادي) وبين مصادر التمويل الخارجة عن الموازنات) هما: إشتراكات الدول الأعضاء، ومصادر التمويل الخارجة عن الموازنات وكما يلي:-

أولاً: اشتراكات الدول الأعضاء

تعتبر اشتراكات الدول الأعضاء، المصدر الرئيسي ـ الممول للموازنات العادية في المنظمات اليونسكو، الالكسو، الايسيسكو، فبعد أن يتم المصادقة، على موازنات هذه المنظمات من قبل مؤتمراتها العامة، تحاط الدول

---

[1] انظر: المواد م9 الفقرات (9،1 ، 9،2) ، (م18) من الأنظمة المالية للمنظمات اليونسكو الالكسو مراجع سابقة ص 29،111 بالترتيب.

[2] انظر: التقرير المالي للمدير العام وحسابات الإقفال للأعوام 2001م - 2003م في مرجع المؤتمر العام للايسيسكو الدورة (8) مرجع سابق ص 17،18.

الأعضاء فوراً بتفاصيلها وبالمبالغ الواجبة عليها دفعها كاشتراكات (علاوة على السلف المقدمة إلى رأس المال العامل باليونسكو) وبهذا الخصوص فإنه يجب على الدول الأعضاء بالايسيسكو دفع اشتراكاتها قبل إنصرام مدة ثلاثة أشهر، ابتداءاً من التاريخ الذي يحمله إشعار المدير العام، وتدفع الدول الأعضاء بالالكسو مساهماتها سنوياً خلال ثلاثة أشهر من تاريخ التبليغ أو في الشهر الأول من السنة التي تستحق عنها هذه المساهمة أيهما أسبق، ويطلب المدير العام لليونسكو من الدول الأعضاء سداد نصف قيمة اشتراكاتها عن فترة العامين، فضلاً عن قيمة السلف المقدمة منها إلى رأس المال العامل، وفي نهاية السنة الأولى للفترة المالية يطلب المدير العام من الدول الأعضاء سداد النصف الثاني من اشتراكاتها عن الفترة المالية، وتعتبر الاشتراكات والسلف مستحقة وواجبة الأداء بالكامل خلال ثلاثين يوماً من تسلم إخطار المدير العام، أو في اليوم الأول من السنة التي تستحق عنها الاشتراكات والسلف إذا كان التاريخ الأخير لاحقاً لنهاية مهلة الثلاثين يوماًً المشار إليها[1]. وإذا كانت القاعدة المتبعة في أي من هذه المنظمات المتخصصة، هو أن الموارد الممولة لموازناتها العادية إنما تأتي من اشتراك الدول الأعضاء، إلا أنه يرد على هذه القاعدة مع ذلك بعض الاستثناءات، إذ عادة ما تلجأ هذه المنظمات إلى تمويل موازناتها العادية من مصادر خارجة عن تلك الموازنات العادية وكلما دعت الضرورة لذلك، علاوة على ذلك نجد أن اليونسكو تمول ميزانيتها العادية، إضافة إلى اشتراك الدول الأعضاء، من الإيرادات المتنوعة. إلا أنه من أجل تحديد الاشتراكات

---

(1) انظر: المواد (م5 الفقرات (5،3 - 5،5) ، (م 22،21) ، (م17) من الأنظمة المالية للمنظمات مراجع سابق ص 88،32،108 بالترتيب.

المطلوبة من الدول الأعضاء فإنه ينبغي أن تستنزل الإيرادات المتنوعة من إجمالي الاعتمادات حسبما يقضي بذلك النظام المالي[1]. وتحسب اشتراكات الدول الأعضاء بكل من الالكسو والايسيسكو بالدولار الأمريكي وهو العملة التي تعرض بها موازنات هاتين المنظمتين، غير أن الاشتراكات التي تدفع لميزانية اليونسكو، إنما تحدد جزئياً بالدولار الأمريكي (وهو العملة التي تعرض بها أيضاً حسابات المنظمة) وجزئياً باليورو بنسبة يحددها المؤتمر العام، وتدفع الاشتراكات بهاتين العملتين، أو بعملات أخرى حسب ما يقرره المؤتمر العام، وتحدد السلف المقدمة إلى رأس المال العامل وتدفع بالعملة أو العملات التي يحددها المؤتمر العام، على أن المبالغ التي تدفعها أي دولة عضو فإنه ينبغي أن تستوفي منها أولاً حصة تلك الدولة من السلف المقدمة إلى رأس المال العامل، ويقيد بقية المبلغ لحساب الاشتراكات المستحقة عليها طبقاً للترتيب الزمني لورودها وبحسب جدول التوزيع[2]. والهدف من تحديد اشتراكات الدول الأعضاء في اليونسكو بأكثر من عملة إنما هو

(1) انظر: م5 فقرة (5،2) من النظام المالي لليونسكو مرجع سابق ص107

- كذلك انظر: مشروع البرنامج والميزانية لليونسكو 2000م - 2001م مرجع سابق ص ((XXII،4 4 4)).

- وحسب هذا المرجع الأخير، فإن المؤتمر العام، قرر في دورته (28) أن يجري على أساس تجريبي لمدة (6) سنوات ابتداءً من أول يناير 1996م، استخدام جميع الإيرادات المتنوعة، باستثناء تكاليف الدعم المقدمة من برنامج الأمم المتحدة الإنمائي (بامت) لأغراض مخطط الحفز الايجابي للتشجيع على المسارعة إلى تسديد الاشتراكات.

(2) انظر: المواد (م5 الفقرات (5،6 ، 5،7) من النظام المالي لليونسكو مرجع سابق ص108.

- كذلك انظر: مرشد عملي من أجل اللجان الوطنية لليونسكو مرجع سابق ص43.

لحماية ميزانية المنظمة من أثار تقلبات أسعار العملة - فما يحدث من تغيرات في قيمة الدولار الأمريكي (وهو وحدة الحسابات في المنظمة، بالنسبة إلى اليورو، والفرنك الفرنسي، والفرنك السويسري، والعملات الأخرى التي تستخدمها المنظمة، وذلك في إطار سعر الصرف المعمول به في الأمم المتحدة) - وحسب طريقة الدفع بأكثر من عملة، فإن ذلك الجزء من مجموع الاشتراكات المقررة الذي ينتظر دفعة باليورو هو وحده الذي يحدد باليورو بسعر الصرف المطبق لحساب الميزانية، وتدفع الدول الأعضاء هذا الجزء باليورو ويقيد في الحساب على أساس سعر الصرف المعمول به في الأمم المتحدة، أثناء الشهر الذي يسدد فيه المبلغ، أما الجزء المتبقي من الاشتراكات المقررة، فيحدد بالدولارات الأمريكية[1]. وللتوضيح أكثر نقول أن اعتمادات الميزانية العادية لليونسكو للفترة المالية (2005،2004م) قد حسبت بسعر الصرف الثابت للدولار الأمريكي البالغ (769،0) يورو، وعليه فإنه ينبغي أن تقيد اشتراكات الدول الأعضاء المدفوعة باليورو بسعر الصرف المستخدم لحساب الميزانية، كما أن الفروق الناجمة عن تسجيل اشتراكات الدول الأعضاء باليورو الواردة خلال الفترة المالية بأسعار صرف معمول بها مختلفة عن سعر الصرف الثابت ينبغي أن تسجل كأرباح أو خسائر ناجمة عن فروق صرف العملة. وعلى

---

(1) انظر: مشروع البرنامج والميزانية 2000م - 2001م مرجع سابق ص 450،446 - وحسب هذا المرجع ص 451 فإن سعر الصرف المعمول به في الأمم المتحدة: هو سعر الصرف بين دولارات الولايات المتحدة الأمريكية وأيه عملة أخرى، وهو ما تحدده الأمم المتحدة في بداية كل شهر على أساس أسعار الصرف السائدة في سوق النقد الدولية في الشهر الذي يسبقه مباشرة، وذلك بهدف استخدامه من قبل جميع المنظمات والوكالات التابعة لمنظومة الأمم المتحدة.

العموم فإنه ينبغي أن يضاف إلى الإيرادات المتنوعة أو أن يخصم منها الرصيد الصافي المسجل في إطار الصندوق العام في نهاية فترة العامين والناجم عن جميع الأرباح والخسائر المترتبة على فروق صرف العملة بما فيها الأرباح والخسائر المذكورة[1]. وكقاعدة عامة في هذه المنظمات المتخصصة، فإن كل دولة عضو في أي منها تستطيع أن تؤثر في قرارات مؤتمراتها العامة، لأن جميع هذه الدول الأعضاء، إنما تتمتع كل منها بصوت واحد، مهما بلغت نسبة اشتراكها في موازنة المنظمة، إلا أن هذه القاعدة مع ذلك يرد عليها استثناء بالنسبة للتعيين في بعض وظائف أمانة اليونسكو، ومرد ذلك أن نسبة الاشتراك في ميزانية هذه الأخيرة، إنما تلعب في حقيقة الأمر دوراً في حساب حصص هذه الوظائف، وبمعنى أخر فإن

---

[1] انظر: البرنامج والميزانية المعتمدان (2004م - 2005م) مرجع سابق ص16.

وحسب هذا المرجع وبنفس الصفحة، فإن المصروفات التي تجري خصماً على هذه الاعتمادات، ينبغي أن تسجل أيضاً بنفس سعر الصرف الثابت للدولار، أما الفروق الناجمة عن تسجيل المصرفات التي تجري خلال الفترة المالية باليورو بأسعار صرف معمول بها مختلفة عن سعر الصرف الثابت، فينبغي تسجيلها كأرباح أو خسائر ناجمة عن فروق صرف العملة.

- الجدير بالذكر أن اعتمادات الميزانية العادية (2002م - 2003م) قد حسبت بسعر الصرف الثابت للدولار الأمريكي البالغ (0.869) يورو (أي ما يعادل (5.70) فرنك فرنسي- وهو السعر المستخدم في عامي (2000م - 2001م)، وحسبت اعتمادات مشروع الميزانية العادية 2006م - 2007م على أساس سعر الصرف الثابت للدولار الأمريكي البالغ (0.869) يورو أي نفس السعر المستخدم عامي 2002م - 2003م.

- انظر: بهذا الخصوص البرنامج والميزانية المعتمدان 2002م - 2003م مرجع سابق ص XX III.

- وكذا مشروع البرنامج والميزانية 2006م - 2007م مرجع سابق ص XXVII.

هناك ارتباط بين حصة الدولة في وظائف أمانة السر، وحجم إسهام هـذه الدولـة في الميزانية، وذلك على العكس مما هو علية الحال في كل من المنظمات الموازية لها، الالكسو والايسيسكو[1]. وحيث أن الدول أعضاء المنظمات اليونسكو، الالكسو، الايسيسكو، تختلف نسب اشتراك كل دولة منها - في الغالب - من منظمة لأخرى من هذه المنظمات، كـما قـد تختلف نسب اشتراك الدولة العضو في المنظمة الواحدة مـن فـترة لأخـرى، كـما أن هـذه النسبة قد تختلف عن بقية نسب الدول أعضاء هذه المنظمة، ذلك أن كل دولة إنما تـدفع في حقيقة الأمر، ما يتناسب مع مواردها ومساحتها ومجموع عدد سكانها، وذلـك انطلاقاً من مبدأ أو معيار المقدرة على الدفع، وهو ما سبق التطرق له، إذ يعتمد هذا المبـدأ كـما رأينا على معرفة الدخل القومي (الناتج القومي) العام للـدول وحيـث أن النـاتج القومي للدول يتفاوت من دولة لأخرى، فمن الطبيعي أن ينعكس هذا التفاوت عند تحديد حصة كل دولة في ميزانية المنظمة الدولية[2].

وتعتـبر الـدول العربيـة والإسلاميـة الأعضـاء في المـنظمات اليونسكو، الالكسو، الايسيسكو، من الدول ذات المقدرة الاقتصادية المحدودة نسبياً، ويتجلى هذا الوضع عنـد مقارنه مجموع نسب مساهمات هـذه الـدول في موازنـات بعـض المنظمات الدوليـة، كاليونسكو على سبيل المثال مقارنه بنسب مساهمات بعـض الـدول، كالولايـات المتحـدة الأمريكية، وبريطانيا،

(1) انظر: د. حسن نافعة، العرب واليونسكو مرجع سابق ص93.
- كذلك انظر: مرشد عملي من أجل اللجان الوطنية نفس المرجع السابق ص43.
(2) انظر: د. حسن نافعة نفس المرجع السابق ص89.
- مرشد عملي من أجل اللجان الوطنية نفس المرجع السابق وبنفس الصفحة.

ألمانيا، اليابان، ايطاليا، فرنسا، اسبانيا،

الصين، على سبيل المثال لا الحصر، إلا أنه عند مقارنه نسب مساهمات الدول العربية إلى نسب مساهمات الدول الإسلامية أعضاء المنظمات (اليونسكو، الايسيسكو) فإننا نجد أن نسب مساهمات الدول العربية إنما تشكل نسبة كبيرة مقارنه بنسب مساهمات بقية الدول الإسلامية أعضاء هاتين المنظمتين، وللتدليل على ذلك وبلغة الأرقام، نجد أنه خلال الدورات المالية (1996م - 1997م)، (2004م - 2005م) كان إجمالي عدد الدول العربية والإسلامية الأعضاء في اليونسكو هو (49،48) دولة بالترتيب، وهذه الأعداد تشكل ما يزيد قليلاً عن ربع عدد الدول الأعضاء في اليونسكو خلال تلك الفترات المالية، إلا أن مجموع مساهمات هذه الدول (العربية والإسلامية) فإنه لم يتعد في المتوسط عن ما نسبته 3.177% من إجمالي الميزانية العادية للمنظمة، في أي من تلك الدورات، فقد شكل عدد الدول العربية والإسلامية في الدورة المالية (1996م - 1997م) ما نسبته 26% من إجمالي عدد الدول الأعضاء في اليونسكو، إلا أن نسبة مساهمتها خلال هذه الدورة هو 3.82% في حين شكل عدد هذه الدول ما نسبته 25.8% في الدورة المالية (2004م - 2005م)، إلا أن نسبة مساهماتها، تراجعت خلال هذه الدورة إلى ما نسبته 2.533%، وبهذا فإنه يتضح أن إجمالي نسب مساهمات هذه الدول في ميزانية اليونسكو، إنما هي نسب ضئيلة جداً مقارنه بحجم هذه الدول من ناحية، وبما تدفعه بعض الدول الكبرى من ناحية أخرى، وبهذا الخصوص فإننا نجد أنه خلال أربع دورات مالية لليونسكو كان متوسط عدد الدول الكبرى في حدود (15) دولة، وهو ما يشكل في المتوسط نسبة (9.4%) من إجمالي عدد الدول الأعضاء في المنظمة، إلا أن هذه الدول

مع ذلك تدفع في المتوسط مساهماتها بنسبة 77% تقريباً مـن إجمالي الميزانيـات العادية للمنظمة خلال أي من تلك الدورات الأربع وكما يلي:-

فقد كان عدد الـدول الكبرى في الـدورة الماليـة (1973م - 1974م) هـو (15) دولـة، وهو ما يشكل نسبة 11.6% من إجمالي عدد الدول الأعضاء في اليونسكو، البالغـة خلال هذه الدورة (129) دولة بينما تصل نسبة مساهماتها في ميزانيـة المنظمـة إلى (83.16%)، وقد كان عدد هذه الدول في الدورة الماليـة (1984م - 1985م) هـو (16) دولـة، وهو ما يشكل نسبة 9.9% تقريباً من إجمالي الدول الأعضاء البالغ عددها (161) دولة خلال هذه الدورة، ونسبة مساهماتها تصل إلى 85.4% من إجمالي ميزانية المنظمة[1].

وقد تناقص عدد الدول الكبرى في الدورة المالي (1996م - 1997م) وما قبلها، وذلك منذ انسحاب كل من أمريكا و بريطانيا من عضوية المنظمة، حيث أصبح عدد الدول الكبرى في هذه الدورة المالية هو (13) دولة وهو ما يشكل نسبة 7.1% تقريباً من إجمالي الدول الأعضاء، البالغة في هذه الدورة (184) دولة، إلا أن إجمالي ما دفعته هذه الدول من مساهمات، إنما وصل إلى أدنى مستوى له، إذ بلغ نسبة ما دفعته هذه الدول في ميزانية المنظمة 52.63%، وخلال الدورة المالية (2004م - 2005م)، كان عدد الدول الكبرى (17) دولة، وهو ما يشكل

---

[1] كان عدد الدول العربية خلال الـدورات الماليـة (1973م - 1974م) ، (1981م - 1983م) هـو (20) دولـة، وهو مـا يشكل نسبة (15.5% ، 12.4%) من إجمالي عـدد الـدول الأعضاء في اليونسكو خلال هـذه الدورات، إلا أن نسبة مساهماتها في ميزانية المنظمة كانت (1.1% ، 1.66%) للدورتين الماليتين بالترتيب.

نسبة 8.9% تقريباً من إجمالي الدول الأعضاء، البالغة (191) دولة خلال هذه الدورة، إلا أن نسبة مساهمات هذه الدول قد ارتفع إلى أعلى المستويات، في أي من هذه الدورات ليصل إلى 87.16% من إجمالي الميزانية العادية لليونسكو خلال هذه الدورة، وذلك بسبب عودة الولايات المتحدة الأمريكية، ومن قبلها عودة، بريطانيا إلى عضوية المنظمة، وما تمثله هذه العودة من مساهمات تبلغ 22% على أمريكا، (6.212% على بريطانيا)، مقابل (19.738% على اليابان) و (8.781% على المانيا)، (6.115% على فرنسا)، (4.953% على ايطاليا)،... الخ والجدول الأتي يبين تفاصيل نسب مساهمات الدول الكبرى السالفة الذكر خلال تلك الدورات المالية وكما يلي[1]:-

م	اسم الدولة	1973 - 1974م	1984 - 1985م	1996 - 1997م	2004م - 2005م
1	الولايات المتحدة الأمريكية	29.41	25	-	22
2	الاتحاد السوفيتي سابقاً (روسيا	13.23	12.07	5.61	-

(1) الجدول من إعداد الباحث، انظر: بهذا الخصوص:-
- لمحات عن اليونسكو (اليونسكو باريس لعام 1974م) مرجع سابق ص 41 - 43.
- د. حسن نافعة العرب واليونسكو مرجع سابق ص92.
- د. عامر عبد الحسين الوائلي، إدارة المنظمات الدولية - دراسة وصفية تحليلية لمنظمة اليونسكو، أطروحة لنيل درجة الدكتوراه في فلسفة الإدارة العامة، جامعة بغداد، كلية الإدارة والاقتصاد لعام 1998م ص 276 - 279.
- د. اسكندر الديك مرجع سابق ص29.
- مرجع المؤتمر العام لليونسكو طبعة 1996م إصدارات اليونسكو باريس ((قائمة الدول الأعضاء)) ص 199 - 205.
- موقع اليونسكو على الشبكة الدولية الموقع التالي:
.Http://Unesdoc.Unesco.org/images/0013/001309/130907e.pdf

				(الاتحادية)	
6.212	-	4.66	5.50	المملكة المتحدة البريطانية	3
6.115	6.25	6.43	5.60	فرنسا	4
8.781	8.54	8.44	6.34	ألمانيا الاتحادية (سابقاً)	5
-	1.46	-	1.74	أوكرانيا الاشتراكية السوفيتية سابقاً	6
4.953	4.73	3.69	3.30	ايطاليا	7
19.738	13.79	10	5.04	اليابان	8
2.082	-	-	3.73	الصين	9
-	-	-	1.45	الهند	10
2.854	3.03	3.4	2.87	كندا	11
-	-	-	1.31	بولندا	12
1.007	1.21	1.40	1.17	السويد	13
1.615	1.44	1.55	1.37	استراليا	14
1.704	1.56	1.76	1.10	الأراضي الوطئه (هولندا)	15
-	-	1.37	-	ألمانيا الديمقراطية (سابقاً)	16
1.543	1.60	1.37	-	البرازيل	17
1.084	-	1.26	-	بلجيكا	18
1.214	1.20	1.09	-	سويسرا	19
2.534	2.21	1.91	-	اسبانيا	20
1.910	-	-	-	المكسيك	21
1.818	-	-	-	كوريا الجنوبية	22-
87.164% (17)	52.63% (13)	(16) 85.4%	83.16% (15)	أجمالي الدول الكبرى	-
1.829% (21)	2.05% (21)	(20) 1.66%	1.1% (20)	أجمالي نسب مساهمات الدول العربية	-
(153) 11.007%	(150) 45.32%	(125) 12.94%	15.74% (94)	أجمالي نسب مساهمات بقية الدول	-
191	184	161	129	إجمالي الدول الأعضاء	-

مما سبق يتضح أن نسب مساهمات الدول العربية والإسلامية الأعضاء

في اليونسكو (التي هـي أيضاً أعضـاء في كـل مـن الالكسـو والايسيسـكو) فإنهـا في مجملها نسب ضئيلة، إلا أننا مع ذلك نجد أن نسبة مساهمات الدول العربية في ميزانية اليونسـكو خـلال الـدورات الماليـة (1996م - 1997م)، (2004م - 2005م) تفـوق نسـبة مساهمات الدول الإسلامية الأعضاء في هذه الدورات، فقد شكل عدد الدول العربية، البالغ عددها في أي من هذه الدورات الماليـة (21) دولـة، أي مـا نسـبته (11.4%، 11% تقريباً) من إجمالي الدول الأعضاء في اليونسكو خلال تلك الـدورات، بينـما نجـد أن عـدد الـدول الإسلامية في الدورتين هو (27، 28) دولة، وهو ما يشـكل نسبة 14.7% مـن إجـمالي عـدد الدول الأعضاء في المنظمة في أي من تلك الدورات، إلا أن نسبة مساهمات هـذه الـدول في ميزانية المنظمـة هـو (1.77%، 0.704) مقابـل مـا نسـبته (2.05%، 1.829%) كمساهمة للدول العربية في ميزانية المنظمة للفترتين الماليتين بالترتيب. علاوة على ذلك فإننا نجد أنه خلال ثلاث دورات مالية للايسيسكو منذ عام 1998م وحتى عـام 2006م، كان متوسط نسبة مساهمات الدول العربية الأعضاء في موازنة هذه المنظمة خلال هذه الدورات

الثلاث هو 60%، بينما نجد أن متوسط نسبة مساهمات الدول الإسلامية الأعضاء خلال تلك الدورات إنما يبلغ 36.33% تقريباً بالرغم من أن متوسط عدد هذه الدول الأخيرة في تلك الدورات، إنما يشكل ما نسبته 55% من إجمالي الدول الأعضاء في المنظمة، في حين شكلت الدول العربية في المتوسط ما نسبته 45% في الدورات الثلاث. فقد كان عدد الدول العربية في الدورات المالية (1998م - 2000م)، (2001م - 2003م)، (2004م - 2006م) هو (20، 21، 22) دولة، ونسب مساهماتها في موازنات الايسيسكو خلال هذه الدورات هو (58.5%، 60%، 61.5%) بالترتيب مقابل عدد (24، 24، 29) دولة إسلامية وصل نسبة مساهمتها إلى (34.5%، 34.5%، 40%) بالترتيب. أما موازنات الالكسو فقد توزعتها الدول العربية الأعضاء كل بالنسبة المخصصة لها، علاوة على تحمل هذه الدول النسبة المخصصة على فلسطين، إذ يتم إعفاء هذه الدولة من المساهمة لتتحملها الدول الأعضاء كل حسب نسبتها في موازنة المنظمة. وعلى العموم فإنه وأياً كان حجم إجمالي نسب المساهمات التي تدفعها الدول العربية أو الإسلامية، أعضاء هذه المنظمات المتخصصة، فإن ذلك لا يجب أن يخفي تفاوت حصة كل دولة من الدول العربية أو الإسلامية الأعضاء في تمويل الموازنات الاعتيادية في أي من هذه المنظمات الثلاث وكما يظهر ذلك من خلال الجدولين التاليين:

نسب اشتراك الدول العربية والإسلامية في ميزانية المنظمات (اليونسكو، الالكسو، الايسيسكو)

نسب اشتراك الدول العربية في المنظمات الثلاث.

م-	اسم الدولة	نسبة الاشتراك باليونسكو		نسبة الاشتراك بالايسيسكو			نسبة الاشتراك بالالكسو	
		1996 إلي 2007	2004 إلي 2005	1998 إلى 2000	2001 إلى 2003	2004 إلى 2006	الدورات من 97 19- 2006: النسب الأصلية	الدورات من 97 19- 2006: النسب بعد توزيع نسبة فلسطين
1	السعودية	0.79	0.723	10	10	10	14	14.142
2	الإمارات	0.19	0.238	7	7	7	6.5	6.566
3	الكويت	0.20	0.164	9	9	9	14	14.142
4	ليبيا	0.21	0.134	6	6	6	12	12.121
5	مصر	0.07	0.122	2	2	2	8.5	8.586
6	الجزائر	0.16	0.077	-	3.5	3.5	8	8.081
7	عمان	0.04	0.071	3	2	2	2	2.02
8	قطر	0.04	0.064	3.5	3.5	3.5	4.5	4.545
9	المغرب	0.03	0.047	2	2	2	5	5.051

10	لبنان	0.01	0.044	-	-	1.5	2	2.02
11	سوريا	0.05	0.038	1.5	1.5	1.5	1.5	1.515
12	تونس	0.03	0.032	1.5	1.5	1.5	1.5	1.515
13	البحرين	0.02	0.030	2	1	1	2	2.02
14	العراق	0.14	0.016	4	4	4	10	10.101
15	الأردن	0.01	0.011	1.5	1.5	2.5	1	1.01
16	السودان	0.01	0.008	1	1	1	1.5	1.515
17	اليمن	0.01	0.006	1.5	1.5	1.5	2	2.02
18	موريتانيا	0.01	0.001	1	1	1	1	1.01
19	جيبوتي	0.01	0.001	1	1	1	1	1.01
20	الصومال	0.01	0.001	0.5	0.5	0.5	1	1.01
21	جزر القمر	0.01	0.001	0.5	0.5	0.5	1	1.01
22	فلسطين	-	-	-	-	-	1	-
	إجمالي	%2.05	%1.829	%58.5	%60	%61.5	%101	%101.01

نسب اشتراك الدول الإسلامية في المنظمات (اليونسكو، الايسيسكو)[1]

م	اسم الدولة	نسبة الاشتراك باليونسكو		نسبة الاشتراك بالايسيسكو		
		1997 - 1996	2005 - 2004	2000 - 1998	2003 - 2001	2006 - 2004
1	ماليزيا	0.14	0.206	3.5	3.5	3.5

(1) الجدولين من إعداد الباحث، انظر بهذا الخصوص الآتي:
- د. عامر عبد الحسين الوائلي مرجع سابق ص 276- 279.
- موقع اليونسكو Http://Unesdoc.Unesco.org/images/0013/001309/130907e.pdf
- المجلس التنفيذي للايسيسكو الدورة 27 مساهمات الدول الأعضاء في موازنات المنظمة مرجع سابق ص 1 - 51.
- الخطة والموازنة للايسيسكو الدوارة المالية (1998م - 2000م)، (2001م - 2003م) مراجع سابقه صفحة 398، 310 بالترتيب.
- البرنـامج والميزانيـة (2005م - 2006م) للالكسـو وكـذا مشـاريع الميزانيـة والبرنـامج للأعـوام (2003م - 2004م)، (2001م - 2002م)، (1999م - 2000م)، 1997م - 1998م) نفس المراجع السابقة ص 11، 17، 12، 8، 16 بالترتيب.

2	إيران	0.59	0.159	5.5	5.5	5.5
3	اندونيسيا	0.14	0.144	3.5	3.5	3.5
4	باكستان	0.06	0.056	2	2	2
5	نيجريا الاتحادية	0.16	0.043	-	-	1.5
6	كازاخستان	0.26	0.025	1	1	1
7	بنجلادش الشعبية	0.01	0.010	1.5	1.5	1.5
8	كوت ديفوار	0.01	0.010	-	-	1
9	الغابون	0.01	0.009	2.5	2.5	2.5
10	الكامرون	-	0.008	-	-	1
11	السنغال	0.01	0.005	1	1	1
12	أذربيجان	0.16	0.005	1	1	1
13	البوسنة والهرسك	0.02	0.003	1	1	1
14	غينيا	0.01	0.003	0.5	0.5	0.5
15	أفغانستان	0.01	0.002	-	-	1
16	مالي	0.01	0.002	0.5	0.5	0.5
17	جمهورية بنين	0.01	0.002	0.5	0.5	0.5
18	بور كينا فاسو	0.01	0.002	0.5	0.5	0.5
19	سيراليون	0.01	0.001	1.5	1.5	1.5
20	سورينام	0.01	0.001	1	1	1
21	الطوغو	0.01	0.001	-	-	1
22	قيرغزستان	0.04	0.001	1	1	1
23	النيجر	0.01	0.001	0.5	0.5	0.5
24	تاجيكستان	0.03	0.001	0.5	0.5	0.5
25	تشاد	0.01	0.001	0.5	0.5	0.5
26	غامبيا	0.01	0.001	0.5	0.5	0.5
27	غينيا بيساو	0.01	0.001	0.5	0.5	0.5
28	المالديف	0.01	0.001	0.5	0.5	0.5
29	بروناي دار السلام	-	-	3.5	3.5	3.5
-	إجمالي الدول الإسلامية	%1.77	%0.704	%34.5	%34.5	%40
-	إجمالي الدول العربية	%2.05	%1.829	%58.5	%60	%61.5
-	إجمالي الدول العربية والإسلامية	%3.82	%2.533	%93	%94.5	%101.5

الجدول من إعداد الباحث

مما سبق يتضح أن الدول الكبرى المشمولة بالجدول السابق، إنما هي حصراً بالدول الغنية على المستوى العالمي، الأعضاء في اليونسكو، حيث تتراوح نسب مساهمات هذه الدول ما بين 29.41% للولايات المتحدة الأمريكية، وهذه النسبة تمثل الحد الأعلى المسموح به في اليونسكو خلال الدورة المالية (1973 - 1974م)، وما بين نسبة 1.1% لهولندا، كأقل نسبه تدفعها دوله غنية خلال نفس الدورة، في حين أن أغنى دولة عربية حتى هذا التاريخ، وهي مصر تدفع نسبة 0.17% وهي أعلى نسبة على المستوى العربي، أما أغلبية الدول العربية والبالغ عددها (13) دولة، فإن أيا منها لا تدفع سوى الحد الأدنى المسموح به في اليونسكو والبالغة 0.04% خلال نفس الدورة المذكورة[1]. بل إن مساهمات جميع الدول العربية (البالغ عددها 20 دولة) لم يتجاوز ما نسبته 1.1% من إجمالي ميزانية اليونسكو. وقد تم تعديل الحد الأعلى والأدنى لمساهمات الدول الأعضاء في اليونسكو في الدورة المالية (1984 - 1985) ليصبح 25% لأمريكا كحد أعلى، وأصبح الحد الأدنى لمساهمات بعض الدول الأعضاء هو 0.01%، وكما يتضح من الجدول السابق فإن نسبة أقل دولة غنية هو 1.09% لبلجيكا، أما الدول العربية والبالغ عددها 20 دولة ايضاً خلال هذه الدورة، فإنها في مجملها

(1) وهذه الدول هي: الامارات، سوريا، لبنان، قطر، تونس، الاردن، السودان، الصومال، موريتانيا، اليمن (الشمالي والجنوبي) سابقاً، البحرين، عمان.

- بينما تدفع كل من المغرب والجزائر نسبة 0.08% لكل منها، مقابل 0.07% للكويت، في حين تدفع، العراق، ليبيا، السعودية ما نسبته 0.06% لكل منها.

- انظر بهذا: لمحات عن اليونسكو مرجع سابق ص 41 - 43.

تدفع نسبة 1.66% من إجمالي ميزانية اليونسكو، ويرجع السبب في تدني نسبة مساهمات الدول العربية، أن هذه الدول تدفع نسب مساهمات تتراوح ما بين 0.57% لأغنى دولة، ذلك أنه مع تحسن الوضع الاقتصادي النسبي للدول العربية النفطية، بالأخص في عقد الثمانينات من القرن الماضي، أصبحت السعودية تحتل المرتبة الأولى، كأغنى دولة عربية، لتبلغ مساهماتها في ميزانية اليونسكو 0.57% في حين تقلص عدد الدول العربية التي تدفع الحد الأدنى من المساهمات البالغ نسبته 0.01% إلى (8) دول[1]. كذلك فإنه خلال الدورة المالية (1996م - 1997م) لليونسكو، نجد أن الحد الأدنى للمساهمات قد بقي على ما هو عليه، بينما بلغ الحد الأعلى للمساهمات في حده الأقصى- بنسبة 13.79% لليابان وذلك بعد انسحاب كل من أمريكا وبريطانيا من عضوية المنظمة، وقد تضائل الحد الأدنى من المساهمات في الدورة المالية (2004م - 2005م) ليصل إلى نسبة 0.001% بينما أصبح الحد الأعلى لهذه الدورة 22% لأمريكا بعد عودتها إلى عضوية المنظمة، كذلك فإن الحد الأعلى لمساهمات الدول العربية في ميزانيات الالكسو خلال دوراتها المالية من عام 1997م وحتى عام 2006م هو نسبة 14%، إذ تدفع هذه النسبة كل من السعودية والكويت، كأغنى الدول على المستوى العربي، يليها مصر- في المرتبة الثانية بنسبة 8.5% ثم

(1) وهذه الدول هي: الاردن، السودان، الصومال، موريتانيا، اليمن (الشمالي والجنوبي) سابقاً، البحرين، عمان، بينما تدفع: سويا، لبنان، قطر، تونس نسبة 0.03% لكل منها، وتدفع العراق والجزائر لكل منها 0.12% مقابل 0.23% لليبيا، 0.20% للكويت، 0.10% للامارات، 0.07% لمصر، 0.05% للمغرب.

- انظر بهذا د. اسكندر الديك مرجع سابق ص29.

الجزائر بنسبة 8%، بينما تدفع ست دول عربية الحد الأدنى من المساهمات البالغة 1% لكل منها، أما الحد الأعلى لمساهمات الدول العربية والإسلامية في موازنات الايسيسكو خلال دوراتها المالية من عام 1998 وحتى عام 2006م فهو نسبة 10% للسعودية، كأغنى دولة على المستوى العربي والإسلامي، يليها الكويت بنسبة 9%، فالإمارات بنسبة 7%، ثم ليبيا بنسبة 6%، بينما تدفع (12) دولة عربية وإسلامية الحد الأدنى من المساهمات البالغة 0.50%. مما سبق نلاحظ أن الغنى مسالة نسبية سواء أكان ذلك على المستوى العربي، أو الإسلامي أو الدولي، حيث تبرز بعض الدول في عداد الدول الغنية في بعض الفترات، بينما تراجعت هذه الدول في فترات أخرى، كالصين، والهند، وأوكرانيا، وبولندا، وبلجيكا ومصر على سبيل المثال.

وعلى العموم فإنه يتضح من نسب مساهمات الدول الأعضاء، كما وردت في الجداول السابقة للمنظمات (اليونسكو، الالكسو، الايسيسكو) الأتي:-

إن مساهمات كل من الصومال، وجزر القمر، إنما تبلغ لكل منها، الحد الأدنى للمساهمات المسموح بها في أي من هذه المنظمات الثلاث، إلا أن مقدار هذا الحد الأدنى مع ذلك يختلف من منظمة لأخرى، نظراً لاختلاف حجم الموازنات في كل منها.

إن نسبة مساهمات كل من الدول الإسلامية: النيجر، تشاد، غامبيا، غينيا بيساو، المالديف في موازنات كل من اليونسكو، الايسيسكو، إنما تبلغ لكل من هذه الدول، عند الحد الأدنى من المساهمات في كلا المنظمتين، وعلى العكس من ذلك نجد أن كلاً من سيراليون، وسورينام مساهماتهما في

اليونسكو تبلغ الحد الأدنى لكل منها، بينما تبلغ نسب مساهماتهما في الايسيسكو أكبر من ذلك، إذ تصل إلى الضعف أو ثلاثة أضعاف الحد الأدنى من المساهمات في هذه الأخيرة.

كذلك فإن نسب مساهمات كل من: موريتانيا، وجيبوتي في ميزانيات كل من اليونسكو والالكسو إنما تبلغ الحد الأدنى من المساهمات لكل منها، بينما نجد أن نسبة مساهمات هاتين الدولتين في موازنة الايسيسكو أكبر من ذلك، إذ تعادل ضعفي الحد الأدنى المسموح به في هذه المنظمة.

كما أن نسبة مساهمات كل من سوريا، تونس، عمان، في موازنات كل من الايسيسكو والالكسو قد ظلت ثابتة ومتساوية في كل من هاتين المنظمتين، في حين نجد أن البعض الآخر من الدول تتقارب نسب مساهماتها بشكل كبير مثل الإمارات، وقطر على سبيل المثال، إلا أنه على العكس من ذلك نجد أن نسبة مساهمات بعض الدول العربية، تتفاوت بشكل كبير بين المنظمتين، بالأخص نسب مساهمات كل من مصر، الجزائر، المغرب، ليبيا، الكويت، السعودية، مما قد يوحي بأنه لا توجد قاعدة واحدة تحكم واضعي هذه النسب (وذلك على العكس مما هو عليه الحال في نسب مساهمات الأعضاء في اليونسكو) ولعل هذا الأمر، ما قد يفسر إعتراض بعض الدول العربية على نسب مساهماتها في الالكسو، إذ تبلغ نسبة مساهمات بعض الدول المعترض عليها 11.3%[1].

كذلك يلاحظ أن إجمالي نسب مساهمات الدول الأعضاء في الالكسو، إنما تبلغ بعد انضمام جزر القمر ما نسبته 101% مما يعني انه ينبغي على

---

[1] انظر: تقرير هيئة الرقابة المالية للعام المالي 2001م اصدارات الالكسو ص7.

المنظمة التنبه لهذا الأمر، بحيث لا تزيد نسبة المساهمات بعد توزيع نسبة فلسطين على الدول الأعضاء ما نسبته 100%.

يلاحظ كذلك أن نسب مساهمات الدول العربية والإسلامية في موازنات الايسيسكو فإنها في مجملها تصل إلى ما نسبته (93%، 94.5%، 101.5%) خلال الدورات المالية الثلاث منذ عام 1998 وحتى عام 2006 بالترتيب، ويعزى هذا الفرق (الذي يبدوا أنه غريباً بعض الشيء، بل ربما إنه قد لا يحدث على أرض الواقع في الغالبية العظمى من المنظمات الدولية) بسبب أن هناك بعض الدول الأعضاء في المنظمة الأم، لم تنظم بعد إلى عضوية الايسيسكو كما تصرح بذلك وثائق هذه الأخيرة، إلا أن هذا الأمر فيما يبدوا ليس دقيقاً بما فيه الكفاية ذلك أن نسب مساهمات الدول الأعضاء في الدورة المالية (2004م - 2006م) إنما تجاوزت نسب مساهماتها 100% في موازنة المنظمة لتصل إلى ما نسبته 101.5% - بعكس الدورتين السابقتين - بالرغم من أنه لا زالت هناك دولاً لم تنظم بعد إلى عضوية هذه المنظمة مثل تركيا وموزنبيق، ألبانيا، زنجبار، وهي دول أعضاء في المنظمة الأم (المؤتمر الإسلامي)، مع ما قد يترتب على هذا الوضع، من نقص في تحصيل الموارد (وهو السمة البارزة) أو من زيادتها كما حدث في الدورة المالية الأخيرة. وعليه فإننا نجد أن العجز الحاصل في موازنة المنظمة بسبب هذا الوضع منذ عام 1982م وحتى نهايته عام 2005م إنما بلغ ما مجموعة (13،25.589.275 دولار أمريكي)[1]. وعلى

[1] انظر بهذا الخصوص:

- د. أحمد الرشيدي، منظمة المؤتمر الاسلامي مرجع سابق ص52.
- المجلس التنفيذي للايسيسكو الدورة (27) الرباط 4 - 6 ديسمبر 2006م مرجع سابق

أيه حال فإنه ينبغي التنبه لهذا الأمر والعمل على معالجته، بحيث تتوزع الموازنة العادية للمنظمة على الدول الأعضاء بنسبة 100% كما هو عليه الحال في سائر المنظمات الدولية.

وعلى العموم فإن الدول الأعضاء التي تقصر- دون الوفاء بالتزاماتها المالية، توقع عليها عقوبات في اليونسكو - بعكس ما هو عليه الحال في كل من الالكسو والايسيسكو - ذلك أن كل دولة يفوق مبلغ المساهمة المالية المطلوبة منها عن السنة الجارية والسنة التقويمية التي تسبقها مباشرة، فإنه لا يجوز لها أن تشترك في التصويت في المؤتمر العام، أو أيه لجنة أو هيئة فرعية أخرى تابعة له[1]. إلا أنه يجوز للمؤتمر العام أن يأذن لهذه الدول العضو بالاشتراك في التصويت إذا رأى أنها تخلفت عن الدفع بسبب ظروف خارجة عن إرادتها[2]. وعندئذ يكون المجلس التنفيذي في دورته السابقة قد أبدى رأيه للمؤتمر العام في هذا الشأن[3].

وعلى أيه حال فإنه ينبغي على المدير العام أن يخطر الدول الأعضاء التي يمكن أن تفقد حقها في التصويت، وذلك قبل افتتاح كل دورة من الدورات العادية للمؤتمر العام بسته أشهر على الأقل، على أن يكون

ص22.

- المؤتمر العام للايسيسكو الدورة (9) تقرير المدير العام عن مساهمات الدول الاعضاء في المنظمة الرباط 8 - 10 ديسمبر 2006م ص10.

[1] انظر: م 4 جيم، فقرة (8 - ب) من ميثاق اليونسكو مرجع سابق ص12.

- كذلك انظر: م 83 فقرة (2) من النظام الداخلي للمؤتمر العام في نفس المرجع السابق ص53.

[2] انظر: م4 جيم فقرة (8 - ج) من الميثاق نفس المرجع السابق وبنفس الصفحة.

[3] انظر: مرشد عملي من أجل اللجان الوطنية لليونسكو مرجع سابق ص43.

الإخطار عبر أوثق القنوات وأسرعها، ويجب على الدول الأعضاء تقديم الردود عن تلك الإخطارات إلى المدير العام الذي يتولى إحالتها إلى اللجنة الإدارية للمؤتمر العام لدراستها ورفع تقرير بشأنها مشفوعة بالتوصيات، إلى الجلسة العامة للمؤتمر العام، على أنه يجب على الدول الأعضاء تقديم تلك الردود في مهلة لا تتجاوز ثلاثة أيام بعد افتتاح أعمال المؤتمر العام، إذ لا يجوز - بعد انقضاء هذه المهلة - إلا للدول الأعضاء المعنية التي قدمت الردود المشار إليها، أن تتمتع بحق الاشتراك في التصويت. ويكون أي قرار بالإذن لدوله عضو تأخرت عن دفع اشتراكها بالتصويت مشروطاً بالتزام هذه الدولة، بما يصدره المؤتمر العام من توصيات بشأن تسديد المتأخرات المستحقة عليها[1]. وبالرغم من أن النصوص القانونية صارمة في اليونسكو - كما أسلفنا - تجاه أي دولة عضو تتخلف عن دفع اشتراكاتها، إلا أن واقع الحال ينبئ مع ذلك بأن تكرار الامتناع عن دفع الاشتراكات، يعد مشكله ليس في اليونسكو فحسب، بل في كافة الهيئات التابعة لمنظومة

---

(1) وعلى اللجنة الادارية أن تدرج في التقرير المقدم للمؤتمر العام ما يلي:-

1- شرح الظروف التي أدت الى تخلف الدولة العضو عن دفع مساهمتها، لاسباب خارجة عن ارادتها.

2- معلومات عن تطور مدفوعات اشتراكات الدولة العضو لسنوات سابقة، وبشأن طلبها المقدم للحصول على حق التصويت.

3- بيان التدابير التي تتخذ لتسديد المتأخرات التي عادة ما يكون على ثلاثة أقساط من فترات العامين، مع تعهد من الدوله العضو في ذات الوقت بأن تبذل هذه الدولة كل ما بوسعها، لتسديد الاشتراكات السنوية المطلوبة في مواعيدها مستقبلاً.

- انظر: بهذا، م 83 الفقرات (3 - 11) من النظام الداخلي للمؤتمر العام لليونسكو مرجع سابق ص 53- 54.

الأمم المتحدة، ففي نهاية الدورة المالية (1994م - 1995م)، كان هناك عدد (78) دولة عضو في اليونسكو لم تسدد اشتراكاتها عن السنة الجارية، وعدد (19) دولة لم تدفع إلا جزءاً منها[1]. كذلك فإن نسب متأخرات اشتراكات الدول الأعضاء في كل من المنظمات الالكسو والايسيسكو، إنما هي بمبالغ كبيرة، ولعل السبب في ذلك يرجع إلى أن أياً من هاتين المنظمتين - بعكس اليونسكو - لا تتضمن المواثيق المنشأة لهما، أيه نصوص، عقابية لردع أي دولة عضو قد تتخلف عن سداد اشتراكاتها في موازنة المنظمتين. ولذلك فإننا نجد أن نسبة تحصيل الاشتراكات في الالكسو خلال الأعوام من 2001م إلى 2005م إنما بلغت 70.8% تقريباً، بينما بلغت نسبة التحصيل في الايسيسكو خلال الفترة من عام 2000م إلى نهاية عام 2005م ما نسبته 62.6% وبلغت نسبة المتأخرات في هذه الأخيرة 37.4% مقابل نسبة 29.2% في الالكسو، وكما يظهر ذلك بشكل تفصيلي من خلال الجدول الأتي[2]:-

---

(1) انظر: مرشد عملي من أجل اللجان الوطنية نفس المرجع السابق ص 44،43.

(2) انظر: بهذا الخصوص:- الحسابات الختامية للالكسو للاعوام المالية (2001م، 2004م، 2005م) ، إصدارات المنظمة تونس للاعوام (2002، 2005م، 2006م) ص 6،6،6 بالترتيب.

- تقارير هيئة الرقابة المالية للاعوام (2002م،2003م) إصدارات الالكسو ص (5،4) ، (4) بالترتيب.

- تقارير المدير العام عن مساهمات الدول الاعضاء في الايسيسكو، المقدمة للمجالس التنفيذية الدورات (22، 23، 24) إصدارات المنظمة لشهر ديسمبر للاعوام (2001م،2002م،2003م) ص 2،2،1 بالترتيب.

- تقرير المدير العام عن مساهمات الدول الاعضاء في الايسيسكو للسنوات 2003م - 2005م، المقدمة للمؤتمر العام في دورته (9) إصدارات المنظمة ديسمبر 2006م ص1.

العام المالي	الموازنة المقررة بالدولار	المساهمات المسددة للعام المالي	نسبة التحصيل	المحصل من المساهمات المتأخرة عن أعوام سابقة	إجمالي المساهمات المسددة في موازنة المنظمة خلال العام	النسبة العامة للتحصيل	نسبة المساهمات غير المسددة	اسم المنظمة
2001	7500000	5084682	%67.8	387769	5472451	%73	%27	الالكسو
2002	7500000	4962567	%66.2	411773	5374340	%71.7	%28.3	
2003	8000000	4043484	%50.5	661398	4704882	%58.8	%41.2	
2004	8000000	5460434	%68.3	855983	6316417	%79	%21	
2005	8000000	5171658	%64.6	552733	5724391	%71.5	%28.5	
إجمالي	39000000	24722825	%63.4	2869656	27592481	%70.8	%29.2	
2000	12861722	653695055،	%28.7	182657319،	836352374،	%49.4	%50.6	الايسيسكو
2001	12861722	614614137،	%35.9	785111187،	379725325،	%75.6	%24.4	
2002	12861722	5146803	%40	481008623،	486155426،	%47.9	%52.1	
2003	12861722	255935133،	%46.2	161450352،	417385485،	%57.4	%42.6	
2004	13700151	985474126،	%40	*77779619،	756253746،	%45.7	%54.3	
2005	13700151	897319017،	%53.4	376162175،	2613481193،	%98.4	%1.6	
إجمالي	78.847190	3832184274،	%40.8	7217169277،	1049353552،	%62.6	%37.4	

الجدول من إعداد المؤلف

ومما يلاحظ على متأخرات مساهمات الدول الأعضاء في كل من الالكسو والايسيسكو أنها تتأرجح بين الصعود والهبوط من فترة لأخرى، لا يحكمها في ذلك أي قواعد واضحة أو محددة، سوى إرادات الدول الأعضاء في دفع مساهماتها، أو تأجيل الدفع، أو حتى تجزئته، أو سداد نسب معينة

- التقرير المالي للمدير العام وحسابات الاقفال للاعوام 2001م - 2003م، المقدم للمؤتمر العام الدورة (8) ديسمبر 2003 ص4.
- التقارير المالية للمدير العام وحسابات الاقفال للسنوات المالية (2003م،2004م) المقدمة للمجالس التنفيذية في الدورات (26،25) ديسمبر للأعوام (2004م،2005م) ص 4،4.

(*) من ضمن المبلغ المدون بعالية مبلغ (9.909.67) دولار عبارة عن مساهمات محصله مقدماً عن العام المالي 2005م.

ترتضيها بعض الدول خلافاً للنسب المحددة لها، إلى غير ذلك من الأسباب الأخرى، إلا أن الطابع العام لهذه المتأخرات - أيا كان حجمها - هو أنها تتراكم من عام لأخر، وهو الأمر الذي أدى بأي من هاتين المنظمتين لعرض هذا الموضوع، على مؤتمراتهما العامة، حيث اتخذ المؤتمر العام في الالكسو في دورته (13) قراراً بجدوله هذه المتأخرات على خمسة أقساط تسدد إبتداءاً من عام 1997م وعلى أن تقيد لصالح الدول الدائنة، إلا أن أياً من الدول الأعضاء، لم تستجيب لذلك، وقد عرض الأمر مجدداً على المؤتمر العام في دورته (15) حيث اتخذ قراراً بجدوله هذه المتأخرات على سبعة أقساط تسدد من بداية عام 2001م علماً بأن إجمالي متأخرات المنظمة حتى هذا التاريخ قد بلغت (54.095.513 دولار منذ عام 1980م[1]. وبالمثل فقد صادق المؤتمر العام الثامن للايسيسكو على إعفاء الدول القادرة من نسبة 50% من متأخراتها إلى غاية عام 2002م شريطة أن تسارع هذه الدول إلى تسديد مساهماتها لمدة سنتين متتاليتين إبتداءاً من العام المالي 2004م وأن تسدد 50% الباقية من المتأخرات على ثلاثة دفعات سنوية متتالية، كما صادق المؤتمر على إعفاء الدول غير القادرة من كامل متأخراتها بشرط تسديد مساهماتها لمدة سنتين متتاليتين ابتداءاً من عام 2004م وفي حالة تسديدها لمبلغ أقل من المساهمات المقررة لتلك السنتين يخصم مبلغ مماثل له من المتأخرات[2]. علماً بأن إجمالي المساهمات

---

(1) انظر: تقرير هيئة الرقابة المالية للالكسو عن العام المالي 2001م اصدارات المنظمة ص 8،7.

(2) انظر: تقرير المدير العام عن مساهمات الدول الاعضاء في الايسيسكو، المقدم لدورة المجلس التنفيذي (27) المنعقدة في الرباط في شهر ديسمبر 2006 ص 18،1.

المتأخرة منذ عام 1982م وحتى نهاية عام 2000م بلغت71829263،75 دولار[1].

وعلى العموم فإنه يتضح (من خلال إجراء بعض العمليات الحسابية البسيطة لمبالغ المساهمات الأنفة الذكر، علاوة على نسب المتأخرات الواردة في الجدول السابق) أن إجمالي المساهمات المتأخرة، للالكسو منذ عام 1980م وحتى نهاية عام 2005م هو (63458513) دولار وأن متأخرات الايسيسكو منذ عام 1982م حتى نهاية عام 2005م هو (94810081،48) دولار[2].

غير أن مبالغ المساهمات المتأخرة لاشتراكات الدول الأعضاء، كما تظهر ذلك وثائق المنظمتين خلال الفترات المشار إليها، إنما تبلغ بالنسبة للالكسو مبلغ 62.600.316 دولار، بينما تبلغ في الايسيسكو مبلغ 73848074،35 دولار[3]. مما يعني أن استجابة الدول الأعضاء في الالكسو لسداد مساهماتها المتأخرة بناءاً على قرار المؤتمر العام، فإنها وأن تمت بالفعل فإنها لا تشكل سوى ما نسبته 1.4% إذ تبلغ تلك المتأخرات المحصلة

---

(1) انظر: تقرير المدير العام عن مساهمات الدول الاعضاء في الايسيسكو، المقدم لدورة المجلس التنفيذي (22) المنعقدة في الشارقة في شهر ديسمبر 2001م ص9.

(2) جمله المتأخرات من عام 2002م إلى نهاية عام 2005م في الالكسو هو مبلغ (9363000 دولار أما متأخرات الايسيسكو من عام 2001م إلى نهاية عام 2005م فهو مبلغ (73،22980817 دولار).

(3) انظر: الحساب الختامي للالكسو عن العام المالي 2005م إصدارات المنظمة لعام 2006 ص6.

- كذلك انظر: تقرير المدير العام عن مساهمات الدول، المقدم لدورة المجلس التنفيذي (27) للايسيسكو مرجع سابق ص12.

في نهاية عـام 2005م مبلـغ 858197 دولار[1]. وبـالعكس مـن ذلـك يتضـح أن بعـض الدول الأعضاء في الايسيسكو، قد استفادت من قرار المؤتمر العام لسـداد بعـض متأخراتهـا إما كلياً أو جزئياً، إذ بلغ إجمالي المبالغ المحصلة والمعفاة، كما تشير إلى ذلك وثائق المنظمة ما مجموعة 25553212،87 دولار، وهو ما يشكل حوالي نسبة 27% من إجمالي المتـأخرات حيث بلغت المبالغ المحصلة مـن المسـاهمات المتـأخرة مبلـغ 11397811،40 دولار وذلـك خلال عامي 2004م - 2005م من الدول المستفيدة من قرار الإعفـاء، إذ بلغـت المتـأخرات المالية المعفاة إلى نهاية عام 2005م مبلغ 14155401،47 دولار[2]. وعـلى هـذا الأسـاس فـإن إجمالي المساهمات المتأخرة للدول الأعضاء في الايسيسكو حتى نهاية هذا العام الأخير هـو فعلاً 69256868،61 دولار، بنقص 4591205،74 دولار عما تظهره وثائق المنظمة كـما هـو مشار إليه أنفا، وربما يعود السبب في هذا النقص إلى اختلاف نسـب المسـاهمات المحصـلة لنفس الأعوام المالية، وكما يظهر ذلك

---

(1) المبلغ 858197 دولار عبارة عن الفرق بين (63458513 - 62600316).

(2) انظر: تقرير المدير العام للايسيسكو عن مساهمات الدول الاعضاء المقدم لدورة المجلس (27) المرجع السـابق ص19.

- وحسب هذا المرجع ص 12،18،19.

- هناك دول استفادت من الإعفاء الكامل من متأخراتها المالية الى غاية عام 2002م وهي: بنجلادش، السنغال، اليمن. بينما إستفادت بعض الدول من الاعفاء في حدود 50% من المتأخرات الى نفس العام السابق وهي: ايران، بروناي دار السلام، تونس، كازاخستان، قطر، ليبيا، ماليزيا. وسددت كل من: تاجيكستان وسيراليون أقل مـن المسـاهمات المقـررة لعامي 2004م،2005م ليطبق عليهما قرار خصم مبالغ مماثلة من متأخراتهما، واعفيـت افغانسـتان مـن مسـاهماتها للاعوام (2004م - 2006م).

في بعض تقارير المنظمة، مما يعني أنه ينبغي العمل على تصحيح الوضع وتلافي حدوثه مستقبلاً[1].

ثانياً: مصادر التمويل الخارجة عن موازنات المنظمات المتخصصة

إن مصادر التمويل الخارجة عن موازنات المنظمات المتخصصة اليونسكو، الالكسو، الايسيسكو تعني الأموال التي تتلقاها أي من هذه المنظمات، علاوة على الاشتراكات التي تدفعها الدول الأعضاء، وتعرف وثائق اليونسكو الموارد الخارجة عن الميزانية: بأنها الموارد المالية التي تتاح للمنظمة لتمويل نشاط توافق عليه بالتحديد الأطراف المعنية، وذلك من مصادر أخرى غير الميزانية العادية[2]. وتستخدم بصفة أساسية في تمويل برامج ومشروعات مساعدة للتنمية في مجالات اختصاص اليونسكو التي تعمل في هذه الحالة بوصفها وكالة منفذه، وتدمج هذه الموارد في برنامج المنظمة إلى جانب أموال البرنامج العادي. ويعود تاريخ دمج مصادر التمويل هذه إلى نهاية عقد الخمسينات من القرن الماضي، والدافع إلى تطبيق هذا المبدأ هو صون وحدة البرنامج[3]. وهذا المبدأ معمول به أيضاً

---

(1) انظر: بهذا الخصوص

- تقرير المدير العام عن مساهمات الدول الاعضاء في موازنة الايسيسكو للاعوام 2003م - 2005م المقدم للدورة (9) للمؤتمر العام المنعقده في الرباط في شهر ديسمبر 2006م ص7.

- تقرير المدير العام عن مساهمات الدول الاعضاء في موازنة المنظمة المقدم لدورة (25) للمجلس التنفيذي المنعقدة في الرباط في شهر ديسمبر 2004م ص6.

(2) انظر: مشروع البرنامج والميزانية لليونسكو لعامي 2000م - 2001م مرجع سابق ص446.

(3) انظر: مرشد عملي من أجل اللجان الوطنية لليونسكو مرجع سابق ص47.

في المنظمات الموازية الالكسو و الايسيسكو، مع بعض الاختلافات الشكلية في أي من هاتين الأخيرتين، فالايسيسكو تدرج مبالغ المساهمات الخارجة المتوقع حصولها ضمن موازناتها المالية، مثلها في ذلك مثل الالكسو، إلا أن أياً من هاتين المنظمتين لم تفردا خانه مستقلة بهذا النوع من الموارد ضمن الجداول الإجمالية لموازناتهما على غرار اليونسكو، وهو ما ينبغي الاحتذاء به[1]. كما أن الالكسو، تعد تقاريرها عن الموارد الخارجة، لهيئاتها الرئاسية بشكل مستقل، مثلما هو عليه الحال تقريباً في منظمة اليونسكو بعكس ما يعتمل في منظمة الايسيسكو، إذ تُضمن هذه الأخيرة تقاريرها المقدمة لهيئاتها الرئاسية عن الأنشطة المنفذة من الميزانية العادية، ومن الموارد الخارجة، جنباً إلى جنب ضمن تقرير واحد[2].

وعلى العموم فإن الموارد الخارجة عن موازنات هذه المنظمات في دوراتها المالية (2004 - 2005م)، (2005م - 2006م)، (2004م - 2006م) لهذه المنظمات بالترتيب، إنما تشكل ما نسبته (39.9%)، (5.6%)،

[1] انظر: بهذا الخصوص
- البرنامج والميزانية المعتمدان لليونسكو 2004م - 2005م مرجع سابق ص19.
- الميزانية والبرنامج للالكسو لعامي 2005م - 2006م مرجع سابق ص14.
- الخطة والموازنة للايسيسكو للاعوام 2004م - 2006م مرجع سابق ص7.

[2] انظر: بهذا الخصوص
- أنشطة اليونسكو الممولة من خارج الميزانية، دليل عملي اصدارات اليونسكو لعام 2004م مرجع سابق ص 1 - 40.
- المشروعات والبرامج الممولة من مصادر خارج الميزانية لعامي 2001م - 2002م المقدم للمجلس التنفيذي للالكسو في دورته (72) مرجع سابق ص 1 - 129.
- المؤتمر العام للايسيسكو الدورة (9) التقرير المقدم من المدير العام عن نشاط المنظمة، اصدارات الايسيسكو ديسمبر 2006م ص 1 - 98.

28.4%) تقريباً من إجمالي الموازنات العادية للمنظمات بالترتيب[1].

وقد سبق تناول هذا الموضوع بشكل عام ضمن المطلب السابق، ونضيف هنا بأن نسب الموارد الخارجة عن هذه الموازنات، إنما هي نسب تقريبية لما يتوقع حصوله من هذه الموارد خلال تلك الفترات المالية، وعلى ذلك فإن هذه الموارد الخارجة المبنية على تقييم مسبق في بداية تلك الدورات المالية، قد تختلف نسب تحصيلها في نهاية تلك الدورات، إما بشكل يفوق أو ينتقص من تلك التقديرات، وإن كانت السمة الغالبة، تتجه في معظم الأحيان نحو الزيادة في التحصيل وكما سنرى ذلك تباعاً. وكما يلاحظ من النسب السابقة، فإن الموارد الخارجة عن ميزانية اليونسكو، إنما تشكل نسبة كبيرة - مقارنة بحجم تلك الموارد في المنظمات الموازية لها - والتي تقارب 40% من الميزانية العادية للمنظمة، وهي بهذا الحجم تشكل مصدراً رئيسياً للدعم من شأنه أن يساعد المنظمة على الاضطلاع بمهامها ولاسيما على الصعيد القطري، ومن الجدير بالذكر هو إننا نجد في بعض الدورات المالية للمنظمة، أن كل دولار ينفق من الميزانية العادية، على الأنشطة البرنامجية تقابله أربعة دولارات من الموارد الخارجة عن الميزانية، بل إن حجم المساهمات الخارجة عن الميزانية، إنما يفوق في بعض الدورات بنحو خمسة أمثال حجم موارد الميزانية العادية من حيث تمويل أنشطة المنظمة فيما عدا تكاليف الموظفين، والإدارة العامة، وبعض المقتضيات النظامية، ولهذا فإنه يتعين الحرص والنظر إلى الميزانية العادية، وكذا الموارد الخارجة عنها باعتبارهما عنصرين متكاملين تحت مظله عامة واحدة، وهذا

---

[1] انظر: موازنات المنظمات (2004م - 2005م) ، (2005م - 2006م) ، (2004م - 2006م) نفس المراجع السابقة ص 7،14،19 بالترتيب.

بدورة يتطلب بذل المزيد من الجهود لتحقيق الاتساق بين البرنامج العادي، وأهداف وتطلعات الجهات المانحة للأموال الخارجة عن ميزانية اليونسكو، على نحو يحقق الأهداف الإستراتيجية المنشودة والمحددة ضمن الإستراتيجية المتوسطة الأجل 2002م - 2007م م[1].

وعلى العموم فإن الايسيسكو خلال خطتها المالية 2004م - 2006م قد نفذت عدد (709) نشاطاً من إجمالي عدد الأنشطة المبرمجة مع الجهات المتعاونة والبالغة (887) نشاطاً لتصل نسبة التنفيذ إلى 80% وقد بلغت التكلفة الإجمالية للأنشطة المنفذة مبلغ 22948945 دولار حصة الايسيسكو منها مبلغ 5761300 دولار بنسبة 25.1% بينما بلغت الموارد الخارجة عن الموازنة مبلغ 17186945 دولار وهو ما يمثل نسبة 74.9% تقريباً من إجمالي تنفيذ الأنشطة المشار إليها، وهذا المبلغ الخارج عن الموازنة يمثل ما نسبته 41.8% تقريباً من موازنة الدورة المالية، وذلك بزيادة ما نسبته 13.4% عن الموارد المقدرة في بداية الدورة المالية[2].

كما أن إجمالي الموارد الخارجة عن الميزانية العادية للالكسو، والتي تمثلت في تمويل المشروعات الذاتي والخارجي في نهاية العام الأول من

---

(1) انظر: بهذا الخصوص:

- وثيقة المجلس التنفيذي لليونسكو (EX / 31 161) المنعقدة في باريس بتاريخ 22 - 3 - 2001م ص2 ((أصل الوثيقة باللغة الانجليزية)).

- البرنامج والميزانية المعتمدان 2002م - 2003م مرجع سابق ص X.

- الاستراتيجية المتوسطة الأجل المعتمدة لليونسكو (31م / 4) للأعوام (2002م - 2007م) إصدارات اليونسكو باريس لعام 2002م ص12.

(2) انظر: تقرير المدير العام للسنوات 2004م - 2006م في مرجع المؤتمر العام للايسيسكو الدورة (9) ((تقييم عمل المنظمة)) الرباط 8 - 10 ديسمبر 2006م ص 70،66.

الدورة المالية 2005م - 2006م قد بلغت 906633 دولار بنسبة 5.6% لعام 2005م أي لعام واحد، وهي نفس النسبة تقريباً المتوقع حصولها للموارد الخارجة عن الميزانية العادية في بداية الفترة المالية لعامين كاملين[1]. بينما بلغت المشروعات الممولة من خارج الميزانية للدورة المالية (2001م - 2002م) مبلغ 5964536 دولار، وهو ما يعادل نسبة 35.1% تقريباً من موازنة الدورة المالية البالغة (17000000 دولار[2]). وبالمقابل من ذلك فإننا نجد أن منظمة اليونسكو لديها عدد (1976) مشروع من المشروعات الجارية الممولة من خارج الميزانية، يصل إجمالي ما أنفق عليها في عام 2004م والاعتمادات المخصصة لها في عام 2005م إلى (594138000 دولار)، وهو ما يعادل نسبة 97.4% من الميزانية العادية، وذلك بزيادة ما نسبته 57.5% عن إجمالي الموارد المقدرة في بداية الدورة المالية 2004م - 2005م[3]. وتأتي مصادر الأموال الخارجة عن موازنات هذه المنظمات من مصادر متعددة، إذ بلغ عدد الجهات المتعاونة مع الايسيسكو خلال فترتها المالية (2004م - 2006م) (49) جهة، شملت المؤسسات والمنظمات العربية والإسلامية منها عدد (35) جهة، إلا أن

---

(1) انظر: الحساب الختامي للالكسو للعام المالي 2005م وتقرير مراجع الحسابات الخارجي للادارة العامة والاجهزة الخارجية، اصدارات الالكسو تونس 2006م ص7.

(2) انظر: المشروعات والبرامج الممولة من مصادر خارج الميزانية لعامي 2001م - 2002م المعروضة على المجلس التنفيذي للالكسو في دورته (72) تونس نوفمبر 2000م ص 9 - 10.

(3) انظر: وثيقة المجلس التنفيذي لليونسكو 174 EX/27 الصادرة في باريس بتاريخ 3 /3/ 2006م الملحق (Annex) ص 5،3 ((الأصل باللغة الإنجليزية)).

حصتها من الموارد الخارجة بلغت 6382150 دولار[1]. بينما بلغ عدد المؤسسات والمنظمات الدولية المتعاونة (14) جهة، إلا أن حصتها من الموارد المالية الخارجة بلغت 10804795 دولار[2].

كذلك تأتي مصادر الأموال الخارجة عن موازنات الالكسو من خلال

---

(1) وهذه المؤسسات والمنظمات العربية والاسلامية هي: الالكسو، الهيئة الخيرية الاسلامية العالمية، جمعية الدعوه الاسلامية العالمية، اللجنة الدائمة للتعاون العلمي والتكنولوجي (كومستيك)، رابطة الثقافة والعلاقات الاسلامية، منحة أمير قطر، برنامج الامير بندر بن سلطان، الصندوق المصري للتعاون الفني مع افريقيا، وزارة الأوقاف الكويت وزارة التربية (عمان، الامارات، إيران)، وزارة الثقافة (تونس، الجزائر)، جامعة (الزيتونة، البحرين، افريقيا العالمية)، الأكاديمية الإسلامية للعلوم، الغرفة الإسلامية للتجارة والصناعة، المنظمة الاسلامية للعلوم الطبية، الشبكة العربية لدراسات اخطار مخلفات الحروب في الوطن العربي، الهيئة العامة لدار الكتب والوثائق المصرية، وزارة الشئون الدينية الاردن، دائرة الثقافة والاعلام الشارقة، المركز العربي لدراسات المناطق الجافة (اكساد)، مؤسسة ال ابراهيم، مؤسسة الوقف الاسلامي السعودية، المنظمة العالمية للكشفية العربية، المعهد العالمي للفكر الاسلامي، مجلس الطفولة والتنمية، ادارة البيئة جامعة الدول العربية، حكومة (السعودية، الكويت)، مكتب التربية العربي لدول الخليج، مؤسسة الفكر العربي.

- انظر: بهذا تقرير المدير العام للايسيسكو للاعوام 2004م - 2006م حول تقييم عمل المنظمة في مرجع المؤتمر العام الدورة (9) لعام 2006م مرجع سابق ص 67 - 68.

(2) اما المؤسسات والمنظمات الدولية المتعاونة مع الايسيسكو فهي: اليونسكو، الصحة العالمية، المفوضية السامية للاجئين، منظمة الأمم المتحدة للطفولة، برنامج الامم المتحدة للبيئة، الشبكة العالمية للطاقة، معهد الطاقة والبيئة للفرانكفونية، لجنة العلوم والتكنولوجيا من أجل التنمية المستدامة في الجنوب، المركز الافريقي لعلوم وتكنولوجيا الفضاء باللغة الفرنسية، مجلس اوروبا، المنظمة الدولية للهجرة، البنك الافريقي للتنمية، المركز الدنماركي للتعاون والتنمية.

- انظر: نفس المرجع السابق ص69.

التعاون مع المنظمات والاتحادات والهيئات العربية، ومن المنظمات والهيئات الدولية المتخصصة ومن منظمات وهيئات دولية أخرى، وأيضاً من خلال التعاون مع الدول الأعضاء[1].

وتتمثل المصادر الرئيسية للتمويل الخارجي عن الميزانية العادية لليونسكو من الجهات المانحة الحكومية العاملة على أساس ثنائي، ومن صناديق وبرامج منظومة الأمم المتحدة، ومن البنوك الإنمائية المتعددة الأطراف، واللجنة الأوروبية، ومن مصادر التمويل الخاصة (القطاع الخاص) وكما يلي:

---

(1) وهذه الجهات هي: اتحاد اذاعات الدول العربية، اتحاد المهندسين العرب، مكتب التربية العربي لدول الخليج، المركز العربي لدراسات المناطق الجافة والاراضي القاحلة، مؤسسة الفكر العربي، النادي العربي للمعلومات، المجلس العربي لكتب الاطفال والنشىء، المنظمة العربية للتنمية الصناعية والتعدين، منظمة العمل العربية، المؤسسة العربية للعلوم والتكنولوجيا الشارقة، الاتحاد العام للفنانين العرب، الاتحاد العربي للمكتبات والمعلومات، الايسيسكو، المؤسسة الاسلامية للتنمية، اليونسكو، المركز الوطني للتخطيط والتدريب (ليبيا)، الهيئة القومية للبحث العلمي (ليبيا)، معهد العالم العربي (بايس)، المنظمة الدولية للبلدان الناطقة بالفرنسية والوكالة التابعة لها، الغرفة التجارية العربية الفرنسية، الهيئة العامة المصرية لمحو الامية وتعليم الكبار، وزارة المعارف السعودية، وزارات التربية في كل من (الامارات، الكويت، مصر، السودان، ليبيا، سوريا، عمان، السعودية، موريتانيا)، جامعة (الشارقة، القاهرة، دمشق)، وزارة الشئون الخارجية الجزائر، وزارة تكنولوجيات الاتصال (تونس)، وزارة الشئون الاجتماعية تونس، المجلس الاعلى السوري للعلوم، وزارة الثقافة (سوريا، المغرب)... الخ.

- انظر: بهذا الخصوص - تقرير المدير العام عن أنشطة المنظمة خارج البرامج المقدم للمؤتمر العام للالكسو الدورة (16) تونس ديسمبر 2002م ص 17 - 22، 189- 196.

- الحساب الختامي للالكسو لعام 2005م وتقرير مراجع الحسابات الخارجي اصدارات الالكسو لعام 2006م مرجع سابق ص7.

الجهات المانحة الحكومية الثنائية

ترد المساهمات الحكومية الثنائية بصورة رئيسية من عدد قليل من الجهات المانحة الثنائية والسخية، مثل ايطاليا، اليابان، وهولندا، والمانيا والنرويج، وبلجيكا، والسويد، والمملكة المتحدة، بالإضافة إلى المساهمات الضخمة التي تقدمها البرازيل وليبيا في إطار أموال الودائع الذاتية المنفعة، حيث قدمت في عام 2002م ما مجموعة 92% من المساهمات الطوعية النقدية لليونسكو،سواء في إطار أموال الودائع أو في إطار الحسابات الخاصة[1].

البنوك الإنمائية المتعددة الأطراف

تتصف البنوك الإنمائية المتعددة الأطراف، بالتنوع من حيث طبيعتها ونطاق أنشطتها، وهي تستهدف زيادة النمو الاقتصادي في البلدان المقترحة من خلال منحها قروضاً عادية أو ميسرة، وتقديم المساعدات التقنية الممولة، وقد اعتمدت هذه البنوك مؤخراً مسألة التخفيف من وطاءه الفقر كهدف رئيسي لها، ويعد البنك الدولي والبنوك الإنمائية الإقليمية الرئيسية

---

(1) انظر: أنشطة اليونسكو الممولة من مصادر خارج الميزانية ((دليل عملي)) إصدارات اليونسكو باريس لعام 2004م ص37.

- وبحسب وثيقة المجلس التنفيذي لليونسكو EX/31 161 الصادرة في باريس بتاريخ 22 / 3 / 2001م ص 2،1 فإن بعض الجهات المانحة الحكومية بالإضافة إلى ما تقدمة من مساهمات طوعية لتمويل أنشطة في اطار برامج ومشروعات اليونسكو، تقوم بتزويد المنظمة بمساعدة في شكل موظفين يعملون لفترات تتراوح ما بين سنتين وثلاث سنوات في اطار برنامج الخبراء المنتسبين بالتشاور بين المنظمة والجهة المانحة المعنية، لكنهم يخضعون لنظام ولائحة موظفي اليونسكو بعد تعينهم وباستثناء بعض الحالات فإن برنامج الخبراء المنتسبين هذا إنما يقتصر على مواطني البلد المانح المعني.

من أكبر مصادر التمويل الإنمائي في المجالات التي تمتاز فيها اليونسكو بالتخصص والخبرة، حيث يبلغ مجموع العمليات السنوية التي يضطلع بها البنك الدولي في شكل قروض وهبات نحو (18) مليار دولار أمريكي، كما يبلغ حجم عمليات كل من بنك التنمية الآسيوي، وبنك التنمية للدول الأمريكية (6) مليار دولار، مقابل (3) مليار لبنك التنمية الأفريقي، علاوة على البنوك السالف ذكرها فإن اليونسكو تتعاون مع البنك الإسلامي للتنمية، وصندوق الأوبك للتنمية الدولية والبنك العربي للتنمية الاقتصادية والاجتماعية[1].

اللجنة الأوروبية

إن التعاون بين اليونسكو واللجنة الأوروبية (EC) يقوم على إتفاق تعاون تم توقيعه عام 1996م، وهذا الاتفاق يتيح لليونسكو المشاركة في إعداد أو تنفيذ أو تقييم المشروعات أو البرامج التي تمولها اللجنة، وبإمكان اليونسكو أن تتخذ المبادرة بنفسها بالتعاون الوثيق مع البلد المنتفع، أو أن تستجيب لعروض تطرحها اللجنة، وقد خصصت اللجنة الأوروبية (3،2) مليون دولار عام 2000م لتمويل مشروعات عن طريق اليونسكو، وهو ما يمثل زيادة كبيرة بالمقارنة مع المبلغين (7،1) (5،1) مليون دولار، اللذين خصصتهما في الأعوام 1999م، 1998م على التوالي، وقد أصبحت اللجنة الأوروبية شريكاً من شركاء اليونسكو الرئيسين فيما يخص أموال الودائع،

---

(1) انظر بهذا الخصوص: وثيقة المجلس التنفيذي 161 31 / EX نفس المرجع السابق ص8.

- أنشطة اليونسكو الممولة من مصادر خارج الميزانية، مرجع سابق ص44 ، ص40 ضمن ملاحق المرجع.

إذ بلغت مساهماتها في عام 2001م (2،2) مليون دولار، الجدير بالذكر أن الاتفاق المبرم بين اللجنة واليونسكو قد تم تعديله عام 2003م وكان من المتوقع المصادقة على الصيغة الجديدة في شهر فبراير 2004م، ويعد هذا الاتفاق الأداة الرئيسية للتعاون في تنفيذ المشروعات والبرامج في مختلف مجالات اختصاص اليونسكو[1].

صناديق وبرامج منظومة الأمم المتحدة

تمثل منظومة الأمم المتحدة (فيما عدا الاعتمادات المخصصة في إطار برنامج النفط مقابل الغذاء) ثالث أكبر مصدر لإيرادات اليونسكو الخارجة عن الميزانية حيث بلغ إجمالي المخصصات (32.7) مليون دولار عام 2001م[2]. الجدير بالذكر أن التعاون داخل منظومة الأمم المتحدة، يجري منذ أكثر من أربعين عاماً، وهو تعاون يقوم على اتفاقات مبرمة بين مختلف المنظمات[3]. أما أقدم المؤسسات التي تتعامل معها اليونسكو منذ زمن بعيد، فهي صندوق الأمم المتحدة

---

(1) انظر بهذا:

- أنشطة اليونسكو الممولة من مصادر خارج الميزانية مرجع سابق ص46.
- وثيقة المجلس التنفيذي 164 28 / EX الصادرة بتاريخ 11 / 4 / 2002م ص2.
- وثيقة المجلس التنفيذي 161 31 / EX المرجع السابق ص6.

(2) انظر:- وثيقة المجلس التنفيذي 164 28 / EX نفس المرجع السابق ص2.

(3) انظر: وثيقة المجلس التنفيذي 161 31 / EX المرجع السابق ص6.

- وحسب هذا المرجع ص7 فإن اليونسكو تنفذ عناصر رئيسية في برنامج الأمم المتحدة الإنساني الذي أنشئ في إطار برنامج النفط مقابل الغذاء لفائدة العراق، بصورة رئيسية في مجال التزويد بالمعدات، وبلغت الاعتمادات التي خصصت في إطار هذا البرنامج (26.9) مليون دولار عام 2000م، (20.1) مليون دولار، (18.9) مليون في عامي 1999م، 1998م على التوالي.

للسكان (صامسكان)، وصندوق الأمم المتحدة للطفولة (اليونيسيف)، وبرنامج الأمم المتحدة الإنمائي (بامت)، وبرنامج الأغذية العالمي (باع)، وبرنامج الأمم المتحدة للبيئة (اليونيب). وعلى أيه حال فهذه الصناديق والبرامج أقل سخاء من ذي قبل لأسباب شتى منها أنهم يميلون في الوقت الحاضر إلى إيثار المشروعات الوطنية، فضلاً عن أنهم يجدون صعوبة في تجديد مواردهم[1]. علاوة على ذلك فقد تأثر مجمل التعاون على نطاق منظومة الأمم المتحدة، تأثراً كبيراً في السنوات الأخيرة، بعملية الإصلاح الكبيرة التي بدأت في يوليو 1997م، فيما يخص الأنشطة الميدانية المعنية بالتنمية[2]، وعلى العموم فإن (بامت) قرر أن ينهي إبتداءاً من يناير 2004م اتفاق التمويل التي أبرمها مع وكالات الأمم المتحدة المتخصصة، أما الحقيبة المشتركة بين اليونسكو وصندوق الأمم المتحدة للأمن البشري - الذي انشأ في عام 2000م من خلال هبه رئيسية قدمتها اليابان للأمم المتحدة - فإنه يدير الآن أموالا تزيد على (150) مليون دولار[3].

---

(1) انظر: مرشد عملي من أجل اللجان الوطنية لليونسكو مرجع سابق ص 47 - 48.

(2) انظر: وثيقة المجلس التنفيذي161 EX / 31 المرجع السابق ص7.

(3) انظر: أنشطة اليونسكو الممولة من خارج الميزانية، مرجع سابق ص 42،41.

- كذلك أنظر ضمن ملاحق هذا المرجع ص 38، 39 بقيه صناديق وبرامج الأمم المتحدة الآتية:- مفوضية الأمم المتحدة لشؤون اللاجئين، برنامج الأمم المتحدة للمراقبة الدولية للمخدرات، برنامج الأمم المتحدة المشترك المعني بالسيدا، مكتب منسق برامج الأمم المتحدة للمساعدات الإنسانية والاقتصادية بأفغانستان، سلطه الأمم المتحدة الانتقالية في كمبوديا، مكتب الأمم المتحدة لخدمات المشاريع، إدارة الأمم المتحدة الانتقالية في تيمور الشرقية، الحساب الخاص للتعليم للجميع، صندوق إطار العمل من أجل تلبية احتياجات التعليم الأساسي.

مصادر التمويل الخاصة

إن تعاون اليونسكو مع القطاع الخاص بمعناه الواسع - المؤسسات والمنظمات غير الحكومية، والمجتمع المدني، والمؤسسات الخاصة - قد اتخذ في عده حالات شكل شراكات لم تكن فيها تعبئة الأموال هي الهدف الأساسي، إلا أن عدداً من المبادرات الأخيرة يرمي مع ذلك إلى تعزيز التعاون مع القطاع الخاص في مجال التمويل، وقد اتخذ الجزء الأكبر من المساهمات المالية التي قدمها القطاع الخاص طوال السنوات الأخيرة، شكل أموال ودائع أنفقت على عدد من المشروعات المحددة، وفقاً لرغبات مصادر التمويل ويجري حالياً تنفيذ نحو (80) مشروعاً بميزانيات بلغ مجموعها نحو (16) مليون دولار[1]. علاوة على ما سبق فإن اليونسكو يمكن أن تتلقى:-

مساهمات طوعية

وهذه المساهمات لا تفرض أيه قيود لأنها تساند أنشطة أكثر اتساماً بطابع عام تبينها الجهة المانحة، وهي لا تقتضي- إبرام اتفاقات رسمية، ولا تلتزم المنظمة بتقديم تقارير عن أعمالها في كل مرحلة من مراحل التنفيذ، وأن كان ذلك لا يعني بطبيعة الحال أنها تعمل في الخفاء. وتأتي المساهمات الطوعية بصفة رئيسية من الحكومات والمؤسسات العامة أو من هيئات خاصة، كما أنها تأتي أحياناً من أفراد، بل وعلى نحو متزايد من مؤسسات تجارية تتوافق أهدافها مع أهداف اليونسكو[2]. وتتلقى اليونسكو هذه المساهمات الطوعية بالطرق الثلاث الآتية:-

(1) انظر: وثيقة المجلس التنفيذي 161 31 / EX ص 10،9.

(2) انظر: مرشد عملي من أجل اللجان الوطنية مرجع سابق ص49.

الاعتمادات المخصصة للميزانية العادية

تستهدف هذه المساهمات تعزيز أحد أبواب الميزانية القائمة، ويجب أن تنفق هذه المساهمات قبل نهاية فترة العامين، وتستخدم هذه الطريقة بصورة رئيسية في حالة المساهمات الضئيلة نسبياً التي لها صلة مباشرة بأنشطة البرنامج العادي، والتي لا تطلب فيها الجهة المانحة أي تقارير خاصة سردية أو مالية، إلا أن المدير العام مع ذلك يقدم تقارير شاملة ومنتظمة عن هذه الاعتمادات إلى المجلس التنفيذي[1].

---

(1) انظر: أنشطة اليونسكو الممولة من خارج الميزانية مرجع سابق ص 55،7.

- وحسب هذا المرجع ص 55،56،57 فإن: التقارير السردية: هي التي تتضمن معلومات عن خلفية المشروع وعنوانه، والجهه المستفيدة، والميزانية، والانشطة التي نفذت، والمشكلات والصعوبات التي صادفته والحلول المتخذه، وخطه عمل مستوفاه الى تاريخ إعداد التقرير المرحلي التالي، مع تقييم شامل لاوضاع المشروع.

- اما التقارير المالية: فتعدها شعبة المحاسبة في قسم المراقب المالي، وذلك للبيانات المالية المنتظمة للمشروعات الممولة من خارج الميزانية، ويتم ذلك عادة وفقاً لنموذج اليونسكو القياسي، ولكن يمكن أن تراعى، ضمن حدود معقولة بعض المطالب التي قد تصدر عن إحدى الجهات المانحه، وتعد البيانات المالية السنوية لكل مشروع بحلول 31 ديسمبر، وفي الاحوال العادية لا تصبح هذه البيانات جاهزة الا في مارس أو ابريل من السنه التالية.

- كذلك فإنه يختلف إعداد التقارير المالية والموضوعية على حد سواء، باختلاف طريقة المساهمة، ومصدر التمويل، فالحسابات الخاصة التي تخص مؤسسة أو برنامجاً معيناً واسع النطاق من برامج المنظمة، تقدم عنها تقارير سردية ومالية على مستوى الحساب، لاعلى مستوى كل مساهمة بمفردها، وتكون الحسابات الخاصة عادة متعددة الجهات المانحة وممتدة على عدة سنوات. أما التقارير السردية والمالية الافرادية، فتقدم عن كل مشروع أو برنامج معين يجري تمويلة عن طريق أي من المساهمات الطوعية الأخرى مهما اختلف شكلها. كما أن جميع المشروعات تقتضي- إعداد تقرير مرحلي سردي سنوي، علاوة على ذلك فقد تطلب بعض مصادر التمويل أن يعد تقريراً أو حتى أكثر من تقرير كل سته أشهر

الحسابات الخاصة

أنشئت اليونسكو على مر السنين عدد كبير من الحسابات الخاصة لتلقي المساهمات الطوعية لصالح دعم معاهد اليونسكو، أو برامج واسعة النطاق تابعة للمنظمة، وبدون أن تخصص لأنشطة محددة، وتكون الحسابات الخاصة عادة من النوع الذي يمتد على عده سنوات، وتشارك فيه عده جهات مانحة، وليس للجهة المانحة تأثير مباشر في استخدام المبالغ الممنوحة داخل المعهد أو البرنامج المعني، ولا تقدم إليها تقارير منفردة لا سردية ولا مالية. وقد بلغ مجموع الاعتمادات المخصصة في إطار مختلف الحسابات الخاصة (37.1) مليون دولار عام 2000م بالمقارنة مع 34.8 مليون عام 1999، 31.1 مليون عام 1998م[1].

ج- اتفاقات أموال الودائع الموجهة نحو مشروع أو برنامج معين: يحدده مصدر التمويل بالتعاون مع اليونسكو، حيث ينشأ حساب منفصل لكل نشاط من الأنشطة، وتقدم تقارير سردية ومالية إلى الجهة المانحة، وتقتصر معظم اتفاقات أموال الودائع على جهة مانحة واحدة، وترتبط بمشروع واحد، ولكن يمكن أن تشترك جهات مانحة متعددة في أموال ودائع لصالح برامج ممتدة لعدة سنوات، ويمكن أن تكون أموال الودائع موهوبة (ممنوحة)

مثلاً، وفي هذه الحالة يذكر ذلك في اتفاق المشروع. ويتعين إعداد تقرير نهائي لكل مشروع من المشروعات الممولة من خارج الميزانية، وينبغي أن يعرض هذا التقرير نتائج المشروع أو البرنامج الرئيسية وأهم استنتاجاته.

(1) انظر: بهذا

- أنشطة اليونسكو الممولة من خارج الميزانية مرجع سابق ص7.
- وثيقة المجلس التنفيذي 161 31 / EX المرجع السابق ص5.

أو ذاتية المنفعة وكما يلي[1]:-

أموال الودائع الموهوبة (الممنوحة)

إن أموال الودائع الموهوبة (الممنوحة) هي: التي تكون مصممة من أجل أنشطة يجري الاضطلاع بها خارج أراضي الجهة المانحة، وتظل أموال الودائع المقدمة على سبيل الهبة (التي بلغت اعتماداتها المخصصة 5.6 مليون دولار عام 2001م، وما يربو عن (44.8) مليون دولار عام 2000م مقارنة بمبلغ (36.8) مليون، (32.1) مليون على التوالي في الأعوام 1999م، 1998م) أكبر مصدر للإيرادات من خارج الميزانية، بعد ترتيبات أموال الودائع الذاتية الخاصة بالبرازيل، وبرنامج النفط مقابل الغذاء، وتقوم بتقديم هذه المساهمات، بعض الجهات المانحة الحكومية الثنائية السخية، ومن بينها اليابان التي تقدم ما يزيد على ثلث إجمالي المخصصات.

أموال الودائع القائمة على التمويل الذاتي

إن مساهمات أموال الودائع حين تكون موجهه لتمويل أنشطة يضطلع بها في أرض الجهة المانحة فإنها تسمى أموال ودائع قائمة على التمويل الذاتي (ذاتية المنفعة)، وقد اعتمد هذا النهج تقليدياً عند التعاون مع بلدان نامية مرتفعة الدخل قادرة على توفير التمويل، ولكنها تحتاج إلى خبرة اليونسكو التقنية من أجل إعداد النشاط، وتنفيذه ولاسيما في مجال التدريب

---

(1) انظر: بهذا الخصوص:

- أنشطة اليونسكو الممولة من خارج الميزانية مرجع سابق ص 7،8.
- وثيقة المجلس التنفيذي161 31 / EX نفس المرجع السابق ص 3،4.
- وثيقة المجلس التنفيذي 164 28 / EX مرجع سابق ص1.

وشراء المعدات، وأهـم المنتفعين بهـا بلـدان الشـرق الأوسـط، وأمريكـا الوسطى و الجنوبية.

المبحث الثاني
نفقات ورقابة الموازنات في المنظمات
(اليونسكو، الالكسو، الايسيسكو)

إن موازنات هذه المنظمات - مثل موازنات سائر المنظمات الدولية - لا تصبح قابلـة للتنفيذ في جانبيها (الموارد والنفقات) إلا بعد مصادقة مؤتمراتها العامة على تلك الموازنات خلال الفترات المالية المحددة لكل منها، كمـا سـبق أن بينـا ذلـك، وكـذا الطـرق المختلفة لإعـداد الموازنـات، ومصـادر تمويلاتهـا، وعليـه فإننـا سـنكون بحاجـة إلى معرفـة النفقات المختلفة لتلك الموازنات، وعن قواعد الصرف المنظمة لذلك، وهذا ما سـيتم تناولـه بشـكل تفصيلي من خلال المطلب الأول (نفقات الموازنات) بينما سيخصص المطلب الثاني (رقابـة الموازنات) لمعرفة الجوانب التفصيلية المتعلقة بطرق مراقبة تنفيذ الموازنات وكما يلي:-

المطلب الأول
نفقات الموازنات في المنظمات (اليونسكو، الالكسو، الايسيسكو)

تتضمن الموازنات المصادق عليهـا مـن المؤتمرات العامـة لأي مـن هـذه المنظمات، العديد من البنود، التي عادة ما تكون على شكل محاور رئيسية ترصد لها مبالغ إجمالية للإنفاق عليها، وهذه المبالغ بطبيعة الحال تكون تقديريـة عنـد بدايـة إعـداد الموازنـات، وتظل كذلك حتى بعد التصديق عليها

من قبل هيئاتها الرئاسية، وتكون المبالغ المقدرة لبنود الإنفاق المختلفة موضوعة بعناية شديدة بحيث يتم توزيع الموازنات العادية لأي من هذه المنظمات على تلك البنود بنسبة تصل إلى 100%، إذ تغطي البنود المختلفة لهذا الإنفاق مبالغ الاعتمادات المرصودة لها والمتوقع الحصول عليها من اشتراكات الدول الأعضاء، التي ينبغي أن تحصل أيضاً بنسبة تصل إلى 100%، إلا أن واقع الحال يظهران تحصيل هذه الموارد الرئيسية تتعرض للعديد من العقبات كما لا حضنا ذلك في المطلب السابق، وهو الأمر الذي يؤدي إلى تضاؤل المبالغ المرصودة لبنود الإنفاق الفعلي - عما هو مخطط له - وكما تظهر ذلك نتائج الحسابات الختامية السنوية.

وعلى العموم فإن بنود الإنفاق الرئيسية لهذه المنظمات، كما تظهرها موازناتها المالية خلال الفترة من عام 2000م إلى عام 2006م، فإننا نوردها بشكل إجمالي وعلى سبيل الحصر في البنود الأتية[1]:-

تتضمن بنود موازنات هذه المنظمات، على مبالغ مخصصة للإنفاق على، السياسة العامة، والبرامج والأنشطة في أي من تلك المنظمات، وكذا البرامج المشتركة بين التخصصات، والمصاريف الخاصة بالتسيير

---

(1) انظر: بهذا الخصوص: البرنامج والميزانية المعتمدان لليونسكو للأعوام (2002م - 2003م) ، (2004،2005) مراجع سابقة ص ((21،XXIII)) بالترتيب.

- مشروع البرنامج والميزانية لليونسكو (2000م - 2001م) مرجع سابق صXXXV.

- الميزانية والبرنامج لعامي 2005م - 2006م للالكسو مرجع سابق ص14.

- مشروع الميزانية والبرنامج للأعوام (2001م - 2002م) ، (2003م - 2004م) للالكسو، مراجع سابقة ص 12،14 بالترتيب.

- الخطة والموازنة للايسيسكو (2001م - 2003م) ، (2004م - 2006م) مراجع سابقة ص (1 - 310) ، (1 - 343) بالترتيب.

والتجهيز، ونفقات الموظفين في الايسيسكو، وبرنامج المساهمة ومرافق خدمة البرنامج، ومساندة تنفيذ البرنامج والإدارة، وكذا الزيادات المتوقعة في التكاليف في اليونسكو، ونفقات الأفراد العاملين والمستلزمات الخدمية والسلعية، والالتزامات العربية، والمصروفات الرأسمالية، وبدلات السفر والتنقلات في الالكسو. ويأتي ميثاق الايسيسكو - بعكس مواثيق المنظمات الموازية اليونسكو، الالكسو - ليحدد نفقات المنظمة، في التزاماتها الناجمة عن عقود أو قرارات، أو برامج سابقة ملزمه لها، وأيضاً التزاماتها الناتجة عن المشروعات التي ساهمت فيها مع جهات أخرى سواء كانت هذه الجهات حكومية أو غير حكومية، علاوة على التزامات المنظمة تجاه العاملين والموظفين الدائمين بها والأشخاص الذين تكلفهم بمهام خاصة، والإعانات والمساعدات التي تقدمها للهيئات والمؤسسات التي تشرف عليها[1]. وينبغي هنا الإشارة إلى أنه من الناحية العمليه، في تقديري، يصعب تحديد نفقات أي منظمة دولية بشكل حصري، في الميثاق المنشئ لتلك المنظمة، بل أنه يمكن مع ذلك إيرادها بشكل عام، كما هو عليه واقع الحال في الايسيسكو.

وعلى العموم فإن نفقات هذه المنظمات المتخصصة، مثل سائر نفقات المنظمات الدولية، يقصد بها، كافة المبالغ النقدية المرتبط إنفاقها بممارسة المنظمة لنشاطها[2]، كما تقضي النظم المالية لهذه المنظمات، بأنه ينبغي على مدراء العموم في أي منها تقديم الحسابات الختامية، والمراكز المالية،

---

(1) انظر: م18 من ميثاق الايسيسكو مرجع سابق ص20.

(2) انظر: د. محمد سامي عبد الحميد، د. محمد السعيد الدقاق، التنظيم الدولي، الجزء الأول، مرجع سابق ص315.

والتقارير المالية السنوية، وذلك إلى هيئاتها الرئاسية، ولا بد أن تحتوي هذه الحسابات، التي تقدم عن السنة أو الفترة المالية المعنية ما يلي[1]:-

الإيرادات والمصروفات من جميع المصادر والأبواب في أي من هذه المنظمات[2].

وضعية الاعتمادات الموافق عليها في الايسيسكو، وكذا وضعية الاعتمادات المفتوحة في اليونسكو، بالأخص الاعتمادات المفتوحة أصلاً في الميزانية، والاعتمادات المعدلة بالنقل فيما بينها، وأي اعتمادات أخرى غير الاعتمادات المفتوحة بقرار من المؤتمر العام، وكذا المبالغ التي خصم بها الاعتمادات المفتوحة أو على اعتمادات أخرى.

---

(1) انظر: بهذا الخصوص

- المواد (36،35) من النظام المالي والمحاسبي الموحد، مرجع سابق ص 39 - 41.
- م11 من النظام المالي لليونسكو مرجع سابق ص 112 - 113.
- م16 من ميثاق الايسيسكو مرجع سابق ص19.
- م19 من النظام المالي للايسيسكو نفس المرجع السابق ص89.

(2) ويضيف النظام المالي والمحاسبي للالكسو ص39 بأن النفقات تشمل:-

1. الاعتمادات المقرة والمضافة للمبالغ الملتزم بها.
2. المصروفات المستحقة غير المسددة.
3. المبالغ المصروفة فعلاً.
4. المتبقي من الاعتمادات.

- كما تشمل الموارد الاتي:-

1. الموارد المقدرة
2. الموارد المستحقة
3. الموارد غير المحصلة
4. الموارد المحصلة

أصول وخصوم كل من اليونسكو والايسيسكو، وكذا المركز المالي للالكسو، مع كشف تحليلي بمفردات الحسابات الشخصية المدينة والدائنة،وكشف تحليلي بالاستثمارات وعوائدها، وأخر، إحصائي بالموجودات الثابتة والاهلاكات المجمعة لهذه الأخيرة[1]، حيث يقدم مديرها العام تلك الحسابات الختامية والمركز المالي إلى الهيئة المختصة - في أول جلسة تعقدها لدراستها والتصديق عليها - مشفوعة بتقرير مالي يتضمن[2]:-

● نتائج تنفيذ الموازنة.

● كشف تفصيلي بوضعية ديون المنظمة بذمة الغير.

● كشف تفصيلي باستثمارات أموال المنظمة.

● تقرير يوضح رأي المنظمة على ملاحظات مراقب الحسابات، وهيئة الرقابة المالية للمنظمة.

● تحليل نسب التنفيذ مع مقارنتها مع نسب التنفيذ للسنوات السابقة.

كما ينبغي أن يتضمن تقرير المدير العام للايسيسكو على مقترحات المدير حول تنفيذ الموازنة، وأيضاً ملاحظاته على الحساب الختامي، حيث يقدم ذلك إلى المجلس التنفيذي لدراسته في الدورة التي تعقب دورة المجلس الموالية لاختتام السنة المالية. بينما يشترط النظام المالي لليونسكو على المدير العام أن يرفق بالتقرير المالي في نهاية السنة الأولى من الفترة المالية بياناً بجميع التطورات المالية الهامة التي أثرت على المنظمة خلال

---

[1] ويضيف النظام المالي للالكسو ص41 بأنه في حال وجود فروع للمنظمة، تعد حسابات ختامية ومركز مالي لكل منها، علاوة على الحسابات الختامية المجمعة، ومركز مالي موحد على مستوى المنظمة.

[2] انظر: م36 الفقرة (ج) من النظام المالي للالكسو المرجع السابق وبنفس الصفحة.

العام الأول من الفترة المالية مصحوباً بالبيانات المالية غير المراجعة، وعليه أن يقدم أي معلومات أخرى من شانها توضيح المركز المالي الراهن للمنظمة، مع تقديم الحسابات الختامية إلى المراجع الخارجي للحسابات في موعد لا يتجاوز 31 مارس التالي لنهاية الفترة المالية التي يقدم عنها الحساب[1]. وعلى أي حال فان مدراء العموم في أي من هذه المنظمات، يتمتعون بالعديد من الصلاحيات القانونية، لتمكينهم من أداء مهامهم على أكمل وجه، بدءاً بإعداد الموازنات، والتصديق عليها، وتنفيذها وتنظيم حساباتها، وإنتهاءاً بأعمال الرقابة عليها، إلا أنه بالمقابل من ذلك هناك بعض المحاذير القانونية التي لا يجوز تجاوزها عند ممارستهم لتلك الصلاحيات، وكل هذه الأمور مشمولة في النظم المالية لهذه المنظمات، ومن تلك القواعد بطبيعة الحال، ما يتعلق بتنفيذ الموازنات، والتي منها على سبيل المثال لا الحصر ما يلي:-

- لهم أن يحددوا البنك أو البنوك التي تتعامل معها منظماتهم[2].
- وأن يأمروا بمسك المستندات والسجلات والدفاتر المحاسبية الخاصة بتنفيذ موازنات منظماتهم[3].

يجوز لمدير عام اليونسكو النقل من بند إلى أخر في حدود المجموع

---

(1) انظر: م11 (ج) الفقرات (2، 11، 5، 11) من النظام المالي لليونسكو مرجع سابق ص 112 - 113.

(2) انظر: المواد (8) ، (47 فقرة (ب) من الأنظمة المالية لليونسكو والالكسو مراجع سابقة ص 52،110 بالترتيب.

(3) انظر: المواد (11 الفقرة (11،1) ، (31) ، (19) من الأنظمة المالية للمنظمات مراجع سابقة ص 112، 37، 89 بالترتيب.

الكلي للاعتمادات التي تم إقرارها في المؤتمر العام[1]، بينما تجيز النظم المالية لمدراء عموم كل من الالكسو والايسيسكو حق إجراء المناقلة في إطار الباب الواحد وطبقاً للشروط الآتية[2]:-

أن لا يؤدي ذلك في الالكسو إلى زيادة هذه الاعتمادات إلى أكثر من 50% من الاعتمادات المقرة أصلاً لنفس البند، وما زاد على ذلك يجب الحصول على موافقة الهيئة المختصة.

أما في الايسيسكو فانه ينبغي أن يكون نقل الاعتمادات من فصل إلى فصل في حدود 25% من الاعتمادات المتوفرة. أما عملية النقل من بند إلى بند فان هذه العملية مفتوحة وليست مقيدة بحدود معينة. ويضيف نظام الالكسو بان قرار المناقلة يجب أن يتخذ قبل الدخول بأيه التزامات، كما يجب عرض التغييرات التي تحصل على الاعتمادات بسبب تلك المناقلات، على الهيئة المختصة عند عرض الحسابات الختامية السنوية عليها للمصادقة على ذلك[3]. بينما يضيف نظام الايسيسكو بأنه لا يجوز لهذا التحويل أن يتجاوز أهداف خطة العمل المصادق عليها من المؤتمر العام، وعلى أن يحاط المجلس التنفيذي علماً بهذا التحويل في أول اجتماع له[4]. وعلى العكس من ذلك فان إجراء بعض مناقلات الاعتمادات غير جائز، في كل من الالكسو والايسيسكو، فنظام هذه الأخيرة يقضي بعدم جواز تحويل

(1) انظر: م4 الفقرة (4،5) من النظام المالي لليونسكو مرجع سابق ص107.

(2) انظر: المواد (30 فقرة (ب) ، (21) من الأنظمة المالية للالكسو والايسيسكو مراجع سابقة ص (36 - 37) ، (89 - 90) بالترتيب.

(3) انظر: المواد (28 ، 30 (ج) من النظام المالي والمحاسبي الموحد للالكسو مرجع سابق ص 37،35.

(4) انظر: م21 من النظام المالي للايسيسكو ص 89 - 90.

الاعتمادات من جزء إلى جزءاً أخر أو من باب إلى أخر، كما أنه لا يجوز تجاوز الاعتمادات المخصصة لكل جزء أو باب، ولا القيام بنفقات غير واردة في الموازنة، إلا بموافقة المجلس التنفيذي وبإقرار لا حق من المؤتمر العام[1]، وبالمثل من ذلك فانه لا يجوز إجراء المناقلات بين التخصيصات المعتمدة لا بواب الموازنة في الالكسو إلا بقرار من الهيئة المختصة بذلك[2].

ويجوز لمدير عام الايسيسكو- طبقاً لميثاق المنظمة - وبعد موافقة المجلس التنفيذي، أن يقترض باسم المنظمة، وأن يبرم عقود بالتزامات مالية، تستوجب تسديد نفقات بعد إقفال الفترة المالية، وبالعكس من ذلك نجد أن نظام الالكسو يقضي بعدم جواز الاقراض أو الاقتراض بأي شكل من الأشكال[3].

كما أنه يجوز لمدير عام الايسيسكو بعد موافقة المجلس التنفيذي، إرجاء، أو إيقاف تنفيذ أي بند من بنود الموازنة، إذا رأى أن هناك صعوبة في انجازه، بشكل كامل، من الناحية المالية، وتجمد الاعتمادات المخصصة لهذا الغرض، وتوضح الملابسات في الحساب الختامي للسنة المعنية، لعرضها على المؤتمر العام[4].

ويقضي النظام المالي لليونسكو بأنه ينبغي أن لا تتخذ أي لجنة أو هيئة

---

(1) انظر: م21 من النظام المالي للايسيسكو نفس المرجع السابق وبنفس الصفحة.

(2) انظر: م30 فقرة (أ) من النظام المالي للالكسو مرجع سابق ص36.

(3) انظر: المواد (22،24) من الأنظمة المالية للالكسو والايسيسكو مراجع سابق ص 33، 90 بالترتيب.

(4) انظر: م23 من النظام المالي للايسيسكو مرجع سابق ص90.

قرارات يترتب عليها مصروفات قبل أن يصلها تقرير من المدير العام عن الآثار المالية والإدارية للاقتراح موضع الدراسة، وإذا رأى المدير العام بأنه لا يمكن خصم المصروفات المقترحة من الاعتمادات المفتوحه، فإنه لا يجوز الارتباط بهذه المصروفات، الى أن يقرر المؤتمر العام الاعتمادات اللازمة[1].

لا يجوز الارتباط بأي نفقة في الالكسو، إلا إذا توفر لها تخصيص معتمد في الموازنة، لكنه لا يجوز استخدام هذا التخصيص لغير الغاية التي أعتمد من أجلها[2]. كما لا يجوز تخصيص مورد معين لمواجهة نفقة محددة، إلا وفقاً لأحكام هذا النظام، أو في الأحوال التي يصدر بشأنها قرار من الهيئة المختصة، وينبغي في هذه الحالة فتح حساب خاص لكل مورد، وتخصص له الاعتمادات اللازمة في جداول نفقات الموازنة، وتخضع لقواعد النظام المالي ما لم يتقرر خلاف ذلك من الهيئة المختصة[3].

علاوة على ما سبق فان النظام المالي للالكسو، قد تضمن كذلك العديد من القواعد الأخرى المتعلقة بتنفيذ موازنات المنظمة - وذلك على العكس مما هو عليه الحال في كل من النظم المالية للمنظمات الموازية اليونسكو، والايسيسكو - وعله ذلك أن هذا النظام، إنما أعد ليعمل به - اعتباراً من 1989/1/1م - في جميع المنظمات العربية المتخصصة المنبثقة عن جامعة الدول العربية، باستثناء الصناديق والمؤسسات المالية العربية، والمنظمة

---

(1) انظر: م13 من النظام المالي لليونسكو مرجع سابق ص114.

(2) انظر: م30 فقرة (د) من النظام المالي للالكسو مرجع سابق ص37.

(3) انظر: م13 من النظام المالي للالكسو مرجع سابق ص 24.

العربية للاتصالات الفضائية (عربسات)[1] ومن ثم فان مواد هذا النظام قد جاءت بشكل أكثر شمولية، وتطرق بعضها لتفصيلات دقيقة، شملت مختلف القواعد المتعلقة بتنفيذ الموازنات ومن تلك القواعد:-

جواز تخويل إدارة المنظمة الدخول بعقود والتزامات يتطلب تنفيذها أكثر من سنة مالية، وذلك بموافقة من الهيئة المختصة[2].

عند ارتباط المنظمة بتنفيذ برنامج، بتمويل خارجي، بصورة كاملة أو جزئية، يفتح للبرنامج حساب خاص، وتخصص له المبالغ اللازمة، بشقين، يمثل أحداها الجزء الممول من الجهة الخارجية، ويمثل الجزء الأخر الممول من المنظمة أن وجد، يقابله حساب مماثل في جداول الإيرادات في موازنة المنظمة لتسجيل المبالغ المستلمة من الجهة الممولة للبرنامج، ويتم الصرف عليه وفق القواعد المقرة في النظام المالي[3].

---

(1) انظر: المواد (50،1) من نظام الالكسو ص 53،9.

(2) انظر: المادة (29) من نفس النظام السابق ص 35 - 36، وبحسب هذه المادة، فإنه يجوز للمنظمة بتخويل من الهيئة المختصة الدخول بالتزامات لا كثر من سنه مالية، عند اعتماد الموازنة، وذلك بالنسبة للبرامج والمشروعات التي تتطلب ذلك، مع تامين المبالغ اللازمة لكل سنه في الموازنة، مع ملاحظة:

1. أن يحدد الحد الأعلى للمبلغ الذي يسمح للمنظمة التعاقد بحدوده بما لا يتجاوز 5% من إجمالي اعتمادات الباب المختص في موازنة السنة الجارية.
2. أن يراعى في تبويب المصروفات هيكل تصنيف حسابات المنظمة حسب الأصول.
3. إمكان دفع مبالغ على الحساب للجهة المتعاقد معها بما لا يتجاوز 10% من مبلغ العقد، مع اخذ ضمان مصرفي بحدود المبلغ المدفوع، على أن يتم إجراء التسويات اللازمة لذلك في السنة المالية التالية.

(3) انظر م19 فقرة (أ) من النظام المالي ص 29 - 30.

وبحسب الفقرة (ب) من هذه المادة، فإنه إذا تضمن الاتفاق الخاص بتنفيذ البرنامج، شروط

لا يجوز خصم المصروفات الملتزم بها والتي لم يتحقق صرفها خلال السنة المالية على حساب التخصيص المعتمد لها في موازنة تلك السنة، مقابل تعليه ما يقابل ذلك في حساب الأمانات[1].

لا تخصص اعتمادات بصورة إجمالية لأي برنامج، وإنما يتم التخصيص استناداً لعدد من المعلومات الأساسية[2].

ينبغي على المدير العام التامين على موجودات المنظمة وأموالها، والاستخدام الاقتصادي لمواردها، كما أن عليه اتخاذ التدابير اللازمة لحسن سير الإدارة المالية، وتنظيم إجراءات التوقيع على أوامر الدفع والصرف

تتعلق بأسلوب التنفيذ والطرق والمعالجة المحاسبية، فإنه عندئذ تطبق أحكام الاتفاق المذكور.

(1) انظر: م26 فقرة (ب) من النظام المالي ص33، وبحسب الفقرة (أ) من هذه المادة، فإنه يتم تسجيل المصروفات التي يتحقق صرفها في سنه مالية في حسابها المختص للسنة التي تحقق الصرف فيها، بغض النظر عن تاريخ الدفع الفعلي.

(2) وهذه المعلومات تبين:

أ. الوحدة أو الوحدات التي تقترح البرنامج

ب. مبررات الاقتراح

ج. تحديد الهدف والنتائج التي يرمي إلى تحقيقها البرنامج

د. دراسة فنية تبين:

1. خصائص وكلفة البرنامج.
2. دراسة الجدوى للبرنامج والأنشطة التي يتألف منها، مع تحديد المقاييس المعتمدة في التقييم.
3. مدة التنفيذ والخطة الزمنية اللازمة لتنفيذ كل مرحلة.
4. تفاصيل الاعتمادات المخصصة لمختلف أوجه الانفاق وسنوات التنفيذ.

- انظر: بهذا الخصوص م7 من النظام المالي ص17.

والإجراءات الخاصة بالسلف، والتبرعات النقدية والعينيه... الخ[1].

وعلى العموم فإنه بعد هذا الاستعراض المختصر عن بعض الإجراءات والنظم الحاكمة التي ينبغي إتباعها بخصوص الإنفاق من موازنات هذه المنظمات وعن الصلاحيات الممنوحه لمدراء العموم لإجراء بعض المناقلات الضرورية بين بنود إعتمادات تلك الموازنات، وعن كيفية إعداد التقارير المالية، وكذا إعداد الحسابات الختامية وعرضها على الهيئات الرئاسية لاعتمادها، فإنه لابد لنا كذلك من استعراض بعض النسب المالية المتعلقة بالنفقات الإجمالية لما تم صرفة فعلا من ميزانيات هذه المنظمات، حيث سيتم التركيز في هذا الجانب بشكل رئيسي على أبواب الميزانيات العادية المموله من إشتراكات الدول الأعضاء، وبشكل مقتضب قدر الإمكان - أي دون الدخول في التفاصيل المختلفة للنفقات المموله من المصادر الخارجية عن تلك الميزانيات - وهذا بدوره يتطلب منا العودة مجددا لمعرفة نسب المبالغ التي كانت مرصودة أصلاً في موازنات المنظمات، وذلك لمعرفة المؤشرات العامة لنسب تلك المبالغ على ضؤ ما خطط له، في تلك الموازنات، وما أسفرت عنها نتيجة التنفيذ بعد إقفال الحسابات الختامية وإعداد الميزانيات السنوية نهاية كل عام مالي من ثبات أو تغيير لتلك المبالغ ونسبها. وعليه فإننا سنتحدث عن الوضع المالي النهائي، لموازنات هذه المنظمات نهاية فتراتها المالية أو السنوية بدءاً بمنظمة اليونسكو خلال دوراتها المالية 2004م - 2005م حيث سنعتمد على هذه الفترة موضع المقارنة لكل من الالكسو والايسيسكو وكما يلي:-

(1) انظر: بهذا الخصوص: المواد (15، 32، 33، 41) من النظام المالي للالكسو ص (25 - 26) ، (37 - 38) ، (48).

فقد وافق المؤتمر العام لليونسكو في دورته (32) على إعتماد الموازنة العادية للمنظمة بمبلغ 610000000 دولار عن الفترة المالية المذكورة آنفا، إلا أنه إستناداً إلى الحسابات المقفلة بتاريخ 31 ديسمبر عام 2005 إتضح أن مبلغ الموازنة العادية هذا قد إرتفع في نهاية هذا العام ليصل إلى مبلغ (620762076) دولار، وذلك بسبب ترحيل الرصيد غير المنفق من ميزانية الدورة المالية 2002 - 2003 والبالغ (2109926) دولار، وأيضاً بسبب إضافة الهبات والمساعدات الخاصة التي تلقاها المدير العام بمبلغ (8652150) دولار، وقد وافق المجلس التنفيذي للمنظمة على عدد من المقترحات المقدمة من المدير العام بخصوص إجراء بعض التحويلات بين أبواب الميزانية حسبما يقضي بذلك النظام المالي، دون أن يؤثر ذلك على المستوى العام للميزانية حيث تم تحويل التكاليف الإضافية الناتجة عن التضخم من خلال إجراء التحويلات اللازمة من الباب الرابع من الميزانية بمبلغ (13757300) دولار، كما تم أيضاً تحويل تكاليف إضافية تتعلق بإعادة تصنيف بعض الوظائف في إطار الأبواب من الأول إلى الثالث بمبلغ (1500000) دولار، وقد أظهرت الحسابات المقفلة في نهاية العام المالي 2005م أن المصروفات والارتباطات قد وصلت إلى (620390754) دولار كما يلي[1]:-

---

(1) انظر: تقرير المدير العام لليونسكو عن الوضع المالي للمنظمة في عامي 2004- 2005 بعد إقفال الحسابات الختامية في 2005/12/31 وثيقة المجلس التنفيذي رقم EX/31175 بتاريخ 2006/8/11ص3- 4 الأصل انجليزي.

جدول (1)

أبواب الميزانية	الميزانية المعتمدة 32م/5 دولار	الميزانية المعتمدة بعد التسوية دولار	إجمالي المصروفات/ الارتباطات دولار	الرصيد غير المنفق دولار
الأبواب من (1 إلى 3)	594742700	620762076	* 620390754	371322
الباب الرابع	13757300	-	-	-
احتياطي تصنيف الوظائف	1500000	-	-	-
المجموع	610000000	620762076	620390754	371322

وكما سيتضح تفاصيل هذه المبالغ تباعا.

بالمقابل من ذلك فإننا نجد أن منظمه الالكسو قد رصد لها بداية فترتها المالية (2005م- 2006م) مبلغ موازنة قدره (17000000) دولار، وقد وزع هذا المبلغ على أبواب الموازنة ولكل عام على حده بالتساوي بمبلغ موازنة قدره (8500000) دولار، وقد إستمر العمل بهذه الموازنة السنوية - على سبيل المثال - منذ عام 2001م وحتى عام 2006م، مع إجراء بعض التعديلات الطفيفة على مستوى الأبواب من سنه لأخرى، ودون التأثير على المبلغ الإجمالي للموازنة السنوية، علما بان الموازنة الاعتيادية السنوية المموله من قبل الدول الأعضاء، إنما هي في حدود (8000000) دولار[1] وقد أظهرت الحسابات الختامية للمنظمة أن هناك عجزاً بين

(*) إن هذا المبلغ يتضمن اعتمادات (تخص الارتباطات غير المصفاة تصل إلى (32،1) مليون دولار ستضل قابله للاستعمال لفترة إثني عشر شهراً إضافية من اجل تصفيه الارتباطات القانونية القائمة التي تخص الفترة المالية المعنية وفقا للمادة (4،3) من النظام المالي).

(1) انظر بهذا الخصوص

- الميزانية والبرنامج لعامي 2005م - 2006م إصدارات الالكسو مرجع سابق ص14

المصروفات الفعلية والمساهمات المسدده من الدول الأعضاء بمبلغ قدره (705063)دولار وذلك في نهاية العام المالي 2004م، وقد تضائل هذا المبلغ في نهاية العام المالي 2005م ليصل إلي مبلغ (683345) دولار وكما يتضح ذلك من الجدول التالي[1].

جدول (2)

البيان	الأعوام المالية		إجمالي	النسبة
	2004	2005		
الموازنة التقديرية المعتمدة في خطه المنظمة	8000000	8000000	16000000	%100
المصروفات السنوية الفعلية	7021480	6407736	13429216	%9،83
الاشتراكات السنوية المحصلة	6316417	5724391	12040808	%3،75
مبلغ العجز	705063	683345	1388408	-

من هذا الجدول يتضح أن نسبه الاشتراكات المحصلة مقارنه بإجمالي الموازنة التقديرية المعتمدة إنما تمثل ما نسبته 3،75% في حين بلغت نسبه المصروفات الفعلية خلال العامين مقارنه بالموازنة المعتمدة أيضاً بما نسبته 9،83% وقد تم تحويل مبلغ العجز من الاحتياطي بحسب مقتضيات المادة (17) من النظام المالي والمحاسبي الموحد، وكما سيتضح تفاصيل بنود هذه المبالغ لاحقا.

- الحسابات الختامية للالكسو للأعوام المالية 2004م - 2005م إصدارات المنظمة تونس للأعوام 2005م، 2006م ص15-17 بالترتيب.

- تقارير هيئة الرقابة المالية عن حسابات الالكسو للأعوام المالية 2001،2002،2003م مراجع سابقه ص 4، 10، 10 بالترتيب.

(1) انظر: الحسابات الختامية للالكسو للأعوام المالية 2004،2005م نفس الراجع السابقة ص (8،15)،(17،8) بالترتيب.

أما الموازنة الاعتيادية للايسيسكو خلال دورتها المالية (2004م- 2006م) فقد رصد لها مبلغ موازنة تقديريه بمبلغ (41100453) دولار، أي بواقع موازنة اعتيادية لكل سنة مالية بمبلغ (13700151) دولار، إلا أن هذه المنظمة بعكس المنظمات الموازية لها - اليونسكو و الالكسو - لا تظهر الحسابات الختامية السنوية لها مبالغ الموازنة التقديرية الموضوعة والمقدرة في بداية الفترة المالية، والمصادق عليها من قبل هيئاتها الرئاسية، بل أنها بدلا من ذلك تقوم في كل عام مالي بإعادة تقدير بنود تلك الموازنات لما يتوقع صرفه خلال ذلك العام، على ضوء مصروفات السنة أو السنوات السابقة أخذه في الاعتبار أي أحداث ومستجدات لاحقه من شانها التأثير على حجم مثل هذه المصروفات، وكل هذه العوامل وربما غيرها الكثير إنما يحكمها أصلاً حجم المساهمات المحصلة فعلا خلال العام المالي المعني، أو الفترة المالية بأكملها، ولذلك فإننا نلاحظ بهذا الخصوص أن المنظمة خلال دورتها السالفة الذكر أنها قد قامت - كما تشير إلى ذلك حساباتها الختامية - بإعادة تقدير مفردات بنود فصول موازناتها السنوية، وكما يتضح ذلك بشكل مجمل من الجدول التالي[1]:-

(1) انظر بهذا الخصوص
- التقارير المالية للمدير العام للايسيسكو وحسابات الإقفال، وتقارير شركة تدقيق الحسابات، وتقارير لجنة المراقبة المالية للسنوات 2004م، 2005م، 2006م المعروضة على المجلس التنفيذي في دوراته (26، 27، 28) إصدارات المنظمة، ديسمبر للأعوام 2006،2005، يوليو 2007 ص(26،28)،(28،26)،(26،24) بالترتيب.

جدول (3)

البيان	الأعوام المالية			إجمالي	النسبة
	2004	2005	2006		
الموازنة التقديرية المعتمدة في خطه المنظمة 2004- 2006	13700151	13700151	13700151	41100453	%100
الموازنة التقديرية السنوية الجديدة	8003000	8933000	10473500	27409500	%66،7
المصروفات السنوية الفعلية	7498745،42	8288713،73	9432037،82	25219496،97	%61،4
الاشتراكات السنوية المحصلة	6253746،75	13481193،26	9457879،85	29192819،86	%71

من هذا الجدول يتضح أن نسبه إجمالي الموازنة التقديرية الجديدة للمنظمة خلال فترتها المالية المذكورة آنفاً منسوبه إلى الموازنة التقديرية المعتمدة في الخطة تشكل 66،7% تقريبا كما يلاحظ أن نسبه الاشتراكات المحصلة فعلا خلال سنوات الخطة، تشكل 71% من إجمالي الموازنة المعتمدة في خطه المنظمة، والسؤال الذي قد يثار هنا هو لماذا لا ترفع المنظمة سقف موازناتها السنوية المقدرة إلى ما نسبته 71% بما يساوي النسبة المحصلة للاشتراكات؟ الجواب على هذا السؤال في تقديري، هو أن المنظمة، علاوة على ما ذكرناه أعلاه، إنما تكيف أعمالها بما في ذلك إعادة تقرير موازناتها السنوية ولكل فتره ماليه على أساس النسبة العامة لمتوسط تحصيل تلك المساهمات خلال الأعوام المنصرمة، فقد كانت النسبة العامة

لتحصيل الاشتراكات خلال الفترة من عام 2000م إلى عام 2005 وهـو 6،62%[1]. فـإذا اعتمدت المنظمة على هذه النسبة كأساس لما ينبغي صرفه خـلال فتراتهـا الماليـة 2004م - 2006م وذلك من المبلغ الإجمالي للموازنة المعتمـدة في خطـه المنظمـة، فـإن مبلـغ جملـه مصروفاتها سيكون خلال هذه الفترة المالية بحدود مبلغ (6،25728883) دولار، وواضح أن هذا المبلغ مقارب جدا لمصروفاتها الفعلية خلال الفترة المالية المشار إليها. أما إذا اعتمـدت المنظمة على النسـبة العامـة لتحصـيل اشـتراكاتها منـذ نشـأه المنظمـة وحتـى نهايـة عـام 2006م، فإن النسبة السابقة لتحصيل الاشتراكات سـتراجع لتصـبح 51%[2]. مـما يعنـي انـه ينبغي على المنظمـة في هـذه الحالـة، الا تتجـاوز مصروفاتهـا عـن مبلـغ (03،20961231) دولار خلال فترتها المالية، علماً بأن هذا المبلغ الأخير أيضاً سيكون مقاربـا لمـا تـم تحصـيله من اشتراكات الدول الأعضاء خلال الفترة الماليـة 2004م - 2006م وذلـك إذا مـا اسـتبعدنا من المبلغ الإجمالي للاشتراكات المحصلة خلال هـذه الـدورة، المبـالغ المحصـلة التـي تخـص أعوام سابقه وذلك بمبلغ (32،9751068) دولار[3]

وعلى العموم فان تفصيل الوضـع المـالي للميزانيـات العاديـة للمـنظمات اليونسـكو، الالكسو، الايسيسكو خلال الأعوام المالية 2005،2004م عما كان معتمد في تلـك الموازنـات، وما تم صرفه منها فعلا على مستوى بنود

(1) انظر: بهذا الخصوص المطلب الثاني من هذا الفصل ((مصادر تمويل الموازنات)).

(2) انظر: التقرير المالي للمدير العام للايسيسكو لعام 2006م مرجع سابق ص29.

(3) انظر التقارير المالية للمـدير العـام للايسيسـكو للأعـوام الماليـة 2004م، 2005م، 2006م نفـس المراجـع السـابقة ص 26،28،28 بالترتيب.

وأبـواب الميزانيـات، إنمـا تتضـح معالمهـا - كقاعـدة عامـه - بعـد إقفـال الحسـابات الختامية نهاية العامين المذكورين وتحديدا بتاريخ 12/31 لكل منهما، وكما يظهر ذلك مـن خلال الجداول التفصيلية ولكل منظمه على حده وكما يلي:-

اعتمادات الموازنة والمنصرف الفعلي للالكسو للأعوام المالية 2004، 2005[1]

جدول (4)

أبواب الاعتمادات	إعتمادات ومصروفات عام 2004			اعمادات ومصروفات عام2005		
	المعتمد دولار	المنصرف دولار	نسـبه الصرف	المعتمد دولار	المنصرف دولار	نسـبه الصرف
البـاب الأول:نفقـات الأفـراد العاملين	3858034	3454242	%5،89	3524866	3198221	%7،90
البـاب الثـاني:مصروفات سـفر وتنقلات	60000	59513	%2،99	60000	55306	%2،92
البـاب الثالـث:المسـتلزمات الخدمية	316400	273302	%4،86	300479	255248	%9،84
البـاب الرابـع:المسـتلزمات السلعية والصيانة	209375	172822	%5،82	158375	125862	%5،79
البـاب الخامس:المصروفات	145250	94581	%65،1	56500	15021	%26،6

---

(1) انظر بهذا الخصوص

- الحساب الختامي للالكسو عن العام المالي 2004م، وتقرير مراجع الحسابات الخارجي، الإدارة العامة والأجهزة الخارجية، إصدارات المنظمة تونس لعام 2005م ص15.
- الحساب الختامي للالكسو عن العام المالي 2005م، وتقرير مراجع الحسابات الخارجي، الإدارة العامة والأجهزة الخارجية، إصدارات المنظمة تونس لعام 2006م ص17
- تقرير هيئة الرقابة المالية عن حسابات الالكسو، الإدارة العامة والأجهزة الخارجية عن السنة المالية 2005م ورد المدير العام على تقرير الهيئة ص8.

الرأسمالية						
الباب السادس:نفقات اجتماعات المجالس الرئيسية	85000	84407	%3،99	21300	13652	%1،64
الباب السابع:الأنشطة والبرامج	3700941	2807612	%9،75	4253480	2691712	%3،63
الباب الثامن:التزامات عربيه	125000	75000	%60	125000	52714	%2،42
إجمالي	*8500000	7021480	%6،82	*8500000	6407736	%4،75

الاعتمادات المقدرة والمصروفات الفعلية للايسيسكو للأعوام الماليـة 2004م - 2005م بالدولار الأمريكي[1]

جدول (5)

بنود الميزانية	اعتمادات ومصروفات عام 2004			إعتمادات ومصروفات عام 2005		
	المقدر	المنصرف الفعلي	نسبة الصرف	المقدر	المنصرف الفعلي	نسبة الصرف
السياسة العامة						
أنشطة المدير العام والمكاتب المرتبطة به	600000	590832،28	%98.5	600000	72،559627	%3،93
لجنة المراقبة المالية	20000	82،14884	%4،74	15000	87،12705	%7،84

(*) من ضمن المبلغين المشار إليهما بعاليه (500000) دولار، في كل منهما عبارة عن تمويل ذاتي تتحمله المنظمة، أما بقيه المبلغ فهو عبارة عن الموازنة العادية للمنظمة.

(1) انظر بهذا الخصوص:- التقرير المالي للمدير العام وحسابات الإقفال وتقارير شركة تـدقيق الحسـابات ولجنـة المراقبـة المالية المقدم لدورة المجلس التنفيذي (26) عن السنة المالية 2004م إصدارات المنظمة ديسمبر 2005م ص26.

- التقرير المالي للمدير العام وحسابات الإقفال وتقارير شركة تدقيق الحسابات ولجنة المراقبة المالية عن السنة المالية 2005م المقدم لدورة المجلس التنفيذي (27) إصدارات المنظمة ديسمبر 2006م ص26.

المجلس التنفيذي والمؤتمر العام والأمانة	350000	94،299447	%6،85	250000	10،225107	%90
شركة تدقيق الحسابات	3000	35،2763	%1،92	3000	98،2866	%6،95
المجموع	973000	39،907928	%3،93	868000	67،800307	%2،92
البرامج:-						
أنشطة المدير العام المساعد المكلف بالبرامج	210000	72،204674	%5،97	200000	21،171271	%6،85
برامج التربية	1300000	91،1209965	%1،93	1450000	72،1430925	%7،98
برامج العلوم	850000	10،809914	%3،95	950000	60،913700	%2،96
برامج الثقافة والاتصال	1200000	42،1125901	%8،93	1400000	55،1423850	%7،101
المجموع	3560000	15،3350456	%1،94	4000000	08،3939748	%5،98
برامج الدعم						
مركز المعلومات والتوثيق	450000	27،402523	%5،89	450000	16،408115	%7،90
الأعلام	150000	67،136075	%7،90	165000	77،155481	%2،94
الترجمة	150000	83،139915	%3،93	150000	23،114605	%4،76
التخطيط والتقييم والمتابعة	200000	98،192122	%1،69	250000	07،232869	%1،93
برامج التعاون العربي والإسلامي والدولي	550000	26،527042	%8،95	650000	16،598832	%1،92
التعاون مع اللجان الوطنية	220000	24،208705	%9،94	300000	93،269590	%9،89
وحدة القدس وسرايفو	300000	16،294263	%1،98	300000	09،81060	%27
المنح الدراسية	100000	15،79195	%2،79	100000	50،87504	%5،87
المجموع	2120000	56،1979843	%4،93	2365000	91،1948058	%4،82
المصاريف المشتركة:-						
التسيير	400000	01،346341	%6،86	500000	93،434959	%87
مصاريف أخرى	200000	56،198707	%4،99	400000	87،382639	%7،95
رواتب الموظفين الإداريين	750000	75،715468	%4،95	800000	27،782999	%9،97
تبادل الخبرات الإدارية والمالية	-	-	-	-	-	-

المجموع	1350000	32،1260517	%4،93	1700000	07،1600599	%2،94
المجموع العام	8003000	42،7498745	%7،93	8933000	73،8288713	%8،92

الوضع المالي للميزانية العادية لليونسكو 2004 - 2005 بعد إقفال الحسابات في 2005/12/31م[1]

جدول (6)

أبواب الميزانية	الميزانية المعتمدة بعد التسوية دولار	المصروفات / الارتباطات دولار	الفائض أو العجز دولار	نسبة المصروفات دولار
الباب الأول: السياسة العامة الهيئتان الرئاسيتان المؤتمر العام	6418600	6058650	359950	%4،94
المجلس التنفيذي	7728600	7575923	152677	%98
المجموع	14147200	13634573	512627	%4،96
الإدارة	18615900	17425548	1190352	%93،6
تشمل الإدارة العامة، ومكتب المدير العام، والإشراف الداخلي والمعايير الدولية والشؤون القانونية.	7355863	6699462	656401	%91،1
الإسهام في تكاليف وتشغيل الأجهزة المشتركة				

(1) انظر: تقرير المدير العام عن الوضع المالي لليونسكو في عامي 2004 - 2005 بعد اقفال الحسابات في 31 ديسمبر 2005م المقدم لدوره المجلس التنفيذي (175) وثيقه رقم 31/ EX 175 بتاريخ 2006/8/11، ص 19،5 الاصل باللغة الانجليزية.

لمنظومة الأمم المتحدة.				
مجموع الباب الأول	40118963	37759583	2359380	%1،94
الباب الثاني: البرامج ومرافق خدمه البرنامج				
البرنامج				
قطاع التربية	113602474	113024086	578388	%5،99
قطاع العلوم الطبيعية	61831043	59604908	2226135	%4،96
قطاع العلوم الاجتماعية والإنسانية	34082132	32280449	1801683	%7،94
قطاع الثقافة	55698377	54104841	1593536	%1،97
قطاع الاتصال والمعلومات	36511868	36612846	100978	%3،100
معهد اليونسكو للإحصاء	9020000	9020000	-	%100
النشاط الميداني - إدارة البرامج اللامركزية	31532300	39766530	8234230	%1،126
المجموع	342278194	344413660	2135466	%6،100
برنامج المساهمة	23000000	23064621	64621	%3،100
مرافق خدمه البرنامج				
تنسيق الأنشطة لصالح أفريقيا	3264800	3278876	14076	%4،100
برنامج المنح الدراسية	2559100	2063690	495410	%6،80
إعلام الجمهور	15397900	14881925	515975	%6،96
التخطيط الاستراتيجي ومتابعه البرنامج	7655066	7177394	477672	%8،93
إعداد الميزانية ومراقبتها	4265300	4465145	199845	%7،104
المجموع	33142166	31867030	1275136	%2،96
مجموع الباب الثاني	398420360	399345311	924951	%2،100
الباب الثالث:مسانده تنفيذ البرنامج والإدارة				
إدارة وتنسيق الوحدات الميدانية.	21252990	22749339	1496349	%107
العلاقات الخارجية والتعاون	23758800	21104677	2654123	%8،88
إدارة الموارد البشرية	32186900	32965488	778588	%4،102
إدارة مباني شؤون المقر وصيانتها وتجديدها	105024063	106466356	1442293	%4،101
مجموع الباب الثالث	182222753	183285860	1063107	%6،100
المجموع العام للأبواب من الأول إلى الثالث	620762076	620390754	371322	%9،99
احتياطي إعادة تصنيف الوظائف	-	-	-	
الباب الرابع: الزيادة المتوقعة في التكاليف	-	-	-	
المجموع	620762076	620390754	371322	%9،99

وكما يتضح من الجداول السابقة (4، 5، 6) الخاصة باعتمادات

ومصروفات المنظمات الالكسو، الايسيسكو، اليونسكو، فإنه ليس ثمة أي تجاوزات للمصروفات عما هو معتمد لذلك في ميزانية الالكسو خلال عامي 2004م، 2005م، بينما يلاحظ أن منظمة الايسيسكو خلال هذين العامين قد أظهرت تجاوزاً في بند واحد من بنود ميزانيتها وذلك لعام 2005 لبرامج الثقافة والاتصال، بنسبه ضئيلة جداً إذ تجاوزت مصروفات هذا البرنامج 7،1 % مما هو مقدر للصرف عليه من قبل المنظمة للعام نفسه، إلا أننا مع ذلك لو تتبعنا المصروفات الفعلية لجميع بنود الميزانية، وقارنا ذلك بما هو معتمد في الخطة والموازنة المعتمدة للدورة المالية 2004م - 2006م فانه سيتضح أيضاً أن هناك عجزاً في بند المرتبات وكما سيتضح ذلك تباعاً، وبالرغم من أن منظمة اليونسكو، قد التزمت في معظم بنود مصروفاتها، السقف المحدد للاعتمادات المرصودة في الميزانية، إلا أنها مع

ذلك، قد تجاوزت مصروفاتها الاعتمادات المقررة لبعض البنود، وتحديداً في كل من قطاع الاتصال والمعلومات، وإدارة البرامج اللامركزية، وتنسيق الأنشطة لصالح أفريقيا، وأعداد الميزانية ومراقبتها، وإدارة وتنسيق الوحدات الميدانية، وإدارة الموارد البشرية، وإدارة مباني شؤون المقر، مع ملاحظة أن معظم تلك التجاوزات، في بعض بنود الميزانية العادية إنما يندرج في إطار النسب المعقولة التي لا تتطلب من الإدارة توضيح الأسباب التي أدت إلى ذلك، إلا إذا تجاوزت معدلات الإنفاق ما يزيد على 115 % أو ما يقل عن 85 %، وعلى هذا الأساس فإن زيادة نسبه المصروفات، في بند النشاط الميداني - أدارة البرامج اللامركزية، إنما يعزي إلى عده عوامل منها: أن بعض تعويضات إنهاء الخدمة التي دفعت لبعض مديري رؤساء المكاتب الميدانية، لم تكن متوقعة وقت أعداد

الميزانية، كما يعزي العجز أيضاً إلى تحويل مبلغ مليون دولار من تكاليف الموظفين في إطار الباب الثاني - ألف النشاط الميداني - أدارة البرامج المركزية، إلى تكاليف التشغيل في إطار الباب الثالث - ألف أدارة وتنسيق الوحدات الميدانية - الذي رخص بإجرائه أثناء الدورة (164) للمجلس التنفيذي، لتغطية النقص المتوقع في تكاليف تشغيل المكاتب الميدانية، ذلك أن هذا الأمر إنما تم اعتباره من المسائل الهامة والعاجلة لأنها تتعلق بإيجار وصيانة المباني، وبدل المخاطر، وخدمات المرافق العامة، والاتصالات والشحن، وشراء إحلال المعدات المكتبية، كما يعزى العجز إلى المتطلبات الضرورية ذات الصلة الوثيقة بمهام النشاط الميداني - إدارة البرامج المركزية - مثل بدل المشقة وتسديد بعض المستحقات الأخرى التي كانت تكلفتها عالية.

أما النقص الحاصل في نسبة المصروفات والبالغ ما نسبته 4.19 % عما هو معتمد له وذلك لبرنامج المنح الدراسية، فيعزى السبب في ذلك إلى أن لجنة الاختبار - تطبيقاً للمعايير والسياسات الخاصة بتقديم المنح الدراسية - لم توافق الأعلى عدد قليل من المنح وذلك خلال شهري يوليو ونوفمبر من عام 2005 مما أسفر عن انخفاض الإنفاق على الأنشطة المنفذة في إطار هذا البرنامج[1]. بينما يعزي العجز الحاصل في مصروفات أبواب إعتمادات الالكسو (وذلك من الباب الثالث وحتى الباب الثامن بنسب تقل عن 85 % عما هو معتمد لها في ميزانية المنظمة) إلى قله مساهمات الدول الأعضاء في ميزانية المنظمة، البالغة لعامي 2004، 2005 نسبه

---

(1) انظر: وثيقة المجلس التنفيذي لليونسكو رقم 175 EX / 31 مرجع سابق ص 1، 7، 22.

3،75 % (جدول 2).

في حين أن متوسط نسبه المصروفات على الأبواب من (3 - 8) إنما تبلغ 1،60 % وكما يتضح ذلك من الجدول (4) وبالعكس من ذلك فإننا نلاحظ أن مصروفات الايسيسكو للأعوام 2004، 2005 إنما تصل نسبتها خلال هذين العامين 7،93 %، 8،92 % بالترتيب ولعل السبب في ارتفاع نسب المصروفات هذه هو أن المنظمة تقارن هذه المصروفات بالموازنات التقديرية التي تقوم بوضعها المنظمة لكل عام مالي، بدلاً من مقارنة ذلك بما ينبغي أن يكون عليه واقع الأمر، وذلك بما هو معتمد في بنود وفصول الخطة المعتمدة للمنظمة على غرار ما هو معمول به في المنظمات الموازية اليونسكو والالكسو، وبالعودة إلى الجدول (3) يتضح إن الاعتمادات المقرة في خطة المنظمة للعامين المذكورين آنفاً لوجدنا أن إجمالي الاعتمادات المقدرة والمعتمدة لهذين العامين إنما هو مبلغ 27400302 دولار، وأن إجمالي المصروفات الفعلية لهما (15،15787459 دولار) وهذه المصروفات تشكل ما نسبته 6،57 % من إجمالي الاعتمادات المقرة في خطة المنظمة، ولذلك فان الايسيسكو - مثلها مثل الالكسو - تعاني فصول إعتماداتها من عجز مستمر لمصروفاتها الفعلية مقارنة بما هو معتمد لها في الخطة المقرة من هيئاتها الرئاسية، وذلك بسبب تقاعس الدول الأعضاء عن سداد مساهماتها في ميزانية المنظمة، ولهذا السبب فإني أرى أنه ينبغي على المنظمة إظهار النسب المتعلقة ببنود وفصول مصروفاتها مقارنة بما هو معتمد لها في الخطة المقرة، لان تدني النسب في ذلك لا يرجع بأي حال من الأحوال إلى إهمال أو تقصير من قبل المنظمة، بل إن من شانه إظهار المشكل الحقيقي الذي

تعاني منه المنظمة، لتتحمل بذلك الدول الأعضاء كامل مسوولياتها المترتبة على عدم الالتزام بسداد إشتركاتها السنوية بانتظام.

وبالعودة إلى منظمة اليونسكو نلاحظ أن الميزانية المعتمدة للمنظمة من قبل المؤتمر العام للدورة المالية 2004 - 2005 قد زادت نهاية هذا العام الأخير بعد إقفال الحسابات الختامية بمبلغ 10762076 دولار بنسبه 8،1 % من إجمالي الميزانية العادية للمنظمة خلال هذه الدورة، لتشكل بذلك الميزانية المعتمدة بعد التسوية مبلغ 620762076 دولار، وقد وصل إجمالي المصروفات من هذه الميزانية الأخيرة إلى مبلغ 620390754 دولار، وهو ما يشكل نسبه 9،99 % محققه بذلك وفراً - رغم العجز الحاصل في زيادة صرفيات بعض البنود - قدرة 371322 دولار بنسبه 06،0 % تقريباً الجداول (6،1)، بينما بلغت المصروفات الفعلية للالكسو نهاية العامين المذكورين آنفاً مبلغ 13429216 دولار بنسبه 9،83 % من الميزانية العادية (جدول 1) وقد شكل هذا المبلغ ما نسبته 79 % من إجمالي الميزانية العادية والتمويل الذاتي للمنظمة (جدول 4)، في حين بلغت المصروفات الفعلية للايسيسكو 15،15787459 دولار بنسبه 6،57 % من إجمالي مبلغ الموازنة المعتمدة في خطة المنظمة للعامين المذكورين، والبالغة 27400302 دولار، بينما شكل مبلغ المصروفات هذا ما نسبته 2،93 % من إجمالي المبالغ المقدرة من قبل المنظمة والبالغة 16936000 دولار (الجداول 3، 5).

وعلى العموم فإنه بحسب الجداول السابقة، فإن نسب النفقات الفعلية لفصول وأبواب هذه المنظمات نهاية العامين المذكورين آنفاً، إنما يمكن تتبعها إعتماداً على الحسابات الختامية وكما يلي:-

بلغت النفقات الفعلية لتنفيذ السياسة العامة والإدارة، في اليونسكو مبلغ 37759383 دولار بنسبه 1،94 % من إجمالي المبلغ المعتمد لهذا الباب في الميزانية بعد التسوية والبالغ 40118963 دولار، وقد شكل مبلغ الإنفاق هذا ما نسبته 08،6 % من إجمالي الميزانية، ونسبه 09،6 % من إجمالي نفقات المنظمة. بينما بلغت النفقات الفعلية في الايسيسكو لتنفيذ السياسة العامة مبلغ 06،1708236 دولار بنسبه 8،92 % من الاعتمادات المقدرة من قبل المنظمة والبالغة 1841000 دولار، وبنسبه 2،70 % من الاعتمادات المقررة في مبلغ الموازنة المعتمدة في خطة المنظمة، والبالغ 7،2434066 دولار، وقد شكل مبلغ الإنفاق هذا ما نسبته 2،6 % من إجمالي الميزانية المعتمدة في الخطة، وما نسبته 1،10 % من إجمالي الاعتمادات المقدرة، ونسبه 8،10 % من إجمالي مصروفات المنظمة. وقد بلغ الإنفاق الفعلي على اجتماعات المجالس الرئيسية في الالكسو مبلغ 98059 دولار بنسبه 2،92 % من المبلغ المعتمد له في الميزانية البالغ 106300 دولار، وقد شكل مبلغ الإنفاق هذا ما نسبته 58،0 % من إجمالي الميزانية، ونسبه 73،0 % من إجمالي نفقات المنظمة.

بلغ الإنفاق الفعلي على البرامج ومرافق خدمة البرنامج في اليونسكو مبلغ 399345311 دولار بنسبه 2،100 % علماً بان المبلغ المعتمد لهذا الباب في الميزانية بعد التسوية إنما هو بمبلغ 398420360 دولار، وقد شكل مبلغ الإنفاق هذا ما نسبته 33،64 % من إجمالي الميزانية، ونسبه 37،64 % من إجمالي نفقات المنظمة. بينما بلغ الإنفاق الفعلي على البرامج وبرامج الدعم في الايسيسكو مبلغ 7،11218106 دولار بنسبه 4،51 % من المبلغ المعتمد لهذا الفصل في الموازنة المعتمدة في خطة

المنظمة البالغة 21828362 دولار، وبنسبه 1،93 % من الاعتمادات المقدرة من قبل المنظمة بمبلغ 12045000 دولار وقد شكل المبلغ المنفق على هذا الفصل ما نسبته 9،40 % من إجمالي الميزانية المعتمدة في الخطة، وما نسبته 2،66 % من إجمالي الاعتمادات المقدرة، ونسبه 1،71 % من إجمالي مصروفات المنظمة. في حين بلغ الإنفاق الفعلي على الأنشطة والبرامج في الالكسو مبلغ 5499324 دولار بنسبه 1،69 % من المبلغ المعتمد لهذا الغرض في الميزانية البالغ 7954421 دولار، وقد شكل المبلغ المنفق على هذه الأنشطة ما نسبته 1،32 % من إجمالي الميزانية، ونسبه 41 % من إجمالي نفقات المنظمة.

بلغ الإنفاق الفعلي على مساندة تنفيذ البرنامج والإدارة في اليونسكو مبلغ 183285860 دولار، بنسبه 6،100 % علماً بأن المبلغ المعتمد لهذا الباب في الميزانية بعد التسوية مبلغ 182222753 دولار، وقد شكل مبلغ الإنفاق هذا ما نسبته 53،29 % من إجمالي الميزانية، ونسبه 54،29 % من إجمالي نفقات المنظمة. بينما بلغ الإنفاق الفعلي على البرامج المشتركة (المصاريف المشتركة) في الايسيسكو مبلغ 39،2861116 دولار بنسبه 2،91 % مما رصد لهذا الفصل في الموازنة المعتمدة البالغة 3،3137873 دولار، وبنسبه 8،93 % من الاعتمادات المقدرة من قبل المنظمة والبالغة 3050000 دولار، وقد شكل مبلغ الإنفاق هذا ما نسبته 4،10 % من إجمالي الميزانية المعتمدة في الخطة، وما نسبته 9،16 % من إجمالي الاعتمادات المقدرة، ونسبه 1،18 % من إجمالي مصروفات المنظمة.

بلغ الإنفاق الفعلي على تكاليف السفر والتنقلات في الالكسو مبلغ 114819 دولار بنسبه 7،95 % من المبلغ المعتمد لهذا الغرض في

الميزانية والبالغ 120000 دولار، وقد شكل مبلغ الإنفاق هذا ما نسبته 68،0 % من إجمالي الميزانية، ونسبه 85،0 % من إجمالي نفقات المنظمة.

بلغ الإنفاق الفعلي على موظفي الالكسو مبلغ 6652463 دولار بنسبه 1،90 % من المبلغ المعتمد لهم في الميزانية والبالغ 7382900 دولار، وقد شكل مبلغ الإنفاق هذا ما نسبته 1،39 % من إجمالي الميزانية، ونسبه 5،49 % من إجمالي النفقات. بينما بلغ الإنفاق الفعلي في الايسيسكو على الموظفين مبلغ 02،1498468 دولار بنسبه 8،105 % من المبلغ المعتمد لهم في الموازنة المعتمدة البالغة 67،1416666 دولار وذلك بزيادة قدرها مبلغ 35،81801 دولار، وبما نسبتها 8،5 %، وقد شكل مبلغ الإنفاق هذا ما نسبته 7،96 % من المبلغ المقدر له من قبل المنظمة، وذلك بمبلغ 1550000 دولار، ونسبه 5،5 % من إجمالي الموازنة المعتمدة، ونسبه 8،8% من إجمالي الاعتمادات المقدرة، ونسبة 5،9 % من إجمالي مصروفات المنظمة[1].

ووصل الإنفاق الفعلي لموظفي اليونسكو مبلغ 334866805 دولار بنسبه 8،99 % من إجمالي الاعتمادات المخصصة لهذا الغرض والبالغة 335440600 دولار، وقد شكل مبلغ الإنفاق هذا ما نسبته 9،53 % من إجمالي الميزانية العادية بعد التسوية، وما نسبته 6،55 % من إجمالي نفقات

---

(1) انظر بهذا الخصوص أيضاً التقارير المالية للمدير العام للايسيسكو لعامي 2005،2004 مراجع سابقة ص 26 في كلا المرجعين.

- انظر: أيضاً الملخص العام للموازنة الثلاثية للايسيسكو للدورة المالية 2004 - 2006 في المطلب الأول من هذا الفصل ((طريقة إعداد الموازنات)).

المنظمة[1].

6- وبلغت نسبة الإنفاق الفعلية على كـل مـن المستلزمات الخدميـة، والسـلعية، والصيانة، والمصروفات الرأسمالية، والالتزامات العربية في الالكسو مـا نسبتها 7،85 %، 2،81، 3،54 %، 51 % بالترتيب، وذلك من المبالغ المعتمـدة لهذه الأبـواب في الميزانية، بينما شكل الإنفاق الفعلي على هذه الأبواب ما نسبتها 9،3 % ، 2،2 %، 8،0 % ، 95،0 % بالترتيب.

المطلب الثاني
الرقابة المالية على ميزانيات المنظمات
(اليونسكو، الالكسو، الايسيسكو)

إن عملية الرقابة المالية على موازنات هذه المنظمات المتخصصة، إنما تخضع لمنظومة متكاملة من النظم القانونية، والإجراءات التنظيمية، المتعلقة بعمليات المراجعة والمراقبة، كما أن عملية المراقبة بحد ذاتها إنما تتعدد بتعدد الجهات المعنية ذات العلاقة بهذه المنظمات، سواء أكان ذلك مـن قبل منظماتها الأم، أو مـن قبل مراجعي الحسابات الخارجيين، أو هيئات الرقابة المالية المنتخبة مـن قبل الـدول الأعضـاء، أو مـن قبل هـذه المنظمات المتخصصة ذاتها عن طريق أجهزتها السيادية، وإداراتها العامة، ودور

---

[1] انظر: وثيقة المجلس التنفيذي لليونسكو رقم 175 EX / 31 مرجع سابق ص7.

- كذلك انظر: الملخص العام لميزانية اليونسكو للدورة المالية 2004 - 2005 في المطلب الأول مـن هـذا الفصـل ((طريقة أعداد الموازنات)).

مدراء العموم، والإدارات الداخلية المعنية بالرقابة المالية الداخلية، وكل هذه الأمور، وغيرها هي مجال بحثنا ضمن هذا المطلب، فهناك نطاق الرقابة والإشراف وتنسيق أوجه الانشطة التي تقوم بها المنظمات الأم لأي من هذه المنظمات المتخصصة، فعلى سبيل المثال لا الحصر نجد أن للجمعية العامة للأمم المتحدة الحق في فحص ميزانية اليونسكو، أو مشروع ميزانيتها، وعلى هذه الأخيرة أن تتبع - قدر الإمكان - الأساليب والقواعد الموحدة التي توصي بها الأمم المتحدة[1] وللمجلس الاقتصادي والاجتماعي في هذه الأخيرة، أن يطلب من اليونسكو - ومن الوكالات المخصصة الأخرى التابعة لمنظومة الأمم المتحدة - تقارير منتظمة، وله أن ينسق أوجه نشاط الوكالات المتخصصة، وأن يقدم إليها التوصيات اللازمة[2]. ويتمتع المجلس الاقتصادي والاجتماعي في جامعة الدول العربية بالعديد من الاختصاصات - كما حددها النظام الداخلي للمجلس - ومنها، الإشراف على حسن قيام المنظمات العربية المتخصصة بمهامها، وللمجلس الحق في تقديم توجيهات ملزمة إليها فيما يتعلق بموازناتها، وكذا الإشراف على لجنة الجامعة المعنية بالتنسيق مع المنظمات العربية ومنها منظمة الالكسو[3]. وعلى أيه حال فإن قرارات المجلس الاقتصادي والاجتماعي، ملزمة لهذه الأخيرة - ولجميع المنظمات العربية المعنية - ذلك أن هذا المجلس، إنما يمثل المرجعية

---

(1) انظر: المواد م10 من ميثاق اليونسكو، م16 من الاتفاق المعقود بين الأمم المتحدة واليونسكو، في مرجع النصوص الأساسية 2004م مرجع سابق ص 18، (190 - 191) بالترتيب.

(2) انظر المواد (64،63) من ميثاق الأمم المتحدة.

(3) انظر د. أحمد أبو الوفا، جامعة الدول العربية كمنظمة إقليمية دولية، مرجع سابق ص186.

القومية لمؤسسات العمل العربي المشرك، وعلى سبيل المثال لا الحصر- فإننا نجد أن هذا المجلس قد اتخذ العديد من القرارات، التي منها القرار رقم (1012) في الدورة (40) بتاريخ 1986/2/25م القاضي بإعتماد هذا المجلس للنظام المالي والمحاسبي الموحد، حيث يحدد هذا النظام الأسس والقواعد المنظمة للشئون المالية والمحاسبية للمنظمات العربية المتخصصة، بما في ذلك إعداد الموازنات وتنفيذها واستثمار أموال المنظمة وتنظيم حساباتها والرقابة عليها، ويعمل بهذا النظام في جميع المنظمات العربية المتخصصة، باستثناء الصناديق والمؤسسات المالية العربية، والمنظمة العربية للإتصالات الفضائية (عربسات)[1]. وبالرغم من أنه لا يوجد مجلس اقتصادي واجتماعي، في منظمة المؤتمر الإسلامي، مثل مثيلاتها في كل من جامعة الدول العربية، والأمم المتحدة، إلا أنه لا ينبغي أن يفهم من ذلك أنه لا يوجد رقابة فاعلة، وتنسيق لأعمال وأنشطة المنظمات المتخصصة المنبثقة عن منظمة المؤتمر الإسلامي، والتي منها منظمة الايسيسكو، ذلك أن مثل هذه الأعمال إنما يقوم بها أساساً مؤتمر وزراء خارجية الدول الإسلامية، علاوة على ما يقوم به، مؤتمر القمة الإسلامي - كجهاز رئيسي

---

(1) انظر بهذا الخصوص:

- م1 من النظام المالي والمحاسبي الموحد للمنظمات العربية المتخصصة، مرجع سابق ص9.

- الفقرات (1،2) الواردة في ديباجة النظام المالي والمحاسبي الموحد ص5، وبحسب الفقرة (2) فإنه قد تم تعديل النظام واعتماده بموجب قرار المجلس الاقتصادي والاجتماعي رقم (1403) بتاريخ 2000/9/14م في دورة المجلس رقم (66).

- قرار المجلس الاقتصادي والاجتماعي رقم (2/1392 بتاريخ 1999/9/16م، في الدورة (64) للمجلس في نفس النظام المالي والمحاسبي نفس المرجع السابق ص53.

أول - مـن مهـام عـلى مسـتوى المنظومـة في مجـال اختصاصـاته. وعـلى أيـه حـال
فالايسيسكو هي إحدى الهيئات المتخصصة العاملة في إطار المنظمة الأم، حيـث ينظم
اتفاق التفاهم المبرم بينهما العديد من القواعد المنظمة لمختلف أوجه العلاقـات النظاميـة
والرقابية، كما سبق أن بينا ذلك[1].

علاوة على ما سبق فإن هناك عـدداً مـن الهيئـات الرقابيـة، التابعـة للأمـم المتحـدة،
تعمل كآليات خارجية للمراقبة للمنظومة التابعة لهذه الأخيرة، وتسعى لضمان حسن سير
العمل في وحدات هـذه المنظومـة، وتتمتـع بصلاحيات المسـاءلة والمراقبـة الداخليـة، والى
تحسين الإدارة، على جميع المسـتويات في المنظمات المتخصصـة، ومنهـا منظمة اليونسكو،
وهذه الهيئات هي[2]:-

(1) انظر: م 1 فقرة (ب) من ميثاق الايسيسكو، مرجع سابق ص10.
- كذلك انظر: اتفاق التفاهم المبرم بين الايسيسكو ومنظمة المؤتمر الإسلامي، مرجع سابق ص 1- 5.
(2) انظر للباحثة: نهال فؤاد فهمي: مشكلات الإدارة العامة الدولية، دراسة تطبيقية على الأمانة العامة للأمم المتحـدة،
رسالة تقدمت بها الباحثة لنيل درجة، دكتـور الفلسـفة في الإدارة العامـة، جامعـة القاهرة، كلية الاقتصاد والعلوم
السياسية، قسم الإدارة العامة لعام 2000م ص (86 - 92)، (224 - 230).

1- وحدة التفتيش المشتركة[1]

وتهدف هذه الوحدة إلى تحسين كفاءة الأداء الإداري والمالي لمنظومة الأمم المتحدة بأكملها، وهي مسؤوله أمام الهيئات التشريعية المتخصصة في المنظمات التي قبلت نظامها الأساسي، وهي الأمم المتحدة، والهيئات التابعة لها. وطبقا لأحكام المادة (11) من النظام الأساسي لهذه الوحدة، فإن مدير عام اليونسكو يحيل إلى المجلس التنفيذي للمنظمة، التقارير التي ترد إليه من هذه الوحدة، للنظر فيها، وينبغي أن تكون إحالة المدير مشفوعة بملاحظاته وتعليقاته على هذه التقارير، ومما تجدر الإشارة إليه بهذه الخصوص، هو أن المجلس التنفيذي لليونسكو في دورته (175) كان قد دعى المدير العام إلى موافاته بتقرير عن حاله تنفيذ توصيات وحده التفتيش المشتركة (وهو ما سيتم التطرق إلى بعض ما يهمنا منها، ضمن سياق هذا المطلب) مشفوعة بتعهدات المدير العام بشأن التدبيرات الإضافية التي يتعين اتخاذها بشأن تلك التوصيات[2].

---

(1) وبحسب المرجع السابق ص 227، 228، فإن هذه الوحدة أنشئت عام 1966م، على أساس تجريبي، واعتمدتها الجمعية العامة على أساس دائم عام 1976م، على أن يسري ذلك اعتباراً من يناير 1978م، ويجري اختيار أعضاء هذه الوحدة من بين أعضاء هيئات الإشراف، أو التفتيش الوطنية، أو من بين الأشخاص ذوي الكفاءة والخبرة في المسائل المالية والإدارية، الوطنية والدولية، ويتم تعينهم من قبل الجمعية العامة للأمم المتحدة على أساس التمثيل الجغرافي العادل وتساعد الوحدة في أعمالها أمانة فنية تتألف من: أمين تنفيذي، وسبعة من موظفي البحوث، وأربعة من مساعدي الباحثين، وستة آخرين من فئة الخدمات العامة.

(2) انظر: وثيقة المجلس التنفيذي لليونسكو رقم EX 176/48 الصادرة في باريس بتاريخ 2007/3/28م بخصوص ((تقارير وحده التفتيش المشتركة التي تهم اليونسكو وحالة تنفيذ التوصيات الموافق عليها، والمقبولة الواردة في تقارير وحده التفتيش المشتركة)) ديباجة.

2- المراجعون الخارجيون للحسابات

يشكل فريق مراجعي الحسابات الخارجيين للأمم المتحدة، والوكالات المتخصصة التابعة لها من:-

أ- مجلس مراجعي الحسابات الخارجيين للأمم المتحدة: ومهمة هذا المجلس القيام بمراجعه حسابات الأمم المتحدة، وتقديم التقارير ذات الصلة إلى الجمعية العامة، وله إبلاغ هذه الأخيرة عن حالات التدليس، وتبذير الأموال، أو إنفاقها بشكل غير سليم، وهذا المجلس هو الحكم الوحيد في مقبوليه البيانات التي يقدمها الأمين العام، وللمجلس أمانة فنية تتولى تأمين الاتصال بين المجلس وفريق مراجعي الحسابات، وكذا مع الهيئات الأخرى التابعة للأمم المتحدة[1].

ب- فريق مراجعي الحسابات الخارجين لحسابات الأمم المتحدة، والوكالات المتخصصة، والوكالة الدولية للطاقة الذرية: وأعضاء هذا الفريق هم نفس أعضاء مجلس مراجعي الحسابات بالإضافة إلى جميع مراجعي الحسابات الخارجيين التابعين للوكالات المتخصصة، بما في ذلك وكالة الطاقة الذرية، ويجتمع الفريق بانتظام مرة في السنة، ويهدف هذا الفريق إلى تعزيز التنسيق، وتبادل المعلومات، عن الأنشطة والطرق والنتائج

الوثيقه الصفحه الاولى الأصل باللغة الانجليزية

(1) وبحسب المرجع السابق للباحثة نهال ص 230، 229، 91 فإن مجلس مراجعي الحسابات الخارجيين للأمم المتحدة، قد أنشئ في ديسمبر 1946م وهذا المجلس يتكون من ثلاثة أعضاء يشغلون منصب المراجع العام للحسابات، أو موظف يشغل منصباً معادلاً له في بلدة، تنتخبهم الجمعية العامة، لمدة ثلاث سنوات.

الخاصة بمراجعة الحسابات على مستوى منظومة الأمم المتحدة بأكملها[1].

3- اللجنة الاستشارية لشؤون الإدارة والميزانية[2]

وهي هيئة فرعية تابعة للجمعية العامة ومن مهامه التدقيق الفني والمالي في الميزانية البرنامجية للأمم المتحدة، وكذا التدقيق في ميزانيات الوكالات المتخصصة، وهي تقدم إلى الجمعية العامة تقارير مفصله عن حسابات الأمم المتحدة، وأيضا عن حسابات المنظومة التابعة لها.

4- لجنة الخدمة المدنية الدولية

ومن مهام هذه اللجنة تنظيم وتنسيق كافه الجوانب المتعلقة بتوحيد الخدمة المدنية الدولية، وذلك لإعداد قواعد مشتركة خاصة بالموظفين، بما في ذلك شروط الخدمة، ومدة التعيين، وترتيب الوظائف، وجداول المرتبات والمكافآت، والعلاوات، وتقييم الأداء، والتدريب والإحالة على التقاعد، وحقوق المتقاعدين ووضع أنظمة موحده لهؤلاء الموظفين الدوليين... الخ وذلك في إطار النظام الأساسي الموحد لهذه اللجنة المصادق عليها من الأمم المتحدة، والموافق عليها كذلك من (11) وكالة متخصصة، من بينها منظمة اليونسكو، المعنية أصلاً بالتعاون إلى أقصى حد ممكن لبلوغ هذه الغايات، وتحديد ما يمكن من الاتساق في هذه الميادين، بما في ذلك التعاون على

---

(1) وبحسب نفس المرجع السابق ص229، فإن هذا الفريق أنشئ في ديسمبر عام 1959م.

(2) وبحسب مرجع الباحثة نهال ص 224.96 فإن هذه اللجنة الاستشارية التي نشأت عام 1946م، تتألف من (16) خبيراً، تعينهم الجمعية العامة، بصفتهم الشخصية على أساس التوزيع الجغرافي العادل، وينبغي أن يكون من بينهم ثلاثة من الخبراء الماليين المعروفين على الأقل، ومدة عضويتهم هي ثلاث سنوات.

إنشاء وإدارة جهاز مناسب لتسوية المنازعات المتعلقة بخدمه الموظفين وما يتصل بذلك من المسائل، كما يقضي بذلك أصلا الاتفاق المبرم بين هذه الأخيرة ومنظمتها الأم[1].

5- لجنة البرنامج والتنسيق[2]

تقوم هذه اللجنة بالعديد من المهام، فعلاوة على مهامها في مجال تقرير السياسات من خلال استعراض برامج الأمم المتحدة، كما تحددها الخطة المتوسطة الأجل، تقوم هذه اللجنة أيضا بمهمة التنسيق البرامجي بين برامج

---

(1) وقد أنشأت هذه اللجنة عام 1974م وهي تتألف من عدد (15) خبيراً تعينهم الجمعية العامة بصفتهم الشخصية ولها أمانة فنية مكونة من (21) موظفاً متفرغاً وهي ترفع تقارير منتظمة إلى الجمعية العامة والى الرؤساء التنفيذيين في الوكالات المعنية، وهي أيضاً معنية بمتابعة تنفيذ ما يصدر عنها من قرارات وتوصيات.
- انظر بهذا الخصوص:
- مرجع الباحثة نهال ص226.
- انظر كذلك:
1987: ، UN، Statute and Rule of Procedure، Commission،The International Civil Service.1. ICSC/I/Rev
- انظر: م12 من الاتفاق المعقود بين الأمم المتحدة واليونسكو، في مرجع النصوص الأساسية 2004م ص188.

(2) وبحسب مرجع الباحثة نهال ص 226،91 فإن هذه اللجنة أنشأت عام 1962م، وتوسعت عضويتها من (21) عضواً إلى (34) عضواً، بقرار من المجلس الاقتصادي والاجتماعي عام 1976م وهي هيئة فرعية تابعة للمجلس الاقتصادي والجمعية العامة، يتم انتخاب أعضائها من الدول الأعضاء على أساس التوزيع الجغرافي العادل.
- لمعرفة المزيد عن الخدمة المدنية الدولية: انظر د. لبنان هاتف الشامي، وآخرون، في مرجع أسس الإدارة الدولية، إصدارات المركز القومي للنشر، الأردن، الطبعة الأولى لعام 2001م ص 161- 163.

منظومة الأمم المتحدة بشكل عام، وذلك لمساعده المجلس الاقتصادي والاجتماعي على حسن أداء وظائفه التنسيقية على أكمل وجه.

مجلس الصندوق المشترك للمعاشات التقاعدية لموظفي الأمم المتحدة

بالرغم من أن هذا المجلس لا يعتبر من ضمن الهيئات الخارجية للرقابة والتي سبق تناولها، إلا أنه مع ذلك يسهم بدور رقابي، ذلك أن لهذا المجلس لجنة دائمة لها سلطة العمل بالنيابة عنه عندما لا يكون هذا المجلس منعقدا وتجتمع هذه اللجنة في نيويورك ومن خلالها تمارس الجمعية العامة السلطة التشريعية بالنيابة عن جميع المنظمات المشتركة بالصندوق[1]. ولموظف اليونسكو أن يشترك في هذا الصندوق بناءاً لأهليته تحت أنظمة الصندوق، بشرط أن مشاركته لا تستثني بنود تعينه[2].

---

(1) انظر بهذا الخصوص: الباحثة نهال، نفس المرجع السابق ص 86، 87، 92 وبحسب هذا المرجع وبنفس الصفحات فإن هذا المجلس يعمل ضمن فريق اللجان المختصة بالشؤون الداخلية لمنظمة الأمم المتحدة إذ تضع هذه اللجان التوصيات التي يؤخذ بها في جدول أعمال الجمعية العامة، وهذه اللجان نوعان هي:

لجان أعضاؤها حكومات، أي أن الأعضاء بها يعملون بوصفهم ممثلين لحكوماتهم.

لجان أعضاؤها خبراء يعملون بصفتهم الشخصية، كما هو عليه الحال في مجلس الصندوق المشترك للمعاشات التقاعدية. وقد انشئ هذا الصندوق

من قبل الجمعية العامة عام 1949م، بهدف توفير الاستحقاقات في حالات التقاعد والعجز والوفاة وما إلى ذلك لموظفي الأمم المتحدة، وأيضاً

لموظفي الوكالات التي تقبل في عضوية الصندوق، ويدير الصندوق مجلس الصندوق المشترك، ولجان المعاشات التقاعدية للموظفين، وأمانة

المجلس، وأمانة لكل لجنة من لجان المعاشات.

(2) انظر UNESCO،Staff Regulations and Staff Rules، 2000 Chapter (VI) Rule 106.4، p.62 .

علاوة على ما سبق فهناك نطاق الرقابة والإشراف التي تقوم بها الأجهزة السيادية في أي من هذه المنظمات المتخصصة، بدءاً بالدور المناط بالجهاز السيادي الأول (المؤتمر العام) المعني برسم السياسة العامة، وأوجه الرقابة عليها بشكل عام، يتجلى ذلك عند ممارسته للصلاحيات المناطه به، بدءاً بإقرار السياسة التي ينبغي انتهاجها من قبل المنظمة المعنية، والبت في البرامج، ومشاريع الموازنات، واعتماد الأنظمة المالية، والحسابات الختامية، واللوائح الداخلية، وانتخاب أعضاء المجالس التنفيذية ومدراء العموم في أي من هذه المنظمات المتخصصة[1]. كما أن المؤتمر العام لليونسكو - خلافا لما هو عليه الحال بالنسبة للمؤتمرات العامة لكل من الالكسو والايسيسكو - يمارس دورا رقابيا مباشرا لمنع أي دولة عضو من ممارسة حقها في التصويت في المؤتمر العام، إذا كان مجموع الاشتراكات المستحقة عليها يفوق المساهمة المالية المطلوبة منها عن السنة الجارية والسنة التقويمية التي تسبقها مباشرة[2]. وهناك بطبيعة الحال استثناءات للتخفيف من وطأه هذه العقوبة، إذا رأى المؤتمر العام أن هذه الدولة تخلفت عن الدفع لظروف خارجة عن إرادتها، إلا أن هذا التخفيف مع ذلك ينطوي على شروط مشدده لضمان السداد مستقبلاً، وقد سبق أن بينا ذلك بشكل مفصل[3]. كما أن الجهاز السيادي الثاني (المجلس التنفيذي) في أي من هذه

---

(1) انظر المواد (م4 الفقرة (باء)، (م4 (ب)، (م11) من مواثيق المنظمات المتخصصة مراجع سابقة ص 11، (23 - 24)، (15 - 16) بالترتيب.

(2) انظر: المادة (4) جيم الفقرة (8 - ب) من ميثاق اليونسكو مرجع سابق ص12.

(3) انظر: م4 جيم الفقرة (8 - جـ) من ميثاق اليونسكو مرجع سابق ص12.

- كذلك انظر: موارد الموازنات في المطلب الثاني من هذا الفصل.

المنظمات المتخصصة مسؤول أمام المؤتمرات العامة، عـن دراسـة بـرامج وتقديرات الموازنات التي يرفعها إليها مدراء العموم، ولها في سبيل ذلك أن ترفع التوصيات والتقارير اللازمة إلى المؤتمرات العامة لتكون على بينه من مضمونها قبل المصادقة عليها، وعلى هـذه المجالس كذلك اتخاذ التدابير اللازمة لضمان تأمين قيام مدراء العموم بتنفيذ تلك البـرامج المصادق عليها بشكل فعال[1]، علاوة على ذلك فإن هذه الأجهزة السيادية أو إحداها عـلى الأقل معنية بتعيين المراقب المالي الخارجي لحسابات هـذه المنظمات المتخصصة، وكـما سيتضح ذلك تباعاً، أما نطاق الرقابة والإشراف التي يمارسها مدراء العموم، على اعتبار أنهم يأتون على قمة الهرم الإداري في الجهاز الرئيسي ـ الثالـث (الإدارة العامـة) في أي مـن هـذه المنظمات، فذلك راجع إلى كـونهم المسـؤولين - كـل في منظمتـه - أمـام الأجهزة السيادية (المؤتمر العام والمجلس التنفيذي) عن موارد ونفقات المنظمة، وإعـداد مشاريع الموازنات والبرامج، وإعداد التقارير الدورية، والحسابات الختامية، وبشكل عـام فإن هـؤلاء المـدراء مسؤولون عن جميع أعمال منظماتهم، ولهم في سبيل أداء مهامهم العديد من الصلاحيات التي منها تعيين الموظفين، ولهم السلطة المباشرة عليهم، وهـؤلاء المـدراء معنيون بإعـداد مشاريع الأنظمة واللوائح الإدارية والمالية الحاكمة لمختلف أنشطة وأعمال هذه المنظمات ومن ثم السهر على تطبيقها بعد المصادقة عليها مـن الأجهـزة السيادية المعنية بـذلك[2]. علاوة على ذلك فإن هؤلاء المدراء العامون هم

---

[1] انظر: المواد (م5 (باء) (م5 (ب)، (م12) من مواثيق هذه المنظمات، مراجع سابقة ص (14 - 16)، (27 - 28)، (17) بالترتيب.

[2] انظر: المراد (6)، (9،6)، (13،16،17،18) من مواثيق المنظمات المتخصصة مراجع

المسؤولون عن المراجعة والمراقبة الداخلية في منظماتهم، بل إنهم المعنيون كذلك بوضع أسس هذه المراقبة الداخلية، ومن ثم السهر على تنفيذها.

وعلى أيه حال فإن هنالك ثلاث صور للرقابة، فهناك الرقابة المالية، والرقابة على الأداء، والرقابة على الكفاية، وتهدف الرقابة المالية بشكل عام إلى المحافظة على الأموال العامة وحمايتها من العبث وتتلخص هذه الأهداف بالاتي[1]:-

التحقق من أن الموارد قد حصلت وفقاً للقوانين والقواعد المعمول بها والكشف عن أي مخالفة أو تقصير.

التحقق من أن الإنفاق تم وفقاً لما هو مقرر له، والتأكد من حسن استخدام الأموال العامة في الأغراض المخصصة لها، دون إسراف أو انحراف والكشف عما يقع من مخالفات.

متابعة تنفيذ الخطة الموضوعة، وتقييم الأداء في الوحدات للتأكد من أن التنفيذ يسير وفقاً للسياسات الموضوعية، ومعرفة نتائج الأعمال، والتعرف

سابقة ص (16 - 17)، (28 - 32)، (17 - 20).

(1) انظر د. عوف محمود الكفراوي، الرقابة المالية في الإسلام، مكتبة ومطبعة الإشعاع الفنية، مصر، طبعة أولي لعام 1997م ص25، وبحسب هذا المرجع ص 22،21 فإن:

الرقابة المالية: غرضها المحافظة على الأموال العامة من سوء التصرف وذلك عن طريق التأكد من إتباع الإجراءات والقواعد المحددة، وكذا

التأكد من سلامة تحديد نتائج أعمال الوحدات ومراكزها المالية.

الرقابة على الأداء: وهدفها التأكد من تحقيق الأهداف الموضوعة وعدم الانحراف عن معدلات الأداء المنصوص عليها في الخطة.

الرقابة على الكفاية: وغرضها التعرف على فرص تحسين معدلات الأداء المرسومة وما يستتبع ذلك من إدخال التعديلات في الخطة.

على مدى تحقيق هذه الوحدات لأهدافها المرسومة، والكشف عما يحدث من انحرافات، وعن الأسباب المؤدية لذلك لاتخاذ الإجراءات التصحيحية اللازمة.

التأكد من سلامه القوانين واللوائح والتعليمات المالية، والتحقق من مدى كفايتها وملاءمتها[1]. وتتم هذه الرقابة بوسيلتين أساسيتين هما[2]:-

1- الرقابة الداخلية، 2- الرقابة الخارجية للحسابات، وهو ما سارت عليه هذه المنظمات المتخصصة وكما يلي:-

أولاً: الرقابة الداخلية للمنظمات (اليونسكو، الالكسو، الايسيسكو)

يقوم مدراء العموم في هذه المنظمات، بوضع القواعد والأسس اللازمة لتنظيم رقابة داخلية سليمة في منظماتهم، ذلك أن هذا النوع من الرقابة إنما يقع على عاتق هؤلاء المدراء، بل إنه يدخل في نطاق مسؤولياتهم، ويقصد بالمراقبة الداخلية الخطة التنظيمية التي يرتب بمقتضها واجب العاملين، وتصمم بموجبها التقارير والإجراءات التي تجعل من الممكن إختبار فعالية الرقابة المحاسبية على الأصول والخصوم والإيرادات والنفقات، وتحت هذا النظام يقسم عمل الموظفين بالشكل الذي يضمن عدم قيام موظف واحد بمجموعة أعمال متصلة معاً، وتحت مثل هذا النظام أيضاً تحدد كافة التصرفات المحتملة[3]. في حين يعرف البعض الأخر المراقبة الداخلية بأنها

---

(1) انظر: Hanson.Kegenpaul & Routledge Development Economic & Enterprise public، London.1965 ،p.378.

(2) انظر د. أحمد أبو الوفا، جامعة الدول العربية كمنظمة دولية إقليمية، مرجع سابق ص540.

(3) انظر د. محمد لطفي حسونة، د. أحمد عمر بامشموس، الحسابات الحكومية والقومية في

تحقيق العمليات والقيود والأنظمة الإدارية، يقوم بها داخل المنظمة (أو المنشأة) فئة من الموظفين، المعينين لهذا الغرض، وذلك لحماية أموال المنظمة ولخدمة الإدارة[1]. ويعرف معهد المحاسبين الأمريكي: المراقبة الداخلية بأنها (تشتمل على خطة تنظيمية وإدارية، وطريقة للتنسيق، بالإضافة إلى مجموعه من الوسائل التي تتبناها المنشأة لحماية الأصول، وكذلك لضمان الدقة الحسابية للمعلومات المحاسبية، وبجانب كل هذا تهدف المراقبة الداخلية إلى الارتقاء بالكفاية الإنتاجية، والى متابعة تطبيق السياسة الإدارية التي تضعها الأجهزة الإدارية والعمل على السير في حدود الخطط المرسومة)[2]. وبناءاً على ما سبق فإنه يمكننا تعريف الرقابة الداخلية: بأنها (عبارة عن خطة تنظيمية مالية وإدارية، تحدد واجبات الموظفين، وكافة التصرفات المحتملة، لحماية أموال المنظمة، ولضمان تنفيذ السياسات المقرة). وتتمثل غايات أنظمة الضبط والرقابة الداخلية القيام بوظيفتين رئيسيتين هما[3]:-

الوظيفة الوقائية: وتهدف إلى محاوله منع الأخطاء والغش والخسائر والإسراف وتتلخص في وضع الإطار العام الذي يحدد طريقة إتمام

الجمهورية العربية اليمنية (سابقاً)، جامعة صنعاء، كلية التجارة والاقتصاد، مطابع الأهرام التجارية 1982م ص140.

[1] انظر د. متولي محمد الجمل، د. محمد السيد الجزار، أصول المراجعة، دراسة حالات تطبيقية متنوعة، الجزء الثاني، مصر العربية، لعام 1979م ص35.

[2] انظر د. حسن أحمد غلاب، والأستاذ: محمد باكحيل، دراسات في التنظيم المالي والمحاسبي الموحد، الجزء الأول، المعهد القومي للإدارة العامة، صنعاء، الطبعة الثانية 1985م ص147.

[3] انظر د. حسن أحمد غلاب، والأستاذ: محمد باكحيل، نفس المرجع السابق ص148.

العمليات والذي ينبغي العمل في حدوده.

تعظيم الكفاية: وهي الوظيفة التي يتم العمل بمقتضاها لرفع الكفاية، فإذا ما كشف الفحص عن غش أو إسراف أو خسائر فلا بد وأن تتم الدراسة اللازمة والتحليل المناسب للحد من الحالات غير الطبيعية.

وعلى العموم فإن المراقبة الداخلية، تسعى لتحقيق عدداً من الأهداف، المتعلقة بالمحافظة على أصول المنظمة، ومنع وقوع الأخطاء أو اكتشافها في وقت مبكر، وتحديد المسؤولية عن الأخطاء والغش والاختلاس، مع تبسيط عمل الموظف بحيث يسهل عليه إنجازه، وتسهيل نقل الموظف من عمل لأخر دون الإخلال بسير العمل، وكذا وضع إجراءات نمطيه لعقد وتنفيذ المعاملات المختلفة، بحيث لا تكون مجالاً للاجتهاد[1]. وعلى أيه حال فإن الهياكل التنظيمية للمنظمات اليونسكو، الالكسو، الايسيسكو، تشتمل على وحدات تعنى بهذا النوع من الرقابة الداخلية، فهناك قسم للرقابة الداخلية بالالكسو، وقسم المراقب المالي الداخلي بالايسيسكو ومرفق الإشراف الداخلي باليونسكو، وهذه المرافق تتبع مباشرة لمدراء العموم، وتقدم تقاريرها الدورية أو الخاصة إليهم، شاملةً نتائج المراجعة والتدقيق والملاحظات والتوصيات اللازمة لذلك ضمن مجالات اختصاصاتها حيث يوفر مرفق الإشراف الداخلي لليونسكو، آلية موحده تغطي عمليات المراجعة الداخلية للحسابات والتقييم والتحقيق، وصور الدعم الإداري الأخرى اللازمة لتقييم وتحسين فعالية وكفاءة عمليات المنظمة، المتصلة بإدارة المخاطر والمراقبة والتوجية، وهذا المرفق مستقل وظيفياً وتنظيمياً

(1) انظر د. محمد لطفي حسونة، د. أحمد عمر بامشموس، الحسابات الحكومية والقومية، نفس المرجع السابق ص140.

عن الآليات الرئيسية للمراقبة والمساءلة[1]. وتسهر أقسام الرقابة الداخلية في كل من الالكسو والايسيسكو على ضمان تطبيق القواعد واللوائح المالية والإدارية، وبشكل خاص قواعد تنفيذ الموازنات، والبرامج المقرة، وكذا القيام بأعمال المراقبة السابقة واللاحقة على الصرف، ومراجعة كافة المستندات والمعاملات، والعقود والاتفاقيات التي تمر بها وحدات الإدارة العامة، للتأكد من ضمان إستخدام الموارد المالية، والتأكد من أن إنفاقها قد تم بشكل سليم، كما تعمل هذه الأقسام على التعاون والتنسيق مع الجهات الرقابية الخارجية في أي من هاتين المنظمتين[2]. علاوة على هذه المرافق المعنية بالمراقبة الداخلية في هذه المنظمات المتخصصة، فإن اليونسكو لديها أيضا قسم للمراقب المالي، يعنى بتقديم التقارير المالية للجهات المانحة وتحصيل وإدارة اشتراكات الدول الأعضاء، وممارسة الرقابة المالية على عمليات مقر المنظمة ومكاتبها الميدانية ومعاهدها، وبشكل عام فإن هذا القسم مسؤول عن ضمان إقامة نظم ملائمة ومتكاملة للإدارة المالية، ولإعداد التقارير فيما يتعلق بجميع الموارد المالية التي تديرها المنظمة، ومن إنجازات هذا القسم تعزيز الرقابة الداخلية فيما يتعلق بشمولية ودقة البيانات المالية، الواردة، في السجلات المالية في المقر، وكذا النظر في

---

(1) انظر: وثيقة المجلس التنفيذي لليونسكو رقم 174 م ت / 4- مشروع 34 م / 3 الصادرة في باريس بتاريخ 2006/3/17م ص60 الأصل باللغة الانجليزية.

- كذلك انظر: البرنامج والميزانية المعتمدان لليونسكو للأعوام (2002م - 2003م)، (2004م - 2005م) مراجع سابقة ص 5،27 بالترتيب.

(2) انظر: الهياكل التنظيمية للالكسو والايسيسكو، نفس المراجع السابقة ص 62، (25 - 26) بالترتيب.

عمليات الرقابة الخاصة بالمكاتب الميدانية[1].

وعلى أيه حال فإن مدراء العموم في أي من هذه المنظمات المتخصصة معنيون بوضع القواعد والإجراءات المالية المفصلة، لضمان سير الإدارة المالية بطريقة فعالة واقتصادية، معنيون كذلك بإدخال النظم المناسبة لمراقبة الحسابات المالية ومراجعتها داخلياً، بحيث يؤدي النظام المستخدم لفرض رقابة دائمة على العمليات المالية، أو مراجعتها بصوره شاملة، بهدف تحقيق ما يلي[2]:-

ضمان استخدام موارد المنظمات المتخصصة بطريقه فعالة واقتصادية.

التأكد من انتظام العمليات المالية، الخاصة بتحصيل وإيداع واستخدام الأموال، وتماشيها مع القواعد والنصوص والتعليمات المقرة في أي من هذه المنظمات.

التأكد من تطبيق القواعد الخاصة بتنفيذ الموازنة والبرنامج، وفق قرارات الهيئات السيادية، واللوائح المالية والإدارية في كل من الالكسو والايسيسكو.

مطابقة جميع الارتباطات والمصروفات للاعتمادات المفتوحة، وغيرها من الأحكام المالية التي اقرها المؤتمر العام لليونسكو، أو للأغراض والقواعد المتعلقة بحسابات الودائع والحسابات الخاصة.

التأكد من توافر الإجراءات الكفيلة بحماية وسلامة أموال الالكسو وممتلكاتها والمحافظة عليها.

مراجعة الوثائق والتقارير الخاصة بحسابات الإقفال السنوية للايسيسكو.

---

(1) انظر: وثيقة المجلس التنفيذي لليونسكو 174 م ت / 4 - مشروع 34 م / 3 نفس المرجع السابق ص 73،72.
- كذلك انظر: البرنامج والميزانية المعتمدان لليونسكو (2004م - 2005م) مرجع سابق ص300.

(2) انظر بهذا الخصوص:
- الهياكل التنظيمية لكل من الالكسو والايسيسكو، مراجع سابقة ص (61 - 62)، (25 - 26) بالترتيب.
- المواد (39،10) من الأنظمة المالية لكل من اليونسكو والالكسو، مراجع سابقة ص (111 - 112)، (43 - 44) بالترتيب.

مراقبة العقود والاتفاقيات والمراسم ذات الطابع المالي، ومتابعة تنفيذها بشكل سليم في كل من الالكسو والايسيسكو.

القيام بأعمال المراقبة السابقة واللاحقة على الصرف، وكذا المراجعة القانونية والمحاسبية على كافة المعاملات، والإطلاع على جميع الدفاتر والسجلات والمستندات في كل من الالكسو والايسيسكو.

تحديد الموظفين المرخص لهم بتسلم المبالغ النقدية، والارتباط بمصروفات وإجراء مدفوعات باليونسكو.

التعاون والتنسيق مع الرقابة الخارجية، ولجان المراقبة المالية، ومتابعة تسوية الملاحظات المقدمة منها ومتابعة تطبيق توصياتها في كل من الالكسو والايسيسكو.

إصدار التعليمات بأن تتم كل المدفوعات في اليونسكو، بناءاً على مستندات أو وثائق تثبت أن الخدمات أو السلع موضوع العقد، قد أديت أو سلمت فعلاً وأنه لم يسبق سداد قيمتها، إلا أنه يجوز للمدير العام مع ذلك أن يأمر بأن تدفع بلا مقابل مبالغ يرى أنه من الضروري منحها لصالح المنظمة، بشرط أن يقدم بيان بهذه المدفوعات إلى المؤتمر العام مع

الحسابات الختامية.

تقديم تقارير دورية أو خاصة لمدير عام الالكسو، وذلك عن العمليات والموضوعات ذات الأهمية، شاملة نتائج التدقيق والمراجعة والملاحظات والتوصيات بشأنها.

متابعة التوصيات والمقترحات الصادرة عن المجلس التنفيذي في الايسيسكو، بالتنسيق مع الجهات المختصة في المنظمة، والعمل على تنفيذها.

مراقبة الجوانب المالية والمحاسبية لصندوق التكافل الاجتماعي، وصندوق التوقف النهائي عن العمل، وكذا المساهمة في تطوير الجوانب المالية في الايسيسكو بشكل عام.

عدم جواز الارتباط بأي مصروف قبل تخصيص الاعتمادات أو صدور تراخيص أخرى تفي بهذا الغرض على أن تصدر كتابه وبتفويض من مدير عام اليونسكو.

وعلى العموم فإنه بعد تعرفنا على أهم القواعد والنظم الحاكمة لمجمل عمليات الضبط والمراقبة الداخلية التي يقوم بها مدراء العموم في أي من هذه المنظمات المتخصصة، فإنه ينبغي علينا كذلك أن نتعرف على الأسس اللازمة لقيام نظام سليم للمراقبة الداخلية، ومن ثم التطرق لعملية تقويم هذه المراقبة الداخلية وكما يلي:-

الأسس الرئيسية لنظام سليم للمراقبة الداخلية

إن نظام المراقبة الداخلية لكي يحقق أهدافه، وينجز وظائفة، فإنه لابد أن يتضمن مجموعة من الأسس الرئيسية لقيام نظام سليم للمراقبة الداخلية،

من أهمها[1]:-

- تقسيم العمل بين الموظفين، وتحديد مسؤولياتهم وواجباتهم، بشكل يضمن عدم إنفراد أحداً منهم بالعمل كله، وبالشكل الذي يمكن من الحد من الغش والأخطاء.
- عدم قيام الموظف، بمراجعة الأعمال التي قام بتنفيذها، بل يجب إسناد عمل واحد إلى كل موظف، وفصل أعمال المراجعة والمسؤولية عنها، عن أعمال التنفيذ والقائمين به.
- عدم إشراك موظفي الحسابات بصفة خاصة في أعمال تتعلق بالخزينة، ولا بد من الالتجاء إلى الجرد المفاجئ والتفتيش للخزائن والمخازن.
- إتباع وسائل المراقبة الحديثة، وذلك عن طريق وضع حداً أعلى للمبالغ الممكن الاحتفاظ بها في الخزائن، وربط مستويات السلطة المختلفة بحدود معينه في اعتماد صرف النفقات.
- إتباع وسيلة المراقبة المزدوجة بالنسبة للخزائن، أي إشراك أكثر من موظف في فتح تلك الخزائن.
- نقل الموظفين داخلياً، أو بين المصالح المختلفة، أو تغيير واجباتهم من وقت لأخر بما لا يتعارض مع مصلحة العمل، وذلك للمساعدة على اكتشاف التواطؤ أو منعاً له.

---

(1) انظر بهذا الخصوص:

- د. محمد لطفي حسونه، د. أحمد عمر بامشموس، الحسابات الحكومية والقومية مرجع سابق ص 141 - 142.
- د. حسن أحمد غلاب، الأستاذ. محمد باكحيل، دراسات في التنظيم المالي والمحاسبي الموحد الجزء الأول مرجع سابق ص 149،150.

- ضرورة قيام الموظف، بإجازته الدورية (السنوية غالباً) دفعة واحده، وذلك لإتاحـة الفرصة أمام من يحل مكانه لاكتشاف الأخطاء أو التلاعب المتعمد.

- إستخدام نظام محاسبي يتضمن الأساليب الكافية لإجراء المطابقات الدورية، وتقـديم التقارير المالية الدورية عن حركة النشاط، وأرصده الحسابات الهامة، بشكل منتظم.

تقويم المراقبة الداخلية

إن من الأمور التي تهم مراقب الحسابات - قبل إعداد تقريـره عـن القوائم الماليـة، والوضع المالي برمته - التعرف على نظام المراقبة الداخلية المتبع، ومن ثم فإنه ينبغي عليـه أن يصدر تقويماً أولياً عن ذلك النظام، وإلى أي حد يمكنه الاعتماد عليه في اختيار إجـراءات العمل الميداني، وتحديد المدى الملائم بالنسبة لكل مـن تلـك الإجـراءات (نسـبة الاختيار)، ويتضح أن تقدير مدى صلاحية نظام المراقبة الداخلية إنما تتم لغرضين هما[1]:-

التعرف على مواطن الضعف في النظام وإدخال التحسينات اللازمة عليه.

لكي يتأكد المراجع من أن الموظفين، لم يستغلوا الثغرات لإتمام الغش، ويحدد المراجع، مدى المراجعة التفصيلية التي يقوم بها بناءاً على نتيجة فحص النظام المطبق، وهذا الـرأي يؤيد إلى حد ما ما ذهبت إليه المبادئ التوجيهية الأوروبية، الخاصة بتقنيـات الرقابـة عـلى المال العام[2] حيث ذكرت

---

[1] انظر د. محمد محمد الجزار، المراقبة الداخلية، أسلوب تحقيق الرقابة الوقائية وتنميـة الكفايـة، مكتبـة عـين شمس، القاهرة لعام 1978م ص199.

[2] انظر: مناهج وتقنيات الرقابة على المال العام، المبادئ التوجيهية الأوروبية المتعلقة بتطبيق

بأنه يجب على مدقق الحسابات أن يصدر تقويماً أولياً لمختلف عمليات المراقبة الداخلية، لأن هذا يمكنه من:-

التحديد منذ البداية للأخطار الملازمة وأخطار عمليات المراقبة الداخلية المتعلقة بالنشاط الخاضع للمراقبة.

التأكد من أن عمليات المراقبة تظهر في هذا الطور المبكر فعالية بما فيه الكفاية حتى يتسنى إعتماد منهجية للمراقبة ترتكز على دراسة الأنظمة، وفي هذه الأحوال وجب القيام بتحقيقات معمقه حول عمليات المراقبة، وفي حاله الحصول على نتائج مرضية يمكن اعتبار النظام موثوقاً به، مما يمكن المدقق من تقليص عدد التحقيقات التوثيقية.

وعلى العموم فإن تقويم المراقبة الداخلية في هذه المنظمات المتخصصة وإن كانت تتم بشكل رئيسي من قبل مراجعي الحسابات الخارجيين، المعنيين بمراجعة حسابات هذه المنظمات إلا أنها علاوة على ذلك يمكن أن تتم عملية التقويم، من قبل مدراء العموم، أو من قبل لجان المراقبة المالية، أو لجنة الإشراف، أو وحدة التفتيش المشتركة، وكما يلي:-

إن مدير عام الالكسو يكتفي بخصوص رده على تقارير هيئة الرقابة المالية حول تقويم الرقابة الداخلية بالمنظمة، بالاشارة الصادرة عن هذه الهيئه الرقابية نفسها، حيث لاحضت هذه الهيئه في تقاريرها المالية عن حسابات المنظمة والاجهزة الخارجية عنها للسنوات المالية من عام 2001م الى عام 2005م أنه توجد لدى المنظمة رقابه داخلية ترتبط اداريا بالمدير العام وبأنها تمارس مهامها وواجباتها على أحسن وجه وبمستوى عال من

الدقة، وفقاً للصلاحيات الممنوحة لها في نظام المنظمة، كما تبين أيضا في تقرير الهيئة لعام2005م أن وحده الرقابة الداخلية ساهمت وتابعت مكننه جميع الأعمال المحاسبية في المعاهد والمراكز الخارجية وقدمت لها الخبرة المحاسبية بهذا الشأن[1]. أما تقارير مراجعي الحسابات الخارجين للالكسو للأعوام المالية من (2001م، 2004م، 2005م) فقد جاءت هذه التقارير بعكس تقارير هيئة الرقابة المالية إذ خلت من أي إشارة بخصوص تقويم المراقبة الداخلية[2] بينما تأتي تقارير كل من شركه تدقيق الحسابات، ولجنة المراقبة المالية بالايسيسكو بخصوص تقويم الرقابة الداخلية على العكس تماما مما هو متبع في تقارير الهيئات المناظرة لها في الالكسو، حيث يلاحظ من خلال تقارير لجان المراقبة المالية في الايسيسكو للأعوام المالية 2002م إلى 2004م أنه لم يرد في هذه التقارير أي شي عن تقويم المراجعة الداخلية في المنظمة، باستثناء ما ورد في تقرير لجنة المراقبة المالية عن العام المالي 2004م حيث طلبت هذه اللجنة من شركة تدقيق الحسابات ضرورة تضمين تقريرها الإشارة إلى نظام الضبط والمراقبة الداخلية المتبع في المنظمة، وذلك على الرغم من أن شركة تدقيق الحسابات تشير في

معايير الانتوساى، ترجمة د. محمد حركات، المغرب، الطبعة الأولي 2001م ص44.

(1) انظر بهذا الخصوص:- تقارير هيئة الرقابة المالية للالكسو للأعوام 2001م، 2003م إصدارات المنظمة للأعوام 2001م، 2003م ص (21)، (21- 22) بالترتيب.

- كذلك انظر في هذه المراجع رد المدير العام على تقارير الهيئة ص 7،8 بالترتيب.

- انظر أيضا: تقارير هيئة الرقابة المالية للالكسو للأعوام 2002م، 2005م إصدارات المنظمة ص (23- 24)، (22) بالترتيب.

(2) انظر: بهذا الخصوص: الحسابات الختامية للالكسو للأعوام المالية 2001م، 2004م، 2005م وتقرير مرجعي الحسابات الخارجين للمنظمة و أجهزتها الخارجية، إصدارات المنظمة للأعوام 2002م، 2005م، 2006م بالترتيب.

تقاريرها المالية عن الأعوام المالية السالفة الذكر حول تقييم عمل جهاز الرقابة الداخلية في المنظمة، بأن مراجعة إجراءات الرقابة الداخلية والاختبارات التي قامت بها الشركة قد مكنتها من التأكد من سلامتها وملاءمتها للمبادئ الأساسية لنظام رقابة سليم[1]. كذلك فإن وحده التفتيش المشتركة، تقدمت بالعديد من التوصيات التي تهم منظومة الأمم المتحدة، ومنها اليونسكو، وقد كان من بين التوصيات المقدمة من هذه الوحدة، ما يتعلق بالرقابة الداخلية، حيث ورد في التوصية (6) بأنه يجب أن يستعرض الرؤساء التنفيذيون البنية الحالية للرقابة الداخلية في منظماتهم والسهر على دمج وظائف مراجعة الحسابات والتفتيش والتحقيق والتقييم في وحدة واحدة تخضع لمدير الإشراف الداخلي الذي يكون مسئولاً مباشرة أمام المدير التنفيذي، وأيه وظائف أخرى غير وظائف الرقابة الأربع يجب أن ترحل إلى مكان أخر في الأمانة وليس في وحدة الرقابة الداخلية، أما التوصية رقم

---

(1) انظر بهذا الخصوص: التقرير المالي للمدير العام وحسابات الإقفال للأعوام 2001م - 2003م وتقرير شركة تدقيق الحسابات وتقرير لجنة المراقبة المالية للأعوام 2000م - 2002م والكشوفات الإجمالية للحسابات والمصاريف في نهاية سبتمبر 2003م إصدارات الايسيسكو ديسمبر 2003م (تقرير عن تدقيق حسابات المنظمة ص5 وتقرير لجنة المراقبة ص 1- 2).

- التقرير المالي للمدير العام وحسابات الإقفال للسنة المالية 2003م وتقرير شركة تدقيق الحسابات، وتقرير لجنة المراقبة المالية 2003م إصدارات الايسيسكو ديسمبر 2004م (تقرير عن تدقيق حسابات المنظمة ص6 وتقرير لجنة المراقبة المالية ص 1- 6).

- التقرير المالي للمدير العام وحسابات الإقفال للسنة المالية 2004م وتقرير شركة تدقيق الحسابات وتقرير لجنة المراقبة المالية المقدم لدورة المجلس التنفيذي (26) إصدارات الايسيسكو ديسمبر 2005م (تقرير عن تدقيق حسابات المنظمة لعام 2004م ص6 وتقرير لجنة المراقبة ص4.

(11) فقد تطرقت بأنه يجب أن توعز الهيئات التشريعية في كل مؤسسة من مؤسسات منظومة الأمم المتحدة إلى رؤسائها التنفيذيين بالسهر على وضع المعايير الدنيا لتقديم التقارير عن الرقابة الداخلية وهذه المعايير هي[1]:-

- أن تقدم تقارير الرقابة الداخلية إلى الرئيس التنفيذي.
- أن يقدم بشكل مستقل تقرير سنوي مؤجز عن الرقابة الداخلية إلى مجلس رقابة لينظر فيه مشفوعة بتعليقات الرئيس التنفيذي التي تقدم بشكل منفصل.
- أن تقدم إلى مجلس الرقابة - بناءاً على الطلب - تقارير فردية عن مراجعة الحسابات الداخلية والتفتيش والتقييم.
- أن تقدم فرادى تقارير التحقيق إلى مجلس الرقابة بناءاً على الطلب، مع مراعاة الضمانات اللازمة للسرية.

وقد كان رد المدير العام على هذه التوصية الأخيرة بأن هذه المعايير الدنيا، مطبقة كلها في اليونسكو أما بخصوص رده على التوصية السابقة فقد أكد بأن مرفق الإشراف الداخلي بالمنظمة يؤدي بالفعل وظائف المراجعة الداخلية والتحقيق والتقييم، وأن هذا الوضع يسير بشكل جيد، مما يتيح له إمكانية الاستفادة من تقييمات مستقلة وموضوعية للأداء البرنامجي والتنفيذي معاً، وتقر المنظمة بأن التقييم ينطوي على عنصري المساءلة والتعلم على السواء، وقد أضطلع هذا المرفق بعمل حثيث في النهوض بعنصر التعلم من خلال التدريب على التقييم الذاتي، وفي نشر نتائج

---

(1) انظر: وثيقة المجلس التنفيذي لليونسكو رقم E X / 48 176 الفقرات (37،26) مرجع سابق ص 8،6.

التقييمات[1]. ومن ضمن انجازات مرفق الإشراف الداخلي أنه أجري عمليات تقييم بشأن (29) برنامجاً و (17) مكتباً ميدانياً وجرت مراجعة حسابات 36 مكتباً ميدانياً، وأجريت 10 عمليات لمراجعة الحسابات في المقر، وقدمت التقارير عن المخاطر التي تم الوقوف عليها إلى المدير العام، وتمت مراجعة حسابات جميع المكاتب الميدانية لمرة واحدة على الأقل منذ إنشاء المرفق عام 2001م، وتم التحقيق في المخالفات المشتبه فيها، وأتاحت 32 عملية مراجعة حسابات تحديد مبالغ يتعين ردها بمبلغ 848000 دولار تم تسديد منها مبلغ 96000 دولار إلى المنظمة قبل نهاية عام 2005م، علاوة على ذلك فقد أجريت عمليات رصد منتظمة لتنفيذ جميع توصيات مراجعة الحسابات التي صدرت بين عامي 2001م - 2005م وغطى هذا الرصد 4500 توصية، أسفرت عنها ما يزيد على 90 عملية مراجعة حسابات[2]. وبشكل عام فقد كانت نتائج الجولة الأولى من عمليات مراجعة حسابات المكاتب الميدانية خلال الفترة المذكورة انفاً غير مرضية بوجه عام، وكانت المراقبة الداخلية غير فعالة في معظم المكاتب، كما ورد في تقارير المرفق السنوية السابقة[3]. وهذا ما أكده فعلاً مراجع حسابات المنظمة، حيث ورد في

---

(1) انظر: الوثيقة E X / 48 176 نفس المرجع السابق وبنفس الصفحات.

(2) انظر: وثيقة المجلس التنفيذي لليونسكو رقم (E X /4 - Draft 34 C / 3 174) بتاريخ 2006/3/17م تقرير مشترك للمدير العام عن تنفيذ البرنامج والميزانية وعن النتائج المحرزة في فترة العامين السابقة 2004م - 2005م ص 61 - 62.

(3) انظر: وثيقة المجلس التنفيذي لليونسكو رقم E X /29 174 بتاريخ 2006/2/23م وذلك عن ملاحظات المدير العام على تنفيذ إستراتيجية

مرفق الإشراف الداخلي في عامي 2004م - 2005م التقرير السنوي لعام 2005م ص5.

تقريره أنه ترد في مراجعات مرفق الإشراف الداخلي، أمثلة كثيرة على تقارير ماليـة متأخرة وغير دقيقة وتم تصنيف نحو ثلثي الحالات المدروسة بأنها غير مرضية ويضيف المراجع بأنه قد أوصى بأن يقوم كبار المسئولين الإداريـين باستعراض منتـظم للإحصاءات الخاصة بتوقيت ودقة البيانات المالية الموجهة إلى الجهات المانحة، ولكـن لم يحـدث ذلك، كما أشار المراجع إلى أن مرفق لإشراف الداخلي قد أجرى العديد من المراجعات فيما يخص المشروعات الممولة من خارج الميزانية، إلا أنه لا يزال يتعين إجراء المزيد منها، مضيفاً بـأن مراجعة هذا المرفق قد أظهرت حالات خلل كثيرة منها:-

- عدم الالتزام بالقواعد والنظم والإجراءات المالية.

- التوقيع على اتفاقات غير نمطية دون أن يدرسها المقر كما يجب.

- إنفاق الأموال لأغراض غير منصوص عليها في وثيقة الاتفاق.

علاوة على عدة أخطاء أخرى ذات انعكاسات سلبية على سـمعة اليونسكو، إذ وجـد مرفق الإشراف الداخلي على سبيل المثال[1]:-

- مدفوعات بدون وثائق مؤيدة.

- مدفوعات تتجاوز المبالغ المستحقة.

- ازدواجية في التسديد.

- مدفوعات بلا دليل على توفير السلع أو الخدمات المطلوبة.

عقود منحت بطريقة غير سليمة، دون اللجؤ إلي المناقصة التنافسية، أو

---

[1] انظر: وثيقة المجلس التنفيذي لليونسكو رقم 174 EX /27 بتاريخ 2006/3/3م بخصوص تقرير مراجع الحسابات الخارجي عن عمليات مراجعة الأداء التي أجريت في فترة عامي 2004م - 2005م ص 18- 20.

دون عرض الموضوع على لجنه العقود.

كذلك فإن من ضمن توصيات وحده التفتيش المشتركة التي تهم اليونسكو ما ورد في التوصية (9) إذ قضت بأنه يجب أن تقرر الهيئة التشريعية في كل منظمة من المنظمات، أن الميزانية المقترحة لكيان الرقابة الداخلية يجب أن يضعها الكيان نفسه، ويجب أن تعرض على مجلس الرقابة الخارجية بترافق مع أيه تعليقات من الرئيس التنفيذي، من اجل استعراضها وإحالتها إلي الهيئة المديرة المناسبة، وقد أيدت اليونسكو هذه التوصية، حيث ستقوم لجنه الإشراف الاستشارية التابعة للمنظمة - والتي أعيد إنشاؤها عام 2005م بقرار من المدير العام، بناءا على مشورة المراجعة الخارجية للحسابات، بحيث تتألف عضويتها بصوره كاملة من أعضاء خارجيين من المهنيين المتمتعين بالاحترام، ومن شأن هذا التشكيل أن يكفل الموضوعية الكاملة والاستقلال التام للجنة الجديدة، وهو ما يتفق مع المبادرات المتخذة في مؤسسات منظومة الأمم المتحدة الأخرى، وستقدم اللجنة تقريراً سنويا إلي المدير العام (سيطلع عليه المجلس التنفيذي) لإسداء المشورة إليه بشأن الميزانية المقترحة لمرفق الإشراف الداخلي[1]. أما

---

(1) انظر بهذا الخصوص:وثيقة المجلس التنفيذي EX/48176بتاريخ 2006/3/28م مرجع سابق ص7.

- وثيقة المجلس التنفيذي رقم EX/29174 بتاريخ 2006/2/23م مرجع سابق ص14.

- وبحسب هذا المرجع الأخير ص 14- 15 فإن مدير عام اليونسكو قد دعا الأشخاص التالية أسمائهم للانضمام إلي عضوية لجنة الإشراف كما يلي:-

1- جون فوكس رئيس اللجنة، أمريكا وهو مفتش سابق في وحده التفتيش المشتركة.

2- إيمي هين، عضوا في اللجنة المالية، جنوب أفريقيا وهي رئيسة سابقة للمراجعة الداخلية للحسابات في كل من القطاع العام والخاص.

التوصيات (12، 13) فقد قضتا بأن على الهيئات التشريعية في كل منظمه أن توعز إلي رؤسائها التنفيذيين بالسهر على إنشاء قاعدة بيانات لرصد متابعه جميع توصيات الرقابة، ورصد ومتابعه التوصيات العالقة في الوقت المناسب، وعلى أن يتم تضمين التقرير السنوي الموجز للرقابة الداخلية المقدم إلى مجلس الرقابة موجزا لتوصيات الرقابة غير المنفذة تنفيذا كليا، وعلى أن يتم العمل على تامين تقييم جيد ومستقل وذلك على سبيل المثال من خلال استعراض النظراء لكيان الرقابة الداخلية على الأقل مره كل خمسة أعوام، وقد كان رد اليونسكو على هذه التوصيات بأن جميع العناصر المتعلقة بمتابعه توصيات الإشراف موجودة بالفعل في المنظمة (حيث يرد المزيد من التفاصيل المتعلقة بمتابعه هذه التوصيات في وثيقة المجلس التنفيذي (176/38) وأنها أيضا قد قامت بتقييم ذاتي داخلي لوظيفة المراجعة الداخلية فيها عام 2006م وذلك وفقا للمعايير التي وضعها معهد مراجعي الحسابات الداخليين، وقد صدق هذا المعهد على صحة هذه العملية

3- بيير سبيتز، عضوا في اللجنة المالية، فرنسا، رئيس سابق لمرفق التقييم في صندوق للأمم المتحدة للتنمية الزراعية.

4- هانس لاندغرين السويد، رئيس مرفق التقييم والفعالية في منظمة التعاون والتنمية في الميدان الاقتصادي.

5- وفير اساك لاينغسريريوات، تايلاند مساعد المدير العام للوكالة الدولية للطاقة الذرية الخاص لشؤون الإدارة، والمدير السابق لمرفق الإشراف في هذه الوكالة.

- وحسب هذا المرجع كذلك فإن لجنه الإشراف السابقة كانت برئاسة نائب المدير العام حيث كان يعاونه في مهمته عضو داخلي، وعضوان خارجيان، وقد مارست هذه اللجنة مهمتها كفريق استشاري للمدير العام ولمرفق الإشراف الداخلي، إلا أنها لم تتمكن من الاجتماع إلا لمرة واحده عام 2004م ومرة أخرى عام2005م.

وخلص في تصديقه إلى أن وظيفة المراجعة التي يقوم بها مرفق الإشراف الداخلي، مطابقة عموما أعلى مرتبة للمعايير التي وضعها المعهد، كما أن وظيفة التقييم لمرفق الإشراف، كانت أيضا موضع استعراض للنظراء في العام نفسه وقد أسفر عن نتائج جديرة بالثناء[1].

ثانيا: الرقابة الخارجية لحسابات المنظمات (اليونسكو، الالكسو، الايسيسكو)

تطرقت بعضا من المواثيق المنشئة لهذه المنظمات وكذا أنظمتها الداخلية، على الأنواع المختلفة للرقابة الخارجية التي تتبع لمراقبة حسابات هذه المنظمات فعلاوة على المراقبة الداخلية السالف ذكرها، هناك الرقابة الخارجية التي تمارس لفحص وتتبع سلامة الإجراءات المحاسبية المستخدمة في إعداد القوائم المالية والحسابات الختامية، فهناك مراقب قانوني لحسابات الالكسو، ومراجع خارجي لحسابات اليونسكو، ومدقق (مراجع) خارجي خبير لمراقبة حسابات الايسيسكو بالإضافة إلى ذلك فإنه يوجد لجان للمراقبة المالية في كل من الالكسو والايسيسكو، يتم انتخابها من قبل الدول الأعضاء لمراقبة حسابات هاتين المنظمتين، حيث توجد في هذه الأخيرة لجنة مراقبة مالية يقابلها في الالكسو هيئه الرقابة المالية، وسيتم تناول هذه الأشكال الرقابة في هذه الفقرة بشكل مقتضب وذلك ضمن فقرتين، أولاهما لمراجعي الحسابات والأخرى للجان المراقبة المالية، إلا أننا وقبل الدخول في هاتين الفقرتين سنتحدث بداية وبشكل عام عن هذا النوع من الرقابة، وعن المستويات المهنية الواجب مراعاتها في إعداد التقارير المالية، ذلك أن

---

(1) انظر وثيقة المجلس التنفيذي لليونسكو رقم 176 EX/48 بتاريخ 2007/3/28م مرجع سابق الفقرات (من 39 إلى 42) ص 8 - 10.

هذه الرقابة إنما تمثل المرحلة الأخيرة من الوظائف الإدارية التي تمارسها الإدارة الدولية فهي تأتي بعد عمليات التخطيط والتنظيم والتنسيق والتوجيه، وهي لا تهدف إلا تصحيح الأخطاء وتعديل الانحرافات فحسب، بل أنها علاوة على ذلك تهدف إلى تطوير العمل ووضع حدا للضياع والإسراف في الموارد المادية والبشرية، ومن ثم فإنها تساهم في تحقيق أعلى درجات الفاعلية والكفاءة، ذلك أنها أداة مهمة في رصد ومتابعه التأثيرات وإعطاء المؤشرات التي تساعد على اتخاذ القرارات في الوقت المناسب[1]. ويتمثل الهدف الرئيس للمراجعة بتقديم تقرير عن طريق تحقيق الحسابات الختامية والميزانية التي أعدتها المنشأة (أو المنظمة) لتمكن من إبداء الرأي عن مدى دلالتها على نتائج الأعمال والمركز المالي، وهناك أهداف تبعية تتمثل في اكتشاف الأخطاء والغش وتقليل فرص الأخطاء والغش بسبب الأثر الرادع الذي تخلفه زيارات المراجع في نفوس الموظفين، وعلى أية حال فان المراقب يبدي راية عن الفحص الذي قام به للقوائم المالية في تقرير مكتوب عن الميزانية، ويتمثل جوهر التقرير في عبارتين: الأولى توضيح نطاق الفحص الذي أجراه المراقب، والثانية توضيح رأي المراقب المبني على نتيجة ذلك الفحص[2]. أما المستويات المهنية الواجب مراعاتها في إعداد التقرير فهي[3]:-

---

(1) انظر د. لبنان هاتف الشامي، وآخرون، أسس الإدارة الدولية ((مدخل استراتيجي لوظائفها الإدارية)) المركز القومي للنشر الأردن طبعة أولى عام 2001م ص195.

(2) انظر د. متولي محمد الجمل، محمد محمد الجزار، أصول المراجعة وأنظمة المراقبة الداخلية، الجهاز المركزي للكتب الجامعية والمدرسية والوسائل التعليمية، مصر طبعة 1978م ص 7- 9.

(3) انظر بهذا الخصوص

- يجب أن يوضح التقرير طبيعة ومدى الفحص الذي قام به المراقب ودرجه المسؤولية التي يأخذها على عاتقه.
- يجب أن يبين التقرير عما إذا كانت القوائم المالية قد تم تصويرها وفقا لقواعد المحاسبة المتعارف عليها.
- يجب أن تتضمن البيانات المالية إفصاحاً واضحاً وموجزاً عن السياسات المحاسبية المستخدمة.
- يجب أن يكون الإفصاح عن أهم السياسات المستخدمة جزءا مكملا للبيانات المالية، كما يجب أن يتم الإفصاح عنها في مكان واحد.
- يجب أن يبين التقرير مدى الثبات على تطبيق أسس المحاسبة من سنه لأخرى، كما يجب أن يتم الإفصاح عن أي تغيير في السياسات المحاسبية وعن أسبابه إذا كان له تأثير هام على نتائج الفترة الحالية أو الفترات اللاحقة.
- يجب أن تظهر البيانات المالية الأرقام المقارنة عن الفترة السابقة.
- يجب أن يشمل التقرير إبداء الرأي عن القوائم المالية باعتبارها وحده واحده، وفي حاله ما إذا لم يتمكن المراقب من إبداء مثل هذا الرأي فيجب أن يشمل التقرير بياناً واضحاً يدل على ذلك مع إعطاء الأسباب.

فما مدى الالتزام بهذه المستويات المهنية من قبل الهيئات المعنية

- د. متولي محمد الجمل، محمد محمد الجزار، أصول المراجعة وأنظمة المراقبة الداخلية المرجع السابق ص278.
- د. عصام مرعي ((تعريب)) وتقديم ((مجموعة سابا وشركائهم)) قواعد المحاسبة الدولية ((لجنة قواعد المحاسبة الدولية)) دار العلم للملايين بيروت لبنان الطبعة الأولى فبراير 1987م ص26

بالرقابة الخارجية في هذه المنظمات المتخصصة؟ وكيف يتم تعيين هذه الهيئات الرقابية؟وما هي المهام المسندة إليها؟ ثم ما هي أهم الملاحظات أو التوصيات التي خرجت بها بعد فحصها لحسابات هذه المنظمات؟ وكل هذه النقاط سيتم الإجابة عنها من خلال الفقرتين التاليتين:-

المراجعون القانونيون للحسابات

تختار المؤتمرات العامة للمنظمات اليونسكو والالكسو المراجع الخارجي للحسابات في كل منها بعكس الايسيسكو، ذلك أن اختيار المراجع في هذه الأخيرة، إنما يعد من ضمن الاختصاصات الأصلية للمجلس التنفيذي، فهو المعني باختيار مراجع خارجي خبير في الحسابات للقيام بالمراقبة المالية لحسابات المنظمة وذلك من بين ثلاثة مراجعين قانونيين يقترحهم المدير العام[1] ويقوم المؤتمر العام في الالكسو بتعيين مراقب قانوني من ثلاثة أسماء على الأقل يقترحهم المدير العام لتدقيق حسابات المنظمة لسنه لاحقه[2]. بينما يختار المؤتمر العام لليونسكو المراجع الخارجي للحسابات بالاقتراع السري، على أن يكون المراجع العام للحسابات في إحدى الدول الأعضاء (أو موظفا يشغل منصبا مماثلا) من اجل مراجعة حسابات المنظمة للفترات المالية الثلاث التي تلي تعينه، على أن يتم هذا

---

[1] انظر: م 21 فقرة (ط) من النظام الداخلي للمجلس التنفيذي للايسيسكو في ميثاق المنظمة وأنظمتها ولوائحها مرجع سابق ص151.

[2] انظر بهذا الخصوص:
- م 40 الفقرة (أ) من النظام المالي و المجلس الموحد مرجع سابق ص44.
- التقرير النهائي للمؤتمر العام للالكسو الدورة (15) القرارات والتوصيات، إصدارات المنظمة تونس يناير 2001م ص65.

التعيين في الدورة التي تسبق مباشره نهاية تفويض المراجع الخارجي للحسابات ويبين قرار المؤتمر العام الذي يعين المراجع (أو المراجعة) مبلغ الأتعاب التي يطلبها[1]. كذلك فان المؤتمر العام للالكسو هو المعنى بتحديد مبلغ الأتعاب التي يطلبها المراقب القانوني بناءاً على توصيه المجلس التنفيذي، أما الفترة المقررة التي يقضيها هذا المراقب في فحص حسابات المنظمة، فإن المؤتمر العام يؤكد بهذا الخصوص بأنه ينبغي أن لا يستمر المراجع الخارجي في مراجعه حسابات المنظمة إلا لدورتين ماليتين متتاليتين على الأكثر[2]. ويعين المجلس التنفيذي للايسيسكو شركة تدقيق الحسابات لمده سنة قابلة للتجديد، وحيث أنه لا يوجد نص محدد ضمن اللوائح المالية للفترة القصوى التي يمكن لشركة التدقيق أن تستمر خلالها في عملها في مراجعة حسابات المنظمة، إلا أنه مع ذلك يلاحظ من تقارير المنظمة أن هذه الفترة إنما تكون لمد ثلاث سنوات بالتزامن مع الفترة المالية للمنظمة، إلا انه قد يتم تمديد هذه الفترة في بعض الأحيان باقتراح من الإدارة العامة أو من قبل لجنة المراقبة المالية لمده سنة إضافية، بشرط

---

(1) انظر: م109 الفقرات (ج،هـ) من النظام الداخلي للمؤتمر العام لليونسكو في مرجع النصوص الأساسية 2004م مرجع سابق ص 62 - 63.

- كذلك انظر: الفقرات (أ،ب) من نفس المادة السابقة بخصوص طرائق تعيين المرجع الخارجي للحسابات ص62.

- كذلك انظر: م12الفقرة (2،12) من النظام المالي لليونسكو في نفس المرجع السابق ص113.

(2) انظر: التقرير النهائي للمؤتمر العام الدورة (16) الجزء الأول القرارات والتوجيهات إصدارات الالكسو تونس ديسمبر 2002م ص74.

موافقة المجلس التنفيذي على هذا التمديد[1]. علاوة على ما سبق فان النظام المالي لليونسكو يضيف بأنه إذا كف المراجع الخارجي للحسابات عن شغل منصب المراجع العام للحسابات في بلاده، فإن مهمته كمراجع خارجي للحسابات تنتهي، ويحل محله في أداء هذه الوظيفة من خلفه في منصب المراجع العام، وفيما عدا هذه الحالة فإنه لا يجوز لغير المؤتمر العام إعفاء المراجع من وظيفته طيلة فتره تعيينه[2]. ولمرجع هذه الأخيرة في سبيل إجراء فحص محلي أو خاص أو للاقتصاد في نفقات المراجعة، أن يستعين بخدمات مراجع عام للحسابات في إحدى الدول الأعضاء (أو موظف بها يشغل منصبا مماثلا) أو محاسبين قانونيين معروفين أو أي شخص أخر أو مؤسسة أخرى تتوافر فيه أو فيها، في تقدير المراجع المؤهلات الفنية المطلوبة[3]. وعلى أيه حال فإن هذا المراجع يتمتع بالاستقلال التام وهو وحده المسؤول عن توجيه أعمال المراجعة[4]. إلا أنه مع ذلك ليس في سلطته أن يرفض أي بند من بنود الحسابات، لكن عليه أن ينبه المدير العام لليونسكو إلى أي عمليه يشك في سلامتها، كي يتخذ التدابير اللازمة بشأنها، وكل اعتراض يثار أثناء المراجعة على مثل هذه العمليات أو غيرها يجب

(1) انظر: التقرير المالي للمدير العام وحسابات الإقفال، وتقرير شركة تدقيق الحسابات، وتقرير لجنة المراقبة المالية للأعوام 2000م - 2002م المقدم لدورة المؤتمر العام (8) للايسيسكو طهران ديسمبر 2003م ((وتقرير لجنة المراقبة المالية ص1- 4)).

(2) انظر: م12 الفقرة (12،2) من النظام المالي لليونسكو في مرجع النصوص الأساسية 2004م مرجع سابق ص113.

(3) انظر: م12 الفقرة (12،8) من النظام المالي لليونسكو نفس المرجع السابق ص114.

(4) انظر: م12 الفقرة (12،5) من النظام المالي لليونسكو المرجع السابق ص113.

إن تبلغ فورا إلى المدير العام [1]. كما لا يجوز لمراجع حسابات هذه الأخيرة بأي حال أن يضمن تقريره انتقادات، دون أن يتيح أولا للمدير العام فرصه ملائمة لموافاته بإيضاحات عن النقطة أو النقاط موضع الخلاف[2].

وعلى العموم فان من مهام مراقب الحسابات القانوني في الالكسو الأتي[3]:-

التأكد من توفر الوثائق و العقود المؤيدة للمبالغ التي جرى تدوير اعتماداتها بموجب أحكام المادة (26) من النظام المالي و المحاسبي الموحد.

يقدم المراقب تقريره السنوي إلي الهيئة المختصة في موعد أقصاه نهاية الشهر الذي يلي المدة المحددة للمنظمة لانجاز حساباتها الختامية، أما مهام المراجع الخارجي لحسابات الايسيسكو فهي[4]:-

- التأكد من سلامة استعمال الموارد المالية للمنظمة استعمالا رشيداً ومحكماً.
- التأكد من سلامة العمليات الحسابية ومطابقتها لنوعية الاعتمادات وفقاً للوائح المالية والإدارية المعمول بها.
- حسن سير عمل لجنة المراقبة المالية.

بينما تأتي مهام المراجع الخارجي لحسابات اليونسكو - بعكس مهام مراجعي حسابات المنظمات الموازية لها - بطبيعة الحال مهام متعددة

---

(1) انظر: الفقرة (4) من التفويض الإضافي الذي يحكم مراجعه حسابات اليونسكو نفس المرجع السابق ص117.

(2) انظر: الفقرة (9) من التفويض الإضافي نفس المرجع السابق ص119.

(3) انظر: م40 الفقرات (ب،د) من النظام المالي والمحاسبي الموحد للالكسو مرجع سابق ص 44،46.

(4) انظر: م20 من النظام المالي للايسيسكو في مرجع ميثاق المنظمة وأنظمتها ولوائحها المرجع السابق ص89.

وشاملة بحسب حجم هذه المنظمة وأنشطتها وحجم مواردها وهذه المهام هي[1]:-

- مراجعة حسابات المنظمة وفقاً للقواعد المتبعة، مع مراعاة ما قد يصدره المؤتمر العام من توجيهات خاصة وطبقاً للتفويض الإضافي الملحق بالنظام المالي.

- للمراجع أن يبدي ملاحظات على فعاليه الإجراءات المالية ونظام المحاسبة ونظم المراقبة المالية الداخلية، وبوجه عام على إدارة المنظمة وتدبير شؤونها.

- للمؤتمر العام أن يطلب من المراجع إجراء فحوص معينة وتقديم تقارير مستقلة عن نتائجها، ويجوز أن يطلب المجلس التنفيذي الشيء ذاته.

- مراجعة الحسابات السنوية للأموال التي قد يرى المدير العام بصفة استثنائه ضرورة مراجعتها.

- للمراجع أن يقدم إلى المؤتمر العام أو المجلس التنفيذي أو المدير العام ما يراه مناسباً من ملاحظات بشأن النتائج التي تسفر عنها مراجعته.

- للمراجع أن يبت في قبول الشواهد و المستندات - كلها أو بعضها - التي يقدمها المدير العام وله أن رأى ذلك مناسباً أن يفحص ويراجع تفصيلاً كل مستند حسابي يتعلق بالعمليات المالية أو بالتوريدات والمعدات.

---

[1] انظر بهذا الخصوص: م12 الفقرات (3، 4، 6، 9، 11) من النظام المالي لليونسكو نفس المرجع السابق ص 113 - 114.
- ملحق التفويض الإضافي الذي يحكم مراجعة الحسابات في اليونسكو الفقرات (من 1 إلى 10) في نفس المرجع السابق ص 116 - 119.

- للمراجع وموظفيه حرية الاطلاع - في جميع الأوقات المناسبة - على كل الدفاتر والسجلات والوثائق الحسابية التي يراها ضرورية لإجراء المراجعة، وله استرعاء نظر المؤتمر العام إلى كل امتناع عن تقديم معلومات توصف بأنها خاصة ويعتبرها المراجع ضرورية لإجراء المراجعة[1].
- مراجعة حسابات المنظمة بما في ذلك حسابات الودائع والحسابات الخاصة[2].
- يبدي المراجع رأياً موقعاً عليه بشأن البيانات المالية للمنظمة[3].

---

(1) تضيف الفقرة (3) من ملحق التفويض الإضافي ص117 بأنه توضع تحت تصرف مراجع الحسابات بناءاً على طلبه، المعلومات التي تعتبر معلومات خاصة، ويوافق المدير العام (أو من يعينه من كبار الموظفين) على ضرورتها لإجراء المراجعة وكذلك المعلومات التي تعتبر سرية. ويحترم مراجع الحسابات وموظفوه طابع الخصوصية أو السرية لأي معلومات ينطبق عليها هذا الوصف ولا يستخدمونها إلا فيما يتصل مباشرة بتنفيذ عمليات المراجعة.

(2) تضيف الفقرة (1) من التفويض الإضافي وذلك بغرض التأكد مما يلي:-

1. إن البيانات المالية متفقة مع دفاتر وسجلات المنظمة.
2. إن العمليات المالية الموضحة في تلك البيانات قد تمت وفقاً للقواعد والنظم المتبعة.
3. إن الأوراق المالية والأموال المودعة بالبنك وأموال الخزينة قد تم التحقق منها بشهادة من الجهات المودعة بها أو بطريق الجرد الفعلي.
4. إن إجراءات المراقبة الداخلية، بما فيها المراجعة الداخلية للحسابات كافية.

هـ- إن جميع عناصر الأصول والخصوم والفائض والعجز قد أدرجت في الحسابات بشكل مرضي.

(3) تضيف الفقرة (5) من ملحق التفويض الإضافي، بأن يتضمن هذا الرأي العناصر الرئيسية التالية:-

أ- تحديد البيانات المالية للمراجعة. ب- إشارة إلى مسؤولية مراجع الحسابات

ينبغي أن يذكر المراجع في تقريره المقدم للمؤتمر العام عـن العمليـات الماليـة للفـترة المعنية الأتي:-

- طبيعة ومدى الفحص الذي أجراه.
- الأمور المتصلة بشمول الحسابات أو دقتها[1].
- دقة الحسابات المتعلقة بالأجهزة والمعدات والأدوات أو عدم دقتها كما يتبين ذلك من نتائج عمليات الجرد ومن فحص السجلات.
  عمليات قيدت في حسابات فترة مالية سابقة، ولكن تم الحصول على

والى مسؤولية المدير العام.

ج- تحديد معايير المراجعة المتبعة. د- وصف للعمل المضطلع به.

هـ- بيان الرأي في البيانات المالية من حيث:-

أ. ما إذا كانت تبين بدقة الوضع المالي في نهاية الفترة المعنية.

ب. ما إذا كانت قد أعدت طبقاً للسياسات المحاسبية المقررة.

ج. أن المبادئ المحاسبية قد طبقت على نحو يتمشى مع ما أتبع بالنسبة للفترة المالية السابقة.

و- إبداء الرأي في مطابقة المعاملات للنظام المالي والنصوص التشريعية.

ز- تاريخ صدور الرأي ح- أسم المراجع ومنصبة.

ط- إحالة إلى تقرير مراجع الحسابات الخارجي عن البيانات المالية إذا كان ذلك ضرورياً.

(1) تضيف الفقرة (6- ب) من ملحق التفويض بأنها تشمل عند الاقتضاء ما يلي:-

1. المعلومات اللازمة لتفسير الحسابات تفسيراً سليماً.
2. أي مبالغ كان يتعين استلامها ولكنها لم تقيد في الحسابات.
3. أي مبالغ مرتبط بإنفاقها ارتباطا باتاً أو مشروطاً ولم تقيد في الحسابات أو أغلفتها البيانات المالية.
4. المصروفات التي لا تؤيدها مستندات كافية.
5. ما إذا كانت دفاتر الحسابات تمسك طبقاً للأصول الواجبة.

معلومات جديدة بشأنها، أو عمليات ستتم في فترة مالية قادمة، ويبدوا من المناسب إطلاع المؤتمر العام عليها مقدماً.

المسائل لأخرى التي ينبغي استرعاء نظر المؤتمر العام إليها[1].

في جميع الحالات التي يحد فيها من نطاق المراجعة الخارجية أو التي يتعذر فيها على المراجع الخارجي الحصول على الأدلة الكافية يكون عليه أن يذكر ذلك في البيان الذي يضمنه رأيه وفي تقريره، مع إيضاحه في التقرير الأسباب التي دعت إلى إبداء ملاحظاته والنتائج المترتبة عليها بالنسبة للوضع المالي والعمليات المالية المقيدة في الحسابات.

يضع المراجع تقريراً عن فحص الحسابات الختامية والجداول المتعلقة بها يضمنه المعلومات التي يعتبرها ضرورية عن المسائل المشار إليها في المادة (12،4) من النظام المالي وفي التفويض الإضافي، كما أنه ليس ملزماً بذكر أي أمر مما أشير إليه في هذا التفويض إذا كان هذا الأمر لا يعتبر في رأيه على أي جانب من الأهمية.

---

(1) تضيف الفقرة (6- ج) من ملحق التفويض، أن من أمثلة ذلك الآتي:-

1- حالات الغش أو قرينة الغش.
2- التبذير أو استعمال أموال المنظمة أو أي ممتلكات أخرى في أبواب غير مشروعة.
3- المصروفات التي من شأنها توريط المنظمة في نفقات ضخمة في المستقبل.
4- أي عيب في النظام العام أو في القواعد التفصيلية المتعلقة بمراقبة الإيرادات والمصروفات أو اقتناء الأجهزة والمعدات والأدوات.
5- المصروفات غير المطابقة لما يقصده المؤتمر العام، مع مراعاة ما أجري من تحويلات مرخص بها رسمياً داخل الميزانية.
6- المصروفات التي لا تطابق التراخيص التي تحكمها.
7- حالات تجاوز الاعتمادات، مع مراعاة التعديلات الناتجة عن تحويلات مرخص بها رسمياً داخل الميزانية.

ب- لجان المراقبة المالية

تشكل لجان (هيئات) المراقبة المالية في كل مـن الالكسو والايسيسكو فقـط، حيـث يعني المجلس التنفيذي في هذه الأخيرة بتعيين لجنة مراقبة مالية مـن ممـثلي خمـس دول من الدول الأعضاء بالتناوب لمده ثلاث سنوات، بينما تشكل هيئة الرقابة المالية في الالكسو من ممثلي ثلاث دول على الأقل، ولا بد أن يكون كافة أعضاء هذه الهيئة من المختصين في الأجهزة الرقابية المركزية العليـا في الـدول الأعضـاء، إذ ينبغـي عـلى هـذه الـدول تسمية الجهات المعنية بالرقابة لديها بالتنسيق مـع المجلـس الاقتصادي والاجتماعـي في الجامعة العربية، وتنتخب الهيئة في أول اجتماع لها رئيساً ومقرراً، عـلى أن تتـولى الإدارة المعنيـة في المنظمة أمانة الهيئة والتحضير لأعمالها، وتدعى الهيئة للاجتماع في شهر مايو من كـل عـام ويكون انعقادها صحيحاً إذا حضرها غالبية أعضاء اللجنة، وتكـون إجتماعتها سريـة[1]. والملاحظ بخصوص هيئة الرقابة المالية للالكسو هو أن دستور هذه المنظمة لم يتضمن أي إشارة بخصوص هذه الهيئة - بعكس ميثاق الايسيسكو - كما أن كلاً من الأنظمة الداخلية الخاصة بالمؤتمر العام والمجلس التنفيذي قد جاءت هي الأخرى خالية كذلك من أي إشارة عن هذه الهيئة، إلا أنه

---

[1] انظر: بهذا الخصوص

- م19 من ميثاق الايسيسكو، في مرجع ميثاق المنظمة وأنظمتها ولوائحها مرجع سابق ص20.
- قرارات المجلس الاقتصادي والاجتماعي رقم 1392 الصادر بتاريخ 1999/9/16م في الدورة (64) للمجلس في مرجع النظام المالي والمحاسبي الموحد مرجع سابق ص46.
- كذلك انظر في نفس المرجع السابق القرار رقم 1342 بتاريخ 1997/9/17م ص45.

679

بالعودة لوثائق المؤتمرات العامة للالكسو تبين أنها تقضي بأن المؤتمر العام هو الهيئة المختصة بتشكيل هيئة الرقابة المالية لمراجعة حسابات المنظمة طبقاً للمادة (40) من النظام المالي والمحاسبي الموحد[1]. وبالرجوع إلى هذه المادة تبين لنا أن الإحالة إليها،والاستناد إلى منطوقها في ديباجة قرارات مؤتمراتها العامة (القاضية بالموافقة على تشكيل هيئة الرقابة المالية) ليس له سند كاف يدعمه، في هذه المادة، من الناحية القانونية الصرفة، وعلة ذلك في تقديري أن الفقرات (ج، و، هـ) من المادة المذكورة أنما تطرقت بشكل مجمل عن بعض مهام هيئة الرقابة المالية، كما تطرقت كذلك إلى ما ينبغي القيام به من قبل المدير العام للرد على الملاحظات الواردة في تقرير هيئة الرقابة[2]. أما عن تشكيل هذه الهيئة، وعن الاختصاصات التفصيلية التي

---

(1) انظر بهذا الخصوص

- التقرير النهائي لأعمال المؤتمر العام للالكسو في دورته (15) القرارات والتوصيات مرجع سابق ص65.
- التقرير النهائي للمؤتمر العام للالكسو في دورته (16) الجزء الأول القرارات والتوصيات مرجع سابق ص74.

(2) تنص الفقرات (ج،د،هـ) من المادة (40) على الأتي:- ((ج- لا يحول تطبيق الفقرة (أ) من هذه المادة، دون قيام هيئه الرقابة المالية للمنظمة بمراجعة حسابات المنظمة وتقديم تقريرها عن ذلك إلى الهيئة المختصة في موعد أقصاه نهاية شهر مايو من السنة المالية التالية لانتهاء السنة المالية)).

د- يتأكد مراقب الحسابات القانوني، وهيئة الرقابة المالية للمنظمة من توفير الوثائق المؤيدة للمبالغ التي جرى تدوير اعتماداتها بموجب أحكام المادة (26) من هذا النظام.

هـ- يقدم المدير العام إلي الهيئة المتخصصة رده على الملاحظات الواردة بتقرير مراقب الحسابات القانوني وهيئة الرقابة المالية للمنظمة عند عرضها عليها في موعد أقصاه نهاية شهر يونيو)).

تمارسها، وعن الوسائل الممنوحة لها في سبيل ممارسة تلك الاختصاصات فان مثل هذه الأمور، لم تتطرق إليها المادة السالفة الذكر، بل وردت في قرار المجلس الاقتصادي والاجتماعي رقم 1342 بتاريخ 1997/9/17م وذلك في دورة إنعقادة الاعتيادي رقم (60) وما تلا ذلك من قرارات أخرى ذات الصلة بالموضوع[1]. ولذلك فانه كان ينبغي أن تتضمن قرارات المؤتمرات العامة - كلما اقتضى الأمر - تشكيل هذه الهيئة أن يشار في ديباجة تلك القرارات، بأنه تم الاستناد لذلك للمادة (40) من النظام المالي والمحاسبي الموحد، وأيضاً لقرارات المجلس الاقتصادي والاجتماعي السالف الذكر، وما تلاه من قرارات أخرى، وستكون عندئذ الإحالة سليمة ولا غبار عليها أما عن تشكيل مثل هذه الهيئات الرقابية في اليونسكو فانه ينبغي أن نشير بهذا الخصوص إلى توصية وحده التفتيش المشتركة حيث ورد في التوصية الأولى لهذه الوحدة، بأن على الهيئات التشريعية في كل مؤسسة من مؤسسات منظومة الأمم المتحدة أن تنشئ مجلسا مستقلا للرقابة الخارجية يتألف من خمسة إلي سبعة أعضاء تنتخبهم الدول الأعضاء لتمثيل المصالح الجماعية للهيئات المديرة، ويجب أن تتوفر لديهم خبره سابقة في

---

(1) - انظر بهذا الخصوص: م40 من النظام المالي و المحاسبي الموحد مرجع سابق ص 44 - 47.
انظر بهذا الخصوص: قرارات المجلس الاقتصادي والاجتماعي.
- القرار رقم 1342 بتاريخ 1997/9/17 في الدورة العادية (60) المؤكد عليه بالقرار رقم 1403 بتاريخ 2000/9/14م في الدورة العادية (66) في مرجع النظام المالي والمحاسبي الموحد ص 45 - 46.
- تقرير هيئه الرقابه الماليه عن حسابات الالكسو عن العام المالي 2002م إصدارات المنظمة ص3.

مجالات الرقابة، كما يجب أن يساعدهم في أداء وظائفهم مستشار خارجي على الأقل يختارونه من ذوي الخبرة في قضايا الرقابة، إلا أن مدير عام اليونسكو فيما يبدو لم يوافق على هذه التوصية معللا ذلك بأن المنظمة اقترحت إدخال بعض التحسينات على النموذج الذي اقترحته وحده التفتيش المشتركة، حيث أعيد إنشاء لجنة الإشراف الاستشارية (السالف ذكرها) المعنية بالمراقبة والمراجعة الداخلية، إذ ستقوم هذه اللجنة بإسداء مشورتها للمدير العام وموافاته بتقرير سنوي وسيدرج المدير العام أفكارا من التقرير السنوي ضمن التقارير التي يقدمها للمجلس التنفيذي إلا أنه لا يزال يجري العمل حاليا على استعراض مهام هذه اللجنة[1]. أما مهام لجان المراقبة المالية في كل من الالكسو والايسيسكو فهي كما يلي[2]:-

مراقبه الحسابات المتعلقة بالموارد و النفقات.

فحص السجلات والحسابات و المستندات المؤيدة لها، ولها أن تطلب فحص أي سجل أو وثائق أخرى تراها لازمة للقيام بمهامها، ويمكن أيضا

---

(1) انظر: وثيقة المجلس التنفيذي لليونسكو رقم 176 EX/48 بتاريخ 2007/3/28م مرجع سابق ص4.

(2) انظر: بهذا الخصوص:

- قرار المجلس الاقتصادي والاجتماعي رقم 1342 بتاريخ 1997/9/17م في نفس المرجع السابق ص 45 - 46.
- م19 من ميثاق الايسيسكو في مرجع ميثاق المنظمة وأنظمتها ولوائحها الداخلية مرجع سابق ص20.
- م21 فقرة (ح) من النظام الداخلي للمجلس التنفيذي للايسيسكو في نفس المرجع السابق ص101.
- المواد (24، 25، 26، 27) من النظام المالي للايسيسكو في نفس المرجع السابق ص91.

للجنة المراقبة بالايسيسكو أن تطلب من المجلس التنفيذي أو المدير العام أو من أي مسئول في المنظمة أن يمدها بكل المعلومات والبيانات التي تراها ضرورية لأداء واجباتها، كما يمكن لهيئة المراقبة المالية بالالكسو الاتصال المباشر عند الاقتضاء بجميع الموظفين الماليين أو من يقوم مقامهم بصفة عامة وبموظفي وحدة الرقابة الداخلية بصفة خاصة.

- التأكد من سلامة الإجراءات الإدارية والمالية والمحاسبية.
- المراجعة السنوية للحسابات الختامية والتعرف على حقيقة المركز المالي.
- مراجعة الحسابات والسلفيات والمعاشات وتعويضات إنهاء الخدمة والضمان الاجتماعي والتقاعد بالالكسو.
- مراجعة قيود المخازن وسجلاتها ومستندات التوريد والصرف والتحصيل في الالكسو.
  تضع لجنة المراقبة في الايسيسكو لنفسها المسطرة التي تراها مناسبة لأداء مهامها.
- التحقق من سلامة تكوين الاحتياطي العام، وبأنه يوجد غطا نقدي له في الالكسو.
- التأكد من توفر الوثائق والعقود المؤيد للمبالغ التي يجري تدوير مخصصاتها بموجب أحكام المادة (26 / ج) من النظام المالي والمحاسبي الموحد في الالكسو.
- الالتزام بمضمون نص المادة (26 / ب) من النظام المالي والمحاسبي

الموحد في الالكسو[1].

تبدي هيئه الرقابة باللاكسو ملاحظاتها بشأن الأخطاء والمخالفات والقصور في تطبيق الأنظمة.

تعد لجنة المراقبة المالية في الايسيسكو تقارير سنوية عن نتائج أعمالها وتقدمها للمدير العام الذي يقوم بدوره بعرضها على المجلس التنفيذي والمؤتمر العام مشفوعة بما قد يكون له من ملاحظات عليها. بينما تقدم هيئة الرقابة المالية في الالكسو تقارير دورية عن نتائج أعمالها ترفعها إلى الأمانة العامة لجامعه الدول العربية - الإدارة العامة للشئون الاقتصادية - لعرضها على لجنة المنظمات للتنسيق والمتابعة مع ردود ووجهات نظر المنظمات المعنية بالحساب الموحد على الملاحظات الواردة فيها وما أتخذ بشأن تنفيذها.

---

(1) تنص المادة (26 / ب) بأنه ((لا يجوز خصم المصروفات الملتزم بها والتي لم يتحقق صرفها خلال السنة المالية على حساب التخصيص المعتمد لها في موازنة تلك السنة مقابل تعلية ما يقابله في حساب الأمانات)). بينما تنص الفقرة (ج) من نفس المادة بأن ((للمدير العام بعد التأكد من عدم وجود اعتماد لهذا الغرض فيها أن يقرر تدوير المبالغ المتبقية من الاعتمادات المقرة في موازنة السنة المنتهية للغرض الملتزم به في حدود متطلبات تنفيذ الالتزام المذكور، كاعتمادات مضافة إلى موازنة السنة التالية لنفس الحساب على أن يكون التدوير لسنة واحدة فقط بعد التأكد من عدم اعتماد مبالغ لهذا الغرض فيها، مقابل خصم مجموع ما يتقرر تدويره من الاحتياطي العام، لتجنب إنعكاسة على زيادة مساهمات الدول الأعضاء في موازنة السنة الجديدة...)).

- النظر بهذا الخصوص: م26 الفقرات (ب،ج) من النظام المالي والمحاسبي الموحد مرجع سابق ص 33 - 34.

التحقق من سلامة وكفاية نظام الرقابة الداخلية في الالكسو[1].

ومما يلاحظ على الاختصاص الوارد في الفقرة (12) والقاضي بتقديم هيئة الرقابة في الالكسو تقارير دورية إلى الأمانة العامة للجامعة، فإن هذا غير ملائم من وجهه نظري، إذ لا يمكن من الناحية الفعلية أن تقوم لجنة المراقبة برفع تقارير دورية إلى الأمانة العامة لعرضها على لجنة المنظمات، ذلك أن مثل هذا الأمر إنما يعد في تقديري من صميم اختصاص المدير العام الذي بدورة يقوم بالرد على تقارير الهيئة، ومن ثم فإنه هو المعني دون سواه بالتواصل مع الجهات المعنية بالجامعة وتزويدها بالتقارير الدورية التي تطلبها سواء أكانت هذه التقارير خاصة بالمراجع القانوني الخارجي أو بتقارير لجان المراقبة المالية.

كذلك يلاحظ أنة علاوة على المهام المناطة بلجنة المراقبة المالية للايسيسكو السالف ذكرها، فإن هذه اللجنة كذلك تقوم بدراسة تقرير شركة تدقيق الحسابات (المراجع الخارجي) وهذا شي طبيعي لان أعمال هذه اللجنة إنما تبدأ بعد الانتهاء من إعداد الحسابات الختامية للمنظمة، أي بعد أن يكون مراجع الحسابات قد أنهى عملة في فحص تلك الحسابات الختامية وإقراره على صحتها، إلا أن الملاحظ بهذا الشأن ما ورد في النظام المالي للمنظمة، وهو أن من ضمن أهداف مراجع الحسابات القانوني هو(حسن سير عمل لجنة المراقبة المالية المنصوص عليها في كل من الميثاق والباب السابع من هذا النظام)[2]. فكيف يتسنى للجنة المراقبة المالية أن تؤدي عملها

---

(1) أنظر: الفقرة (8) من مهام هيئة الرقابة المالية كما ورد في مرجع تقارير الهيئة عن حسابات الالكسو للأعوام المالية 2001م، 2005م ص3 في كلا المرجعين.

(2) انظر بهذا الخصوص.

على أكمل وجه من خلال دراستها لتقرير شركه تدقيق الحسابات؟ في حين أنه يحق لمراجع هذه الأخيرة تتبع حسن سير عمل لجنة المراقبة المالية. فإذا كان كل من هذه الهيئات الرقابية معنية بمراجعة ومراقبة حسابات الطرف الأخر، فإن هذا الأمر في رأي في غير صالح المنظمة، هذا جانب، أما الجانب الأخر فهو ما يثيره هذا الموضوع من أشكال قانوني بحت، وهو أنة على ضوء النصوص السالف ذكرها، هل يحق للجنة المراقبة المالية، مراجعة ومراقبة حسابات شركة التدقيق؟وهل يحق لهذه الأخيرة مراجعة ومراقبة حسابات وتقارير لجنة المراقبة المالية؟ وللإجابة عن هذه التساؤلات أقول: أنه بالرغم من أن هذه الهيئات الرقابية معينه من مستوى رئاسي واحد وهو المجلس التنفيذي، ألا أن لجنة المراقبة المالية كهيئة رقابية خارجية قد نص على تشكيلها ومهامها في ميثاق المنظمة، بعكس شركة تدقيق الحسابات إذ نص النظام المالي على مهام وتشكيل هذه اللجنة، وعليه فأنه، لما كانت نصوص الميثاق تعلو على ما عداها من نصوص الأنظمة الداخلية الأخرى، فاني أرى أن من حق لجنة المراقبة المالية القيام بمراجعة ومراقبة وتتبع الحسابات المعدة من قبل شركة التدقيق، في حين ينعدم حق هذه الأخيرة بـذلك حتى ولوكـأن لمجـرد تتبـع حسن سير عمل لجنة المراقبة المالية، ولذلك فاني اقترح إلغاء النص السالف ذكره من المادة

- التقرير المالي للمدير العام للايسيسكو للأعوام 2001م- 2003م مرجع سابق تقرير لجنة المراقبة المالية ص 1- 5.

- تقرير لجنة المراقبة المالية لعام 2006م في الفترة من (16- 19) إبريل 2007م ص5.

- م20 من النظام المالي للايسيسكو المرجع السابق ص89، م19 من الميثاق المرجع السابق ص20.

(20) من النظام المالي الايسيسكو. كذلك يلاحظ أن المنظمة الإسلامية تتحمل المصاريف المتصلة بقيام أعضاء لجنة المراقبة المالية بمهامهم[1] في حين أن الـدول الأعضاء في الالكسو والتي تشكل منها هيئة الرقابة المالية هـي مـن تتحمل تكاليف هـذه اللجنة[2]. ولعل الالكسو محقة في هذا الأمر، وهو ما ينبغي أن تحتذي به بالايسيسكو ذلـك أنـة إذا ما أريد لهذه اللجنة في هذه الأخيرة أن تعمل بحيادية واستقلال كاملين فأنه في رأي ينبغي أنة تتحمل الدول الأعضاء والمشكلة منها هـذه اللجان جميـع تكاليفها المالية، وبحيث لأتقل فترة عملها السنوية في مراجعة حسابات المنظمة عـن 15 يومـاً عـلى الأقـل في العام المالي للمنظمة[3].

وعلى العموم فإن توصيات مراجعي الحسابات الخارجيين، ولجـان المراقبـة المالية في هذه المنظمات المتخصصة إنما نوردها بشكل مقتضب جـدا بالنسبة لليونسكو وبإسهاب كامل للمنظمات الموازية كما يلي:-

أولا: توصيات المراجعون الخارجيون للحسابات

أقر المراجع الخارجي لحسابات الالكسـو للسـنوات المالية 2001م، 2004م، 2005م بأن الحسابات الختامية لهذه السنوات تظهر وبعدل

---

[1] انظر:م28 من النظام المالي للايسيسكو مرجع سابق ص91 .

[2] انظر: قرار المجلس الاقتصادي والاجتماعي رقم 1342 بتاريخ 1997/9/7م في مرجع النظام المالي والمحاسبي مرجع سابق ص45.

[3] تجتمع لجنة المراقبة المالية بالايسيسكو في العام بحدود (4) أيام لمراجعة حسابات عامي 2006م، 2001م انظر بهذا الخصوص: تقرير لجنة المراقبة لعام 2006م السالفة ذكره آنفا.
- كذلك انظر: التقرير المالي للمدير العام للايسيسكو للأعوام 2000م- 2002م مرجع سابق تقرير لجنة المراقبـة ص1-4.

المراكز المالية لهذه السنوات، وان حسابات الإيرادات والمصروفات تظهر نتيجة أعمالها عن هذه السنوات المنتهية في 31 ديسمبر من كل منها، أخذين في الاعتبار بملاحظات المراجعة، إلا أنه بمتابعة هذه الملاحظات في الحسابات الختامية للمنظمة للأعوام السالفة الذكر، لم نجد أية ملاحظات[1] بينما تضمنت تقارير شركة تدقيق الحسابات في الايسيسكو للأعوام المالية من عام 2001م إلى عام 2004م التوصيات التي رأت أنه من الضروري اتخاذ إجراء بشأنها وهي[2]:-

---

(1) انظر بهذا الخصوص الحساب الختامي للالكسو عن العام المالي 2001م الإدارة العامة والأجهزة الخارجية، إصدارات المنظمة لعام 2002م ((تقرير المراجع الخارجي للحسابات عن سنة 2001م (التقرير غير مرقم).

- الحساب الختامي للالكسو عن العام المالي 2004م وتقرير مراجع الحسابات الخارجي، للإدارة العامة والأجهزة الخارجية إصدارات المنظمة لعام 2005م ((تقرير المراجع الخارجي للحسابات لعام 2004م المرقم من التقرير من 2-5)).

- الحساب الختامي للالكسو عن العام المالي 2005م، وتقرير مراجع الحسابات الخارجي الإدارة العامة والأجهزة الخارجية إصدارات المنظمة لعام 2006م، ((تقرير المراجع الخارجي للحسابات عن عام 2005م)) المرقم من التقرير 2 - 4 فقط من الصفحات.

(2) انظر بهذا الخصوص

- التقرير المالي للمدير العام وحسابات الأقفال، وتقرير شركة تدقيق الحسابات، وتقرير لجنة المراقبة المالية للأعوام 2000م- 2002م المقدم لدورة المؤتمر لعام (8) ديسمبر 2003م تقرير عن شركة تدقيق الحسابات في الايسيسكو لعام 2001م ص 1- 5 بخلاف الكشوفات والجداول الملحقة.

- التقرير المالي للمدير العام للايسيسكو وحسابات الأقفال، وتقرير شركة تدقيق الحسابات،

يتم احتساب الاهلاكات السنوية للأصول يدويا وهو ما يتطلب وقت طويل ويرفع من احتمال وقوع الأخطاء.

توصي بايلاء أهمية خاصة للتأهيل والتدريب في مجال الحسابات

وقد شرعت المنظمة في استخدام البرنامج المعلوماتي الخاص بحساب الاهلاكات خلال عام 2004 حيث تم تدوين جميع أصول المنظمة في هذا البرنامج. أما توصيات المراجعة الخارجية لحسابات اليونسكو التي أصدرتها أثناء ولايتها الثانية التي تغطي الفترة من عام 2000م إلى عام 2005م فإنها بحدود(66) توصيه، ترد في خمس وثائق[1] ومن هذه التوصيات ما يتعلق بصندوق التامين الصحي، وعن الموارد الخارجة عن

وتقرير لجنة المراقبة لعام 2002م المقدم لدورة المجلس التنفيذي (24) ديسمبر2003م تقرير عن تدقيق حسابات المنظمة لعام 2002م ص1 - 5 التقرير مكون من (31 صفحة).

- التقرير المالي للمدير العام للايسيسكو وحسابات الأقفال، وتقرير شركة تدقيق الحسابات، وتقرير لجنة المراقبة لعام 2003م المقدم لدورة المجلس التنفيذي (25) ديسمبر 2004م تقرير عن تدقيق حسابات المنظمة لعام 2003م ص 1 - 6 خلافا للكشوفات والجداول الملحقة.

- التقرير المالي للمدير العام للايسيسكو وحسابات الأقفال لعام 2004م وتقرير شركة تدقيق الحسابات، وتقرير لجنة المراقبة المالية المقدم لدورة المجلس التنفيذي (26) ديسمبر 2005م تقرير عن تدقيق حسابات المنظمة لعام 2004م ص 1 - 6 التقرير مكون من (33 صفحة).

(1) وزعت هذه التوصيات على النحو الأتي

1. 2000م - 2001م 33 توصيه ترد في الوثيقة 165 EX/29.
2. 2002م - 2003م 30 توصيه ترد في الوثائق (169/29)، (170/22)، (171/32) الخاصة بالمجلس التنفيذي.
3. 2004م - 2005م 3 توصيات ترد في الوثيقة (EX/27174).

- انظر بهذا: تقرير المراجع الخارجي للحسابات عن متابعه تنفيذ التوصيات الواردة في التقارير السابقة، وثيقة المجلس التنفيذي رقم EX/33175 بتاريخ 2006/8/25 الأصل انجليزي.

الميزانية وعن سير العمل بالمنظمة بشكل عام وكما يلي:-

توصي مجلس إدارة صندوق التامين الصحي بإعداد ميثاق يحدد بالتفصيل مهام المجلس وأدواره ومسؤولياته وعرضه على المدير العام للموافقة عليه.

توصي بأن يعد قسم المراقب المالي تقريراً كاملا للتكاليف الإدارية مره كل سنة وأن يجري بيان المساهمه الاضافية التي تقدمها اليونسكو للصندوق في شكل تكاليف إدارية في مذكرة ترفق بالبيانات المالية الخاصة بالصندوق بغرض العلم.

توصي بأن تجري لجنة الاستثمار في اليونسكو استعراضا رسميا لودائع الصندوق بغيه التأكد من تحقيق الاستفادة المثلى من استراتيجيه الاستثمار[1].

وقد أوردت مراجعة الحسابات في تقريرها الثاني عن عمليات مراجعة الأداء التي أجريت في فترة العامين 2004م - 2005م بأنها خلصت في تقريرها السابق (المتمثل في الوثيقة EX/29169) إلى أن الأموال الخارجة عن الميزانية لم تحظ بحصة ملائمة من العناية الإدارية، ولم تكن هناك إدارة شامله للأموال الخارجة عن الميزانية، وإنما جرت في معظمها لكل مشروع على حده، مضيفة بأنها وقفت على العديد من الأمثلة لغياب الإدارة الشاملة ومنها العدد الأكبر من المشروعات الخاملة (أكثر من 100 مشروع كان يعاني من عجز في الميزانية) وما يمكن أن يترتب عليها من عواقب

(1) انظر:تقرير مراجع الحسابات الخارجي عن عملية مراجعة الأداء التي أجريت في فترة عامي 2004م - 2005م ومتابعة تنفيذ التوصيات الواردة في التقارير السابقة وثيقة المجلس التنفيذي رقم 171 EX/32بتاريخ 2005/2/28م ص9،22،30.

مثل التناقضات، والمخالفات المالية والتقارير غير الدقيقة، والمشروعات التي لا علاقة لها بأولويات اليونسكو، وخرق قواعد المنظمة ولوائحها والتأخير في تنفيذ المشروعات والإخفاق في تحديد النتائج وتقييمها، وأضافت المراجعة بأنها وجدت في هذه المراجعة بعض الأمثلة للممارسات الجيدة، ولكنها وجدت أيضا أمثله لمشكلات خطيرة منها على سبيل المثال[1]:-

الافتقار إلى رؤية شاملة وإستراتيجية شاملة وسياسات شاملة، توجه أنشطه اليونسكو الممولة من خارج الميزانية.

عدم وجود صله واضحة بين البرامج والمشروعات الممولة من خارج الميزانية وولاية اليونسكو وأولوياتها مما يدعو إلى التساؤل بشأن القيمة المضافة التي تجلبها المنظمة في هذا الصدد.

عدم الامتثال للقواعد واللوائح، مما يودي إلي خسارة ماليه ومخاطر إضافية لليونسكو.

القيام بمشروعات من دون تحديد نتائج متوقعة تضع محورا للتخطيط والتنفيذ.

قله عدد التقارير المالية والسردية المقدمة إلى الهيئتين الرئاسيتين والجهات المانحة وإدارة اليونسكو.

وخلصت مراجعة الحسابات إلى استنتاج مؤداه، أن اليونسكو رغم ما اضطلعت به من الدراسات والمبادرات منذ المراجعة الأخيرة، لم تضع

---

[1] انظر: تقرير مراجع الحسابات الخارجي عن عمليات مراجعة الأداء التي أجريت في فتره عامي 2004م - 2005م وثيقة المجلس التنفيذي رقم 174 EX/27 بتاريخ 2006/3/3م الأصل انجليزي ص 3- 4.

أسس المراقبة الإدارية الفعالة لأنشطة اليونسكو الممولة من خارج الميزانية، مضيفة بأنها أبلغت بأن المنظمة تدرك معظم هذه المشكلات وأنها تتخذ خطوات لتحسين إدارة الأموال الخارجة عن الميزانية، وان كان الكثير من هذه التحسينات لم يفض بعد إلى أي تأثير عملي، بيد أن هناك إقرار بالمخاطر، وإن الإصلاحات هي في طريقها إلى التنفيذ، وحول عملية التقييم العام الخاصة بتنفيذ التوصيات الواردة في التقارير السابقة، تطرقت مراجعة الحسابات إلى القول بأنها قد وجدت أن اليونسكو حققت الكثير من التحسينات المهمة فعلى سبيل المثال: تحسنت الإدارة المالية، وممارسات المراقبة، بعد اعتماد نظام جديد للمالية والميزانية عام2002م، كما أعدت البيانات المالية لفترتي العامين الماضيين في موعدها المحدد، وعزز إنشاء مرفق الإشراف الداخلي من وظيفتي المراجعة والتقييم، وتحسنت عمليات التخطيط ومراقبة الأداء، وعين المدير العام جهة اتصال لتنسيق كافه الأنشطة الممولة من خارج الميزانية وسارع إلى معالجة الثغرات التي أشرنا إليها. وخلصت المراجعة إلي انه تم تنفيذ 46 توصية من أصل 66 توصية وصنفت في باب التوصيات المنفذة أو التي اقفل ملفها، وهناك تقدم مرض في تنفيذ 16 توصية، وتقدم بطيء في تنفيذ التوصيات الأربع الأخرى، لاسيما التوصيات التي ورد البعض منها في أول تقرير لنا عن الموارد الخارجة عن الميزانية الصادر في مارس عام 2004م[1].

(1) انظر:وثيقة المجلس التنفيذي لليونسكو رقم 175 EX/33 بتاريخ 2006/8/25م مرجع سابق.

ثانيا: توصيات لجان المراقبة المالية

توصيات هيئة الرقابة المالية بالالكسو

خرجت هيئه الرقابة المالية بالالكسو بتوصيات هامه وذلك عـن فحصها لحسـابات المنظمة للأعوام 2001م،2002م،2003م،2005م وهذه التوصيات هي:-

- مناشده الدول الأعضاء على سداد متأخراتها (غير المعـترض عليهـا) التي تعتـبر مـوردا ورافداً أساسيا من روافد الاحتياطي العام.

- التوقف عن استخدام الاحتياطي العام في تمويل موازنات المنظمة.

- على المنظمة تسديد المسحوبات مـن الاحتيـاطي العـام لكونهـا سـلفه سـجلت عـلى الحساب وفقا لأحكام المادة (17) من النظام المالي و المحاسبي الموحد.

- على المنظمة إعادة بناء الاحتياطي العام مع مراعاة أن يكون الحد الأدنى لـه مليـون دولار حتى يمكن السحب منه.

- الطلب من المنظمة أن تراعي في نفقاتها الا تتجـاوز المسـاهمات المسـددة ومواردهـا الخارجية وإلا يلجا لاستخدام الاحتياطي العام إلا للضرورة القصوى.

- على المنظمة تنميه مواردها الذاتية و التوجه نحو مصادر التمويل الخارجي لموازناتها.

- ضرورة تعديل المادة (38) من النظام المالي و المحاسبي، فيما يتعلق بتخفيض سقف الاحتياطي الخاص إلي اقل من50% لتعزيز وضع

الاحتياطي العام في المنظمة[1].

- ضبط وترشيد الإنفاق من صندوق الرعاية الاجتماعية ووضع الضوابط اللازمة لذلك والنظر في إمكانية زيادة نسبه اشتراك الموظفين في هذا الصندوق إلي 3% والمنظمة إلي 5%[2].

توصيات لجنة المراقبة المالية بالايسيسكو

لعل أهم التوصيات التي خرجت بها لجان المراقبة المالية بالايسيسكو خلال الأعوام المالية 2001م،2004م،2005م،2006م ما يلي:-

- توصي اللجنة المجلس التنفيذي على إيجاد حلول مناسبة وعاجله لحث الدول الأعضاء على الإسراع في تسويه مساهماتها المتأخرة من خلال منح تسهيلات وإجراءات معينه وتفويض المدير العام بمتابعه ذلك.
- توصي اللجنة بضرورة انتظام القيد في سجلات صندوق التعويض النهائي عن العمل وصندوق التكافل لموظفي المنظمة.
- تفادي تراكم المخزون من المواد المكتبية، وذلك باقتنائها بشكل دوري

---

(1) تنص المادة (38) بأنه ((مع مراعاة أحكام الفقرة (ب) من المادة (17) يتم الاستمرار في تكوين الاحتياطي الخاص إلى أن يصل ما يعادل 50% من جملة اعتمادات موازنة المنظمة لأخر سنة مالية، ويستخدم هذا الاحتياطي لمواجهة أيه ظروف طارئة على أوضاع المنظمة ويمكن استخدام فوائض الأرباح للصرف على المنظمة بمقدار ما يطول تلك المنظمة من هذه الفوائض بعد أن يصل تمويل الاحتياطي إلى الحد الأعلى)).

- انظر بهذا الخصوص: م38 من النظام المالي والمحاسبي الموحد المعدل 2001م مرجع سابق ص42.

(2) انظر: تقارير هيئة الرقابة المالية للالكسو عن حسابات المنظمة الإدارة العامة والأجهزة الخارجية عن الأعوام المالية 2001م،2002م ،2003م،2005م إصدارات المنظمة ص (15،18)، (8،9،17)، (7،8،16)، (13) بالترتيب.

وفق الاحتياجات الضرورية للمنظمة.

- طلبت اللجنة من شركه تدقيق الحسابات بضرورة تضمين تقريرها لمؤشرات تتعلق بقياس الأداء الخاصة بتنفيذ البرامج ونسب التنفيذ.
- توصي اللجنة المجلس التنفيذي بتفويض المدير العام لبيع المقر القديم والاستفادة من قيمته لتسديد المبالغ التي دفعت زيادة على التبرعات المتتالية لبناء المقر الجديد.
- توصي اللجنة الإدارة العامة بإدراج مادة في الأنظمة الداخلية للمنظمة تعنى بممتلكات وموجودات المنظمة ووضعها المستقبلي.
- توصي اللجنة بخصوص المقر الدائم الجديد للمنظمة أنه لابد من الإشارة إلي أرض مبنى المقر الدائم في تقرير المدير العام للعام المالي 2006م.
- توصي اللجنة بإمكانية استثمار أموال الصندوق الاحتياطي ليدر دخلاً ثابتا للايسيسكو يساعد على زيادة مواردها المالية لمواصله رسالتها الحضارية.
- توصي اللجنة بضرورة استمرار إنتداب شركة تدقيق الحسابات الحالية لمده سنة إضافية في إنتظار استبدالها بشركه أخرى.
- كما توصي لجنة المراقبة بتمديد أعمالها لسنة مالية قادمة وذلك لاستكمال مشروع إعداد دليل الإجراءات والتعليمات التطبيقية لمراحل تنفيذ أنشطة الايسيسكو في المجالين الإداري والمالي، الذي تقدمت به الإدارة العامة إلى اللجنة ومتابعه استكمال عملية دمج الأصول الثابتة المنقولة من المبنى القديم إلى المبنى الجديد ومتابعة أعمال التسوية في

الصندوق الاحتياطي لإعداد الحساب الختامي له[1].

وبناءا على ما سبق وكاستخلاص لذلك فاني أورد التوصيات الأتية:-

ينبغي أن تتجنب لجنه المراقبة المالية في الايسيسكو التوصية بتمديد فتره عملها، ذلك أن مثل هذه التوصية قد يفهم منها عكس المعني المراد منها، علاوة على أن من شانها أن تشكل خرقا لماده دستوريه في ميثاق المنظمة.

الاهتمام بمتابعه تنفيذ التوصيات السابقة بالنسبة لمراجعي الحسابات الخارجيين، ولجان المراقبة المالية في كل من الالكسو و الايسيسكو لكل سنة مالية، على أن يعد المراجع الخارجي ولجان المراقبة المالية تقارير في نهاية فترة ولايتهما بحيث تتضمن جردا بجميع التوصيات الواردة منذ بداية فترة ولايتهما، ما نفذ منها وما لم ينفذ وعن الأسباب التي اعترضت ذلك مع عمل تقييم عام للوضع المالي والإداري برمته، على غرار ما هو متبع في

---

(1) انظر بهذا الخصوص

- مشروع التقرير الختامي للمجلس التنفيذي للايسيسكو الدورة (23) الرباط ديسمبر 2002م ص13.
- التقرير المالي للمدير العام وحسابات الإقفال، وتقرير شركة تدقيق الحسابات، وتقرير لجنة المراقبة المالية للسنة المالية 2004م المقدم لدورة المجلس التنفيذي (26) الرباط ديسمبر 2005م تقرير لجنة المراقبة المالية ص 1- 5.
- التقرير المالي للمدير العام وحسابات الإقفال، وتقرير شركة تدقيق الحسابات وتقرير لجنة المراقبة المالية للسنة المالية 2005م المقدم لدورة المجلس التنفيذي (27) الرباط ديسمبر 2006م تقرير لجنة المراقبة المالية ص 1- 6.
- التقرير المالي للمدير العام وحسابات الإقفال، وتقرير شركة تدقيق الحسابات، وتقرير لجنة المراقبة المالية لعام 2006م المقدم لدورة المجلس التنفيذي (28) الرباط يوليو 2007م تقرير لجنة المراقبة المالية ص 1- 5.

اليونسكو.

ضرورة أن توضع ملاحظات وتوصيات المراجع الخارجي لحسابات الالكسو في التقارير ألمقدمه من قبلهم، حيث ينبغي أن تطلع الدول الأعضاء والمجلس التنفيذي والمؤتمر العام على مثل هذه التوصيات بدلا من مجرد الإشارة إليها ضمن تقرير المراجع، واسوه بما هو متبع في مهنه المحاسبة القانونية بشكل عام.

ينبغي أن تحدد فترة عمل مراجع الحسابات الخارجي في الايسيسكو لفترة سنة قابله للتجديد لمده أقصاها ثلاث سنوات، لتتسق مع الفترة المالية للمنظمة، وبحيث ينص على هذا التحديد في النظام المالي.

إن يتم اختيار المراجع الخارجي لتدقيق حسابات الايسيسكو من قبل المؤتمر العام أسوه بما هو متبع في اختيار مثل هذه الهيئات الرقابية من أعلى هيئه سيادية في كل من المنظمات الموازية اليونسكو والالكسو مع تعديل النصوص القانونية المترتبة على ذلك.

أن يتم اختيار أعضاء لجنة المراقبة المالية في للايسيسكو من قبل المؤتمر العام وذلك من بين الدول الأعضاء بالتناوب لمدة ثلاث سنوات، على أن تتحمل الدول الأعضاء المشكلة منها هذه اللجان جميع تكاليفها وبحيث يكون أعضاء هذه اللجان من المتخصصين في الأجهزة الرقابية المركزية العليا في بلدانهم، وبحيث لا تقل فتره عملهم في مراجعة ومراقبة حسابات المنظمة عن 15 يوما.

لوحظ كذلك أن التقارير المتعاقبة لكل من المراجع الخارجي لحسابات الالكسو والايسيسكو أن هذه التقارير تعد بنمط واحد، وذلك طيلة فترة ولايتهم، بل إن هذه النمطية من التقارير تستمر كذلك حتى في تقارير

المراجعين الجدد الذين يعينون لهذا الغرض، لذلك أوصي بأن تتجنب هـذه الهيئـات الرقابية، وكذا المنظمات المعنية، هذه الأنـواع مـن التقـارير، ذلـك أن لكـل مراقـب قـانوني أسلوبه وصياغته الخاصة التي قد تختلف من سنه لأخـرى، كـما قـد تختلـف مـن مراقـب لأخر وكل هذه الأمور وغيرها الكثير قد تجعل من تقاريير المراقب، بأنها متميـزة، متطـورة من سنه لأخرى دون أن تنحاد عن المستويات المهنية التي ينبغي مراعاتهـا في إعـداد مثـل تلك التقارير، وكل هذه النقاط وغيرها الكثير من مبادئ وأهداف المراجعـة مسـتخدمه في رأي الشخصي في مراقبة حسابات اليونسكو، يتضح ذلك جليا من مهـام مراقـب الحسـابات الخارجي للمنظمة، ومن ثراء وتنوع تقاريره، وغزارة وتركيـز توصـياته، مـع الإشـاده بـدور الأمانة العامة في قبول تلك التوصيات بروح من الثقـة والشـفافية والمسـؤولية ومـع المضي-قدماً في تنفيذ غالبية تلك التوصيات لما من شأنه ازدهار المنظمة وتقدمها، وهو ما ينبغـي أن يحتذا به في المنظمات الموازية الالكسو والايسيسكو على السواء.

الفصل الثاني

النظام الإداري للمنظمات (اليونسكو، الالكسو، الايسيسكو)

تطرقنا في القسم الأول من هذا البحث وقلنا بان هذه المنظمات المتخصصة، تشتمل على ثلاثة أجهزة رئيسية، هي المؤتمر العام، والمجلس التنفيذي، والإدارة العامة، كما ذكرنا بان الهيكل التنظيمي لهذا الجهاز الأخير يشتمل على العديد من الإدارات الرئيسية والمساعدة وما يتفرع عنها من فروع أخرى، حيث يأتي على رأس هذا الجهاز (الإدارة العامة) مدير عام يتم انتخابه من قبل المؤتمر العام المعني في أي من هذه المنظمات، وقد سبق الحديث كذلك عن كيفية تعيين المدير العام، وعن المهام والاختصاصات التي يمارسها، بوصفة الرئيس الأعلى للجهاز الإداري، والمسوول أمام الأجهزة السيادية (المؤتمر العام والمجلس التنفيذي) ولذلك فقد كان من الطبيعي أن يعمل تحت إمرة المدير العام مجموعة من الموظفين الدوليين (لشغل المناصب المختلفة في تلك التكوينات الإدارية، التي يظمها هذا الجهاز الإداري)، ويخضع هؤلاء الموظفين للسلطة المباشرة للمدير العام المعني في أي من هذه المنظمات، فكيف نظمنت مواثيق ونظم هذه المنظمات الأحكام المتعلقة بتعيينات الموظفين، وواجباتهم، واستحقاقاتهم من الرواتب والتعويضات، والترقيات، والإجازات، وعن النظم الخاصة بالتأديب والمساءلة وإنهاء خدمات هؤلاء الموظفين وكل هذه المواضيع وغيرها هي موضوع حديثنا في هذا الفصل بمبحثيه (إدارة النظام الوظيفي) المبحث الأول، ثم (أدارة أنظمة إجازات وترقيات الموظفين وإنهاء خدماتهم) المبحث الثاني وكما يلي:-

المبحث الأول
إدارة النظام الوظيفي في المنظمات
(اليونسكو، الالكسو، الايسيسكو)

سيتم التطرق في هذا المبحث لمختلف النظم الحاكمة، المتعلقة بتعيينات الموظفين، وهو ما سيشتمل عليه المطلب الأول (نظام التوظيف) من هذا المبحث، أما المطلب الثاني فسيتم تخصيصه (للرواتب والتعويضات) وكما يلي:-

المطلب الأول
نظام التوظيف في المنظمات (اليونسكو، الالكسو، الايسيسكو)

إن الحديث عن نظام التوظيف في هذه المنظمات يتطلب، التطرق للعديد من النقاط ذات الصلة، كتصنيف الوظائف والموظفين، وطرق تعينهم، وعن الأنواع المختلفة للتعيينات لشغل مختلف أنواع الوظائف، وعن شروط التوظيف، وواجبات الموظفين، وعن كيفية توزيع الوظائف الخاضعة للتوزيع الجغرافي بين الدول الأعضاء، وعليه فإننا سنتطرق في هذا المطلب لهذه النقاط، وذلك في ست فقرات وكما يلي:-

أولاً: تصنيف الوظائف والموظفين في المنظمات (اليونسكو، الالكسو، الايسيسكو)

يتم تصنيف الوظائف في هذه المنظمات المتخصصة - مثلما هو عليه الحال في سائر المنظمات الدولية - بالعديد من الأصناف، التي قد تتشابه أو تختلف من منظمة لأخرى، وكما جرت العادة في أن تكون الوظائف

مصنفة، وهذه هي القاعدة العامة، إلا أنه أيضاً قد ترد وظائف غير مصنفة في أطار المنظمات الدولية، وهو ما سارت عليه هذه المنظمات المتخصصة، حيث سنتطرق بداية للوظائف المصنفة، ثم نعقب بعد ذلك وبشكل مقتضب للوظائف غير المصنفة. وعلى أي حال فإن الوظائف المصنفة في أي من هذه المنظمات، إنما تختلف من منظمة لأخرى وكما يلي:-

الفئة الأولى

وهذه الفئة مخصصة في الالكسو لمدير عام المنظمة، الذي تشمل درجته، درجة أمين عام مساعد، وبالعكس من ذلك فإن تصنيف الوظائف في الايسيسكو لا تشمل وظيفة المدير العام، بل تشمل بقية موظفي المنظمة، ولذلك فإن هذه الفئة في هذه الأخيرة، إنما تظم المديرين، تسبقها الفئة الخاصة.

الفئة الخاصة

تحتل هذه الفئة المرتبة الأولى في سلم تصنيف الوظائف في الايسيسكو حيث تظم المدير العام المساعد.

الفئة الثانية

وتشتمل الوظائف التخصصية المتعلقة بتنفيذ البرامج في الايسيسكو، وتظم فئات الأخصائيين من الخامس إلى الأول، أما في الالكسو فإن وظائف هذه الفئة إنما يناط بها مساعدة المدير العام في التخطيط ورسم السياسات العليا، وهي المسوولة عن الإشراف والتنسيق ومتابعة سير العمل في الإدارات والأجهزة الخارجية والأقسام التابعة لها.

الفئة الثالثة

وتضم الوظائف المتعلقة بالأعمال الإدارية والفنية، وتشتمل على الدرجات من إداري ثالث وحتى إداري أول في الايسيسكو، بينما تظم هذه الفئة في الالكسو الوظائف المهنية التخصصية التي تتولى المهام التنفيذية في الأقسام، وتشمل درجات الفئتين الثانية والثالثة في هذه الأخيرة،ودرجات وزير مفوض، ومستشار وسكرتير أول، وثاني، وثالث وملحق أول وملحق ثاني.

الفئة الرابعة

تضم هذه الفئة وظائف الخدمات العامة المتعلقة بالأعمال الإدارية في الايسيسكو مثلما هي مخصصة أيضاً للوظائف الإدارية والكتابية المساعدة في الالكسو، وتشتمل على درجات إداري أول، وحتى إداري خامس في هذه الأخيرة، بينما تشتمل على ثلاثة مستويات فقط في الايسيسكو.

الفئة الخامسة

وقد خصصت هذه الفئة في الالكسو لوظائف الأعمال الحرفية والخدمية المعاونة، وتشتمل درجاتها على معاون أول وحتى معاون رابع، وبالعكس من ذلك فإن هذه الفئة ليس لها مقابل في الايسيسكو، ذلك أن موظفو هذه الفئة إنما يندرجون ضمنا في الفئة الرابعة[1]. ويصدر مدير عام اليونسكو

---

(1) انظر: المواد (8،7) من النظام الأساسي لموظفي الالكسو إصدارات المنظمة تونس لشهر مارس 2004 ص 6 - 7.

- كذلك أنظر: م 13 من نظام موظفي الايسيسكو في مرجع ميثاق الايسيسكو وانظمتها ولوائحها الداخلية لعام 2005 ص31.

ونظراً لعدم وجود المرفق (2) المشار إليه في هذه المادة في هذا المرجع، فإني أحيل

بوصفة الرئيس الإداري الأعلى في المنظمة، الأحكام المتعلقة بتصنيف الوظائف والموظفين بناءاً على طبيعة الواجبات والمسؤوليات المطلوبة بحسب قرارات المؤتمر العام، حيث يتم تصنيف الوظائف باستثناء المدير العام ونائبة ومساعدو المدير العام، إلى فئات ورتب حسب المعايير أو المقاييس التي وضعت من قبل المدير العام، فهناك فئة المديرون من درجتي (مد - 2)، ومد - 1)، وفئة المهنيون الذين يشغلون وظائف مهنية مكونة من خمس درجات: (م - 5) وتشمل كبار الموظفين، (م - 4) موظف أول ، (م - 3) موظف ثاني، و (م - 2) موظف معاون، (م - 1) موظف مساعد، إلا أنه كثيراً ما يتم دمج الدرجتان (م - 1 / م - 2) معاً في وثائق المنظمة. بينما تتكون فئة الخدمة العامة في المقر الرئيسي- من مراتب متضمنة فئة موظفين من مجموع موظفي المكتب موزعين على الفئات (خ ع - 1) وحتى (خ ع - 6) بينما تتراوح وظائف فئة التقنيين بين الدرجات (ت ع - 1، ت ع - 6)[1]. وهذه هي الوظائف المصنفة في المنظمات الثلاث.

بالرجوع إلى هذا المرفق في مرجع نظام موظفي المنظمة لعام 2004 ص 54.

(1) انظر بهذا الخصوص: - مرشد عملي من أجل اللجان الوطنية لليونسكو مرجع سابق ص 31.

and Rule (102.1) (p) (p. ، Reg (2. 1)،chapter (11)،2000،Staff Regulations and Staff Rules،Unesco 17

- وبحسب هذا المرجع مادة (100.2) أ مكرر ص 9 - 10 فإن الموظفين في فئة الخدمة العامة يقصد بهم موظفين من مجموعة موظفي المكتب، أو من مجموعة تقنية بالمقر أو في أماكن بعيدة عن المقر، موظفين من مجموعة المراسلين أو من فئة الموظفين المهنيين الوطنيين المعينين محلياً.

أما الوظائف غير المصنفة في اليونسكو فقد أجاز نظام ولائحة الموظفين للمدير العام بان يتم تصنيف الوظائف الشاغلة بموظفين من فئة الخدمة العامة في أماكن عمل بعيدة من المقر الرئيسي في رتب أو درجات يحددها المدير العام، بناءاً على ممارسات الأمم المتحدة، على أنه يجوز للمدير العام أيضاً أبتداع أو خلق وظائف لأغراض خاصة برواتب سنوية تختلف عن تلك الوظائف المخصصة للفئات والرتب السالف ذكرها، ودون تعيين درجات لهذه الوظائف، وتعرف هذه الوظائف بالوظائف الغير مصنفة، وسوف يتم التعامل معها بناءاً على الراتب السنوي المحدد لها في الرتبة أو الفئة، واستناداً لأهداف القوانين وأنظمة الموظفين[1]. وبالمثل من ذلك فقد سارت كل من المنظمات الالكسو والايسيسكو على نفس النهج الذي سارت عليه اليونسكو تقريباً، وذلك لحشد الخبراء والموظفين الفنيين، وكذا موظفو الخدمات العامة عن طريق التعاقد معهم لآجال محددة، وبهذا الخصوص نجد أن نظام موظفي الايسيسكو يحدد بان موظفي المنظمة ينتمون إلى ثلاثة أصناف، المرسمون (أي المصنفون السالف ذكرهم)، ثم الموظفون المؤقتون، والموظفون المتعاقدون[2]. وللمدير العام للالكسو كذلك (علاوة على الوظائف المصنفة السالف ذكرها)، أن يستعين بطريق التعاقد بالخبراء ليقوموا بمهام معينة، وله أيضاً أن يستعين بموظفين محليين بصفة مؤقتة، لتامين الخدمات التي تحتاج اليها المنظمة[3].

وعلى العموم فإن عدد موظفي الالكسو خلال الدورة المالية 2005 -

(1) انظر USRR، 2000، Rule (102.1 (b. c)، 18 - p. 17

(2) انظر: م9 من نظام موظفي الايسيسكو نفس المرجع السابق ص 29 - 30.

(3) انظر: م (11، 15، 16) من نظام موظفي الالكسو مرجع سابق ص 8 - 9.

2006 بلغ ما مجموعة (101) وظيفة، تشكل الوظائف الرئيسية منها (مـدير أول) (9) وظائف، و (3) وظائف (مدير ثاني)، وعـدد (28) وظيفة تخصصية، و (31) وظيفـة إدارية، بينما بلغـت الوظائف المعاونة (28) وظيفة عـلاوة عـلى وظيفتـي المـدير العـام ونائبة[1]. أما موظفو الايسيسكو فقـد بلغ عـددهم (163) موظفاً وذلك بتاريخ 4 / 7 / 2007، منهم (7) مـدراء، (45) اختصاصي بـرامج وخبيـر، و (70) معـاون إداري،(39) مـن موظفي الخدمات الإدارية، عـلاوة عـلى المـدير العـام ومسـاعدة[2]. في حين بلغ ملخـص الوظائف الثابتة في أطار البرنامج العـادي والبـرامج الخارجـة عـن الميزانيـة لليونسكو في الدورة المالية 2004 - 2005 عـدد (2091) وظيفـة، منهـا (10) مـدراء عـامون مسـاعدون، و(87) مدير، و(858) مهني، و(1134) موظف في فئة الخدمة العامة، عـلاوة عـلى المـدير العـام ونائبة[3].

ثانياً: تعيين الموظفين في المنظمات (اليونسكو، الالكسو، الايسيسكو)

تعين الدول الأعضاء المنشئة لهذه المنظمات المتخصصة - مثل سائر المنظمات الدولية - المدير العام، حيث يأتي على قمة الهرم التنظيمي في المنظمة يليه نائب أو نـواب المـدير العـام، ثم المدراء العامون المسـاعدون، يليهم فئة المـديرون، فالفنيون (المهنيون) الـذين يقومون بالأعمال الفنية

---

[1] انظر: الميزانية والبرنامج لعامي 2005 - 2006 المقرة من المؤتمر العام للالكسو الدورة (17) إصدارات المنظمة تونس ديسمبر 2004 ص 22 - 23.

[2] كشف بالتوزيع الجغرافي لموظفي الايسيسكو المعد بتاريخ 2007/7/4 الموزع على أعضاء المجلس التنفيـذي في دورتـه (28) في الفترة من 9 - 10 يوليو 2007.

[3] انظر: البرنامج والميزانية المعتمدان لليونسكو 2004 - 2005 مرجع سابق ص 318 - 319.

التخصصية، يليهم الموظفون الذين يقومون بالأعمال الإدارية والخدمية الأخرى، والمدير العام الذي ينتخبه المؤتمر العام في أي من هذه المنظمات، هو الذي يقوم بتعيين بقية فئات الموظفين - كقاعدة عامة - باستثناء بعض الوظائف وكما سيتضح ذلك تباعاً.

ومسؤولية المدير العام والموظفين في أي من هذه المنظمات المتخصصة، إنما تتسم بطابع دولي بحت فهم ينتمون للمنظمة التي يعملون بها ولا يمثلون حكومة معينه، لذلك فإنهم يضطلعون بمهامهم وفقاً لما تقتضيه مصلحة المنظمة التي يعملون بها، فلا يجوز لهم أثناء تأدية واجباتهم أن يتلقوا تعليمات من أي حكومة أو أيه سلطة خارجة عن المنظمة، وعليهم أن لا يقوموا بأي عمل من شانه أن يمس مركزهم كموظفين دوليين، وتتعهد كل من الدول الأعضاء في أي من هذه المنظمات، باحترام الطابع الدولي الذي تتسم به مسؤوليات المدير العام والموظفين، وبالا تحاول التأثير عليهم أثناء قيامهم بمهامهم[1].

ويخضع هؤلاء الموظفون كل في منظمته لسلطة المدير العام، فهم مسوولون أمامه

---

(1) انظر: م 14 من نظام موظفي الايسيسكو في ميثاق المنظمة ولوائحها الداخلية مرجع سابق ص32.

- كذلك انظر المواد (م6 فقرة (5) ، م6 فقرة (6) من مواثيق اليونسكو والالكسو مراجع سابقة ص 17، 30 بالترتيب.

تنص المادة (6) من دستور الالكسو في فقرتها (6) بأن ((تكون مسووليات المدير العام والموظفين ذات طابع عربي عام... الخ)).

- كذلك انظر: م3 من نظام موظفي الالكسو لعام 2004 ص 3، تنص هذه المادة بأن ((موظفو المنظمة موظفون دوليون مسوولياتهم وانتماءاتهم تفرضها المصلحة العربية المشتركة...)).

بصفه شخصية، ويكون تعينهم في أي من هذه المنظمات كما يلي:-

يعين المدير العام للالكسو نوابه ومديري الإدارات بالتشاور مع المجلس التنفيذي، وذلك لمده أربع سنوات قابله للتجديد مرة واحدة بقرار من المدير العام[1]. بينما يعين المدير العام المساعد للايسيسكو من قبل المجلس التنفيذي، وذلك من بين مرشحي الدول الأعضاء الذين يقترحهم المدير العام، على أن يكون التعيين لمده ثلاث سنوات قابلة للتجديد لمرة واحدة، بناءاً على ترشيحه من المدير العام[2]. ويعين المدير العام في اليونسكو جميع موظفي الأمانة وفقاً لنظام الموظفين الذي ينبغي عرضه على المؤتمر العام لاعتماده، ويكون تعيين المدير العام المساعد وكذا الموظفين الرسميين لفترة لا تزيد عن خمس سنوات، ولا يستطيع أحدهم تجديد الفترة لمده تزيد عن خمس سنوات[3]. أما عمليه التعيينات أو الترقيات أو تجديد العقود المتعلقة بوظائف من درجة (مدير - 1) وما فوقها، فإن المدير العام لهذه الأخيرة، إنما يقوم بإحاطة المجلس التنفيذي علماً بهذه التعيينات التي تجري خلال الفترة منذ الدورة السابقة ويقدم تقريراً عن التطبيق السليم لنظام أدارة شؤون الموظفين، وللمدير العام أيضاً أن يستشير المجلس التنفيذي مره كل سنتين

---

(1) انظر: م6 فقرة (4) من دستور الالكسو مرجع سابق ص29.

- كذلك انظر: م10 الفقرة (1) من نظام موظفي الالكسو لعام 2004 مرجع سابق ص8.

(2) انظر: م12 (ثانياً) فقرة (2) من ميثاق الايسيسكو المرجع السابق ص 16 - 17.

- انظر أيضاً: م 21 فقرة (ف) من النظام الداخلي للمجلس التنفيذي للايسيسكو في نفس المرجع السابق ص101.

(3) انظر: م6 فقرة (4) من ميثاق اليونسكو في مرجع النصوص الأساسية 2004 مرجع سابق ص17.

- كذلك انظر: USRR، 2000، Regulation (4. 5)، p. 44

على الأقل في جلسة خاصة عن القضايا المتعلقة ببنية الأمانة وبأي تغييرات هامة يفكر في إدخالها عليها، وبالأخص فيما يتعلق بالقضايا السياسية المتصلة بالتعيين في المناصب الرئيسية في الأمانة، ويستعرض المجلس حالات التعيين وتجديد العقود المشار اليها آنفاً والتي يكون المدير العام قد أجراها منذ آخر جلسة خاصة عقدت للتشاور[1]. ويقضي نظام الالكسو بان تعيين باقي الموظفين بالإدارة العامة والأجهزة الأخرى، إنما تتم بقرار من المدير العام وفقاً لأحكام هذا النظام، بشرط أن يكون التعيين على أوسع نطاق ممكن عند شغل الوظائف من الفئات (2، 3، 4)، أما في الايسيسكو فإنه لا يؤخذ بعين الاعتبار التوازن بين الدول الأعضاء إلا عند توظيف الفئات (2،1) فقط،، وسيتم الحديث بشكل مفصل عن الوظائف الخاضعة للتوزيع الجغرافي ضمن فقرة مستقلة، وعلى أيه حال فإنه لا بد من مراعاة المستويات اللائقة من حيث الكفاءة والقدرة في مجال التخصص لمن سيتم تعينهم في هاتين المنظمتين، وبهذا الخصوص فإننا نجد أن المدير العام للايسيسكو يقوم بالإعلان عن الوظائف الشاغرة بالنسبة للفئات (2،1) بينما يتم الإعلان في الالكسو عن جميع الوظائف والدرجات الشاغرة المراد شغلها، فيما عدا وظائف ودرجات الفئة (5). وعلى العموم فإن هذه الإعلانات عن الوظائف المراد شغلها، إنما تتم عن طريق اللجان الوطنية للدول الأعضاء، حيث يبين في الإعلان - عادة - الشروط الواجب توافرها في المرشحين لشغل هذه الوظائف، وعن المهام المتعلقة بها، ومزاياها المالية، وذلك قبل النظر في الترشيح بمده لا تقل عن ثلاثة أشهر بالنسبة

---

(1) انظر: م59 من النظام الداخلي للمجلس التنفيذي لليونسكو في نفس المرجع السابق ص96.

للايسيسكو، ويتم التعيين في الوظائف في هذه الأخيرة بالتنافس أو بمفاضلة يحدد المدير العام شروطها، ويشارك فيها المرشحون الذين تتوفر فيهم الشروط المطلوبة، كذلك فإنه يتم اختيار الموظفين في الالكسو من مواطني الدول العربية وفق أسس تنافسية وبمسابقة تحريرية وشفوية[1]. أما تعيين الموظفين في الفئتين (4،3) فإن الأمر لا يتطلب من الايسيسكو سوى إخبار الدولة العضو المعينة بالأمر بذلك التعيين، كما أن تعيين الإداريين ومعاوني الخدمة وفصلهم في الالكسو إنما يتم ذلك بقرار من المدير العام[2]. ويضيف نظام هذه الأخيرة، بان تعيين الموظفين بها إنما يكون في حدود الوظائف والدرجات الشاغرة والاعتمادات المخصصة لذلك في موازنة المنظمة[3]. كذلك فإنه لا يمكن لمدير عام اليونسكو زيادة عدد الوظائف المحددة التي تشكل جزء تكاملي للبرنامج والميزانية لكل سنتين، تحت أي ظرف ما لم يتم اعتمادها من قبل المجلس التنفيذي[4]. وينبغي على مدير عام هذه الأخيرة القيام باختيار الموظفين دون تمييز بسبب العنصر أو الجنس أو الدين[5].

---

(1) انظر: بهذا الخصوص

- م2 من نظام موظفي الايسيسكو 2005 مرجع سابق ص28.

وبحسب هذه المادة أيضاً فإنه تحدد الدرجات لكل فئة من فئات الموظفين بحسب المستوى العلمي والتجربة والمؤهلات المهنية ونوع المسووليات المسندة إلي الموظف.

- المواد (10 فقرة (2)) ، (12 الفقرات (أ، ب، د) من نظام موظفي الالكسو مرجع سابق ص 8 ، 9.

(2) انظر: المواد (10 فقرة (2) ، (2) من أنظمة موظفي الالكسو والايسيسكو المراجع السابقة ص 28،8 بالترتيب.

(3) انظر: م15 من نظام موظفي الالكسو مرجع سابق ص9.

(4) انظر: USRR،2000 ، Reg (4. 1. 1) ،p. 43

(5) انظر: USRR،2000 ،p. 44 .Reg (4. 3)

وعليه أن يتخذ الخطوات اللازمة للتأكد من عدم وجود أشخاص ذات سمعة سيئة بسبب أنشطتهم ممن سيتم تعينهم في الأمانة[1]. كما أن عليه تأمين عدم مشاركة أمانة المنظمة في العلاقات التعاقدية مع الأشخاص الذين خدموا كممثلين أو ما شابه ذلك للدول الأعضاء في المجلس التنفيذي قبل انقضاء (18) شهراً من تاريخ انتهاء مهامهم التمثيلي[2]. علاوة على ذلك فإن على مدير عام اليونسكو أن يستخدم عمليه المنافسة لغرض تأمين المعايير العليا للفاعلية، الكفاءة، والإخلاص في حال التعيين أو النقل، أو الترقية، وفي تجديد التعيينات[3]. وعن عمليه حشد الموظفين وتعينهم على أساس تنافسي- نلاحظ أن المؤتمر العام لليونسكو في دورته (32) قام بتعديل المادة (2. 3. 4) من نظام الموظفين بموجب القرار رقم (32 م / 69) حيث نصت هذه المادة بعد التعديل على أنه (يجري حشد الموظفين وتعيينهم على أساس تنافسي بعد الإعلان داخلياً ولمده شهر واحد عن الوظائف الشاغرة، وفي حالة الحشد الخارجي يستمر الإعلان عن الوظائف الشاغرة لمده شهرين)[4].

وقد قام المؤتمر العام أيضاً في دورته (33) باتخاذ قرار يتعلق بتعديل المادة (4. 4) من نظام الموظفين حيث قضت هذه المادة بعد التعديل على أنه مع مراعاة أحكام المواد (2. 4 ، 3. 4 ، 1. 3. 4 ، 2. 3. 4) تعطى الأولوية في دراسة أمكانية التعيين في الوظائف الشاغرة لطلبات الموظفين

---

(1) انظر: Reg (4. 2. 1). p. 43، 2000،USRR

(2) انظر: Reg (4. 5. 2). p. 44، 2000،USRR

(3) انظر: Reg (4. 2). p. 43، 2000،USRR

(4) انظر: وثيقة المؤتمر العام لليونسكو المقدمة للدورة (33) وثيقة رقم (33 page 1 - 32 / c) بتاريخ 2005/9/2 الأصل انجليزي.

العاملين والموظفين السابقين الذين عملوا لمده سنة واحدة على الأقل وتركوا الخدمة خلال السنتين نتيجة لإلغاء الوظائف، وفي حالة الحشد الداخلي يعلن عن الوظائف الشاغرة لمده شهر واحد، ويجوز للمدير العام أن يقصر ـ أهلية التقدم لشغل الوظائف الشاغرة على المرشحين الداخليين وفقاً لأحكام لائحة الموظفين، وتعطى الأولوية التالية فيما يخص الوظائف الشاغرة المعلن عنها خارجياً، وشريطه تطبيق مبدأ المعاملة بالمثل لطالبي التعيين من العاملين في الأمم المتحدة وسائر الوكالات المتخصصة[1]. ولا أغراض تطبيق المادة (4. 4) من نظام الموظفين، اصدر المدير العام المادة (2. 104) مكرر الجديدة لإضافتها في لائحة الموظفين، وبحسب هذه المادة فإن الوظائف الشاغرة، بما فيها الوظائف من فئة مدير في الوحدات الميدانية، إنما سيتم الإعلان عنها داخلياً كقاعدة عامة وحسب الاقتضاء، وتنحصر الأهلية للتقدم لشغل الوظائف المعلن عنها داخلياً في فئتين من المرشحين هما: الموظفون الذين تم حشدهم سابقاً على أساس تنافسي ممن اجتازوا فترة الاختبار بنجاح، وكذا الموظفون الذين تم حشدهم أو تجديد تعينهم سابقاً بموجب المادة (1. 104) (ب)، (1،3) من لائحة الموظفين بناءاً على توصية من اللجنة الاستشارية للقضايا الفردية للموظفين، ويعلن عن الوظائف من فئة مدير وما فوقها في المقر داخلياً وخارجياً في نفس الوقت، ودون الإخلاء بالسلطة التقديرية للمدير العام، فيما يخص الترخيص، في حالات محددة أخرى بالإعلان عن الوظائف داخلياً وخارجياً في الوقت

---

(1) انظر: وثيقة المؤتمر العام لليونسكو المقدمة للدورة (33) وثيقة رقم 33 page 3 - c/32)) مرجع سابق.

ذاته[1].

كذلك فإن الايسيسكو - مثل المنظمات الموازية لها - تتجه لإعطاء الأولوية في ملئ الوظائف الشاغرة لموظفيها المرسمين عن طريق الترقية[2]. ومما يجدر ذكره بخصوص عمليه حشد الموظفين في اليونسكو هو ما أشارت إليه نقابه موظفي المنظمة حيث أنها استرعت انتباه المجلس التنفيذي إلى حقيقة أن حشد الموظفين في اليونسكو، مازال يتم خارج الأنظمة المكتوبة، ولا تحترم إجراءات الحشد في جملتها إلا شكلياً، فالوظائف المعلنة تخصص كلها تقريباً لأشخاص تم اختيارهم قبل إجراء التقييم الرسمي الذي يتم توجيهه بحيث يبدو عادلاً، وبهذه الطريقة تنعدم المنافسة

(1) انظر: في نفس المرجع السابق الملحق 2 (c/32 - Annexe 1133) ، المادة (2. 104) مكرر الجديدة الخاصة بالإعلان عن الوظائف الشاغرة والأهلية للتقدم لشغل الوظائف الشاغرة المعلن عنها داخلياً.
- وبحسب المادة (2. 104) الفقرة (د) فإنه عندما يتقدم موظفو اليونسكو وموظفو الأمم المتحدة أو الوكالات المتخصصة الأخرى لشغل الوظائف المعلن عنها داخلياً وخارجياً في الوقت ذاته، تعطى الأولوية في الدراسة لطلبات موظفي اليونسكو الحاليين وموظفيها السابقين الذين قضوا في الخدمة لديها سنة واحدة أو أكثر، وتركوا الخدمة خلال السنتين السابقتين نتيجه لإلغاء الوظائف، وذلك دون الإخلال بأحكام المادة (5. 109، 15. 104 من لائحة الموظفين).
- وبحسب الفقرة (هـ) من المادة السابقة فإنه في حالات الإعلان عن الوظائف الشاغرة خارجياً، تعطى للموظفين العاملين في الأمم المتحدة أو الوكالات المتخصصة الأخرى الأولوية في النظر في طلباتهم قبل طلبات المرشحين الخارجيين، شريطة المعاملة بالمثل فيما يخص حشد موظفي اليونسكو وفقاً لما قد ينص عليه نظام ولائحة الموظفين للوكالة التي ينتمي اليها الموظفون العاملون المذكورون.

(2) انظر: م2 من نظام موظفي الايسيسكو مرجع سابق ص28.

ولا تتوفر أمام أفضل أو أجدر المرشحين أي فرصة لاختياره للوظيفة[1].

ويحصل المرشح للتعيين كموظف في كل من اليونسكو والايسيسكو على رسالة تعيين موقعة من المدير العام المعني في هاتين المنظمتين، أو ممن ينوب عنهم، ويحدد في رسالة التعيين كافة البنود المتعلقة بالتعيين بحسب ما تحدده أنظمة ولوائح الموظفين، ولمدير عام هذه الأخيرة، كامل الصلاحية، في تعيين أو نقل الموظف من مرفق لآخر، أو تكليفه بمهام جديدة، مثلما هو عليه الحال في الالكسو إذ لمدير عام هذه الأخيرة نقل الموظف فيما بين الإدارات والمراكز الخارجية، حيث يتم النقل من والى المراكز الخارجية وفق القواعد والشروط الآتية:-

- أن يكون الموظف قد أمضى ما لا يقل عن سنتين خدمة متصلة بمقر المنظمة.
- أن لا تقل مده خدمة الموظف بالمركز الخارجي عن أربع سنوات متصلة ينقل بعدها إلى المقر.
- لا يشمل النقل موظفي الفئتين الرابعة والخامسة.

وسيكون ملحق رسالة التعيين للمرشح للوظيفة في اليونسكو، نسخة من قوانين وأنظمة الموظفين، ونسخة من إشعار المكتب، وفي حال قبول الموظف للتعيين، فإنه يتعين عليه أن يعلن كتابياً بأنه على معرفة بقوانين وأنظمة الموظفين، وبأنه قابل لشروطهم، ومن ثم فإن رسالة التعيين مع

---

(1) انظر: تقرير المدير العام لليونسكو عن تنفيذ عمليه الإصلاح الجزء الأول سياسة الموظفين، المتضمن تعليق نقابه المنظمة.

على تقرير المدير العام في الوثيقة رقم (EX / 6 - part 1 - add - page 4 176) بتاريخ 2007/4/11 الأصل فرنسي.

ملحقاتها ورسالة القبول مع إشعار المكتب الموقعة، فإن كل هـذه الرسـائل ستشـكل عقد التوظيف لهذا الموظف، أمـا في الايسيسـكو فإنـه يتعـين عـلى كـل مرشـح وقـع عليـه الاختيار أن يظل رهن إشارة المنظمة قصد تعينه وتحديد منصبه، وفي حاله رفضه للمنصب المسند إليه فإنه يعتبر بعد إشعار موجه إليه، أنه غير قابل للمنصب، ويحـذف أسـمة مـن لائحة المرشحين المقبولين[1].

وعلى ايه حـال فإنـه يتعـين عـلى كـل موظـف عنـد تعينـه لـدى أي مـن المـنظمات اليونسكو، الايسيسكو، أن يقدم للمنظمة المعنية، كل المعلومات المطلوبة من أجـل أكـمال الترتيبات الإدارية الخاصة بتعيـنهم وضـبط وضـعيتهم الإداريـة، وتضـيف لائحـة مـوظفي اليونسكو بان هذه المتطلبات تتضمن إثبات الجنسـية، جـواز السـفر، الحالـة الاجتماعيـة، حالة التبعية، معلومات ذات صله بمواطنهم أو المنشأ المعترف به وقـت التعيـين[2]، ويخطـر الموظف مكتب إدارة الموارد البشرية كتابيـاً لأي تغـيرات متتاليـة، في هـذه القضـايا، بيـنما يتعين على موظفي الايسيسكو إشعار المدير العام كتابياً بكل تغيير لاحق من شانه أن يغير وضعيتهم الإدارية، وفي أقرب الآجال[3].

---

(1) انظر بهذا الخصوص USRR،2000، Rule (104. 3)، p. 47.
- م (4،3) من نظام موظفي الايسيسكو مرجع سابق ص28.
- م (38،39) من نظام موظفي الالكسو مرجع سابق ص18.

(2) في تطبيق نظام موظفي اليونسكو لا يمكن الاعتراف بأكثر من جنسية لكل موظف، إلا أنه إذا كـان الموظـف المعـترف به كمواطن من قبل دول كثيرة، فإنه ينبغي إقناع المدير العام عن جنسيه الدولة الأكـثر انـتماء إليهـا. ويحـدد وطـن الموظف المعترف به من وقت تعيين الموظف، استناداً لأحكام نظام موظفي المنظمة.
- انظر بهذا: USRR،2000، 23- 24).p (a. b) (103. 8) Rule)

(3) انظر بهذا: م8 من نظام موظفي الايسيسكو مرجع سابق ص29.

وعلى العموم فإن تعيين الموظفين يصبح نافذ المفعول بالنسبة للموظفين المقيمين بدول مقار المنظمات اليونسكو والايسيسكو اعتباراً من تاريخ المباشرة الفعلية لمهامهم الوظيفية، بينما يصبح التعيين نافذ المفعول بالنسبة للموظفين غير المقيمين بدول المقار، اعتباراً من التاريخ الذي يبدأ بالسفر المعتمد للالتحاق بوظائفهم في أي من هاتين المنظمتين، ويضيف نظام الايسيسكو بأنه ينبغي أن لا تتجاوز مده السفر عدد الأيام اللازمة للالتحاق بمقر العمل بأنسب الوسائل[1]. وعلى العكس من ذلك فإن نظام موظفي الالكسو لم يفرق بين ما إذا كان الموظف مقيم في دوله المقر، أو في أحدى الدول الأعضاء، بل تطرق بشكل عام بان قرار التعيين يصبح نافذاً اعتباراً من تاريخ المباشرة الفعلية، وعلى أن يخضع جميع الموظفين لاختبار مدته سنه[2].

ومما يلاحظ على نظام موظفي الالكسو لعام 2004 أنه قد جاء مقتضباً بعكس النظام السابق - وعلى العكس أيضاً من أنظمة المنظمات الموازية اليونسكو والايسيسكو - إلا أنه مع ذلك و دون شك إنما سترد التفصيلات المختلفة لمواد هذا النظام ضمن اللائحة التنفيذية التي يصدرها المدير العام إعمالاً لأحكام مواد هذا النظام[3].

- كذلك انظر: USRR، 2000، p. 48. Rule (104. 5).

(1) انظر: م 5 من نظام موظفي الايسيسكو مرجع سابق ص 28 - 29.

- كذلك انظر: USRR، 2000، p. 48. Rule (104. 4).

تنص المادة (4. 104) بان (تعيين الموظف يعمل به اعتباراً من التاريخ الذي يبدأ بالسفر المعتمد للقيام بواجباته، وإذا لم يكن السفر مشتملاً، يبدأ الاعتماد من تاريخ القيام بواجباته).

(2) انظر: م10 فقرة (2) من نظام موظفي الالكسو مرجع سابق ص8.

(3) انظر: المواد (17،56) من نظام موظفي الالكسو مرجع سابق ص 9،29.

ثالثاً: أنواع التعيينات

إن تعينان موظفي هذه المنظمات المتخصصة، إنما تتميز بالتنوع، بحسب نوع الوظيفة المراد شغلها، وعما إذا كانت من الوظائف المصنفة أو غير المصنفة، وهل هي ضمن الوظائف الخاضعة للتوزيع الجغرافي، أم أنها ليست كذلك. وعلى أيه حال فإننا سنتحدث هنا عن التعيينات في الوظائف الغير مصنفة. حيث يجري التعيين في هذا النوع من الوظائف عن طريق التعاقد، إما لفترات مؤقتة، أو لمدة محددة، أو غير محددة المدة، وبهذا الخصوص نجد أن نظام موظفي اليونسكو، يقضي بان يتم منح وظائف لموظفين أخريين، أما لفترة مؤقتة ثابتة أو غير محددة، وفقاً لبنود وشروط تتطابق مع هذه الأنظمة[1]. كذلك فإن كلاً من المنظمات الايسيسكو والالكسو تقومان بتعيين موظفين بشكل مؤقت، ولفترات محددة، أما التعيينات غير المحددة، فلا يتم العمل بها حسب علمي في أي من هاتين المنظمتين، بعكس ما هو متبع في اليونسكو في هذا الجانب، وعليه فإننا سنتطرق للتعيين غير المحدد المدة، ثم للتعيين المؤقت، والمحدد المدة وكما يلي:-

التعيين غير المحدد المدة

تنفرد اليونسكو بهذا النوع من التعيينات - بعكس المنظمات الموازية لها - حيث يكون التعيين في هذا النوع من الوظائف تعيين بدون وقت محدد، حيث يجوز منح هذا النوع من التعيينات للموظفين الذين أكملوا على

- وبحسب المادة (17) فإن تعيين الموظفين بالالكسو إنما تتم وفقاً للإجراءات والقواعد المبينة في لائحة شؤون الموظفين.

(1) انظر: USRR، 2000، Reg (4. 5. 1)، p. 44

الأقل خمس سنوات خدمة مستمرة، ممن ينطبق عليهم معايير الفعالية والكفاءة والنزاهة، والإخلاص، المطلوبة تحت نظام (2. 4)، إلا أنه مع ذلك يتم مراجعة هذه المعايير لهذا النوع من التعيينات بعد خمس سنوات، ويجوز لمدير عام هذه المنظمة الاعتراف بالخدمة السابقة للموظف الذي عمل مع إحدى منظمات الأمم المتحدة[1].

التعيين المؤقت

تقضي أنظمة موظفي اليونسكو والايسيسكو بان التعيين في الوظائف المؤقتة إنما يكون في هذه الأخيرة، خلال الفترة التجريبية ومدتها سنة، بينما يكون هذا التعيين في اليونسكو، تعيناً لفترة مستمرة لا تقل عن سنة، ويكون خاضعاً لفترة اختبار، لمدة شهر واحد إذا كانت فترة التعيين ثلاثة أشهر أو أقل، ولمدة شهرين إذا كانت فترة التعيين أكثر من ثلاثة أشهر، و أقل من ستة أشهر، ولمدة ثلاثة أشهر، إذا كانت فترة التعيين ستة أشهر أو أكثر. ويتسلم الموظف عند تعينه في الايسيسكو رسالة موقعة من المدير العام أو ممن يفوضه بذلك، وتتضمن رسالة التعيين، أسم المرفق الذي سيعمل به الموظف، والمهام الموكلة إليه، وراتبه الشهري الإجمالي، وعند نهاية الفترة التجريبية يسلم للموظف قرار ترسيمة (أي تثبيته ضمن الوظائف المصنفة بالمنظمة) أو قرار التعاقد معه، أو قرار الاستغناء عن خدماته، موقعاً من المدير العام أو من يفوضه. وبالمثل من ذلك فإن قرار التعيين المؤقت في

---

(1) انظر: USRR، 2000، Rule (104. 7)، p. 49

- وبحسب هذا المرجع فإن نظام (2. 4) ص43 يقضي بان يستخدم المدير العام عملية المنافسة لغرض تأمين المعايير العليا للفاعلية، الكفاءة، والإخلاص، في حال التعيين أو النقل، أو ترقية الموظفين وأيضاً في تجديد التعيينات.

اليونسكو ينتهي بالتاريخ المحدد في رسالة التعيين، إلا أنه يجوز للمدير العام تمديد هذا التعيين أو تحويله إلى تعيين محدد المدة، إلا أن هذا التعيين المؤقت لا ينبغي أن يحمل أي توقع أو احتمال لأي حق في مثل هذا التمديد أو التحويل ما لم يتم تجديده أو تحويله أو إنهائه وفقاً لبنوده، وبدون إشعار أو تعويض[1]. ويأتي نظام موظفي الالكسو - على العكس من أنظمة المنظمات الموازية - ذلك أنه لم يتضمن النص صراحة على التعيينات المؤقتة في المنظمة، وأن كان ذلك بطبيعة الحال وارد ضمناً في المادة (16)، القاضية بتعيين المستخدمين المحليين في الإدارة العامة والمراكز الخارجية للمنظمة، إذ من المعروف أن تعيين مثل هؤلاء الموظفين إنما يتم بشكل مؤقت، كما أن تفصيل مثل هذه التعيينات إنما ترد أصلاً في اللائحة التنفيذية الخاصة بنظام الموظفين، والمعني أصلاً بوضع هذه اللائحة هو المدير العام[2]. علاوة على ذلك فإن قواعد الاستعانة بالخبراء في الالكسو إنما تتضمن نوعين من الخبراء، النوع الأول الخبراء الذين تستعين بهم المنظمة بصفة مؤقتة، لتنفيذ مشروع أو إعداد دراسة أو بحث أو ورقة عمل، وتحدد المكافئة على أساس عدد أيام العمل التي تقدرها الإدارة المعنية لانجاز العمل، مع مراعاة طبيعة المهمة وقيمتها العلمية، واستدلالاً برواتب نظرائهم من موظفي المنظمة، أما النوع الثاني من الخبراء فهم الخبراء

---

(1) انظر بهذا الخصوص: USRR،2000، Rule (104. 8)، p. 49

- كذلك انظر: م10 من نظام موظفي الايسيسكو مرجع سابق ص30

وبحسب هذه المادة أيضاً فإن الموظف خلال هذه الفترة التجريبية يتمتع بمقتضيات أنظمة كل من صندوق التكافل، والتوقف النهائي عن العمل، شريطة تحمله للنسب المحددة في الأنظمة الداخلية لهذه الصناديق كما يتمتع بالتأمين ضد حوادث الشغل.

(2) انظر: م16 من نظام موظفي الالكسو مرجع سابق ص9.

المتفرغون وهو ما سيتم التحدث عنهم ضمن الفقرة الموالية، ومثل هذه التفصيلات غير واردة كذلك في نظام المنظمة[1].

التعيين المحدد المدة

إن نظام موظفي الايسيسكو يفرق بين نوعين من التعيينات التعاقدية فهناك الموظف المتعاقد معه لمدة لا تتجاوز السنة، وأيضاً الموظف المتعاقد معه لمدة تزيد عن سنة، ويحدد في عقد العمل واجبات الموظف وحقوقه، ومدة العقد والراتب الشهري، وغير ذلك من شروط التعامل الأخرى، وبالمثل من ذلك فإن نظام موظفي الالكسو قد منح مديرها العام الحق في اختيار مستشارين وخبراء للقيام ببعض المهام المحددة ولمدة أقصاها سنة قابلة للتجديد - بشرط أن يكون التعاقد معهم في حدود الوظائف والدرجات الشاغرة والاعتمادات المخصصة لذلك في موازنة المنظمة - وعلى أن يتم ذلك طبقاً لقواعد ونظم الاستعانة بالخبراء[2]. حيث تصدر هذه القواعد بقرار من المدير العام بعد التشاور مع المجلس التنفيذي، وبحسب مقترحات المدير العام للالكسو المقدمة لدورة المجلس التنفيذي في دورته (78) حول تعيين الخبراء فإنه يفرق بين نوعين من هؤلاء الخبراء، المؤقتون وقد سبق الحديث عنهم في الفقرة السابقة، أما النوع الثاني فهم الخبراء المتفرغون، وهؤلاء يتم التعاقد معهم لمدة أقصاها عام، يجوز تجديدها مرة واحدة بموافقة المجلس التنفيذي، ويشمل عقد تعيين الخبير(المتفرغ أو المؤقت) مدة

---

(1) انظر: وثائق المجلس التنفيذي للالكسو الدورة (78) لشهر سبتمبر 2003 وثيقة رقم (21) ص4.

(2) انظر: المواد (15،11) من نظام موظفي الالكسو 2004 مرجع سابق ص 9،8.

- كذلك انظر: م11 من نظام موظفي الايسيسكو 2005 مرجع سابق ص 30 - 31.

التعاقد، فئة الخبير، المهام والأعمال التي سيقوم بها، المكافئة الشهرية والاستحقاقات المالية، وتاريخ انتهاء العقد، وكذا الحقوق والواجبات طبقاً لنظام موظفي المنظمة[1]. ويكون التعيين المحدد المدة في اليونسكو تعيين لفترة مستمرة ليست أقل من سنة، تنتهي في تاريخ محدد في رسالة التعيين، على أنه يجوز تمديد أو تحويل التعيين المحدد المدة إلى تعيين غير محدد وفقا لتقدير المدير العام، وتكون جميع التعيينات المحددة الأجل التمهيدية خاضعة لفترة اختبار بغرض تقييم سلوك وكفاءة الموظفين للواجبات الدولية، وعند انتقال أو إعارة موظف من إحدى منظمات الأمم المتحدة، يجوز للمدير العام اعتبار الخدمة السابقة مع المنظمة فترة اختبار مرضية[2]. ويجوز لمدير عام الايسيسكو عند نهاية فترة التعاقد تجديد عقد العمل، أو ترسيم الموظف، كما يجوز اعتبار فترة التعاقد جزءاً من المدة التجريبية، أو بمثابة الفترة التجريبية المنصوص عليها في المادة (10) من هذا النظام، كما يمكن إنهاء خدمات الموظف المتعاقد معه بطلب منه أو من المنظمة شريطة إخطار أحد الطرفين بذلك بمدة لا تقل عن شهرين[3].

---

(1) انظر: وثائق المجلس التنفيذي للالكسو الدورة (78) مرجع سابق وثيقة (21) ص4.

(2) انظر: USRR،2000، Rule (104. 6)، p. 48.

- وبحسب هذه المادة، فإنه إذا تم تحويل التعيين المحدد المدة إلى تعيين غير محدد المدة بتصرف من المدير العام، إلا أن هذا التعيين المحدد سوف لا يحمل أي توقع ولا احتمال لأي حق في مثل هذا التمديد أو التحويل ما لم يتم تمديده وتحويله وفقاً لبنوده، ودون إشعار أو مقابل.

- كذلك انظر الفقرة (ج) من هذه المادة حول مدة فترة الاختبار، وهي سنة واحدة في حال التعيين الأولى، وفي حالات أخرى تكون لمدة سنتان أو أكثر... الخ.

(3) انظر: م11 من نظام موظفي الايسيسكو مرجع سابق ص31

رابعاً: شروط التوظيف

يشترط للتوظيف في المنظمات المتخصصة اليونسكو، الالكسو، الايسيسكو الآتي[1]:

- أن يكون الشخص المتقـدم لطلب الوظيفـة حامـلاً لجنسـية أحـدى الـدول الأعضاء، ويشترط نظام موظفي الالكسو أن يكون مـن أب عـربي الجنسـية وغير متـزوج مـن أجنبية قبل وخلال مدة الخدمة، بينمـا يستثني نظام مـوظفي اليونسكو مـن هـذا الشرط ، إمكانية التعيين لشخص أخر من غير مـواطني الـدول الأعضاء عنـدما يكون مؤهلاً جيداً.

- أن يكون قد أتم من العمر أحدى وعشرـين عامـاً بالنسـبة للتوظيف في الايسيسكو، بينما يشترط نظام موظفي الالكسو بان يكون قد أتم من العمر ثلاثة وعشرين عامـاً، وينبغي أن لا يكون في هذه الأخيرة قد تجاوز خمسة وخمسين عامـاً.

- أن يكون سليماً من الأمراض والعاهات التي تعوقه عن أداء وظيفته، وأن يثبـت ذلك بناءاً على تقرير من لجنة طبية معتمدة، كذلك فإن جميع التعيينات في اليونسكو إنما تكون مشروطة بناءاً على شهادة طبية تقدم

- وحسب هذه المادة أيضاً فإن الموظف المتعاقد معه يتمتع بمقتضيات أنظمة صـندوقي التكافل والتوقف النهائي عـن العمل، شريطة تحمله لنسب الاقتطاعات المحددة في الأنظمة الداخلية لهذين الصندوقين.كما يتمتع بالتأمين ضد حوادث الشغل.

[1] انظر بهذا الخصوص: م (14،13) من النظام الأساسي لموظفي الالكسو 2004 مرجع سابق ص9.
- م (7،1) من نظام موظفي الايسيسكو مرجع سابق ص29،27.
- م6 فقرة (4) من ميثاق اليونسكو 2004 مرجع سابق ص17.
((104. 9 (a، Rule (104. 2 ، 2000 ، USRR ،p .47 ،49

مـن قبـل الموظـف الطبـي الـذي يعـين مـن قبـل المـدير العـام، بيـنما يضـيف نظـام الايسيسكو شرطاً أخر، وهو أن تكتمل في المرشـح شروط التأهيـل الجسـمي والفكـري التي تتطلبها مهام وظيفته.

- أن يكون قد أدى الخدمة العسكرية في بلادة، إذ كانت هذه الخدمة إجباريـة، أو أنـه قد أعفي منها قانوناً.
- أن تتوفر في المرشح أعلى صفات النزاهـة والكفـاءة والمقـدرة الفنيـة، حسـب الميثـاق التأسيسي لليونسكو.
- أن يكون حسن السـيرة والسـلوك، متحليـاً بـالأخلاق اللائقـة، في كـل مـن الايسيسـكو والالكسو ويضيف نظام هذه الأخيرة شرطاً أخر، هو أنـه لم يسـبق أن حكـم عليـه في جناية أو جنحة مخلة بالشرف أو الأمانة أو وقـع فصـلة مـن وظيفـة سـابقة لأسـباب جزائية.
- أن يكـون حـائزاً في الالكسـو عـلى مؤهـل جـامعي يتفـق ومتطلبـات وشروط شـغل الوظيفة فيما يخص الفئة الثانية والثالثة ومؤهل الثانوية العامـة أو مـا يعادلهـا فـيما يخص الفئة الرابعة، ومؤهل تعليمي متوسط فيما يخص الفئة الخامسة.

يطلب من المرشح للوظيفة في الفئة المهنية باليونسكو أن يكون لدية درجة جامعيـة أو ما يعادلها من خبرة، وأن يبين بان لدية معرفة جيدة بإحدى لغات العمل في الأمانة.

يشترط نظام موظفي الايسيسكو، أن يكون المرشح للوظيفة مسلماً، وإذا كان متزوجاً فبمسلمة.

يطلب من المرشح لوظيفة سكرتير في اليونسكو أن يكون لديـه معرفـة مرضـية للغـة العمل الأخرى للمؤتمر العام.

لا تعين هذه المنظمات زوج أو زوجة أو أب أو أم أو أبن أو بنت أو أخ أو أخت أحد موظفيها، كأصل عام، أو كقاعدة عامة، فيما عداء استثناءات محددة، وبهذا الخصوص نجد أن نظام الالكسو قضى بعدم جواز مثل هذا التعيين لأحد موظفي الفئات الثلاثة الأولى، إلا أن أنظمة كل من موظفي اليونسكو والايسيسكو قضت بأنه أن تم مثل هذا التعيين فإنه سيكون ذلك بمراكز أخرى تابعة لهذه الأخيرة، وسوف يكون غير مخولاً للخدمة في نفس القطاع أو المكتب في اليونسكو، ويضيف نظام هذه الأخيرة بأنه عندما يتزوج موظفان في نفس القسم، يتم نقل أحدهما إلى الوظيفة الشاغرة المناسبة في قسم أخر.

يشغل الوظائف في فئة الخدمة العامة عادة من خلال تعيين أشخاص يتم توظيفهم محلياً في بلد مكان العمل في اليونسكو، باستثناء وظائف اللغة المحددة في المقر الرئيس الذي لا يمكن أن تشغل من السوق المحلي.

تكون الأولوية في الاعتبار المشار اليها في نظام موظفي اليونسكو (4.4) محددة للوظائف الشاغرة في مكان عمل الموظفين، وذلك للموظفين في فئة الخدمة العامة.

يؤدي الموظفون المعينون قبل مباشرتهم للعمل أمام المدير العام للايسيسكو أو من ينوب عنه القسم التالي (بسم الله الرحمن الرحيم، إيماناً بواجبي نحو ديننا وامتنا الإسلامية، أقسم بالله العظيم أن أؤدي واجبات وظيفتي في المنظمة الإسلامية للتربية والعلوم والثقافة، بالأمانة والصدق والإخلاص)[1]. بينما يكون قسم الموظف المعين في الالكسو أمام المدير العام

---

(1) انظر: م1 فقرة (ط) من نظام موظفي الايسيسكو مرجع سابق ص27.

أو من يفوضه كما يلي (أقسم بالله العظيم أن أكون وفياً لأهـداف المنظمـة العربيـة للتربية والثقافة والعلوم، وأن أؤدي واجبات وظيفتي بالأمانـة والشرف والإخـلاص)، ويـتم التوقيع عليه من قبل الطرفين ويحفظ بملـف خدمـة الموظـف[1]. أمـا في منظمـة اليونسـكو فإنه عند قبول تعيين الموظفين فيها، ينبغي على كل موظف توقيع الإشعار التالي (أنا أقسم بمزاوله المهمات المخولـة لي كموظـف مـدني دولي لمنظمـة اليونسـكو بكـل إخـلاص ورشـد وذمه، وأن يكون أدائي لهذه الوظيفة بما يتلاءم مع مصالح منظمـة الأمـم المتحـدة للتربيـة والعلوم والثقافة فقـط، ولا أتلقـى تعليمات بشـان أداء واجبـاتي مـن أي دولـة أو سـلطة خارجة عن المنظمة)[2].

خامساً: واجبات موظفي المنظمات المتخصصة

يقضي نظام موظفي الالكسو بان موظفي المنظمـة موظفـون دوليـون فمسؤولياتهم وانتماءاتهم تفرضها المصلحة العربية المشتركة، بينما حدد نظام مـوظفي الايسيسـكو بـان الموظفين الدوليين، إنما هم فئة الموظفين المنتمين للفئة الخاصة، والفئات الأولى والثانيـة في المنظمـة، أي عـلى العكس مـن نظـام الالكسـو وعـلى العكـس أيضـاً مـن نظـام مـوظفي اليونسكو، إذ قضى نظـام هـذه الأخـيرة بـأن أعضـاء الأمانـة ينـدرجون في عـداد المـوظفين الدوليين، وعلى أيه حال فإن على موظفي هذه المنظمات القيام بواجباتهم بمـا يـتلاءم مـع مصالح وأهداف هذه المنظمات[3]. حيث يتعين على موظف الالكسو تأدية

(1) انظر: م4 من نظام موظفي الالكسو مرجع سابق ص3.

(2) انظر، USRR (109) Regulation، 2000،p. 12 ،

(3) انظر: بهذا الخصوص:USRR،2000 ، (1. 1) Reg ،p. 11

- المواد (14،3) من أنظمة موظفي المنظمات الالكسو والايسيسكو مراجع سابقة ص

أعمال الوظيفة المنوطة به بدقة وإخلاص، وعلى أن يتم العمل على مراعاة مصالح المنظمة، والالتزام بتطبيق أنظمتها[1]. وينبغي على موظفي اليونسكو والايسيسكو الالتزام في كل الأوقات بسلوك جدير بوضعهم، وأن يتجنبوا أي عمل من شانه التأثير على القيام بواجباتهم أو على إخلاصهم واستقلاليتهم ونزاهتهم، ومع أنه ليس متوقعاً منهم التنحي عن عواطفهم الوطنية أو اعتقادهم السياسي (ويضيف نظام اليونسكو أو الديني)، إلا أنهم مطالبون دوماً أن يضعوا في الاعتبار التحفظ واللياقة المطلوبتين[2]. كما يتعين على موظف الالكسو أن يكون سلوكه متفقاً مع ما تقضيه مهام عملة، وأن يحافظ على المستوى اللائق بوظيفته وأيضاً على أموال وممتلكات و وثائق المنظمة[3]. وعلى موظفي هذه المنظمات الخضوع لسلطة المدير العام المعني في أي منها، إذ تقع على مدير عام اليونسكو مسؤولية ممارسة هؤلاء الموظفين لوظائفهم، حيث سيكون وقتهم الكامل تحت تصرف المدير العام، وعلى هذا الأخير وضع أسبوع العمل العادي لموظفي المنظمة، كما أن على موظف الالكسو أن يتعاون مع زملائه لتأمين سير العمل، وأن يلتزم بتنفيذ تعليمات رؤسائه، مثله في ذلك مثل موظف الايسيسكو، بل أن نظام هذه الأخيرة يضيف، ودون إعفاء الرؤساء من تحمل المسؤولية التي

32،3 بالترتيب.

- مرشد عملي من أجل اللجان الوطنية لليونسكو مرجع سابق ص32.

[1]   انظر: م 6 (1) الفقرات (أ، ب) من نظام موظفي الالكسو 2004 مرجع سابق ص4.

[2]   انظر: م15 من نظام موظفي الايسيسكو المرجع السابق وبنفس الصفحة.

- كذلك أنظر: USRR، 2000 ، Reg (1. 4) ، p. 11

[3]   انظر: م 6 (1) فقرة (ج) من نظام موظفي الالكسو المرجع السابق وبنفس الصفحة.

تكون قد أسندت إلى مرووسية[1].

كما أنه لا يجوز لموظفي هذه المنظمات، أثناء تأدية واجباتهم قبول أي تعليمات من أيه دولة أو سلطة خارجة عن أياً من هذه المنظمات[2]، كذلك فإنه لا يسمح لموظفي هذه المنظمات ممارسة أي نشاط سياسي يتعارض مع ما يفرضه وضعهم من استقلال ونزاهة[3].

كما لا يجوز لأي موظف من موظفي الايسيسكو والالكسو الجمع بين وظائفهم، وبين أي وظيفة أو عمل أخر خارج عن المنظمة التي يعمل بها، ويضيف نظام هذه الأخيرة، إلا إذا كان ذلك في الحالات التي يوافق عليها المدير العام كتابة، على أن لا يتعارض ذلك مع طبيعة مواعيد عمله في المنظمة، وبالمثل من ذلك فإنه لا

---

[1] انظر: بهذا الخصوص: USRR،2000 ، (1. 3) ، (1. 2. 1) Reg ،p. 11

- المواد (16) ، (6) (1) الفقرات (د، هـ) من أنظمة الايسيسكو والالكسو مراجع سابقة ص 4،32 بالترتيب.

- وبحسب الفقرة (هـ) من المادة (6 / 1) من نظام الالكسو فإنه يتعين على الموظف أن يلتزم بتنفيذ تعليمات رؤسائه، إلا إذا كانت هذه التعليمات مخالفة للأنظمة، وفي هذه الحالة، على الموظف أن يوضح لرئيسة، كتابة نوع المخالفة والضرر المحتمل ولا يقوم بتنفيذ هذه التعليمات، إلا إذا أكدها عليه رئيسة كتابة.

[2] انظر بهذا USRR،2000 ، (1. 3) Reg ،p. 11

- المواد (17) ، (6) (2) فقرة (2) من أنظمة الايسيسكو والالكسو مراجع سابقة ص 5،32 بالترتيب.

[3] انظر بهذاUSRR،2000 ، (1. 7) Reg ،p. 12

- م 26 من نظام موظفي الايسيسكو مرجع سابق ص35.

- وبحسب هذين المرجعين فإنه يجوز لموظفي هاتين المنظمتين (الايسيسكو واليونسكو) ممارسة حقوقهم المدنية في التصويت.

- كذلك انظر م6 (2) فقرة (هـ) من نظام الالكسو مرجع سابق ص5.

يجوز لموظف اليونسكو أن يشغل منصب في أي جمعية يكون أهدافها وأنشطتها مقارب لتلك الأهداف الخاصة بالمنظمة، كما ينبغي ألا يمارس أي وظيفة عادية خارجية دون موافقة مسبقة كتابياً من المدير العام، ويضيف نظام هذه المنظمة بأن أي موظف يتوفر لديه مناسبة لاستخدام إمكانياته الرسمية في التعامل مع أي قضية متعلقة بشركة أو شراكة أو أي عمل أخر متصل يكون لديه مصلحة، يتوجب إعلام المدير العام عن طبيعة ومقياس هذا العمل[1].

ويحضر على موظف الالكسو البيع أو الشراء المباشر أو بالواسطة لما تطرحه أو تطلبه المنظمة، كما يحضر علية قبول أي هدية أو وسام أو هبة أو مكافئة أو منحة من أي جهة غير المنظمة تكون مقدمة بحكم وظيفته بدون موافقة المدير العام، وبالمثل من ذلك لا يجوز لعضو الأمانة باليونسكو خلال فترة تعينه قبول أي امتيازات أو هبات، أو مكافآت من أي دولة أو من أي مصدر خارج المنظمة دون ترخيص بذلك من المدير العام ووفقاً لأحكام نظام ولائحة موظفي المنظمة[2].

---

(1) انظر بهذا الخصوص

p. 14، Rule (101. 5) ، 2000،USRR

- المواد (18) ، (6 (2) فقرة (د)) من أنظمة الايسيسكو والالكسو مراجع سابقة ص 32 ، 5 بالترتيب.

(2) انظر بهذا: م 6 (2) الفقرات (و ، ز) من نظام موظفي الالكسو مرجع سابق ص5.

p. 12، Reg (1. 6) ، 2000،USRR

- وبحسب هذه المادة، فإنه يمكن لمدير عام اليونسكو قبول مثل هذه الامتيازات، مقابل الخدمات التي قام بها قبل تعينه أو لخدمته في الحرب، ويجوز له قبول أوسمة الشرف والجوائز من المنظمات التربوية، العلمية، أو الثقافية، وقبول المكافآت لعمل تم انجازه من

ويحضر على موظفي الالكسو والايسيسكو، إفشاء أي معلومات سرية حصلوا عليها أثناء قيامهم بوظائفهم، ويضيف نظام هذه الأخيرة، إلا إذا كان ذلك في نطاق ممارستهم لمسؤولياتهم، أو برخصة من المدير العام، على أن الالتزام بهذه السرية يستمر كذلك لكل ما من شأنه أن يمس مصالح المنظمة، حتى بعد انتهاء فترة عملهم بها[1]. كما أنه لا يسمح لموظفي هذه المنظمات القيام بالاتي[2]: -

- الإدلاء بتصريح أو حديث في وسائل الإعلام المختلفة.
- إلقاء المحاضرات أو تناول الكلمات أمام العموم.
- السعي في نشر مقالات وكتب وغيرها في كل من الايسيسكو

عضو في الأمانة في وقته الإضافي بحيث لا يتعارض مع وضعة كموظف دولي.

- وبحسب القوانين (7. 101) ، (8. 101) من هذا المرجع ص15،14 ، فإن موظف اليونسكو لا يقبل أي إكرامية أو إحسان من أي شركة تجارية أو أشخاص لديهم علاقة تجارية مع المنظمة.

، يحرز الموظف قبل قبوله لمرتبة الشرف، أو جائزة أو بدل أو هبة، أو مكافئة، أو عرض لمكافئة نتيجة عمل خارجي تم أداوه في وقته الإضافي، دون ترخيص خطي من المدير العام.

(1) انظر: المواد (25) ، (6 (2) فقرة (ب)) من أنظمة الايسيسكو والالكسو مراجع سابقة ص 4،35 بالترتيب.

(2) انظر بهذا الخصوص

- المواد (24) ، (6 (2) فقرة (ج)) من أنظمة الايسيسكو والالكسو نفس المراجع السابقة وبنفس الصفحات.

p. 14، Rule (101. 6) ، 2000،USRR

- وبحسب هذا المرجع فإن الفقرة (جـ) من القانون (6. 101) تقضي بأن الموظفين المقيمين في أماكن عمل بعيده عن المقر الرئيسي أو في بعثة، إنما ينبغي عليهم الحصول على موافقة مسبقة بذلك من كبير الموظفين أو من أقرب ممثل لليونسكو.

واليونسكو.

- المشاركة في الإذاعة أو التلفزة فيما يخص اليونسكو أو الأمم المتحدة، وأي وكالة متخصصة أو أي منظمة حكومية دولية أخرى.
- أن يشاركوا في إنتاجات سينمائية أو مسرحية أو إذاعية أو تلفزة في الايسيسكو. ما لم يكن ذلك في إطار ممارستهم العادية لوظائفهم أو بترخيص من مدراء عموم هذه المنظمات.

كما يحضر على موظف الالكسو الاحتفاظ لنفسه بأي وثيقة من وثائق المنظمة الرسمية غير المسموح بتداولها[1]. وبحسب مقتضيات المواد (20،19) من نظام موظفي الايسيسكو فإنه يجب على موظف هذه المنظمة أن يكون حاضراً بمقر عمله، ولا يجوز له أن يتغيب عن عمله إلا بإذن من رئيسة المباشر، وأي تغيب غير مبرر تفوق مدته ثلاثة أيام متوالية لأسباب غير التي ينص عليها في هذا النظام كما يجب عليه أن يعتني بوسائل العمل الموضوعة تحت رعايته، وعليه أن يحترم القوانين والتعليمات الخاصة باستخدام أجهزة السلامة وسبل المحافظة عليها، ويتعرض الموظف في هذه المنظمة لإجراءات تأديبية فضلاً عن متابعته أمام المحاكم إذا اقتضى الأمر ذلك، إذا ارتكب خطأ أثناء تأدية الواجبات المنوطة به سواء كان عن عمد أو إهمال، ومن هذه الأخطار على سبيل المثال: استغلال منصبة وتجاوز حدود واجباته، وإعاقة أو توقيف سير العمل العادي، والتقصير في مراعاة السلم الإداري، وأي تصرف غير لائق تجاه الرؤساء والموظفين وأي رفض غير مبرر لتنفيذ الأوامر الخاصة بالعمل، وإتلاف ممتلكات المنظمة نتيجة

(1) انظر: م6 (2) فقرة (أ) من نظام موظفي الالكسو مرجع سابق ص4.

إهمال أو عن قصد وعدم احترام الإجراءات الخاصة بالصحة والوقاية واستعمال الأرصدة والمستندات وممتلكات المنظمة المسؤول عنها سواء كان ذلك لفائدة الغير أو لمصلحته الشخصية[1]. وبالمثل فإن توريط اليونسكو بديون غير لازمة، نفقة أو خسارة من قبل أي موظف بسوء نية أو نتيجة إهمال، أو فشل في إتباع القوانين والأنظمة أو الإجراءات الإدارية المتبعة في المنظمة، فإنه سيتحمل المسؤولية وقد يطلب منه تعويض بذلك[2].

وعلى العموم فإنه لي بعض الملاحظات على المادة (20) وأيضاً على بعض ما ورد في المادة (19) الأنف ذكرهما: فقد نصت بعض فقرات المادة (19) بان (... يتعرض الموظف لإجراءات تأديبية كلما أرتكب خطأ ناتجاً عن عدم قيامة بمهامه و واجباته المهنية، سواء كان عن تعمد أو إهمال من طرفة، والأخطاء على سبيل المثال... الخ)، بينما تنص المادة (20) على (إن أي أخطأ يرتكبه الموظف أثناء ممارسته أو في نطاق ممارسته لوظيفته يعرضه لإجراء تأديبي بقطع النظر عن متابعته أمام المحاكم إذا أقتضى الحال).

وملاحظاتي على هذه النصوص الواردة في نظام الايسيسكو هي:-

الملاحظة الأولى

تتعلق بالفقرة الواردة ضمن المادة (19)، وتعليقنا على ذلك إنما يكون عبر إثارة التساؤل الأتي: وهو كيف يمكن للموظف أن يرتكب أخطأ في حال عدم قيامة بمهامه وواجباته الوظيفية؟ فكما هو معلوم بأن الأخطأ لا ترتكب إلا أثناء ممارسة الموظف لمهامه وواجباته الوظيفية، ولعل هذا

---

(1) انظر: المواد (20،19) من نظام موظفي الايسيسكو مرجع سابق ص 33- 34.

(2) انظر: USRR ،2000 ، (101. 2) Rule ،p. 13

الخطأ الغير مقصود بطبيعة الحال ربما قد تم التنبه إليه في المادة (20) وكما سيتضح ذلك في الملاحظة التالية.

الملاحظة الثانية

تتعلق بالمادة (20)، ولعل هذه المادة، قد تلافت الوقوع في الخطأ الوارد في فقرة المادة السابقة (19) إذ نصت على أن أي أخطأ يرتكبه الموظف أثناء ممارسته أو في نطاق ممارسته لوظيفته... الخ، وهو ما يؤيد صحة ما ذهبنا إليه في الملاحظة الأولى، إلا أن هذه المادة مع ذلك وفي رأيي الشخصي تحتاج إعادة في الصياغة، بشكل أكثر دقة مما هي عليه، بحيث يكون نص هذه المادة كما يلي (إن أي أخطأ يرتكبه الموظف أثناء ممارسته لواجباته الوظيفية يعرضه لإجراء تأديبي، فضلاً عن متابعته أمام المحاكم إذا اقتضى الأمر ذلك).

وبناءاً على ما ورد في الملاحظتين السابقتين أرى الأتي:-

إما أن يتم الإبقاء على المادة (20) بالصيغة المقترحة، وفي هذه الحالة، فإنه ينبغي تعديل الفقرة الواردة ضمن المادة (19) بحيث لا يكون هناك أي تكرار بين محتوياتهما.

على أن الرأي الراجح في تقديري هو أن يتم دمج المادة (20) وفق الصياغة المقترحة مع الفقرة الواردة ضمن المادة (19) وما بعدها، ليشكلا معاً المادة (20) في صيغتها الجديدة بحيث يكون نصها كما يلي (يتعرض الموظف لإجراءات تأديبية حسب مقتضيات هذا النظام، فضلاً عن متابعته أمام المحاكم إذا اقتضى الأمر ذلك، إذا أرتكب خطأ أثناء ممارسته لواجباته الوظيفية سواء كان ذلك عن عمد أو إهمال، وهذه الأخطأ على سبيل المثال... إلى أخر المادة).

علاوة على ما سبق فإن نظم موظفي اليونسكو، الالكسو، الايسيسكو، تقضي بأنه لا يعتمد على الامتيازات والحصانات الدبلوماسية التي يتمتع بها موظفو هذه المنظمات، لإعفائهم من القيام بواجباتهم، أو إتباع القوانين واللوائح التنظيمية بالنسبة لموظفي اليونسكو، ويضيف نظام الالكسو وأنظمة دولة المقر، بينما تطرق نظام الايسيسكو بأنه لا يعفيهم من احترام القوانين المحلية، وإذا وقع التباس في هذه الأخيرة، أو في اليونسكو حول تطبيق هذه الامتيازات والحصانات فإنه ينبغي على الموظف المعني بالأمر أن يقدم مباشرة تقريراً إلى المدير العام المعني بالأمر في أي من هاتين المنظمتين، ليقرر ما إذا كان ينبغي عليه الاستغناء عن هذه الامتيازات أم لا[1]. وبالنسبة لموظفي الالكسو فإنه يجوز رفع الحصانات عنهم في الأحوال المنصوص عليها في اتفاقية المزايا والحصانات واتفاقية المقر[2]. وقد سبق التطرق لهذه الامتيازات والحصانات بشكل مفصل ضمن القسم الأول من هذه الأطروحة.

سادساً: الوظائف الخاضعة للتوزيع الجغرافي

تقضي مواثيق كل من اليونسكو والالكسو بان تعيين الموظفين بهما إنما يكون على أوسع نطاق جغرافي ممكن بين الدول الأعضاء بأي منها[3].

---

(1) انظر بهذا الخصوص

p. 12، Reg (1. 8) ، 2000،USRR

- المواد (22) ، (20 فقرة (ب) من أنظمة موظفي الايسيسكو والالكسو مراجع سابقة ص 11،34 بالترتيب.

(2) انظر: م20 فقرة (ج) من نظام موظفي الالكسو المرجع السابق ص11.

(3) انظر: م6 فقرة (4) في كل من ميثاق ودستور اليونسكو الالكسو مراجع سابقة ص 29،17 بالترتيب.

ويقضي نظام هذه الأخيرة بأنه عند التعيين في وظائف الفئات (الثانية، والثالثة، والرابعة) يتم تحقيق التوازن بين الدول الأعضاء[1]. وبالعكس من ذلك فإن نظام موظفي الايسيسكو يقضي بأنه عند توظيف فئات الموظفين (الأولى والثانية) يؤخذ بعين الاعتبار التوازن بين الدول الأعضاء[2]. أما الوظائف القابلة للتوزيع الجغرافي في اليونسكو فهي بشكل عام وظائف الفئة الفنية (المهنية) ووظائف الإدارة العليا[3]. مع بعض الاستثناءات وكما سيرد ذلك تباعاً.

وعلى العموم فإنه ينبغي على مدراء عموم هذه المنظمات القيام بالإعلان عن جميع الوظائف والدرجات الشاغرة والمخصصة للتوزيع الجغرافي في كل من اليونسكو والايسيسكو، بينما يتم الإعلان في الالكسو عن جميع الوظائف والدرجات الشاغرة المراد شغلها باستثناء وظائف ودرجات الفئة (الخامسة) وترسل هذه المنظمات الإعلانات بهذه الوظائف إلى الدول الأعضاء عبر لجانها الوطنية (كما سبق أن بينا ذلك) حيث تقوم اللجان الوطنية بدورها في عملية الترويج لهذه الوظائف وجمع طلبات الترشيح، ومن ثم اختيار ما ترسله منها إلى المنظمة المعنية[4]. وللتوضيح بلغة الأرقام نجد أن الوظائف الخاضعة للتوزيع الجغرافي في ميزانية

---

(1) انظر: م12 الفقرة (د) من النظام الأساسي لموظفي الالكسو مرجع سابق ص 8 - 9.

(2) انظر: م2 من نظام موظفي الايسيسكو مرجع سابق ص28.

(3) انظر: د. حسن نافعة العرب واليونسكو مرجع سابق ص113.

(4) انظر بهذا الخصوص

- مرشد عملي من أجل اللجان الوطنية لليونسكو لعام 1996م مرجع سابق ص31.
- م2 من نظام موظفي الايسيسكو نفس المرجع السابق وبنفس الصفحة.
- م12 فقرة (أ) من نظام الالكسو مرجع سابق ص8.

الالكسو للدورة المالية (2005 - 2006) 72 وظيفة، وهو ما يشكل نسبة 3،71% تقريباً من إجمالي وظائف المنظمة البالغ عددها في هذه الدورة (101) وظيفة[1]. ومما يلاحظ أن هذه النسبة المخصصة للتوزيع الجغرافي في هذه الأخيرة، أنها الأعلى، مقارنة بنسبة 6،40% في الدورة المالية (2004 - 2005) في اليونسكو، وبنسبة 9،31% في الايسيسكو في شهر يوليو 2007[2].

وحيث أنه لا تتوفر لدينا البيانات الإحصائية المتعلقة، بعدد الدول العربية الممثلة ضمن الملاك الوظيفي للالكسو، على أن هذا الأمر وأن كان لا يثير إشكالاً في هذه المنظمة بالنظر إلى عوامل اللغة والدين والتاريخ والعادات والمصير المشترك، الذي يجمع الدول أعضاء هذه المنظمة في إطار قوميه واحدة (القومية العربية)، إلا أنه مع ذلك وتوخياً للشفافية المطبقة في سائر المنظمات الدولية، فإنه ينبغي أن تدرج الالكسو مثل هذه المعلومات لأهميتها ضمن موازناتها في الدورات المالية المتعاقبة - مثلما هو عليه الحال في اليونسكو - إلا أنه مع ذلك في تقديري أن الالكسو ربما تكون سائرة في هذا الاتجاه، خاصة مع زيادة نسبة عدد الوظائف الخاضعة للتوزيع الجغرافي إلى ما يربوا عن 71% وذلك بعد المصادقة على النظام

---

(1) انظر: الميزانية والبرنامج لعامي 2005 - 2006 إصدارات الالكسو تونس ديسمبر 2004 ص 22 - 23 مع ملاحظة أنه تم استبعاد وظيفة المدير العام، وكذا الوظائف المعاونة، من إجمالي الوظائف بالإدارة العامة والمراكز الخارجية للمنظمة.

(2) انظر بهذا الخصوص: وثيقة اليونسكو رقم (EX / 23 - page 14 170).

- التوزيع الجغرافي لموظفي الايسيسكو المعد من قبل المنظمة بتاريخ 2007/7/4 الذي جرى توزيعه على أعضاء المجلس التنفيذي في دورته (28) في الفترة من 9 - 10 يوليو من نفس العام.

الأساسي لموظفي المنظمة لعام 2003[1]. في حين كانت هذه النسبة عـن نفس الفتـرة المالية (2005 - 2006) حسب النظام الوظيفي السابق في حدود 7,31%[2]. مـما يعنـي أنـه ينبغي أن تكون كل دولة عربية ممثلة بـثلاث وظـائف مـن الوظائف الخاضعة للتوزيـع الجغرافي، وبان تعطي الأولوية في التعيينـات للـدول غـير المستكملة لحصتها ضـمن هـذا العدد مستقبلاً، غير أن ما يخشى منه في هذا الإطار، أن تتجه المنظمة في توزيـع الوظائف المخصصة للتوزيع الجغرافي بين الدول الأعضاء بحسب نسبة مساهمة كل دولة في ميزانيـة المنظمة على غرار ما هو متبع في اليونسكو، على أن هذا التخوف له مـا يـبرره مـن وجهـه نظري، حيث نصت أحدى فقرات المادة (12) من نظام موظفي الالكسو الحـالي - بعكـس النظام السابق - على (أن تكون التعيينات على أوسع نطاق جغرافي وفقاً لحصص الـدول الأعضاء)[3]. فهل سيتم تطبيق هذه الفقرة بالنظر إلى عوامل التوحـد التـي تجمعنـا؟ أم إلى العكس من ذلك؟ مماثلة بما هو متبع في المنظمة العالمية اليونسكو؟

كذلك فإن الايسيسكو، لا تظهـر في خططهـا وموازناتهـا الـدول الأعضاء الممثلـة في الوظائف الخاضعة للتوزيع الجغرافي - مثلها في ذلك مثل

(1) انظر: م67 من نظام موظفي الالكسو 2004م مرجع سابق ص29.
- وحسب هذه المادة فإنه يعمل بهذا النظام والجداول الملحقة به اعتباراً من 2003/9/25.
(2) انظر: م6 من نظام موظفي الالكسو لعام 1996م مرجع سابق ص6.
- تنص الفقرة (ج) من هذه المادة بان (يراعى التوازن بين الدول الأعضاء عند شغل وظائف ودرجات الفئتين الأولى والثانية).
- كذلك انظر م 9 في نفس هذا المرجع ص8.
(3) انظر: م12 الفقرة (و) من نظام موظفي الالكسو 2004 مرجع سابق ص9.

الالكسو - بالرغم من أن هذا الأمر هو الأخر قد لا يثير إشكالاً بالنظر كذلك لعامل الدين الذي يجمع أعضاء هذه المنظمة، ضمن إطار منظومة العالم الإسلامي (منظمة المؤتمر الإسلامي) إلا أن الايسيسكو مع ذلك، وربما للمرة الأولى حسب علمي، قامت بتوزيع كشف يتضمن التوزيع الجغرافي لموظفي المنظمة، وذلك على أعضاء المجلس التنفيذي في دوره انعقاده (28) في شهر يوليو 2007م، ويتضح من هذا الكشف أن الوظائف القابلة للتوزيع الجغرافي هو (52) وظيفة، وهو ما يشكل نسبه 9،31% من إجمالي موظفي المنظمة البالغ عددهم في هذا التاريخ 163 موظفاً وباستثناء وظيفة المدير العام فإن الدول الممثلة في الوظائف الخاضعة للتوزيع الجغرافي هي (19) دولة، وهو ما يشكل نسبة 3،37% من إجمالي الدول الأعضاء في المنظمة البالغ عددها حتى هذا التاريخ (51) دولة، في حين أن الدول غير الممثلة تشكل نسبة 7،62%[1]. مما يعني أنه ينبغي إعادة النظر في هذا التوزيع، والعمل على تحسينه باستمرار للوصول إلى توازن جغرافي أكثر عدلاً. وفي رأي أن الاقتراب من هذا التوازن العادل ممكناً، وهو أن يحدد لتولي الوظائف الخاضعة للتوزيع الجغرافي مدد معينة لمن يشغلها بحيث تتراوح هذه المدة ما بين (4 إلى 5) سنوات قابلة للتجديد لمرة واحدة وعلى نحو ما هو معمول به في المنظمات الموازية اليونسكو، الالكسو.

أما مفهوم التوزيع الجغرافي لوظائف اليونسكو كما حدده دستور المنظمة، الذي ينص بأنة (... يجري تعيين الموظفين على أوسع نطاق

---

(1) انظر: التوزيع الجغرافي لموظفي الايسيسكو المعد من قبل المنظمة بتاريخ 2007/7/4 نفس المرجع السابق.

جغرافي ممكن، بشرط أن تتوفر فيهم أعلى صفات النزاهة والكفاية والمقدرة الفنية[1]. فإنه مفهوم واسع شانه في ذلك شأن النصوص المقرة بهذا الخصوص في مواثيق وأنظمة كل من الالكسو والايسيسكو غير أن هاتين الأخيرتين مع ذلك تطبقان اعتماد مبدأ المساواة بين الدول الأعضاء، على العكس مما هو عليه الحال في منظمة اليونسكو في هذا الجانب، حيث رفضت الدول التي تساهم بنصيب مرتفع في اشتراكها السنوي في ميزانية المنظمة، اعتماد مبدأ المساواة، كمبدأ استرشادي يتعين على المدير العام أن يعمل على تحقيقه أو الاقتراب من تحقيقه كلما أمكن ذلك[2]. ولذلك فإن مفهوم التوزيع الجغرافي في هذه الأخيرة، إنما يتم ترجمته بحيث يقضي بان تخصص لكل دولة عضو حصة من وظائف الأمانة يمكن أن يشغلها رعاياها، وتحسب تلك الحصة على أساس الانتماء إلى عضوية المنظمة حيث يشكل وزن عامل العضوية 65%، ويأتي بعد ذلك عامل السكان بنسبة 5% يليه عامل الاشتراك بنسبة 30%، وهكذا فإن التفاوت في توزيع الحصص يأتي من تطبيق عاملي السكان والاشتراك[3]. وبهذا الخصوص نجد

---

[1] انظر: م6 فقرة (4) من ميثاق اليونسكو مرجع سابق ص17.

[2] انظر: د. حسن نافعه العرب واليونسكو مرجع سابق ص116.

[3] انظر بهذا الخصوص:

- تقرير المدير العام لليونسكو عن التوزيع الجغرافي لموظفي الأمانة في الوثيقة رقم 170 EX / 23 - page 2 بتاريخ 2004/8/20.

- مرشد عملي من أجل اللجان الوطنية لليونسكو 1996م مرجع سابق ص31.

- الباحثة نهال فؤاد فهمي مشكلات الإدارة العامة الدولية، دراسة حاله تطبيقيه على الأمانة العامة للأمم المتحدة، رسالة مقدمة لنيل درجة دكتور الفلسفة في الإدارة العامة، جامعة القاهرة - كلية الاقتصاد والعلوم السياسية قسم الإدارة العامة عام 2000 ص100.

أن المؤتمر العام لليونسكو، كان قد طلب من المدير العام أن يقدم إلى المجلس التنفيذي معلومات عن هذا التوزيع للموظفين في الأمانة بحسب الدرجات بالنسبة لكل دولة عضو مع استخدام نظام ترجيح الوظائف، ومن أجل تطبيق هذا النظام، تم تحويل العدد الأساسي من الوظائف البالغة (850) وظيفة، إلى نقاط يجري حسابها على أساس الوظائف المعتمدة في الميزانية العادية بالوثيقة (32م / 5)، وباستخدام معايير هذا النظام منحت النقاط على فئات الوظائف من (م - 1 إلى م - 3) نقطة واحدة، ومن (م - 4 إلى م - 5) نقطتان، ومن (مدير - 1 إلى مدير - 2) ثلاث نقاط، ومن (مساعد مدير ونائب مدير عام) أربع نقاط، وبتطبيق العوامل الثلاثة للنسب السالفة الذكر، على العدد المساوي (1399) نقطة ينتج حد النصاب الأدنى وحد النصاب الأقصى معبراً عنه بالنقاط أيضاً[1].

وعلى أيه حال فإن المجلس التنفيذي يعكف بصفة دورية على تعديل الحد الأقصى والأدنى للوظائف التي يمكن أن يشغلها رعايا كل من الدول الأعضاء[2]. على أنه يمكن القول بان الدولة العضو، ممثلة تمثيلاً عادلاً إذا كان عدد الوظائف التي يشغلها مواطنوها لا يقل عن الحد الأدنى، ولا يتجاوز الحد الأعلى، فإذا قل العدد على ذلك أصبحت الدولة ممثله بأقل مما

---

[1] انظر: وثيقة اليونسكو (المرجع السابق) رقم (EX/23 - page 10 170)، وحسب هذا المرجع ص 2 فإنه بعد عودة أمريكا إلى عضوية المنظمة عام 2003 تم إدراج حصتها من الوظائف الجغرافية البالغة في حدها الأدنى (46) وظيفة، و (76) وظيفة كحد أعلى في إطار العدد الأساسي الثابت للوظائف الجغرافية البالغة (850) وظيفة إلا أنه بهذه العودة لم تتأثر حصص المساهمين الصغار حيث ظلت بنسبة (2 إلى 4) وأن كان ذلك قد أدى إلى تخفيض حصص معظم الدول الأعضاء لاسيما أكبر المساهمين.

[2] انظر: مرشد عملي من أجل اللجان الوطنية لليونسكو نفس المرجع السابق وبنفس الصفحة.

يجب وتعين على المدير العام أعطاء هذه الدولة أولوية عند شغل الوظائف الشاغرة، أما إذا زاد العدد على ذلك فإنه يتعين على المدير العام أن يراعي عدم تجديد عقود العدد الزائد وكلما كان ذلك ممكناً[1]. وبتطبيق هذا الأمر كذلك على وضع التوزيع الجغرافي بحسب المجموعات الإقليمية كمجموعات ممثلة في حدود النصاب أو دون النصاب، نلاحظ أن وضع التوزيع الجغرافي في الأول من يونيو 2004 كان في كل من المجموعة الأولى (أوربا الغربية وأمريكا الشمالية)، والمجموعة الثانية (أوربا الشرقية)، والمجموعة الخامسة (أ - إفريقيا، ب (الدول العربية) ممثلة في حدود النصاب، أما المجموعات الممثلة دون النصاب فهي: المجموعة الثالثة (أمريكا اللاتينية والكاريبي) والمجموعة الرابعة (أسيا والمحيط الهادي)[2]. وعودة إلى ملخص توزيع الوظائف الثابتة بحسب القطاعات والوحدات خلال الدورة المالية لليونسكو 2004 - 2005 يتضح أن إجمالي الوظائف الفنية (المهنية) من درجة مدير فما فوق هي (956) وظيفة باستثناء وظيفة المدير العام[3]. وهذه هي الوظائف التي ينبغي أن تكون خاضعة للتوزيع الجغرافي.

إلا أنه عملياً تستبعد من هذه الفئات من الوظائف تلك التي يتم تمويلها من مصادر خارجة عن الميزانية، كما يتم استبعاد الوظائف التي توصف بأنها لغوية، إذ تتفوق في هذا النوع من الوظائف عامل إتقان اللغة على

(1) انظر: د. حسن نافعه نفس المرجع السابق ص116.

(2) انظر: الوثيقة (1)EX / 23 - page 170 المرجع السابق.

(3) انظر: البرنامج والميزانية المعتمدان لليونسكو 2004 - 2005 مرجع سابق ص 318 - 319.

قيمة ما عداه من الاعتبارات الأخرى، وبخصوص هذا النوع من الوظائف اللغوية نجد أن المجلس التنفيذي كان قد اقترح اعتبار الوظائف اللغوية (وظائف المترجمين الفوريين والمترجمين والمراجعين) وظائف جغرافية، إلا أن المؤتمر العام لم يعتمد هذه التوصية، بل طالب بالمزيد من البحث لهذا الموضوع[1]. علاوة على ذلك فإن هناك فئة الأخصائيين الذين ينتدبون للعمل بالأمانة بموجب اتفاق يبرم بين حكوماتهم وبين المنظمة ينص فيه على شروط تعيينهم، وهناك فئة الخبراء المنتسبين من فئة الشباب يحملون مؤهلات من معاهد التعليم العالي، تمول وظائفهم زها (15) بلداً من بلدان أوربا الشمالية والغربية واسيا، ولا يشغلها عموماً - فيما عدا استثناءات قليلة - إلا رعايا هذه البلدان، وثمة خبراء استشاريون يعينون لفترات قصيرة، وأخصائيون يعهد إليهم بموجب عقد أتعاب إعداد دراسة أو القيام بعمل محدد، وموظفون مؤقتون وآخرون يستخدمون لفترة مؤتمر أو اجتماع، يتعاونون مع المنظمة دون أن يكونوا أعضاء في هيئة موظفي اليونسكو[2].

خلاصة الأمر إن الوظائف الفنية (المهنية) ووظائف الإدارة العليا، لا تخضع جميعها للتوزيع الجغرافي، بل يقتصر الجزء الخاضع منها للتوزيع الجغرافي عادة - فيما عدى استثناءات محدودة - على الموظفين بالمقر والمكاتب الإقليمية والبعثات التمثيلية الدائمة أو شبة الدائمة، أي على

(1) انظر: بهذا الخصوص: -
- الوثيقة رقم (EX / 23 - page 14 170) مرجع سابق.
- مرشد عملي من أجل اللجان الوطنية لليونسكو مرجع سابق ص31.
(2) انظر: مرشد عملي من أجل اللجان الوطنية نفس المرجع السابق ص32.

معظم الوظائف الفنية التي يتم تمويلها من الميزانية العادية للمنظمة[1]. وعليه فإن الوظائف الخاضعة فعلاً للتوزيع الجغرافي خلال الدورة المالية 2004م - 2005م، إنما أصبح في حدود (850) وظيفة، وهي تشكل ما نسبته 6،40% من إجمالي موظفي اليونسكو البالغ عددهم (2019) موظفاً[2]. وعلى العموم فإن وضع التوزيع الجغرافي في اليونسكو قد تحسن بشكل ملحوظ، حيث أصبحت الدول الممثلة في الأمانة، خلال الدورة المالية السالفة الذكر، (160) دولة، مقارنة بعددها البالغ 144 دولة في يونيو عام 2000، مما يضع هذه المنظمة بين أفضل الوكالات في منظومة الأمم المتحدة[3]. حيث تصل نسبة التمثيل إلى 7،83% بينما يصل عدد الدول الأعضاء غير الممثلة في وظائف التوزيع الجغرافي إلى (31) دولة بنسبة 3،16% من إجمالي عدد الدول الأعضاء البالغ عددها عام 2005 191 دولة.

---

(1) انظر: د. حسن نافعه العرب واليونسكو مرجع سابق ص 113.

(2) انظر: الوثيقة (EX / 23 - page 14 170)

- كذلك انظر: البرنامج والميزانية المعتمدان 2004 - 2005 ص 318، وحسب هذا المرجع فإن الوظائف التي ينطبق عليها التوزيع الجغرافي هو (884) وظيفة، باستثناء المدير العام، إلا أنه تم تخفيض هذا العدد ليصبح (850) وظيفة بسبب استبعاد الوظائف اللغوية التي لم يعتمدها المؤتمر العام كما سبق أن بينا ذلك.

(3) انظر: تقرير المدير العام لليونسكو عن تنفيذ عملية الإصلاح الجزء الأول سياسة الموظفين، وثيقة رقم (33 - 25 / c part 1- page 3 بتاريخ 2005/8/2.

المطلب الثاني

رواتب وتعويضات موظفي المنظمات

(اليونسكو، الالكسو، الايسيسكو)

تحدد مبالغ رواتب موظفي هذه المنظمات المتخصصة، وفق مبالغ محددة يضعها مدراء عموم المنظمات الايسيسكو واليونسكو، بناءاً على قرارات هيئاتها الرئاسية (المؤتمر العام والمجلس التنفيذي)، إلا أن موظفو هذه الأخيرة مع ذلك يخضعون للنظام الموحد للأمم المتحدة، ذلك أن من مهام لجنة الخدمة المدنية الدولية، أن تستعرض نظام الأجور والاستحقاقات بغية تحسين أداء المنظومة بربط الأجر بالأداء، وبمكافئه الموظفين بطريقة تنافسية ومنصفة على أساس الجدارة والكفاءة، لحفز الموظفين على تطوير المهارات والكفاءات اللازمة للوفاء بالاحتياجات المتغيرة للبرنامج[1]. بينما نجد في الالكسو أن المجلس الاقتصادي والاجتماعي في جامعة الدول العربية هو من يتولى تحديد سلم الرواتب والأجور المعمول بها في الأمانة العامة، وكذا بدل غلاء المعيشة المعتمدة في الأمانة، ويعتمد هذا كأساس في تحديد الرواتب وغلاء المعيشة في المنظمات العربية المتخصصة ومنها منظمة الالكسو[2]. وبالعكس من ذلك فإننا نجد أن تحديد الرواتب السنوية لكل من فئات موظفي اليونسكو (الفئة الفنية وما فوقها و فئة الخدمة العامة)، العاملين في المقر الرئيسي إنما تحدد استناداً إلى قرارات المؤتمر العام، كما

(1) انظر: التقرير السنوي 2004 للجنة الخدمة المدنية الدولية (تقرير المدير العام لليونسكو) وثيقة رقم (171 EX / 29 page 2 -) بتاريخ 2005/3/9 الأصل انجليزي.

(2) انظر: م21 من النظام الأساسي لموظفي الالكسو لعام 2004 مرجع سابق ص12.

يضع المدير العام ويطبق نظام العلاوات والإعانات استناداً أيضاً لقرارات المؤتمر العام، بينما يتم تحديد الرواتب السنوية للموظفين في فئة الخدمة العامة العاملين في أماكن عمل بعيدة عن المقر الرئيسي للمنظمة من قبل المدير العام طبقاً لممارسات الأمم المتحدة[1]. وتحدد رواتب موظفي الايسيسكو، وفقاً لجداول المرتبات المعتمدة من قبل المؤتمر العام المعني أساساً باعتماد نظام موظفي المنظمة، وبأيه تعديلات قد يتم إدخالها عليه[2].

وكما هو معلوم فإن جداول مرتبات الموظفين، إنما يتم وضعها في جداول ملحقة مرفقة بأنظمة الموظفين في أي من هذه المنظمات المتخصصة علاوة على الجداول المرفقة الأخرى الخاصة بالتعويضات المختلفة للموظفين[3].

---

(1) انظر USRR، 2000 ، 3. 1) and، Reg (3. 2)، Rule (103. 1)، p. 19.

(2) انظر: المواد (27، 124، 125، 127) من نظام موظفي الايسيسكو 2005 مرجع سابق ص 53 - 57.

(3) انظر: بهذا الخصوص

- نظام موظفي الايسيسكو لعام 2004 مرجع سابق ص 53 - 57

وحسب هذا المرجع فإن الجداول الملحقة بهذا النظام هي: جداول الرواتب الشهرية، والتعويض الشهري عن النقل، والتعويضات العائلية، والتعويض اليومي عن المهمات داخل وخارج المقر

- النظام الأساسي لموظفي الالكسو لعام 2004 مرجع سابق ص 31 - 36.

وبحسب هذا المرجع فإن الجداول الملحقة بهذا النظام هي: جداول الرواتب والعلاوات والبدلات لموظفي الأمانة العامة، وكذا المؤهلات ومدد الخبرة اللازمة لدرجات و وظائف الأمانة، وأيضاً تصنيف دول العالم إلى خمس مناطق حسب مستوى غلاء المعيشة، وجدول نسب غلاء المعيشة الخاص بموظفي الأمانة العامة العاملين في الخارج، وتعويض بدل السفر للمهمات الرسمية.

وعلى العموم فإنه يتم وضع موظف اليونسكو مبتدئ التعين في المرتبة الأولى من مستوى وظيفته (ما لم يقرر المدير العام خلاف ذلك، وباستثناء كذلك حالة انتقال الموظف من الأمم المتحدة، أو من أي وكالة متخصصة أخرى إلى المنظمة) وتمنح الزيادة في الراتب لموظفي هذه الأخيرة، وفقاً للراتب المحدد في قانون (1. 103) من اليوم الأول للشهر، بعد أن يكمل الموظف مدة خدمة قدرها (12) شهراً، ومن ثم سنوياً، وبما يتوافق مع الخدمة المرضية وطبقاً لما هو محدد في قانون (13. 104) بشأن حالات الترقية، وهناك زيادة تمنح استناداً لأحكام الزيادة للرتب التي هي أعلى من (مدير - 1 رتبه 4)، مدير - 2 رتبه 1)، (م - 5 رتبه 10)، (م - 4 رتبه 12)، (م - 3 رتبه 13)، (م - 2 رتبه 11) مشروطة بخدمة مرضية لمدة 24 شهراً في الرتبة السابقة، ويجوز تأجيل الزيادة أو حجزها خلال فترة الزيادة إذا كانت الخدمة غير مرضية، أو كأجراء تأديبي استناداً لقانون رقم (1. 110)[1]. بينما يتم مراجعة جداول مرتبات موظفي الايسيسكو في الشهر

(D) p. (102 - 107، H ، E ، J ، Annexe (I ، 2000،USRR

وحسب هذا المرجع فإن الجداول الملحقة بهذا النظام هي: جداول المرتبات السنوية للمبالغ الصافية للموظفين، ومبالغ المكافآت للمتقاعدين، ونسب تقييم الموظفين القابلة للتطبيق للموظفين للفئات الفنية وما فوقها، وأيضاً للموظفين من الخدمات العامة والفئات ذات العلاقة، وأيضاً المكافآت التعاقدية للموظفين في الفئة الفنية وما فوقها.

(1) انظر: p. 21، 103. 4) (a. b. c) ، Rule (103. 3 ، 2000،USRR

- كذلك انظر في هذا المرجع وبنفس الصفحة الفقرات الأخرى من (د إلى هـ) في القانون رقم (4. 103) وبمقتضى- الفقرة (و) فإنه يجوز للموظف تقديم الموضوع الخاص بتأجيل أو حجز الزيادة في الراتب إلى مجلس التقارير، إذا لم يكن التأجيل أو الحجز. متعلق بقرار إداري بشأن تقرير أداء مخالف خلال الفترة التي يتم فيها تأجيل أو حجز الزيادة.

الأول من السنة المالية للمنظمة بالأخص عندما يتضح أن هناك ارتفاع في تكلفة المعيشة، ومن ثم فإن المدير العام يقوم بإعداد جداول المرتبات المعدلة، ويعرضها على المجلس التنفيذي لمناقشتها، وتصبح سارية المفعول بعد اعتمادها من قبل المجلس التنفيذي[1]. وتطبق تسويات الوظائف في اليونسكو استناداً لأحكام الفقرات (ب ، ج ، د) من القانون (2. 103) للرواتب السنوية الأساسية الصافية للموظفين من الفئة الفنية وما فوق والمعينين للعمل في المقر الرئيسي أو في أماكن عمل بعيدة عن المقر الرئيسي، إلا أنه لا تطبق تسوية الوظيفة خلال أي فترة متعلقة بعلاوة معيشة يومية تدفع تحت قانون ((e 11. 103)) ويتم حساب تسوية الوظائف استناداً لتصنيف مكان عمل الموظفين تحت نظام تسوية الوظيفة، ويحدد هذا التصنيف لجنة الخدمة المدنية الدولية على أساس تكلفة المعيشة المرتبطة بمقر العمل مشتملاً سعر الصرف بين عملة مكان العمل والدولار الأمريكي[2].

وعلى أيه حال فإن مرتبات الفئة المهنية وما فوقها إنما تتضمن عنصرين هما: المرتب الأساسي الصافي، وتسوية مقر العمل، وتعني تسوية مقر العمل، أن يتقاضى موظفو الفئة المهنية من نفس المستوى العاملين في النظام الموحد للأمم المتحدة، نفس الراتب الصافي من حيث القوة الشرائية المتوفرة في مقر النظام الموحد (أي في نيويورك)، وذلك أينما كان مكان عملهم في العالم، ويتم تعديل مستوى تسوية مقر العمل مرة كل خمسة

---

(1) انظر: م28 من نظام موظفي الايسيسكو 2005 مرجع سابق ص 36.

(2) انظر: (20 - 19)USRR، 2000 ، a) (103. 2) Rule ،(c ،p .

أعوام عبر دراسات مفصلة للأسعار في كافة مقار عمل الأمم المتحدة[1].

علاوة على ذلك فإن نظام موظفي الالكسو يقضي بان الموظف يستحق علاوة سنوية اعتباراً من أول شهر يناير من كل عام، بعد أن يكون قد أمضى في الخدمة الفعلية سنة كاملة، وأن يكون تقرير كفاءته بدرجة مقبول على الأقل[2]. أما في اليونسكو فإنه يتم منح العلاوات للموظفين المبتدئين بما هو جدير بوضعهم بناءاً على النظام الأساسي للموظفين، ويسري ذلك اعتباراً من تاريخ تعينهم، وتطبق التعديلات بناءاً للتغييرات في أهليتهم من اليوم الأول في الشهر مباشرة بعد هذا التغيير، إضافة إلى ذلك فإنه يسمح بدفع رجعي للعلاوات في ظروف خاصة لفترة لا تتعدى سنة واحدة قبل

---

(1) انظر: الوثيقة المعروضة على الدورة (33) للمؤتمر العام لليونسكو، بخصوص المرتبات والعلاوات وغيرها من مزايا الموظفين، وثيقة رقم (33 c / 33 - page 4 بتاريخ 2005/8/12 الأصل انجليزي.

- وبحسب هذا المرجع ص 3 فإن مدير عام اليونسكو طبق على موظفي الفئة المهنية وما فوقها، بعض التدابير المتعلقة بالزيادات، وفقاً لقرارات الجمعية العامة للأمم المتحدة، ولتوصيات لجنة الخدمة المدنية الدولية وتتعلق هذه التدابير حول الزيادات التي طرأت بنسبة (19 ، 5 %) ، 42 ، 4 %) في الأول من سبتمبر عامي (2003،2004) على التوالي، وذلك على الأجور الداخلة في حساب المعاش التقاعدي. كما طرأت زيادة بنسبة 88 ، 1% في الأول من يناير 2005 على جداول المرتبات الصافية، وذلك لتحقيق الانسجام بين مرتبات موظفي الفئة المهنية وما فوقها في الأمم المتحدة، ومستوى المرتبات في الإدارة الفيدرالية للولايات المتحدة.

- كذلك انظر: الوثيقة المعروضة على الدورة (34) للمؤتمر العام لليونسكو، وثيقة رقم (1،2) c / 35 - page 34 بتاريخ 2007/8/8، وذلك حول الزيادات التي طرأت في الأول من إبريل 2006 بنسبة 6 ، 2 % على تسوية مقر العمل في باريس، وبنسبة 57 ، 4 % على جداول المرتبات الصافية.

(2) انظر: م36 من نظام موظفي الالكسو 2004 مرجع سابق ص16.

تاريخ الاستحقاق المدون، ويقرر مدير عام هذه الأخيرة علاوات للموظفين المستحقين في فئة الخدمة العامة في أماكن عمل بعيدة من المقر، وفق شروط ودرجات محددة، طبقاً لممارسات منظمة الأمم المتحدة. وعلى أيه حال فإنه ينبغي على موظفي هذه المنظمة الإبلاغ عن أي تغييرات في وضعهم، والتي يمكن أن تؤثر على أهليتهم لأي إعانة، أو مزايا، أو علاوة، وسوف تستجيب المنظمة لأي معلومات متعلقة بهذا الشأن وتزودهم بوثائق دعم ضرورية لهم[1]. مما سبق يتضح أن مصطلح لفظ العلاوات المستخدم في الالكسو، قد لا يحمل نفس المعنى بالضرورة في اليونسكو، إذ قد ينصرف المعنى في هذه الأخيرة، كما يفهم من النص، ربما للراتب، أو أيه تعويضات أخرى خلاف ذلك، وهذا الأمر في رأي ينطبق على الايسيسكو أيضاً إذ قد تستخدم هذا اللفظ للكثير من مفردات التعويضات التي قد يتحصل عليها موظفو المنظمة، حيث قضى۔ نظام هذه المنظمة بان قيمة العلاوات والتعويضات المنصوص عليها في الباب الرابع إنما هي نفس القيمة بالنسبة لكل الموظفين، وتحدد كل من العلاوات والأجرة الإضافية بالنظر إلى المدة النسبية التي اشتغل الموظف خلالها بالمنظمة[2].

وعلى العموم فإن اليونسكو تصرف للموظفين الذين يعملون في مراكز عمل خطرة، أو في مراكز عمل لا تسمح باصطحاب الأسر، بدل مخاطر، حيث أرتفع هذا البدل من (1000) دولار إلى 1300 دولار شهرياً، اعتباراً من الأول من يناير 2007[3]. كما أن الالكسو تقوم بمنح بدل طبيعة عمل

---

(1) انظر: USRR،2000 ، (a. b. c. d) (103. 7) Rule ،p. 22.

(2) انظر: م (41،29) من نظام الايسيسكو مرجع سابق ص36،40.

(3) انظر: الوثيقة المعروضة على الدورة (34) لليونسكو وثيقة رقم (34 page 3 - 35 /c

لكل من المدير العام ونائبـة، ومـدير الإدارة، ورئـيس القسـم وكـل بحسـب مـا هـو محدد له في المادة (26) مـن هـذا النظـام[1]. ويحضى موظفـو الايسيسـكو بتعـويض سـكن سـنوي يسـاوي الراتـب الأسـاسي لثلاثـة أشـهر بالنسـبة للمـوظفين مـن الفئتـين (الخاصـة والرابعة)، والراتب الأساسي لشهرين بالنسبة للموظفين من الفئات (1، 2 ، 3) ويـتم صرف هذا التعويض شهرياً[2]. أما في اليونسكو فعـلى العكـس مـن ذلـك، حيـث لا يتقـاضى إعانـة التأجير إلا بعض فئات موظفي المنظمة، حيث يجوز للموظف في الفئة المهنيـة ومـا فوقهـا استلام إعانة تأجير، إذا كان هو من يقوم بدفع الإيجار متضمن تكاليف الخدمـة بحيـث لا تتجاوز الحد الذي ينطبق عليه، ويحسـب هـذا الحد من خلال أجـرة الموظـف مضروب في مبلغ نسبة المعدل الذي يصرف في التأجير من قبل الموظفين في نفس مقر العمـل[3]. و وفقـاً لقرارات الجمعية العامة للأمم المتحدة ولتوصيات لجنة الخدمة المدنيـة الدوليـة، نجـد أن مدير عام اليونسكو قد قام بمراجعة الإيجـارات القصـوى المعقولـة في بـاريس اعتبـاراً مـن الأول من يونيو 2003م، ويرتبط هذا التعديل (بنظام إعانة الإيجار) وهو نظام

بتاريخ 2007/8/8).

(1) انظر: م26 من نظام موظفي الالكسو مرجع سابق ص13.

- وبحسب هذه المادة، فإن المدير العام يتقاضى 500 دولار، ونائبه 400 دولار، ومدير الإدارة 300 دولار ورئيس القسم 150 دولار.

(2) انظر: م31 من نظام موظفي الايسيسكو مرجع سابق ص37 وبحسب هذه المادة أيضاً فإن المدير العام يحضى بسكن موثث.

(3) انظر:(Rule، 2000،USRR(مكرر p. 27 (11. 103،a)

- كذلك انظر في هذا المرجع أحكام الفقرات من (ب إلى ط) من المادة المذكورة ص 27 - 29

مشترك لمنظومة الأمم المتحدة الغرض منه تقديم بعض التعويض للموظفين الدوليين القادمين حديثاً إلى مكان عملهم الجديد والذين يدفعون إيجاراً أعلى بكثير من إيجار الموظفين القدماء حيث كانت أخر مرة قامت بها اليونسكو باستيفاء الإيجارات القصوى، التي يتمثل الغرض منها في تأمين مستوى معقول للسكن الذي يتم اختياره، منذ نحو 10 سنوات[1]. كما تمنح كل من الايسيسكو والالكسو موظفيهما بدل اغتراب بنسبة 20% من الراتب الأساسي للموظفين غير المقيمين في مقار هاتين المنظمتين، وأيضاً لغير المقيمين في المراكز الخارجية لهذه الأخيرة[2]. ولمدير عام الايسيسكو أن يمنح مكافئة تشجيعية بحد أقصى شهر من الأجرة لكل موظف قدم من الخدمات والأعمال والمقترحات والبحوث لكل ما من شانه الرفع من مستوى العمل أو تخفيض النفقات[3]. وتجيز نظم موظفي كل من الالكسو والايسيسكو للموظفين بهما الحصول على مبالغ مقدمة للضرورة في بعض الأحيان، حيث يمكن أن تمنح هذه الأخيرة مبالغ مسبقة عن الراتب وقت تسلم الموظف لمهامه الجديدة، إذا كان ليس لديه المال الكافي لتأمين المعيشة، فإنه يصرف له مبلغ مقدم يساوي الراتب الأساسي لشهرين، بينما يمنح موظف الالكسو بناءاً على طلبه عند التعيين في غير بلده أو بلد إقامته الدائمة، وعند النقل من المقر واليه سلفه تعادل الراتب الإجمالي لثلاثة أشهر

---

(1) انظر: الوثيقة المقدمة للدورة (32) للمؤتمر العام لليونسكو بخصوص المرتبات والعلاوات وغيرها من مزايا الموظفين وثيقة رقم 1) page - 32،C/42(3 بتاريخ 2003/7/21 الأصل انجليزي.

(2) انظر: المواد (25،31) من أنظمة موظفي الايسيسكو والالكسو مراجع سابقة ص37،12 بالترتيب.

(3) انظر: م29 من نظام موظفي الايسيسكو مرجع سابق ص36.

بحد أقصى، وعلى أن تسدد على أقساط شهرية متساوية خلال 12 شهراً (مـثلما هـو عليه الحال في التسديد في الايسيسكو)، أما إذا كانت خدمـة الموظف في الالكسو منتهيـة لأي سبب قبل هذه المدة فإن هذه السلفه تسدد كاملة[1].

وعلى العمـوم فإنـه يـتم صرف كافة المستحقات في الالكسو مـن رواتب وبـدلات ومكافآت وأي تعويضات أو مزايا أخرى بعملة الموازنة، أمـا مستحقات المـوظفين المعينـين بموجب عقود فإنه يتم صرف مستحقاتهم بالعملة المتفـق عليها في العقد المبرم معهـم، بيـنما يـتم صرف مرتبـات موظفي الايسيسكو المقيمـين بالعملة المحليـة، ومرتبات غير المقيمين بعملة الموازنة إذا رغبوا في ذلك[2]. ويمكن لمدير عـام هـذه الأخيـرة تقديم قروض بدون فوائد ولمرة واحدة لاقتناء وسيلة نقل لكل موظف، إلا أنه لا يجـوز أن يفـوق المبلـغ المقترض مثلي الراتب الشهري الأساسي، وينبغي تسديد هذه

---

[1] انظر: المواد (28) ، (37 فقرة (د) من أنظمة موظفي الالكسو والايسيسكو مراجع سابقة ص 14، (38 - 39) بالترتيب
- وبحسب الفقرات (أ، ب، ج) من المادة (37) فإن الايسيسكو تمـنح مبالغ مسبقة وقت التأهـب لسفر أو إجازة مرخص بها، ويكون المبلغ المقدم معادل للمدة المرخص بها، وفي حالة عدم تمكن الموظف من استلام راتبه لأي سـبب خارج عن إرادته، يصرف له مبلغ مقدم يعادل قيمة الراتب المستحق، وفي هاتين الحـالتين يخصم المبلغ المقدم مـن أول راتب اعتيادي للموظف. كذلك فإنه عند مغادرة الموظف للمنظمة وفيما إذا تعـذر ضبط المبلغ المستحق لـه بشكل نهائي، فإنه يصرف له 70% من إجمالي المبلغ الذي يفترض أن له الحق فيه.
[2] انظر المواد (24،22) ، (36) من أنظمة موظفي الالكسو والايسيسكو مراجع سابقة ص 38،12 بالترتيب.

السلفه على 12 دفعة شهرية متساوية خصماً من الراتب الشهري للموظف[1]. ويمتاز نظام موظفي اليونسكو - عن أنظمة المنظمات الموازية الالكسو والايسيسكو - حيث يقضي بان مدير عام المنظمة قد يمنح الموظف تعويضاً عن فقدان ملكيته أو تعرضها للضرر نتيجة ظروف خدمته، شريطة اتخاذ الاحتياطات المناسبة للحماية، وتامين الملكية في حدود المعقول، وبشرط أن تكون طلبات التعويض محدودة فقط على أشياء الحياة الأساسية، على أنه لا يجوز أن يتعدى مبلغ التعويض ما يعادل (30) ألف دولار أمريكي، إذا لم يكن أياً من أعضاء أسرة الموظف المصرح له بالسفر بموجب المادة (107.2) مقيماً معه في مقر العمل أما إذا كان أحد أعضاء الموظف مقيماً معه في مقر العمل فيصرف له مبلغ 40 ألف دولار[2]. كما أن مدير عام هذه الأخيرة قد يمنح أيضاً الموظف عن فقدان الملكية الشخصية أو تضررها كنتيجة مباشرة للاضطرابات السياسية، أو وقوع كارثة طبيعية، ويجب أن لا يتعدى مبلغ التعويض المدفوع للموظف 30 ألف دولار، إذا لم يكن أياً من أعضاء عائلته موجودون في المنطقة المتأثرة، أما إذا كان أحد أعضاء عائلته موجوداً في المنطقة أو تم أخلاؤه منها بما يتواءم مع الإجراءات الأمنية المتخذة، فيصرف له 40 ألف دولار، كما أنه قد يمنح عن فقدان مركبة (سيارة) واحدة، مبلغ تعويض لا يتعدى (15) ألف دولار، وقد تدفع المنظمة أيضاً تكاليف نقل مركبة جديدة وفق الحدود الموضحة في الفقرة (f) من المادة (9. 107)[3].

---

(1) انظر: م38 من نظام موظفي الايسيسكو مرجع سابق ص39.

(2) انظر: USRR،2000، Rule (112. 4) (a)، p. 92.

(3) انظر:USRR،2000، Rule (112. 4) (b)، p. 92.

وعلى أيه حال، فإنه بعد هذا السرد، ربما كان من الأنسب التطرق لبعض التعويضات المتبقية المرتبطة بالتحويل إلى وظيفة أعلى أو أدنى مرتبه، وبالعمل الإضافي، والإقامة والتنقلات وترحيل الأثاث، والإعانات العائلية، والتعليمية، وذلك في فقرة مستقلة لأي من هذه التعويضات وهو ما سيتم تناوله تباعاً وكما يلي:

التعويضات الخاصة بالتحويل إلى وظيفة أعلى أو أقل مرتبة

يقضي نظام الايسيسكو بأنه يمكن أن تسند إلى أي موظف في المنظمة في إطار عملة العادي، وبصفة مؤقتة، واجبات ومسؤوليات منصب أرقى من منصبة، وفي هذه الحالة فإنه يتقاضى مكافئة قدرها 15% من راتبه الأساسي، خلال مزاولته لهذا المنصب، مع احتفاظه بحق الترقية في وظيفته الأصلية[1]. وبالعكس من ذلك فإنه عندما يقترح تحويل موظف في اليونسكو إلى وظيفة أقل رتبة، فإنه يجوز له، في حالة عدم قبوله هذا التحويل أن يختار التوقف عن العمل، وعندما يختار هذا التوقف فإنه سيعامل بكل احترام مع أن تعينه توقف بناءاً لأنظمة وقوانين الموظفين، وتنص الفقرة (ج) من المادة (14. 104) بأنه (إذ قبل الموظف نقلة إلى وظيفة ذات درجة أدنى، فإنه يثبت في وظيفته الجديدة في الدرجة العليا الأقرب من مستوى مرتبة قبل النقل، ولكن إذا كان مرتبة السابق أعلى من المرتب الخاص بأقصى درجة لوظيفته الجديدة، فإنه يستبقى مبلغ مرتبة السابق بمنحة علاوة شخصية مؤقتة تعادل الفارق بين هذين المرتبين)، إلا أنه إذا كان التحويل إلى وظيفة أقل رتبه، راجع بسبب إلغاء الوظيفة التي هو فيها،

---

(1) انظر: م35 من نظام موظفي الايسيسكو 2005 مرجع سابق ص 38.

فإنه يطبق عليه الأحكام المنصوص عليها في الفقرة (ج) أعلاه، اعتباراً من تاريخ نفاذ الإلغاء فقط[1]. بينما يقضي نظام الالكسو بان للموظف الذي يعاقب بتخفيض درجته أو علاوته، فإنه يعطى له الراتب الجديد المستحق اعتباراً من تاريخ صدور قرار المدير العام[2].

تعويضات العمل الإضافي:

يحق للمنظمات اليونسكو، الالكسو، الايسيسكو - مثل سائر المنظمات الدولية الأخرى - أن تطلب من موظفيها القيام بعمل إضافي كلما اقتضت الضرورة لذلك، وبهذا الخصوص فإننا نجد أن النظام الأساسي لموظفي الالكسو، لم يتطرق في أي من مواده عن العمل الإضافي الذي يمكن أن يقوم به موظفو المنظمة، بعكس أنظمة موظفي المنظمات الموازية لها، اليونسكو والايسيسكو، حيث نجد أنه يمكن للإدارة العامة في هذه الأخيرة أن تطلب من جميع الموظفين العمل في يوم راحة أسبوعية أو يوم عيد عندما يكون العمل مستعجلاً، وفي هذه الحالة تعين الإدارة يوم عمل عادي كيوم عطلة تعويضية، إلا أنه كلما طولب موظف بالقيام بساعات إضافية في يوم راحة أسبوعية أو في يوم عيد، فإنه يتقاضى عنها إما أجرة وأما عطلة تعويضية، تعادل ضعفي عدد الساعات الإضافية، أما الموظفون المنتمون

---

(1) انظر بهذا الخصوص: USRR،2000، (a (104. 14) Rule ،b ،(d ،p. 53
كذلك انظر: وثيقة المؤتمر العام لليونسكو الدورة (32)، بخصوص نظام ولائحة الموظفين.
وثيقة رقم 32 c/ 41 - Annexe - page 1) بتاريخ 2003/8/22 الأصل فرنسي.
- وحسب هذا المرجع وبنفس الصفحة فإنه تم تعديل المادة (14. 104) الفقرة (ج) حيث أصبح التعديل سارياً بتاريخ 7 ديسمبر 2001 أما الفقرات (أ، ب، د) فإنها لم تتغير.

(2) انظر: م32 من النظام الأساسي لموظفي الالكسو 2004 مرجع سابق ص15.

للفئتين (4،3) أو من يماثلهم والمطالبون بالعمل فوق عدد الساعات الأسبوعية العادية، فإن لهم الحق في عطلة تعويضية، أو تعويض مالي عن الساعات الإضافية، وبحسب ما ترخص به الإدارة[1]. كما يجوز للمشرفين في اليونسكو طلب موظفيهم للعمل في ساعات العمل الإضافية العادية، عندما تقتضي الحاجة لذلك، على أن تأدية العمل في أوقات العطل الرسمية، تعتبر من ضمن العمل الإضافي، إلا أنه إذا منح مدير عام هذه الأخيرة إجازة بدلاً عن ذلك اليوم في يوم عمل آخر، فسوف لا يعتبر العمل في أوقات العمل الرسمية عملاً إضافياً، إلا إذا تجاوز العمل ساعات العمل الاسبوعية العادية، على أنه يمكن أن يطلب من الموظفين القيام بعمل إضافي في المقر في يوم الأحد، في ظروف استثنائية، أما الموظفون في الفئة المهنية، فإنه لا يقدم لهم تعويض عن ساعات العمل الإضافية، وإنما تمنح لهم إجازة عارضة في أوقات مناسبة إذا كلفوا بالعمل، عند اقتضاء الحاجة، في فترات أساسية أو متكررة من ساعات العمل الإضافية وبموافقة المدير العام[2]. وبحسب مقتضيات نظام الايسيسكو فإن العطلة التعويضية تعادل مرة ونصف المرة من الساعات الإضافية التي اشتغل فيها الموظف زيادة على الفترة العادية للعمل الأسبوعي، وبالمثل من ذلك فإن اجر الساعة الإضافية يعادل كذلك مرة ونصف المرة معدل أجر الساعة العادية، استناداً إلى الراتب الأساسي فقط[3]. ويتم تعويض الموظفين في فئة الخدمة العامة في اليونسكو، الذين كلفوا بعمل إضافي بمعدل ساعة ونصف من وقت

---

(1) انظر: المواد (43 ، 48 ، 52) من نظام الايسيسكو 2005 مرجع سابق ص 41 - 42.

(2) انظر: USRR،2000 ، (a (103. 5) Rule ، c ، d ،(f ،22 - p. 21

(3) انظر: المواد (45،46) من نظام الايسيسكو المرجع السابق ص41.

العمل الإضافي، إلا أن ذلك لا يؤخذ في الاعتبار، إذا كان أي عمل إضافي في أوقات فردية أقل من نصف ساعة، ويكون التعويض إذا أمكن ذلك على شكل منح إجازة، يمكن أن تؤخذ قبل نهاية الشهر الثالث عقب فترة العمل الإضافي التي كلف بها، إلا أنه إذا لم يمكن منح الإجازة، خلال هذه الفترة - بسبب اقتضاء حاجة العمل - سيحصل الموظفون على دفع تعويض حسب مقتضيات القانون رقم (2. 100) من هذا النظام[1]. أما في الايسيسكو فعلى العكس من ذلك حيث يتم تحديد عدد الساعات الإضافية على أساس أن كل فترة تفوق نصف ساعة تعد ساعة كاملة، ويعوض عن الساعات الإضافية طبقاً لبيان يعد كل ثلاثة أشهر، علاوة على ذلك فإن نظام هذه الأخيرة، يستثني الموظف الذي يقوم بعمل ليلي (كالحراس والمنظفين، والمتعهدين بصيانة الأمكنة) في الاختيار بين الأجر الإضافي، كما حددته المادة (45) والعطلة التعويضية، كما حددتها المادة (46) على أن يكون ذلك بالاتفاق مع الإدارة، علماً بان العمل الليلي هو الذي يتم بين الساعة (8) مساءاً و (7) صباحاً، أما موظفو اليونسكو فإنه يجب أن يتقاضوا عن ساعات العمل الليلي زيادة 15% فيما يتعلق بكل ساعة عمل ضمن مده محددة للعمل الليلي بين الساعة (7) مساءاً و (7) صباحاً[2]. كذلك فإن

---

(1) انظر: USRR، 2000، (e) (103. 5) Rule، p. 21

(2) انظر بهذا الخصوص: USRR،2000، (a) (103. 6) Rule، p. 22

- كذلك انظر المواد (47، 49، 51) من نظام موظفي الايسيسكو مرجع سابق ص 41 - 42.

- وبحسب هذا المرجع الأخير ص 41 فإن المادة (45) تنص بان (يعادل اجر الساعات الإضافية مرة ونصف المرة معدل اجر الساعات العادية إستناداً إلى الراتب الأساسي فقط، أي دون اعتبار للمكافآت والتعويضات). وتنص المادة (46) بأن (تعادل العطلة التعويضية مرة ونصف المرة عدد الساعات الإضافية التي اشتغل فيها زيادة على الفترة العادية للعمل

الايسيسكو لا تعتبر ساعات العمل الإضافي، إلا الساعات التي تفوق أقصى عدد ساعات العمل القانونية المعمول بها في المنظمة، كما أن الرؤساء في هذه الأخيرة، لا يطلبون من مرؤوسيهم القيام بأكثر من أربعين ساعة إضافية في الشهر الواحد، إلا إذا استدعت ظروف قاهرة القيام بعمل مستعجل، في حين أن عدد ساعات العمل الإضافية في أسبوع العمل في اليونسكو هي ما يزيد عن ساعات العمل الاسبوعية الاعتيادية المحددة بـ (40) ساعة[1]. علاوة على ذلك فإن نظام موظفي الايسيسكو بأصنافهم المختلفة، يتقاضون أجرة إضافية في أخر كل سنة، تعادل الراتب الأساسي للشهر الواحد[2].

التعويضات العائلية

يحق لموظفي الايسيسكو تقاضي تعويضات عن الزوجة غير المشتغلة وعن الأطفال تحت الكفالة وذلك لكل ابن أو أبنه غير متزوج، يقل عمرة عن 18 سنة ولا يقوم بعمل مربح، وعلى إلا يتجاوز عمرة الخامسة والعشرين إذا كان يتابع دراسته، كما تصرف كذلك هذه التعويضات للأبناء العاجزين عن ممارسة أي عمل مربح بسبب عاهة جسيمة بدنية أو عقلية[3]. ويعرف نظام موظفي اليونسكو الزوج بأنه (يعني الشخص الطبيعي الذي

الأسبوعي).

(1) انظر: المواد (44 ، 50) من نظام موظفي الايسيسكو نفس المرجع السابق وبنفس الصفحات.
- كذلك انظر USRR، 2000، (b) (103. 5) Rule ،p. 21

(2) انظر: م29 من نظام الايسيسكو المرجع السابق ص 36.

(3) انظر: م39 من نظام موظفي الايسيسكو لعام 2005 مرجع سابق ص 39.

يرتبط به الموظف بموجب زواج تعترف به سلطة وطنية مختصة)[1]. ويضيف نظام هذه الأخيرة أنه للاعتراف بزوج الموظف المعال خلال سير العمل للعام المحدد، ينبغي توافر الشروط الآتية[2]:-

بغي أن لا يزيد الكسب الوظيفي للزوج (قبل خصم ضريبة الدخل) خلال العام مستوى أقل راتب للمبتدئين المبين في الجدول الخاص براتب الأمم المتحدة الجاري في مقر العمل في الأول من يناير من تلك السنة، بينما يكون الحد الأعلى لزوج الموظف في الفئة المهنية أو ما فوقها ليس أقل من إجمالي راتب الموظف في الدرجة الثانية، المستوى الأول في مدينة نيويورك، ويحسب الكسب الوظيفي والحد الأعلى بالتناسب عندما يتم اعتبار الفترة جزء من العام التقويمي.

ينبغي على الموظف تأمين الدعم الأساسي والمستمر للأسرة.

---

(1) انظر: وثيقة اليونسكو رقم 34 c / 34 - Annexe - page 2) مرجع سابق.
وبحسب هذا المرجع صفحة (34 c / 34 - page 2) فإن المدير العام لليونسكو قرر إدراج مادة (2. 100) (أ) مكرر (2) جديدة بغرض توضيح مدلول مصطلح (زوج) بحيث يشمل لأغراض تحديد مستحقاتهم، جميع أنواع الزواج بما فيها الزواج بين شخصين من جنس واحد، على أن تصدق عليها أو تعترف بها السلطات المختصة.
الجدير بالذكر بهذا الخصوص هو أن الأمين العام للأمم المتحدة، قام بوضع سياسة جديدة للموظفين في الأول من أكتوبر 2004، وقد أكد في إطار هذه السياسة أن على المنظمة عند تحديد الحالة للموظفين لأغراض تحديد مستحقاتهم أن ترجع في التطبيق إلى القانون الوطني للموظف المعني. ولذلك فإنه من أجل تحقيق الاتساق مع سياسة الأمم المتحدة، نجد أن جميع المنظمات التابعة لمنظومة الأمم المتحدة ومنها اليونسكو، قامت بإدخال تغييرات مماثلة في سياساتها الخاصة بالموظفين من أجل إتاحة هذه المستحقات للموظفين المتزوجين من زوج من جنسهم على أن يكون هذا الزواج معترفاً به في بلد جنسيتهم.

(2) انظر: USRR، 2000 ، (a) (103. 9) Rule ، 24) p. ،25)

كذلك فإنه للاعتراف بطفل الموظف كمعال، فإنه ينبغي توافر الشروط الآتية[1]:-

ينبغي أن يكون الطفل شرعياً، أو متبنى شرعياً للموظف، وأن يكون عمرة أقل من 18 سنة و إذا كان متفرغ كلياً للحضور في مؤسسة تربوية تحت عمر 21 سنه، إلا أن هذا العمر المحدد لا ينطبق على الأطفال العاجزين عن العمَل المدفوع نتيجة عجز جسدي أو عقلي مستمر أو لفترة طويلة، كما ينبغي على الموظف تقديم دعم مستمر و أساسي للطفل.

علاوة على ما سبق فإن اليونسكو تعتبر والد، وأخ وأخت الموظف معالين من الدرجة الثانية وفقاً لأحكام الفقرة (د) من المادة (9. 103) من نظام الموظفين[2]. ومما يجدر ذكره ونحن بصدد الحديث عن التعويضات العائلية هو أن نظام الالكسو وأن كان قد تطرق إلى أسرة الموظف في المنظمة وأنه يقصد بها، الزوج أو الزوجة، والأبناء الذين لم يتموا إحدى وعشرين سنه ميلادية من العمر، أو ممن تجاوزها إلى الخامسة والعشرين، بشرط أن يكونوا في مرحلة التعليم الجامعي، والأبناء العاجزون طبياً عن العمل باجر، وأيضاً البنات العازبات أو المطلقات أو الأرامل أو الوالدان إن كان الموظف عائلهم الوحيد بإقرار رسمي من السلطة المختصة في بلد الموظف أو بلد إقامته الدائمة[3]. إلا أن نظام هذه الأخيرة الحالي 2004

---

(1) انظر: USRR،2000 ، (b) (103. 9) Rule ،p. 25.

- وبحسب هذا المرجع، فإنه ينبغي أن يكون الطفل شرعياً، طفلاً طبيعياً، أو متبنى شرعياً للموظف، أو الطفل الذي يكون ملزماً على موظف، بناءاً على وثائق شرعية، باتخاذ واجبات الوالد، أو أن يكون ابن أو ابنة الزوج أو الزوجة للموظف.

(2) انظر: USRR،2000 ،(d) (103. 9) Rule ،p. 25.

(3) انظر: م61 من نظام موظفي الالكسو 2004 مرجع سابق ص28.

(بعكس النظام الوظيفي السابق للمنظمة لعام 1996م لم يتطرق في أي من مواده على البدلات العائلية التي تصرف لأسرة الموظف المنصوص عليها في المادة (61) من النظام الحالي، بينما كان النظام السابق يقضي بمنح الموظف بدل عائلي شهري عن الزوجة أو الزوج أو الأبناء الذين لا يعملون، وعلى أن يتم تحديد هذه البدلات في اللائحة التنفيذية[1]. إلا أن هذا الأمر مع ذلك وبالرغم من عدم وجود نص قانوني في النظام الحالي يخول للمنظمة الحق في منح هذا البدل، نجد أن المنظمة مستمرة في صرف هذه البدلات العائلية، و ربما بنفس الوتيرة التي كان معمولاً بها في النظام السابق. وبهذا الخصوص نجد أن التعويض العائلي

إعتمادات الفترة المالية 2003 - 2004 هو مبلغ (43000 دولار، في ظل النظام الوظيفي السابق)، في حين رصد مبلغ (31000 دولار، في ظل النظام الوظيفي الحالي للدورة المالية 2005 - 2006)[2].

وهذا بدورة يدعونا إلى القول بأنه ينبغي أن تضمن الالكسو النظام الوظيفي الحالي مادة جديدة تسمح بصرف البدلات العائلية لأسر موظفي المنظمة، على غرار ما هو معمول به في المنظمات الموازية لها اليونسكو والايسيسكو، حيث تقوم هذه الأخيرة بصرف تعويض عائلي للزوجة الغير عاملة بمبلغ 80 دولار أمريكي، كما تقوم بصرف تعويض لكل طفل من أطفال الموظف تحت الكفالة بواقع 60 دولار، إلا أن هذا التعويض الأخير

---

(1) انظر: م32 الفقرات (2- أ) ، 3) من نظام موظفي الالكسو لعام 1996م مرجع سابق ص 31،30.

(2) انظر: الميزانية والبرنامج لعامي 2005 - 2006 إصدارات الالكسو مرجع سابق ص24.

الخاص بالأطفال لا يجوز أن يكون إلا لصالح خمسة أطفال على الأكثر، على أنه يجوز للمدير العام أن يراجع هذه التعويضات متى أتضح أن هناك ارتفاع في تكلفة المعيشة، وبشرط موافقة المجلس التنفيذي[1]. بينما تدفع اليونسكو لموظفي فئة الخدمة العامة في المقر في الوقت الحاضر، العلاوات السنوية الآتية: علاوة الزوج وقدرها (2305 يورو)، أما الموظفون الذين يقبضون هذه العلاوة منذ عام 1998م فإنه يدفع لهم مبلغ (2715 يورو)، كما يدفع للطفل المعال، علاوة قدرها (1895 يورو)، بينما يدفع للطفل الأول المعال للموظف الذي لا زوج له مبلغ (3720 يورو)[2]. أما علاوات الأطفال والعلاوات الثانوية، لموظفي الفئة المهنية وما فوقها العاملين في المقر وأيضاً في بلدان مقار العمل الأخرى، إنما يتم تحديد هذه العلاوات العائلية، والثانوية، بحسب نوع بلد مقر عمل الموظف، ونوع العملة الوطنية المستخدمة فيه وعلى سبيل المثال لا الحصر الأتي[3]:-

---

(1) انظر: المواد (41،39) من نظام موظفي الايسيسكو 2005 مرجع سابق ص41،39

- كذلك انظر: الملحق رقم (3) في نظام موظفي الايسيسكو لعام 2004 مرجع سابق ص55.

(2) انظر: الوثيقة رقم (34 page 4 - 35 / c) بتاريخ 2007/8/8

(3) انظر: نفس المرجع السابق صفحة (34 Annexe IV - 35 / C)

- انظر: في هذا المرجع كذلك العلاوات العائلية والثانوية المستحقة لفئتي الموظفين الجدد، والمؤهلين لتلقي هذه العلاوات، في البلدان الأخرى في كل من النمسا وبلجيكا، والدنمارك، وألمانيا، وايرلندا، ولوكسمبورغ وموناكو، وهولندا... الخ.

- وبحسب هذا المرجع صفحة (34 page 2 - 35 / c) فإن علاوات الأطفال والمعالين من الدرجة الثانية قد انخفضت بنسبة 8 % للموظفين المهنيين الذين أصبحوا مؤهلين لتلقي هذه العلاوة ابتداءاً من الأول من يناير 2007 وذلك بسبب التغييرات الأخيرة التي طرأت على مستوى التخفيضات الضريبية والمدفوعات الاجتماعية في بلدان مقار العمل المعنية، و وفقاً

البيـــــان	أسم الدولة	العملة	العلاوة	العلاوة الثانوية
1- الموظفون الجدد	فرنسا	اليورو	1591	528
	اليابان	الين	410194	186347
	سويسرا	الفرنك السويسري	3461	1542
	الولايات المتحدة وبقيه العالم	الدولار	1780	637
2- الموظفون المؤهلون لتلقي هذه العلاوة اعتباراً من 2007 / 7 / 1	فرنسا	اليورو	1730	574
	اليابان	الين	446106	202661
	سويسرا	الفرنك السويسري	3764	1677
	الولايات المتحدة وبقيه العالم	الدولار	1936	693

مع ملاحظة أن علاوة الطفل المعاق إنما تكون ضعف هذه المبالغ.

و ينص نظام موظفي الايسيسكو بأنه (في حالة ما إذا كان الزوجان يشتغلان معاً، فإن العلاوات والتعويضات الخاصة بالأطفال تدفع للزوج فقط ما عدا في الحالات الآتية:-

- إذا كانت نوعية عمل الزوج لا تسمح له بالتمتع بتلك التعويضات والعلاوات.
- إذا كانت التعويضات الممنوحة للزوج أقل من التعويضات المنصوص

عليها في المادة (39) من هذا النظام، وبعد الإدلاء بالحجج اللازمة، تتمتع الزوجة العاملة بالايسيسكو بالتعويضات والعلاوات الخاصة بكل طفل تحت كفالتها، ويكون مبلغ التعويض مساوياً للفرق بين النسبتين المذكورتين أعلاه)[1]. أما نظام موظفي اليونسكو فقد كان أكثر إيضاحاً وحسماً في هذا الجانب، إذ قضى بهذا الخصوص أنه إذا كان الزوج أو الزوجة كلاهما موظفان ومسؤلان عن إعانة الطفل ستطبق علاوة الإعالة فقط على راتب الزوج الذي راتبه أكثر[2].

وبناءاً على ما سبق أرى أنه من المناسب الإشارة إلى بعض الجوانب القانونية التي ينبغي مراعاتها وتعديل ما يمكن منها وذلك في المواد (39، 41، 42) من نظام موظفي الايسيسكو وكما يلي:-

إن التعويضات المشار اليها في المادة (39) ضمن المرفق (3)، نجد أن هذا المرفق لم يوضح عما إذا كانت هذه التعويضات شهرية أم سنوية، وأن كان ذلك يفهم ضمناً نظراً لضالة تلك المبالغ، أنها تعويضات شهرية، إلا أن التخمينات الضنية في هذه الأمور لا تغني عن النص القانوني سواء في المادة المشار اليها، أم في المرفق المشار إليه في المادة نفسها، ولهذا فإنه ينبغي أن يضاف على جدول التعويضات العائلية كلمة (الشهرية) عليه

للممارسة المتبعة عادة، فإن العلاوات المدفوعة بمبالغ أعلى تم تجميدها بمستوياتها الحالية.

(1) انظر: م42 من نظام موظفي الايسيسكو مرجع سابق ص 40 - 41.

(2) انظر: USRR،2000 ، (b) (103. 2) Rule ،p. 20.

- وبحسب هذا المرجع فإن هذه الفقرة (ب) تقضي بان تتضمن تسويه الوظائف علاوة لـ (الموظفين المعالين وعلاوة للموظفين الغير معالين)، تطبق علاوة إعالة موظفي الفئة المهنية وما فوقها الذين لديهم إعالة الزوج أو إعالة الطفل كما هو منصوص في معنى قانون رقم (9. 103)، وإذا كان الزوج أو الزوجة كلاهما موظفان ومسؤلان عن إعالة الطفل ستطبق علاوة الإعالة فقط على راتب الزوج الذي راتبه أكثر.

أو أن ينص في المادة نفسها على هذه الكلمة.

إن المادة (41) التي تنص بان (قيمة العلاوات والتعويضات في هذا الباب هـي نفـس القيمة بالنسبة لكل الموظفين بغض النظر عن درجاتهم.

لا يجوز للموظف أن يتقاضى العلاوات والتعويضات المنصوص عليها في هـذا البـاب، إلا لصالح خمسة أطفال على الأكثر).

وبطبيعة الحال فإن المقصود بهذه التعويضات هـي التعويضـات المحـددة في البـاب الرابع، إلا أن الملاحظ أن قيمة هذه التعويضات في معظمها تتفاوت من موظف لأخر وكل بحسب الفئة التي ينتمي اليها خلافاً لما قضت به المادة السالفة الذكر، وللتدليل على ذلـك وعـلى سـبيل المثـال لا الحصرـ نجـد أن التعويضـات المتعلقـة بالسـكن، ومهـمات السـفر (الداخليـة والخارجيـة) وتـذاكر السـفر جـواً، وتكـاليف ترحيـل الأثـاث، وغـير ذلـك مـن التعويضات الأخرى[1]. أن السمة البارزة لقيمة هذه التعويضات إنما هو الاختلاف في القيمة القيمة باختلاف فئات الموظفين هذا من ناحية، ومن ناحية أخرى فإننا نجد أن قيمة بعض التعويضات التي تمنح للموظفين، إنما قد تكـون متسـاوية بـين كـل فئـات المـوظفين، وقـد يكون هذا الأمر مقتصراً على نوع واحد من التعويضات فقط وهـي التعويضـات العائليـة، حيث حددت مبالغ مقطوعة للزوجة غير العاملة ولكل طفل تحـت الكفالـة، كـما قضـت بذلك المادة (39) ولصالح خمسة أطفال عـلى الأكـثر (م41) إلا أنـه حتـى في هـذه الحالـة الأخيرة فإننا قد نجد أن الموظفين لا يتسلمون نفس القيمة التعويضية، إلا إذا افترضنا سلفاً أن لكل موظف عدد متساوٍ من الأطفال تحت كفالته ممن

(1) انظر: المواد (31، 32، 60، 62) من نظام موظفي الايسيسكو 2005 مرجع سابق ص 37، 44، 45.

تنطبق عليهم شروط منح هذا التعويض، وهذا الافتراض بطبيعة الحال قد لا يكون موجوداً على أرض الواقع، ذلك أن لكل موظف عدد محدد من الأطفال قد ينقص أو يزيد عن هذا العدد المحدد (بخمسه أطفال)، كما انه قد لا يوجد لدى البعض أطفال تحت كفالتهم لأي سبب كان.

ولذلك فإني أرى أن يتم إلغاء الفقرة الأولى من هذه المادة، مع إجراء تعديل بسيط على الفقرة الثانية، بحيث لا تتعارض مع ما ورد في المادة (40) الفقرة (ب) وستكون الصيغة المقترحة للمادة (41) كما يلي (استثناءاً من أحكام الفقرة (ب) من المادة (40)، لا يجوز للموظف أن يتقاضى العلاوات والتعويضات المنصوص عليها في هذه الباب إلا لصالح خمسة أطفال على الأكثر).

كذلك فإن المادة (42) بصيغتها السالفة الذكر، في رأي أنها غير ملائمة، وعله ذلك أنه من حق كل موظف في الايسيسكو أن يتمتع بالتعويضات العائلية المنصوص عليها في المادة (39) وفقاً لأحكام هذه المادة، وبطبيعة الحال فإنه لا يوجد من بين هذه الأحكام ما يمنع الزوج - أياً كان عمله - من التمتع بتلك التعويضات والعلاوات، أو حتى الانتقاص منها. ولذلك فإني أرى أن يتم أعادة صياغة هذه المادة كما يلي (في حالة ما إذا كان الزوجان موظفان في المنظمة، فإن العلاوات والتعويضات الخاصة بالأطفال تدفع للزوج فقط، إلا أنه يجوز في ظروف خاصة دفعها للزوجة، بموافقة من المدير العام).

منحة التعليم

تطرقت نظم موظفي المنظمات اليونسكو والايسيسكو عن التعويضات التي تمنح لأولاد موظفي هاتين المنظمتين، وذلك على العكس من نظام

موظفي الالكسو الحالي 2004 إذ لم يتطرق لبدل نفقات تعليم أبناء الموظفين، وذلك على العكس أيضاً من النظام الوظيفي السابق للمنظمة لعام 1996م حيث كان هذا النظام ينص على منح (بدل نفقات تعليم سنوي للأبناء بالمدارس والجامعات (باستثناء الدراسات العليا) وذلك طبقاً لأحكام الفقرة (ب) من المادة (52) من هذا النظام و وفقاً للنظام المطبق بالأمانة العامة لجامعة الدول العربية)[1]. إلا أنه بالعودة إلى الميزانية والبرنامج للمنظمة سنجد أن الاعتمادات المرصودة للدورة (2003 - 2004) لتعويض التعليم هو مبلغ 10000 دولار، بينما تضائل هذا المبلغ إلى 6000 دولار في الدورة المالية (2005 - 2006)[2]. وعلى أيه حال فإنه ينبغي في تقديري تضمين النظام الوظيفي الحالي للالكسو نفس النص السالف الذكر، طالما بقى صرف هذا التعويض مستمراً، وأسوة بما هو عليه الحال في المنظمات الموازية لها اليونسكو والايسيسكو، إذ يقضي ـ نظام هذه الأخيرة بأنه يجوز لمديرها العام أن يمنح للموظفين المقيمين منهم وغير المقيمين تعويضاً لتغطية مصاريف التدريس بالنسبة لا بنائهم المسجلين في المدارس أو الجامعات، على أن يكون التعويض في حدود 75 % من المبلغ الإجمالي للمصاريف، شريطة إلا يتعدى 10 % من الراتب السنوي للموظف، وعلى أن لا تسلم هذه التعويضات إلا لصالح خمسة أطفال على الأكثر[3].

بينما يتحصل الموظف في اليونسكو الذي يعتبر أن موطنه خارج مقر

---

[1] انظر: م32 الفقرة (2 - ب) من نظام موظفي الالكسو لعام 1996م مرجع سابق ص 30 - 31.

[2] انظر: الميزانية والبرنامج لعامي 2005 - 2006 إصدارات الالكسو مرجع سابق ص24.

[3] انظر: المواد (40 فقرة (أ) ، (41) من نظام موظفي الايسيسكو مرجع سابق ص40.

عمله، منحه تعليمية لجميع الأولاد الذين تتوافر فيهم الشروط المذكورة في القانون (9. 103) (ب) الفقرات (3،1)[1]. حيث تستحق منحة التعليم حتى نهاية السنة الرابعة من الدراسة بعد الثانوية، ولكن لا يمكن دفعها بعد نهاية السنة الدراسية التي يبلغ فيها الابن 25 سنة من العمر[2]. كما أن للموظف غير المقيم في الايسيسكو الحق في الحصول على تذاكر السفر لفائدة ثلاثة من أبنائه فقط في حالة مواصلة دراستهم في بلد خارج دولة المقر، وذلك لتمكينهم من زيارة أهلهم مرة في السنة باستثناء السنة التي يتحصل فيها الموظف على تذاكر سفر لزيارة بلدة الأصلي، ويتم إيقاف صرف هذه التذاكر وكذا منحة التعليم عند انتهاء دراسة الابن أو عند بلوغه سن 25 سنة من العمر[3].

تعويضات الإقامة والتنقلات وترحيل الأثاث

يقضي النظام الوظيفي باليونسكو بأنه يدفع للموظف الذي عين أو أعيد تعينه في مقر عمل جديد لمدة سنة أو أكثر علاوة التنقل والمشقة على أن

---

(1) انظر: USRR،2000، (103. 12 (a))، Rule (103. 9 (b) (i)، (iii)،p. 25، 29

(2) انظر: وثيقة اليونسكو رقم (34 Annex - page 2 - 34 / c بتاريخ 2007/9/6

- وبحسب هذا المرجع الصفحات (34 (Annex - page 1،c \ 34 - page 2))

فإنه تم تعديل المادة (12. 103) منحة التعليم الفقرة (ب) حيث أصبح التعديل سارياً في الأول من يناير 2007، وقد تم هذا التعديل لمراعاة القرار الذي اعتمدته الجمعية العامة للأمم المتحدة، القاضي بتعديل فترة أهلية الحصول على منحة التعليم، وقد زيدت هذه الفترة بحيث يمكن دعم جميع الأطفال طوال أربع سنوات من التعليم بعد الثانوي، بصرف النظر عن تاريخ حصولهم على أول درجة علمية معترف بها، ومن شأن ذلك أن يكفل قدر أكبر من الإنصاف في تنفيذ خطة منحة التعليم عبر النظم التعليمية المختلفة.

(3) انظر: م40 الفقرات (ب ، ج) من نظام موظفي الايسيسكو مرجع سابق ص40.

يحدد مقدار هذه العلاوة، إن وجدت من قبل المدير العام مع الأخذ بعين الاعتبار فترة الخدمة المستمرة للموظف الذي عمل في منظومة الأمم المتحدة، وأيضاً عدد فئة أماكن العمل التي عمل فيها سابقاً، والفترة الزمنية التي قضاها في كل مقر عمل، ودرجة صعوبة الحياة في كل منها، وعما إذا كان الموظف لديه استحقاق لنقل أغراضه المنزلية على نفقة المنظمة أم لا، ويحق للموظف الذي عين في مقر عمل بعيد عن المقر الرئيسي أو نقل إلى المقر لفترة أقل من سنة، بدل إقامة يومي طبقاً للشروط واللوائح والمعدلات التي وضعت من قبل المدير العام بناءاً على القانون رقم (7. 107)[1]. إلا أنه بعد خمس سنوات من الخدمة المتصلة في مقر العمل الواحد، فإنه يتوقف دفع العنصر الخاص بالتنقل، والعنصر الخاص (بعدم نقل الأثاث المنزلي) من علاوة التنقل والمشقة[2]. ويصرف للموظفين المرسمين بالايسيسكو - باستثناء المسؤولين الذين وضعت رهن إشارتهم سيارة عمل - تعويض شهري للنقل، تحدد قيمته وفق جدول التعويضات المرفق بهذا النظام، كما يتقاضي كل موظف ملزم بالانتقال لمزاولة عمل ما في مكان لا يمكنه فيه تناول وجبات الأكل والاستراحة بسكناه العادية، تعويضاً يومياً، يحدد هذا التعويض، داخل وخارج بلاد المقر وفق جدولي التعويضات المرفقين بالنظام أيضاً، إلا أنه في حالة تقديم الإيواء أو الطعام من قبل

(1) انظر: USRR،2000 ، (a. e) (103. 11) Rule ،27 - 26) .p)

(2) انظر: وثيقة المؤتمر العام لليونسكو الدورة (34) وثيقة رقم 34 page 2 - Annexe - 34 / c).

- وبحسب هذا المرجع فإنه تم تعديل المادة (11. 103) كما يلي: تم حذف الفقرات (ج ، د) منها، بينما تم تعديل الفقرة (ب) كما هو موضح بعالية، أما الفقرات (أ ،هـ) فقد بقيت بلا تغيير، وأصبحت هذه التعديلات سارية المفعول في الأول من يناير 2007.

الجهة المضيفة لهذا الموظف فإنه لن يحصل إلا على 50 % من التعويض اليومي، وعلى أيه حال فإن جداول التعويضات عن النقل أو المهمات إنما يتم مراجعتها في بداية السنة المالية للمنظمة متى أتضح أن هناك ارتفاع في تكلفة النقل أو العيش[1]. كما يجوز للموظف في اليونسكو الذي يستحق دفع نفقات سفر بناءاً على المادة (1. 107) أن تكون لدية كمية معينة من الأثاث المنزلي والأمتعة الشخصية باستثناء الحيوانات، تنقل على نفقة المنظمة، وعلى أن لا تكون التكلفة أكثر ارتفاعاً وعلى النحو التالي[2]:-

---

(1) انظر: المواد (30 ، 32) من نظام موظفي الايسيسكو 2005 مرجع سابق ص 37 - 38

- تضيف المادة (32) بان تعويض الانتقال لا يسدد إلا لمن يدلي بأمر بالمهمة التي كلف بها، وأسباب السفر والمدة المحتملة له، وكذا الأماكن التي سيزورها المكلف بالمهمة، وعلى أن يسدد هذا التعويض أما قبل السفر، أو أثناء الشهر الذي يلي السفر.

- كذلك انظر في مرجع نظام موظفي الايسيسكو لعام 2004 المرفقات رقم (3، 4، 5) الخاصة بالتعويض الشهري عن النقل، والتعويض اليومي عن المهمات داخل المقر، والتعويض اليومي عن المهمات خارج المقر ص 55 - 57 وذلك لعدم وجود هذه الجداول ضمن نظام الموظفين في مرجع 2005م.

- وبحسب المواد (34،33) من نظام الايسيسكو ص 38 فإنه يصرف للموظفين المسموح لهم باستعمال سياراتهم الشخصية في أطار عملهم بالمنظمة، تعويض حسب المسافة وبمعدل محدد سلفاً وعند نقل جماعة من الموظفين في سيارة واحدة إلى نفس المكان، فإن التعويض المذكور يسدد لصاحب السيارة، كذلك فإنه باستثناء الحالة التي يستعمل فيها الموظف سيارة المنظمة، فإنه عند قيامة بمهمة داخل البلاد التي يعمل بها تسدد تكاليف السفر على أساس تذكرة القطار من الدرجة الأولى أو الثانية حسب الفئة التي ينتمي اليها الموظف وعلى أن يسدد التعويض لهذه الحالات خلال الشهر التالي للسفر.

(2) انظر: المواد (9. 107، 10. 107) الفقرة (أ) في كل منها، وذلك في لائحة موظفي اليونسكو، كما تم تعديلها في شهر نوفمبر 2006 وثيقة رقم (34 c / 34 - Annex - page 1) بتاريخ 6 / 9 / 2007.

- لدى تعيين الموظف أو نقلة من موطنة الأصلي، أو المكان الذي كان فيه، أو مقر عمله السابق، أو أي مكان آخر إلى مقر عمله الجديد.
- لدى انتهاء الخدمة، من مقر العمل إلى الموطن الأصلي للموظف أو أي مكان آخر.
- لدى نقل الموظف من مقر عمله إلى آخر، من موطنه الأصلي، أو مقر عملة السابق، أو من أي مكان آخر.

كما يحق لموظفي اليونسكو منحة بدء العمل عندما تسدد المنظمة نفقات سفرة الأولية إلى مقر عمله لأداء مهمة مدتها ليست أقل من سنة وذلك طبقاً للقانون (1. 107) كما تدفع أيضاً هذه المنحة لكل عضو من أسرة الموظف المصطحبين معه إلى مقر العمل على نفقه المنظمة لمدة لا تقل عن ستة أشهر، ويعتمد مقدرا الإعانة على معدل بدل الإقامة اليومي الذي يطبق على الموظف في مقر العمل في يوم وصول الموظف وأسرته، والتي ستعادل 30 يوماً بمعدل كامل للموظف وبنصف المعدل لكل عضو من أفراد أسرته، كما يجوز للمدير العام إذا تم أقناعة بوجود صعوبات إسكان استثنائية في إحدى أماكن مقر العمل، أن يصرح بزيادة المبالغ الخاصة ببدل الإقامة اليومي لاحتساب منحة بدء المهمة بمعدل 60 % من المعدلات السالف ذكرها ولفترة لا تتجاوز ستون يوماً[1]. ويجوز لمدير عام هذه

- وحسب هذا المرجع فإن تعديل الفقرة (أ) في كل من المادتين أصبح سارياً بتاريخ 17 نوفمبر 2006 أما الفقرات (ب ، ج، د، هـ و) من كلا المادتين فإنها لم تتغير ويمكن الرجوع إلى أحكام هذه الفقرات في المرجع التالي (p. (68 - 71، 107. 10) ، Rule (107. 9 ، 2000،USRR

(1) انظر: p. 26، d) ، b ، Rule (103. 10) (a ، 2000،USRR
- وبحسب هذا المرجع الفقرة (ج) فإنه يجوز أن تكون علاوة مقر العمل ملحقة بمبلغ

الأخيرة طلب تعويض من الموظف لتسديد جزء أو كل العلاوات المدفوعة إذا فصل الموظف الحاصل على منحة بدء العمل من المنظمة بناءاً على مبادرة خاصة به قبل أكمال الخدمة في مقر العمل لفترة لا تقل عن سنة واحدة، كذلك فإنه تخصم منحة بدء العمل التي تم تسديدها من مخصصات الموظف، إذا مكثت أسرة الموظف في مقر العمل أقل من ستة أشهر، إلا إذا أمر المدير العام بان هناك تبريراً استثنائياً لمغادرتها[1].

ويقضي نظام موظفي الايسيسكو بان تتحمل المنظمة قيمة بطاقة السفر للموظف المسموح له رسمياً بالسفر، وذلك عند الشروع في العمل بالمنظمة، أو أثناء تنقله في مهمة، أو عند انتهاء عمله بالمنظمة، كما يمنح للموظف غير المقيم الذي تسلم مهام عمله بطاقات السفر لزوجته ولخمسة من الأطفال الذين هم تحت كفالته، كما تمنح أيضاً نفس بطاقات السفر هذه للموظف الغير مقيم عند انتهاء عملة بالايسيسكو[2]. وبالمثل فإن الالكسو تتحمل قيمة بطاقات السفر لموظفيها، إلا أنه لم يحدد عدد أفراد الأسرة الذين يحق لهم الحصول على بطاقات السفر، حيث ورد النص على صرف قيمة

إجمالي لا يتجاوز راتب أساسي صافي لشهرين لموظف، مضافاً إليه تسوية وظيفية في درجته، مستواه، وضعة ومقر عملة، يحدد مقدار المبلغ الإجمالي الذي يطبق من قبل المدير العام، مع الأخذ بعين الاعتبار مده التعيين، فئة مقر العمل، وعما إذا كان الموظف لدية استحقاق لنقل أغراضه المنزلية على نفقة المنظمة أم لا.

(1) انظر: USRR، 2000 ، f) (103. 10) Rule ، g، p. 26)

- وبحسب الفقرة (ح) من هذا المرجع فإنه يجوز للمدير العام طلب تعويض لكل أو جزء من المبلغ الإجمالي إذا كان الموظف الذي دفع له المبلغ الإجمالي بناءاً لما هو منصوص عليه في الفقرة (ج) لم يخدم في مقر العمل فترة التعيين الكاملة.

(2) انظر: المواد (53، 55، 58) من نظام الايسيسكو 2005 مرجع سابق ص 42 - 43.

تلك البطاقات للموظف وأسرته بشكل عام، وذلك بالطائرة، فضلاً عن تعـويض نقـل أمتعته وأثاث منزلة في الحالات الآتية[1]:-

● التعيين من بلده أو بلد إقامته الدائمة إلى مقر عمله والعكس عند انتهاء الخدمة.

● النقل من المقر إلى مركز خارجي أو العكس، أو من مركز خارجي إلى آخر.

ويستحق موظف هذه الأخيرة وأسرته عند زيارة بلـده أو بلـد إقامتـه الدائمـة قيمـة بطاقات السفر بالطائرة بالدرجة السياحية ذهاباً و إياباً بأقصر الطرق الموصلة مـن مقر عمله إلى عاصمة بلادة مرة كل سنتين، مثلما هو عليـه الحـال بالنسبة لكل موظف غير مقيم في الايسيسكو في حق الحصول على بطاقات سفر الموظف إلى بلادة، وبطاقات سـفر زوجته وخمسة من الأطفال الذين هم تحت كفالته، على أنه يجـب سـلوك أقصر الطـرق وأقلها كلفة أثناء القيام بهذه الأسفار، و إذا رغب الموظف في السفر بوسائله الخاصة، فإنه يتم صرف قيمة التذاكر المستحقة نقداً، ولا قصر الطرق[2]. ويكون سفر المدير العام في هذه الأخيرة بالطائرة بالدرجة الأولى مثله في ذلك مثل مدير عـام الالكسو، بينـما يسـافر بقيـة فئات الموظفين في هذه الأخيرة بالدرجة السياحية، مثل بقية موظفي الايسيسكو باستثناء المدير العام المساعد في هذه الأخيرة، حيث يسافر في درجة رجال الأعمال[3]. كذلك فإنه

[1] انظر: المادة (27 الفقرة (ب) من نظام موظفي الالكسو 2004 مرجع سابق ص13.

[2] انظر: م27 فقرة (ج) من نظام الالكسو نفس المرجع السابق وبنفس الصفحة.
- المواد (59،57) من نظام الايسيسكو مرجع سابق ص 42 - 43.

[3] انظر:

عند الشروع في العمل في الايسيسكو، أو عند الانتقال منها أو مغادرتها بصفة نهائية، يكون للموظف غير المقيم بدولة المقر الذي رخص له بالسفر جواً، الحق في نقل فائض من أثاثه الشخصي وزنه 20 كيلوغرام، فيما يخصه هو، و (10) كغم فيما يخص زوجته وخمسة من الأطفال الذين تحت كفالته، أما في حالة حصول الموافقة للسفر براً أو بحراً، فإن المنظمة تتحمل تكاليف الترحيل للمتاع الشخصي- حسب فئات الموظفين المذكورين في المادة (13) من هذا النظام، أو بحسب ما ورد في عقد العمل من أحكام وطبقاً للحدود الموضحة في المادة (62) من هذا النظام[1].

- م27 فقرة (د) من نظام الالكسو نفس المرجع السابق وبنفس الصفحة.

وبحسب الفقرة (أ) من نفس المادة، فإنه يعاد النظر في قيمة تعويض بدل السفر للمهام الرسمية وفق ما تقره جامعة الدول العربية.

- كذلك انظر: م60 من نظام موظفي الايسيسكو المرجع السابق ص 44.

وتضيف هذه المادة بأنه إذا كانت وسيله النقل الموافق عليها غير الطائرة، فإن المصاريف التي تم دفعها فعلاً تسدد عند الإدلاء بالفاتورة، وأن اقتضى الحال على أساس تقديري بحيث لا يتجاوز ما قد يتطلبه السفر جواً في الدرجة الاقتصادية وحسب أقصر الطرق.

(1) انظر: بهذا الخصوص: م61 من نظام الايسيسكو مرجع سابق ص 44

- وتضيف هذه المادة بأنه في حالة حصول الموظف على الموافقة للسفر براً أو بحراً فإنه يعوض على نقل متاع شخصي لا يزيد عن 100 كغم فيما يخصه هو، وعلى 75 كغم أخرى فيما يخص زوجته وخمسة من الأطفال تحت كفالته.

- م62 من نظام موظفي الايسيسكو مرجع سابق ص 44 - 45.

وبحسب هذه المادة أيضاً فإن المنظمة تتحمل تكاليف الترحيل إما بحراً أو براً حسب فئات الموظفين وبحيث يكون الوزن الإجمالي للمتاع الشخصي في الحدود الآتية:-

المدير العام 2500 كغم، الفئة الخاصة 2000 كغم، الفئتان (2،1) 1500 كغم، الفئتان (4،3) 1000 كغم.

- وبالنظر إلى المادتين (62،61) يتضح أن هناك تعارض بينهما، وهذا التعارض راجع

المبحث الثاني

إدارة أنظمة إجازات وترقيات الموظفين

وإنهاء خدماتهم في المنظمات (اليونسكو، الالكسو، الايسيسكو)

إن أنظمة موظفي هذه المنظمات المتخصصة - مثل سائر أنظمة موظفي المنظمات الدولية - تنظم الأحكام المتعلقة بالإجازات التي يتم منحها للموظفين وكذا النظم المتبعة في تقييمهم وسبل ترقيتهم، وإحالتهم إلى اللجان التأديبية في حال ارتكابهم للمخالفات، وإنهاء خدماتهم في هذه المنظمات، وما يترتب على ذلك من تعويضات يتم دفعها سواء ما يتعلق منها بالمعاشات التقاعدية، أو التامين الصحي، وكل هذه المواضيع وغيرها هي موضوع حديثنا في هذا المبحث بمطلبيه، نظم إجازات وترقيات الموظفين (المطلب الأول) ثم نظام التأديب وإنهاء الخدمة (المطلب الثاني).

المطلب الأول

نظم إجازات وترقيات الموظفين في المنظمات

(اليونسكو، الالكسو، الايسيسكو)

تشتمل أنظمة موظفي هذه المنظمات على الأحكام المنظمة للعديد من الإجازات والعطل الرسمية التي يتمتع بها الموظفون، علاوة على السبل المتبعة في تقييمهم وترقيتهم، وعلية فإننا سنخصص هذا المطلب لنقطتين رئيسيتين هما:-

---

لاختلاف الأوزان المسموح بحملها على نفقة المنظمة في حالتي السفر براً وبحراً، مما يعني أنه ينبغي دمجهما في مادة واحدة على غرار ما أوردناه في المتن بعالية.

- الإجازات والعطل الرسمية

- نظم تقييم وترقية الموظفين وكما يلي:-

أولاً: الإجازات والعطل الرسمية

يتمتع موظفو المنظمات المتخصصة ، اليونسكو، الالكسو، الايسيسكو بعطلة أسبوعية مقدارها يومان من كل أسبوع هما: السبت والأحد، وذلك للموظفين العاملين في مقار هذه المنظمات، ويقضي نظام هذه الأخيرة، بان هذه الراحة الأسبوعية التي يتمتع بها كل موظف في المنظمة، فيما عدا ما يتعلق بالمصالح المستمرة، حيث تكون الراحة الأسبوعية بالتناوب بين الموظفين[1]. ويضيف نظام الالكسو بأنه إذا صادفت الإجازة الرسمية الراحة الأسبوعية للموظفين فإنه يجوز للمدير العام إعطاء الموظفين مدة سابقة أو لاحقة بمقدار مدة الراحة الأسبوعية المعوض عنها، وعلى أيه حال فإن العطل أو الإجازات الرسمية الأخرى في هذه الأخيرة، إنما ترد بشكل حصري في مقر المنظمة في تسع مناسبات مختلفة[2]. كما أن المناسبات الحصريه للعطل الرسمية في فرنسا، والمعلن عنها في مقر اليونسكو، إنما ترد في أحدى عشرة مناسبة مختلفة[3]. كذلك فإن أيام الأعياد والعطل

---

[1] انظر: م76 من نظام موظفي الايسيسكو مرجع سابق ص48.

[2] وهذه الإجازات هي: رأس السنة (الهجرية، والميلادية)، ويوم المولد النبوي الشريف، ويوم ذكرى تأسيس كل من (الجامعة العربية، والالكسو)، ويوم عيد العمال، واليوم الوطني لدولة المقر، وعيدي (الفطر و الأضحى) بواقع خمسة أيام لكل منها.

- انظر: بهذا: م44 الفقرات (أ ، ج) من نظام موظفي الالكسو مرجع سابق ص21.

[3] وهي: اليوم الأول من الأشهر (يناير، مايو، نوفمبر)، ويوم الاثنين عيد الفصح، ويوم الاثنين الأبيض، وعيد الصعود، والثامن من مايو، والرابع عشر من يونيو، والخامس عشر من أغسطس، والحادي عشر من نوفمبر، والخامس والعشرين من ديسمبر.

الرسمية في الايسيسكو وأن لم يرد بها حصراً في نظام هذه الأخيرة، إلا أنها مثل سابقاتها من الإجازات الرسمية، حيث تتمثل هذه الإجازات المعتمدة أساساً بتلك التي ينص عليها القانون السائد في دولة المقر[1]. وعلى العموم فإن مدراء عموم هذه المنظمات، معنيون أساساً بتحديد العطل الأسبوعية أو الرسمية الأخرى للموظفين العاملين في المراكز الخارجية البعيدة عن المقار الرئيسية لأي من هذه المنظمات، ويضيف نظام موظفي اليونسكو، بان للموظفين الراغبين في المشاركة في العطل الوطنية الخاصة ببلدهم، أو عطلة تعتبر هامة بالنسبة لهم لمزاولة عقيدتهم، فإنه يتم منح يوم إجازة إضافية لمزاولة مثل هذه الأمور، على أن يكون هذا اليوم يوم عمل للمنظمة[2]. وبحسب نظام هذه الأخيرة، وباستثناء الشروط المنصوص عليها في المادة (105.1) الخاصة بالإجازة السنوية، فإنه يحق للموظف لدى استحقاقه الإجازة في الموطن، الحصول على مده إضافية تعادل فترة السفر ذهاباً وإياباً بين مقر عمله الرسمي وموطنة الرسمي أو البلد الثاني الذي ينطبق عليه معيار الإجازة في الموطن[3]. على أنه يجوز الترخيص للموظف في هذه الأخيرة بالسفر إلى بلد غير موطنة الرسمي على أن يفي بالشروط

- انظر بهذا: USRR،2000، Rule (101. 3) (b)، (a) (101. 4)، p. 13

(1) انظر: م77 من نظام الايسيسكو مرجع سابق وبنفس الصفحة.

(2) انظر: بهذا: م44 فقرة (ب) من نظام الالكسو مرجع سابق وبنفس الصفحة.

- كذلك انظر: USRR،2000 ، Rule (101. 4) (b. C)، (101. 3) (c)، p.13

(3) انظر: بهذا - الوثيقة المعروضة على الدورة (32) للمؤتمر العام لليونسكو (c / 41 Annexe - page 1 32).

- كذلك انظر: USRR،2000، Rule (105. 1) (a - h)، p. 55 - 56

الآتية التي منها [1]:-

أن يكون لهذا الموظف علاقات عائلية وثيقة في بلد غير موطنة الرسمي، فإنه يجوز التصريح له بالذهاب إلى هذا البلد عند استحقاق كل إجازة من إجازتين في الموطن.

عندما لا يتسنى للموظف الذهاب إلى بلد موطنه الرسمي، بسبب الحرب أو نزاع مدني أو لأي سبب أمني، يجوز الترخيص له بالذهاب إلى بلد مجاور لهذا البلد تتوافر فيه بيئة اجتماعية وثقافية مشابهة، أو إلى بلداً أخر لديه فيه علاقات عائلية وثيقة ومثبتة.

يحق لكل من موظفي الالكسو والايسيسكو، ممن قضوا سنه خدمة فعلية في أي منها، الحق في إجازة اعتيادية مدتها (30) يوم عمل، براتب كامل، إلا أن نظام هذه الأخيرة مع ذلك وفي نفس المادة يقضي بأنه لا تمنح أي عطلة من هذا النوع إلا بعد خدمة فعلية دامت ستة أشهر على الأقل، وهذا بدورة أوجد - في رأي الشخصي- تناقض فيما بين فقرات المادة (78)، مما يعني أنه ينبغي العمل على أزالته، وذلك بحذف الفقرة الآتية من المادة

---

(1) انظر الوثيقة (c / 41 Annexe - page 1 32) نفس المرجع السابق.

- وبحسب هذا المرجع وبنفس الصفحة، وكشرط ثالث، فإنه لا يجوز أن تتجاوز تكاليف السفر التي تتحملها اليونسكو في الحالتين المذكورتين بعالية، تكلفة السفر إلى بلد الموطن.

- كذلك وبحسب هذا المرجع (c / 41 - page 2 32) فإنه تم تعديل المادة (105.3) (الإجازة في الموطن) بإضافة فقرتين جديدتين (ك ، ل) من أجل إدخال قدر من المرونة في التمتع بحق الإجازة في الموطن، للتوفيق بين الحياة المهنية والحياة العائلية، وأصبح هذا التعديل سارياً في الأول من يناير 2002.

- كذلك انظر: أحكام المادة (105.3) في المرجع (Rule (105.3، 2000، p.56 - 57) USRR،a - j)

المذكورة (ولا تمنح أي عطلة من هذا النوع إلا بعد خدمة فعلية دامت ستة أشهر على الأقل) وستكون هذه المادة عندئذ صحيحة ولا غبار عليها، ويضيف نظام هذه الأخيرة في نفس المادة كذلك بأنه يمكن الجمع بين العطل السنوية على أن لا تتجاوز مده أقصاها (60) يوم عمل وبترخيص من الإدارة، وكل ما زاد عن هذه المدة يعتبر لاغياً، بينما يجوز في الالكسو أن تتراكم إجازة الموظف لمدة أقصاها تسعون يوما[1]. كما يمنح للموظف في هذه الأخيرة، إذا كان يعمل في غير بلد إقامته الدائمة، عند زيارته لبلده أو بلد إقامته الدائمة، إجازة طريق إضافية مدتها أسبوع، ولمرة واحدة كل سنتين، بينما يقضي نظام الايسيسكو، بان تضاف مدة تتراوح بين يومين وأربعة أيام شغل، لتنقل الموظفين، غير المقيمين بدولة المقر، ممن يمكن منحهم إجازة خاصة حسب مقتضيات المادة (79)[2]. ويمنح لموظفي الالكسو، واليونسكو في حالة وفاة، الزوج أو الزوجة، أو الأم أو الأب، أو أحد الأبناء، إجازة عائلية مدتها تسعة أيام عمل في اليونسكو، بالإضافة إلى الوقت اللازم للانتقال لموظف هذه الأخيرة، بينما يمنح في الالكسو أسبوع واحد فقط، أما الايسيسكو فإنها لا تمنح عطلة خاصة لمدة سبعة أيام شغل،

---

[1]   انظر: المواد (40 الفقرة (أ) ، (78) من أنظمة الالكسو والايسيسكو مراجع سابقة ص 48،91 بالترتيب.
- تنص المادة (48) من نظام الايسيسكو بان (لكل موظف قضى ـ سنه في خدمة فعليه داخل الايسيسكو الحق في عطلة سنوية يتقاضى عنها راتبه كاملاً، ولا تمنح أيه عطلة من هذا النوع إلا بعد خدمة فعلية دامت ستة أشهر على الأقل، ومده هذه العطلة هي (30) يوم شغل...).

[2]   انظر: المواد (40 فقرة (ب))، (79) من أنظمة موظفي الالكسو والايسيسكو، نفس المراجع السابقة ص49،19 بالترتيب.

إلا في حالة وفاة الزوج أو أحد الأبناء فقط، أما في حالة وفاة الأب أو الأم، فلا يمنح للموظف إلا خمسة أيام شغل، وفي حالة وفاة أب أو أم الزوج، فيمنح يومان شغل، وفي كل هذه الحالات فإنه يضاف مدة تتراوح بين يومين وأربعة أيام شغل للتنقل للموظفين غير المقيمين بدولة المقر، ويضيف نظام اليونسكو، بأنه يجوز اللجوء، على نحو جزئي أو كامل، إلى الإجازة المرضية غير المصدق عليها، في حالة الطوارئ المتصلة بالأسرة كما يجوز أيضاً للموظف الذي لديه طفلان أو أكثر أن يحصل على ثلاثة أيام إجازة إضافية لمواجهة طوارئ عائلية[1]. كما يمكن لموظف الايسيسكو الحصول في ظروف استثنائية، على عطلة مسبقة (أي لم يحن بعد موعد استحقاقها) وذلك من الإجازة السنوية، لمدة أقصاها (15) يوماً، على أن تكون المنظمة مقتنعة بان هذا الموظف سيعمل في خدمتها فترة أطول من الفترة التي تخول له الحق في الحصول على هذه العطلة المسبقة[2]. كما يحق

---

(1) انظر: بهذا الخصوص: م41 فقرة (د) من نظام الالكسو نفس المرجع السابق وبنفس الصفحة.

- م79 الفقرات (د، هـ ز) من نظام الايسيسكو مرجع سابق ص49.

- وحسب هذه المادة، وبنفس الصفحة، فإنه كذلك يمنح عطلة خاصة لأي موظف في حالة ميلاد طفل (3) أيام شغل، و (4) أيام شغل في حالة زواج موظف، و (3) أيام شغل، في حالة وفاة أخ أو أخت، أما في حالة زواج أحد الأبناء فإنه لا يمنح إلا يوم شغل واحد. وعلى أن يضاف إلى هذه الإجازات أيضاً فترة التنقل المذكورة بعالية بالنسبة للموظفين غير المقيمين بدولة المقر (الفقرات أ، ب، ج، و)

- انظر كذلك: الوثيقة 32 C / 41 - Annexe - page 2 نفس المرجع السابق.

- وحسب هذا المرجع فإنه تم إضافة المادة (105.4) مكرر (الإجازة العائلية) وأصبحت سارية المفعول بتاريخ 17 إبريل 2002.

(2) انظر: م84 من نظام الايسيسكو مرجع سابق ص50.

لكل موظف من موظفي الالكسو والايسيسكو في الحصول على إجازة براتب كامل لأداء فريضة الحج، ولمرة واحدة طوال مدة خدمة الموظف ومده هذه الإجازة هي (30،21) يوماً في هاتين المنظمتين بالترتيب[1].

علاوة على ما سبق فإن نظام موظفي هذه الأخيرة - مثل غيرهم من موظفي المنظمات الموازية - يتقاضون أثناء عطلهم وإجازاتهم السنوية، رواتبهم وتعويضاتهم وعلاواتهم العائلية وكل الامتيازات التي يتقاضونها عادة أثناء فترة العمل، إلا أنه مع ذلك يمكن إيقاف التمتع بهذه العطل السنوية أو تأجيلها لأسباب مهمة تفرضها مصلحة العمل، على أن تستأنف هذه العطل السنوية عندما تسمح بذلك ظروف العمل[2]. كما أن الالكسو تمنح لموظفيها إجازة عارضة لأسباب لا يستطيع الموظف إبلاغ رئيسة مسبقاً بها بشرط أن لا يتجاوز الغياب عن يومين في المرة الواحدة[3]. فماذا عن الإجازات الخاصة بالأمومة، والأبوة، والتبني، وكذا الإجازات المرضية؟

إجازة الأمومة

يقضي نظام موظفي اليونسكو، بأنه يحق لكل موظف الحصول على إجازة أمومة بمرتب كامل مدتها (16) أسبوعاً بناءاً على تقديم شهادة طبية تنص على التاريخ المتوقع للولادة، ويجوز أن تبدأ هذه الإجازة – بحسب

---

(1) انظر: م 41 فقرة (أ) ، (م79) من أنظمة الالكسو والايسيسكو مراجع سابقة ص 49،19 بالترتيب.

(2) انظر: م78 من نظام موظفي الايسيسكو مرجع سابق ص48.

- وحسب هذه المادة أيضاً فإن على الموظفين أن لا يطلبوا أقل من نصف مده عطلتهم السنوية دفعة واحدة، إلا أنه مع ذلك لهم الحق في طلب تجزئه النصف المتبقي، بموافقة رئيسهم المباشر، وبشرط أن لا يعوق ذلك سير العمل العادي.

(3) انظر: م41 الفقرة (ج) من نظام موظفي الالكسو مرجع سابق ص19.

رغبة الأم - فيما بين الأسبوع السادس والثالث قبل التاريخ المتوقع للولادة، كما يجوز أن تبدأ قبل التاريخ المتوقع للولادة بأسبوعين فقط، بناءاً على طلب الموظفة، بشرط أن يقر رئيس الأطباء أن حالتها الصحية تسمح لها بأداء مهامها بصورة طبيعية، إلا أنه مع ذلك لا يجوز إنهاء إجازة الأمومة قبل مرور (8) أسابيع على التاريخ الفعلي للولادة، بأي حال من الأحوال[1]. بينما يتم منح الموظفة الحامل في الالكسو إجازة وضع، براتب كامل، لمده (45) يوماً متصلة بناءاً على تقرير طبي يحدد هذا التاريخ[2]. وتنص المادة (83) من نظام الايسيسكو بان (للموظفات الحق في أخذ عطلة للولادة براتب ومدتها شهران براتبيهما، وتبدأ العطلة قبل تاريخ الولادة المحتمل بشهر واحد[3].

وعلى أيه حال فإنه وبغض النظر عن المدد الممنوحة كإجازة للموظفة الحامل في أي من هذه المنظمات، وأجراء المفاضلة بينها، لان هذا الأمر واضح أصلاً، وسيتضح بشكل أكثر تباعاً، إلا أنه مع ذلك يلاحظ أن الصيغة التي وردت في المادة (83) في نظام هذه الأخيرة، فإنها تحتاج فيما يبدو لإجراء بعض التعديلات البسيطة عليها، فالصيغة المناسبة في رأي الباحث هي (للموظفات الحق في أخذ عطلة للولادة لمدة شهرين براتب

---

(1) انظر: وثيقة اليونسكو، مرجع سابق: رقم (32 3 - 2) c / 41 - Annexe - page)

- وبحسب هذا المرجع صفحة (32 3 c / 41 - page) ، فإنه تم تعديل الفقرة الفرعية (د) من المادة (106. 2) (إجازة الأمومة) كما أضيف أربع فقرات فرعية من (هـ إلى ح)، وأصبح التعديل سارياً بتاريخ 17 إبريل 2002.

(2) انظر: م41 فقرة (ب) من نظام الالكسو نفس المرجع السابق وبنفس الصفحة.

(3) انظر: م83 من نظام موظفي الايسيسكو مرجع سابق ص50.

كامل... الخ المادة). ويضيف نظام اليونسكو، أنه من حق الموظفة، الحصول كذلك على تمديد الإجازة لمدة أربعة أسابيع أضافية مدفوعة الراتب في ظروف استثنائية مثل ولادة أكثر من طفل أو أعاقة الطفل (أو الأطفال) أو أصابه بحادث خطير أو بمرض، على أن يخضع هذا المد لموافقة رئيس الأطباء في المنظمة، كما يجوز للموظفة، بموافقة هذا الأخير أيضاً، الحصول على إجازة لمدة أربعة أسابيع إضافية بمرتب لإرضاع مولودها رضاعة طبيعية، كما أنه لا يجوز للمنظمة، أثناء إجازة الأمومة أن تقوم بإنهاء عقد الموظفة، ودون الإخلال بأحكام المادتين (2. 1. 9) و (2. 10) من نظام الموظفين[1].

إجازة الأبوة

إن نظام موظفي اليونسكو يجيز للموظف الحصول على إجازة أبوة، مدتها ثمانية أسابيع بمرتب كامل، من أجل إتاحة الفرصة أمام الموظفين المعنيين، لمساعدتهم على بلوغ توازن أفضل بين مسؤوليات العمل والمسؤوليات الأسرية للعناية بمواليدهم، ويمكن أخذ هذه الإجازة مرة واحدة أو مرتين على فترتين متساويتين أو غير متساويتين في أي وقت خلال

---

(1) انظر: وثيقة اليونسكو، مرجع سابق رقم (32 c / 41 - Annexe - page 3)

- وبحسب هذا المرجع وبنفس الصفحة فإن الفقرة (و) من المادة (2. 106) تقضي بأنه يجوز للموظفة العائدة من إجازة الوضع، أن تطلب الحصول على مواعيد عمل مرنه، أو العمل بعض الوقت من أجل العناية بمولودها، ويحضى طلبها بالإيجاب، مع مراعاة حاجات المرفق المعني.

- وبحسب هذا المرجع ص 3 فإن المادة (2. 1. 9) تتعلق بإنهاء الخدمة بالتراضي، في حين تتعلق المادة (2. 10) بحالة إنهاء الخدمة بدون تبليغ مسبق وذلك في حالة ارتكاب خطأ جسيم.

السنة الأولى من عمر أطفالهم[1]. علاوة على ذلك فإنه يجوز لموظفي هذه الأخيرة، الحصول على إجازة خاصة بدون مرتب، لتمكين الراغبين من العناية بأطفالهم مباشرة في أعقاب إجازة الأمومة أو أبوة أو تبني، أو أثناء مرحلة الطفولة المبكرة لأبنائهم لحين التحاقهم بالمرحلة الابتدائية، وتكون هذه الإجازة لمدة أقصاها سنتان، يجوز مدها إلى ثلاث سنوات لأسباب استثنائية، مثل إعاقة، أو حادث خطير أو مرض يلم بالطفل أو الأطفال، أو في حالة ولادة أكثر من طفل، وتحضي طلبات الإجازة الأبوية بالإيجاب مع مراعاة حاجات المرفق المعني[2].

(1) انظر: المادة (2. 106) مكرر الجديدة، التي أصبحت سارية بتاريخ 17 ابريل 2002 في الوثيقة (32 c / 41 - Annexe - page 3) نفس المرجع السابق.

- وبحسب الفقرات (ب، ج) من هذه المادة، فإنه ينبغي أن تنقضي عشرة أشهر على الأقل بين تاريخ بداية إجازة أبوة وبداية إجازة أبوة تالية، كما لا يجوز إنهاء عقد الموظف أثناء إجازة الأبوة باستثناء أحكام المادتين (2. 1. 9)، (2. 10) السالف ذكرهما.

- كذلك انظر: في نفس المرجع الصفحة (32 c / 41 - page 3).

- كذلك انظر: وثيقة المجلس التنفيذي لليونسكو (171 EX / 29 - page 3) بتاريخ 2005/3/9 الأصل انجليزي.

(2) انظر: المادة (2. 105) مكرر الجديدة (الإجازة الأبوية)، التي أصبحت سارية النفاذ بتاريخ 17 ابريل 2002 وذلك في نفس المرجع السابق، وثيقة رقم (32 c / 41 - Annexe - page 2)

- وبحسب الفقرات (ب ، ج) من هذه المادة، فإنه لدى قيام الموظف بطلب إجازة أبوه، لفترة تتجاوز مدة عقدة، فإنه ينظر في تجديد عقدة قبل الموافقة على طلب الإجازة الأبوية، وعندما تقل مدة الإجازة الأبوية عن سنة واحدة، فإن الموظف يتمتع بضمان العودة إلى الوظيفة والدرجة اللتين كان يشغلهما قبل أن يحصل على هذه الإجازة، وإذا بلغت مدة الإجازة الأبوية سنة واحدة أو أكثر يعاد الموظف إلى وظيفته إذا أمكن أو إلى وظيفة أخرى ذات مهام مماثلة وفي الدرجة ذاتها.

وبالرغم من أن أنظمة موظفي كل مـن الالكسو والايسيسكو، لم يتطرقـا إلى إجـازة الأبوة - مثلما، هو عليه الحال في اليونسكو - إلا أنهما مع ذلك قد تطرقا، لـبعض الحـالات التي يجوز فيها منح الموظفين، إجازات بـدون رواتب، ذلك أنه يجـوز مـنح الموظفين في هاتين المنظمتين إجازة بدون راتب، وذلك للموظف الذي أمضى في العمل في هذه الأخيرة سنتين على الأقل، أما في الالكسو فإنه يشـترط أن يكون الموظف قـد أمضى ـ فيهـا خمـس سنوات خدمة فعلية على الأقل، وتتضح معظم هذه الحالات على مستوى هاتين المنظمتين في الحالات الآتية [1]:-

القيام بدراسات أو بحوث تتصل باهتمامات، هاتين المنظمتين، ولمده أقصاها سنتان بالنسبة للالكسو، وثلاث سنوات للايسيسكو.

لظروف خاصة ولمده لا تزيد عن ستة أشهر في الالكسو.

لمسألة عائلية خطيرة، ولمده لا تتجاوز السنة الواحدة في الايسيسكو.

لمرافقة الزوج أو الزوجة لمدة أقصاها أربع سنوات في الالكسو.

[1] انظر: بهذا الخصوص: م (43) الفقرة (أ) من نظام الالكسو 2004 مرجع سابق ص20.
- وبحسب الفقرات (ب ، ج) من هذه المادة ص 21 فإن درجة الموظف تبقى شاغرة طوال مدة أي مـن الإجازات الواردة في هذه المادة، ولا تحسب مددها ضمن خدمته الفعلية، وللموظف حق التمتع بأي من هذه الإجازات ولمرة واحدة طوال مدة خدمته.
- كذلك انظر: المواد (71، 72، 73، 75، 80) من نظام الايسيسكو 2005 مرجع سابق ص 47 - 49.
- وبحسب المادة (74) فإن على الموظف المتفرغ أن يطلب الرجوع إلى الايسيسكو قبل انتهاء مدة تفرغه بشهرين.
- وتضيف المادة (75) بأنه لا يجوز أن يفوق عدد الموظفين الملحقين والمتفرغين منهم 10% من مجموع الموظفين.

لحادث أو مرض خطير، يحل بالموظف أو بزوجة أو بأحد أطفاله ولمدة لا تتجاوز السنة الواحدة في الايسيسكو.

للموظفة التي تطلب هذه الإجازة لرعاية طفل سنة أقل من الخامسة، أو طفل مصاب بعائق يستدعي عناية متواصلة، وذلك لمده سنة قابلة للتجديد، ولا تتعدى في المجموع خمس سنوات في الايسيسكو.

كما يمكن الموافقة في الايسيسكو كذلك على عطل بدون رواتب، ولا تؤخذ بعين الاعتبار مده هذه العطل لا في الترقية، ولا في حساب المدة اللازمة للحصول على تعويض نهاية الخدمة، كما أنه لا يجوز أن تفوق هذه العطل ثلاثة أشهر في السنة.

للعمل بإحدى المنظمات الدولية أو الإقليمية، أو الدول الأعضاء، ولمده سنة قابلة للتجديد في كل من الايسيسكو والالكسو، وبحد أقصى أربع سنوات في هذه الأخيرة[1].

---

(1) انظر: م 41 الفقرة (أ) من نظام موظفي الالكسو مرجع سابق ص20.

- كذلك انظر المواد (68،67) من نظام موظفي الايسيسكو مرجع سابق ص46.

- وبحسب هذه المواد الأخيرة، فإن إلحاق الموظف بالايسيسكو إنما تتم بناءاً على طلب إدارة وطنية في دولة من الدول الأعضاء أو بمؤسسة إسلامية أو دولية، وبموافقة الموظف المعني، والمدير العام، بالاتفاق مع الجهة المعنية بالأمر، ويكون الراتب وكذا المساهمات في الفوائد الاجتماعية على حساب المؤسسة التي الحق بها الموظف، وعلى العكس من ذلك، فقد يحصل طلب إلحاق موظف من موظفي هذه المؤسسات أو الدول الأعضاء إلى الايسيسكو حيث يخضع أيضاً هذا الإلحاق لمقتضيات المادة (67) إلا في حالة وجود مقتضيات مخالفة في نظامه الأصلي علماً بان مده الإلحاق بنوعية إنما تكون لمده سنة قابلة للتجديد.

إجازة التبني

تنفرد اليونسكو - بعكس المنظمات الموازية - بإضافتها مادة جديدة خاصة بإجازة التبني، من أجل تمكين الموظفين المعنيين من رعاية أطفالهم بالتبني، وذلك بمنحهم إجازة خاصة مدتها (8) أسابيع بمرتب كامل تبدأ من تاريخ وصول الابن بالتبني إلى منزل الأب المتبني، ويجوز أن تؤخذ هذه الإجازة في أي وقت أثناء العام الأول من وصول الطفل إلى المنزل كما يجوز أخذ هذه الإجازة مرة أو مرتين على فترة أو فترتين متساويتين أو غير متساويتين، إلا أنه من أجل الحصول على إجازة للتبني فإنه ينبغي الوفاء بالشروط الآتية[1]:-

ينبغي أن يكون الطفل موضع إجراء قانوني للتبني وأن يعترف به شخصاً معالا وفقاً لأحكام نظام الموظفين، وإذا كان الأمر يتعلق بعملية تبني في أطار قانون العرف، فإنه ينبغي على الموظف المعني أن يتمكن من إثبات تمتعه بالسلطة الأبوية بناءاً على وثيقة قانونية.

- يجب أن يكون عمر الطفل أقل من 18 سنة عند التبني.
- يجب أن لا يكون الطفل أبن أو بنت الزوج أو الزوجة، أو أخاً أو

---

(1) انظر: الوثيقة رقم 32 4 - 3) c / 41 - Annexe - page) مرجع سابق، كذلك انظر صفحة 32 3 page – 41 / c)).
- وبحسب هذا المرجع المادة (2. 106) مكرر (2) الجديدة الخاصة بإجازة التبني، والتي أصبحت سارية النفاذ بتاريخ 17 أبريل 2002 - وبحسب الفقرات (ج،د) من هذه المادة، فإنه عندما يكون الأبوين بالتبني كلاهما موظف بالمنظمة ويفيان بالشروط اللازمة لطلب إجازة التبني، فإنه يتم منحهما هذه الإجازة، على ألا يتجاوز مجموع مدة إجازتيهما عشرة أسابيع، وباستثناء حالتي إنهاء الخدمة بدون تبليغ مسبق وإنهاء الخدمة بالتراضي، فإنه لا يجوز للمنظمة إنهاء عقد الموظف أثناء أجازة التبني.

أختاً.

الإجازة المرضية

إن أنظمة موظفي كل من الالكسو والايسيسكو، يقضيان بمنح الموظف الذي يمنعه المرض أو الإصابة عن القيام بعملة، إجازة مرضية براتب كامل لمدة أقصاها ثلاثة أشهر في الالكسو، وبراتب كامل مع العلاوات العائلية أثناء (90) يوماً الأولى في الايسيسكو، وبنصف راتب مع كامل العلاوات العائلية، أثناء (90) يوماً التالية في هذه الأخيرة، علاوة على ما سبق فإن الالكسو تمنح نصف راتب لمده أقصاها ثلاثة أشهر ثانية، وثلث راتب لمده أقصاها ثلاثة أشهر ثالثة، وكل ذلك خلال ثلاث سنوات متواصلة. ويقضي نظام موظفي الايسيسكو بأنه ينبغي ألا يتجاوز مجموع مده عطل المرض (180) يوماً، فإذا زادت عن هذه المدة، فإن الموظف يوضع في حالة تفرغ إذا تعذر عليه استئناف العمل، أما إذا أتضح عجزة النهائي عن العمل، فإنه أصبح من حقه أن يطالب بتعويض التوقف النهائي عن العمل المعمول به في المنظمة، كذلك فإنه إذا زادت مده المرض عن تلك المدة الممنوحة لموظف الالكسو، فإنه يجوز منح الموظف ثلاثة أشهر أخيرة، بدون راتب، فإذا لم يتمكن من الالتحاق بعملة بعد انقضائها، فإنه يحال عندئذ على لجنة طبية للنظر في أمر صلاحية استمراره في الخدمة في المنظمة[1].

---

(1) انظر بهذا الخصوص

- م 42 الفقرة (أ) من نظام موظفي الالكسو 2004 مرجع سابق ص 20.

- وبحسب هذا المرجع فإن الفقرة (ب) من هذه المادة تنص بأنه (لا تدخل مدة الغياب الناتج عن إصابة بدنية بسبب العمل في حساب الإجازات المرضية للموظف، وإذا زادت

وعلى العموم فإنه لنا بعض الملاحظات على ما ورد في بعض نصوص المواد (42) من نظام الالكسو، والمادتين (82،81) من نظام الايسيسكو وكما يلي:-

الملاحظة الأولى

تتعلق بالمادة (42) من نظام موظفي الالكسو، وكما يلي:-

مده الغياب عن أربعة وعشرين شهراً، يحال الموظف المصاب على لجنة طبية للنظر في أمر صلاحية استمراره في الخدمة).

- أما الفقرة (ج) من نفس المادة فتقضي بان الإجازات المرضية ومده الغياب الناتج عن إصابة العمل، الواردتين في هذه المادة، تدخل ضمن الخدمة الفعلية للموظف.

- كذلك انظر المواد (82،81) من نظام موظفي الايسيسكو 2005 مرجع سابق ص50.

- وبحسب هذا المرجع فإن المادة (82) تنص في فقرتها الأولى بأنه ((بعد انقضاء 180 يوماً من عطلة المرض يوضع الموظف في حالة تفرغ. الخ)).

- و تنص المادة (81) بان ((يجعل الموظف المعاق عن العمل من جراء مرض في وضعية عطلة مرض شريطه:

- أن يشعر بذلك رئيسة في أقرب أجل ممكن.

- أن يقدم خلال 72 ساعة شهادة طبية تنص على مده التغيب المحتملة.

- للايسيسكو الحق في القيام بأي فحص طبي ترتئيه ضرورياً بمنزل المريض.

- يتقاضى الموظف وهو في وضعية عطلة مرض: - راتبه كاملاً وكذا العلاوات العائلية أثناء 90 يوماً الأولى.

50% من راتبه والعلاوات العائلية كاملة أثناء 90 يوماً التالية، ولا يتجاوز مجموع مده عطل المرض التي تخول الراتب والعلاوات المذكورة أعلاه 180 يوماً من مده 365 يوماً متتالية سواء كان ذلك دفعة واحدة أو بصفة متقطعة.

- وتشمل المدتان المشار إليهما أعلاه أيام الشغل وأيام الراحة.

- إذا رغب الموظف المتمتع بعطلة مرض في قطع إجازته، يجب عليه تقديم طلب كتابي معزز بشهادة طبية تخوله استئناف عمله)).

حددت الفقرة (أ) من المادة المذكورة بأنه يمنح الموظف المريض إجازة براتب كامل لمدة أقصاها ثلاثة أشهر وبنصف راتب لمدة أقصاها ثلاثة أشهر ثانية، وبثلث راتب لمده أقصاها ثلاثة أشهر ثالثة، وكل ذلك خلال ثلاث سنوات متواصلة، ومعنى ذلك أن هذه المادة قد افترضت سلفاً بأن مرض الموظف سيكون مرضاً متقطعاً بحيث أنه لا يجوز منح الموظف في مرضه في المرة الواحدة إلا مده ثلاثة أشهر بحد أقصى، وهذا في رأي قد لا يتفق مع ما يحصل في بعض الأحيان، إذ قد يستمر مرض بعض الموظفين لمدة قد تطول أو تقصر بحسب نوعية المرض، فقد تكون لمدة ثلاثة أشهر فأقل، كما قد تكون لمدة ستة أشهر فأكثر، كما قد تصل إلى أكثر من عام في أحيان أخرى. وخلاصة الأمر أن هذا الموظف قد يستنفذ تلك الإجازات المرضية التي يمنح عنها الراتب أو بعضاً منه خلال السنة الأولى، وقد يتعدى ذلك إلى السنة الثانية، كما أن مرضه قد يكون متقطعاً وعلى مدى ثلاث سنوات متواصلة منسجماً بذلك مع ما نصت عليه الفقرة (أ) من هذه المادة، ولذلك فإني أقترح إعادة صياغة الفقرة (أ) كما يلي (يمنح الموظف الذي يمنعه المرض أو الإصابة عن القيام بعملة إجازة مرضية براتب كامل لمدة ثلاثة أشهر، وبنصف راتب لمده ثلاثة أشهر ثانية، وبثلث راتب لمده ثلاثة أشهر ثالثة، سواء كان ذلك بشكل مستمر أو متقطع خلال سنة إلى ثلاث سنوات متواصلة، فإذا زادت مده المرض عن ذلك يجوز منح الموظف ثلاثة أشهر أخيرة بدون راتب، فإذا لم يتمكن من الالتحاق بعملة بعد انقضائها، يحال على لجنة طبية للنظر في أمر صلاحية استمراره في الخدمة في المنظمة).

أما الفقرة (ب) من المادة السالفة الذكر، وأن كانت قد تطرقت لحالة

هامة من مرض الموظف الناجم عن إصابة بدنية بسبب العمل، إلا أنها مع ذلك قد جاءت بصيغة مبهمة، ذلك أنها لم تحدد عما إذا كان الموظف في هذه الحالة يستحق مرتب كامل خلال هذه الفترة (24) شهراً، أم أنه يستحق ذلك لبعض الوقت فقط بحيث يقل الراتب خلال الجزء المتبقي من تلك الفترة، كل هذه الأمور والتساؤلات، إنما بقيت بدون إجابة. ولذلك فإني أقترح إعادة صياغة الفقرة (ب) كما يلي:-

(استثناءاً من أحكام الفقرة (أ) أعلاه فإن للموظف الذي يمنعه المرض الناتج عن إصابة بدنية بسبب العمل، فإنه يمنح إجازة مرضية براتب كامل لمده ستة أشهر، وبنصف راتب لمده ستة أشهر ثانية، وبثلث راتب لمده ستة أشهر ثالثة، كما يمكن إضافة ستة أشهر لفترة أخيرة بدون راتب، فإذا زادت مده المرض عن ذلك يحال الموظف المصاب على لجنة طبية للنظر في أمر صلاحية استمراره في الخدمة).

الملاحظة الثانية

تتعلق بكل من المواد (82،81) من نظام موظفي الايسيسكو وكما يلي:-

الملاحظة الخاصة بالمادة (81): بدأت هذه المادة باستخدام عبارة (يجعل الموظف المعاق) وهذه العبارة في رأي غير ملائمة إذ ليس الموظف الذي يمنعه المرض أو الإصابة عن القيام بمهامه يعتبر موظفاً معاقاً، علاوة على أن لفظ معاق، قد ينصرف إلى معان أخرى غير ما قصد في سياق هذه المادة، ولذلك فإني أرى إعادة صياغة هذه الفقرة على غرار الصياغة الواردة في المادة (41) الفقرة (أ) من نظام موظفي الالكسو وكما يلي (يمنح الموظف الذي يمنعه المرض أو الإصابة عن القيام بعمله، إجازة مرضية

شريطة:... الخ)، هذا من ناحية، ومن أخرى، فإن من حق الايسيسكو القيام بأي فحوصات طبية، تراها مناسبة على المريض سواءاً أكان هذا المريض بمنزلة أو بمشفى حكومي أو خاص، أو بأي مكان أخر، ومن ثم فإن حصر حق المنظمة بفحص المريض في مكان محدد، أمر غير منطقي، ذلك أن من حقها فحص هذا المريض أينما كان، لذلك فإنه ينبغي حذف جملة (بمنزل المريض) من المادة المذكورة، إعمالاً لهذا الحق بمفهومه الواسع. كما أن الفقرة التي تنص بأنه (ولا يتجاوز مجموع مده عطل المرض التي تخول الراتب والعلاوات المذكورة أعلاه 180 يوماً من مده 365 يوماً متتالية سواء كان ذلك دفعة واحدة أو بصفة متقطعة) فإن صياغة هذه الفقرة في رأي غير ملائمة، علاوةً على أنها تحمل في طياتها تناقضاً واضحاً ، ما بين لفظ ، متتالية، ودفعة واحدة أو متقطعة، ولذلك فإنه ينبغي في رأي إعادة صياغة هذه الفقرة بالصيغة التالية (ولا يتجاوز مجموع عطل المرض التي تخول منح الراتب والعلاوات المذكورة أعلاه 180 يوماً، سواء كان ذلك دفعة واحدة أو بصفة متقطعة). كذلك فإن الفقرة التي تنص بان (وتشمل المدتان المشار إليهما أعلاه أيام الشغل وأيام الراحة))، فإن هذه الفقرة لم توضح المعنى المقصود بأيام الراحة، هل هي أيام الراحة الأسبوعية، كما حددتها المادة (76)؟ أم أيام الأعياد والعطل المعتمدة في دولة المقر، كما حددتها المادة (77)؟، أم الإجازة السنوية المخصصة لراحة الموظف، كما حددتها المادة (78)، أم كل هذه الإجازات مجتمعة وفقاً لأحكام المواد الثلاث السالفة الذكر من نظام الموظفين، ولذلك فإنه ينبغي في رأي أن يشار في أخر تلك الفقرة، السالفة الذكر، أضافه الفقرة التالية (... وبحسب مقتضيات أحكام المادتين (77،76) من هذا النظام)، أما الفقرة

الأخيرة التي تنص بأنه ((إذا رغب الموظف المتمتع بعطله مرض... الخ)) فإن هذه الفقرة أيضاً غير ملائمة، ذلك أن لفظ التمتع بعطلة أو بإجازة، إنما تكون للشخص السليم الذي يتمتع بصحة جيدة، الذي يستمتع فعلاً بهذه العطلة متنقلاً من مكان لآخر، بعد عنا العمل، بعكس الشخص المريض، ولذلك فإني أرى إعادة صياغة هذه الفقرة بحيث تنص على أنه (إذا رغب الموظف الذي منح إجازة مرضية، في قطع إجازته... الخ الفقرة).

الملاحظة الخاصة بالمادة (82): إن هذه المادة، قضت بأنه بعد انتهاء 180 يوماً من عطلة المرض، فإن هذا الموظف يوضع في حالة تفرغ، ولذلك فإني أرى أن يضاف إلى هذه الفقرة الأتي (... ووفقاً لأحكام الفقرة (أ) من المادة (72) من هذا النظام... الخ).

ثانياً: نظم تقييم وترقية الموظفين

يحصل موظفو المنظمات المتخصصة اليونسكو، الالكسو، الايسيسكو - مثل سائر موظفو المنظمات الدولية - على ترقيات في نهاية كل فترة، وكما هو معلوم فإن منح مثل هذه الترقيات، إنما تتم بناءاً على التقارير السنوية المتعلقة بكفاءة أداء كل موظف على حدة، حيث يمثل تقييم الأداء العنصر الأساسي في التطور الوظيفي للموظفين، وينبغي أن يجري بصورة موضوعية وبدون خوف أو محاباة، وذلك بحسب مقتضيات أنظمة موظفي هذه المنظمات، وبهذا الخصوص فإننا نجد أن هذه الأنظمة تقضي بان تعد تقارير عن كفاءة موظفيها في نهاية كل سنة بالنسبة للمنظمات الالكسو والايسيسكو، وذلك للفئات من (1 إلى 4) في هذه الأخيرة، أما في الالكسو فتعد مثل هذه التقارير عن كل موظف، باستثناء موظفي الفئة الأولى، كذلك فإن تقارير الأداء في اليونسكو إنما يتم وضعها بصفة دورية في الشكل

الذي يحدده المدير العام، ولكل موظف، باستثناء، نائب المدير العام ومساعدي المدير العام، ومديري المكاتب في المقر ومديري ورؤساء المكاتب الميدانية، حيث أنهم يخضعون لعملية تقييم مستقلة، كما تعد تقارير الكفاءة عن الموظف المعني في الالكسو، إذا كان قد أمضى في الخدمة الفعلية مدة سنة على الأقل. أما الموظفون تحت الاختبار في اليونسكو فيتم وضع تقارير الأداء الخاصة بهم قبل نهاية فترة الاختبار، ثم توضع بعد ذلك كل سنتين بالنسبة إلى جميع الموظفين المعينين بموجب عقود غير محددة الأجل، أو عقود محددة الأجل، وقبل أو عند تغيير الرئيس الإداري المباشر أو النقل إلى وحدة تنظيمية أخرى، وكذلك في أي وقت، بناءاً على طلب القطاع أو المكتب المعني، أو مكتب أدارة الموارد البشرية، ويتم تقييم أداء الموظفين في الالكسو بواسطة الرؤساء المباشرين، وبمصادقة الرئيس الأعلى، ووفقاً لأحكام هذه النظام والنظام الهيكلي وبالكيفية التي تحددها لائحة شؤون الموظفين، كذلك فإن تقارير الكفاءة في اليونسكو إنما يتم أعدادها بواسطة الأشخاص الذين يعينهم المدير العام، ويتم أعداد تقارير الكفاءة في الايسيسكو وفقاً للنماذج المعدة لهذا الغرض من قبل الإدارة المعنية بشؤون الموظفين، وعادة ما تتضمن هذه النماذج مختلف عناصر التقويم المتعلقة بكفاءة الموظفين، وعن قدراتهم التنظيمية، ومنهجية عملهم، وقدراتهم على اتخاذ القرارات وتحمل المسؤوليات، وميولهم لاتخاذ المبادرة، والاعتماد على النفس، وسبل تطوير العمل، والانضباط في العمل وتكوين علاقات جيدة في محيط العمل، وما يتحلون به من صفات تؤهلهم للترقية إلى غير ذلك من العناصر الأخرى المشمولة في نماذج تقارير الكفاءة إذ تتضمن هذه النماذج أيضاً معايير ثابتة تطبق على جميع الموظفين

والوظائف ومعايير خاصة ترتبط بطبيعة كل وظيفة[1]. علاوة على ذلك فإن نظام موظفي الالكسو حدد بان درجات الكفاءة هي ممتاز، وجيد جداً، وجيد، ومقبول، وضعيف[2]. بينما لم يتطرق نظام موظفي الايسيسكو إلا لثلاثة مستويات فقط هي: درجة الممتاز، والمتوسط، والضعيف، وبحسب نظام هذه الأخيرة أيضاً فإنه لا يرقى إلا نوعين من الموظفين، إذ يرقى الموظف الذي يحصل على التقدير الذي يؤهله لدرجة ممتاز سنوياً، بينما يرقى الموظف الذي يحصل على التقدير الذي يؤهله لدرجة متوسط كل سنتين، أما الموظف الذي يحصل على تقدير ضعيف فإنه لا يرقى، وسيتم التطرق لهذه الحالة تباعاً، وعلى أيه حال فإن لمدير عام هذه الأخيرة وحدة صلاحية التقدير، في هذه الأمور، مع الأخذ بعين الاعتبار رأي الرئيس المباشر للموظف[3]. وتعني ترقية الموظف في اليونسكو إلى درجة أعلى، و لفترة

---

(1) انظر بهذا الخصوص:- المواد (34) ، (35) (أ) من نظام موظفي الالكسو 2004 مرجع سابق ص16

- م85 من نظام موظفي الايسيسكو في ميثاق المنظمة ولوائحها الداخلية لعام 2005 مرجع سابق ص51

- ونظراً لعدم وجود الملحق رقم (6) في هذا المرجع، كما أشارت إلى ذلك هذه المادة، فإني أحيل بالرجوع إلى هذا المرفق في نظام موظفي المنظمة لعام 2004 مرجع سابق ص 58 - 63.

- الوثيقة رقم 33 2 - 1) c / 32 - Annexe 1 - page) بتاريخ 2005/9/2 وبحسب هذا المرجع فإن المادة (11. 104) مكرر الفقرة (أ) من نظام موظفي اليونسكو، أصبح تعديلها سارياً بتاريخ 23 مارس 2004.

(2) انظر: م35 (الفقرة (ب)) من نظام موظفي الالكسو مرجع سابق ص16.

(3) انظر: م85 من نظام موظفي الايسيسكو مرجع سابق ص51.

غير محدودة أو لفترة محددة لا تقل عن سنة واحدة[1]. وتكون ترقية الموظفين المرسمين في الايسيسكو من درجة إلى درجة، ومن أطار إلى أطار، ومن فئة إلى فئة، علماً بان أدنى فترة تقضي في كل درجة قبل الانتقال إلى الدرجة الموالية هي سنة، وتحصل الترقية من فئة إلى فئة، ومن أطار إلى أخر، بعد التسجيل في لائحة الترقية الخاصة، إلا أنه بغض النظر عن الفترة اللازمة لترقية الموظف من درجة إلى درجة، فإنه يمكن نقل الموظف من أطار إلى أطار أعلى منه، بتوصية من اللجنة الاستشارية، وبقرار من مدير عام هذه الأخيرة، وفق شروط محددة، وهذا هو واقع الحال في ترقية موظف الالكسو، من الدرجة التي يشغلها إلى الدرجة التي تليها، إذ تتم وفق شروط محددة أيضاً، وهذه الشروط في كل من هاتين الأخيرتين هي[2]:-

وجود درجة شاغرة.

أن يكون التقدير الذي حصل عليه الموظف خلال السنتين الأخيرتين

(1) انظر: p. 52، Rule (104. 13) (a) ، 2000،USRR

(2) انظر بهذا الخصوص:- المواد (87، 88، 89، 90) من نظام موظفي الايسيسكو مرجع سابق ص 51 - 52.

- تضيف المادة (89) بان الموظفين المسموح لهم بالتسجيل في لائحة الترقية الخاصة للحصول على ترقية إلى الإطار الأعلى أو إلى فئة أعلى من فئتهم، فهم اللذين وصلوا إلى الدرجة الأخيرة من إطارهم أو الدرجة الأخيرة من فئتهم، وأولئك اللذين يرهنون على تقدم كبير في كفاءاتهم المهنية.

- م37 الفقرة (أ) من نظام موظفي الالكسو مرجع سابق ص17.

- وبحسب الفقرة (ب) من هذه المادة، فإن الترقية بالأقدميه إنما تتم من درجة إلى درجة أعلى مع مراعاة تقييم أداء الموظف حسب المعايير المحددة في اللائحة، على أنه يجوز للمدير العام اشتراط الترقية بعد اجتياز مسابقة يتم تحديد شروطها.

بدرجة ممتاز في الايسيسكو.

وبتقدير لا يقل عن جيد جداً في المتوسط عن درجات كفاءته السنوية خلال الأربع السنوات الأخيرة بدرجته عند النظر في الترقيات في الالكسو.

أن تكون مؤهلات الموظف تتفق مع طبيعة عمل الوظيفة المنقول إليها في الايسيسكو.

قضاء الموظف في الالكسو في درجته أربع سنوات خدمة فعلية على الأقل فيما يخص الفئتين الثانية والثالثة، وست سنوات على الأقل فيما يخص الفئتين الرابعة والخامسة.

ألا تكون قد وقعت على الموظف في الايسيسكو عقوبة تأديبية من الدرجة الثانية خلال السنتين الأخيرتين.

كذلك فإن الترقية لموظفي اليونسكو إنما تكون من فئة إلى فئة، ومن فئة مهنية إلى فئة مدير، ومن فئة موظفي الخدمات العامة، والفئات ذات الصلة إلى الفئة المهنية، على أن الموظف المرقى في أي من هذه الفئات، فإنه يوضع في الدرجة الأولى من الرتبة الجديدة عند الترقية للشهر التقويمي الأول الكامل بعد ترقيته، وسيمنح له زيادة في الراتب الاساسي علاوة على تسوية وظيفته، أن كان المرقى من فئة الخدمة العامة، أو الفئة ذات الصلة إلى الفئة المهنية، وبحسب الفقرة (ج) من المادة (13. 104) فإن الراتب الأساسي السنوي للموظف عند الترقية ينبغي أن لا يزيد عن الرتبة الأعلى للدرجة التي تمت ترقيته[1]. كذلك فإن كل ترقية في الالكسو

---

(1) انظر: USRR، 2000، (b. c) (104. 13) Rule، (52 - 53 p)

- كذلك انظر: وثيقة المجلس التنفيذي لليونسكو رقم 176 9) page 1 - part 1 - E X / 6).

وبحسب هذا المرجع الأخير فإنه منذ شهر يناير 2006 تم ترقية (159) موظفاً من موظفي

إنما تعطي الموظف الحق في تقاضي راتب أول مربوط الدرجة المرقى اليها، أو الراتب الذي يعلو راتبه قبل الترقية، أيهما أعلى[1]. و ينص نظام موظفي الايسيسكو بان (يحتل الموظف المرقى الدرجة التي تضمن له راتباً معادلاً لراتبه قبل الترقية، وإلا فيرقى إلى الدرجة التي تليها[2]. وفي تقديري أن هذه الصياغة غير ملائمة، حيث أن الأصل في الترقية هو ضمان حصول الموظف المرقى - للدرجة التي تلي الدرجة التي كان يشغلها - على راتب أعلى مما كان يتقاضاه، أما إذا كان هذا الراتب، في الدرجة المرقى اليها معادلاً لراتبه قبل الترقية، فإنه يرقى إلى الدرجة التي تليها، وبناءاً عليه فإنه ينبغي إعادة صياغة المادة (92) السالفة الذكر بحيث تنص على أن (يحتل الموظف المرقى الدرجة التي تلي الدرجة التي يشغلها، بحيث تضمن له هذه الترقية زيادة في الراتب الذي كان يتقاضاه قبل الترقية، أما إذا كان هذا الراتب في الدرجة المرقى اليها معادلاً لراتبه قبل الترقية، فإنه يرقى إلى الدرجة التي تليها). ويقضي نظام اليونسكو بأنه عندما يتم ترقية الموظف الحاصل على تعيين غير محدد لفترة محددة الأجل، فإنه سيبقى على تعينه الغير ثابت، أما إذا عاد الموظف الذي ترقى لفترة محددة إلى الدرجة التي ترقى منها، فإنه سيتم وضعة في الدرجة التي وصل اليها في تلك الرتبة التي لم يترق منها، باستثناء حالة الموظف

اليونسكو منهم (98) موظفاً من الفئة المهنية، (61) موظفاً من فئة الخدمة العامة، أي بمعدل 8 % من موظفي المنظمة، مما يقع ضمن نطاق معدل الترقيات في منظومة الأمم المتحدة.

(1) انظر: م37 الفقرة (ج) من نظام موظفي الالكسو مرجع سابق ص17.

(2) انظر: م92 من نظام موظفي الايسيسكو مرجع سابق ص53.

المنصوص عليه في المادة (1. 109) مكرر الفقرة (ب)، وفي حالة انقضاء فترة الخدمة خلال الترقية المحددة فإنه يتم حساب دفوعات الانقضاء للموظف المعني على أساس الرتبة التي ترقى منها[1].

علاوة على ما سبق فإنه لا يجوز في الالكسو ترقية أو تسوية أو ضاع الموظفين المعينين في الفئة الرابعة أو ما دونها إلى الفئة الثالثة، إلا أنه مع ذلك يحق لهم التقدم إلى مسابقات وظائف الفئة الثالثة في حالة استيفاء شروط شغل هذه الفئة، ويتم احتساب مده خدمتهم فيها من تاريخ تعينهم[2]. أما الموظف الذي يحصل على درجة ضعيف في الايسيسكو فإنه يحرم من الترقية، ويبلغ بأوجه النقص في أدائه، إلا أنه إذا حصل على درجة ضعيف خلال سنتين متتاليتين فإنه يفصل من المنظمة[3].

وعلى العموم فإن قرارات ترقية الموظفين، إنما تصدر من مدراء عموم هذه المنظمات، حيث يجري العمل بالترقية لموظفي الايسيسكو ابتداءاً من التاريخ الذي صدر فيه قرار المدير العام[4]. وبحسب مقتضيات المادة (86) في هذه الأخير، فإنه يتم إحاطة الموظف بالتقدير الذي حصل عليه

---

(1) انظر: USRR، 2000، (d. e. f) (104. 13) Rule، p. 53.

- وبحسب هذا المرجع فإن المادة (1. 109) مكرر الفقرة (ب) ص77 تقضي بأنه في حالة أن الموظف الذي ترقى من فئة الخدمة العامة إلى الفئة المهنية في الحالة التي تكون الأجرة المستخدمة كأساس لجمع دفوعات الفصل المطبق له هي أقل من تلك التي تطبق له قبل ترقيته، سيتم جمع المبالغ المخولة له على أساس الأجور العالية.

(2) انظر: م37 فقرة (د) من نظام الالكسو مرجع سابق ص17.

(3) انظر: م85 من نظام الايسيسكو مرجع سابق ص51.

(4) انظر: م91 من نظام الايسيسكو نفس المرجع السابق ص52.

مشفوعاً بالملاحظات الخاصة بعملة[1]. وبالعكس من ذلك فإنه تتاح لكل موظف في اليونسكو إمكانية أن يناقش مع رئيسة الإداري (أي مشروع) عن تقرير الأداء الدوري الذي يخصه، وأن يعلق على التقرير قبل أن يجري استعراضه من جانب لجان الاستعراض، ثم يوقع هذا التقرير إقراراً منه بقراءته وتسلم نسخة منه، ويحال الأصل عندئذ إلى مكتب أدارة الموارد البشرية[2]. وبالرغم من أن نظام موظفي الالكسو لم يتطرق لحالة تظلم بعض موظفي المنظمة بخصوص تقارير الكفاءة الممنوحة لهم بعكس نظام موظفي اليونسكو ذلك أنه يحق لموظف هذه الأخيرة، أن يقدم اعتراضاته كتابة إلى رئيس لجنة التقارير - عن طريق مدير إدارة الموارد البشرية - وفي مهلة أقصاها عشرة أيام عمل بعد تلقيه التقرير الموقع من رئيسة الإداري بعد أن

(1) انظر: م86 من نظام الايسيسكو ص51.

(2) انظر: م (11. 104) مكرر فقرة (ب) في وثيقة اليونسكو (c / 32 - Annexe 1 - page 2 33)

- وبحسب هذا المرجع الملحق (1) ص 3 فقد تم إضافة مادة جديدة (11. 104) مكرر (2) (لجان الاستعراض التي ينشوها مساعدو المدير العام / مديرو المكاتب/ رؤساء المكاتب الميدانية في كل قطاع/ مكتب/ مكتب ميداني، حيث يعهد إلى هذه اللجان مهام استعراض الجودة والاتساق والنزاهة في تقارير الأداء الدورية لجميع الموظفين (باستثناء نائب المدير العام، ومساعدي المدير العام، ومديري المكاتب في المقر، ومديري ورؤساء المكاتب الميدانية) وتقديم توصيات إلى الرئيس الإداري المعني إذا رأت أن نوعية التقييم رديئة أو أنه يفتقر إلى الاتساق والى النزاهة، وكذا استعراض التقييم العام، والعلامات التي أوصى الرئيس الإداري المعني بمنحها، وإذا لم تؤيد لجنة الاستعراض التقييم العام أو العلامات التي أوصى الرئيس الإداري المعني بمنحها، فإنه يؤخذ برأي لجنة الاستعراض، التي من مهامها أيضاً صياغة توصيات بشأن تدابير التعلم والتطوير، على أساس التوصيات التي قدمها الرئيس الإداري المعني.

تم استعراضه من لجان الاستعراض، ويحال العرض المؤجز الخاص بتظلم الموظف في أقرب وقت ممكن إلى لجنة التقارير، فهذه اللجنة معنية بإسداء المشورة إلى المدير العام، ويدون قرار هذا الأخير الذي يستند فيه إلى توصية هذه اللجنة، في تقرير الأداء الدوري للموظف المعني بالأمر، على أن يحاط هذا الموظف ورئيسة الإداري ورئيس لجنة الاستعراض علماً بذلك القرار[1]. كذلك فإن نظام موظفي الايسيسكو لم يتطرق هو الأخر لحالة تظلم

---

(1) انظر: م (11. 104) مكرر فقرة (د) في الوثيقة رقم (33 c / 32 - Annexe 1 - page 3 33)

- كذلك انظر: م (11. 104) (لجنة التقارير) بعد التعديل الذي أصبح سارياً بتاريخ 23 مارس 2004 في نفس المرجع السابق الملحق (1) ص 1، 2: وبحسب هذه المادة الفقرة (ب) فإن لجنة التقارير تشكل من رئيس ليس له حق التصويت يعينه المدير العام ويكون بدرجة مساعد مدير عام أو مدير رئيسي- (مدير- 2)، وعضوان يعينهما المدير العام ينتميان إلى فئة الأخصائيين والمديرين (مدير - 1، ومدير - 2)، وعضوان يتم اختيارهما، بالتشاور مع رابطتي الموظفين، من قوائم الموظفين المنتخبين الذين يمكن دعوتهم للمشاركة في اللجان الاستشارية لشؤون الموظفين، ويعين الرئيس والأعضاء الأربعة لمدة سنتين، ويجوز تجديد تعينهم، ويستمرون في شغل مناصبهم إلى أن يتم تعيين خلفائهم، ويعين نواب رئيس وأعضاء لجنة التقارير بنفس الطريقة و وفقاً للإجراءات ذاتها.

أما الفقرة (أ) من نفس المادة، فقد حددت الحالات التي يعهد إلى لجنة التقارير بإسداء المشورة عنها إلى المدير العام وهذه الحالات هي:-

إذا أعترض موظف على تقييم للأداء يفي جزئياً، أو لا يفي بالمستوى المتوقع للأداء.

إذا أدعى موظف وجود انعدام للموضوعية أيا كانت العلامة الممنوحة له.

إذا ادعى موظف حدوث عدم تقيد بالإجراءات الواجبة.

إذا أرجئ أو رفض منح علاوة دورية داخل الدرجة.

الإجراءات الإدارية المتعلقة بإنهاء عقد الموظف أو عدم تجديده، أو عدم تثبيت التعيين لموظف في نهاية فترة الاختبار نتيجة لعدم الوفاء بالمستوى المتوقع للأداء.

بعض موظفي المنظمة في حال منحهم درجة ضعيف - مثله في ذلك مثل نظام موظفي الالكسو - إلا أنه بالعودة إلى تقرير تقويم عمل الموظف، يتضح أن هذا التقرير يحتوي ضمناً استيعاب مثل هذه التظلمات، ذلك أنه يتكون من خمسة أجزاء، يتضمن الجزء الخامس منه على رأي اللجنة التي قد يشكلها المدير العام للنظر في أي تقرير قد يحيله عليها والتي منها بطبيعة الحال التقارير التي تحمل درجة ضعيف، لتقوم اللجنة بدورها باقتراح التقدير الذي تراه مناسباً ومن ثم العرض على المدير العام لاتخاذ قراره بهذا الشأن[1]. وعلى أيه حال فإن نظام هذه الأخيرة مع ذلك يتميز بتطرقه إلى سعي المنظمة للعمل على تحسين وتطوير كفاءة موظفيها بالسبل الملائمة والتي منها إمكانية تطوير تلك الكفاءة حتى خارج المنظمة، مع ضمان استمرار الراتب الأساسي للموظف والتعويض العائلي دون المكافآت والتعويضات الأخرى[2]. كذلك فإن تطوير مهارات وقدرات موظفي

(1) انظر: نظام موظفي الايسيسكو لعام 2004 مرجع سابق الملحق رقم (6) ص 58 - 63.
- وبحسب هذا الملحق (المتعلق بتقويم الموظف)، فإن الجزء الأول منه، يتضمن المعلومات الأساسية عن الموظف تعد من قبل المديرية أو المصلحة التي يعمل بها، أما الجزء الثاني فيشمل عناصر التقويم التي يملؤها الرئيس المباشر، الذي يطلب منه أيضاً في الجزء الثالث توضيح بعض الأمور التي تدعم رأيه خلال فترة التقرير، وكذا توضيح العقوبات التي صدرت ضد الموظف خلال فترة التقرير، وهناك الجزء الرابع الذي يتضمن رأي الرئيس غير المباشر، وعما إذا كان موافق أو غير موافق على اقتراح الرئيس المباشر، وعن التقدير أو النقطة التي يقترحها، وإذا كان التقدير مختلفاً عن تقدير الرئيس المباشر فلا بد من توضيح بعض الأمور التي تسند رأيه، وهكذا يتم الانتقال إلى الجزء الخامس من التقرير كما هو موضح بعالية.

(2) انظر: المواد (94،93) من نظام موظفي الايسيسكو لعام 2005 في ميثاق ولوائح المنظمة مرجع سابق ص53.

الالكسو إنما هو من ضمن أهداف المنظمة التي تعمل على تطوير تلك المهارات وتنمية الخبرات بالقدر الذي يمكن موظفيها من مواكبة التطورات الإدارية والتنظيمية المستمرة في مختلف مجالات عمل المنظمة، حيث تخصص لهذا الغرض المبالغ اللازمة ضمن الموازنة السنوية لتنفيذ الخطة السنوية الخاصة بتدريب وتطوير كفاءة هؤلاء الموظفين[1]. وبالمثل من ذلك فإن لجان الاستعراض التي تم إنشاؤها مؤخراً في اليونسكو لإبراز سياسة تقييم الأداء الجديدة وسياسة التعليم والتطوير اللتين أعتمدهما المدير العام خلال شهر مارس 2004م، حيث تهدف هاتين السياستين الجديدتين إلى تعزيز ثقافة للإدارة قائمة على النتائج في المنظمة، مع الاعتراف في ذات الوقت بالانجازات والتطوير على المستوى الفردي، وتقديم الدعم لها، وبهذا الخصوص نلاحظ أن من ضمن مهام لجان الاستعراض، العمل على صياغة التوصيات بشأن تدابير التعليم والتطوير، على أساس التوصيات التي قدمها الرئيس الإداري المعنى[2]. وفي إطار تنفيذ سياسة التعلم وتطوير القدرات المعتمدة في اليونسكو نجد أن المؤتمر العام وهو أعلى سلطة في هذه الأخيرة كان قد طلب من المدير العام إعداد الخطط التدريبية، والاضطلاع بالأنشطة التدريبية المختلفة، ولهذا الغرض أعدت لجنة التعليم وتطوير القدرات خطط لتدريب الموظفين للأعوام (2004 - 2005)،

---

(1) انظر: المواد (19،18) من نظام موظفي الالكسو مرجع سابق ص10.

(2) انظر: وثيقة اليونسكو رقم (C / 32 - Annexe 1 - page 3 33)

- وبحسب هذا المرجع ص 1 في نفس هذا الملحق فإن المادة الجديدة (11. 104) مكرر (2) (لجان الاستعراض) أصبحت سارية المفعول بتاريخ 23 مارس 2004.

- كذلك انظر: في نفس الوثيقة صفحة (c / 32 - page 2 33)

(2006 - 2007)، وقد بلغت ميزانية التدريب المعتمدة للفترة المالية الأخيرة (6) مليون دولار، وهذا المبلغ يمثل نحو 2 % من تكاليف الموظفين، وقد خصص من هذا المبلغ (2،4) مليون دولار لأنشطة التدريب الداخلي، في حين خصص المبلغ المتبقي للقطاعات والمكاتب الإقليمية والميدانية والمعاهد الفئة الأولى، لدعم احتياجاتها الميدانية المحددة، وقد حضر الدورات التدريبية لهذه الفترة الأخيرة نحو (5830) مشتركاً، حيث ركز برنامج التدريب الداخلي على أربعة أهداف رئيسية حول تعزيز ثقافة الإدارة والمساءلة، وتعزيز الفعالية التنظيمية، والمعارف والمهارات وكذا مساندة أنشطة التعليم وتطوير القدرات[1]. وبالرغم من أنه لم يجر استكمال تقارير الأداء في هذه الأخيرة إلا لما نسبته 77 % من الموظفين خلال فترة العامين (2004 - 2005)، إلا أنها مع ذلك تعد نسبة جيدة مقارنة بمعيار الأمم المتحدة البالغ 70 %. وعلى العموم فإن تجربة هذه السياسة الجديدة في اليونسكو القائمة أساساً على لجان الاستعراض - كما تتحدث عنها تقارير المنظمة - وجدت مفيدة للارتقاء بجودة تقارير تقييم الأداء، وأيضاً في أتساق هذه التقارير، وبالرغم من أن تقييم الموظفين لأدائهم إنما كان اختيارياً، إلا أنه مع ذلك قام به 60 % من الموظفين، وعلى أيه حال فإن الدرس الرئيسي المستخلص من هذه التجربة في مراحلها الأولى في اليونسكو إنما تكمن في أهمية أن ينظر الرؤساء إلى عملية التقييم بوصفها

---

(1) انظر: الوثيقة المقدمة لدورة المؤتمر العام لليونسكو (34)، بخصوص تقرير المدير العام عن تنفيذ عملية الإصلاح الجزء الأول ((سياسة الموظفين)) رقم الوثيقة 34 3 - 1) C / 28 - part 1- page) بتاريخ 2007/8/30.

مسؤولية إدارية أساسية يتعين القيام بها على نحو ايجابي ومهني[1]. فهل ينبغي أن تستفيد المنظمات الموازية من هذه التجربة؟ أم أن هذا الآمر لا يزال بحاجة إلى المزيد من الدراسة؟

المطلب الثاني
نظام التأديب وإنهاء الخدمة في المنظمات
(اليونسكو، الالكسو، الايسيسكو)

تعتبر السلطة التأديبية وإنهاء خدمات الموظفين في المنظمات المتخصصة اليونسكو، الالكسو، الايسيسكو - مثلما هو عليه الحال في سائر المنظمات الدولية - من اختصاص مدراء العموم في أي من هذه المنظمات - كقاعدة عامة - وبحسب المواثيق والنظم واللوائح المنظمة لذلك في أي منها، ولذلك فإننا سنتحدث في هذا المطلب عن اللجان التأديبية، وعن أسباب إنهاء وانتهاء خدمات الموظفين، وأيضاً عن الصناديق التي تنشؤها هذه المنظمات لمواجهة تعويضات الموظفين عند انتهاء خدماتهم، و ذلك ضمن

---

(1) انظر بهذا الخصوص: وثيقة اليونسكو c / 28 - part 1 - page 1 34) نفس المرجع السابق.
- وثيقة المجلس التنفيذي لليونسكو: بخصوص تقرير المدير العام عن تنفيذ عملية الإصلاح ((سياسة الموظفين)) وثيقة رقم EX / 6 -page 5 175) بتاريخ 28 / 7 2006 - وبحسب هذا المرجع فإنه في أواخر شهر مايو 2006 أستكمل المشرفون ما يزيد عن 85 % من عمليات تقييم الأداء العام للموظفين، أي بعكس النسبة الموضحة بعالية، مما يعني أنه ينبغي التحري عند وضع مثل هذه النسب، مع ترجيحي للنسبة الموضحة بعالية، لورودها في تاريخ لاحق، ولأنها معروضة على أعلى هيئة سيادية في المنظمة ((المؤتمر العام)).

ثلاث فقرات وكما يلي:

الفقرة الأولى: اللجان التأديبية

يمارس مدراء عموم المنظمات اليونسكو، الالكسو، الايسيسكو سلطاتهم التأديبية بطرق وأساليب قد تتشابه أو تختلف من منظمة لأخرى، فمدير عام هذه الأخيرة يمارس هذه السلطة بمشاورة المجلس التأديبي[1]. و يجب على مدير عام اليونسكو العمل على صياغة أليه إدارية بمشاركة الطاقم الإداري، لإشارته فيما يتعلق بالإجراءات التأديبية التي قد تتخذ ضد أي عضو من أعضاء الطاقم الوظيفي في المنظمة ممن يعتبر سلوكهم غير مرضي[2]. ويتعرض موظف الالكسو الذي يخل عن عمد أو إهمال بالواجبات المنصوص عليها في النظام الأساسي لموظفي المنظمة للمساءلة والجزاء طبقاً لأحكام هذا النظام[3]. و يقضي نظام موظفي الايسيسكو بان الإجراءات التأديبية التي قد يتم اتخاذها ضد الموظف المستحق لهذا النوع من العقوبات إنما هي على درجتين، فهناك أولاً: عقوبات خفيفة، من الدرجة الأولى، تتمثل عقوباتها، بالإنذار، والتوبيخ غير المسجل أو المسجل في الملف الوظيفي للموظف، والخصم من الراتب لمدة لا تتجاوز ثلاثة أيام، وهذه العقوبات قد يلجأ المدير العام لاتخاذها مباشرة ودون الحاجة لاجتماع المجلس التأديبي بعكس عقوبات الدرجة الثانية التي يمكن وصفها بأنها أكثر ردعاً من سابقاتها، ويشمل هذا النوع من العقوبات ما يلي[4]:-

---

(1) انظر: م100 الفقرة (أ) من نظام موظفي الايسيسكو مرجع سابق ص 54.

(2) انظر: USRR، 2000، (1. (10 Reg ، (2 ،85 .p

(3) انظر: م45 من نظام موظفي الالكسو مرجع سابق ص22.

(4) انظر: المواد (102 ، 103) من نظام موظفي الايسيسكو مرجع سابق ص55.

- الخصم من الراتب الشهري لمدة تتجاوز ثلاثة أيام ولا يزيد عن شهر.
- الحذف من جدول الترقية لمده سنة.
- خفض الدرجة.
- خفض الإطار.
- الفصل من الخدمة.

ويتم اتخاذ هذا النوع من العقوبات من قبل المدير العام أيضاً ولكن بعد استشارة المجلس التأديبي. ويمكن لمدير عام اليونسكو اتخاذ بعض الإجراءات التأديبية على أعضاء الطاقم الوظيفي الذين يعتبر سلوكهم غير مرضي، وله بهذا الخصوص، أن يقدم اللوم للموظف، أو التعنيف الكتابي، كما يمكن تأخير أو رفض العلاوة المستحقة على الراتب، أو إعاقة الترقية، أو تنزيل مرتبة أو الدرجة، أو إنهاء الخدمة، أو الطرد من الوظيفة، إلا أنه يجب على مدير عام هذه الأخيرة تحديد فترة التأجيل أو عدد العلاوات التي يتم حجبها، وأيضاً تحديد الفترة الزمنية التي يجب فيها أو خلالها تطبيق الإجراء التأديبي المتمثل في فرض الإعاقة عن الترقية، كذلك فإنه عند فرض التعنيف المكتوب كإجراء تأديبي، فإن المدير العام قد يقرر إزالة هذا التعنيف من ملف الموظف خلال الفترة الزمنية التي يراها مناسبة، إذا لم يبدر من الموظف تكرار لهذا السلوك الغير مرضي[1]. وعلى أيه حال فإنه لا يجوز فرض أي إجراء تأديبي على الموظف في اليونسكو إلا بعد قيام

وبحسب المادة (104) من هذا المرجع الأخير، فإن الإدارة تحيل على المجلس التأديبي، فيما يتعلق بعقوبات الدرجة الثانية، تقريراً مكتوباً يصف الأفعال المؤاخذة على المعني بالأمر وخاصة الظروف والملابسات التي وقعت فيها.

(1) انظر: USRR، 2000، Rule (110. 1) ،p. 85.

المدير العام بعرض الحالة على لحنة تأديبية مشتركة للاستشارة، وعلى أن يضع بعين الاعتبار مشورة هذه اللجنة، باستثناء الطرد المستعجل (الذي قد يلجأ إلى استخدامه المدير العام بسبب إساءة سلوك واضحة)، أو التعنيف الكتابي، أو إنهاء الخدمة وفقاً للقانون (1. 1. 9)[1]. أما عن تشكيل اللجان التأديبية، فإننا نجد أن أنظمة موظفي المنظمات اليونسكو والايسيسكو، تقضيان بتشكيل مثل هذه اللجان التأديبية، حيث يشكل في هذه الأخيرة مجلس تأديبي برئاسة المدير العام أو من ينيبه، وعضوية شخصين يعينهما المدير العام بالإضافة إلى المسؤول عن الشؤون الإدارية والمالية، وممثل عن الفئة التي ينتمي اليها الموظف المقدم للمجلس التأديبي، ولهذا المجلس صلاحية البت في الحالات المعروضة عليه والخاصة بفئات الموظفين من الفئة الأولى وحتى الفئة الرابعة، أما موظفو الفئة الخاصة، فإن المجلس التنفيذي هو المعني بتشكيل مجلس تأديبي لهم، وذلك بناءاً على التقرير المقدم من المدير العام، وتكون جلسات المجلس التأديبي بصورة سرية، ويتم استدعاء الموظف المقدم للمجلس أو وكيلاً عنه[2].

أما في اليونسكو فإن كل لجنة تأديبية أنما يجب أن تشكل من الرئيس (الذي يجب عليه إدارة المناقشات وضمان مراعاة اللوائح الإدارية النافذة والإجراء الصحيح والإشراف على إعداد التقرير) وأربعة أعضاء يمثلون

(1) انظر: USRR، 2000 ، (a) (110. 2) Rule & (10. 2) Reg، p. 85

(2) انظر: المواد (100 الفقرات (ب ، ج) ، (101) من نظام موظفي الايسيسكو مرجع سابق ص54.

- وبحسب الفقرة (د) من المادة (100) فإنه عندما يكون أحد أعضاء المجلس هو الذي طلب تقديم الموظف إلى المجلس التأديبي، فإنه لا يحق لهذا العضو حضور اجتماعات المجلس للتداول حول هذه الحالة.

بصفتهم الشخصية، ويجب أن يختار الرئيس من قبل مكتب إدارة الموارد البشرية من سجل رؤساء المجالس الاستشارية الخاصة بالموظفين، ونصف الأعضاء يجب أن يتم اختيارهم من بين سجل الأعضاء المنتخبين الذين تنطبق عليهم شروط التمثيل في مجلس الالتماس، والنصف الأخر يجب أن يعينهم المدير العام، وعلى أيه حال فإنه - وبقدر الإمكان - لا يجب أن يكون لعضو اللجنة التأديبية المشتركة درجة أقل أو أدنى من درجة الشخص المعني المحال على التأديب، كما لا يجوز لأي موظف يمثل أمام هذه اللجنة، أن يعترض على أكثر من اثنين من الأشخاص المعتمدين ضمن اللجنة، وعند ممارسة الموظف صاحب الشأن هذا الحق، فإنه يجب تعيين واحد أو اثنين من الأشخاص حسبما تقتضيه الضرورة، كما يجب تطبيق نفس الإجراء عندما يمثل عدد من الموظفين أمام اللجنة ولهم علاقة بالشأن نفسه. ويجب أن تبقى إجراءات اللجان وتقاريرها بالإضافة إلى التوصيات المقدمة للمدير العام سرية[1].

---

(1) انظر: USRR، 2000 ، (b. c. e. f. g) (110. 2) Rule، p. 86

- وبحسب الفقرة (c) كذلك فإنه عند تشكيل كل لجنة فإنه يجب على مكتب إدارة الموارد البشرية، إلا يظم أي موظف من قطاع أو مكتب الموظف المنظور قضيته، ولا اختيار أكثر من عضو واحد يحمل نفس الجنسية.

- وبحسب هذا المرجع فإن الفقرة (d) تقضي بأنه عندما تكون قضية الموظف المنظورة خارج الإدارة العامة فإنه يحق للمدير العام تشكيل لجنه مشتركة بعيدة عن الإدارة العامة للمنظمة، والتي ليس بالضرورة أن يكون رئيسها وأعضائها مختارين من السجلات الموضحة في الفقرة (b)، الرئيس ونصف الأعضاء يتم تعينهم من قبل المدير العام، أما الأعضاء الآخرين فتعينهم جمعية الموظفين أو إحدى هذه الجمعيات و الاختيار عند وجود أكثر من واحد متروك للموظف ذي العلاقة، إلا أنه إذا لم يمارس الموظف حقه في هذا الاختيار في حدود الزمن المسموح به، فإن اللجنة يتم تشكيلها من قبل المدير العام.

وعلى العموم فإن هناك بعض الإجراءات القانونية التي ينبغي الالتزام بها في اللجان التأديبية المشتركة في اليونسكو، أو المجلس التأديبي في الايسيسكو، إذ ينبغي أن يسلم للموظف المحال على المجلس التأديبي في هذه الأخيرة، نسخة من الملف المعروض على المجلس الذي يتضمن عرضاً بحيثيات الموضوع، مع التقرير السنوي للموظف، والعقوبات السابقة إن وجدت، و ذلك قبل اتخاذ أي إجراء تأديبي بحق الموظف، الذي من حقه أيضاً تقديم ملاحظات مكتوبة أو شفوية، وله استدعاء الشهود، والاستعانة بمدافع يختاره من بين موظفي المنظمة، على أنه من حق هذه الأخيرة كذلك استدعاء الشهود للإدلاء بشهادتهم حول هذه القضية المنظورة أمام المجلس التأديبي[1]. وبالمثل من ذلك فإن القضية المرفوعة ضد موظف اليونسكو، والمحالة على اللجنة التأديبية المشتركة، إنما تعتمد في حيثياتها على تقديم كتابي للدعوة، مرفقة ببيان موجز والدفع الذي قد يتم كتابياً أو شفوياً أو كليهما معاً من قبل الموظف المعني بالآمر، حيث يملك هذا الموظف الحق في اختيار موظف أخر لمساعدته أو لتمثيله أمام اللجنة التأديبية[2]. علاوة على ذلك فإن نظام موظفي هذه الأخيرة، يقضي بان يقوم مكتب إدارة الموارد البشرية بتزويد اللجنة التأديبية بهيئة سكرتارية (أمانه سر، وعلى أن يتم تزويد هذه اللجان بقوانين الإجراءات المنظمة لعملها، والتي يتم

(1) انظر: المواد (106،105) من نظام الايسيسكو مرجع سابق ص56.

(2) انظر: USRR،2000 ، g) (110. 2) Rule ، h) ،87 - p. 86

- وبحسب الفقرة (j) من المادة المذكورة في هذا المرجع ص87 فإنه يجب اعتبار حضور اجتماعات اللجان عملاً رسمياً للأشخاص المعنيين، وعلى مشرفيهم إعطائهم الحرية اللازمة.

صياغتها من قبل المدير العام. وعلى أيه حال فإنه يجب على اللجنة التأديبية المشتركة إنجاز مهامها، وتقديم مشورتها خلال ثلاثين يوماً من تاريخ إنتهاء اللجنة من الاستماع في القضية[1]. بينما يحيل المجلس التأديبي للايسيسكو رأيه على الإدارة حول العقوبة التأديبية التي يراها مناسبة تجاه الأعمال المنسوبة للموظف المعني بالأمر في مدة لا تتجاوز ثلاثة أيام[2]. وبالرغم من أن النظام الوظيفي للالكسو قد قضى بعدم جواز توقيع أي جزاء على الموظف قبل إبداء دفاعه كتابة، وكذا عدم جواز تشديد العقوبة بأكثر مما تقترحه لجنه المساءلة، التي من صلاحيتها أصلاً تحويل الموظف على القضاء إذا وجدت أن المخالفة تتطلب ذلك[3].

إلا أن نظام هذه الأخيرة مع ذلك - على العكس من أنظمة موظفي المنظمات الموازية - لم يوضح كيفية تشكيل لجنة المساءلة وعن المهام المسندة اليها وعن الإجراءات التي ينبغي عليها إتباعها للبت في القضايا المعروضة عليها وعن المدة الزمنية التي تستغرقها إجراءات المساءلة وصولاً إلى القرار النهائي المتخذ في القضية موضوع المساءلة، علاوة على ذلك فإن النظام الحالي للمنظمة لعام 2004 قد جاء كذلك بعكس النظام الوظيفي السابق للمنظمة لعام 1996م حيث كان هذا النظام الأخير يتشابه

---

(1) انظر: USRR،2000 ، g) (110. 2) Rule ، l ، m) ،p. 87
- وبحسب الفقرة (k) في نفس المادة في هذا المرجع، فإن تقرير كل لجنة يجب أن يحتوي على توصية أو التوصيات التي خرجت بها اللجنة مع بيان مختصر عن أسباب كل توصية، ويجب أن ترد في التقرير أصوات الأقلية والآراء المخالفة، حسب رغبة عضو أو أكثر بذلك، وعلى أن يوقع التقرير من قبل الرئيس والأعضاء.

(2) انظر: م 107 من نظام موظفي الايسيسكو مرجع سابق ص56.

(3) انظر: المواد (47،46) من نظام موظفي الالكسو مرجع سابق ص22.

والى حد كبير مع النظام الوظيفي الحالي للايسيسكو، ذلك أنه تطرق لأنواع العقوبات الخفيفة والمشددة، وعن كيفية تشكيل لجنة المساءلة والمهام المسندة اليها لمحاسبة موظفي الفئات (2، 3، 4) وأيضاً عن اللجنة التي يتم تشكيلها لمحاسبة موظفي الفئة الخاصة، والفئة الأولى (ليس من بين هذه الفئات بطبيعة الحال وظيفة المدير العام حسب التصنيف المعتمد في النظام الوظيفي السابق للمنظمة)... الخ[1]. إلا أن النظام الوظيفي الحالي للالكسو

---

(1) انظر: المواد (38، 39، 40) من النظام الوظيفي السابق للالكسو لعام 1996م مرجع سابق ص 35 - 37

- وبحسب الفقرة (2) من المادة (38) فإن العقوبات الخفيفة هي: الإنذار الكتابي، الخصم من الراتب الأساسي لمدة أقصاها أسبوع واحد فقط، وتخفيض درجة تقدير الكفاءة. أما العقوبات الشديدة فهي: الحرمان من علاوتين سنويتين على الأكثر، الحرمان من الترقية لمده أقصاها أربع سنوات، تخفيض الدرجة داخل الفئة الوظيفية بما لا يتجاوز درجتين على الأكثر، الفصل من الخدمة.

- وبحسب المادة (39) فإنه في حالة ارتكاب أحد موظفي الفئة الخاصة والأولى مخالفة يشكل المدير العام لجنة برئاسته وعضوية عضو من المجلس التنفيذي يعينه المؤتمر العام لهذا الغرض في كل دورة عادية، ومن أحد موظفي الفئة الخاصة أو الأولى، يسميه المدير العام في كل حالة.

- أما المادة (40) فإنها تقضي بان تنشأ في المنظمة لجنة مساءلة الموظفين، تكون مهمتها النظر فيما يحيله المدير العام من مخالفات تتعلق بموظفي الفئات (2 ، 3 ، 4) واقتراح العقوبات المناسبة بحقهم. وتشكل هذه اللجنة من ستة أعضاء بقرار من المدير العام ولمدة سنتين على النحو الآتي:-

يختار المدير العام رئيس اللجنة وعضوين من موظفي الفئة الأولى بدرجة مدير أول.

ثلاثة أعضاء ينتخبهم الموظفون من بين موظفي الفئات (2، 3، 4) بالاقتراع السري، ولا يجوز انتخاب أكثر من موظف من كل فئة.

لا يجوز أن يكون في عضوية اللجنة أكثر من عضو ينتمي إلى دولة واحدة.

لا يجوز أن يكون عضواً في اللجنة من قام بإحالة الموظف للتحقيق.

مع ذلك قد تطرق للعديد من الأحكام المتعلقة بإيقاف الموظف عـن العمـل بـدون راتب إذا انقطع عن عمله بدون عذر مشروع لمدة 15 يوماً متصلة وتعالج حالته في هـذه الحالة كما يلي:-

- إذا لم يقبل المـدير العـام أسبـاب غيابـه، يعتبـر في حكـم المسـتقيل اعتبـاراً مـن يـوم انقطاعه عن العمل.

- أما إذا قبل المدير العام أسباب الغياب، فإنه يتم خصمهـا مـن رصيد إجازاتـه أن وجدت، ما لم فيخصم من راتبه عدد الأيام التي انقطع فيها عن العمل.

- أما الموظف الذي انقطع عن عمله لمده تقل عن 15 يوماً فتعالج كما يلي:-
إذا قبل رئيس الإدارة أسباب الغياب تخصم مـده الغيـاب مـن رصيد إجازاتـه إذا وجدت ما لم يخصم من راتبه عدد الأيام التي انقطع فيها عن العمل، إلا أنه إذا لم يقبل رئيس الإدارة أسباب الغياب فإن الموظف المعني يحال على لجنه المساءلة. وفي كل الأحوال فإن الموظف الذي تجاوزت مده غيابه (30) يومـاً يعتبـر في حكـم المسـتقيل، إلا أن المـدير العام يمكنه مع ذلك إلغاء هذا الحكم إذا تأكد له أن غياب الموظـف كـان لأسبـاب قـاهرة خارجة عن إرادته[1]. ويقضي نظام موظفي اليونسكو بأنه إذا اعتبر المـدير العام أن هنـاك دليلاً أكيداً على سوء سلوك واضح من الموظف (الذي لو استمر في الخدمـة فإنـه قـد يضر ـ بمصالح المنظمة) فإن المدير العام يوقف هذا الموظف

- كذلك انظر في هذا المرجع المادة (4) ص 3 - 4 الخاصة بتصنيف الوظائف في الالكسو سابقاً.

[1] انظر: م 49 من نظام موظفي الالكسو 2004 مرجع سابق ص23.

عن مهامه براتب، وفي حالات استثنائية بدون راتب، مع تجنب الإضرار بحقوق الموظف المكتسبة[1]. بينما يوقف مدير عام الالكسو الموظف المحال على لجنه المساءلة عن العمل لمدة ثلاثة أشهر على الأكثر مع إيقاف صرف ربع راتبه إذا اقتضت سلامة التحقيق ذلك، ويمكن لهذا الموظف استرداد الجزء الموقوف من راتبه في حال حفظ التحقيق[2]. كذلك فإنه إذا ارتكب الموظف في الايسيسكو خطأً فادحاً فإنه يمكن توقيف هذا الموظف عن عمله في الحال، وتطلب الإدارة عقد اجتماع عاجل للمجلس التأديبي، حيث يتخذ المجلس قراره مباشرة وطبقاً لما تستوجبه المخالفة من عقوبات تأديبية أما من الدرجة الأولى أو الثانية، وفي كل الحالات فإنه يجب تسويه وضعية الموظف الموقوف في أجل شهرين ابتداءاً من تاريخ تنفيذ قرار التوقيف، إلا أنه إذا لم يتخذ قرار نهائي بعد شهرين بحق هذا الموظف، فإنه يتقاضى راتبه كاملاً، أما إذا كان الأمر يتعلق بمسألة جنائية فإن وضعيه هذا الموظف لا يتم تسويتها إلا بعد صدور الحكم النهائي في حقه من قبل السلطة المختصة[3]. ويجوز لمدير عام الالكسو أن يوقف عن العمل بنصف راتب، الموظف المحال على القضاء بسبب اتهام جنائي لأمور تتعلق بالنزاهة أو الشرف، وفي حال حفظ القضية من قبل السلطة القضائية، أو في حال صدور حكم نهائي بالبراءة، فإن الموظف يسترد الجزء الموقوف

---

(1) انظر: USRR، 2000، (110. 3) Rule ،p. 87.

(2) انظر: م48 الفقرة (أ) من نظام موظفي الالكسو مرجع سابق ص22.

(3) انظر: م108 من نظام موظفي الايسيسكو مرجع سابق ص56.

- وبحسب المادة (109) فإنه يتم وضع قرارات العقوبات التأديبية وكل وثيقة لها صله بالموضوع في الملف الإداري للموظف المعني بالأمر.

من راتبه[1]. ويحق للموظف بهذه الأخيرة ممـن وقـع عليـه جـزاء غـير الفصل مـن الخدمة، التقدم إلى المدير العام بطلب محو هذا الجزاء بعد سـنتين مـن توقيعه، ويصـدر المدير العام قرار محو الجزاء، وترفع أوراقـة وكـل إشارة إليه من ملف خدمة الموظف[2].

ومما يلاحظ على النظام الوظيفي الحالي للالكسو، بخصوص أحكام المساءلة والجزاء أن هذه الأحكام قد جاءت كما رأينا غير مكتملة وذلك بسبب عـدم تضمين هـذا النظام للمواد (38، 39، 40) التي كانت مشمولة في النظام الـوظيفـي السـابق في سـلم أولويـات الفصل المتعلق بمساءلة الموظف، وذلك راجـع في تقديري لأهميـة الأحكـام التـي تنظمهـا هذه المواد، مما يعني أنه ينبغي إعادة تضمين النظام الـوظيفـي الحـالي مثـل هـذه المـواد المتضمنة للأحكام التي سبق أن أشرنا اليها، علاوة على ذلك يلاحظ أن النظام الحـالي ينص كما رأينا آنفا بان (للجنة المساءلة تحويل الموظف عـلى القضـاء إذا وجـدت أن المخالفـة تتطلب ذلك) وبناءاً عليه فإني أرى أن هذه الصيغة ستكون مقبولة مـن الناحيـة القانونيـة الصرفة، إذا كان المدير العام أو من

---

[1] انظر: م 48 الفقرة (ب) من نظام موظفي الالكسو مرجع سابق ص 22 - 23.
- وبحسب هذه الفقرة كذلك فإنه في هذه الحالة يتعين تجميد إجراءات المساءلة من قبل المنظمـة إلى حـين صـدور قرار السلطة القضائية المختصة بالحفظ أو بحكم نهائي، ويكون لقرار حفظ القضية أو الحكم النهائي حجية كاملة.

[2] انظر: م 50 من نظام موظفي الالكسو مرجع سابق ص24.
- وبحسب الفقرة (أ) من هذه المادة فإنه يحق لكل موظف أن يقدم تظلماً إلى المدير العام يطلب فيه إلغاء قـرار أو تصرف معين يمس مصالحة أو يلحق به ضرراً، أو اتخاذ قرار معين لإزالة الضرر اللاحق به من جراء عـدم اتخـاذ هـذا القرار من قبل الجهة المختصة في المنظمة.

ينيبه هو من يرأس هذه اللجنة (على غرار ما هو معمولاً به في الايسيسكو) إذ يحق له بحكم منصبه كمدير عام للمنظمة وكرئيساً لهذه اللجنة إحالة الموظف المخالف على القضاء، أما إذا كان تشكيل هذه اللجنة، على غرار المادة (40) من النظام الوظيفي السابق للمنظمة، مشكله من أشخاص آخرين لا يرأسهم المدير العام في هذه اللجنة، فإنه في هذه الحالة تكون الصيغة الأنفة الذكر غير مناسبة، إذ لا يحق للجنة المساءلة في هذه الحالة تحويل الموظف على القضاء مباشرة، بل إن لهذه اللجنة الحق فقط في أن توصي بإحالة هذا الموظف المخالف على القضاء، وللمدير العام بناءاً على هذه التوصية الصلاحية في مثل هذه الإحالة إذا رأى أن ذلك ملائماً، وهذا يتسق مع مقتضيات المادة (42) من النظام الوظيفي السابق، حيث نصت هذه المادة بان (للمدير العام بناءاً على توصيه لجنه المساءلة إحالة الموظف على القضاء إذا وجد أن المخالفة تتطلب ذلك)[1].

وعلى العموم فإن عدم تضمين مثل هذه المواد في النظام الحالي للالكسو، أو في اللائحة التنفيذية فإن ذلك في تقديري من شانه توسيع السلطة التقديرية للرؤساء المباشرين المعنيين في اتخاذ القرارات الزجرية أو العقابية ضد الموظفين المخالفين، مع ما قد يترتب على استخدام هذه السلطة من تعسفات ربما يقوم بها بعض الرؤساء خاصة مع التعاقب الوظيفي لهذا النوع من الوظائف القيادية، مما قد يضر بمصالح الموظفين، وذلك بعكس الأحكام القارة المحددة في النظام الوظيفي والمعروفة سلفاً للرؤساء والمرؤوسين على حد سواء.

---

(1) انظر: م42 من نظام موظفي الالكسو لعام 1996م مرجع سابق ص38.

الفقرة الثانية: أسباب إنهاء وانتهاء خدمات الموظفين

إن خدمات الموظفين في المنظمات اليونسكو، الالكسو، الايسيسكو، تنتهي في الحالات الآتية[1]:-

التقاعد، الاستقالة، الوفاة في أي من هذه المنظمات، والفصل من الخدمة في كل من هذه الأخيرة واليونسكو، وانتهاء فترة التوظيف وإنهاء الخدمة، وترك الوظيفة، وطرد الموظف من الخدمة، في هذه الأخيرة، وانتهاء فترة الانتداب، ونهاية فترة الإلحاق، وتقليص عدد المناصب، والإصابة بحادث أو مرض لمده طويلة و دائمة في الايسيسكو، وفقدان أحد شروط التعيين، وثبوت العجز الصحي بالالكسو. وسيتم التطرق لبعض هذه النقاط وبشكل مؤجز قدر الإمكان وكما يلي:-

انتهاء الخدمة بسبب بلوغ الموظف سن التقاعد

يقضي نظام موظفي الالكسو بأنه إذا بلغ الموظف من العمر 62 سنه ميلادية، فإن خدمته تنتهي من المنظمة، إذ لا يجوز بقاء الموظفين بالخدمة بعد بلوغ هذا العمر، باستثناء المدير العام، بينما السن التقاعدي لموظفي الايسيسكو إنما هو محدد بـ (60) سنه، إلا أنه مع ذلك يجوز لمدير عام هذه الأخيرة تمديد فترة التوظيف للمعني بالأمر لمدة لا تزيد عن سنتين، إذا

---

[1] انظر: بهذا الخصوص:

- م (113) ، (م57،56) من أنظمة موظفي الايسيسكو والالكسو مراجع سابقة ص (57- 58) ، (27) بالترتيب.

- وبحسب المادة (56) من نظام الالكسو فإن خدمة الموظف تنتهي في ثلاث حالات هي: التقاعد ، الاستقالة ، الوفاة ، بينما تقضي المادة (57) بان خدمة الموظف تنتهي بقرار من المدير العام، في حالة ثبوت العجز الصحي، وفقدان أحد شروط التعيين.

كان بقاؤه يعود بفائدة على المنظمة، كما يجوز للموظف الذي بلغ سن الخامسة والخمسين من العمر أن يطلب تقاعد مبكر، وبالمثل فإنه لا يمكن للموظفين في اليونسكو البقاء في الخدمة فوق الستين، أو أن يكون عمر الموظف 62 سنة إذا تم توظيفه في أو بعد الأول من يناير عام 1990م، باستثناء طلب من المدير العام، و ذلك لصالح المنظمة، ويجوز له تمديد الفترة في حالات خاصة[1].

انتهاء الخدمة بسبب الاستقالة

يقضي نظام موظفي الالكسو بان مديرها العام يقبل استقالة الموظف اعتباراً من التاريخ الذي يحدده الموظف في طلبه، أو بانقضاء ثلاثة أشهر من تاريخ تقديمها[2]. وبالمثل من ذلك فإن مدراء عموم كلاً من اليونسكو والايسيسكو يقبلون استقالة الموظفين الراغبين في ذلك، إذ ينبغي على هؤلاء الموظفين تقديم إخطار خطي بهذا الطلب، يقدم للمدير العام المعني، ويجب أن يتضمن هذا الإخطار، احترام المدد المتعلقة بتقديم هذه الإخطارات، التي تختلف من منظمة لأخرى وكما يلي[3]:-

---

(1) انظر بهذا الخصوص:USRR،2000 ، Reg (9. 5)، p. 76

- م (56 فقرة (أ) ، (59)) ، (م 113 الفقرة (ب) من أنظمة موظفي الالكسو والايسيسكو مراجع سابقة ص 27،58 بالترتيب.

(2) انظر: م58 من نظام موظفي الالكسو مرجع سابق ص27.

(3) انظر بهذا الخصوص:USRR،2000 ، Rule (109. 2) (a)، p. 77

- م 114 من نظام موظفي الايسيسكو مرجع سابق ص58.

وبحسب هذه المادة فإن الاستقالة لا تنتج إلا عن طلب خطي من طرف الموظف يدلي فيه بوضوح ودون أي شروط، بإرادته في مغادرة المنظمة بصفة نهائية.

- كذلك انظر: USRR،2000 ، Reg (9. 2)، p. 76

إذا كان لدى الموظف في اليونسكو تعيين أو وظيفة غير محددة، أو كان لديه تعيين محدد وقد أكمل فترة الاختبار، ففي هاتين الحالتين يقدم الإشعار لثلاثة أشهر.

بينما تكون مده الإشعار لموظفي الايسيسكو المنتمين للفئات الخاصة والأولى والثانية والثالثة شهران.

إذا كان لدى الموظف في اليونسكو تعيين محدد أو وظيفة محددة، ولم يكن قد أكمل فترة الاختبار، فإن الإشعار يقدم لشهر واحد، مثلما هو عليه الحال بالنسبة لباقي فئات موظفي الايسيسكو.

إذا كان لدى الموظف في اليونسكو وظيفة مؤقتة وأكمل فترة الاختبار، يقدم إشعار لأسبوع واحد عن كل شهر غير منتهي من توظيفه، أو إشعار لأربعة أسابيع إذا زادت الفترة الغير منتهية من توظيفه لمدة أربعة أشهر.

أما إذا كان لديه وظيفة مؤقتة ولم يكمل فترة الاختبار، فإن الإشعار يقدم لأسبوع واحد.

ويجوز لمدير عام هذه الأخيرة حرية التصرف، وقبول الاستقالة بإشعار مختصر[1].

كما أنه لا رجعة في الاستقالة التي قبلت من موظف الايسيسكو، على أن هذه الاستقالة لا تعفيه من تطبيق أي إجراء تأديبي ناتج عن أعمال ارتكبها وذلك طيلة مدة الإشعار[2].

وبحسب هذا المرجع، فإنه يجوز للموظف الاستقالة من الأمانة عند أعطاء مدير عام اليونسكو الإخطار المطلوب تحت بنود عقد الموظف المعني.

(1) انظر: USRR، 2000 ، (b) (2 .109) Rule ،p. 77

(2) انظر: م115 من نظام موظفي الايسيسكو مرجع سابق ص58.

انتهاء الخدمة بسبب الفصل

يتم فصل الموظف عن العمل في الايسيسكو بسبب القصور المهني، أو خطأ فادح، أو تصرف مشين، أو إخلال بالأمانة، على أنه في حالة الفصل بسبب القصور المهني يخطر الموظف المنتمي للفئات (1، 2 ، 3) بذلك في أجل شهرين، وشهر واحد بالنسبة لباقي فئات الموظفين. أما في حالة الفصل بسبب خطأ فادح أو تصرف مشين أو إخلال بالأمانة، فإن الموظف يوقف عن العمل في الحال، وتبت السلطة التأديبية في أمره في مده أقصاها شهران، ابتداءاً من تنفيذ قرار التوقيف[1]. ويطبق القانون في اليونسكو لكل سبب من فصل من الخدمة بسبب الاستقالة أو انتهاء فترة التوظيف، أو التقاعد، أو إنهاء خدمته أو ترك الوظيفة، أو طرد الموظف من الخدمة أو الوفاة[2]. على أن التاريخ الفعلي للفصل من الخدمة يجب أن يكون هو تاريخ انتهاء تعيين الموظف، أو تاريخ استقالته أو إحالته للتقاعد، أو موته، أو إنهاء خدمته، أو طردة المستعجل حسب ما تكون الحالة، أو اليوم الأول لغيابه الغير مصرح بقصد ترك الوظيفة[3].

(1) انظر: م119 من نظام موظفي الايسيسكو مرجع سابق ص59

(2) انظر: USRR،2000 ، Rule (109. 1)، p. 76

(3) انظر:USRR،2000 ، Rule (109. 11) (a)، p. 84

- وبحسب الفقرات (ب ، ج) من المادة (109 .11) فإنه باستثناء حالة الطرد المستعجل، فإنه بعد الفصل مباشرة يسمح للموظف، الذي منزله المعرف يقع خارج البلد الذي تؤدى فيه الوظيفة بالتخلي عن مهماته بوقت يسمح له بالوصول إلى منزله المعرف بخط سير معتمد وفي التاريخ المشار إليه في الفقرة (أ) - كذلك فإنه عندما يقرر لأسباب شخصية، الموظف المخول له بسفر العودة إلى الوطن عدم ممارسة تخويله لسفر كهذا إلا بعد التاريخ الفعلي لفصله من الخدمة فإنه لا يصرف أو يدفع له أي راتب أو مخصصات مالية فيما يتعلق

انتهاء الخدمة بسبب إيقاف التعيين أو انتهاء فترته، أو تقليص الوظائف وخلاف ذلك.

وبهذا الخصوص فإننا نجد أن نظام موظفي اليونسكو يجيز لمديرة العام إنهاء تعيين الموظف بناءاً على المواد الخاصة بالتعين، أو في أي وقت، إذا اقتضت احتياجات الخدمة إلغاء الوظيفة أو تقليل الموظفين، أو إذا كانت خدمات الفرد المعني غير مرضية، أو إذا كان لأسباب صحية عاجزاً عن العمل والخدمة[1]. كما أن تقليص عدد المناصب في الايسيسكو أنما هو إجراء إداري يتخذه المدير العام في حالات استثنائية، حيث يخطر هذا الأخير الموظفين المعنيين بإنهاء خدماتهم في اجل شهرين، إلا انه مع ذلك ينبغي على المدير العام تقديم تقرير بذلك إلى المجلس التنفيذي مبيناً فيه الأسباب التي استدعت ذلك الإجراء، وكذا عدد المناصب التي تم تقليصها[2]. كذلك فإن اليونسكو تقوم بإبلاغ الموظف المعني بموجب إشعار خاص سواء بالإيقاف أو بانتهاء الوظيفة، وبحسب المدد الزمنية الآتية[3].

بوقت السفر عدا مخصصات السفر.

(1) انظر: USRR،2000 ، (9. 1) Reg ،p. 75

- وبحسب النظام رقم (1. 1. 9) من هذا المرجع وبنفس الصفحة فإنه يمكن للمدير العام أيضاً توضيح أسباب إيقاف تعيين الموظف إذا كان سلوكه لا يتناسب مع المعايير العالية المطلوبة، أو إذا كانت الحقائق الخاصة بتعيين الموظف ذات الصلة بجدارته أو كفاءته، أصبحت بارزة بأنة موظف لا يتلاءم مع المعايير المحددة في القانون فإن ذلك سيلغي توظيفه. وسوف لا يؤخذ أي اعتبار بخصوص الإيقاف، ما لم يتم كتابة التقرير والإبلاغ بواسطة المجلس الاستشاري الخاص المعين لهذا الهدف من قبل المدير العام.

(2) انظر: م117 من نظام موظفي الايسيسكو مرجع سابق ص59.

(3) انظر: USRR،2000، (109. 6) Rule، p. 78

إذا كان الموظف يحمل وظيفة غير محددة، أو وظيفة محددة المدى وأكمل فترة الاختبار تكون فترة الإبلاغ لكل من هاتين الحالتين ثلاثة أشهر، أما إذا كان يحمل وظيفة محددة المدى ولم يكمل فترة الاختبار فشهر واحد، وإذا كان يحمل وظيفة مؤقتة وأكمل فترة الاختبار فيكون أسبوع واحد عن كل شهر خدمة غير منتهية إلى أقصى- حد إشعار لأربعة أسابيع، أما إذا لم يكمل هذا الموظف فترة الاختبار، فتكون فترة الإشعار أسبوع واحد.

كذلك فإن الموظف الذي انتهى تعيينه تحت نظام (2. 10) سوف لا يعطى له إشعار، إلا أنه مع ذلك يجوز إعطاؤه فترة إشعار لا تزيد عن فترة انتهاء وظيفته المخولة له تحت نظام (1. 9 ، 1. 1. 9 ، 2. 1. 9) ويجوز للمدير العام التصرف بتحويل دفع الراتب والعلاوات تعويضاً عن الإشعار، أما الموظف الذي لا ينطبق عليه نظام (2. 10) فإنه لا يعطى له أي إشعار.

الفقرة الثالثة: الصناديق التي تنشؤها المنظمات لتعويضات موظفيها

تقوم المنظمات المتخصصة اليونسكو، الالكسو، الايسيسكو - مثل سائر المنظمات الدولية - بدفع تعويضات حال انتهاء خدمات الموظفين في أي منها لأي سبب من أسباب انتهاء الخدمة، وبهذا الخصوص فإننا نجد أن الأحكام المنظمة لصرف مثل هذه التعويضات إنما تكون مشمولة أساساً في نظم موظفي هذه المنظمات وفي اللوائح الداخلية لتلك النظم، وما يتفرع عنها من لوائح أخرى ذات الصلة بهذه المواضيع، وعليه فإننا نجد أن هناك صناديق تنشأ لمواجهة مثل هذه التعويضات، سواء أكان ذلك فيما يتعلق بتعويضات المعاشات التقاعدية عند انتهاء خدمات الموظفين، أو الصناديق المتعلقة بتأمين الرعاية الصحية والاجتماعية أثناء خدمات هؤلاء الموظفين

أو بعد انتهاء خدماتهم وحيث أن تعويضات موظفي هذه المنظمات، تتم من خلال هذه الصناديق، فإنه من الأنسب أعطاء نبذه موجزة عن هذه الصناديق وعن مهامها واليات عملها في فقرة أولى، بينما سنخصص الفقرة الثانية لذكر التعويضات المختلفة للموظفين عند انتهاء خدماتهم بشكل عام وبطريقة موجزة قدر الإمكان وكما يلي: -

أولاً: الصناديق الخاصة بالمعاشات التقاعدية والرعاية الصحية

أنشأت المنظمات اليونسكو، الالكسو، الايسيسكو صناديق خاصة بتأمين الرعاية الصحية والاجتماعية لموظفي هذه المنظمات، حيث نجد أن هذه الأخيرة قد أنشأت صندوق التكافل لموظفيها، يقابله في الالكسو صندوق الرعاية الاجتماعية والصحية، أما المقابل لهذين الصندوقين في اليونسكو فهو صندوق التأمين الصحي، علاوة على ذلك فإن الالكسو أنشأت صندوق نهاية الخدمة يقابله في الايسيسكو صندوق التعويض عن التوقف النهائي عن العمل بينما ينشأ في المقابل لهذين الصندوقين، الصندوق المشترك للمعاشات التقاعدية على مستوى منظومة الأمم المتحدة، وذلك لموظفي المنظمات التي قبلت في عضوية هذا الصندوق ومنها اليونسكو، والأتي تفصيلاً موجزاً بهذه الصناديق السالف ذكرها:-

الصناديق الخاصة بالمعاشات التقاعدية

الصندوق المشترك للمعاشات التقاعدية لموظفي الأمم المتحدة

أنشئ هذا الصندوق بقرار من الجمعية العامة للأمم المتحدة عام 1949م بهدف توفير الاستحقاقات التقاعدية والعجز والوفاة، وغيرها من الاستحقاقات الخاصة بموظفي الأمم المتحدة، وأيضاً لموظفي المنظمات

الأخرى التابعة لمنظومة الأمم المتحدة التي قبلت في عضوية هذا الصندوق وذلك عند انتهاء خدمات هؤلاء الموظفين، ويرجع تاريخ انضمام اليونسكو لهذا الصندوق إلى الأول من يناير عام 1951م، وتشارك المنظمات المشتركة في هذا الصندوق والبالغة عشرين منظمة، في إدارته بواسطة مجلس الصندوق المشترك للمعاشات التقاعدية لموظفي الأمم المتحدة[1]. حيث يتألف هذا المجلس من 33 عضواً يمثلون هذه المنظمات المشتركة، وهذا المجلس عبارة عن هيئة ثلاثية تتوزع عضويتها على النحو الأتي[2]:-

- ثلث مؤلف من ممثلين تنتخبهم الجمعية العامة للأمم المتحدة والأجهزة الرئاسية لسائر المنظمات الأعضاء.
- ثلث مؤلف من ممثلين يعينهم الرؤساء التنفيذيون.
- ثلث مؤلف من ممثلين ينتخبهم المشتركون.

ولهذا المجلس لجنة دائمة، تعقد اجتماعاتها في مدينة نيويورك ولها سلطة العمل بالنيابة عن المجلس عندما لا يكون منعقداً[3].

كما توجد باليونسكو باعتبارها من المنظمات الأعضاء في صندوق المعاشات التقاعدية لجنة ثلاثية الأطراف للمعاشات التقاعدية، تتألف من

---

(1) انظر بهذا الخصوص:

- الباحثة: نهال فواد فهمي، مشكلات الإدارة العامة الدولية، رسالة دكتوراه الفلسفة في الإدارة العامة 2000 مرجع سابق ص92.

- الوثيقة المقدمة لدورة المؤتمر العام لليونسكو (33) بخصوص الصندوق المشترك للمعاشات التقاعدية لموظفي الأمم المتحدة ولجنة المعاشات التقاعدية لموظفي اليونسكو وثيقة رقم 33 C / 35 - page 1) بتاريخ 2005/8/3 الأصل انجليزي.

(2) انظر: الوثيقة 3533 / C نفس المرجع السابق وبنفس الصفحة.

(3) انظر: للباحثة نهال فواد فهمي، نفس المرجع السابق وبنفس الصفحة.

تسعة أعضاء وتسعة أعضاء مناوبين، يعين المؤتمر العام ثلثهم ويعين المدير العام ثلثاً أخر، ويعين المشتركون الثلث الأخير وتعقد هذه اللجنة اجتماعاتها بمقر المنظمة في باريس كلما دعت الحاجة لذلك، ومده ولاية هذه اللجنة سنتين وفقاً لأحكام النظام الأساسي للصندوق المشترك للمعاشات التقاعدية، وبحسب النظام الأساسي لهذا الصندوق أيضاً، فإن مجلس هذا الصندوق يقدم إلى الجمعية العامة والى المنظمات الأعضاء في الصندوق،مرة كل سنتين على الأقل، تقريراً يتضمن الحساب الختامي عن عمليات الصندوق، ويحيط كل منظمة عضو علماً بأي إجراء تتخذه الجمعية العامة بالاستناد إلى هذا التقرير، وتخضع التغييرات في الأحكام التي تنظم سير عمل الصندوق، ونظام تسوية المعاشات التقاعدية لقرارات الجمعية العامة، كما يوصي مجلس الصندوق عند الاقتضاء بإجراء تعديلات في الأحكام التي تنظم عدداً من الأمور التي من بينها نسبة مساهمات المشتركين (وهي حالياً 9،7 % من أجورهم الداخلة في حساب المعاش التقاعدي) ونسبة مساهمات المنظمات (وهي ضعف النسبة المذكورة، أي 8،15 %) من أجر المشتركين الداخل في حساب المعاش التقاعدي، وكذا شروط الاشتراك والاستحقاقات التي تترتب لصالح المشتركين والمعالين المحسوبين على ذمتهم[1].

صندوق مكافأة نهاية الخدمة

أنشئ هذا الصندوق في الالكسو حسب مقتضيات المادة (54) من نظام

(1) انظر: الوثيقة رقم (1،5) page 33 - 35 / c نفس المرجع السابق.
- كذلك انظر: ديباجة هذه الوثيقة.

الموظفين[1]. بهدف كفالة حياة كريمة لموظفي المنظمة وأسرهم عند انقطاع الراتب الأساسي لأي سبب من أسباب انتهاء الخدمة، ولهذا الصندوق مجلس إدارة يشكل بقرار من المدير العام، بحيث يكون نائب المدير العام رئيساً لمجلس إدارة الصندوق، وخمسة أعضاء من بين موظفي المنظمة يحدد من بينهم نائب الرئيس، علاوة على مدير إدارة الشؤون الإدارية والمالية، كأميناً للصندوق، وتتكون موارد هذا الصندوق من المبالغ التي تدرج سنوياً في موازنة المنظمة لأغراض الوفاء بمكافآت نهاية الخدمة، وأيضاً من حصيلة استثمار أموال الصندوق، وفقاً للقواعد المحددة في هذا النظام، الذي بدورة (أي نظام الصندوق) يسري على جميع موظفي المنظمة والموظفين المحليين طبقاً للنظام الأساسي لموظفي المنظمة[2].

---

(1) انظر: م54 من نظام موظفي الالكسو 2004 مرجع سابق ص26.
وبحسب هذه المادة فإنه ينشأ في المنظمة صندوق مكافأة نهاية الخدمة والمعاشات كما ينشأ صندوق للرعاية الاجتماعية والصحية، وتستثمر أموال الصندوقين لصالح الموظفين، ولا يجوز الصرف منهما أو استخدام أموالهما في غير الأوجه المخصصة لذلك، وبحسب المادة (55) فإن النظام الخاص بالصندوقين يصدر بقرار من المجلس التنفيذي بناءاً على توصية المدير العام.

(2) انظر: المواد (م1 ، م2 (أ) ، م3) من نظام صندوق مكافأة نهاية الخدمة في مرجع النظام الأساسي لموظفي المنظمة 2004 مرجع سابق ص40.
- وبحسب المادة (2 فقرة (ب)) فإن مجلس الإدارة يختص بإبداء الرأي للمدير العام في المسائل المالية والإدارية الآتية:- 1 – خطة استثمار أموال الصندوق 2- اللوائح الداخلية المتعلقة بأعمال الصندوق 3- حسابات الصندوق والحساب الختامي 4- المسائل الأخرى التي يحيلها المدير العام وفقاً لأحكام هذا النظام.
- وبحسب المادة (6) من النظام ص41 فإنه يتم مراجعة حسابات الصندوق سنوياً ويتم فحص المركز المالي للصندوق مرة كل ثلاث سنوات بمعرفة خبير محاسبي يعينه المدير

صندوق التعويض عن التوقف النهائي عن العمل

أنشئ هذا الصندوق في الايسيسكو وفقاً لأحكام المادة (112) من نظام الموظفين، بهدف منح التعويضات للموظفين عند انقطاعهم عن العمل بصفة نهائية من المنظمة، أو لأصحاب الحق عند الاقتضاء، ولهذا الصندوق لجنة تسيير مكونة من المدير العام أو من ينيبه رئيساً، وممثل عن مديريه الشؤون الإدارية والمالية مؤقتاً للقيام بأعمال سكرتارية لجنة الصندوق، ومده عمل هذه اللجنة ثلاث سنوات. وتتكون موارد الصندوق من مساهمات الموظفين حيث تخصم من رواتبهم الشهرية نسبة 5 % بينما تتحمل المنظمة نسبة 10 % من إجمالي الرواتب الشهرية الأساسية للموظفين، يضاف إلى ذلك ما تخصصه المنظمة كل سنه من مساعدات وفق إعتمادات الموازنة، كما تتضمن موارد الصندوق العائدات الناجمة عن توظيف أصول الصندوق، والموارد المختلفة الأخرى، والاشتراك في هذا الصندوق إلزامي على جميع موظفي المنظمة[1].

العام بناءاً على اقتراح مجلس الإدارة ويجب أن يتناول هذا الفحص تقدير قيمة الالتزامات القائمة.

(1) انظر: المادة (112) من نظام موظفي الايسيسكو 2005 مرجع سابق ص57.

- كذلك أنظر: المواد (2، 3، 4، 7، 9، 11) من النظام الداخلي لصندوق التعويض عن التوقف النهائي عن العمل في مرجع ميثاق الايسيسكو ولوائحها وأنظمتها الداخلية 2005 نفس المرجع السابق ص 65 - 68.

- وبحسب المادة (4) فإن مديرية الشؤون الإدارية والمالية، تقوم بالتسيير الإداري للصندوق.

- وبحسب المواد (6 ، 8) فإن لجنة الصندوق تتخذ ما تراه من قرارات بشأن توظيف أصول الصندوق، كما تتخذ ما يلزم من إجراءات لضبط مسك الحسابات المتعلقة بتوظيف الأصول، علماً بان إجراءات تسيير هذا الصندوق إنما تتم بصورة مستقلة، ولهذا الصندوق

الصناديق الخاصة بالرعاية الصحية والاجتماعية

صندوق التأمين الصحي

أنشأ المؤتمر العام لليونسكو هذا الصندوق عام 1948م حيث يعتبر جزءاً لا يتجزأ من نظام الضمان الاجتماعي الذي يتعين على المدير العام تأمينه للموظفين بموجب المادة (6.2) من نظام الموظفين، والهدف من إنشائه هو توفير العناية الصحية للموظفين (المشتركين فيه وكذا المشتركين المنتسبين) حيث يقوم بتغطية المصروفات الطبية والعلاج في المستشفيات، ورعاية المسنين، والأدوية، والعمليات الجراحية، وتكاليف الولادة والأمومة، وعلاج الأسنان وتقويمها، والعدسات البصرية، وغيرها من أنواع المعينات الأخرى، ويعمل هذا الصندوق على أساس نظام تضامني مستقل ذاتي الإدارة والتمويل تعتمد أرصدته إعتماداً كاملاً على الاشتراكات التي يدفعها المشتركون والمنظمة ربه العمل بالتساوي[1]. ويشترك جميع الموظفين في

كذلك حساب بنكي مستقل.

- وبحسب المادة (14) فقرة (أ) فإن المدير العام يعين باقتراح من لجنة الصندوق طبيباً استشارياً لمساعدة اللجنة ص70.

- وبحسب مقتضيات المادة (20) ص72 فإنه يجوز تعديل هذا النظام بناءاً على اقتراح المدير العام، وبعد موافقة المجلس التنفيذي والمؤتمر العام.

(1) انظر: بهذا الخصوص:- وثيقة المجلس التنفيذي رقم 172 EX / 36 - page 1)) بتاريخ 2005/8/19 (انجليزي فرنسي)

- وبحسب هذا المرجع ص 2 فإن هذا الصندوق كان يضم بتاريخ 30 مايو 2005 نحو 2417 مشتركاً من الموظفين العاملين، 2162 مشتركاً منتسباً (من الموظفين المتقاعدين) أي زهاء نحو (4579) شخصاً مشمولاً بالتغطية، يضاف إليهم (3254) معالاً، أي أن العدد الإجمالي يبلغ 7833 شخصاً.

- وثيقة المجلس التنفيذي رقم 171 EX / 32 - page 6)) بتاريخ 28 / 2 / 2005 الأصل انجليزي.

- وثيقة المجلس التنفيذي رقم (171 EX / 30 - page 6) بتاريخ 2005/3/9

اليونسـكو بصـورة إلزاميـة في الصـندوق، بغـض النظـر عـن مقـر عملهـم ودرجـة وظيفتهم، شريطة ألا تقل مده عقودهم عن ستة أشهر، ويمتد نطاق هذه الرعاية الصحية ليشمل بصورة اختيارية أفراد أسرة الموظف، أي الزوج أو الزوجة والأولاد، وفي حالة عـدم وجود هؤلاء، الأم أو الأب أو الشقيق أو الشقيقة، بشرط أن يكون معترفاً بهـم كمعالين بموجب نظام ولائحة الموظفين، وألا يكونوا مشمولين بنظام وطني إلزامي للضمان

الأصل فرنسي.

وبحسب هذا المرجع فإنه يجوز لموظف الأمانة أن يبقى مسجلاً في الصندوق كمشترك منتسب، بشرط أن يكون عمرة (55) سنة على الأقل وقت تركة الخدمة ويكون قد أمضى عشر سنوات في خدمة المنظمة.

- وبحسب هذا المرجع الأخير ص 7 فإن اشتراكات المشتركين والمشتركين المنتسبين تحسب على أساس نسبة مئوية مـن مرتب المشترك تختلف باختلاف عدد الأشخاص المشمولين بالرعاية الصحية كما يلي:-

عدد الأشخاص	نسبة المشترك	نسبة المنظمة	المجموع
1	% 640 ، 2	% 640 ، 2	% 28 ، 5
2	% 455 ، 3	% 455 ، 3	% 91 ، 6
3	% 265 ، 4	% 265 ، 4	% 53 ، 8
4	% 875 ، 4	% 875 ، 4	% 75 ، 9
5 فأكثر	% 485 ، 5	% 85 4 ، 5	% 97 ، 10

- مع ملاحظة أنه ورد في هذا المرجع الأخير ص 1 خطأ ربما يكون مطبعي، حيث تطرق بان المـؤتمر العام أنشأ هذا الصندوق في دورته الثالثة عام 1945م، والثابت لدينا أن تاريخ إنشائه إنما هو عام 1948 م ، في الدورة الثالثة للمؤتمر العام، وهو ما تؤيده المراجع السالف ذكرها.

الاجتماعي، وتجري تغطية الموظفين المتقاعدين أو المعوقين، هم وأسرهم، وكذلك معالي الموظفين المتوفين، بوصفهم مشتركين منتسبين على أساس اختياري[1]. ويتولى إدارة الصندوق مجلس إدارة مؤلف من رئيس يعينه المدير العام، وممثلين اثنين ينتخبهما المشاركون في الصندوق لمدة ثلاث سنوات، ومن مدير مكتب إدارة الموارد البشرية (أو ممثلة)، والمراقب المالي (أو ممثلة) ومنذ عام 1994 ينتخب المؤتمر العام دولتين من الدول الأعضاء للمشاركة في أعمال مجلس الإدارة بصفة مراقب، كما يسمح لممثلو رابطات الموظفين بحضور اجتماعات المجلس بصفة مراقب، وهؤلاء المراقبون بطبيعة الحال ليس لهم الحق في التصويت، أما أعمال أمانة مجلس إدارة الصندوق فيتولاها رئيس شعبة المعاشات التقاعدية والتأمينات، الذي يكون من الناحية الإدارية مسؤولاً أمام نائب مدير مكتب أدارة الموارد البشرية (وهذه الشعبة مسؤولة أيضاً عن القيام بأعمال أمانة لجنة المعاشات التقاعدية واللجنة الاستشارية المعنية بتعويضات الموظفين) علاوة على ذلك فإن للمجلس مستشارين اثنين يمكن دعوتهما لحضور الاجتماعات، وهما المدير الطبي والخبير الخارجي في شؤون التأمين[2].

---

(1) انظر: وثيقة المؤتمر العام لليونسكو رقم (C / 45 - page 132) بتاريخ 2003/8/25 الأصل فرنسي.

(2) انظر بهذا الخصوص:- وثيقة المجلس التنفيذي رقم 172 (EX / 36 - page 2 - 1) نفس المرجع السابق.

- وبحسب هذا المرجع الملحق (1) ص2 فإنه يجوز للموظف الذي يتقاعد من اليونسكو ويكون قد أتم الخامسة والخمسين من العمر وأشترك لمدة عشر سنوات كاملة في الصندوق، بتاريخ تركة للخدمة أن يختار البقاء (بشكل نهائي) في هذا الصندوق كمشترك منتسب، وتواصل اليونسكو دفع مساهمتها في تمويل اشتراكه.

ويجتمع المشتركون في هذا الصندوق مرة في السنة في جمعية عامة تعقد بناءاً على دعوة من مجلس إدارة الصندوق الذي يجب أن يرفع اليها تقريراً بشأن أنشطة الصندوق، وتقريراً مالياً التماساً لموافقتها عليهما حسب مقتضيات المادة (23) من لائحة الصندوق[1].

صندوق الرعاية الاجتماعية والصحية

أنشأت الالكسو هذا الصندوق بموجب المادة (54) من نظام الموظفين، بهدف توفير نوع من الرعاية الاجتماعية والصحية لموظفي المنظمة وأسرهم، ويشكل مجلس إدارة هذا الصندوق بقرار من المدير العام، بواقع خمسة أعضاء يختارهم المدير العام من بين موظفي المنظمة، ويكون نائب المدير العام من بينهم ورئيساً لمجلس الإدارة، وعضوان من موظفي المنظمة يتم تعينهما بالانتخاب وفقاً للشروط التي يضعها المدير العام، ويختار هذا المجلس من بين أعضائه في أول اجتماع له نائباً للرئيس وسكرتيراً وأميناً للصندوق، وعضوية هذا المجلس سنتين، ويعهد إليه تولي كافة المهام المنوطة به لتحقيق أغراض الصندوق، وعلى أن تعتمد القرارات التي يتخذها من قبل المدير العام، وتتكون موارد الصندوق من اشتراك يتم خصمه من الراتب الإجمالي والتعويض العائلي للموظفين بنسبة 2 % وأيضاً من مساهمة المنظمة بنسبة 4 % من الراتب الإجمالي والتعويض العائلي.

علاوة على عوائد استثمار أموال الصندوق. وتشمل الرعاية الصحية

- وثيقة المجلس التنفيذي رقم 171 page 8 - 32 / EX)) مرجع سابق.
- وثيقة المجلس التنفيذي رقم 171 page 1 - 30 / EX)) مرجع سابق.

(1) انظر: وثيقة المجلس التنفيذي رقم 171 page 4 - 30 / EX)) نفس المرجع السابق.

على سبيل المثال: رعاية الأطباء والأخصائيين في الحالات المرضية على اختلاف أنواعها، والعمليات الجراحية والإقامة بالمستشفيات ودور العلاج، وكذا العلاج بالكهرباء والكشف بالأشعة والتحاليل الطبية، والأجهزة التعويضية والتكميلية، والمساهمة في أثمان الأدوية وذلك وفقاً للقواعد والشروط والنسب التي تحددها اللائحة التنفيذية الداخلية للصندوق، ويتم إعداد الحسابات الختامية للصندوق عن كل دورة مالية، وتعرض على مجلس إدارة الصندوق لإقراره واعتماده من المدير العام، على أن تتم مراجعة حسابات الصندوق سنوياً من طرف المراجع الخارجي للحسابات، كما أنه لتحقيق أغراض هذا الصندوق فإن المدير العام يتعاقد بناءاً على اقتراح مجلس الإدارة مع هيئات طبية متخصصة لمعاونة الصندوق في القيام بمهامه. وعلى أيه حال فإنه لا يجوز الجمع بين الانتفاع بأحكام الرعاية الصحية المشمولة في هذا النظام وبين أي نظام أخر للرعاية الصحية[1].

---

(1) انظر بهذا الخصوص: المواد (1، 2، 4، 5، 6، 10، 16، 17) من نظام الرعاية الاجتماعية والصحية لموظفي الالكسو في مرجع النظام الأساسي لموظفي المنظمة 2004 مرجع سابق ص 45 - 48.

- وبحسب المادة (6 فقرة (ب)) فإن هذا الصندوق يخضع في إدارة أمواله وحساباته للقواعد المنصوص عليها في هذا النظام واللائحة الداخلية للصندوق.

- وبحسب المادة (3) فإن المدير العام يصدر اللائحة الداخلية للصندوق بناءاً على اقتراح مجلس الإدارة.

- وبحسب المادة (11) فإن الرعاية الصحية تشمل جميع موظفي المنظمة وأسرهم المشاركين في الصندوق، وكذا الموظفين المحليين والخبراء المتفرغين، وتحدد اللائحة الداخلية للصندوق قواعد علاج الموظفين وأسرهم خارج دوله المقر.

صندوق التكافل لموظفي الايسيسكو

أنشئت المنظمة هذا الصندوق وفقاً لمقتضيات المادة (111) من نظام الموظفين، بهدف تغطية تكاليف المرض والولادة، والنفقات الناجمة عن العلاجات الطبية وشبه الطبية للموظف أو زوجته أو الأشخاص الذين هم تحت كفالته، والاشتراك في هذا الصندوق إجباري لكافة الموظفين العاملين بالمنظمة بصفة مستديمة، ويتم تسيير هذا الصندوق من قبل لجنة تشكل بقرار من المدير العام وتكون مسؤولة أمامه عن تطبيق هذا النظام، وتقوم هذه اللجنة بممارسة المهام المنوطة بها والتي من بينها ما يتعلق بتسيير موارد الصندوق، وصرف التعويضات المستحقة، ودراسة حسابات الصندوق ومراجعة العمليات البنكية (صرفاً وإيداعاً)، وتتكون موارد هذا الصندوق من نسبة 2 % يتم خصمها من الراتب الأساسي لكل موظف، كما تساهم المنظمة في الصندوق بما يعادل نسبة 4 % من مجموع رواتب الموظفين، وللموظف المشترك في الصندوق كامل الحرية في اختيار الطبيب أو الجراح والصيدلي والمساعدين الطبيين وكذا المصحة أو المستشفى، إلا أن الصندوق لا يسدد للموظف إلا أتعاب الأطباء والجراحين والمساعدين الطبيين المؤهلين قانوناً لممارسة مهنتهم، كما أن الصندوق لا يسدد إلا مصاريف المواد الصيدلية المحصَل عليها من صيدلي يتوفر على رخصة قانونية لمزاوله مهنة الصيدلة[1].

(1) انظر: م 111 من نظام موظفي الايسيسكو 2005 مرجع سابق ص57.
- كذلك انظر المواد (1، 3، 4، 5، 10، 12) من النظام الداخلي لصندوق التكافل لموظفي الايسيسكو في مرجع ميثاق الايسيسكو ولوائحها نفس المرجع السابق ص 75، 76، 78، 79.

ثانياً: تعويضات الموظفين عند انتهاء خدماتهم

يقضي نظام صندوق التعويض عن التوقف النهائي عن العمل بالايسيسكو بأنه يصرف لكل موظف تعويضات التوقف النهائي عن العمل عند انقطاعه عن العمل بصفة نهائية[1]. فالموظفين المرسمين يكون التعويض لهم ضعفي الراتب الشهري الأساسي الواحد عن كل سنة من سنوات الخدمة، وبما يعادل الراتب الإجمالي الشهري عن كل سنة من سنوات الخدمة بالنسبة للمتعاقدين منذ سنة انخراطهم في هذا الصندوق، وفي حالة إصابة الموظف بحادث أو مرض لمدة طويلة أو دائمة، فإنه يتقاضى بالإضافة إلى التعويض المذكور، تعويضاً عن العجز الصحي، تحدد قيمة هذا التعويض بنسبة 50 % من راتبه الشهري الأساسي عن كل سنة عمل في حدود خمس سنوات، أما في حالة الاستقالة فإن الموظف يتقاضى تعويضاً عن نهاية الخدمة تحدد قيمته بنسبة 75 % من راتبه الشهري الأساسي عن كل سنة عمل، أما في حالة الفصل بسبب خطأ فادح أو تصرف مشين أو أخلال بالأمانة، فإنه ليس للموظف الحق في أي تعويض، إلا أنه يسترجع مجموع مساهماته في هذا الصندوق بزيادة 10 % عن كل سنة منذ سنة الانخراط في الصندوق، إلا أنه إذا كان الفصل بسبب القصور

- وبحسب المادة (2) فإن الجدول المرفق يوضح نوعية العلاجات ونسب التغطية المعمول بها في اطار هذا النظام.
- وبحسب المادة (14) ص 80 من النظام الداخلي للصندوق فإنه يجوز تعديل هذا النظام بناءاً على اقتراح من المدير العام وبعد موافقة المجلس التنفيذي.

(1) انظر: م11 من النظام الداخلي لصندوق التعويض عن التوقف النهائي عن العمل في الايسيسكو مرجع سابق ص68.

المهني، فإن هذا الموظف يتقاضى تعويضاً تحدد قيمته بنسبة 50 % من راتبه الشهري الأساسي عن كل سنة عمل، علاوة عن الحالات المذكورة في الفقرات الأنفة الذكر من هذه المادة، فإن للموظف الحق في استرجاع مجموع مساهماته بزيادة 10 % عن كل سنة منذ سنة الانخراط في الصندوق، وفي كل الأحوال فإنه ينبغي أن تتم التقديرات بناءاً على أخر راتب أساسي من مده خدمة الموظف[1]. كما يتقاضى موظف هذه الأخيرة في حال إنهاء خدمته بسبب تقليص المناصب لظروف طارئة وقاهرة تعويضاً بحسب مقتضيات المواد (10، 11، 12) من نظام الموظفين والمادة (12) من نظام التعويض عن التوقف النهائي عن العمل[2].

بينما يستحق موظف الالكسو عند انتهاء خدمته مكافئه نهاية الخدمة، وهي تعادل الراتب الإجمالي لشهرين عن كل سنة من سنوات الخدمة العشر الأولى، والراتب الإجمالي لثلاثة أشهر عن كل سنة تزيد عن عشر- سنوات، وفي جميع الأحوال لا يجوز أن تزيد المكافئة عن راتب (90) شهراً بالنسبة

---

(1) انظر: م12 من النظام الداخلي لصندوق التعويض عن التوقف النهائي عن العمل نفس المرجع السابق ص 68 - 69.
- وبحسب هذا المرجع المادة (15 فقرة (ج)) ص 70 - 71 فإنه يتعين على لجنة الصندوق أن تبت في كل ملف منازع فيه في حدود شهرين اعتباراً من تاريخ تسلم الايسيسكو للملف.
- وبحسب مقتضيات المادة (21 ص72 فإن الخلافات الناجمة عن تطبيق النظام الداخلي لهذا الصندوق ترفع إلى المجلس التنفيذي في أول دورة له تلي ظهور هذه الخلافات، حيث يشكل لجنة من بين أعضائه للبت في تلك الخلافات، ولا يجوز لأي جهة أخرى الفصل أو الحكم في هذه الخلافات.

(2) انظر: م118 من نظام موظفي الايسيسكو مرجع سابق ص59.

لموظفي الفئات الثلاث الأولى، وراتب (110) شهراً بالنسبة لموظفي الفئة الرابعة، ويعتبر الراتب الإجمالي الشهري الأخير للموظف وقت انتهاء خدمته أساساً لحساب المكافئة، إلا أنه لا يدخل بطبيعة الحال ضمن الراتب، التعويض العائلي، وأجور العمل الإضافي، وبدل التمثيل، وبدل السفر وتعويضات الانتقال، علاوة على ذلك فإن لموظف هذه الأخيرة عند انتهاء خدمته نسبه من عائد الاستثمار المحقق من استثمار أموال صندوق مكافئه نهاية الخدمة تتناسب ومده الخدمة الفعلية التي تم احتساب مكافئة نهاية الخدمة على أساسها، وتحسب قيمة ما يستحق للموظف من عوائد الاستثمار سنوياً بمعرفة خبير محاسبي[1].

كذلك فإن الموظف الذي تنتهي خدمته في الالكسو بسبب إلغاء الوظيفة، فإنه يستحق فضلاً عما يكون له من حقوق أخرى، تعويضاً يعادل الراتب الإجمالي عن الشهور المتبقية من خدمته بحد أقصاه (12) شهراً، ولموظف هذه الأخيرة التقدم بطلب إنهاء خدمته بعد أن يكون قد أمضى في خدمة المنظمة 15 سنة وبلغ من العمر 55 سنة، وفي هذه الحالة، يتقاضى فضلاً عما يكون له من حقوق أخرى، تعويضاً يعادل الراتب الإجمالي لثلاثة أشهر عن كل سنة باقية حتى سن التقاعد، وتحسب المدة التي تقل عن سنة بنسبتها وبحد أقصى (21) شهراً ويحسب التعويض على أساس راتب الشهر الأخير من خدمة الموظف[2]. أما تعويضات الإنهاء من الخدمة في اليونسكو فإنه،

---

(1) انظر: المواد (7، 8، 9) من نظام صندوق مكافئة نهاية الخدمة بالالكسو نفس المرجع السابق ص 41 - 42.

(2) انظر: م30 الفقرات (أ ، ب، ج) من نظام موظفي الالكسو مرجع سابق ص 14.

- كذلك انظر: م13 من نظام صندوق نهاية الخدمة نفس المرجع السابق ص 42 -

عند إيقاف الوظيفة، بحسب المادة (1. 9) الخاص بالتعيين الغير محدد، أو التعيين المحدد المدى بعد 6 سنوات أو أكثر من الخدمة، جراء إلغاء الوظيفة أو تقليل عدد الموظفين، يتم حساب تعويض الإنهاء من الخدمة على أساس عدد السنوات والشهور من الخدمة المكتملة وسيكون الدفع كما يلي:-

بالنسبة للتعين الغير محدد

إذا كانت خدمة الموظف سنتين أو ثلاث سنوات فإن شهور الدفع سيكون بواقع 3 أشهر، أما إذا كان عدد سنوات الخدمة (4) سنين، فإن شهور الدفع سيكون (4) أشهر، وهكذا يتساوي عدد أشهر الدفع مع عدد سنوات الخدمة وذلك إلى غاية (9) سنوات، فإذا زادت مده الخدمة عن ذلك، فإنه يبدأ التناقص التدريجي في عدد أشهر الدفع، وعلى سبيل المثال: فإنه إذا كانت سنوات الخدمة 10 سنوات فإن أشهر الدفع سيكون (5. 9)، وإذا كانت (12) سنة خدمة فإن أشهر الدفع سيكون (10.5)، وسيكون أشهر الدفع بواقع 12 شهراً إذا بلغت سنوات الخدمة (15) سنة فأكثر[1].

بالنسبة للتعيين المحدد المدى

يقضي نظام موظفي اليونسكو بأنه عند الإنهاء من الوظيفة تحت التعيين المحدد المدى بعد أقل من 6 سنوات من الخدمة جراء إلغاء الوظيفة أو التقليل من الموظفين، يدفع تعويض الإيقاف بقيمة خمسة أيام لكل شهر

.43

(1) انظر: USRR، 2000، (a) (7 .109) Rule، p. 78 - 79

- وبحسب هذا المرجع الفقرة (أ) ص 79 فإنه إذا كانت سنوات الخدمة (11) سنة، فإن شهور الدفع سيكون 10 أشهر، (11) شهر إذا كانت سنوات الخدمة 13 سنة، وإذا بلغت 14 سنة خدمة، فإن شهور الدفع سيكون (5. 11).

خدمة غير منتهي، بشرط أن يكون 30 يوم هو أدنى فترة، وأقصى فترة ثلاثة أشهر من الدفع[1]. أما إذا بلغت سنوات الخدمة 6 سنوات فأكثر، فإن شهور الدفع سيكون ثلاثة أشهر،و إذا بلغت سنوات الخدمة (7) سنوات، فإن شهور الدفع سيكون 5 أشهر، وإذا بلغت الخدمة 8 سنوات، فإن شهور الدفع سيكون 7 أشهر، وتتساوى بعد ذلك سنوات الخدمة مع عدد أشهر الدفع، إذا بلغت هذه الخدمة مده (9) سنوات، فإن أشهر الدفع سيكون 9 أشهر، ويبدأ بعد ذلك التناقص التدريجي في عدد أشهر الدفع كلما أرتفع عدد سنوات خدمة الموظف - وبنفس النسب تماماً مثلما هو عليه الحال في التعيين الغير محدد - وسيكون الدفع في الأخير بواقع 12 شهراً إذا بلغت خدمة الموظف 15 سنة فأكثر[2]. وعلى أيه حال فإنه سيدفع أيضاً نفس التعويض في حالة الإيقاف أو الإنهاء من الخدمة لأسباب صحية تحت نظام (1. 9) باستثناء الموظفين المعاقين الذين يستلمون من صندوق الأمم المتحدة المشترك لتقاعد الموظفين، سوف يتم إنقاص المبلغ لهم[3]. كذلك فإنه في حالة ما إذا كان الإنهاء لخدمة غير مرضية تحت نظام (1. 9)، سلوك غير لائق تحت نظام (1. 1. 9) ، أو سلوك غير مرضي لنظام (2. 10)، يدفع تعويض الإنهاء بتصرف من المدير العام، بمبلغ لا يزيد عن نصف المبلغ المنصوص عليه في الفقرات السابقة أعلاه (أ، ب، ج)[4].

---

(1) انظر: USRR،2000 ، (C) (109. 7) Rule ،P. 79

(2) انظر: USRR 2000، (a) (109. 7) Rule ،p. 78 - 79

(3) انظر: USRR 2000، (b) (109. 7) Rule ،p. 79

(4) انظر: USRR 2000، (f) (109. 7) Rule ،p. 80

- وبحسب هذا المرجع الفقرة (e) وبنفس الصفحة فإنه عند انتهاء التوظيف (التعيين) تحت نظام (2. 1. 9) ، سيكون دفع تعويض الإنهاء بالمعدل الموضح في الفقرات (أ، ب، ج)

أما عند انتهاء الوظيفة تحت نظام (1. 9) لتعيـن مؤقت جـراء إلغـاء الوظيفـة أو تقليل عدد الموظفين يدفع تعويض الإيقاف بقيمة خمسة أيام من الدفع لكل شـهرخدمة غير منتهي بحد أقصى 30 يوم من الدفع، إذا كان التوظيف 3 أشهر أو أكثر، أمـا إذا كـان التوظيف أقل من 3 أشهر فإن الدفع سيكون بواقع يوم واحد لكل خمسة أيـام عمـل مـن الفترة غير المنتهية بحيث لا تتعدى (7) أيام للفترة كاملة[1].

وعلى العموم فإنه لن يتم دفع تعويض الإنهاء لموظفي اليونسكو الآتي ذكرهم[2]:-

● الموظف الذي يستقيل.

● الموظف الذي يفصل بسرعة من العمل وفقا للمادة (2. 10).

● الموظف الذي يترك وظيفته، مادة رقم (5. 105).

● الموظف الذي يتقاعد وفقا للمادة (5. 9).

● الموظف الذي ينتهي توظيفه (تعينـه) المحـدد المـدى، أو التوظيـف المؤقـت في التاريخ المشار إليه في رسالة التعيين.

ويقضي نظام موظفي اليونسكو بأنه إذا لم يسـتنفذ الموظـف إجازتـه السـنوية عنـد الإنهاء أو عند منحة إجازة خاصة بدون راتب إلى حين إعادة المهمة الموقفة، يحق له تسلم مبلغ من المال يعادل الأجر اليومي لفترة المغادرة وبحد أقصاه (60) يوم عمل، أمـا إذا كـان الموظف يستلم أجر نقدي

───────────────

ويجوز للمدير العام تزويد مبلغ التعويض إلى أكثر من 50 % إذا وجد مبررات الإيقاف ((الإنهاء من الوظيفة)).

[1] انظر: USRR،2000 ، Rule (109. 7) (d) ،p. 79

[2] انظر: USRR،2000 ، Rule (109. 7) (g) ،p. 80

فلا يتم احتساب مستحقات إجازة سنوية عن أي فترات عمل بأجرنقدي[1]. بينما يتقاضى موظف الالكسو عند إنهاء خدمته فضلاً عما يكون له من حقوق أخرى تعويضاً عن إجازاته المتراكمة بما لا يتجاوز تسعين يوماً من راتبه الإجمالي الأخير[2]. كذلك فإنه إذا توفي موظف اليونسكو الحاصل على تعيين غير محدد، أو تعيين محدد المدى، أو الموظف الذي أكمل على الأقل سنة واحدة خدمة مستمرة، فإن زوجته سوف تحصل على إعانة الوفاة إعتماداً على السنوات والشهور التي قضاها في الخدمة وفقاً لما يلي:-

إذا كانت سنوات خدمة الموظف المتوفى ثلاث سنوات فأقل، فإن الإعانة التي تدفعها المنظمة ستكون بواقع 3 أشهر، وبواقع 4 أشهر إذا كانت سنوات الخدمة 4 سنوات وهكذا... فإن عدد سنوات الخدمة تتساوى مع عدد أشهر الدفع المخصصة للإعانة، إلا أنه إذا بلغت سنوات الخدمة (9) سنوات فأكثر، فإن شهور الدفع ستكون بواقع (9) أشهر فقط مهما زادت سنوات الخدمة، أما إذا كانت الزوجة أو الطفل المعال ليسا على قيد الحياة فلن يتم دفع إعانة الموت[3]. كذلك فإنه في حالة وفاه الموظف المستحق في هذه الأخيرة، فإن إعانة العودة للوطن تدفع لزوجته أو لطفله أو أطفاله المعالين، إذا كانت الزوجة غير موجودة، ويكون الدفع بالمعدل الادنى إذا كان شخص واحد فقط على قيد الحياة، أما إذا كان أكثر من

---

(1) انظر: USRR،2000 ، (a (109. 8) Rule ، (b ،p. 80

- كذلك انظر المادة رقم (9. 109) في نفس المرجع ص 80 - 82 بخصوص دفع الإعانة الخاصة بإعادة الموظفين للوطن.

(2) انظر: م29 من نظام موظفي الالكسو مرجع سابق ص14.

(3) انظر: USRR،2000 ، (a (109. 10) Rule ، (b ،p. 83

شخص على قيد الحياة فإن الإعانة تدفع بالمعدل الأعلى. أما إذا كان لا يوجد للموظف زوجة أو طفل معال فإن إعانة العودة للوطن لن يتم دفعها[1]. وإذا توفي موظف غير مقيم في الايسيسكو أو أحد الأشخاص الذين هم تحت كفالتة فإن المنظمة تقوم بدفع تكاليف نقل الجثمان إلى موطن الموظف، كما أن المنظمة ستتحمل كذلك نفس هذه التكاليف إذا تمت وفاه أي موظف أثناء قيامة بمهمة سفر موافق عليها سلفاً من قبل المنظمة[2]. كذلك فإنه عند انقطاع موظف في هذه الأخيرة عن العمل بسبب الوفاة، فإن مبلغ التعويض يحدد وفقاً لمقتضيات المادة (12) من نظام صندوق التعويض عن التوقف النهائي عن العمل، ويدفع هذا التعويض للأشخاص تحت كفالة المتوفى، أما إذا لم يكن له أشخاص تحت كفالتة أو في حالة غياب أصحاب الحق لمده أقصاها 5 سنوات بعد الوفاة فإن التعويض يصبح ملكاً للصندوق[3]. كما أن الالكسو تصرف لأسرة الموظف المتوفى أثناء الخدمة، إعانة مالية فورية، بما يعادل أربعة أمثال راتب الموظف الشهري الإجمالي، مع تحمل المنظمة نفقات أعداد ونقل جثمان الموظف المتوفى، أو جثمان من يتوفى من أفراد أسرته، إلى بلده أو بلد أقامته الدائمة[4]. وتصرف هذه الأخيرة المكافئة حال انتهاء الخدمة بسبب الوفاة إلى من عينهم الموظف قبل وفاته ووفقاً للنسب

---

(1) انظر:USRR، 2000 ، (g) (109. 9) Rule، p. 83.

(2) انظر: م64 من نظام موظفي الايسيسكو مرجع سابق ص45.

(3) انظر: م13 من النظام الداخلي لصندوق التعويض عن التوقف النهائي عن العمل في الايسيسكو في نفس المرجع السابق ص70.

- كذلك انظر: التعويضات المشمولة في المادة (12) من هذا النظام نفس المرجع ص 68 - 69.

(4) انظر: م31 من نظام موظفي الالكسو مرجع سابق ص15.

التي حددها، فإذا لم يعين الموظف الأشخاص المستفيدين فإنه يتم توزيع المكافئة على ورثته الشرعيين وفقاً للنظام القانوني المتبع في دولته[1].

وعلى أيه حال فإننا لن نتطرق للتعويضات التي تتم عن طريق الصندوق المشترك للمعاشات التقاعدية لموظفي منظومة الأمم المتحدة، لان هذا يعد خروجاً عن أطار هذا البحث، إلا أننا مع ذلك سنعطي إشارات بسيطة وعامة عن حجم تعويضات هذا الصندوق على اعتبار أن اليونسكو عضواً فيه، حيث بلغ عدد المشتركين في هذا الصندوق بتاريخ 31 ديسمبر عام 2003 (85245) مشتركاً، وحتى هذا التاريخ كان الصندوق يدفع (52496) استحقاقاً دورياً للمشتركين[2].

علاوة على ما سبق ذكره بخصوص التعويضات التي يتم دفعها من قبل الصناديق الخاصة بالمعاشات التقاعدية، فإن هناك تعويضات أخرى يتم

---

(1) انظر: م14 من نظام صندوق مكافئة نهاية الخدمة بالالكسو مرجع سابق ص43.

- وبحسب المادة (12 فقرة (ب) من نظام هذا الصندوق ص42 فإنه في حالة المنازعة في تقدير قيمة المكافئة يصرف للموظف أو المستفيدين بحسب الأحوال، القدر غير المتنازع عليه من المكافآت وذلك خلال شهرين على الأكثر من تاريخ انتهاء خدمة الموظف.

- وبحسب المادة (15) ص43 فإن نظام هذا الصندوق يسري على جميع موظفي المنظمة بمن فيهم الموظفين المحليين طبقاً للنظام الأساسي لموظفي المنظمة.

(2) انظر: الوثيقة رقم page 233 - 35 / C)) مرجع سابق.

- وبحسب هذه الوثيقة فإن تلك الاستحقاقات تم توزيعها كما يلي:- استحقاقات التقاعد 16713

- استحقاق التقاعد المبكر 11730 - استحقاق التقاعد المؤجل 6575 - استحقاق الأولاد 8221

- استحقاق الأرامل من النساء والرجال 8294 - استحقاقات العجز 921 استحقاقات المعالين الثانويين 42

- وقد بلغ رأس مال الصندوق حتى التاريخ المشار إليه بعالية (903 948 391 19) دولار.

وبلغت إيرادات الصندوق من الاستثمارات لعام 2003 مبلغ (923 780 037 2) دولار.

دفعها كذلك من قبل الصناديق الخاصة بالرعاية الصحية والاجتماعية في هذه المنظمات المتخصصة، فهذه التعويضات التي تتم من هذه الصناديق الأخيرة، وأن كانت مخصصة أساساً لتعويضات الموظفين أثناء خدماتهم في هذه المنظمات، إلا أن بعضاً من هذه الصناديق مع ذلك تقوم بدفع تعويضات للموظفين عند انتهاء خدماتهم وكما يلي:-

يستحق موظف الالكسو - أو المستفيدون منه - عند انتهاء خدمته بالوفاة أو العجز عن العمل، وذلك من صندوق الرعاية الاجتماعية و الصحية الأتي:-

في حالة الوفاة أو العجز الكلي بسبب العمل مرتب 36 شهراً، أما في حالة الوفاة أو العجز الكلي بغير سبب العمل فمرتب 24 شهراً.

يستحق الموظف الذي يصاب بسبب العمل - دون أن يترتب على إصابته عجز عن العمل - تعويضاً تقدر قيمته وفقاً لجدول تتضمنه اللائحة الداخلية للصندوق، تحدد فيها نوع الإصابة ومقدار التعويض في كل حاله، بشرط أن لا يزيد التعويض في أي حالة عن راتب 6 أشهر[1].

ويحسب مبلغ التعويض المستحق للموظف وفقاً لنظام هذا الصندوق على أساس الراتب الشهري الأخير مضافاً إليه التعويض العائلي، ويدفع مبلغ التعويض في حالة الوفاة إلى من عينهم المتوفى بنفس النسب التي حددها، فإذا لم يعين الموظف الجهة المستفيدة يوزع على ورثته الشرعيين حسب النظام القانوني في دولته، وإذا لم يوجدوا يؤول مبلغ التأمين إلى صندوق الرعاية الصحية والاجتماعية بالمنظمة[2]. كما يشمل التزام هذا

---

(1) انظر: م7 من نظام صندوق الرعاية الصحية والاجتماعية بالالكسو مرجع سابق ص 46.

(2) انظر: المواد (9،8) من نظام صندوق الرعاية الصحية والاجتماعية بالالكسو نفس المرجع

الصندوق الأخير أيضاً إيفاد أعضاء الصندوق وأسرهم للعلاج في الخارج وكذا نفقات المرافق في حالات مرضية خاصة بناءاً على تقرير من لجنة طبية متخصصة يعينها المدير العام بالتشاور مع مجلس الإدارة، وفقاً للشروط المحددة باللائحة الداخلية للصندوق[1]. كذلك فإنه إذا انتهت خدمة الموظف - طبقاً لأحكام نظام موظفي الالكسو - وكان هو وأحد أفراد أسرته تحت العلاج، فإن الصندوق يستمر في القيام بأعبائه إلى حين انتهاء العلاج أو انقضاء 180 يوماً أيهما أقل[2]. بينما يضمن صندوق التكافل لموظفي الايسيسكو، سداد النفقات الناجمة عن العلاجات الطبية وشبة الطبية للموظف أو زوجته أو الأشخاص الذين هم تحت كفالته المنصوص عليهم في المادتين (39،42) من نظام الموظفين[3]. على أن نوعية العلاجات ونسب التغطية المعمول بها في إطار نظام هذا الصندوق هي الآتي[4]:-

تكون نسبة التغطية من قبل المنظمة 90 % لكل من التحليلات الطبية، الأدوية، الأشعة، العمليات الجراحية، العيادة، الولادة، وزجاج النظارات مع تحديد سقف سنوي لهذا النوع الأخير بمبلغ 150 دولار للموظف ولكل واحد من أفراد أسرته.

السابق وبنفس الصفحة.

(1) انظر: المواد (13،12) من نظام صندوق الرعاية الصحية بالالكسو مرجع سابق ص47.

(2) انظر: م14 من نظام صندوق الرعاية الصحية الالكسو نفس المرجع السابق وبنفس الصفحة.

(3) انظر: م1 من النظام الداخلي لصندوق التكافل لموظفي الايسيسكو مرجع سابق ص75.

(4) انظر: م2 من النظام الداخلي لصندوق التكافل لموظفي الايسيسكو نفس المرجع وبنفس الصفحة.

- كذلك انظر الجدول المرفق بهذا النظام ص80.

تكون نسبة التغطية 80 % لكل من الاستشفاء، العلاج الإضافي، الوصفات الطبية، وكذا علاج وترميم الأسنان، مع تحديد سقف سنوي لهذا النوع الأخير بمبلغ 750 دولار للموظف ولكل فرد من أفراد أسرته.

إطار النظارات ونسبة التغطية 70 % مع تحديد سقف سنوي قدرة (100) دولار للموظف ولكل واحد من أفراد أسرته. ويمكن مراجعة أسقف هذه المبالغ المحددة عند الاقتضاء.

أما نسب التسديدات التي يطبقها صندوق التامين الصحي باليونسكو فهي[1]:-

1- نسبة عادية تتراوح بين 70 % إلى 90 % حسب فئة النفقات.

2- نسبة 100 % في حالة المرض الطويل الأمد (مثل النفقات ذات الصلة بمرض يؤدي إلى عجز عن العمل لمدة تتجاوز 6 أشهر).

3- نسبة 100 % لدى تجاوز قيمة النفقات نسبة مئوية معينة من مرتب المشترك.

مما سبق يلاحظ أن الصناديق الخاصة بالمعاشات التقاعدية في كل من الايسيسكو ومنظومة الأمم المتحدة ومنها اليونسكو، إنما تعتمد في مواردها على ما يسدده موظفو هذه المنظمات من مساهمات شهرية يتم استقطاعها من رواتبهم بنسبة 5 % بالنسبة لموظفي الايسيسكو، 9،7 % بالنسبة

---

(1) انظر: وثيقة المجلس التنفيذي لليونسكو رقم 171 5 - 4) page - 30 / EX) مرجع سابق.
- وبحسب هذا المرجع فإن لائحة صندوق التأمين الصحي لليونسكو تقضي۔ كذلك بتطبيق ((بند الضمان)) الذي يحدد مجلس الإدارة على أساسه الحد الأقصى من الإنفاق المسموح به كأساس لتسديد نفقات خدمة طبية معينة في مكان محدد، ويشمل الملحق الرابع من اللائحة عدداً معيناً من الحدود القصوى للتسديدات لبعض فئات النفقات، فيما يتعلق بالنفقات التي يتم تكبدها في دوله المقر بفرنسا.

لموظفي منظومة الأمم المتحدة، وعلى أن تتحمل ضعفي هـذه النسب المنظمات المعنية، حيث تشكل هذه الاستقطاعات في مجملها الموارد الرئيسية لتلك الصناديق، وذلك حتى تتمكن هذه المنظمات من الوفاء بالتزاماتها لـدفع المعاشات التقاعدية عند انتهاء خدمات موظفيها، وهذا الأمر كذلك مستخدم في بعض الدول ومنها اليمن حيث يستقطع على موظفي الجهاز الحكومي مـن رواتبهم الشهرية الأساسية نسبة بواقع 6 % بينما تتحمل الدولة ضعفي هذه النسبة لصالح صندوق التقاعد لمواجهـة الالتزامـات التقاعدية عند انتهاء خدمات الموظفين[1]. وفي تقديري فإن هذا الأمر أيضاً ربما يكون معمولاً بـه في غالبيـة الـدول والمـنظمات الدوليـة، بعكـس الالكسو حيث لم تتطرق نظمهـا عـن أيـه استقطاعات يتم خصمها من رواتب موظفي المنظمة ذلك أن موارد صندوق مكافئه نهاية الخدمة في هذه المنظمة إنما يتكون من المبالغ التي تدرج سنوياً في موازنة المنظمة لأغراض الوفاء بمكافآت نهاية الخدمة[2].

وعليه فإنه ينبغي أن تقوم الالكسو باستقطاع نسبة من الرواتب الأساسية الشـهرية لموظفيها، بـنفس النسبة التي تسـتقطعها الايسيسكو، عـلى أن تتحمـل المنظمـة ضـمن موازنتها ضعفي هذه النسبة كي تتمكن المنظمة من الوفاء بالتزاماتها التقاعدية عند انتهاء خدمات موظفيها على غرار ما

---

(1) انظر: كشف الرواتب والتعويضات لموظفي اللجنة الوطنية اليمنية للتربية والثقافة والعلوم لشـهر ديسـمبر بتاريخ
2007/12/2م.

(2) انظر: المواد (55،54) من نظام موظفي الالكسو 2004 مرجع سابق ص26.

- كذلك انظر: م3 من نظام صندوق مكافئه نهاية الخدمة في نفس المرجع السابق ص40.

هو معمولاً به في الدول والمنظمات الدولية.

الباب الثاني

إدارة العلاقات والأنشطة في المنظمات

(اليونسكو، الالكسو، الأيسيسكو)

تتمتع المنظمات اليونسكو، الالكسو، الأيسيسكو، باعتبارها من أشخاص القانون الدولي بالشخصية التي تؤهلها لإقامة النظم العلائقية والتواصلية مع الدول والمنظمات الدولية، حيث تنشأ هذه العلاقات التواصلية بين هذه المنظمات وبين غيرها من الكيانات الدولية، بغرض التنسيق والتعاون، وتبادل المعلومات وتحديد مجالات الأنشطة والبرامج ذات الاهتمام المشترك، بالأخص من ذلك مع المنظمات الموازية التي تهتم بمجالات التربية والعلوم والثقافة والاتصال. وتتخذ العلاقة التنظيمية التي تنشأ بين هذه المنظمات طرق متعددة أهمها، إبرام المعاهدات وتبادل الاتصال وإيفاد مراقبين، وإنشاء أجهزة مشتركة، وغير ذلك من صور التعاون المشترك[1]. علاوة على ما تضطلع به هذه المنظمات المتخصصة من أنشطة وبرامج في مجالات اختصاصاتها، وغير ذلك من المجالات الاخرى ذات الصله بتلك الانشطه وعليه فإننا سنتطرق في هذا الباب، بشكل مفصل عن إدارة النظام العلائقي لهذه المنظمات المتخصصة، وذلك ضمن (الفصل الأول) مروراً بإدارة أنشطة الأجهزة والبرامج (الفصل الثاني) وكما يلي:-

---

(1) انظر د. عبد السلام عرفة، التنظيم الدولي، مرجع سابق ص71.

الفصل الأول

إدارة النظام العلائقي للمنظمات

(اليونسكو، الالكسو، الايسيسكو)

تقيم هذه المنظمات المتخصصة شبكة واسعة من علاقات التعاون مع المنظمات الدولية الحكومية، العامة منها والمتخصصة، العالمية منها والإقليمية، ومع المنظمات الدولية غير الحكومية التي تمارس نشاط يدخل في نطاق اهتمامات هذه المنظمات، كما تقيم علاقات مع الدول الأعضاء وغير الأعضاء، ومع المؤسسات والهيئات الأخرى، وحتى مع الأفراد العاديين، وذلك بهدف تحقيق التعاون المتبادل والتنسيق بينهما وصولاً إلى تحقيق الغايات المشتركة، وما دخول هذه المنظمات المتخصصة بهذا التنوع من العلاقات، إلا كنتيجة مباشرة لتمتعها بالشخصية القانونية الدولية التي تؤهلها للدخول في مثل هذه العلاقات والتي منها على سبيل المثال لا الحصر[1]. حقها في التمتع بأهلية إبرام المعاهدات مع غيرها من المنظمات والدول في إطار الأهداف والغايات المنصوص عليها في مواثيقها المنشئة، ويخضع إبرام المعاهدات إلى القواعد المعمول بها في القانون الدولي، وفي مقدمتها اتفاقية فينا لقانون المعاهدات الصادرة عام 1969م[2].

---

[1] انظر: نتائج الاعتراف بالشخصية القانونية الدولية في القسم الأول، الباب الأول من هذا البحث ص 55- 60.

[2] انظر بهذا الخصوص:

- د. حسن نافعة، العرب واليونسكو، مرجع سابق ص128 بتصرف.

- د. عمر بوزبان (العلاقات الدولية) طبعة أولى، الدار البيضاء، المغرب عام 1994م ص 142- 143.

وعلى العموم فإنه سيتم تناول مختلف هذه العلاقات ضمن هـذا الفصل بمبحثيـه، حيث سنتناول في المبحث الأول العلاقة بـالمنظمات الدولية الحكومية وفي الثاني العلاقة بالمنظمات الدولية غير الحكومية ومع الدول وكما يلي:-

المبحث الأول

علاقة (اليونسكو،الالكسو،الايسيسكو)

بالمنظمات الدولية الحكومية

إن نشأة هذه المنظمات المتخصصة، إنما كانت كما رأينا في إطار المـنظمات الدولية العامة الأمم المتحـدة، جامعـة الـدول العربية، ومنظمـة المـؤتمر الإسـلامي، فهـذه الثـلاث الأخـيرة هـي بمثابة المنظمات الأم التي تعنـى بكافة الشـؤون السياسـية والاقتصـادية والاجتماعية، والثقافية، وغير ذلك من الشؤون الأخرى، وهـي بهـذه الصـفة توجه وتقـود كافة المنظمات والوكالات المتخصصة المرتبطة بها ارتباطا عضوياً، وذلك بغرض التنسيق بين أنشطتها ومنعا لاحتمالات الازدواجية في اختصاصاتها، مع ما يمكن أن يترتب على ذلك مـن نقص فاعليتها[1]. وتخول المواثيق المنشئة لهذه المنظمات المتخصصة الحق في إقامة علاقات مع غيرها من المنظمات والوكالات والهيئات الدولية الحكومية المتخصصة التـي تتوافـق مهامها

- د. عبد السلام عرفة، مرجع سابق ص 71- 72.
[1] انظر د. حسن نافعة المرجع السابق ص68 بتصرف.
- كذلك انظر. محمد لبيب شقير، جامعة الدول العربية بين الواقع والطموح، مرجع سابق ص672.

وأعمالها، مع مهام هذه المنظمات المتخصصة[1] ، وتختص الأجهزة السيادية في هذه المنظمات (المؤتمر العام، والمجلس التنفيذي) كل حسب الاختصاص الممنوح له، في مواثيق هذه المنظمات أو في أنظمتها الداخلية، وكذا مدراء العموم، في أي منها كل حسب ما يخصه من دور محدد في إنشاء مثل هذه العلاقات، بدءاً بإبرام الاتفاقات، وتبادل التمثيل، والدعوة لحضور الاجتماعات، وتوزيع المحاضر والوثائق والقرارات على هؤلاء المراقبون، وكذا الحقوق والالتزامات الناجمة عن مجمل هذه العلاقات مع هذه المنظمات المتخصصة بغيرها من المنظمات الدولية الحكومية الأخرى[2]. وعلى ذلك فإننا سنتطرق في هذا المبحث إلى علاقة هذه المنظمات المتخصصة، بالمنظمات الدولية الحكومية، بدءاً بعلاقاتها بمنظماتها الأم، ووكالاتها المتخصصة (المطلب الأول) مروراً بعلاقات هذه المنظمات فيما بينها ومع سائر المنظمات الدولية الحكومية الأخرى (المطلب الثاني) وكما يلي:-

---

[1] انظر: المواد (11 فقرة (1) ، (11 فقرة (7) من مواثيق المنظمات المتخصصة، مراجع سابقة ص 19، 33، 14 بالترتيب.

[2] أرجع بهذا الخصوص إلى القسم الأول من هذا البحث ص 55- 60 ، 105- 110 ، 160- 161 ، 204- 205.

المطلب الأول
علاقة المنظمات (اليونسكو، الالكسو، الأيسيسكو)
بمنظماتها الأم ووكالاتها المتخصصة

تتمتع هـذه المنظمات المتخصصة بعلاقات مـع منظماتها الأم، ومـع المنظمات والوكالات المتخصصة المنبثقة عنها، وينظم هذه العلاقة، النصوص القانونية المشمولة في مواثيق المنظمات العامة والمتخصصة، إذ ينبغـي أن يكون هنـاك تكامل واتساق بـين أحكامها، مع ما يترتب على ذلك بالضرورة، من إيجاد صيغ قانونية لوصل هـذه المنظمات المتخصصة، بمنظماتها السياسية، ذلك أن كلاً من هذه المنظمات العامة أو المتخصصة، إنما هي في حقيقة الأمر منظمات مستقلة أنشأتها الـدول الأعضاء، ويحكـم كل منها ميثاق مستقل، فكيف تم تنظيم هذه العلاقة؟ أولاً: من خلال مواثيق المنظمات العامـة، وثانياً: من خلال مواثيق المنظمات المتخصصة، وثالثاً: من خلال اتفاقات الوصل المبرمة بـين هـذه المنظمات، ثم ما نتائج مجمل تلك العلاقات؟

أولاً: تنظيم العلاقة بـين المنظمات المتخصصة ومنظماتها الأم مـن خـلال مواثيق هـذه الأخيرة.

تنظيم العلاقة بين الوكالات المتخصصة والأمم المتحدة من خلال ميثاق هذه الأخيرة
تطرق ميثاق الأمم المتحدة- بعكس مواثيق كل من جامعة الـدول العربيـة ومنظمـة المؤتمر الإسلامي- إلى العديـد مـن الأحكـام المنظمة لأوجـه العلاقـات بـين هـذه المنظمـة وفروعها المتخصصة بدءاً بجواز إنشاء مثل هذه

850

الفروع[1]. حيث تنشأ بمقتضى اتفاق بين الحكومات، وتضطلع بمقتضى نظمها بتبعات دولية واسعة في الاقتصاد والاجتماع والثقافة والتعليم والصحة وما يتصل بذلك من الشؤون، وتسمى هذه الوكالات التي تنشأ وفقاً لهذه الطريقة والتي يتم الوصل بينها وبين الأمم المتحدة بالوكالات المتخصصة[2]. ذلك أن الأمم المتحدة إنما هي معنية بالعمل على تيسير الحلول للمشاكل الدولية في تلك المجالات، لتعزيز التعاون الدولي، ولذلك فإنها تطلب من أعضائها أن يقوموا بتنفيذ القرارات بطريق العمل في الوكالات المتخصصة التي يكونون أعضاء فيها[3]. وللهيئة أن تقدم توصيات بقصد تنسيق سياسات الوكالات المتخصصة ووجوه نشاطها[4]. ويتولى ذلك المجلس الاقتصادي والاجتماعي، فهو المعني بوضع اتفاقات الوصل، والشروط التي بمقتضاها يوصل بين هذه الوكالات والأمم المتحدة، وتوافق الجمعية العامة لهذه الأخيرة على تلك الاتفاقات[5]. كما أن للمجلس الاقتصادي والاجتماعي أيضا أن ينسق نشاط الوكالات المتخصصة، وذلك بالتشاور معها، وتقديم توصياته إليها وإلى الجمعية العامة وأعضاء الأمم المتحدة[6]. وله أن يطلب منها تقارير منتظمة، وهي تمده بتقارير عما اتخذته من إجراءات لتنفيذ توصياته أو توصيات الجمعية العامة بخصوص المسائل الداخلة في اختصاصه، وله أن يبلغ الجمعية العامة بملاحظاته على هذه

(1) انظر: م7 فقرة (2) من ميثاق الأمم المتحدة.

(2) المادة (57) الفقرات (2،1) من ميثاق الأمم المتحدة.

(3) المواد (55 فقرة (ج) ، (48 فقرة (2) من الميثاق.

(4) المادة (58) من الميثاق.

(5) المادة (63) فقرة (1) من الميثاق.

(6) المادة (63) فقرة (2) من الميثاق.

التقارير[1]. كما أن له بعد موافقة هذه الأخيرة أن يقوم بتقديم الخدمات اللازمة للوكالات المتخصصة أو لأعضاء الأمم المتحدة متى طلب منه ذلك[2]. وله أن يعمل على إشراك مندوبي الوكالات المتخصصة في مداولاته ومداولات اللجان التي ينشئها، وله أن يعمل على إشراك مندوبية في مداولات الوكالات المتخصصة، دون أن يكون لهؤلاء المندوبين الحق في التصويت[3]. ولمجلس الوصاية أن يستعين بالمجلس الاقتصادي والاجتماعي وبالوكالات المتخصصة كل في مجال اختصاصه، وكلما كان ذلك مناسباً[4]. كما أن للوكالات المتخصصة المرتبطة بالأمم المتحدة، بعد موافقة الجمعية العامة، أن تطلب من محكمة العدل الدولية، إفتاءها فيما يعرض عليها من المسائل القانونية الداخلة في نطاق عملها[5]. وللجمعية العامة أن تنظر في أيه ترتيبات مالية أو متعلقة بالميزانية مع هذه الوكالات، وتصادق عليها، ولها أيضا أن تدرس الميزانيات الإدارية لها وتقدم توصيات بشأنها[6].

وعلى العموم فإن الأمم المتحدة تدعو عند المناسبة إلى إجراء مفاوضات بين الدول ذات الشأن بقصد إنشاء أيه وكالة متخصصة جديدة يتطلبها تحقيق المقاصد المبينة في المادة الخامسة والخمسون[7]. إلا أنه مع ذلك ينبغي أن يفهم بأنه ليست كل الوكالات والمنظمات الدولية المتخصصة

---

(1) المادة (24) الفقرات (2،1) من الميثاق.

(2) المادة (66) فقرة (2) من الميثاق.

(3) المادة (70) من الميثاق.

(4) المادة (91) من الميثاق.

(5) المادة (96 فقرة (2) من الميثاق.

(6) المادة (17) من الميثاق.

7)) المادة (59) من الميثاق.

مرتبطة بالأمم المتحدة، إذ قد لا توافق الأمم المتحدة على التعاون مع بعض هذه المنظمات، كما أن بعض المنظمات المتخصصة قد لا تطلب ذلك[1]. إلا أن المجلس الاقتصادي والاجتماعي مع ذلك قد تطال دائرة اختصاصه مثل هذه الوكالات، طالما أنه معني بالدراسات ووضع التقارير عن المسائل الدولية في أمور الاقتصاد والاجتماع والثقافة والتعليم والصحة وما يتصل بها، وله أن يوجه إلى مثل تلك الدراسات ووضع مثل تلك التقارير، وله أن يقم توصياته في أيه مسألة من تلك المسائل إلى الجمعية العامة وإلى أعضاء الأمم المتحدة وإلى الوكالات المتخصصة ذات الشأن[2]. هذه تقريباً مجمل المواد المنظمة والحاكمة لعلاقات الأمم المتحدة بوكالاتها المتخصصة كما يقضي بذلك ميثاقها.

تنظيم العلاقة بين المنظمات المتخصصة المنبثقة عن كل من جامعة الدول العربية، ومنظمة المؤتمر الإسلامي من خلال مواثيق هاتين الأخيرتين.

إن مواثيق كل من جامعة الدول العربية ومنظمة المؤتمر الإسلامي قد جاءت - بعكس ميثاق الأمم المتحدة - خالية من الأحكام التي يتم بموجبها تنظيم أوجه علاقات التعاون بين هاتين المنظمتين، مع المنظمات المتخصصة المنبثقة عنهما، هذه هي القاعدة العامة، أما الاستثناء من ذلك فهي الإشارات البسيطة التي تضمنتها مواثيق هاتين المنظمتين السياسيتين، حيث قضى ميثاق الجامعة أن من أغراضها تعاون الدول المشتركة فيها تعاوناً وثيقاً بحسب نظم كل دولة منها وأحوالها في الشؤون الاقتصادية

---

[1] انظر د.عبد السلام عرفة، مرجع سابق ص142.

[2] المادة (62) فقرة (1) من ميثاق الأمم المتحدة.

والمالية، والمواصلات، والثقافة، والصحة، وشؤون الجنسية والجوازات، والشؤون الاجتماعية[1]. وبالمثل من ذلك نجد أن ميثاق منظمة المؤتمر الإسلامي، يقضي بأن من أهداف المنظمة دعم التعاون بين الدول الأعضاء في المجالات الاقتصادية والاجتماعية والثقافية والعلمية وفي المجالات الحيوية الأخرى[2]. ويضيف ميثاق هذه الأخيرة بأن مؤتمر وزراء الخارجية هو من يقرر قواعد الإجراءات التي يتبعها والتي يمكن أتباعها في مؤتمر ملوك ورؤساء الدول والحكومات، كما تطبق تلك القواعد على الأجهزة الفرعية التي ينشئها مؤتمر ملوك ورؤساء الدول والحكومات أو مؤتمر وزراء الخارجية[3]. ويقضي ميثاق الجامعة بأن تؤلف لكل من الشؤون المبينة في المادة الثانية، لجنة خاصة تمثل فيها الدول المشتركة في الجامعة، وتكون مهمة هذه اللجان وضع قواعد التعاون ومداه، وصياغتها في شكل مشروعات اتفاقات تعرض على مجلس الجامعة للنظر فيها تمهيداً لعرضها على الدول المذكورة...[4]. ويضيف ميثاق هذه الأخيرة كذلك، بأن تكون مهمة مجلس الجامعة العمل على تحقيق أغراض الجامعة ومراعاة تنفيذ ما تبرمه الدول المشتركة فيها من اتفاقات في الشؤون المشار إليها في المادة الثانية...[5]. فهل هذه المواد المقتضبة والتي تتسم بالعمومية إلى حد ما كفيلة بتحقيق وإقامة علاقات تعاون فعال بين هاتين المنظمتين، مع وكالاتها

(1) المادة (2) من ميثاق الجامعة.

(2) المادة 2 (أ) الفقرة (2) من ميثاق منظمة المؤتمر الإسلامي.

(3) المادة (5) فقرة (5) من ميثاق منظمة المؤتمر الإسلامي.

(4) المادة (4) من ميثاق جامعة الدول العربية.

(5) المادة (3) من ميثاق الجامعة.

المتخصصة، على غرار ما هو متبع مع منظومة الأمم المتحدة؟

ثانياً: تنظيم العلاقة بين المنظمات العامة، وبين المنظمات المتخصصة المنبثقة عنها (اليونسكو، الالكسو، الايسيسكو) من خلال ما تضمنته مواثيق هذه الأخيرة.

تقضي المواثيق المنشئة للمنظمات اليونسكو، الالكسو، بعلاقة هاتين المنظمتين مع منظماتهما السياسية، حيث تعتبر الالكسو وكالة متخصصة في نطاق جامعة الدول العربية، على أن يتم وضع نظام خاص يحدد الصلة بينهما، بما يحقق تعاونهما الفعال، وبما يمكن المنظمة من أداء رسالتها التي نص عليها ميثاق الوحدة الثقافية ودستور المنظمة[1]. وبالمثل فإن اليونسكو، ترتبط في أقرب وقت ممكن بمنظمة الأمم المتحدة فتصبح إحدى وكالاتها المتخصصة المنصوص عليها في المادة (57) من ميثاق الأمم المتحدة، وتكون هذه العلاقة موضع اتفاق يعقد مع هذه الأخيرة وفقاً لأحكام المادة (63) من ميثاقها، ويعرض على المؤتمر العام لليونسكو للموافقة عليه. وينبغي أن يتضمن الاتفاق أيضاً الوسائل الكفيلة بإقامة تعاون فعال بين المنظمتين لتحقيق أهدافهما المشتركة، وأن يكفل في نفس الوقت الاستقلال الذاتي للمنظمة في مجال اختصاصاتها المبينة في الميثاق التأسيسي. ويمكن أن يتضمن الاتفاق الأحكام المتعلقة بموافقة الجمعية العامة للأمم المتحدة على ميزانية المنظمة وتمويلها[2]. وبالمثل فإن ميثاق الايسيسكو، يعرف هذه المنظمة بأنها هيئة دولية تعمل في إطار منظمة المؤتمر الإسلامي وأنها

---

(1) انظر م10 من دستور الالكسو، نفس المرجع السابق ص 32- 33.

(2) انظر م10 من ميثاق اليونسكو في مرجع النصوص 2004م ص18.

855

متخصصة في ميادين التربية والعلوم والثقافة والاتصال، إلا أنه مع ذلك - بعكس مواثيق المنظمتين الموازيتين - لم يتطرق لوضع أي نظام يحدد صلة هذه المنظمة بمنظمتها السياسية (منظمة المؤتمر الإسلامي)[1].

وعلى أيه حال فإن المواثيق المنشئة لهذه المنظمات المتخصصة، قد حددت كيفية انضمام الدول الأعضاء في منظماتها السياسية إلى عضوية هذه المنظمات المتخصصة[2]. وأيضاً وقف العضوية، أو فقدها في منظمة اليونسكو[3]، واختصاصات اليونسكو، الالكسو فيما يتعلق بدورهما بإسداء المشورة إلى منظماتهما السياسية[4]. وسعي الايسيسكو للتنسيق بين المؤسسات المتخصصة التابعة لمنظمة المؤتمر الإسلامي في مجالات اختصاصها[5]. وفي تشجيع إنشاء المعاهد بالتعاون مع منظمة المؤتمر الإسلامي[6].

كما تقضي مواثيق هذه المنظمات المتخصصة، بأن الايسيسكو تتمتع بالامتيازات والحصانات التي تتمتع بها منظمة المؤتمر الإسلامي، في حين أن الالكسو تتمتع بالامتيازات والحصانات طبقاً للمادة (14) من ميثاق

---

(1) انظر م1 فقرة (ب) من ميثاق الأيسيسكو طبعة 2005م مرجع سابق ص10.

(2) انظر المواد (م2 فقرة (1)، م2، م6 من مواثيق المنظمات المتخصصة ص 9، 22، 13 بالترتيب.

(3) انظر م2 الفقرات (5،4) من ميثاق اليونسكو مرجع سابق ص9.

(4) انظر المواد (4 فقرة (5) ، (5 باء فقرة (ج) من ميثاق اليونسكو المرجع السابق ص 15،11

- والمواد(م4 (ب- 3) ، (م5 (ب- 1) فقرة (ج) من دستور الالكسو، المرجع السابق ص 27،23.

(5) انظر. م4 فقرة (د) من ميثاق الأيسيسكو 2005م مرجع سابق ص11.

(6) انظر. م5 (ز) من ميثاق الأيسيسكو ص12.

الجامعة، بينما يسري على اليونسكو أحكام المادتين (104 ، 105) من ميثاق الأمم المتحدة[1]. كما تهدف اليونسكو ضمن ما تهدف إليه، المساهمة في صون السلم والأمن، واحترام العدالة والحريات وحقوق الإنسان، ضمن مجال اختصاصها وكما هو مقر في ميثاق الأمم المتحدة[2]. ويمكن لليونسكو أن تعقد اتفاقات خاصة ضمن نطاق منظمة الأمم المتحدة[3]. وتحدد مواثيق هذه المنظمات المتخصصة مقدار المساهمة المالية لكل دولة عضو في ميزانية هذه المنظمات[4]. وتتم رئاسة المؤتمر العام للالكسو، وفق النظم المتبعة في في مجلس الجامعة[5]. وتودع وثائق كل من الميثاق والدستور لدى الأمانة العامة لجامعة الدول العربية[6]. بينما ترسل إشعارات تسلم وثائق القبول وتاريخ نفاذ ميثاق اليونسكو إلى إلى جميع أعضاء الأمم المتحدة[7]. ويختص المؤتمر العام للايسيسكو، بتعديل وإقرار اللوائح الداخلية، مع الأخذ بعين الاعتبار تطبيق نصوص اللوائح المعمول بها في الأمانة العامة لمنظمة المؤتمر الإسلامي[8]. وجواز أن ترتبط الايسيسكو بهيئات تعمل في نفس

(1) انظر. المواد (12) ، (12) ، (8) من مواثيق المنظمات المتخصصة مراجع سابقة ص 19، (33- 34) ، 14 بالترتيب.

(2) انظر. م1 فقرة (1) من ميثاق اليونسكو نفس المرجع السابق ص8.

(3) انظر. م6 فقرة (6) من ميثاق اليونسكو المرجع السابق ص17.

(4) انظر. (م9 فقرة (1)، (م9 فقرة (1- أ)، م17 فقرة (1) من مواثيق المنظمات مراجع سابقة ص 18، 32، 19 بالترتيب.

(5) انظر. م4 فقرة (أ) من دستور الالكسو مرجع سابق ص23.

(6) انظر. م14 من الدستور، م29 من ميثاق الوحدة الثقافية نفس المرجع السابق ص 17،34 بالترتيب.

(7) انظر. م15 فقرة (4) من ميثاق اليونسكو مرجع سابق ص21.

(8) انظر. م11 فقرة (5) من ميثاق الأيسيسكو مرجع سابق ص15.

مجالها بقرار من المؤتمر الإسلامي لوزراء الخارجية[1]. وللأمين العام لمنظمة المؤتمر الإسلامي أو من ينوبه الحق في حضور المؤتمر العام والمجلس التنفيذي للايسيسكو، كما أن للهيئات المنبثقة عن منظمة المؤتمر الإسلامي حق حضور المؤتمر العام طبقاً لنظام المراقبين[2].

نلاحظ مما سبق أن مواثيق هذه المنظمات المتخصصة قد اشتملت على العديد من الأحكام لتنظيم علاقاتها مع منظماتها الأم، وهي على سبيل الحصر- تقريباً، ويتضح من خلال تلك الأحكام أنها قد شملت بعضاً من أوجه علاقات التعاون الممكنة من ناحية، وأيضا مدى التشابه والاختلاف بينها من منظمة لأخرى، من ناحية ثانية، مع ملاحظة أن مواثيق كل من اليونسكو والالكسو تتفقان على ضرورة الربط بينها وبين منظماتها الأم (المنظمات السياسية) لتحديد العلاقة بينها، ومجالات التعاون الفعالة والممكنة لتحقيق غاياتها، فهل التزمت هذه المنظمات المتخصصة بنصوصها الدستورية هذه؟

ثالثاً: تنظيم العلاقة بين المنظمات العامة، وبين المنظمات المتخصصة المنبثقة عنها (اليونسكو، الالكسو، الايسيسكو) من خلال اتفاقات الوصل المبرمة بينها.

عقدت كل من المنظمتين اليونسكو والايسيسكو اتفاق مع منظماتهما الأم، حيث وقعت هذه الأخيرة بعد ما يربوا عن (12) عاماً من نشأتها وتحديداً في عام 1994م، مذكرة تفاهم بينها وبين منظمة المؤتمر الإسلامي، بالرغم من خلو مواثيق هاتين المنظمتين من أي أشارة تتعلق بماهية هذا

[1] انظر. م14 فقرة (2) من ميثاق الأيسيسكو مرجع سابق ص18.

[2] انظر. م10 فقرة(5) ، م12 فقرة (1) من ميثاق الأيسيسكو مرجع سابق ص (15،14) ، (17،16).

الاتفاق، وهل هو بمثابة اتفاق وصل، على غرار الاتفاق المعقود بين اليونسكو والأمم المتحدة؟ أم أنه إتفاق بين الايسيسكو ومنظمة المؤتمر الإسلامي مثل سائر الاتفاقات التي تعقدها الايسيسكو مع سائر المنظمات الدولية[1]؟. وبالعكس من ذلك نجد أن اليونسكو قد وقعت اتفاق بينها وبين الأمم المتحدة حيث أصبح هذا الاتفاق نافذاً بتاريخ 14 ديسمبر 1946م، أي بعد أقل من شهر من دخول الميثاق التأسيسي لليونسكو حيز النفاذ[2]. وقد جاء هذا الاتفاق بمقتضى المواد (57) من ميثاق الأمم المتحدة والمادة (10) من ميثاق اليونسكو، وبموجب هذا الاتفاق أصبحت هذه الأخيرة فعلاً إحدى الوكالات المتخصصة التابعة للأمم المتحدة[3]. وبالرغم من خلو ميثاق الجامعة العربية من أي مادة تجيز ربط هذه الأخيرة، بما قد ينشأ في كنفها من فروع ومنظمات متخصصة على غرار ما ورد في ميثاق الأمم المتحدة، إلا أننا مع ذلك، نلاحظ أن واضعي دستور الالكسو قد تنبهوا لهذا الفراغ الدستوري الحاصل في ميثاق

---

(1) انظر. مذكرة التفاهم بين الأمانة العامة لمنظمة المؤتمر الإسلامي والمنظمة الإسلامية، (ايسيسكو) الموقعة بين كل من المدير العام للايسيسكو د. عبد العزيز التو يجري، والأمين العام لمنظمة المؤتمر الإسلامي د. حامد الغابد في دمشق بتاريخ 27-11- 1994م.

(2) انظر. الاتفاق المعقود بين الأمم المتحدة، ومنظمة الأمم المتحدة للتربية والعلوم والثقافة (اليونسكو) في مرجع النصوص الأساسية 2004م مرجع سابق ص183.

- وحسب هذا المرجع: فقد إعتمد المؤتمر العام هذا الاتفاق في (6) ديسمبر 1946م، ووافقت عليه الجمعية العامة للأمم المتحدة في 14 ديسمبر من نفس العام، وأصبح نافذاً منذ هذا التاريخ الأخير.

- وقد جرى لهذا الاتفاق تعديلين فقط، أحدهما في عام 1948م، والأخر عام 1962م، حيث تم في التاريخ الأول إضافة المادة (13) الحالية (جوازات المرور) بينما تم في هذا التاريخ الأخير، حذف المادة الثانية السابقة التي تتصل بإجراءات قبول دول غير أعضاء في الأمم المتحدة في منظمة اليونسكو. وقد وأفق المؤتمر العام والجمعية العامة للأمم المتحدة على هذين التعديلين، ودخلا حيز النفاذ، بعد مصادقة هذه الأخير عليهما في نفس تلك الأعوام السالفة الذكر.

(3) انظر. م10 من ميثاق اليونسكو في مرجع النصوص الأساسية 2004م ص18.

الجامعة العربية، مستفيدين في ذلك كما يبدو من ميثاق اليونسكو،حيث ورد في المادة (10) من دستور الالكسو، أن هذه الأخيرة تعتبر وكالة متخصصة في نطاق الجامعة، ومن ثم فإنه ينبغي أن يتم وضع نظام يحدد الصلة بينها وبين منظمتها الأم إعمالاً لهذه المادة[1]. إلا أنه حسب علمي فأنه لم يتم أعمال هذا النص منذ نشأة هذه المنظمة وحتى الآن، وبناءاً على ذلك فأننا سنتطرق لتنظيم العلاقة بين كل من اليونسكو، والايسيسكو مع منظماتهما الأم، من خلال مذكرة التفاهم المعقودة بين الايسيسكو ومنظمة المؤتمر الإسلامي ثم من خلال الاتفاق المعقود بين كل من اليونسكو ومنظمة الأمم المتحدة وكما يلي[2]:-

(1) انظر المواد (3،10) من دستور الالكسو، وميثاق الوحدة الثقافية العربية في نفس المرجع السابق ص (32- 33)، (8،7) بالترتيب.

- تنص المادة (10) من الدستور بأن ((تعتبر المنظمة العربية للتربية والثقافة والعلوم وكالة متخصصة في نطاق جامعة الدول العربية، ويوضع نظام خاص يحدد الصلة بين جامعة الدول العربية والمنظمة، بما يحقق التعاون الفعال بينهما ويمكن المنظمة من أداء رسالتها التي نص عليها ميثاق الوحدة الثقافية العربية ودستورها)).

- وتنص المادة (3) من ميثاق الوحدة الثقافية العربية بأن ((توافق الدول الأعضاء على تطوير الأجهزة الثقافية بجامعة الدول العربية (الإدارة الثقافية ومعهد المخطوطات العربية ومعهد الدراسات العربية العالية) إلى منظمة واحدة تشملها جميعاً في نطاق جامعة الدول العربية تسمى، المنظمة العربية للتربية والثقافة والعلوم... الخ)).

(2) يتكون الاتفاق المعقود بين اليونسكو والأمم المتحدة من (22) مادة، بينما تتكون مذكرة التفاهم الموقعة بين الأيسيسكو ومنظمة المؤتمر الإسلامي من (12) مادة.

علاقة اعتراف المنظمات العامة بوكالاتها المتخصصة

تعترف الأمم المتحدة، باليونسكو، كوكالة متخصصة مسؤوله عن اتخاذ كافة التدابير التي تتفق مع نصوص ميثاقها التأسيسي لتحقيق أغراض هذا الميثاق[1]. بينما تتعامل الأمانة العامة، مع الايسيسكو، على أنها منظمة متخصصة تعمل في إطار منظمة المؤتمر الإسلامي، وهي متخصصة في ميادين التربية والعلوم والثقافة، وتتعاون الايسيسكو مع الأمانة العامة في تنفيذ مشاريع مشتركة وفي تبادل المعلومات والأفكار[2].

علاقات تتعلق بتبادل (التمثيل، والمعلومات، والوثائق، والموظفين)

تبادل التمثيل

يشارك الأمين العام لمنظمة المؤتمر الإسلامي أو من ينوبه في اجتماعات المجالس السيادية للايسيسكو، ويدعى مدير عام هذه الأخيرة، لحضور اجتماعات القمة الإسلامية، والمؤتمرات الوزارية ذات الصلة، كما يدعى ممثلو الايسيسكو لحضور اجتماعات اللجنة الدائمة للإعلام والشؤون الثقافية، واللجنة الدائمة للتعاون العلمي والتكنولوجي، ولجنة القدس، واللجنة الإسلامية للشؤون الاقتصادية والثقافية والاجتماعية، كما تدعى الأمانة العامة للمشاركة في مؤتمرات الايسيسكو وفعالياتها وفقاً لمقتضيات الحال[3]. ويدعى ممثلو الأمم المتحدة لحضور اجتماعات اليونسكو، ويدعى ممثلو هذه

---

[1] انظر م1 من الاتفاق المعقود في مرجع النصوص الأساسية لليونسكو 2004م ص184.

[2] انظر م1 من مذكرة التفاهم بين الايسيسكو ومنظمة المؤتمر الإسلامي لعام 1994م ص1.

[3] انظر م2 الفقرات (أ،ب) من مذكرة التفاهم المرجع السابق ص2.

الأخيرة لحضور اجتماعات (المجلس الاقتصادي، والاجتماعي ولجانه، والجمعية العامة ولجانها الرئيسية ومجلس الوصاية)، كلما اقتضى الأمر ذلك، وكقاعدة عامة فإنه لا يحق لهؤلاء الممثلون حق التصويت[1].

تبادل المعلومات والوثائق

تقضي الاتفاقات المبرمة بين (اليونسكو، والايسيسكو) مع منظماتها الأم، بأن يتم تبادل المعلومات والوثائق، على أحسن وجه، مع مراعاة التدابير التي قد تكون ضرورية للمحافظة على سرية بعض الوثائق، كما أن اليونسكو ترسل تقارير منتظمة عن أعمالها، مع تلبية أي طلب من منظمتها الأم لمدها بتقارير خاصة أو دراسات أو معلومات، مع مراعاة أحكام المادة (17) من هذا الاتفاق[2].

الترتيبات الخاصة بالموظفين

تتعاون المنظمات المتخصصة مع منظماتها الأم، على تبادل إعارة الموظفين، على أساس مؤقت أو دائم بالنسبة لليونسكو مع الأمم المتحدة، وبحيث يكون هذا التبادل مؤقت بين الايسيسكو ومنظمة المؤتمر الإسلامي، مع مراعاة احترام الأقدمية والحقوق المترتبة على ذلك في أي من هذه المنظمات، كما تتفق اليونسكو مع منظمتها الأم على إعداد قواعد مشتركة، كشروط الخدمة ومدد التعيين، وترتيب الوظائف، والتقاعد، ونظم ولوائح الموظفين... الخ. كما توافق هاتين الأخيرتين على أن تتشاورا بشأن تكوين

(1) انظر م2 الفقرات (1- 6) من الاتفاق المعقود مع اليونسكو نفس المرجع السابق وبنفس الصفحة.

(2) انظر المواد (5 الفقرات (2،1) ، (5) من الاتفاقات المعقودة بين اليونسكو والايسيسكو مع منظماتهما الأم نفس المراجع السابقة ص3،186 الترتيب.

لجنة للخدمة المدنية الدولية مع إنشاء وإدارة جهاز مناسب لتسويه المنازعات المتعلقة بخدمة الموظفين وما يتصل بذلك من مسائل[1].

علاقات تتعلق بتوصيات المنظمات الأم لوكالاتها المتخصصة

وبهذا الخصوص تقوم الايسيسكو بإتخاذ كل التدابير، بالتعاون مع الأمانة العامة، لتنفيذ مقررات القمة والمؤتمرات الوزارية وبالتنسيق في هذا المجال مع المؤسسات العاملة في أطار منظمة المؤتمر الإسلامي[2]. كما أن اليونسكو توافق على عرض جميع توصيات المنظمة الأم على الهيئة المختصة باليونسكو، وتقدم هذه الأخيرة تقرير في الوقت المناسب عما اتخذته وأعضاءها من تدابير لتنفيذ هذه التوصيات، وما يترتب عليها من نتائج، كما تؤكد هذه الأخيرة أيضا عزمها لضمان التنسيق الفعال بين أعمال الوكالات المتخصصة وأعمال الأمم المتحدة، وتوافق على الاشتراك في أية هيئة قد ينشئها المجلس بقصد تسهيل هذا التنسيق والتعاون مع تلك الهيئات[3].

علاقات تعاون بين المكاتب الإقليمية

تقييم المكاتب الإقليمية أو الفرعية التي تنشئها المنظمات اليونسكو، الايسيسكو اتصالاً وتعاوناً وثيقاً بين المكاتب الإقليمية والفرعية، التي تنشئها منظماتهما السياسية[4].

---

(1) انظر المواد (12،9) من الاتفاقات المعقودة نفس المراجع السابقة ص 188،4.

(2) انظر م4 من مذكرة التفاهم مرجع سابق ص3.

(3) انظر م4 من اتفاق اليونسكو والأمم المتحدة المرجع السابق ص185.

(4) انظر المواد (11،8) من الاتفاقات المعقودة نفس المراجع السابقة ص 187،4.

علاقات تتعلق بإدراج موضوعات في جداول الأعمال

تدرج كل من المنظمتين الايسيسكو واليونسكو (بعد المشاورات التمهيدية التي قد تكون ضرورية) الموضوعات التي تقترحها منظماتهما الأم، وذلك في جداول أعمال مؤتمراتهما العامة ومجالسهما التنفيذية، وبالمثل تدرج الأمانة العامة لمنظمة المؤتمر الإسلامي القضايا التي تعرضها عليها الايسيسكو وذلك في جداول أعمال المؤتمرات الإسلامية، بينما يدرج المجلس الاقتصادي والاجتماعي ولجانه ومجلس الوصاية في جداول أعمالها الموضوعات التي يقترحها المؤتمر العام أو المجلس التنفيذي لليونسكو[1].

علاقات تتعلق بالترتيبات الخاصة بشؤون الميزانية والمالية

تتفق المنظمتان الأمم المتحدة واليونسكو على أن تتشاورا بشأن الترتيبات المناسبة لإدراج ميزانية هذه الأخيرة في ميزانية عامة للأمم المتحدة، وتحدد هذه الترتيبات في إتفاق تكميلي يعقد بين المنظمتين، لضمان أقصى قدر ممكن من التنسيق والانسجام، وإلى أن يعقد هذا الاتفاق تنظم العلاقة بينهما فيما يخص شؤون الميزانية والشؤون المالية كما يلي:-

تتشاور اليونسكو عند إعداد ميزانيتها مع الأمم المتحدة، وترسل مشروع ميزانيتها سنوياً إليها في نفس الوقت التي ترسل فيه هذا المشروع إلى أعضاء المنظمة، وتفحص الجمعية العامة هذه الميزانية ولها أن تقدم توصيات خاصة بشأنها إلى المنظمة، ويجوز أن تقوم الأمم المتحدة بتحصيل اشتراكات من أعضاء اليونسكو الذين هم أيضا أعضاء في الأمم

---

[1] انظر المواد (3،3) من مذكرة تفاهم الايسيسكو، واتفاق اليونسكو مراجع سابقة ص 185،2 بالترتيب.

المتحدة طبقاً للترتيبات التي قد يحددها إتفاق لاحق بينهما، كما أن الأمم المتحدة قد تتخذ من تلقاء نفسها أو بناءاً على طلب اليونسكو ترتيبات لإجراء دراسات خاصة بالمسائل المالية والضريبية التي تهم المنظمة والوكالات المتخصصة الأخرى بقصد إنشاء مرافق مشتركة لضمان الاتساق في هذه الميادين، كذلك توافق اليونسكو على أن تتبع بقدر الإمكان الأساليب والقواعد الموحدة التي توصي بها الأمم المتحدة[1].

علاقات تتعلق بتقديم المساعدة إلى مجلسي (الأمن ، والوصاية)

توافق اليونسكو على أن تتعاون مع المجلس الاقتصادي والاجتماعي[2]. لتقديم المساعدة التي قد يطلبها مجلس الأمن[3]. لتنفيذ قراراته لصون السلم والأمن الدوليين، كما توافق على التعاون مع مجلس الوصاية لمساعدته في أداء وظائفه، وتزويده بأقصى ما يطلبه من مساعدة ضمن مجال اختصاص المنظمة[4].

علاقة تتعلق بالمرافق الإدارية، والاتفاقات التي تعقد بين الوكالات

إتفقت الأمم المتحدة واليونسكو على تبادل وجهات النظر فيما يتعلق بإنشاء أقسام ومرافق أدارية وفنية مشتركة (بالإضافة إلى الأقسام والمرافق المشار إليها بالمواد (16،14،12) على أن يعاد النظر بصفة دورية في

---

(1) انظر م16 من اتفاق اليونسكو مع الأمم المتحدة المرجع السابق ص 190- 191.

(2) يضم المجلس الاقتصادي والاجتماعي (54) عضواً تنتخبهم الجمعية العامة لمدة ثلاث سنوات.

(3) يضم مجلس الأمن (15) عضواً منهم (5) أعضاء دائمين، وعشرة غير دائمين.

- انظر بخصوص الفقرات (4،3) وثيقة المجلس التنفيذي لليونسكو 174 EX/4 ADD.2 page 14.

(4) انظر. المواد (8،7) من نفس الاتفاق السابق ص 187،186.

جدوى الاحتفاظ بهذه الأقسام والمرافق) لتوحيد الأساليب الإدارية والفنية، للإنتفاع على أحسن وجه بالموارد والموظفين، وتوافق هذه الأخيرة على أن تخطر المجلس الاقتصادي والاجتماعي بطبيعة ومدى أي إتفاق رسمي بينها وبين أية وكالة متخصصة، أو أية منظمة دولية حكومية أو غير حكومية، وذلك قبل عقد مثل هذه الاتفاقات[1].

العلاقة مع الأقاليم التي لا تتمتع بالحكم الذاتي

توافق اليونسكو مع الأمم المتحدة في تطبيق المبادئ وتنفيذ الالتزامات الواردة بالفصل (11) من ميثاق هذه الأخيرة، وذلك فيما يختص بالمسائل التي تؤثر في رفاهية وتقدم الشعوب في الأقاليم التي لا تتمتع بالحكم الذاتي[2].

[1] انظر. المواد (18,15) من الاتفاق المعقود بين اليونسكو والأمم المتحدة المرجع السابق ص 192،190.

[2] انظر. م9 من نفس الاتفاق السابق ص187.

- تقضي المادة (73) من الفصل (11) من ميثاق الأمم المتحدة، بأن يقرر أعضاء هذه الأخيرة - الذين يضطلعون في الحال أو في المستقبل بتبعات عن إدارة أقاليم لم تنل شعوبها قسطاً كاملاً من الحكم الذاتي - المبدأ القاضي بأن مصالح أهل هذه الأقاليم لها المقام الأول، ويقبلون أمانه مقدسة في عنقهم، الالتزام بالعمل على تنمية ورفاهية أهل هذه الأقاليم إلى أقصى حد مستطاع في نطاق السلم والأمن الدولي الذي رسمه هذا الميثاق، ولهذا الغرض فإنهم يكفلون تقدم هذه الشعوب في شؤون السياسة والاقتصاد والاجتماع والتعليم، وينمون الحكم الذاتي، ويعززون التدابير الإنشائية للرقي والتقدم، ويرسلون إلى الأمين العام بانتظام البيانات الإحصائية والفنية المتعلقة بأمور الاقتصاد والاجتماع والتعليم في الأقاليم التي كانوا مسئولين عنها... الخ.

- انظر أيضاً م2 فقرة (3) من ميثاق اليونسكو في نفس المرجع السابق ص9.

- كذلك انظر. حقوق الأعضاء المنتسبين والتزاماتهم في مرجع النصوص الأساسية

العلاقة مع محكمة العدل الدولية

ترخص الجمعية العامة[1]. لليونسكو بالرجوع في الرأي إلى محكمة العدل الدولية بخصوص المسائل القانونية التي قد تعرض في مجال نشاط المنظمة، فيما عدا المسائل الخاصة بالعلاقات المتبادلة بين المنظمة وبين الأمم المتحدة أو وكالات متخصصة أخرى. كما توافق اليونسكو على تقديم أية معلومات تطلبها محكمة العدل الدولية بمقتضى المادة (34) من النظام الأساسي للمحكمة، وعندما تطلب اليونسكو رأياً إستشارياً من محكمة العدل الدولية، عليها أن تخطر المجلس الاقتصادي والاجتماعي بهذا الطلب[2].

2004م ص 23- 24.

(1) الجمعية العامة للأمم المتحدة هي: الهيئة الرئيسية لتداول الآراء، وتتألف من ممثلي (191) دولة عضو في الأمم المتحدة.

- انظر بهذا وثيقة المجلس التنفيذي لليونسكو 174 EX/4 ADD.2 - Page 14.

(2) انظر م10 من اتفاق اليونسكو مع الأمم المتحدة نفس المرجع السابق ص187

- تقضي المادة (34) من النظام الأساسي لمحكمة العدل الدولية على ما يلي ((1- للدول وحدها الحق في أن تكون أطرافاً في الدعاوي التي ترفع للمحكمة 2- للمحكمة أن تطلب من الهيئات الدولية العامة المعلومات المتعلقة بالقضايا التي تنظر فيها، وتتلقى المحكمة ما تبتدرها بة هذه الهيئات من المعلومات. كل ذلك مع مراعاة الشروط المنصوص عليها في لائحتها الداخلية ووفقاً لها. 3- إذا أثير في قضية معروضة على المحكمة البحث في تأويل وثيقة تأسيسية أنشئت بمقتضاها هيئة دولية عامة أو في تأويل اتفاق دولي عقد على أساس هذه الوثيقة، فعلى المسجل أن يخطر بذلك هذه الهيئة وأن يرسل إليها صوراً من المحاضر والأعمال المكتوبة)).

- انظر بهذا الخصوص د. عبد السلام عرفة، مرجع سابق ص274.

- كذلك انظر وثيقة المجلس التنفيذي لليونسكو رقم 174 EX/4 ADD.2 بتاريخ 2006/3/17 الاصل انجليزي وفرنسي.

وحسب هذا المرجع ص 14، فإن محكمة العدل الدولية هي: الجهاز القضائي الرئيسي للأمم

علاقات تتعلق بالخدمات الإحصائية

توافق المنظمتان الأمم المتحدة واليونسكو على التعاون بينهما وتوحيد جهودهما لتحقيق أقصى قدر من الفائدة، وتقر هذه الأخيرة بأن الأمم المتحدة هي الهيئة المركزية لجمع الإحصاءات التي تخدم الأغراض العامة للمنظمات الدولية، وتحليل تلك الإحصاءات ونشرها وتوحيدها وتحسينها، وبالمقابل من ذلك فإن هذه الأخيرة أيضا تقر بأن اليونسكو هي الهيئة المؤهلة لجمع الإحصاءات وتحليلها ونشرها وتوحيدها، ضمن مجال اختصاصها، دون مساس بحق الأمم المتحدة في أن تعنى بمثل هذه الإحصاءات إذا كانت جوهرية لتحقيق أغراضها، علاوة على ذلك فإن هذه الأخيرة تقوم بإعداد الوثائق الإدارية والإجراءات التي يمكن بواسطتها كفالة تعاون إحصائي فعال بينها وبين الوكالات المرتبطة بها، ولذلك فإنه ينبغي أن لا يتكرر جمع المعلومات الإحصائية بين المنظمة الأم وأية وكالة متخصصة، إذا كان من الممكن لأي منها أن تنتفع بالمعلومات والوثائق التي يمكن أن تتوافر لدى منظمة أخرى. وحتى يتسنى إنشاء مركز تجمع فيه المعلومات الإحصائية المعدة للاستعمال العام، فإن من المتفق عليه أن البيانات التي تقدم إلى اليونسكو بقصد إدراجها في مجموعاتها الإحصائية الأساسية، أو في تقاريرها الخاصة ينبغي أن توضع بقدر المستطاع تحت تصرف الأمم المتحدة[1]. وبهذا الخصوص نجد أنه قد تم إنشاء معهد اليونسكو للإحصاء عام 1999م وذلك بهدف توفير المعلومات الإحصائية لليونسكو في مجال اختصاصها، كما أن هذا المعهد يعتبر في نفس الوقت

المتحدة، وتتألف من (15) قاضياً تنتخبهم الجمعية العامة ومجلس الأمن لمدة تسع سنوات.

[1] انظر م 14 من إتفاق اليونسكو مع الأمم المتحدة نفس المرجع السابق ص189.

بمثابة مستودع للأمم المتحدة للإحصاءات العالمية[1].

علاقات تتعلق بجوازات المرور، وتمويل الخدمات الخاصة

يقضي الاتفاق المعقود بين الأمم المتحدة واليونسكو، بأن يكون لموظفي هذه الأخيرة الحق في استعمال جوازات المرور الصادرة عن الأمم المتحدة، طبقاً لترتيبات خاصة يتم التفاوض بشأنها بين الأمين العام لهذه الأخيرة وبين اليونسكو[2]. ويتم التشاور بين المنظمتين بقصد اتخاذ تدابير عادلة لتغطية تكاليف الخدمات المركزية الإدارية أو الفنية أو الضريبية أو أية مساعدة أخرى تقدمها الأمم المتحدة، كما أن طلبات هذه الأخيرة لليونسكو بإعداد تقارير ودراسات أو لتقديم مساعدة خاصة طبقاً للمواد (6، 7، 8) أو لأي نص أخر ورد في هذا الاتفاق، يترتب عليه تحمل نفقات إضافية كبيرة، فإن المنظمتين تتشاورا لتحديد أعدل الطرق لمواجهة هذه النفقات[3].

علاقات الأعلام والاتصال

تتفق الأمم المتحدة واليونسكو على عقد أتفاق بشأن تنسيق أوجه النشاط في مجال الأعلام بينهما، وبشكل عام فإن هاتين المنظمتين تأملان في أن تسهم أحكام الاتفاق المبرم بينهما في تحقيق الاتصال الفعال، مع تأكيد عزمهما على اتخاذ أيه إجراءات أخرى ضرورية لجعل هذا الاتصال مجدياً، وعلى أن تسري الترتيبات الخاصة بالاتصالات الواردة في هذا الاتفاق - ما أمكن - على العلاقات بين المكاتب الإقليمية أو الفرعية التي

---

(1) انظر. الموجز التعليمي العالمي لعام 2004م مقارنه إحصائيات التعليم عبر العالم مرجع سابق ص2.

(2) انظر. م13 من اتفاق اليونسكو مع الأمم المتحدة نفس المرجع السابق ص188.

(3) انظر م17 من نفس الاتفاق السابق ص191.

قد تنشئها المنظمتان، بقدر ما تسري على العلاقات بين أجهزتهما المركزية[1].

كما يقضي إتفاق التفاهم بين الايسيسكو ومنظمة المؤتمر الإسلامي، على إنشاء لجنة مشتركة لتنظيم التعاون بينهما وتنسيقه وتنظيمه، برئاسة أمين عام هذه الأخيرة، وعند غيابة يرأسها المدير العام للايسيسكو أو ممثل الأمين العام، وتجتمع هذه اللجنة كل سنة بالتناوب في مقر المنظمتين، وعلى أن يعين كل طرف مسئولاً عن متابعة أوجه التعاون بينهما[2]. كذلك فإن الأمم المتحدة أنشأت لجنة إدارة للتنسيق تتألف من الأمين العام، ومديري الوكالات المتخصصة بهدف التوفيق بين مختلف المشروعات وتقدم هذه اللجنة تقاريرها عن نشاط هذه الوكالات وأوضاعها المالية وأنظمتها الإدارية مرفقة بها التقارير السنوية للوكالات إلى المجلس الاقتصادي والاجتماعي[3].

مما سبق يمكن استخلاص مجمل الأحكام المتعلقة بعلاقات المنظمات المتخصصة مع منظماتها الأم، من خلال المواثيق المنشئة لكل منها، ثم من خلال اتفاقات الوصل المبرمة بينها وما ترتب على ذلك من نتائج ولكل منظمة على حدة وكما يلي:-

أولاً: اليونسكو والأمم المتحدة

تتضمن المواثيق المنشئة لهاتين المنظمتين وكذا اتفاق الوصل المبرم

---

(1) انظر. المواد (19،6) من نفس الاتفاق السابق ص 192،186.

(2) انظر. المواد (7،6) من مذكرة التفاهم بين الايسيسكو ومنظمة المؤتمر الإسلامي نفس المرجع السابق ص 4،3.

(3) انظر د. مفيد محمود شهاب، المنظمات الدولية الطبعة (10) مرجع سابق ص547.

بينهما الأحكام الآتية:-

جواز إنشاء فروع أو وكالات متخصصة ترتبط بالمنظمة الأم من خلال اتفاق الوصل حيث أصبحت اليونسكو إحدى الوكالات المتخصصة بعد توقيع هذا الاتفاق، وبذلك تكون الأمم المتحدة قد اعترفت باليونسكو كوكالة متخصصة مسؤولة عن اتخاذ كافة التدابير التي تتفق مع ميثاقها التأسيسي.

المجلس الاقتصادي والاجتماعي معني بوضع الوسائل الكفيلة بإقامة تعاون فعال بينهما، بغرض تنسيق الأنشطة والسياسات بين الوكالات عن طريق التشاور معها وبحيث يضمن هذا الاتفاق الاستقلال الذاتي لليونسكو.

يحق للمجلس الاقتصادي والاجتماعي أن يطلب من اليونسكو إمداده بتقارير منتظمة، وله أن يبلغ الجمعية العمومية بملاحظاته على هذه التقارير.

من حق اليونسكو إسداء المشورة إلى منظمة الأمم المتحدة، كما أن من حق هذه الأخيرة عرض توصياتها على اليونسكو والموافقة عليها.

تلتزم اليونسكو، ضمن مجال اختصاصها، بتقديم المساعدة إلى مجلسي ـ الأمن والوصاية لمساعدتهما في أداء مهامهما.

لليونسكو الحق في أن تطلب إفتاءها من محكمة العدل الدولية.

من حق الدول الأعضاء في الأمم المتحدة الانضمام إلى اليونسكو مع ما قد يترتب على ذلك من أمور خاصة بوقف العضوية أو فقدها حسب ما يقضي بذلك ميثاقها.

للجمعية العامة أن تنظر في الأمور المتعلقة بالترتيبات الخاصة بشؤون ميزانية اليونسكو.

يمكن لليونسكو أن تعقد اتفاقيات خاصة ضمن منظومة الأمم المتحدة، إلا أنه ينبغي عليها قبل عقد مثل هذه الاتفاقيات إبلاغ المجلس الاقتصادي والاجتماعي.

من حق اليونسكو التمتع بالامتيازات والحصانات التي تتمتع بها منظمة الأمم المتحدة.

تلتزم اليونسكو بالمساهمة في صون السلم والأمن واحترام العدالة والحريات وحقوق الإنسان كما هو مقر في ميثاق الأمم المتحدة.

لموظفي اليونسكو الحق في استعمال جوازات المرور الصادرة عن الأمم المتحدة طبقاً للترتيبات الخاصة، ولهاتين المنظمتين تنسيق أوجه نشاط الإعلام والاتصال، وتمويل الخدمات الخاصة والخدمات الإحصائية.

يقدم المجلس الاقتصادي والاجتماعي الخدمات اللازمة للوكالات المتخصصة، بما في ذلك تبادل التمثيل و المعلومات والوثائق والموظفين، وإدراج موضوعات في جداول الأعمال.

من حق الأمم المتحدة واليونسكو تنظيم العلاقة مع الأقاليم التي لا تتمتع بالحكم الذاتي وعلى حسن تنظيم واستغلال المرافق الإدارية.

من حق الأمم المتحدة إنشاء لجنة للتنسيق تتألف من الأمين العام ومديري الوكالات المتخصصة تقدم تقاريرها السنوية إلى المجلس الاقتصادي والاجتماعي.

ثانياً: الالكسو وجامعة الدول العربية

جاء ميثاق الجامعة - بعكس ميثاق الأمم المتحدة - خالياً من الإحكام التي بموجبها يتم تنظيم أوجه علاقات التعاون مع المنظمات المتخصصة المنبثقة عنها هذه هي القاعدة العامة، أما الاستثناء من ذلك فهي الإشارات

البسيطة التي تضمنها الميثاق كما سلف أن بينا ذلك. وعلى العموم فإنه يمكن استنباط الإحكام من خلال دستور الالكسو بشكل أساسي وكما يلي:-

- الالكسو هي إحدى الوكالات المتخصصة العاملة في نطاق جامعة الدول العربية.
- من حق الالكسو وضع نظام خاص بينها وبين المنظمة الأم لتحديد الصلة بينهما.
- من حق الدول الأعضاء في جامعة الدول العربية الحق في الانضمام إلى الالكسو.
- من حق الالكسو التمتع بالامتيازات والحصانات التي تتمتع بها جامعة الدول العربية.
- تلتزم الالكسو بإيداع وثائق التصديق على الميثاق والدستور لدى الأمانة العامة لجامعة الدول العربية.
- من حق الالكسو إسداء المشورة ضمن مجال اختصاصها لجامعة الدول العربية.
- تتولى الالكسو رئاسة مؤتمراتها العامة وفق النظم المتبعة في مجلس الجامعة.

ثالثاً: الايسيسكو ومنظمة المؤتمر الإسلامي

جاء ميثاق منظمة المؤتمر الإسلامي - مثل ميثاق جامعة الدول العربية - خالياً من الأحكام التي يتم بموجبها تنظيم أوجه علاقات التعاون بين هاتين المنظمتين، والاستثناء من ذلك هو الإشارات البسيطة التي وردت والتي سبق أن أشرنا إليها، وعلى كل حال فإنه يمكن استنباط الأحكام من خلال ميثاق الايسيسكو ومن خلال اتفاق التفاهم المبرم بينها وبين المنظمة

الأم وكما يلي:-

- الايسيسكو هيئة دولية تعمل في إطار منظمة المؤتمر الإسلامي.

- الانضمام إلى الايسيسكو من حق الدول الأعضاء في منظمة المؤتمر الإسلامي.

- من حق الايسيسكو السعي للتنسيق في مجال اختصاصها بين المؤسسات التابعة لمنظمة المؤتمر الإسلامي.

- من حق الايسيسكو أن تعمل على تشجيع إنشاء معاهد بالتعاون مع منظمة المؤتمر الإسلامي.

- للايسيسكو الحق في الأخذ بعين الاعتبار، عند وضع لوائحها، تطبيق النصوص واللوائح المعمول بها في الأمانة العامة لمنظمة المؤتمر الإسلامي.

- للأمين العام لمنظمة المؤتمر الإسلامي، وكذا للهيئات المنبثقة عن هذه الأخيرة الحق في حضور المؤتمر العام للايسيسكو.

- من حق الايسيسكو التمتع بالامتيازات والحصانات التي تتمتع بها منظمة المؤتمر الإسلامي.

- من حق منظمة المؤتمر الإسلامي والايسيسكو أن تتفقا على إدراج موضوعات في جداول أعمال مؤتمراتهما العامة.

- من حق منظمة المؤتمر الاسلامي عرض توصياتها على الايسيسكو للعمل بموجبها.

- لمنظمة المؤتمر الإسلامي والايسيسكو الحق في تبادل التمثيل والمعلومات والوثائق والموظفين.

- من حق منظمة المؤتمر الإسلامي والايسيسكو إنشاء لجنة مشتركة

برئاسة أمين عام الأولى والمدير العام لتنظيم التعاون بينهما.

مما سبق يتضح كذلك أنه بإستثناء الفقرات رقم (6، 12، 14) من الأحكام المتعلقة بعلاقة اليونسكو مع منظمتها الأم، وكذا الحكم رقم (7) في الالكسو، فإن بقية الأحكام المشمولة بين هذه المنظمات المتخصصة مع منظماتها الأم هي محل تطبيق في الواقع حتى وإن لم يرد بها نص من خلال المواثيق، أو من خلال اتفاقيات (الوصل أو التفاهم) ذلك أن تلك النصوص والأحكام إنما يتم إيرادها، أو البعض منها في أي من الأنظمة واللوائح الداخلية المختلفة لأي من هذه المنظمات المتخصصة وكل بطريقتها وأسلوبها وصياغتها المميزة، وبما يتناسب ومقتضيات مواثيقها.

وإذا كان ميثاق الأمم المتحدة - على العكس من مواثيق كل من جامعة الدول العربية، ومنظمة المؤتمر الاسلامي - قد حاول أن يضع حلاً لبعض المشكلات التي تثيرها العلاقات بين المنظمات المتخصصة مع المنظمة الأم، مع ما تثيره تعدد هذه المنظمات المتخصصة من مشكلات مع ما يترتب على ذلك من احتمالات الازدواجية في اختصاصاتها والتضارب في نشاطاتها مع ما ينجم عن ذلك من نقص فاعليتها، ويقوم هذا الحل على الاعتراف بأهمية هذه المنظمات وبشخصيتها القانونية المستقلة، وفي الوقت نفسه يقرر ضرورة الربط الوثيق بينها وبين الأمم المتحدة.

بحيث لا تنشأ هذه العلاقة إلا بمقتضى هذه الاتفاقيات وفي الحدود التي تقرها وبما لا ينال من استقلالها[1]. فهل فعلاً تم التغلب على تلك المشاكل

---
(1) انظر بهذا الخصوص: د. مفيد محمود شهاب المنظمات الدولية طبعة (4) دار النهضة العربية، القاهرة، لعام 1978م ص 545- 546.

- محمد لبيب شقير: المنظمات العربية المتخصصة ومشكلات علاقتها بالجامعة العربية

على الصعيد الدولي بالنسبة لمنظومة الأمم المتحدة، في حين أخفقت على صعيد التنظيم الإقليمي لكل من جامعة الدول العربية، ومنظمة المؤتمر الاسلامي مع المنظمات المتخصصة التابعة لهاتين المنظمتين؟

الواقع يشير إلى أن أياً من منظومة الأمم المتحدة، وكذا كل من منظومة العمل العربي والإسلامي فإنها جميعاً تعاني من نفس المشكلات وإن بدرجات متفاوتة.

فلو تعرفنا إلى طبيعة النظام القانوني الذي يحكم الوكالات المتخصصة المرتبطة بالأمم المتحدة، لوجدنا أن هذا النظام يختلف باختلاف أسلوب النشأة وشروط العضوية، والاختصاصات والفروع الرئيسية والثانوية وقواعد التصويت، وتعديل الاتفاقية المنشئة، ومع ذلك فإن هذه الوكالات تخضع على الرغم من هذه الاختلافات لأحكام النظرية العامة للتنظيم الدولي[1]. فالأمم المتحدة هي التي يعود اليها أمر التوجيه في مجال السياسة العامة بالنسبة للمنظومة بكاملها، غير أنه حسب رأي احمد مختار أمبو، فإنه تنجم صعوبات إذا اتخذت الجمعية العامة قرارات من نوع خاص بشأن مسائل تدخل في صلاحية الوكالات المتخصصة وهي اقدر بكثير على معالجتها، مضيفاً أنه بحكم منصبة كمدير عام لليونسكو (سابقاً) أتيح له في عدة مناسبات أن أسترعى انتباه عدد من هيئات الأمم المتحدة، كالمجلس الاقتصادي والاجتماعي إلى ضرورة احترام اختصاصات كل وكالة من

وعلاقاتها فيما بينها في مرجع جامعة الدول العربية الواقع والطموح مرجع سابق ص 672- 673.

(1) انظر د. محمد المجذوب، التنظيم الدولي النظرية والمنظمات العالمية والإقليمية والمتخصصة مرجع سابق ص571.

الوكالات التابعة للأمم المتحدة، في حين تطرق كثير من المتحدثين في المؤتمر العام لليونسكو في دورته (21) بأن أنشطة هذه الأخيرة، لا يمكن أن تجري بمعزل عن أنشطة منظومة الأمم المتحدة، ألا أنه ينبغي مع ذلك احترام اختصاص كل من وكالات المنظومة[1].

كذلك فإن منظمة المؤتمر الاسلامي قد انبثق عنها العديد من المنظمات الدولية، التي تستند إلى اتفاقيات دولية مستقلة[2]. أسهمت في مجملها في خدمة العمل العربي الاسلامي المشترك في المجالات الاقتصادية والاجتماعية والثقافية، إلا أن طبيعة العلاقة القائمة بين هذه المنظمات المتخصصة وبين منظمة المؤتمر الاسلامي، تتشابه إلى حد كبير مع المنظمات المتخصصة المنبثقة عن الجامعة العربية، ذلك أن العلاقة القائمة بين هذه الأخيرة وبين المنظمات الفنية التابعة لها لا تستند إلى قاعدة واحدة في التعامل على عكس ما هو قائم فعلاً بالنسبة للأمم المتحدة ووكالاتها المتخصصة، كما أن الصلة القانونية بينهما لا يحكمها تكييف قانوني واحد ولا قاعدة واحدة[3]. ولذلك برزت بصورة أكبر مشكلة الربط بين الجامعة والمنظمات المتخصصة التابعة لها، وكذا مشكلة الازدواجية في الاختصاصات خاصة مع تزايد عدد هذه المنظمات، وفي تقديري أن هذا الوضع مشابه إلى حد ما الوضع في منظومة منظمة المؤتمر الإسلامي،

---

(1) انظر أحمد المختار امبو، بناء المستقبل اليونسكو وتضامن الأمم إصدارات اليونسكو باريس لعام 1981م ص 138- 139.

(2) انظر د. عروبة جبار عبد الخزرجي، منظمة المؤتمر الاسلامي، دار الفكر العربي بيروت لبنان طبعة أولى عام 2005م ص335.

(3) انظر د. مفيد شهاب، جامعة الدول العربية، ميثاقها وانجازاتها، مرجع سابق ص 200- 201.

خاصة في مجال الازدواجية في الاختصاصات، فهناك تداخل وتشابه وتكرار الكثير من اختصاصات هذه المنظمات، مما يعرقل جهودها ويخلق تكرار لا ضرورة له في أنشطتها، ويبدد جزءاً من مواردها المالية في غير طائل، فضلاً عن التضخم الإداري في أجهزة هذه المنظمات، ولذلك نجد أن المؤتمر الوزاري الرابع الذي انعقد في ديسمبر عام 1983م قد اتخذ قراراً بوقف إنشاء منظمات جديدة وتشكيل لجنة من (15) دولة للنظر في وسائل التنسيق بين المنظمات القائمة والنظر في عددها في ضوء الدراسة التي كلف معهد الإدارة العامة في السعودية بتقديمها، وتواصل اللجنة مهمتها انطلاقاً من تلك الدراسة التي قدمها المعهد في أوائل عام 1987م[1].

كذلك نجد على سبيل المثال لا الحصر- أن النشاط العام للمؤسسات الاقتصادية العاملة في إطار منظمة المؤتمر الاسلامي يندرج ضمن الأنشطة الاقتصادية المختلفة، إلا أنها مع ذلك والغالبية منها تعنى ببرامج ثقافية تتمثل في تدريب المعلمين والفنيين وتبادل المعارف التي من شأنها دعم التعليم الفني والمهني في مجالات العلوم والتكنولوجيا وغيرها من المجالات الأخرى[2]. علاوة على ذلك فإن من ضمن أهداف الاتحاد العالمي للمدارس العربية والإسلامية الدولية، العمل على دعم ومساعدة المدارس العربية الإسلامية، ونشر الثقافة الإسلامية، وتعليم اللغة العربية، بينما يهدف المركز

---

(1) انظر د. عبد الله الاشعل، أصول التنظيم الاسلامي الدولي القاهرة، دار النهضة العربية لعام 1988م ص 247-248.

(2) انظر: بهذا الخصوص د. وائل أحمد علام مرجع سابق ص 233- 250.

- انظر: للباحث عبد المجيد، إدارة المنظمات الدولية، الايسيسكو نموذجاً رسالة ماجستير، جامعة محمد الخامس الرباط 2000م- 2001 ص 161.

الإسلامي للتدريب التقني والمهني والبحوث، ضمن ما يهدف إليه، العمل على تكوين المدربين المختصين في ميدان التدريب المهني والتقني، وإجراء البحوث حول التعليم التقني والمهني، وتقييم حاجات التدريب في البلدان الأعضاء[1].

ومما لاشك فيه أن هذه الاختصاصات مندرجة ضمن أهداف منظمة الايسيسكو كاختصاص أصيل لها، كما نادى بذلك ميثاقها، كوكالة متخصصة في مجال التربية والعلوم والثقافة والاتصال. وبالمثل فإن منظمة الالكسو، ذات الاختصاص العام والشامل في تحقيق التعاون وتنسيق الجهود بين الدول العربية في مجالات البحث العلمي والعلوم والثقافة والتربية، نجد أنه إلى جانب هذه المنظمة، توجد منظمات متخصصة عربية أخرى ضمن منظومة جامعة الدول العربية، ذات اختصاص بالبحث العلمي المقصورة على نوع معين من البحوث والدراسات التي تتعلق بقطاع أو بفرع معين من قطاع محدد بالذات وتشمل هذه المنظمات كل من المنظمة العربية للعلوم الإدارية، والمركز العربي لدراسات المناطق الجافة والأراضي القاحلة، والأكاديمية العربية للنقل البحري[2]. وحسب رأي محمد لبيب شقير، فإن أهم واخطر العقبات التي عاقت عمل المنظمات العربية المتخصصة واضعف من فاعليتها، وأدت إلى قيام التضارب بينها من الناحية العملية هو ازدواجية الاختصاصات فيما بينها[3]. ومع أني أشاطرة الرأي في هذا، إلا أني أرى أيضاً أن المعضلة الكبرى تأتي من قبل المنظمة الأم، حين ترتكب أخطاء

---

(1) انظر د. عروبة جبار عبد الخزرجي مرجع سابق ص 336- 350.

(2) انظر: محمد لبيب شقير، نفس المرجع السابق ص692 بتصرف.

(3) انظر: محمد لبيب شقير نفس المرجع السابق ص689.

بحق أبنائها، وتفرض عليهم قرارات تتعارض صراحة مع مواثيق هذه المنظمات المتخصصة، وأهدافها ورسالتها، وطبيعة العمل بها وللتدليل على ذلك وعلى سبيل المثال لا الحصر، فإننا نجد أن المجلس الاقتصادي والاجتماعي قد اتخذ العديد من القرارات، التي منها[1]:-

القرار رقم (4) والقاضي (بوضع إستراتيجية خاصة لكل منظمة تعمل على هديها (منطلقات، أولويات، برامج، آليات) تكون منبثقة عن إستراتيجية العمل العربي المشترك ويتم اعتمادها من قبل المجلس الاقتصادي والاجتماعي).

القرار رقم (11) الفقرة (ب) والقاضي بأن يكون للمنظمات المتخصصة (مجلس تنفيذي مؤلف من خمسة إلى سبعة أعضاء، يتم انتخابهم دورياً كل سنتين، ويجتمع مرتين على الأقل في العام، ويكون بمثابة مجلس إدارة).

القرار رقم (11) الفقرة (د) والقاضي بأن يتم (وضع هيكل تنظيمي لكل منظمة تعتمده جمعيتها العامة، ويصادق عليه المجلس الاقتصادي والاجتماعي).

القرار رقم (6) القاضي (بالموافقة على استحداث حساب موحد خاص لتمويل المنظمات العربية المتخصصة لدى صندوق النقد العربي أو الصندوق العربي للإنماء الاقتصادي والاجتماعي وتكليف اللجنة الوزارية الثمانية بوضع المبادئ والأسس لهذا الحساب).

---

[1] انظر: التقرير النهائي لأعمال المؤتمر العام للالكسو في دورته العادية العاشرة - القرارات والتوصيات، إصدارات الالكسو تونس لعام 1989م ص 87- 88.
- كذلك انظر: بقية القرارات قم (19،5) في نفس المرجع السابق وبنفس الصفحات.

القـرار رقـم (7) الـذي يقضي- (بتكليـف اللجنـة الوزاريـة الثمانيـة بوضـع القواعـد التنفيذية الملائمة بصدد مبـدأ تجميـد حـق الدولـة في التصـويت في حـال عـدم تسـديدها حصصها في موازنات المنظمات العربية المتخصصة مع التوقف عن تقديم الخدمات لها من قبل تلك المنظمات).

القرار رقم (8) القاضي بأن (تقتطع من مجموع واردات الحساب الخاص (المشار إليه في القرار رقم (7) أعلاه) سنوياً نسـبة 15% تـودع في حسـاب خـاص بعنـوان (احتياطيـات المنظمات) ولا يصرف منه إلا بقرار من المجلس الاقتصادي والاجتماعي).

نخلص من السرد السابق إلى نتيجة مفادها أن الجامعة العربية بهذه القرارات تكون قد خرجت من دور المشرف والمنسق في مجال رسم السياسـات العامـة إلى دور يشـبه إلى حد ما دور مجلس الإدارة الذي يدير عمل هذه المنظمات، مـع مـا قـد يترتـب عـلى هـذه القرارات من ردود رافضة لتطبيقها إما بشكل كلي أو جزئي، وهذا بدورة يدعونا إلى القـول بضرورة أن تراجـع كـل مـن جامعـة الـدول العربيـة، ومنظمـة المـؤتمر الإسـلامي منظومـة علاقاتهما بمنظماتها المتخصصة، مستفيدة بذلك من القواعد القارة للتنظيم الـدولي بشـكل عام، وذلك لتجاوز هذه الإخفاقات، مع التأكيد أنه بالتنسيق والتفاهم والإرادة السياسـية، والثقة المتبادلة، وتعديل ما يلزم تعديله، يمكن أن نصل إلى ما نصبوا إليه لتحسين منظومة العمل العربي الإسلامي.

المطلب الثاني

علاقة المنظمات (اليونسكو، الالكسو، الايسيسكو)

فيما بينها، ومع سائر المنظمات الدولية

تتمتع المنظمات اليونسكو، الالكسو، الايسيسكو - مثل سائر المنظمات الدولية - بالشخصية التي تؤهلها في أن تدخل في علاقات خارجية مع باقي أشخاص القانون الدولي، وذلك بهدف تحقيق التعاون والتنسيق بينها وصولاً إلى تحقيق الأهداف المنشودة[1]. وتحدد المواثيق المنشئة لهذه المنظمات المتخصصة، إدارة معنية بالعلاقات الخارجية للتواصل مع مختلف المنظمات الدولية، كما تحدد هذه المواثيق دور كل من الأجهزة السيادية (المؤتمر العام، والمجلس التنفيذي) أو المدير العام في إبرام مختلف صور اتفاقيات التعاون التي يمكن أن تنشأ بينها مع غيرها من التنظيمات الدولية.

الجدير بالذكر أن هذه المنظمات المتخصصة، قد وقعت على العديد من اتفاقيات التعاون فيما بينها، فهناك اتفاق تعاون بين كل من الالكسو والايسيسكو جري توقيعه بينهما في الرباط المغرب عام 1984م، واتفاق تعاون بين الايسيسكو واليونسكو تم توقيعه بينهما في كل من الرباط عام 1984م وباريس عام 1985م، بينما جرى توقيع الاتفاق المعدل بين كل من الالكسو واليونسكو عام 2001م، وقد اشتملت هذه الاتفاقيات على العديد من أوجه علاقات التعاون، والتشاور، وتبادل التمثيل والمعلومات، والوثائق،

[1] انظر بهذا الخصوص: د. مفيد محمود شهاب المنظمات الدولية الطبعة (10) مرجع سابق ص 161،163
- د. عبد السلام عرفة، مرجع سابق ص71.

والبيانات الإحصائية، والتدابير الإدارية، والمساعدة في إجراء الدراسات الفنية والأنشطة واللجان المشتركة، وتنفيذ هذه الاتفاقات وتعديلاتها وبدء سريانها[1]. بالإضافة إلى ذلك فهناك اتفاقيات برامجيه تنفيذية تم توقيعها كنتيجة مباشرة لاتفاقيات التعاون المشار اليها آنفاً، وبهذا الخصوص نجد أنه قد جرى توقيع اتفاقية بين كل من اليونسكو والالكسو، ثم بين هذه الأخيرة والايسيسكو، وشملت هذه الاتفاقيات على أنشطة التعاون المتفق على تنفيذها بين هذه المنظمات في مجالات اختصاصاتها في ميادين التربية والعلوم والثقافة والاتصال والإعلام والمعلومات والوثائق واللجان الوطنية[2].

علاوة على هذه الاتفاقيات فإننا نجد أن بعض مواثيق هذه المنظمات المتخصصة تنص صراحة على التعاون فيما بينها، إذ يقضي- ميثاق الايسيسكو بالتعاون مع المنظمة العربية للتربية والثقافة والعلوم (الالكسو) ومع المنظمات والهيئات الإسلامية المعنية[3]. مثله في ذلك مثل ميثاق الوحدة الثقافية العربية، الذي يقضي- بتعاون الدول الأعضاء وتنسيق جهودها في

---

[1] انظر بهذا الخصوص: - الاتفاقيات المبرمة بين الالكسو والمنظمات والهيئات العربية والإقليمية والدولية إصدارات الالكسو تونس ديسمبر 2002م ص 31- 38.

- اتفاق التعاون بين الايسيسكو واليونسكو الموقع بين المنظمتين في كل من الرباط بتاريخ 31 أغسطس 1984م وباريس بتاريخ 10 يوليو 1985م ص 1- 4.

- اتفاق التعاون بين الالكسو والايسيسكو الموقع في الرباط بتاريخ 27 نوفمبر 1984م ص 1- 5.

[2] انظر: الاتفاقيات المبرمة بين الالكسو والمنظمات والهيئات العربية والإقليمية والدولية المرجع السابق ص 39- 41

- اتفاق التعاون بين الالكسو والايسيسكو نفس المرجع السابق ص 45- 64.

[3] انظر: م5 فقرة (أ) من ميثاق الايسيسكو مرجع سابق ص8.

سبيل التعاون الثقافي الدولي وخاصة مع منظمة اليونسكو في مجالات تبادل الخبرات وتنظيم الاتصالات وإنشاء المؤسسات الثقافية في البلاد الصديقة[1]. بينما تطرق ميثاق اليونسكو بشكل عام على تعاونها مع سائر المنظمات والهيئات الدولية.

وعلى ذلك فإننا سنتطرق في هذا المطلب لعلاقات هذه المنظمات المتخصصة فيما بينها، ومع مختلف المنظمات الدولية الحكومية الأخرى وذلك في فقرتين، إلا أننا سنخصص الجزء الأكبر للفقرة الاولى، وكما يلي:-

الفقرة الأولى: علاقات المنظمات (اليونسكو، الالكسو، الايسيسكو) فيما بينها

عقدت هذه المنظمات المتخصصة فيما بينها اتفاقيات تعاون، وهذه الاتفاقيات تعتبر الأساس التي يرتكز عليها مجمل علاقات التعاون فيما بينها، وهناك اتفاقيات برامجيه تنفيذية وتفصيلية لاتفاقيات التعاون، وسنتحدث عن هذين النوعين من الاتفاقيات كما يلي:-

أولاً: اتفاقيات التعاون المبرمة بين المنظمات المتخصصة

وبهذا الخصوص نجد أنه قد تم إبرام اتفاقيات التعاون بين هذه المنظمات، شمل كلاً من الالكسو واليونسكو، وبين الايسيسكو واليونسكو، ثم بين كل من الالكسو والايسيسكو، ذلك أنه بالنظر إلى أن كلاً من هذه المنظمات المتخصصة إنما أنشئت لغايات وأهداف محددة، وهذا ما تطرقت له ديباجات الاتفاقيات المبرمة بينها، إذ تقضي ـ تلك الديباجات أنه بالنظر إلى أن اليونسكو أنشئت كي تسعى عن طريق تعاون أمم العالم في ميادين

---
[1] انظر: م28 من ميثاق الوحدة الثقافية العربية ودستور المنظمة مرجع سابق ص16.

التربية والعلم والثقافة والاتصال إلى بلوغ أهداف السلم الدولي وتحقيق الصالح المشترك للجنس البشري، وبالمثل فإنه بالنظر إلى أن مهمة الالكسو وفقاً لميثاقها هي التمكين للوحدة الفكرية بين أفراد الوطن العربي عن طريق التربية والثقافة والعلوم، العمل على نشر اللغة والثقافة العربية والإسلامية وتنشئة جيل واع مخلص لدينه ومدرك لرسالته القومية والإنسانية، كما أن من أهداف هذه الأخيرة وفق ميثاقها هو المساهمة في تحقيق الوحدة العربية عن طريق التعاون في ميادين التربية والثقافة والعلوم مما يساهم في توثيق التفاهم بين الشعوب وفي بناء صرح السلام العالمي والازدهار المشترك للإنسانية[1]. وبالنظر كذلك إلى أن الهدف الأساسي للايسيسكو وفقاً لميثاقها هو تقوية التعاون وتشجيعه وتعميقه بين الدول الأعضاء في ميادين الأبحاث العلمية وتطوير العلوم واستخدم التكنولوجيا في إطار القيم والمثل الإسلامية الثابتة والمحافظة على معالم الحضارة الإسلامية وخصائصها المتميزة[2]. ونظراً لأن المهام والأنشطة التي تضطلع بها الالكسو في مجال اختصاصاتها تتواءم مع ما تضطلع به اليونسكو منها على النطاق العالمي، وأيضاً يتواءم مع ما يضطلع به الايسيسكو في مجالات التربية والثقافة والعلوم والاتصال على النطاق الاسلامي، فإن هذه المنظمات الثلاث قد اتفقت فيما بينها وبشكل ثنائي بموجب اتفاقيات التعاون المبرمة بينها على ما

---

(1) انظر: الاتفاقيات المبرمة بين الالكسو والمنظمات والهيئات العربية والإقليمية والدولية، ديسمبر 2002م مرجع سابق ص 31- 32 (الاتفاق المعدل بين الالكسو واليونسكو).

(2) انظر: اتفاق التعاون بين الالكسو والايسيسكو الموقع في الرباط المغرب بتاريخ 27 نوفمبر عام 1984م ص1.

- كذلك انظر: ميثاق الايسيسكو طبعة 1995م مرجع سابق ص 7،6.

يلي[1]:-

في مجال التعاون

تقيم هذه المنظمات فيما بينها علاقات تعاون عن طريق الهيئات الملائمة في كل منها، ويشمل هذا التعاون جميع المسائل المتعلقة بمجالات التربية والثقافة والعلوم والاتصال التي تضطلع به هذه المنظمات في نطاق المهام والأنشطة المتماثلة[2]. وتنفرد الاتفاقية الموقعة بين كل من الالكسو والايسيسكو في مادتها الاولى، إذ تضيف أن الغرض من هذه الاتفاقية هو تيسير التعاون بينها ضمن إطار النشاط الذي يهدف إلى تعزيز ودعم وتطوير التربية والتعليم والثقافة والعلوم والإعلام في الدول الأعضاء المنتمية لكلى المنظمتين وخاصة في مجال نشر الثقافة الإسلامية واللغة العربية باعتبارها لغة القران الكريم[3].

في مجال التشاور

تتشاور المنظمات اليونسكو، الالكسو، الايسيسكو، فيما بينها، أو فيما بين هيئاتها المختلفة بانتظام في كل القضايا المتعلقة بمجالات اختصاصاتها، بالأخص في المجالات ذات الاهمية المشتركة بينها. على أن تحيط اليونسكو كلاً من الالكسو والايسيسكو علماً بخططها وبرنامج أنشطتها التي قد تهم

---

(1) انظر الاتفاقية المبرمة بين الالكسو واليونسكو نفس المرجع السابق ص32.

- كذلك انظر: اتفاق التعاون بين الالكسو والايسيسكو نفس المرجع السابق وبنفس الصفحة.

(2) انظر اتفاق التعاون بين الايسيسكو واليونسكو الموقع بين المنظمتين في كل من باريس بتاريخ 31 أغسطس 1984م والرباط بتاريخ 10 يوليو 1985م ص2.

- كذلك انظر المواد (2،1) من اتفاق التعاون الموقعة بين كل من الالكسو واليونسكو، وبين الالكسو والايسيسكو في نفس المراجع السابقة ص 2،33 بالترتيب.

(3) انظر م1 من اتفاق التعاون بين الالكسو والايسيسكو المرجع السابق ص2.

الدول الأعضاء في هاتين الأخيرتين، وتدرس اليونسكو ما قد تبديه هذه المنظمات من مقترحات بغية تنسيق الجهود، وتجنباً للازدواج بين أنشطتها وجهودها، وبالمثل تحيط كل من المنظمات الالكسو والايسيسكو منظمة اليونسكو بخططهما وبرنامج أنشطتهما التي قد تهم دولاً أعضاء في هذه الأخيرة، بالإضافة إلى ما قد تبديه اليونسكو من مقترحات بصدد هذه الخطط، فإنه ينبغي أن يكون ذلك موضع اهتمام من قبل المنظمتين الموازيتين بغية تنسيق الجهود بينها، وعلى أن تجري جميع هذه المنظمات المتخصصة فيما بينها مشاورات خاصة لاختيار أنسب الوسائل التي تكفل الفعالية الكاملة لأنشطتها في المجالات ذات الأهمية المشتركة. علاوة على ذلك فإن المنظمتين الالكسو والايسيسكو تحيط كلاً منهما الأخرى علماً ببرامجها الخاصة بالأنشطة التي يمكن أن تكون ذات اهتمام في كلتيهما، وتدرس كل منهما مقترحات ما تعرضه أي منها بغية تنسيق الجهود بينهما. كذلك تتخذ اليونسكو والالكسو بعد التشاور فيما بينهما جميع الإجراءات المناسبة لضمان إحاطة الهيئات المختصة في كل منها، إحاطة كاملة بما يعنيها من أنشطة المنظمة الأخرى[1].

تبادل التمثيل

يتعين على المنظمات اليونسكو، الالكسو، الايسيسكو أن تخطر كل منها الأخرى بموعد انعقاد مؤتمراتها العامة، ومجالسها التنفيذية، وتدعوها لإيفاد مراقبين عنها لحضور هذه الاجتماعات، كما تخطر كل منها الأخرى لإيفاد

---

(1) انظر: المواد (2، 2، 3) من اتفاقيات التعاون الموقعة بين كل من (الالكسو، واليونسكو) ، و (الايسيسكو، واليونسكو) ، (والالكسو والايسيسكو) نفس المراجع السابقة ص (33- 34) ، (2) ، (2- 3) بالترتيب.

مراقبين عنها لحضور ما قد تعقده أي منها من اجتماعات أخرى قد تنطوي جـداول أعمالها على موضوعات ذات أهميـة مشـتركة لأي مـن هـذه المنظمات[1]. وتنفرد اتفاقيـة التعاون الموقعة بين كل من الالكسو والايسيسكو - بعكس الاتفاقيتين الموقعتين بـين كـل من الالكسو واليونسكو، وبين الايسيسكو واليونسكو - بـأن هـذه الاتفاقيـة تضيف بـأن تحيط كل من هاتين المنظمتين بعضهما البعض علماً بحالـة سـير العمـل في الأنشـطة التـي تهم كل منهما الأخرى[2].

تبادل المعلومات والوثائق

تتبادل المنظمات اليونسكو، الالكسو، والايسيسكو فيما بينها المعلومات والوثائق الخاصة بجميع المسائل التي تعتبر ذات أهمية مشتركة في أي من هذه المنظمات[3].

المساعدة في إجراء الدراسات الفنية

يجوز للمـنظمات اليونسكو، الالكسـو، الايسيسكو أن تطلـب مـن بعضـها البعض، تقديم المساعدة لإجراء دراسة فنية لموضوع من الموضوعات ذات الاهتمام المشـترك فيما بين هذه المنظمات، وإذا تقدمت إحدى هذه المنظمات بطلب من هذا النوع، فإن الهيئـة المختصة في المنظمة الأخرى، تقوم ببحثه،

[1] انظر: المواد (3، 3، 4) من اتفاقيات التعاون الموقعة بين المنظمات نفس المراجع السابق ص (34- 35) ، (2-3) ، (3) بالترتيب.

[2] انظر: م 4 (الفقرات (4،3) من اتفاقية التعاون الموقعة بين الالكسو والايسيسكو مرجع سابق ص3.

[3] انظر: المواد (4،4 ، (6 فقرة (1)) من اتفاقيات التعاون الموقعة بين المنظمات نفس المراجع السابق ص 35، 3، 4 بالترتيب.

وتبذل قصار جهدها في إطار برامجها لتقديم كل مساعدة ممكنة وفقاً للترتيبات التي يتم الاتفاق عليها بين أي من هذه المنظمات[1]. وينفرد الإتفاق المعدل بين الالكسو واليونسكو - بعكس الاتفاقيتين الموقعتين بين كل من (الايسيسكو واليونسكو) و (الالكسو والايسيسكو) - بإضافة بنود أخرى لعملية تنسيق التعاون بين هاتين المنظمتين في مجالات جمع البيانات الإحصائية، والتدابير الإدارية، والأنشطة واللجان المشتركة وكما يلي:-

جمع البيانات الإحصائية

تعمل المنظمتان (الالكسو واليونسكو) على تجنب ازدواج العمل في جمع وتحليل ونشر وتوزيع البيانات الإحصائية وغيرها من البيانات المناسبة، وذلك عبر تنسيق جهودهما لضمان أفضل انتفاع ممكن بالبيانات الموجودة لديهما أو التي يقومان بجمعها، في محاولة لتخفيف العبء عن الحكومات والمنظمات الأخرى التي تجمع منها هذه البيانات[2].

التدابير الإدارية

يقضي الاتفاق الموقع بين الالكسو واليونسكو بأن يتخذ المديرين العامين في هاتين المنظمتين التدابير الملائمة لتأمين التعاون والاتصال بين سكرتاريتي المنظمتين، كما يمكنهما الاتفاق أيضاً على إجراء ترتيبات مكملة على ضوء التجربة لضمان تنفيذ هذا الاتفاق[3].

---

(1) انظر: المواد (7، 5، 5) من اتفاقيات التعاون الموقعة بين المنظمات نفس المراجع السابقة ص 36، 3، 4 بالترتيب.

(2) انظر م5 من اتفاق التعاون المعدل بين الالكسو واليونسكو مرجع سابق ص35.

(3) انظر: م6 من اتفاق التعاون المعدل بين الالكسو واليونسكو نفس المرجع السابق ص36.

الأنشطة واللجان المشتركة

كذلك يقضي الاتفاق الموقع بين الالكسو واليونسكو بأنـه يجـوز لهـما عقـد اتفاقـات خاصة للقيام بأنشطة مشتركة لتحقيق أهداف ذات اهتمام مشترك بينهما، وتحدد في هذه الاتفاقات طريقة إسهام كل من هاتين المنظمتين في إنجاز هذه الأنشطة من ناحيـة، وكـذا طبيعة الالتزامات التي تتعهد بها كل منهما ومداها من ناحية أخرى[1].

ويجـوز لهـاتين المنظمتـين عنـد الاقتضـاء، إحالـة جميـع الموضـوعات ذات الاهـتمام المشترك إلى لجان مشتركة، تتألف من عدد متسـاو مـن الممثلـين عـن كـل منظمـة، يحـدد عددهم باتفاق الطرفين، ويجوز لهذه اللجان المشتركة اعتماد نظامها الداخلي[2].

تنفيذ الاتفاقات

تقضي الاتفاقيات الموقعة بين المـنظمات المتخصصـة، بأنـه يجـوز لمـدراء عمومهـا أن يبرموا من الاتفاقيات الإضافية ما يستصوبونه على ضوء التجربة بغيـة ضـمان تنفيـذ هـذه الاتفاقات[3]. وبأن يتشـاوروا بصـفة منتظمـة بشـأن أيـه مشـكلات قـد تطـرأ بصـدد تنفيـذ الاتفاقات[4].

---

(1) انظر: م8 من اتفاق التعاون المعدل بين الالكسو واليونسكو نفس المرجع السابق ص 36- 37.

(2) انظر: م9 من اتفاق التعاون بين الالكسو واليونسكو المرجع السابق ص37.

(3) انظر: المـواد (10، (6 فقـرة (2)، (7 فقـرة (2)) مـن اتفاقـات المـنظمات نفـس المراجـع السـابق ص 37، 3، 5 بالترتيب.

(4) انظر: المواد (6 فقرة (1)، (7 فقرة (1) من اتفاقات كل من الايسيسكو واليونسكو، و (الالكسـو والايسيسـكو) مراجع سابق ص 4،3 بالترتيب.

تعديل الاتفاقات وإنهاؤها

إن الاتفاقات الموقعة بين هذه المنظمات تقضي كذلك بجواز تعديل هـذه الاتفاقـات بموافقة الطرفين المعنيين، ويجوز لأي منهما إنهاء هـذا الاتفـاق شريطـة أن يخطـر الطـرف الأخر بذلك قبل موعد الإنهاء بسته أشهر[1].

بدء سريان الاتفاقات

تصبح اتفاقات التعاون المبرمة بين هذه المنظمات نافذةً فور توقيع ممثلي المـنظمات المعنية على هذه الاتفاقات، وقد حررت هذه الاتفاقات بين كـل مـن الالكسـو واليونسـكو من أربع نسخ أصلية، اثنان منها باللغة العربية، والباقي باللغة الفرنسية، وحررت بين كـل من الايسيسكو واليونسكو، وكذا الالكسو والايسيسكو من ثلاث نسخ لكل منهما بالعربيـة والانجليزية والفرنسية، وتعتبر النصوص في جميع اللغات المذكورة متساوية في الحجية[2].

ثانياً: اتفاقيات البرامج التنفيذية المفصلة لأنشطة التعاون المبرمة بين المنظمات المتخصصة

تقوم المنظمات المتخصصة اليونسكو، الالكسو، الايسيسكو، بترجمة اتفاقيات التعاون المبرمة بينها، والتي تم التطرق لها سابقاً، إلى برامج تنفيذية مفصلة تغطي مختلف أنشطة التعاون بينها، حيث تقوم اللجان المشتركة بين هذه المنظمات، بعقد العديد مـن اللقـاءات (مرتين في العام على

---

(1) انظر: المواد (11، 7، 8) من اتفاقات التعاون المبرمة بين المنظمات نفس المراجع السابق ص 37، 4، 5 بالترتيب.

(2) انظر: المـواد (12، 8، 9) مـن اتفاقـات التعـاون المبرمـة بـين المـنظمات نفـس المراجـع السـابقة ص 38، 4، 5 بالترتيب.

الأقل) وذلك في مقر الأمانات العامة لهذه المنظمات بالتناوب بينها من اجتماع لأخر، ومهمة هذه اللجان المشتركة تحقيق النجاح المنشود للأنشطة المشتركة المتفق على تنفيذها، وقبل ذلك التشاور في مختلف خطوات ومراحل الإعداد لأنشطة التعاون، كما يمكن للإدارات المعنية بهذه المنظمات أيضاً إجراء الاتصالات والاجتماعات التنسيقيه بين المكلفين بتنفيذ الأنشطة المتفق عليها لتحديد تفصيلاتها المختلفة مثل مكان التنفيذ وزمانه، والجهة المنفذة، وإجمالي المساهمة، أن لم تكن محددة، وغير ذلك من الأمور التفصيلية، وتسفر أعمال اللجان المشتركة عن إقرار برنامج تنفيذي لأنشطة التعاون المتفق على تنفيذها[1]. وقد يغطي البرنامج التنفيذي ما بين سنة إلى ثلاث سنوات، إلا أنه عادة ما تحرص هذه المنظمات على أن تغطي هذه البرامج التنفيذية فترة سنتين في كل من الالكسو واليونسكو، وفترة ثلاث سنوات بالنسبة للايسيسكو وذلك كي يتم إدراجها ضمن المشاريع التي تعتمدها هذه المنظمات في برامجها وموازناتها وتعتمد هذه البرامج التنفيذية المفصلة من قبل مدراء عموم هذه المنظمات، أو ممن ينيبهم في ذلك، وقد تتضمن بنود البرامج التنفيذية المفصلة والمبرمة بين المنظمات النص على تشكيل لجان فرعية من ممثلين اثنين عن كل منظمة، تكون مهمتها متابعة حسن تنفيذ بنود برنامج التعاون وإجراء عمليات المقاصة المالية، كما قد تعين المنظمات ضابط اتصال لتنسيق ومتابعة تنفيذ أنشطة التعاون، وبأن تقوم كل منظمة بتحويل حصتها المالية إلى الجهة المنفذة للنشاط قبل شهر على الأقل من تاريخ التنفيذ، مع تحمل كل منظمة

[1] انظر الاتفاقيات المبرمة بين الالكسو والمنظمات والهيئات العربية والإقليمية والدولية إصدارات الالكسو تونس ابريل عام 2002م ص 36،64.

نفقات مشاركة ممثليها في الأنشطة المتفق عليها، وتضمين شعاري المنظمتين في جميع وثائق وأوراق العمل والشهادات الخاصة بالأنشطة المشتركة، والإشارة فيها بأنها تنفذ بالاشتراك بين المنظمتين المعنيتين، مع احتواء المنشورات والإصدارات الخاصة بأنشطة التعاون على مقدمات بتوقيع المديرين العامين، وقد وردت هذه التفصيلات في الاتفاق المبرم بين كل من الالكسو و الايسيسكو[1]. في حين أن مثل هذه التفصيلات غير واردة في البرنامج التنفيذي بين كل من الالكسو واليونسكو لعام 2003م، كما أنه ليس موقعاً من قبل مدراء العموم وربما أن مثل هذه التفاصيل ستترك للجان الفرعية التي تشكلها المنظمتين لاحقاً وعلى العموم فإننا سنتطرق لخارطة التعاون بين هذه المنظمات المتخصصة من خلال هذه البرامج التنفيذية المفصلة والمبرمة بين هذه المنظمات وذلك لعام 2003م ثم من خلال الإحصاءات المتوافرة عن أنشطة التعاون المبرمجة والمنفذة بين المنظمات وتحديداً خلال الفترة من 1985م إلى 1997م وكما يلي:-

- التعاون بين المنظمات المتخصصة (اليونسكو، الالكسو، الايسيسكو) من خلال البرامج التنفيذية لعام 2003م
- التعاون بين المنظمات الالكسو واليونسكو عام 2003م

في إطار تفعيل اتفاق التعاون الموقعة بين الالكسو واليونسكو في باريس بتاريخ 22 يونيو 2001م، عقد بتونس خلال الفترة من 8- 9 ابريل 2002م اجتماع اللجنة المشتركة بين المنظمتين، وأسفرت عن إقرار برنامج تنفيذي لأنشطة التعاون بينهما خلال عام 2003م حيث بلغ إجمالي عدد

(1) انظر: اتفاق التعاون المبرم بين الالكسو والايسيسكو في نفس المرجع السابق ص65.

الأنشطة المبرمجة بين المنظمتين لهذا العام (21) نشاطاً رصد لتنفيذها مبلغ (1.260.000 دولار)، بلغ مساهمة الالكسو من هذا المبلغ (948.000 دولار) بنسبة 75.2% بينما بلغ مساهمة اليونسكو ومكاتبها الإقليمية مبلغ (312.000 دولار) بنسبة 24.8%[1]. وقد خصصت هذه المبالغ لتنفيذ العدد السالف الذكر من الأنشطة في مجالات التربية، والثقافة، والعلوم والبحث العلمي، والاتصال والإعلام، وكما يتضح ذلك من الجدول الآتي[2]:-

م	مجال النشاط	عدد الانشطة المبرمجة	مساهمة الالكسو	مساهمة اليونسكو ومكاتبها الإقليمية	إجمالي المساهمات	ملاحظات
1	قطاع التربية	7	505000	85.000	590000	لم يحدد البرنامج التنفيذي الجهة المنفذة
2	قطاع الثقافة والاتصال	4	195000	(34000 *)	229000	
3	قطاع العلوم والبحث العلمي	9	192000	183000	375000	
4	مجال الاتصال والإعلام	1	56000	10000	66000	
-	إجمالي	21	948000	312000	1260000	-

الجدول من إعداد الباحث.

أما عن التفصيلات المختلفة الخاصة بهذه الأنشطة فيمكن إيجازها

(1) بلغت مساهمة اليونسكو مبلغ 39000 دولار، ومساهمة مكتبها بالقاهرة (218000 دولا ومكتب بيروت 45000 دولار ومكتب الرباط 10000 دولار.

(2) البرنامج التنفيذي لنشاط التعاون بين الالكسو واليونسكو في نفس المرجع السابق ص 36- 42.

(*) لم تحدد اليونسكو مساهمتها بعد في نشاط واحد مقابل مساهمة الالكسو بمبلغ 25.000 دولار في تمويل (نشر الثقافة العربية عبر الانترنت) ص 38 بنفس المرجع السابق.

وعلى مستوى كل مجال وكما يلي[1]:-

الأنشطة التربوية

خصصت المنظمتين لهذا المجال من النشاط عدد (7) أنشطة بنسبة 33.3% من إجمالي عدد الأنشطة المبرمجة بينهما لعام 2003م وقد اشتملت هذه الأنشطة على إدخال مفاهيم التربية البيئية في المناهج الدراسية في مرحلة التعليم الأساسي ووضع وتطوير برامج المدرسة الذكية، واستخدام البرمجيات التعليمة في تطوير وتدريس الرياضيات والعلوم المتكاملة في التعليم العام، واستخدام التلفزة والوسائل متعددة الوسائط في برامج محو الأمية وتعليم الكبار، مع تنظيم مشترك لورشة عمل حول محو الأمية والتعليم غير النظامي مع تبني إستراتيجية لإدراج تقانات إعلامية واتصالية جديدة في مجال التربية، وكذا تدريب المرشدين النفسيين في المدارس الفلسطينية لمعالجة الآثار النفسية الناجمة عن العنف الإسرائيلي. وقد خصصت المنظمتان لتنفيذ هذه الأنشطة مبلغ (590.000 دولار) بنسبة 46.8% من إجمالي تكلفة جميع الأنشطة، بلغ مساهمة الالكسو فيها مبلغ (505.000 دولا) بنسبة 85.6%، في حين بلغ مساهمة اليونسكو ومكاتبها الإقليمية مبلغ (85.000 دولار) بنسبة 14.4%.

أنشطة الثقافة والاتصال

قامت المنظمتين ببرمجة (4) أنشطة خلال نفس العام وهو ما يشكل نسبة 19% من إجمالي عدد الأنشطة، حيث اشتملت على نشر الثقافة العربية عبر الانترنت، مع إنتاج فيلم وثائقي حول الثقافة العربية، وتفعيل

[1] انظر: الاتفاقيات المبرمة بين الالكسو والمنظمات والهيئات العربية والإقليمية والدولية مرجع سابق ص 36- 42.

وتنظيم أنشطة دور الثقافة والإعلام في حوار الثقافات مع الاهتمام بسلسلة الفنون التشكيلية العربية المعاصرة. وقد خصصت المنظمتين لتنفيذ هذه الأنشطة مبلغ (229.000 دولار) بنسبة 18.2% من إجمالي تكلفة الأنشطة، بلغ مساهمة الالكسو فيها (195.000 دولار) بنسبة 85.2% بينما بلغ مساهمة اليونسكو ومكاتبها الإقليمية مبلغ (34000 دولار) بنسبة 14.8%.

أنشطة العلوم والبحث العلمي

وقد تم تخصيص عدد (9) أنشطة لهذا النوع بنسبة 42.9% من إجمالي عدد الأنشطة المبرمجة، التي اشتملت على تبادل المعلومات، وتنمية الموارد المائية في المنطقة العربية، والمؤتمر الدولي حول هيدرولوجيا الوديان، والخريطة الهيدرولوجية، والتعاون في مجال التنوع البيولوجي، وتنظيم الاجتماع العاشر للجان الوطنية العربية للبرنامج الهيدرولوجي الدولي، وترجمة بعض الإصدارات المختارة ذات العلاقة بالموارد المائية، والتوعية بترشيد استهلاك المياه، مع إصدار الكتاب المرجعي حول المياه والحضارة العربية. وبلغ إجمالي المبلغ المخصص لتنفيذ هذه الأنشطة 375.000 دولار بنسبة 29.8% من إجمالي تنفيذ جميع الأنشطة، بلغ مساهمة الالكسو منها 192000 دولار بنسبة 51.2% بينما بلغ حصة اليونسكو ومكاتبها الإقليمية مبلغ 183.000 دولار بنسبة 48.8%.

أنشطة الاتصال والإعلام

وقد خصص لهذا النوع نشاط واحد، بما نسبته 4.8% من إجمالي عدد الأنشطة، ويتعلق هذا النشاط بتوزيع نظام (إيدامس) IDAMS للمعالجات الإحصائية وتعريبه والتدريب عليه في المنطقة العربية وخصص لتنفيذه مبلغ 66.000 دولار بنسبة 5.2% مساهمة الالكسو منها 56.000 دولار

بنسبة 84.8% بينما تتحمل النسبة الباقية اليونسكو ومكاتبها الإقليمية بمبلغ 10.000 دولار وبنسبة 15.2%.

علاوة على تلك الأنشطة فقد اتفقت المنظمتان على مواصلة التشاور بشأن التعاون في المشاريع الخاصة بتطوير أنظمة دعم القرار التربوي في وزارات التربية للدول العربية، والموقع العربي الالكتروني للتعليم (التعليم بدون حدود)، وعقد اجتماع إقليمي تحضيري لقمة جنيف حول وسائل الاتصال، ودراسة إمكانية التعاون في عقد مؤتمر مشترك لوزراء التربية العرب خلال عام 2003م، ونشر كتاب علمي حول التراث في مدينة القدس ودعم التعاون مع المنظمات الشبابية وغيرها ذات المهام التثقيفية.

التعاون بين المنظمات الالكسو والايسيسكو عام 2003م

في إطار تفعيل إتفاق التعاون المبرم بين الالكسو والايسيسكو، تم التوقيع على البرنامج التنفيذي المفصل لأنشطة التعاون المشترك بينهما للسنوات 2001م - 2003م وذلك في تونس بتاريخ 2 يوليو عام 2001م حيث وقع هذا البرنامج المديرين العامين لهاتين المنظمتين، إلا أننا سنتطرق لأنشطة التعاون المبرمجة بينهما لعام 2003م فقط وذلك لسهولة المقارنة بين هاتين المنظمتين من جهة وبين كل من المنظمات الالكسو واليونسكو من جهة أخرى، فقد بلغ إجمالي عدد الأنشطة المبرمج تنفيذها بين هاتين المنظمتين لعام 2003م عدد (10) أنشطة، رصد لتنفيذها مبلغ (357000 دولا)، بلغ مساهمة الالكسو منها (218500 دولار) بنسبة 61.2% بينما بلغت مساهمة الايسيسكو (138500 دولار) بنسبة 38.8% وقد خصصت هذه المبالغ لتنفيذ العدد المشار إليه أنفاً من الأنشطة في المجالات التربوية، والعلمية والثقافية، وكما يتضح من خلال الجدول

الآتي[1]:-

م	مجال النشاط	عدد الأنشطة المبرمجة	مساهمة الالكسو	مساهمة الايسيسكو	إجمالي المساهمات	الجهة المنفذة			
						عدد	الايسيسكو والالكسو	عدد	الالكسو
1-	البرامج التربوية	4	60000	60000	120000	4	120000	-	-
2-	البرامج العلمية	4	62000	62500	125000	4	125000	-	-
3-	البرامج الثقافية	2	96000	16000	112000	1	12000	1	100000
	اجمالي	10	218500	138500	357000	9	257000	1	100000

الجدول من إعداد الباحث

أما عن التفصيلات المختلفة لهذه الأنشطة فهي كما يلي[2]:-

الأنشطة التربوية

خصصت المنظمتان الالكسو والايسيسكو لهذا المجال من النشاط عدد (4) من إجمالي عدد الأنشطة المبرمجة بينهما لعام 2003م بنسبة 40%، وقد اشتملت هذه الأنشطة، على عقد اجتماع خبراء إقليمي لفئات مختلفة من العاملين في التعليم عن بعد، وتدريب مسؤولي تعليم الموهوبين على الأساليب الحديثة لتعليمهم وتأهيلهم لقيادة المجتمع، كما تضمنت عقد ورشة عمل إقليمية للمختصين في المعلوماتية لإدماج برامج المعلوماتية في المناهج التعليمية، مع إقامة ورشة عمل إقليمية للمسؤولين عن التخطيط التربوي واستخدام الإحصاءات التربوية في عمليتي التخطيط والتقويم. وقد

---

(1) انظر: البرنامج التنفيذي لنشاط التعاون بين الايسيسكو والالكسو لعام 2003م في نفس المرجع السابق ص 51-59.

(2) انظر: نفس المرجع السابق ص 51- 61.

رصدت المنظمتان لتنفيذ هذه الأنشطة مبلغ 120000 دولار، بنسبة 33.6% من إجمالي المبالغ المخصصة لتنفيذ جميع الأنشطة، ساهمت المنظمتين بالتساوي في هذا المبلغ، ولذلك فإنه سيناط بهما معاً تنفيذ هذه الأنشطة.

الأنشطة العلمية

كذلك خصص لهذا النوع عدد (4) أنشطة، وبنفس النسبة السابقة وتشمل هذه الأنشطة، دعم مشاريع البحث العلمي المشترك في الدول العربية الأعضاء في المنظمتين، وتنظيم ندوة علمية لتعزيز القدرات الوطنية في مجال التقانات الجديدة، وتنظيم حلقة دراسية إقليمية حول التجارب الناجحة في إستغلال موارد الطاقة المتجددة في مختلف القطاعات مع ترجمة وطباعة وتوزيع كتابين في موضوعات علمية وتكنولوجية حديثة.

وقد رصدت المنظمتين لتنفيذ هذه الأنشطة مبلغ 125000 دولار بنسبة 35% من إجمالي تكلفة الأنشطة، وتم توزيع هذا المبلغ بالتساوي بين المنظمتين الموكول إليهما معاً مسؤولية تنفيذ هذه الأنشطة.

الأنشطة الثقافية

وخصص لهذا النوع من البرامج عدد (2) من الأنشطة بما يعادل 20% من إجمالي عدد الأنشطة المبرمجة بين المنظمتين لعام 2003م، واشتملت هذه الأنشطة على إعداد دراسة عن إبرز المعالم العربية الإسلامية، مع عقد ندوة حول الحوار بين الثقافات في أمريكا اللاتينية، وقد رصدت المنظمتين لتنفيذ هذين النشاطين مبلغ 112000 دولار بنسبة 31.4% من إجمالي التكاليف، بحيث يكون مساهمة الالكسو منها مبلغ

96000 دولار بنسبة 85.7% بينما تتحمل الايسيسكو مبلغ 16.000 دولار بنسبة 14.3%، وعلى أن يناط بالالكسو تنفيذ نشاط واحد بمبلغ 100000دولار، بنسبة 89.3% بشكل مستقل ويناط بهما معاً تنفيذ النشاط الأخر بمبلغ 12000 دولار بنسبة 10.7%.

علاوة على تلك الأنشطة السالفة الذكر، تم الاتفاق بين المنظمتين، على تنفيذ بعض الأنشطة في مجال المعلومات والتوثيق، بحيث تشمل ربط موقعي المنظمتين وأجهزتهما المتخصصة على شبكة الانترنت للتعريف بالحضارة العربية الإسلامية، وعلى تنظيم معارض مشتركة أثناء انعقاد المؤتمرات العامة والمؤتمرات الوزارية والمجالس التنفيذية للمنظمتين والمؤتمرات الدولية التي تشارك فيها المنظمتان على أن يتم تحمل النفقات مناصفة وعلى أن يتم الاتفاق التفصيلي لهذه الأنشطة لاحقاً[1].

التعاون بين المنظمات (اليونسكو، الالكسو، الايسيسكو) خلال الفترة من 1985م وحتى عام 1997م

إن التعاون بين هذه المنظمات المتخصصة كما سبق أن بينا خلال عام 2003م قد أعطتنا مؤشرات وبيانات تفصيلية، وإحصائية هامة ومفيدة، إلا أنها غير مكتملة، وهذا شيء طبيعي ذلك أن الغوص في التفاصيل عن حالة التنفيذ لتلك الأنشطة، إنما يتطلب وقتاً كافياً، إذ ربما يتم ذلك خلال العام التالي للعام المتفق على تنفيذ أنشطة التعاون خلاله، مع ما قد يترتب أو يصاحب ذلك من تقييم من قبل المنظمتين لأوجه حصيلة التعاون بينهما، ولما كانت هذه البيانات التفصيلية غير متاحة، فقد رأيت أن العودة إلى عام

---

(1) انظر: نفس المرجع السابق ص 60- 61.

1985م وحتى عام 1997م وهي فترة كبيرة تعطي الباحث وخلافة صورة حقيقية عن مجمل علاقات التعاون بين هذه المنظمات خلال تلك الفترة من حيث عدد الأنشطة المبرمجة، وإجمالي المساهمات، وعن حالة تنفيذ الأنشطة، والجهة المعنية بالتنفيذ. وهو ما سيتم التطرق له وكثمرة تعاون بين كل من الالكسو والايسيسكو من ناحية، وبين الايسيسكو واليونسكو من ناحية أخرى كما يلي:-

التعاون بين المنظمات الالكسو والايسيسكو 1985م - 1997م

في إطار علاقات التعاون بين المنظمات الالكسو والايسيسكو، تم الاتفاق بينهما على تنفيذ عدد من البرامج المشتركة، حيث بلغ إجمالي عدد الأنشطة المبرمج تنفيذها بينهما خلال الفترة من عام 1985م وحتى عام 1997م عدد (16) نشاطاً، رصد لتنفيذها مبلغ إجمالي (545014 دولار)، بحيث يكون مساهمة الايسيسكو منه مبلغ (225550 دولار) بنسبة 41.4% بينما بلغ مساهمة الالكسو مبلغ (319464 دولار) بنسبة 58.6%، وقد خصصت هذه المبالغ لتنفيذ تلك الأعداد من الأنشطة السالفة الذكر في مجالات التربية، والثقافة والاتصال إذ بلغ عدد الأنشطة المزمع تنفيذها في مجال التربية (12) نشاطاً بنسبة 75% من إجمالي عدد الأنشطة، في حين بلغ إجمالي المبلغ المرصود من قبل المنظمتين لتنفيذ أنشطة التربية مبلغ (381764 دولار) بنسبة 70% من إجمالي المساهمات، وبلغ عدد الأنشطة المتفق على تنفيذها في مجال الثقافة والاتصال عدد (4) أنشطة بنسبة 25% رصد لها مبلغ إجمالي (163250 دولار) بنسبة 30% من إجمالي مساهمات المنظمتين، وبتتبعنا لسير تنفيذ مجمل الأنشطة المبرمجة خلال

تلك الفترة وعن الجهة المعنية بتنفيذها فهي كما يلي[1]:-

من حيث حالة تنفيذ الاتشطة

نجد أنها قد اتخذت ثلاثة أشكال مختلفة وهي:-

- أنشطة تم تنفيذها وعددها (10) بنسبة تنفيذ 62.5% من إجمالي عدد الأنشطة، وبلغت كلفتها (421014 دولار)، بنسبة 77.3% من إجمالي مساهمات المنظمتين.
- أنشطة غير منفذه، وعددها (4) بنسبة 25% من إجمالي عدد الأنشطة، وبكلفة إجمالية قدرها 80000 دولار، بنسبة 14.7% من إجمالي المساهمات.
- أنشطة قيد التنفيذ وعددها (2) بنسبة 12.5% وبمبلغ 44.000 دولار، أي ما نسبته 8% من إجمالي المساهمات.

من حيث الجهة المنفذة

نجد أنها قد اتخذت أربعة إشكال هي:-

منظمة الايسيسكو، وقد أنيط بها تنفيذ عدد (5) من الأنشطة، بنسبة 31.25% من إجمالي عدد الأنشطة بلغت التكلفة الإجمالية المخصصة لتنفيذها مبلغ (132250 دولا) بنسبة 24.3% من إجمالي التكلفة المخصصة لتنفيذ جميع الأنشطة.

منظمة الالكسو، واسند إليها أيضاً تنفيذ عدد (5) أنشطة، بمبلغ (185764 دولار) بنسبة 34.1% من إجمالي تكاليف الأنشطة المراد تنفيذها.

---

(1) انظر: الايسيسكو الحصيلة والأفاق من 1982م - 1997م الجزء الأول إعداد الايسيسكو مديرية العلاقات الخارجية والتعاون ص105.

المنظمتان الايسيسكو والالكسو، وخصص لهما تنفيذ عدد (4) أنشطة، بشكل مشترك بينهما وهو ما يشكل نسبة 25% من إجمالي عدد الأنشطة، وبلغت مساهمة المنظمتين لتنفيذها مبلغ (162000 دولار)، بنسبة 29.7% من إجمالي التكلفة.

أنشطة لم تحدد الجهة المعنية بتنفيذها وعددها (2) بنسبة 12.5% من إجمالي العدد، وبكلفة (65000 دولار)، وهو ما يعادل نسبة 11.9% من إجمالي تكلفة تنفيذ جميع الأنشطة. وكما يتضح ذلك بشكل أكثر تفصيلاً من خلال الجدول التالي[1]:-

الجهة المنفذة							
الايسيسكو		الالكسو		الايسيسكو والالكسو		لم تحدد الجهة	
عدد	المبلغ	عدد	المبلغ	عدد	المبلغ	عدد	المبلغ
4	74000	5	185764	3	122000	-	-
1	58250	-	-	1	40000	2	65000
5	132250	5	185764	4	162000	2	65000

- الجدول من إعداد الباحث، وقد تمت تجزئته إلى جدولين للظرورة.

ولمعرفة التفاصيل المختلفة لمجالات الأنشطة، ومشتملاتها، والجهة المنفذة ونسب التنفيذ في مجالات التربية، والثقافة والاتصال فهي كما يلي[2]:-

(1) انظر: الايسيسكو الحصيلة والآفاق نفس المرجع السابق ص 106- 112.

(2) انظر: نفس المرجع السابق ص 107- 109 ، 111

الأنشطة التربوية

خصصت الالكسو والايسيسكو عدد (12) نشاطاً بنسبة 75% من إجمالي عدد الأنشطة المبرمجة بين المنظمتين خلال الفترة من 1985م إلى 1997م، حيث اشتملت هذه الأنشطة على عدد من الدورات التدريبية، لمسئولي التربية في الدول العربية ولفائدة محو الأمية العاملين في الأراضي المحتلة، وتطوير المدارس القرآنية، وإنتاج المواد والوسائل التعليمية المتعددة لمبحث اللغة العربية، ولمكوني اللغة العربية والتربية الإسلامية، كما اشتملت على عدد من الاجتماعات للخبراء حول تحديث كل من محتوى التعليم الثانوي والأساسي في الوطن العربي، وتطوير أساليب تدريس اللغة العربية لأبنائها، وحول الإعلام والتوعية في مجال محو الأمية وتعليم الكبار، وشملت أيضاً على ندوة لتطوير المداس القرآنية وإيجاد صيغة لربطها بمساقات التعليم العام، وإعداد دراسات حول مناهج التعليم التقني والمهني وسبل تطويرها في الوطن العربي، وإعداد دليل لتأليف كتب الأساس في محو الأمية، وقد خصصت المنظمتان لتنفيذ هذه الأنشطة مبلغ 381764 دولار، بلغ مساهمة الايسيسكو 148050 دولار بنسبة 38.8% من إجمالي تكلفة هذه الأنشطة، في حين تحملت الالكسو مبلغ 233714 دولار بنسبة 61.2%، أما عن حالة التنفيذ والجهة المنفذة فهي كما يلي:-

من حيث حالة تنفيذ الأنشطة: نجد أنها قد اتخذت ثلاثة أشكال:

أنشطة منفذه، حيث تم تنفيذ عدد (8) أنشطة بنسبة 66.6% وبكلفة بلغت 322764 دولار أي بما نسبته 84.6% من إجمالي تكلفة تنفيذ الأنشطة التربوية.

أنشطة غير منفذه: وبلغ عددها (2) بنسبة 16.7%، خصص لتنفيذها مبلغ 15000 دولار بنسبة 3.9% من إجمالي تكلفة تنفيذ هذه الأنشطة.

أنشطة قيد التنفيذ وعددها (2) بنسبة 16.7% خصص لتنفيذها

مبلغ 44000 دولار بنسبة 11.5% من إجمالي تكلفة هذا النوع من النشاط.

من حيث الجهة المنفذة: فهي كما يلي:-

منظمة الايسيسكو، وقد خصص لها عدد (4) أنشطة بما نسبته 33.3% من إجمالي عدد هذه الأنشطة، بمبلغ 74000 دولار أي ما يعادل نسبة 19.4% من إجمالي تكاليف هذا النوع من النشاط.

منظمة الالكسو: وخصص لها عدد (5) أنشطة بنسبة 41.7% من إجمالي العدد لهذه الأنشطة وبتكلفة بلغت 185764 دولار بنسبة 48.7% من إجمالي هذه التكاليف.

أنشطة يتم تنفيذها بشكل مشترك بين كل من الالكسو والايسيسكو، وخصص لهما تنفيذ عدد (3) أنشطة بنسبة 25% من إجمالي هذه الأنشطة، بلغت كلفة التنفيذ لها مبلغ 122000 دولار بنسبة 31.9% من إجمالي تكاليف الأنشطة التربوية.

أنشطة الثقافة والاتصال

خصصت المنظمتان لهذا النوع عدد (4) أنشطة بنسبة 25% من إجمالي عدد الأنشطة المبرمجة بين المنظمتين في المجالين المذكورين خلال الفترة من 1985م إلى 1997م حيث اشتملت هذه الأنشطة على عقد اجتماعات دوريه لأقسام الدراسات العربية الإسلامية ومعاهدها، وعلى طباعة ونشر ـ كتاب عن الأدب البوسني، مع إقامة دورة تدريبية لترميم المخطوطات وصيانتها، وكذا المعرض العربي الإسلامي للصناعات

التقليدية. وقد خصصت المنظمتان لتنفيذ هذه الأنشطة مبلغ (163250 دولار)، بلغ مساهمة الايسيسكو منها 77500 دولار بنسبة 47.5% بينما بلغ مساهمة الالكسو مبلغ 85750 دولار بنسبة 52.5% وعن حالة تنفيذ الأنشطة والجهة المنفذة فهي كما يلي:-

من حيث حالة تنفيذ الأنشطة

نجد أنها قد اتخذت شكلين ما بين منفذه، وغير منفذه

أنشطة منفذه، وعددها: (2) بنسبة 50% من إجمالي عدد الأنشطة في هذا المجال بلغت مخصصات تنفيذها 98250 دولار بنسبة 60.2% من إجمالي تكلفة هذا النوع من الأنشطة.

أنشطة غير منفذه: وعددها (2) رصد لها مبلغ 65000 دولار بنسبة 39.8% من تكلفة هذه الأنشطة

من حيث الجهة المنفذة

نجد أنها تتم إما من قبل الايسيسكو، أو بمشاركة هذه الأخيرة مع الالكسو، علاوة على أن بعض الأنشطة لم تحدد الجهة المعنية بتنفيذها:

منظمة الأيسيسكو: وقد خصص لها نشاط واحد لتنفيذه بمبلغ 58250 دولار، وبنسبة 35.7 % من إجمالي تكلفة هذه الأنشطة.

نشاط واحد يتم تنفيذه بشكل مشترك بين الايسيسكو والالكسو بمبلغ 40000 دولار بنسبة 24.5%.

نشاطين لم يحدد الجهة المنفذة لهما، رصد لهما مبلغ 65000 دولار، وبنسبة 39.8% من إجمالي تكلفة هذه الأنشطة.

2- التعاون بين المنظمات الايسيسكو واليونسكو 1985 - 1997م

في إطار علاقات التعاون بين كل من الايسيسكو واليونسكو، تم برمجة

عدد (75) نشاطاً، وذلك خلال الفترة من 1985م وحتى 1997م، وهي نسبة عالية مقارنة بعدد الأنشطة المبرمجة بين كل من الايسيسكو والالكسو خلال نفس الفترة، فمن مجموع (91) نشاطاً تم برمجتها بين هذه المنظمات، نجد أن المنظمتين الايسيسكو واليونسكو قد حققتا أعلى نسبة إذ تبلغ 82.4% مقارنة بين كل من الايسيسكو والالكسو اللتين برمجتا عدد (16) نشاطاً بنسبة 17.6%.

وعلى العموم فقد رصدت المنظمتان الايسيسكو واليونسكو مبلغ إجمالي (2568900 دولار) لتنفيذ ذلك العدد من الأنشطة، بحيث يكون مساهمة الايسيسكو منها مبلغ (936900 دولار) بنسبة 36.5% تقريباً، في حين بلغت مساهمة اليونسكو (1632000 دولار) بنسبة 63.5%.

وقد خصصت مبالغ هذه المساهمات لتنفيذ تلك الأعداد السالف ذكرها، في مجالات العلوم، والتربية، والثقافة والاتصال، والتعاون مع اللجان الوطنية، ومركز المعلومات والتوثيق، وبتتبعنا لسير تنفيذ تلك الأنشطة، وعن الجهات المنفذة لها فهي كما يلي[1]:-
من حيث حالة تنفيذ الأنشطة

نجد أن وضع تنفيذ تلك الأنشطة قد تراوحت ما بين أنشطة منفذه، وأخرى غير منفذه، وقيد التنفيذ، وقيد التشاور، وما بين أنشطة مؤجلة، وأخرى مسكوت عن وضعها كما يلي:

الأنشطة المنفذة: بلغ عددها في جميع مجالات الأنشطة السالف ذكها (40) نشاطاً بنسبة 53.3% من إجمالي عدد الأنشطة، تم تنفيذها بمبلغ

---

(1) انظر: الايسيسكو والتعاون الحصيلة والآفاق 1982- 1997م مرجع سابق ص 18- 40.

إجـمالي (1466000 دولار) وهـو مـا يشـكل نسـبة 57.1% مـن إجـمالي مسـاهمات المنظمتين، بينما بلغ عدد الأنشطة التي لم تنفذ عـدد (4) بنسـبة 5.3% مـن إجـمالي عـدد الأنشطة، خصص لتنفيذها مبلغ (90000 دولار بنسبة 3.5% مـن إجـمالي المسـاهمات، في حين نجد أن هناك عدد (15) نشاطاً وهو ما يشكل نسبة 20% من إجمالي عـدد الأنشـطة وبتكلفـة قـدرها 606000 دولار، بنسـبة 23.6% مـن إجـمالي المسـاهمات، إلا أن هـذه الأنشطة لا زالت قيد التنفيذ، بيـنما بلغـت الأنشـطة المؤجـل تنفيـذها عـدد (11) نشـاطاً بنسبة 14.7% من إجمالي عدد الأنشطة، بلغت المساهمات المرصودة لها ما نسبته 12.5% بمبلغ 321900 دولار، علاوة على ذلـك فـإن هنـاك نشـاطين قيـد التشـاور، وثلاثـة أنشـطة مسكوت عن حال تنفيذها وقد رصد لهذه الأنشطة (60000 ، 25000) دولار، شـكلت مـا نسبته (2.3% ، 1%) من إجمالي تكلفة الأنشطة، وبنسبة (2.7% ، 4%) مـن إجـمالي عـدد الأنشطة بالترتيب.

من حيث الجهة المنفذة

تتعدد الجهات المنفذة لتلك الأنشطة بشكل عام وهو ما يجعل من الصعوبة بمكـان حصرها بشكل دقيق، ولذلك فقد قمنا بحصر هذه الجهات المنفذة إجمالاً وبقدر مناسـب من التفصيل، شمل كلاً من المنظمات الايسيسكو واليونسـكو كـل بمفردهـا، أو باشـتراكهما معاً، أو كلاً منهما بالاشتراك مع جهـات أخـرى، أو بواسـطة جهـات أخـرى، أو جهـات غـير محدده وكما يلي:

فقد بلغ عدد الأنشطة المبرمجة للتنفيذ من قبل الايسيسكو عدد (17) نشاطاً بنسـبة 22.7% من مجمل عدد الأنشطة، بمبلغ 522000 دولار

بنسبة 20.3% من إجمالي مبلغ المساهمات بينما أنيط بمنظمة اليونسكو تنفيذ عدد (28) نشاطاً بنسبة 37.3% من جملة عدد الأنشطة بمبلغ 1.131.900 دولار، بنسبة 44% من إجمالي مبلغ مساهمات المنظمتين. في حين بلغ عدد الأنشطة المخطط لتنفيذها بشكل مشترك بين الايسيسكو واليونسكو عدد (10) بنسبة 13.3% بمبلغ 260000 دولار، بنسبة 10.1% من إجمالي مبلغ المساهمات، وبلغ عدد الأنشطة المعنية بالتنفيذ من قبل هذه الأخيرة بالاشتراك مع جهات أخرى (12) نشاطاً، مقابل أربعة أنشطة للايسيسكو لتنفيذها بالاشتراك مع جهات أخرى، أي بنسب (16% ، 5.3%) بالترتيب من إجمالي عدد الأنشطة، وبمبالغ إجمالية قدرها (410000 ، 115000) دولار وبنسب قدرها (16% ، 4.5%) من إجمالي المساهمات على التوالي، بينما شكلت الأنشطة المسند تنفيذها لجهات أخرى عدد (3) بمبلغ 100.000 دولار، بنسب (4% ، 3.9%) من إجمالي عدد الأنشطة، ومبلغ المساهمات بالترتيب، في حين أنه لم يحدد الجهة المعنية بتنفيذ نشاط واحد خصص له مبلغ 30000 دولار بنسبة 1.4% من عدد الأنشطة، 1.2% من جملة مبلغ المساهمات، كما يتضح ذلك بشكل مفصل من خلال الجدول الآتي[1]:-

(1) انظر: الايسيسكو الحصيلة والآفاق نفس المرجع السابق، وبنفس الصفحات.

مجال النشاط	عدد الأنشطة المبرمجة	مساهمة الايسيسكو	مساهمة اليونسكو	إجمالي المساهمات	أنشطة منفذه		أنشطة غير منفذه		أنشطة قيد منفذه		أنشـطة قيـد التشاور		أنشطة مؤجلة[1]		أنشطة مسكوت عن حالة التنفيذ	
					عدد	مبلغ	عدد	مبلغ	عدد	مبلغ	عدد	مبلغ	عدد	مبلغ	عدد	مبلغ
1- العلوم	19	244500	478500	723000	15	587000	1	20000	3	116000	-	-	-	-	-	-
2- التربية	39	424000	747500	1171500	20	729000	-	-	8	248000	-	-	8	169500	3	25000
3- ثقافـة واتصال	12	180000	240000	420000	5	150000	3	70000	2	110000	-	-	2	90000	-	-
4- لجـان وطنية	3	58400	136000	194400	-	-	-	-	2	132000	-	-	1	62400	-	-
5- مركـز المعلومـات والتوثيق	2	30000	30000	60000	-	-	-	-	-	-	2	60000	-	-	-	-
إجمالي	75	936900	1632000	2568900	40	1466000	4	90000	15	606000	2	60000	11	321900	3	25000

(1) الأنشطة المؤجلة تشمل ما يلي 1- نشاط واحد مؤجل من خطة العمل 1988م - 1991م إلى عام 1992م، 2- أنشـطة مؤجلة ضمن خطة العمل 1995م - 1997م وعددها (10) كما يـلي: أ- أربعـة أنشـطة مؤجلـة إلى عـام 1997م ب - نشاطين تنعقد اجتماعاتهما عام 1997م ج - نشاط واحد سيتم عـام 1997م، د - نشـاطين اجـلا لعـام 1998م، هــ - نشاط مؤجل.

انظر: بهذا الخصوص: نفس المرجع السابق ص 21، 30، 31، 33، 34، 35.

الجهة المنفذة														ملاحظات[1]
الايسيسكو		اليونسكو		الايسيسكو واليونسكو		اليونسكو وجهات أخرى		الايسيسكو وجهات أخرى		جهات أخرى		غير محدد		ملاحظات
عدد	مبلغ	عدد	مبلغ	عدد	مبلغ	عدد	مبلغ	عدد	مبلغ	عدد	مبلغ	عدد	مبلغ	
1	52000	6	224000	3	102000	6	245000	-	-	3	100000	-	-	
11	241000	15	592500	3	58000	6	165000	4	115000	-	-	-	-	
4	165000	5	185000	2	40000	-	-	-	-	-	-	1	30000	
1	64000	2	130400	-	-	-	-	-	-	-	-	-	-	
-	-	-	-	2	60000	-	-	-	-	-	-	-	-	
17	522000	28	1131900	10	260000	12	410000	4	115000	3	100000	1	30000	

ولمعرفة التفاصيل المختلفة لمجالات الأنشطة وأنواعها، والجهة المنفذة ونسبة التنفيذ في المجالات السالف ذكرها فهي كما يلي:-

أنشطة العلوم

خصصت المنظمات الايسيسكو واليونسكو لهذا النوع من الأنشطة عدد (19) نشاطاً، بنسبة 25.3% من إجمالي عدد الأنشطة، اشتملت على العديد من الندوات حول منتوجات الكيمياء والنباتات الطبيعية، وأيضاً الحلقات الدراسية عن الجيوفيزياء ونتائجها، والتطورات في زراعة خلايا النباتات، وحماية الموارد المائية والتدهور والتلوث في المنطقة العربية، كما شملت إقامة المؤتمرات العالمية والإقليمية حول العلوم والفيزياء الرياضية، والكيمياء والكمبيوتر، مع إقامة الدورات والورش الدولية حول تقنيات البحث في الكيمياء واستغلال الطاقة الشمسية في المناطق النائية مع تطوير الروابط بين الجامعات ومراكز البحوث مع القطاعات المنتجة بالدول

[1] الجدول من إعداد الباحث وقد تم تجزئته الى جدولين.

الأعضاء وبمشاركة خبراء وعلماء منها، وإقامة برامج حول الطاقة الشمسية والمدن الشمسية في الكامرون[1].وقد رصدت المنظمتين لتنفيذ هذه الأنشطة خلال الفترة المشار إليها سابقاً مبلغ 723000 دولار بنسبة 28.2% من إجمالي المبالغ المخصصة لتنفيذ مختلف مجالات الأنشطة وبلغت مساهمة الايسيسكو فيها مبلغ 244500 دولار بنسبة 33.8% من إجمالي تكلفة تنفيذ هذا النوع من النشاط، بينما بلغت مساهمة اليونسكو 478500 دولار بنسبة 66.2% من إجمالي تكلفة هذه الأنشطة، وبلغ عدد الأنشطة المنفذة عدد (15) نشاطاً بنسبة 78.9% من إجمالي أنشطة العلوم، نفذت بمبلغ 587000 دولار بنسبة 81.2% من إجمالي تكلفة هذا النوع من النشاط. بينما نجد أن هناك عدد (3) أنشطة لا تزال قيد التنفيذ، خصص لها مبلغ 116000 دولار بنسبة 16% من إجمالي تكلفة هذه الأنشطة، أما عدد الأنشطة غير المنفذة، فقد اقتصرت على نشاط واحد بمبلغ 20000 دولار بنسبة 2.8% أما عن الجهة المنفذة لهذه الأنشطة، نجد أن الايسيسكو قد خصص لها نشاط واحد بمبلغ 52000 دولار بنسبة 7.2% في حين نجد أن منظمة اليونسكو خصص لها عدد (6) أنشطة، بمبلغ 224000 دولار بنسبة 31%، كما أن هذه الأخيرة كذلك قد أنيط بها نفس هذا العدد الأخير من الأنشطة لتقوم بتنفيذها بمشاركة جهات أخرى بمبلغ 245000 دولار بنسبة 33.9% من إجمالي تكلفة هذه الأنشطة، بينما خصص للايسيسكو بالاشتراك مع اليونسكو تنفيذ عدد (3) أنشطة بمبلغ 102000 دولار بنسبة 14.1% كما أنيط بجهات أخرى تنفيذ (3) أنشطة بمبلغ 100000 دولار

(1) انظر: نفس المرجع السابق ص 18، 22، 23، 26، 32، 37.

بنسبة 13.8%.

أنشطة التربية

خصصت المنظمتان الايسيسكو واليونسكو لهذا النوع من مجالات الأنشطة النسبة الكبيرة من الأنشطة المبرمجة بينهما خلال الفترة من 1985م - 1997م، حيث بلغت عدد (39) نشاطاً، بنسبة إجمالية قدها 52% من إجمالي عدد الأنشطة المبرمجة في جميع المجالات، وقد اشتملت هذه الأنشطة على عدد من الورش والندوات عن التعليم الابتدائي ومحو الأمية في دول المغرب، وتقوية وسائل جمع المعلومات الخاصة بتعليم المرأة في مجال محو الأمية في العالم القروي، وإحداث نوع من التكامل بين التعليم النظامي وغير النظامي، وتكوين المكونين في مناهج التعليم غير النظامي، والتدريب على استعمال الحقيبة التربوية لتدريب معلمي محو الأمية، كما شملت اجتماع مسؤولي محو الأمية في الدول العربية مع طباعة دراسة حول أوضاع محو الأمية في الدول الأعضاء، ودعم المشروع الريادي لمحو الأمية والتربية الصحية مقرونة بالتدريب المهني، مع إعداد حقيبة خاصة لتكوين المكونين في مجال محو الأمية، وتقديم مساعدة لإعداد كتب ومواد تعليمية في مجال محو الأمية وتعليم الكبار، مع إقامة ورش وندوات عن الإدارة المدرسية، وتعليم أبناء الرحل، وتدريب المسؤولين المحليين عن إعداد المواد التعليمية للفتيات والنساء، وتحسيس المسؤولين عن تحسين فرص إلتحاق الفتيات بالتعليم، وترجمة وطباعة كتب حول تعليم النساء والفتيات في أفريقيا، وعن أوضاع المرأة بشكل عام، وإعداد دراسة مسحية وطباعتها عن تعليم المرأة في الدول الأعضاء مع عمل ورش في مجال التعليم التقني والمهني، وتدريب أخصائي تطوير المناهج التربوية،

كما شملت اجتماع اللجنة الإقليمية للإتفاقية الخاصة بدراسات التعليم العالي، واللجنة الإستشارية لتنمية التعليم الابتدائي، وتعليم الكبار، وتنظيم إجتماع إقليمي حول الطرق والاستراتيجيات الحديثة البديلة لتوفير التعليم لأطفال الفئات المحرومة من خارج المدرسة، والمشاركة في الاجتماعات الإقليمية حول معادلة الشهادات والاعتراف بها، والتحضير للمؤتمر العالمي للتعليم العالي، ودعم إنشاء كرسي الايسيسكو واليونسكو حول تكوين المكونين، وإقامة دورة تدريبية لمعلمي المدارس القرآنية وتنظيم مائدة مستديرة حول التعليم الأساسي، ودعم التربية المستعجلة في موضوع الصحة العامة ودعم المسلسل الإذاعي التربوي بأفغانستان، كانت هذه تقريباً مجمل الأنشطة المزمع تنفيذها في مجال التربية خلال الفترة المشار إليها[1]. وقد خصص لتنفيذ هذه الأنشطة مبلغ (1171500 دولار) بنسبة 45.6% من إجمالي المساهمات الخاصة بتنفيذ جميع مجالات الأنشطة، ساهمت الايسيسكو في هذا المبلغ بما نسبته 36.2% بينما وصلت نسبة مساهمة اليونسكو إلى 63.8%، وقد نفذ من هذه الأنشطة خلال تلك الفترة عدد (20) نشاطاً بنسبة 51.3% من مجموع هذه الأنشطة، بمبلغ 729000 دولار وهو ما يعادل نسبة 62.2% من إجمالي تكلفة الأنشطة التربوية، بينما أجل تنفيذ عدد (8) أنشطة، وبقي عدد مماثل منها كذلك قيد التنفيذ، وهو ما يشكل نسبة إجمالية 41% من إجمالي عدد هذه الأنشطة المراد تنفيذها.

علاوة على ذلك هناك عدد (3) أنشطة مسكوت عن الوضع التنفيذي لها. أما عن الجهة المنفذة، فنجد أنه أنيط بالايسيسكو تنفيذ (11) نشاطاً

---

[1] انظر: نفس المرجع السابق ص (19- 21) ، (28- 31) ، (35- 36).

بمبلغ 241000 دولار بنسبة 20.6% من إجمالي تكلفة هذه الأنشطة، في حين أنيط باليونسكو تنفيذ 15 نشاطاً بمبلغ 592500 دولار، بنسبة 50.6% من إجمالي المبالغ المتاحة لتنفيذ هذه الأنشطة. وأنيط بهاتين المنظمتين تنفيذ (3) من الأنشطة بشكل مشترك بمبلغ 58000 دولار، وأنيط بالايسيسكو بمشاركة جهات أخرى تنفيذ عدد (4) أنشطة بمبلغ 115000 دولار بنسبة 9.8%، مقابل عدد (6) أنشطة لليونسكو بمشاركة جهات أخرى، بمبلغ 165000 دولار بنسبة 14% من إجمالي تكلفة هذه الأنشطة التربوية.

أنشطة الثقافة والاتصال

تم الاتفاق بين المنظمتين الايسيسكو واليونسكو على برمجة (12) نشاط لتنفيذها خلال الفترة من 1985م إلى 1997م، بنسبة 16% من إجمالي الأنشطة المبرمجة في جميع المجالات، حيث اشتملت هذه الأنشطة، على عقد اجتماعين لفريق خبراء الإعلام في الدول العربية، ووضع مشروع اتفاقية إسلامية لحماية حقوق المؤلف، كما شملت العديد من الندوات والدورات التدريبية، حول تقنيات الاتصال، وإعداد قوانين وطنية حول الإعلام والاتصال، وتدريب المكونين في مجال الصناعات التقليدية، والمشاركة في ملتقى الشباب والعمل، مع ترجمة دراسة حول البيئة إلى اللغة العربية والفرنسية، ودعم جمعية نسويه في البوسنة والهرسك، وترميم المخطوطات الإسلامية في القدس الشريف، وإقامة ورشة إقليمية لمتابعة توصيات المؤتمر العالمي للمرأة الذي أقيم في بكين، وإقامة ندوة حول الاتصالين في النمو الثقافي[1]. وقد رصدت المنظمتان لتنفيذ هذه الأنشطة

---

(1) انظر: نفس المرجع السابق ص 24، 27، 33، 38.

420000 دولار بنسبة 16.3% من إجمالي المساهمات المرصودة لمجالات الأنشطة، بلغ مساهمة الايسيسكو من هذا المبلغ ما نسبته 42.9% بينما تحملت اليونسكو النسبة الباقية والبالغة 57.1%، وقد تم تنفيذ عدد (5) أنشطة خلال الفترة المشار إليها أنفاً، بنسبة 41.7% من إجمالي عدد هذا النوع من النشاط، بمبلغ 150000 دولار، وهو ما يعادل 35.7% من إجمالي المبالغ المرصودة لهذه الأنشطة، في حين بلغ عدد الأنشطة غير المنفذة (3) رصد لها مبلغ 70000 دولار بنسبة 16.7%، وهناك عدد (4) أنشطة، منها اثنان قيد التنفيذ، ونشاطين قيد التأجيل رصد لتنفيذها مبلغ (110000، 90000) دولار بنسبة (26.2% ، 21.4%) من إجمالي تكلفة هذه الأنشطة بالترتيب. أما عن الجهة المنفذة فنجد أنه أنيط بالايسيسكو تنفيذ عدد (4) أنشطة بمبلغ 165000 دولار بنسبة 39.3% بينما أنيط باليونسكو تنفيذ عدد (5) أنشطة بمبلغ 185000 دولار بنسبة 44.1%، وأنيط بهاتين المنظمتين تنفيذ عدد (2) بشكل مشترك بمبلغ 40000 دولار بنسبة 9.5%، في حين أنه لم يحدد الجهة المنفذة لنشاط واحد بمبلغ 30000 دولار بنسبة 7.1% من تكلفة المبالغ المرصودة لهذا النوع من النشاط.

أنشطة التعاون مع اللجان الوطنية

خصصت المنظمتان لهذا النوع من البرامج عدد (3) أنشطة، يتم تنفيذها خلال نفس الفترة المشار إليها سابقاً. وقد اشتملت هذه الأنشطة على عقد ثلاث دورات تدريبية للمسؤولين الجدد العاملين باللجان الوطنية في الدول الأعضاء، والعاملين في اللجان الوطنية في دول أسيا والمحيط الهادي، مع تدريب الموثقين والاتصاليين العاملين في اللجان الوطنية الناطقة

بالفرنسية[1]. رصد لتنفيذ هذه الأنشطة مبلغ 194400 دولار، بنسبة 7.6% من إجمالي تكلفة تنفيذ جميع مجالات الأنشطة، بلغت مساهمة اليونسكو فيها 70% بينما تحملت الايسيسكو النسبة المتبقية والبالغة 30%، وبالرغم من الأهمية التي توليها المنظمات لهذا النوع من الأنشطة، إلا أنه يتضح على العكس من ذلك، نسبة ضآلتها مقارنة بالأنشطة المختلفة، إذ لا تتعدى نسبة هذه الأنشطة المبرمجة 4% من إجمالي عدد مجالات الأنشطة المختلفة، ومع ذلك فإننا نجد أن حالة تنفيذ هذه الأنشطة قد بقت قيد التنفيذ لعدد اثنين من الأنشطة، رصد لهما مبلغ 132000 دولار في حين بقى النشاط الثالث قيد التأجيل والمخصص له مبلغ 62000 دولار، أما بخصوص الجهة المنفذة فإننا نجد أن اليونسكو قد أنيط بها تنفيذ نشاطين بمبلغ 130000 دولار بنسبة 67% مقابل نشاط واحد للايسيسكو بمبلغ 64000 دولار، بنسبة 33%.

أنشطة مركز المعلومات والتوثيق

وقد خصص لهذا النوع عدد اثنين من الأنشطة تشمل تنظيم أيام وطنية للمعلومات والتوثيق في إعداد مشروع إنشاء شبكة دولية لمدارس علوم الإعلام، علاوة على إنشاء شبكة دولية لهذا النوع من المدارس، وخصص لتنفيذ هذه الأنشطة مبلغ 60000 دولار، كمساهمة من قبل المنظمتين الايسيسكو واليونسكو وبحيث يوزع بينهما بالتساوي، وعلى أن تناط بهما أيضاً مسؤولية تنفيذ هذه الأنشطة، إلا أننا مع ذلك نلاحظ أن هذين النشاطين قد بقيا قيد التشاور، خلال عام 1997م[2].

---

(1) انظر: نفس المرجع السابق ص 39،34.

(2) انظر: نفس المرجع السابق ص40.

يتضح مما سبق أن مجالات التعاون بين المنظمات الايسيسكو واليونسكو وبين الايسيسكو والالكسو خلال الفترة من 1985م وحتى 1997م، وأيضاً بين المنظمات الالكسو والايسيسكو، وبين الالكسو واليونسكو خلال عام 2003م، أظهرت أن مجمل علاقات التعاون بين هذه المنظمات المتخصصة قد ضمت عدد خمسة مجالات منها ثلاثة مجالات رئيسية تناولت قضايا التربية، والعلوم والبحث العلمي، والثقافة والاتصال والإعلام، علاوة على مجالين آخرين هما: التعاون مع اللجان الوطنية، ومركز المعلومات والتوثيق. وقد شملت هذه المجالات عدد (122) من الأنشطة المبرمجة بين تلك المنظمات، لتنفيذها خلال الفترات الزمنية المشار إليها سابقاً، رصد لتنفيذها مبلغ (4730914 دولار)، وبهذا الخصوص نجد أن الأنشطة الرئيسية التي تعد من صميم اختصاصات هذه المنظمات قد احتلت النسب العالية، سواء من حيث مبالغ المساهمات المخصصة لتنفيذها أو من حيث عدد الأنشطة، إلا أننا سنركز على تحديد أولويات تلك المجالات اعتماداً على أعداد تلك الأنشطة ونسبتها إلى العدد الإجمالي لها فقط لأن هذا يتفق وإلى حد ما، مع وجود فروق بسيطة في النسب، إذ قارنا إجمالي المبالغ المخصصة لكل مجال، بإجمالي المبلغ المخصص لجميع المجالات وكما يلي:-

إن مجال التربية يأتي في المرتبة الأولى، ضمن سلم أولويات اهتمامات هذه المنظمات المتخصصة، إذ من مجموع الأنشطة المبرمجة في جميع المجالات، نجد أن الأنشطة المبرمجة في مجال التربية قد بلغت (62) نشاطاً، بنسبة 50.8% من إجمالي عدد الأنشطة المبرمجة.

ويحتل مجال العلوم والبحث العلمي المرتبة الثانية، إذ بلغ عدد الأنشطة

المبرمجة (32) نشاطاً بنسبة 26.3% من إجمالي الأنشطة.

أما مجال الثقافة والاتصال والإعلام، فقد جاء بالمرتبة الثالثة بعدد (23) نشاطاً، وبنسبة 18.8% من إجمالي الأنشطة.

ومن خلال هذه الأنشطة والنسب يتضح أن هذه المنظمات المتخصصة تلتزم فعلاً بقرارات وتوصيات هيئاتها الرئاسية المتمثلة في المؤتمرات العامة ومجالسها التنفيذية، إذ كثيراً ما يرد عن المجالس التنفيذية من حث لهذه المنظمات لتبني تنفيذ مشاريع مشتركة بينها وبين سائر المنظمات الدولية وذلك في مجالات اختصاصاتها في التربية والعلوم والثقافة والاتصال، وهو ما تم إعماله فعلاً على أرض الواقع متخذاً بذلك نفس الترتيب لتحتل بذلك هذه المجالات الرئيسية الثلاث نسبة 95.9% من إجمالي الأنشطة المبرمجة.

أما اهتمامات المنظمات في الأنشطة المخصصة للتعاون مع اللجان الوطنية، وإن كان هذا المجال أيضاً هو موضع اهتمام من قبل هذه المنظمات، إلا انه شكل نسبة ضئيلة جداً بلغت 2.5%، وبنسبة أقل من ذلك، مركز المعلومات والتوثيق بنسبة 1.6%، علاوة ذلك فإن هذين المجالين الأخيرين من الأنشطة، إنما وردت حصراً ضمن علاقات التعاون بين كل من المنظمات الايسيسكو واليونسكو فقط خلال الفترة الزمنية من 1985م وحتى 1997م.

كذلك يلاحظ أن علاقات التعاون بين كل من الايسيسكو والالكسو، تأتي في المرتبة الثانية مقارنة بعلاقات التعاون بين أي من هاتين المنظمتين مع منظمة اليونسكو، سواء من حيث عدد الأنشطة المبرمجة، أو من حيث مبالغ المساهمات المرصودة لتنفيذها، وكما يلي:-

فقد احتلت المنظمتان الايسيسكو واليونسكو خلال الفترة من 1985م - 1997م المرتبة الأولى، اذ بلغ عدد الأنشطة المبرمجة بينهما عدد (75) نشاطاً، بلغ إجمالي المساهمات لتنفيذها مبلغ 2568900 دولار، في حين برمجت كل من الايسيسكو والالكسو خلال نفس الفترة عدد (16) نشاطاً بمبلغ 545014 دولار.

كما احتلت المنظمتان الالكسو والايسيسكو خلال عام 2003م المرتبة الأولى، إذ بلغ عدد الأنشطة المبرمجة بينهما عدد (21) نشاطاً، وبلغ إجمالي المساهمات المرصودة لتنفيذها مبلغ 1260000 دولار، في حين أنه تم برمجة عدد (10) أنشطة بين المنظمات الالكسو والايسيسكو خلال نفس العام، رصد لتنفيذها مبلغ 357000 دولار.

فهل فعلاً كان ضعف العلاقة بين المنظمات الالكسو والايسيسكو خلال الفترة من 1985م - 1997م بسبب المشاكل المالية التي تعاني منها الالكسو، كما أشار إلى ذلك تقييم حصيلة التعاون المعد من قبل الايسيسكو؟ وإذا كان الأمر كذلك فلماذا كانت نسبة مساهمة الالكسو مرتفعة في مجمل علاقاتها مع المنظمات السالفة الذكر بالأخص خلال الفترة المشار إليها آنفاً موضع المقارنة، وما بعدها وكما يلي:-

- المبلغ المرصود لتنفيذ أنشطة مشتركة بين الايسيسكو والالكسو خلال الفترة 85 - 1997م بلغ مساهمة الالكسو من هذا المبلغ 58.6% في حين تحملت الايسيسكو النسبة الباقية 41.4%.
- المبلغ المرصود لتنفيذ أنشطة مشتركة بين الايسيسكو والالكسو لعام 2003م، بلغت مساهمة الالكسو من هذا المبلغ نسبة 61.2% وتحملت الايسيسكو نسبة 38.8%.

- المبلغ المرصود لتنفيذ أنشطة مشتركة بين الالكسو واليونسكو ومكاتبها الإقليمية لعام 2003م بلغت نسبة مساهمة الالكسو فيها نسبة 75.2% في حين تحملت اليونسكو ومكاتبها الإقليمية نسبة 24.8%.

- وبالعكس من ذلك فقد أظهر تعاون الايسيسكو واليونسكو خلال الفترة 1985م - 1997م، أن الايسيسكو لم تتحمل من مبلغ المساهمات المرصودة لتنفيذ أنشطة مشتركة بينهما سوى بنسبة 36.5% في حين تحملت اليونسكو نسبة 63.5%.

كذلك فإنه إذا أرجعنا مثل هذه الأمور لميزات تفضيلية، عند تنفيذ تلك البرامج بحيث أنه كلما زادت مساهمة المنظمة في مبلغ المساهمات كان لها أولوية تنفيذ العدد الأكبر من الأنشطة، وبنسبة تقارب نسبة مساهمتها، إلا أننا نجد أيضاً أن هذا الأمر ليس كذلك وكما يتضح من خلال ما يلي:-

إن الأنشطة المبرمجة بين الايسيسكو، والالكسو والبالغ عددها (16) نشاطاً، فإن الجهة المنفذة لتلك الأنشطة هي:-

- الايسيسكو والالكسو، وخصص لهما تنفيذ عدد (4) أنشطة بشكل مشترك بينهما، بنسبه 29.7%.

- الايسيسكو، تنفذ بمفردها عدد (5) أنشطة، بنسبة 31.3%.

- الالكسو، تنفذ بمفردها عدد (5) أنشطة بنسبة 31.3%.

- نشاطين أثنين لم تحدد الجهة المنفذة لهما بعد، بنسبة 12.5%.

إن الأنشطة المبرمجة بين الايسيسكو والالكسو، والبالغ عددها (10) أنشطة، فإن الجهة المنفذة لتلك الأنشطة هي:-

- الايسيسكو والالكسو، وقد خصص لهما تنفيذ عدد (9) أنشطة بشكل مشترك بينهما بنسبة 90%.

● الالكسو، تنفذ بمفردها نشاط واحد، بنسبة 10%.

فهل لهذه الأمور علاقة بقوة وشخصية المفاوض خاصة إذا كان هو المسؤول الأول في هذه المنظمات أو من يمثلونهم من اللجان المشتركة، أم أننا سنصل من خلال هذا التحليل إلى نتيجة وردت على لسان المدير العام للايسيسكو مفادها، (أن كل من المنظمات الالكسو والايسيسكو تتطلع إلى الاستفادة الواسعة من الخبرات المتراكمة والفنية التي تتوافر لدى اليونسكو، ونحرص غاية الحرص على توسيع نطاق التعاون الدولي من خلال اليونسكو من أجل الرفع من مستوى التحديث والتطوير لمجالات التربية، والعلوم، والثقافة، وتحقيق المزيد من التقدم في هذه الميادين وفق المعايير الدولية)[1].

وعلى العموم فإنه في تقديري الشخصي أن أوجه علاقات التعاون بين هذه المنظمات المتخصصة لا يمكن أن تتم وفق نظرة ضيقة تحكمها نسب محددة سلفاً بل إن الأمر في مجملة قد يتعدى ذلك ليأخذ بعداً أعم وأشمل من حيث نوعية البرامج وما تشكله من أولوية في سلم اهتمامات هذه المنظمات.

الفقرة الثانية: علاقة المنظمات (اليونسكو، الالكسو، الايسيسكو) مع سائر المنظمات الدولية الحكومية الأخرى

تحدثنا فيما سبق وقلنا بأن لهذه المنظمات المتخصصة علاقات تعاون مع منظماتها السياسية ومع الوكالات المتخصصة المنبثقة عنها، وعن

---

[1] انظر: في البناء الحضاري للعالم الإسلامي الجزء السادس، إصدارات الايسيسكو لعام 2004م ص 88 ((كلمة ألقاها المدير العام للايسيسكو في افتتاح المؤتمر التاسع عشر للجان الوطنية العربية لليونسكو في الرباط بتاريخ 4 يونيو 2002م.

علاقاتها فيما بينها ومع سائر المنظمات الدولية الحكومية الأخرى العامة منها والمتخصصة ، وسنناقش في هذه الفقرة، علاقات هذه المنظمات المتخصصة مع سائر المنظمات الدولية الحكومية الأخرى بشيء من الإيجاز، مع التسليم سلفاً انه من الصعوبة بمكان حصر مختلف أوجه التعاون بين هذه المنظمات المتخصصة بغيرها من المنظمات الدولية الحكومية، وتزداد الصعوبة على وجه الخصوص بالنسبة لمنظمة اليونسكو، ولذلك فإن ما سيتم التطرق له في هذه الفقرة هو على سبيل المثال لا الحصر.

فهناك العديد من الاتفاقيات الموقعة بين اليونسكو، وجامعة الدول العربية، والتي منها اتفاق التعاون المبرم بينهما بتاريخ 1957/11/26م، والاتفاق الخاص المبرم كذلك بين الأمين العام للجامعة مع مدير عام اليونسكو بتاريخ 1961/9/28م، وأيضاً طلب الجامعة من اليونسكو تقديم المعونة لمعهد المخطوطات العربية، وقد تمت الاستجابة لذلك بموجب الاتفاق الموقع بينهما بتاريخ 1961/11/23م[1]. كما أن لكل من المنظمات اليونسكو والالكسو علاقات تعاون مع منظمة المؤتمر الإسلامي، حيث صادق المؤتمر العاشر لوزراء خارجية الدول الإسلامية على اتفاق التعاون المبرم بين الأمين العام لمنظمة المؤتمر الإسلامي، والمدير العام لليونسكو، بتاريخ 8 يناير 1979م، بينما أبرمت الالكسو اتفاق تعاون مع منظمة المؤتمر الإسلامي وتمت المصادقة عليها في المؤتمر الحادي عشر ـ لوزراء الخارجية الإسلامي عام 1980م، حيث تضمنت الاتفاقية جميع الأحكام التي

[1] انظر: غسان يوسف مزاحم: المنظمات العربية المتخصصة في نطاق جامعة الدول العربية، رسالة ماجستير منشورة، جامعة القاهرة، دار نافع للطباعة عام 1976م ص 300- 303.

تضمنتها الاتفاقية المبرمة مع اليونسكو، بزيادة مادة واحدة، قضت بأن الغرض من الاتفاقية هو تيسير التعاون بينهما ضمن إطار النشاط الذي يهدف إلى تعزيز ودعم وتطوير التربية والتعليم والثقافة والعلوم والإعلام في الدول الأعضاء في المنظمتين، وخاصة في مجال نشر الثقافة الإسلامية واللغة العربية بإعتبارها لغة القرآن الكريم[1]. كذلك وفي إطار علاقات التعاون حرصت المنظمة الإسلامية على تطوير برامج التعاون كماً وكيفاً مع المنظمات العربية والإسلامية، الإقليمية والدولية، للاستفادة من الخبرات في إطار ثوابت المنظمة، وبلغ عدد الاتفاقيات التي أبرمتها المنظمة منذ نشأتها عدد (127) اتفاقية[2]. الجدير بالذكر أيضاً أن المدير العام للايسيسكو قد وقع خلال النصف الأول من عام 2002م، على برنامج للتعاون مع مدير عام اليونسكو، وذلك للسنتين 2002م - 2003م، وهذا البرنامج حافل بالأنشطة إذ تغطي مختلف المجالات التربوية والعلمية والثقافية والاتصال والتي تقارب مائة نشاط[3].

كما استطاعت الالكسو أن تقيم العلاقات الثقافية مع العالم، بالتعاون مع المنظمات العالمية كاليونسكو، ومع المنظمات الإقليمية النوعية في أفر يقيا، وأمريكا اللاتينية، ومع المجموعة الأوروبية، ويجري التعاون مع اليونسكو بشكل خاص في المشروعات المتصلة بتطوير وسائل الإعلام والاتصال

---

(1) انظر: عليا سيد أحمد: منظمة المؤتمر الإسلامي من أجل تحقيق وحده سياسية واقتصادية، رسالة دبلوم معمق (ماجستير) لعام 1991م - 1992م مرجع سابق ص 49- 50.

(2) انظر: التقرير الختامي للمؤتمر العام للايسيسكو الدورة (8) المنعقدة في طهران في الفترة 27- 29 ديسمبر 2003م ص9.

(3) انظر: في البناء الحضاري للعالم الإسلامي الجزء السادس مرجع سابق ص88.

الجماهيري سواء في قضايا التدريب وبحوث الجدوى والمعاونة في إقامة وحدات البحوث الإعلامية والتوثيق[1]. وقد بلغ عدد الاتفاقيات والتفاهمات التي أبرمتها الالكسو خلال عامي 2001م - 2002م (57) اتفاقية وذلك مع المنظمات الدولية والمؤسسات والهيئات العاملة في مجال اختصاص المنظمة[2]. وتعمل منظمة اليونسكو في تعاون وثيق مع غيرها من وكالات الأمم المتحدة في مجالات متقاربة، إذ تتعاون على سبيل المثال، مع مكتب العمل الدولي، في مشروعات محو الأمية الوظيفي، ومع منظمة الأغذية والزراعة، فيما يتعلق بالتدريب على العمل الزراعي، كما تتعاون أيضاً مع اليونيسيف، ومنظمة الصحة العالمية، وتعمل بشكل مشترك مع البنك الدولي في مجال التربية والثقافة والعلوم منذ عام 1964م[3]. ومنذ نهاية سبعينيات القرن الماضي، قامت المنظمات العربية الحكومية الأخرى العاملة في ميادين التربية والثقافة والعلوم، بإبرام تسع اتفاقيات للتعاون المشترك مع اليونسكو، ويعتبر هذا الرقم مرتفعاً نسبياً، إذ يبلغ حوالي 20% من مجموع الاتفاقيات التي أبرمتها اليونسكو مع منظمات دولية حكومية[4]. ويعتبر

---

[1] انظر: بهذا الخصوص: د. محي الدين صابر، قضايا الثقافة العربية المعاصرة، مرجع سابق ص61 - الإعلام العربي، حاضراً ومستقبلاً، إصدارات الالكسو تونس 1987م ص180.

[2] انظر: وثائق المؤتمر العام للالكسو الدورة العادية السادسة عشر- إصدارات الالكسو تونس ديسمبر 2002م ص14.

[3] لمحات عن اليونسكو (اليونسكو باريس لعام 1974م مرجع سابق ص 44، 45، 48).

[4] انظر: د. حسن نافعة العرب واليونسكو مرجع سابق ص 133- 135.
وحسب هذا المرجع فإن هذه المنظمات هي: الجامعة العربية، الالكسو، اتحاد مجالس البحث العلمي العربية، المركز العربي لدراسات المناطق الجافة والأراضي القاحلة، الاتحاد العربي

برنامج الخليج العربي الذي يترأسه الأمير طلال ابن عبد العزيز، منذ تأسيسه عام 1981م بمثابة مؤسسة تنموية إنسانية، بتمويل عربي لدعم أنشطة الأمم المتحدة ووكالاتها المتخصصة، وفي طليعتها اليونسكو حيث قام هذا البرنامج خلال الفترة من 1991م - 1995م بمساعدة اليونسكو في تنفيذ العديد من المشاريع في مجالات اختصاصاتها في التعليم والتدريب المهني والتنمية الريفية ومحو الأمية كمساهمة من البرنامج لدعم توجه هذه المنظمة، لغرس ثقافة السلام في عقول البشر، كذلك ساهم البرنامج خلال هذه الفترة الزمنية، في تمويل ودعم مشاريع إنمائية بلغ عددها (140) مشروعاً شملت مختلف أنحاء العالم وذلك بمبلغ (13.026.900 دولار أمريكي) وقد تم هذا الدعم عبر منظمات الأمم المتحدة الإنمائية المعتمدة لدى البرنامج، والمنظمات الدولية والجمعيات العربية والمؤسسات، والمنظمات الإقليمية العربية[1]. وكلنا أمل في أن يتواصل هذا العمل الإنساني لسمو الأمير طلال، وأن يولي أولويات إهتمامه ورعايته لدعم منظومة العمل العربي الإسلامي، المتمثلة في كل من جامعة الدول العربية، ومنظمة المؤتمر الإسلامي، والمنظمات المتخصصة العاملة في إطارهما، بالأخص من ذلك المنظمات العاملة في مجالات التربية والثقافة والعلوم، الايسيسكو، والالكسو. ولعله من المفيد ونحن بصدد الحديث عن علاقات التعاون مع هذه المنظمات المتخصصة، أن نتطرق لبعض القرارات التي اتخذها

للتعليم الفني والتقني، المنظمة العربية للمواصفات والمقاييس، منظمة الخليج للاستشارات الصناعية، مكتب التربية العربي لدول الخليج، ومركز التوثيق الإعلامي لدول الخليج.

(1) انظر: عدنان نصراوين، اليونسكو، ومهمة بناء حصون السلام في عقول البشر، مطابع الدستور التجارية، عمان الأردن لعام 1997م ص 117،115.

المجلس التنفيذي للالكسو، في دوراته الاعتيادية (79،80)، والتي منها التأكيد على أهمية وضع إستراتيجية أساسية للعمل المشترك مع المنظمات والمؤسسات العربية والإقليمية والدولية، لتنظيم التحرك مع هذه الهيئات وفق أولويات محددة، مع دعوة المنظمة إلى التنسيق مع المنظمات العربية والدولية التي ترتبط معها باتفاقيات تعاون من أجل تفادي تكرار الأنشطة والعمل على جمع الإمكانيات المالية والعلمية في تنفيذ أنشطة مشتركة، وخاصة في مجال الحوار بين الثقافات[1]. كما دعى المجلس التنفيذي للالكسو في دورته الاعتيادية (75) المدير العام إلى متابعة تنفيذ مشروعات التعاون المشترك وفق البرامج التنفيذية الموقعة والسعي إلى تركيز التعاون مع المنظمات الدولية والعربية في مشروعات كبرى، تربوية، وثقافية وعلمية تتفق مع أولويات عمل المنظمة، كما تحددها الخطط المستقبلية وتستجيب لاحتياجات الدول العربية، ودعى المجلس المدير العام أيضاً إلى إعداد تقرير تقويمي لهذه المشروعات[2].

وبهذا الخصوص وعودة إلى تقييم حصيلة تنفيذ أنشطة التعاون بين كل من الايسيسكو واليونسكو، وكذا الايسيسكو والالكسو خلال الفترة الزمنية من 1985م - 1997م، نجد أن منظمة الايسيسكو، قد قامت بتقييم حصيلة التعاون بينها وبين كل من الالكسو واليونسكو، وباقتضاب شديد وكما يلي[3]:-

---

(1) انظر: وثائق المؤتمر العام للالكسو الدورة العادية (17) إصدارات الالكسو، تونس ديسمبر 2004م وثيقة رقم: م ع / د ع 17/ و 3 - ب ص 1،2.

(2) انظر: وثائق المؤتمر العام للالكسو الدورة العادية (16) نفس المرجع السابق ص14.

(3) انظر: الايسيسكو والتعاون، الحصيلة والآفاق 1982 م - 1997م الجزء الأول مرجع

إن تقييم حصيلة التعاون بين الايسيسكو والالكسو خلال الفترة المشار إليها بعاليـة، كانت متوسطة نظراً للمشاكل المالية التي تعاني منها الالكسو، كـما أنـه مـن خـلال تنفيـذ عدد من أنشطة التعاون خلال السنوات الأخيرة، لاحضنا بعض التطور، من قبل مـن الإدارة العامة للالكسو التي حرصت على دعم مجالات التعاون وتطويرها مع الايسيسكو.

أما تقييم حصيلة التعاون بين الايسيسكو واليونسكو خلال نفس الفترة، فقد عرف التعاون بينهما، قفزة نوعية خلال الخطة المالية 1995م - 1997م، وتميز بالتنوع والتوسـع برامجياً وجغرافياً، كـما تـم استغلال العلاقـات الطيبـة بـين المـديرين العامـين للمنظمتـين لتفعيل هـذه العلاقـات وتطويرهـا، كـما أن الاتصـالات المباشرة مـع مكاتب اليونسكو الإقليمية في أفريقيا والمنطقـة العربيـة، قـد سـاهمت في تجـاوز سلبيات كثـيرة اعترضت التنفيذ سابقاً.

ومما لا شك فيه أن عملية تقييم الأنشطة التي تنفذها هـذه المنظمات المتخصصة إنما قد يشوبها الكثير من العقبات، نظراً لتعـدد الجهات المعنية بالتقييم الـداخلي عـلى مستوى إدارات وفروع هذه المنظمات، وأجهزتها التنفيذية، علاوة على ما قد تشكلانه مـن لجان خاصة لذلك، بالإضافة إلى التقييم الخارجي، ودور المنظمات، والدول، ممثلة بلجانها الوطنية في تلك التقييمات، وإذا كانت هـذه العمليـات في مجملهـا، يعتريهـا الكثير مـن الصعوبات على مستوى كل منظمة من هذه المنظمات المتخصصة، فإن صعوبة التقيـيم - دون شك - ستكون أكثر تعقيداً، إذا كان هذا التقييم يتعلق

سابق ص 105،17.

بتنفيذ أنشطة مشتركة بين أكثر من منظمة، مع ما قد يترتب على التقييمات الموضوعية - رغم أهميتها - من حساسيات قد تنعكس نتائجها لتأثر سلباً في مجمل علاقات التعاون فيما بين هذه المنظمات المتخصصة أو بينها وبين مختلف المنظمات الدولية الأخرى.

المبحث الثاني

علاقة المنظمات اليونسكو، الالكسو، الايسيسكو

بالمنظمات الدولية غير الحكومية وبالدول

تتمتع المنظمات المتخصصة اليونسكو، الالكسو، الايسيسكو، بعلاقات واسعة مع الدول، وبشكل خاص مع الدول الأعضاء بها، وذلك عبر لجانها الوطنية كونها حلقة الوصل النظامية لهذا النوع من التواصل مع هذه الدول، كما أن لهذه المنظمات علاقات متعددة، مع المنظمات الدولية غير الحكومية خاصة مع تلك الأنواع من المنظمات التي تهتم بمجالات أنشطة متشابهة من مجالات اختصاص هذه المنظمات، وسيتم التطرق لكل هذه الأمور ضمن هذا المبحث، بدءاً بعلاقات المنظمات اليونسكو، الالكسو، الايسيسكو، بالمنظمات الدولية غير الحكومية (المطلب الأول) مروراً بعلاقات هذه المنظمات، بالدول (المطلب الثاني) وكما يلي:-

المطلب الأول

علاقة المنظمات (اليونسكو، الالكسو، الايسيسكو) بالمنظمات

الدولية غير الحكومية

تقيم المنظمات الدولية الحكومية المتخصصة، علاقات تعاون مع سائر المنظمات الدولية ومنها بطبيعة الحال المنظمات الدولية غير الحكومية، فماذا عن نشأه هذه المنظمات الأخيرة؟ وما هو الدور الذي تقوم به في مجال العلاقات الدولية؟

فالمنظمات الدولية غير الحكومية، تنشأ، بشكل عام بمقتضى إتفاق يعقد بين أشخاص أو هيئات غير حكومية، كما أنها تضم أساساً ممثلين أو أعضاء غير حكوميين، وتتولى هذه المنظمات مهام لا تقوم بها الحكومات عاده أو لا تستطيع القيام بها أصلاً[1]، والمنظمات غير الحكومية قد تكون هيئات دولية تابعه لدول مختلفة مثل الاتحاد الدولي لنقابات العمال، وقد تكون وطنية يقتصر نشاطها داخل دولة واحده (مثل جمعية الهلال الأحمر المتواجدة في كل دولة تقريباً من دول العالم)، وقد زاد عدد المنظمات غير الحكومية العاملة في المجال الدولي زيادة كبيرة في مختلف المجلات الاقتصادية والاجتماعية والثقافية[2]. بل إن نشاطها يكاد يمتد إلي كل ميدان من ميادين الجهد البشري[3]. ولذلك فإنها تلعب دوراً مميزاً في مجال

(1) انظر د. علي يوسف الشكري، المنظمات والإقليمية والمتخصصة، مرجع سابق ص286.

(2) انظر د. عبد السالم عرفه مرجع سابق ص137.

- وحسب د. علي يوسف الشكري ((نفس المرجع السابق وبنفس الصفحة)). فقد أشار تقرير للأمم المتحدة نشر عام 1995م، بأن هناك ما يقارب من (29،000) منظمه دولية غير حكومية، أما المحلية منها، فتفيد إحدى الإحصائيات بأن هناك (2) مليون منظمة غير حكومية في الولايات المتحدة وحدها، (65،000) في روسيا الاتحادية.

(3) انظر لمحات عن اليونسكو ((اليونسكو)) باريس لعام 1974م ص49.

العلاقات الدولية، بعيداً عن التأثير السياسي للدول والحكومات التي قد تعيق رفاهية الشعوب وبالرغم من أن البيانات والتوصيات التي تصدرها هذه المنظمات، وإن كانت غير ملزمه للحكومات، إلا أنها التعبير الصادق عن أماني الشعوب، بل وسنداً قوياً في نضالها المستمر نحو الاستقلال الاقتصادي والسياسي[1]. وبمقتضى المادة (71) من ميثاق الأمم المتحدة، فإن المجلس الاقتصادي والاجتماعي يتمتع بسلطة التشاور مع هيئات غير حكومية في المسائل الداخله في اختصاصه كما أن له أن يجري الترتيبات أيضاً للتشاور مع هيئات أهلية، بعد التشاور مع عضو الأمم المتحدة المعني[2]. وعلى اليونسكو أن تخطر هذا المجلس بأي إتفاق رسمي قد تعقده مع أي منظمة دولية سواء كانت حكومية أو غير حكومية وذلك قبل عقد مثل هذه الاتفاقات[3]. فكيف نظمت مواثيق ونظم هذه المنظمات المتخصصة، علاقاتها مع المنظمات الدولية غير الحكومية؟ وكيف تطورت مثل هذه العلاقات؟

فقد تعاونت اليونسكو - منذ الإعلان عن ظهورها إلى حيز الوجود عام 1946م - مع المنظمات الدولية غير الحكومية النشطة في مجالات اختصاص اليونسكو، بالرغم من أن هناك عدد كبير من هذه المنظمات الدولية غير الحكومية، التي ظهرت للوجود قبل نشأه اليونسكو، وعلى سبيل

---

(1) انظر د. عبد السالم عرفه المرجع السابق ص139 بتصرف.

- كذلك انظر د. أحمد أبو الوفا، الوسيط في قانون المنظمات الدولية الطبعة الثانية، دار النهضة العربية عام 1986م ص661 وما بعدها "بتصرف".

(2) انظر م71 من ميثاق الأمم المتحدة.

(3) انظر م18 من الاتفاق المعقود بين الأمم المتحدة واليونسكو.

المثال، المجلس الدولي للاتحادات العلمية (1931م) الذي كان أول شريك لليونسكو، بينما أنشئت منظمات غير حكومية رئيسية أخرى، تحت إشراف اليونسكو، وإستفادت من مساعداتها، وعلى سبيل المثال الإتحاد الدولي لحماية الطبيعة (ويسمى الان الاتحاد العالمي للطبيعة 1949م)، والاتحاد العالمي لمنظمات مهنة التعليم 1952م، والمجلس الدولي للعلوم الاجتماعية 1952م، والجمعية الدولية للفنون التشكيلية 1954م، والمجلس الدولي للسينما والتلفزيون 1959م، والمجلس الدولي للفلسفة والعلوم الإنسانية، وقد اتخذت اليونسكو هذه المبادرة على الأرجح إستجابه للحاجة إلى التعاون في مجالات لم يكن يوجد فيها هذا النوع من الشبكات، وكان على المنظمة أن تعمل كعامل حافز في هذه المجالات طالما أن الأمر يتعلق بالثقافة والعلوم الاجتماعية[1]. وعلى العموم فإن التعاون بين اليونسكو والمنظمات غير الحكومية المعترف بها من قبل المنظمة، إنما كان له الدور الفاعل والمثمر في تحقيق أهداف اليونسكو، ولذلك وأصلت هذه الأخيرة تعاونها الوثيق مع هذه المنظمات، للإسهام في جميع ميادين اختصاص اليونسكو، وتنفيذ الكثير من برامجها من خلال المعونات والعقود، التي تبرمها مع هذه المنظمات[2]. وقد وضعت الأسس القانونية للعلاقات بين اليونسكو والمنظمات الدولية غير الحكومية، في الفقرة (4) من المادة الحادية عشر من الميثاق التأسيسي، إذ

---

(1) انظر د. أحمد الصياد مرجع سابق ص115- 116.

- كذلك انظر: وثيقة تعزيز وتحسين التعاون بين اللجان الوطنية العربية والشركاء الوطنيين ضمن وثائق المؤتمر العام السابع عشر للجان الوطنية العربية لليونسكو، المنعقد في صنعاء في الفترة من 12 إلي 17 نوفمبر 1994م ص2.

(2) انظر نفس المرجعين السابقين ص 116،2 بالترتيب.

تقضي بأنه يجوز لليونسكو، أن تتخذ ما تراه من الترتيبات المناسبة لتسهيل التشاور وتأمين التعاون مع المنظمات الدولية غير الحكومية التي تعنى بأمور تقع ضمن دائرة اختصاصها، وأن تدعوها إلى القيام بمهام معينه، ويدخل في نطاق هذا التعاون إشراك ممثلين لهذه المنظمات بطريقة مناسبة في أعمال اللجان الاستشارية التي يشكلها المؤتمر العام[1]. وبالمثل فإن الوثائق المنشئة للمنظمات الالكسو، الايسيسكو، قد تطرقتا لموضوع العلاقات التي تربطهما بالمنظمات الدولية غير الحكومية، حيث قضى دستور الالكسو بأنه يجوز للمنظمة التشاور والتعاون مع هيئات دولية غير حكومية تهتم بأمور تقع ضمن اختصاص هذه المنظمة، ويجوز لها أن تدعو هذه الهيئات للقيام بمهام محدده[2]. بينما قضى ميثاق الايسيسكو بأن المؤتمر العام يختص بتحديد علاقة المنظمة بالمنظمات الإسلامية والعربية والدولية والوكالات المتخصصة سواء أكانت حكومية أم غير حكومية، وذلك وفقاً لأحكام الاتفاقات الثنائية[3]. علاوة على ذلك تشجع الايسيسكو الهيئات غير الحكومية والمؤسسات ذات النشاط الشعبي على العمل في مجال اختصاص المنظمة وتؤيد هذا النشاط وتدعمه[4].

وعلى العموم فإنه يحكم علاقات التعاون مع المنظمات الدولية غير الحكومية، بالمنظمات المتخصصة - التي نحن بصدد الحديث عنها -

(1) انظر م11 فقرة (4) من ميثاق اليونسكو في مرجع النصوص الأساسية 2004م ص19.
(2) انظر م11 فقرة (2) من دستور الالكسو مرجع سابق ص33.
(3) انظر م11 فقرة (7) من ميثاق الايسيسكو مرجع سابق ص14.
(4) انظر م15 من ميثاق الايسيسكو مرجع سابق ص15.

المواثيق المنشئة لهذه الأخيرة، وتفصل مختلف تلك العلاقات النظم الداخلية المتعلقة بمؤتمراتها العامة، ومجالسها التنفيذية، حيث نجد أن هذه النظم قد تطرقت كذلك لبعض الأمور التي ينبغي مراعاتها لإقامة شبكة من علاقات التعاون، لخدمة الأهداف المناطه بأي من هذه المنظمات المتخصصة، مع سواها من المنظمات غير الحكومية الممثله للمجتمع المدني، ومن تلك الأمور والقواعد ما يتعلق بتحديد اختصاص ودور كل من الأجهزة السيادية لهذه المنظمات المتخصصة (المؤتمر العام والمجلس التنفيذي)، ورؤسائها، ومدراء العموم، وكذا الإدارات المعنية المسؤولة عن إنشاء مثل هذه العلاقات من جهة، وما ينبغي القيام به إزاء ذلك من قبل هذه المنظمات غير الحكومية كطرف مقابل، لا تكتمل العلاقة إلا به من جهة أخرى[1].

---

(1) انظر بهذا الخصوص الآتي:-

]م4 (هـا) الفقرات (14،13)[، (م4 (هـ)، م7)، (م15) من مواثيق المنظمات المتخصصة مراجع سابقه ص 13، (31،25)، 18 بالترتيب.

م6 فقرة (7)، م7، م24 فقرة (2)، م33 فقرة (3)، م69 من النظام الداخلي للمؤتمر العام لليونسكو مرجع سابق ص 49،39،31.

م6، م15، م33 من النظام الداخلي للمؤتمر العام للالكسو مرجع سابق ص 15،9،6.

م12 فقرة (6)، م4 من النظام الداخلي للمؤتمر العام للايسيسكو في مرجع 2005م نفس المرجع السابق ص109،113.

]م14 فقرة (1)، م16 الفقرات (2،1)[،]م9 فقرة (3)، م15 فقرة (2)، م14 (ثالثاً)[من الأنظمة الداخلية للمجالس التنفيذية للمنظمات اليونسكو، الالكسو مراجع سابقة ص (83،82)، (26،25،23) بالترتيب.

تتعلق مجمل الأمور التي تعرضت لها هذه المواد، حول إشراك المنظمات الدولية غير الحكومية، في اجتماعات هذه المنظمات المتخصصة، بصفه مراقبين (بشرط المعاملة بالمثل)، وترتيب الاستفادة من التشاور معها، وتنسيق أوجه التعاون لتنفيذ برامج ذات

علاوة على ذلك فإنه يحكم أيضاً مختلف أوجه تلك العلاقات ما تبرمه هذه المنظمات المتخصصة من اتفاقيات للتعاون مع تلك المنظمات غير الحكومية المعنية بنفس النشاط.

ونظراً للزيادة الهائلة في عدد المنظمات غير الحكومية، وأهمية دورها المتصاعد على المستوى الدولي والإقليمي والوطني، وما صاحب ذلك من اهتمام وتوجه عالمي لدعم مؤسسات المجتمع المدني من ناحية والى التوجه المحلي الوطني بتسليم بعض جوانب الأنشطة التي كانت تتولاها الدولة مباشرةً إلى مؤسسات غير حكومية من ناحية أخرى، مكتفية تلك الدول فيما يبدو بالتوجيه والرقابة من بعد، وبأخذ زمام السياسات والمشروعات الكبرى المؤثرة، بل إن إشراك المنظمات غير الحكومية ومؤسسات المجتمع المدني في عمل المنظمات الدولية والإقليمية، أصبحت سياسة معتمده في العديد من المنظمات الدولية[1].

ولذلك فقد وسعت كثير من المنظمات الدولية، ومنها هذه المنظمات المتخصصة، علاقاتها بالمنظمات غير الحكومية، حيث تقيم اليونسكو علاقات تعاون مع عدد (600) من هذه المنظمات وذلك منذ نشأه المنظمة وحتى عام 1995م[2]. في حين بلغ عدد اتفاقيات التعاون التي وقعتها

الاهتمام المشترك معها، وكل ما يترتب على ذلك من أمور تنظيمية وإجرائية، كتحديد للصلاحيات، والمدد الزمنية، التي ينبغي الالتزام بها، وتبادل الوثائق والقرارات والخبرات وغير ذلك من الأمور الأخرى وقد تم التطرق لها بشكل مفصل ضمن الباب الثاني من القسم الأول من هذه الأطروحة.

(1) انظر وثائق المجلس التنفيذي للالكسو الدورة (72) إصدارات الالكسو تونس نوفمبر 2000م وثيقة رقم: م ت/د72/ و27 ص3.

(2) انظر د. أحمد الصياد، مرجع سابق ص117.

الايسيسكو مع المنظمات الأهلية (غير الحكومية) عدد (17) منذ نشأه المنظمة وحتى ابريل عام 2001م[1]. وتتعاون الالكسو مع عدد (16) من المنظمات غير الحكومية العربية وذلك حتى نهاية عام 2000م[2]. ومن خلال هذه الأرقام السابق ذكرها يتضح أن تطور العلاقات بين المنظمات الدولية غير الحكومية وبين المنظمات الدولية المتخصصة (الالكسو، الايسيسكو) إنما يبدوا في حقيقة الأمر تطور محدود مقارنه بتطور العلاقات بين اليونسكو وهذه المنظمات غير الحكومية، وتتجلى هذه الحقيقة في مظهرها الأولى من خلال النظرة الكمية لعدد المنظمات غير الحكومية التي تربطها علاقات بأي من المنظمات (اليونسكو، الالكسو، الايسيسكو) من ناحية، ثم من خلال ما اتخذته هذه المنظمات الأخيرة من قواعد أو نظم جديدة لضبط أوجه مختلف العلاقات مع المنظمات غير الحكومية بفئاتها المختلفة من ناحية أخرى. فمن حيث الكم، واعتماداً على الإحصاءات السابقة نلاحظ أن عدد المنظمات غير الحكومية التي لها علاقات تعاون مع كل من الالكسو، والايسيسكو منذ نشأتهما وحتى الأعوام (2000م،2001م) إنما هي أعداد ضئيلة، إلا أني مع ذلك أقول بأن تلك الأرقام، قد لا تكون دقيقة بما فيه

---

[1]   انظر. قائمة اتفاقيات التعاون، منشورات الايسيسكو، مديرية العلاقات الخارجية والتعاون ص 1- 6 لعام 2001م.
وحسب هذه القائمة فإن مجموع الاتفاقيات التي وقعتها الايسيسكو مع المنظمات الدولية والمؤسسات والجمعيات والمراكز هو عدد (109) اتفاقية.
[2]   انظر. دليل عمل اللجان الوطنية للتربية والثقافة والعلوم لعام 1987م ((المنظمات والهيئات والاتحادات العربية غير الحكومية المنتسبة إلى الالكسو ص 55- 58)).
- كذلك انظر. وثائق المجلس التنفيذي للالكسو الدورة (72) لعام 2000م نفس المرجع السابق ص4.

الكفاية، فقد تكون أكثر من ذلك في واقع الأمر خاصة بالنسبة للالكسو، وذلك راجع فيما يبدوا إلى عدم اهتمام أي من هاتين المنظمتين الأخيرتين، للتفريق بشكل دقيق في علاقاتهما مع المنظمات الدولية بين ما هو حكومي، وما هو غير حكومي علاوة على أن الاتفاقيات التي تبرمها كذلك مع منظمات، أو هيئات، أو مؤسسات، أو جمعيات، أو مراكز فإنه يصعب أيضاً التفريق بينها بين ما هو حكومي وغير حكومي، وذلك راجع إلى أنه لا يشار إلى ذلك في عناوين تلك الاتفاقات، كما أن مضمون ومحتوى بنود هذه الاتفاقات تكاد تكون متشابهه مع معظم بنود الاتفاقات التي تعقدها مع مختلف المنظمات الدولية[1]. وهذا بدورة يخلق صعوبة بالغة على أي باحث يريد التوصل إلى بيانات أو إحصاءات دقيقة، عن علاقات كل من الالكسو، والايسيسكو بالمنظمات الدولية غير الحكومية وبغيرها من المؤسسات أو الهيئات المشابهة، مع الإشارة إلى الجهود المتميزة التي قامت بها الايسيسكو في هذا المجال لحصر خارطة أنشطة التعاون مع المنظمات والمؤسسات المرتبطة وغير المرتبطة بإتفاقيات للتعاون مع المنظمة وذلك منذ نشأتها وحتى عام 1997م[2]، وربما يأتي الرد من قبل هاتين المنظمتين الأخيرتين بأن ما تصدرانه من بيانات أو إحصاءات بهذا الخصوص، إنما هو لأغراض واستخدامات محدودة، إما لمنفعة المنظمات نفسها، أو بسبب طلبها

(1) انظر. قائمة اتفاقيات التعاون، منشورات الايسيسكو مرجع سابق ص 1- 6 .

- كذلك انظر الاتفاقيات المبرمة بين الالكسو والمنظمات والهيئات العربية والإقليمية والدولية لعام 2002م إصدارات الالكسو مرجع سابق ص 1- 151.

(2) انظر. الايسيسكو والتعاون الحصيلة والآفاق (1982م - 1997م) إصدارات الايسيسكو مديرية العلاقات الخارجية والتعاون، الجزء الأول، والثاني.

من أي من أجهزتهما السيادية، أو من الدول الأعضاء، ومن ثم فإنه ليس بالضرورة أن تتوافق مثل تلك الطلبات مع رغبات واهتمامات الباحثين، ذلك أن الأصل إنما ينصب في هذا الجانب بشكل رئيسي من قبل هاتين المنظمتين، لمعرفة مدى ما تحققه هذه العلاقات من نفع يعود على مجمل أنشطة التعاون بينها مع سائر المنظمات الدولية بشكل عام، وذلك بهدف معرفة نسبة الأنشطة الممولة من مصادر خارجة عن الميزانية العادية، ونسبة ذلك إليها، وإلى مجمل أنشطة المنظمة عامة، وربما كانت هذه هي النتيجة النهائية المطلوب معرفتها لمجمل شبكة العلاقات التي تربط بين هاتين المنظمتين بغيرهما من المنظمات الدولية الحكومية وغير الحكومية، وقد يكون هذا الرد منطقياً وواقعياً بعض الشيء، إلا أنه مع ذلك يتعارض مع أحكام المواثيق المنشئة لكل من المنظمتين الالكسو، والايسيسكو، حيث تفرق مواثيقهما في العلاقات بين المنظمات الحكومية، وغير الحكومية وبين المؤسسات ذات الطابع الشعبي، والهيئات والاتحادات المعنية بنفس النشاط[1]. مثلما هو عليه الحال في اليونسكو، حيث يفرق ميثاق هذه الأخيرة بين المنظمات الحكومية وغير الحكومية أو شبة الحكومية[2]. وهو ما يعتمل على أرض الواقع، نظراً لارتباط هذه الأخيرة بعدد كبير من المنظمات الدولية غير الحكومية التي تختلف فيما بينها إختلافاً بيناً، ولديها من الأنشطة

---

(1) انظر. ميثاق الايسيسكو المواد (11 فقرة (7))، (15) مرجع سابق ص 18،16.

- كذلك انظر. دستور الالكسو المواد (4(هـ))، (7)، (11) مرجع سابق ص 25، (31،30)، 33.

(2) انظر المواد (4 (ها) فقرة (14)، (11 الفقرات (1- 4) من ميثاق اليونسكو مرجع سابق ص 19،13.

والاهتمامات ماله صله بشتى مجالات اختصاص اليونسكو، ومـن ثم فإن هذه المنظمات غير الحكومية تكون قد أسهمت منذ البداية في تعزيـز عمل اليونسكو لـدى الدول الأعضاء، لأن هذه المنظمات تعد بمثابة صلة الوصل بينها وبين قطاعات واسعة من السكان، تتميز بالتنوع الكبير للقطاعات الشعبية التي تمثلها، سواء أكانت منظمات متخصصة أومؤسسات بحثيـة (للمعلمـين والبـاحثين، والفلاسـفة، والسوسـيولوجيون، والصحفيين، والكتاب، ورجال القانون، وغير هؤلاء من أرباب المهن) أو منظمات جماهيرية مثل (نقابات العمال والتعاونيات ورابطات النساء وحركات الشباب...).[1]

وكل هذه الأمور وغيرها، ربما شكلت دافعاً قوياً لليونسكو للبحث عن آليات وقواعد جديدة، لتنظيم علاقاتها مع هذه المنظمات، خصوصاً وأن العلاقة بينهما قد ظلت لعده سنوات، دون أن تحكمها قواعد إضافية وتنظيمية محدودة، إلا أن المؤتمر العام لليونسكو قد حسم هذا الأمر عام 1960م بإقراره التوجيهـات الخاصة بتنظيم العلاقـة بالمنظمات الدولية غير الحكومية، ثم ما أعقب ذلك من موافقة المؤتمر العام على تنظيم العلاقـة مع المؤسسات وغيرها من الهيئات المشابهة وذلك سنة 1991م.[2]

يتضح مما سبق إجمالاً، مدى اهتمام اليونسكو بتطوير القواعد والنظم الجديدة المواكبة للتطور السريع في علاقاتها بغيرها من المنظمات الدولية

[1] انظر د. أحمد الصياد مرجع سابق ص116.
- كذلك انظر اليونسكو "نشاطها في مجال التربية عبر العالم" إصدارات اليونسكو باريس لعام 1994م ص18.
[2] انظر. التوجيهات بشأن علاقة اليونسكو مع المنظمات الدولية غير الحكومية، في مرجع المـؤتمـر العـام، طبعـة 1971م إصدارات اليونسكو باريس لعام 1972م ص 151- 161.
- كذلك انظر. مرجع المؤتمر العام لليونسكو طبعة 1996م مرجع سابق ص 151- 154.

غير الحكومية، وبين المؤسسات والهيئات المشابهة، والمتمثلة في تلك التوجيهات المقرة من قبل مؤتمرها العام، وهو ما سيتم التطرق له تباعاً وبشكل أكثر تفصيلاً، ضمن سياق هذا المطلب. بينما ظل موضوع تطوير العلاقات بين المنظمات الالكسو والايسيسكو، وبين غيرهما من المنظمات غير الحكومية، محدوداً للغاية كما رأينا، سواء تم ربط هذا التطور من حيث الكم، أو الكيف في محاولة لتطوير قواعد ونظم جديدة لتطوير علاقاتهما على غرار اليونسكو، إذ لا تتجاوز نسبة العلاقة التي تربط بين المنظمات (الالكسو، والايسيسكو) مجتمعة عن 2،18% مقارنه بالمنظمات الدولية غير الحكومية المرتبطة باليونسكو، وذلك اعتماداً على البيانات السابق ذكرها ولنفس الأعوام موضوع المقارنة. أما موضوع تطوير النظام العلائقي بحد ذاته لأي من المنظمات (الالكسو، والايسيسكو) وبين المنظمات غير الحكومية، فإنه إعتماداً على الوثائق المتاحة، والمتوفرة لهاتين المنظمتين تبين أن الايسيسكو، منذ نشأتها وحتى الان، إنما يحكم نظامها العلائقي بغيرها من المنظمات الدولية سواء كانت حكومية أو غير حكومية الميثاق وبعض أنظمتها الداخلية، وينظم هذه العلاقات أساساً ما تبرمه هذه المنظمة من اتفاقيات للتعاون مع سائر المنظمات الدولية، ومنها المنظمات غير الحكومية، دون أن تطور قواعد ونظم جديدة في علاقاتها مع هذه المنظمات الأخيرة، مثلما هو عليه الحال كذلك بالنسبة للالكسو، إلا أن هذه الأخيرة مع ذلك - بعكس الايسيسكو - حاولت خلال المراحل المختلفة من حياتها، أن تضع أسس وقواعد مقره من مؤتمرها العام، وذلك خلال حقبة الثمانينات من القرن الماضي بهدف دراسة طلبات المنظمات أو الهيئات أو الاتحادات العربية غير الحكومية المعنية بنواحي النشاط التربوي والثقافي والعلمي

الراغبة بالانتساب إلى المنظمة في ضؤ أحكام المـادة (7) مـن الدسـتور[1]. علـاوة علـى ذلك بداء المجلس التنفيذي بناءاً على اقتراح مـن أحـد أعضائه بدراسـة موضوع علـاقة الالكسو بالمنظمات غير الحكومية والمجتمع المدني في البلاد العربية بغرض توثيـق وتطوير هذه العلاقة، وذلك اعتباراً من عام 2000م، وحتى عام 2006م ولازال الموضوع قيد الدرس لمراجعة المعايير والضوابط والمقترحات التي لا زالـت تتطلـب الكثيـر مـن الجهـد مـن قبـل المجلس التنفيذي علـى ضؤ البيانـات والإحصاءات الـواردة بهـذا الخصـوص، مـن اللجـان الوطنية في الدول الأعضاء[2].

وبناءاً على ما سبق فإننا سنتحدث عـن علـاقات المنظمات المتخصصـة (اليونسـكو، الالكسو) مع المنظمات الدولية غير الحكومية من خلال الفقرات الآتية:-

- محاولات الالكسو لتطوير علاقاتها بالمنظمات غير الحكومية.

- تطوير العلاقات الخاصة لليونسكو مع المنظمات غير الحكومية.

- أهم الانتقادات والمشاكل التي تثيرها علاقات التعاون بين المنظمات المتخصصـة وبين المنظمات الدولية غير الحكومية.

أولاً: تطوير العلاقات بين الالكسو والمنظمات غير الحكومية

---

[1] انظر م7 من دستور الالكسو مرجع سابق ص 30-31.

[2] قدم الاقتراح من الدكتور/ هشام نشابه، عضو المجلس التنفيذي عن الجمهورية اللبنانية. انظر بهذا الخصوص:

- وثائق المجلس التنفيذي الدورة (72) إصدارات الالكسو تونس نوفمبر 2000م وثيقـة رقـم: م ت/د72/ و27 ص 1-7.

- وثائق المجلس التنفيذي للالكسو الدورة (83) إصدارات الالكسو تونس مايو 2006م ص26.

حاولت الالكسو - مثل سائر المنظمات الدولية المتخصصة - من أن تطور نظامها العلائقي مع مختلف المنظمات الدولية، ومنها بطبيعة الحال المنظمات غير الحكومية وذلك خلال مسيرة حياتها خاصة في حقبة ثمانينات القرن الماضي، إلا أن هذا التطور فيما يبدوا تراجع في عقد التسعينات، ليشهد بداية مرحلة جديدة بدءاً من عام 2000م وذلك فيما يبدوا كمحاولة لتأسيس قواعد ونظم جديدة يتم بموجبها تحديد علاقة المنظمة بغيرها من المنظمات غير الحكومية والمجتمع المدني.

ويحكم علاقة التعاون بين الالكسو والمنظمات غير الحكومية التي تهتم بأمور تقع ضمن اختصاص الالكسو المادة (11) فقرة (2) وكذا المادة (7) من دستور المنظمة[1]، ويبدو من منطوق هاتين المادتين، أن علاقة هذه الأخيرة، بالمنظمات غير الحكومية، تتحدد تبعاً لنوع هذه المنظمات الأخيرة، بين كونها هيئات دولية غير حكومية، أو هيئات عربية غير

---

[1] تنص الفقرة (2) من المادة (11) على أنه ((يجوز للمنظمة التشاور والتعاون مع هيئات دولية غير حكوميه تهتم بأمور تقع ضمن اختصاص هذه المنظمة، ويجوز لها أن تدعو هذه الهيئات للقيام بمهام محددة ويجوز أن يشمل هذا التعاون إشراك ممثلي هذه المنظمات إشراكا مناسباً في أعمال المؤتمر العام))

كما تنص إحدى فقرات المادة (7) على أن ((الهيئات العربية غير الحكومية، المعنية بنواحي النشاط التربوي والثقافي والعلمي)):

يجوز لبعض الهيئات والمؤسسات والاتحادات المعنية بالتربية والثقافة والعلوم، أن تطلب الانتساب إلى المنظمة كما يجوز أن تعين المنظمة بعضها مالياً إذا لزم الأمر ويكون ذلك بقرار من المؤتمر العام))

- انظر بهذا: المواد (م7، م11 فقرة (2) من دستور الالكسو مرجع سابق ص 33،31.

حكومية (بالرغم من أن كلتيهما تهتمان بأمور تقع ضمن اختصاص الالكسو) بحيث تتسع علاقة الالكسو، مع هذه المنظمات غير الحكومية، إن كانت هيئات عربية، بينما يقتصر التعاون على مجالات محدودة، إن كانت مثل هذه المنظمات غير الحكومية، ذات طابع دولي، ولعل ما يؤيد ويسند هذا الطرح هو مسلك الالكسو لتنظيم علاقاتها بالمنظمات والهيئات والاتحادات العربية غير الحكومية المنتسبة إلى المنظمة، خلال ثمانينات القرن الماضي - بخلاف المنظمات الدولية غير الحكومية الأخرى - وقد انتسب حسب هذا النظام من تلك المنظمات عدد (12) منظمة[1]. وبموجب هذا النظام تقوم الالكسو بدراسة طلبات هذه المنظمات غير الحكومية العربية، الراغبة في الانتساب إلى المنظمة، في ضؤ أسس وقواعد وضوابط مقره من مؤتمرها العام كما يلي[2]:-

يجب أن يتضمن طلب الانتساب، صور أوجه التعاون التي يمكن أن

(1) وهذه المنظمات غير الحكومية العربية هي: 1- اتحاد المعلمين العرب
2- اتحاد الموزعين العرب 3- اتحاد المؤرخين العرب.
4- مؤسسة الدراسات الفلسطينية 5- هيئة القدس العلمية. 6- جمعية المقاصد الخيرية الإسلامية (بيروت). 7- الاتحاد العربي للهيئات العاملة في رعاية الصم (دمشق) 8- المركز الإفريقي للبحوث وتكوين الإطارات في تربية وتأهيل المكفوفين (تونس) 9- الاتحاد العربي لنوادي العلوم 10- الفرع الإقليمي للمجلس الدولي للوثائق 11- اتحاد الناشرين العرب. 12- المؤسسة العالمية لمساعدة الطلبة العرب.

- انظر بهذا الخصوص دليل عمل اللجان الوطنية للتربية والثقافة والعلوم إصدارات الالكسو تونس لعام 1987م مرجع سابق ص57.

(2) انظر المنظمات والهيئات والاتحادات العربية غير الحكومية المنتسبة إلى الالكسو، ضمن الباب الرابع، في مرجع دليل عمل اللجان الوطنية، نفس المرجع السابق ص 55- 58.

تقــوم بيــن الهيئــة الطالبـة للانتســاب وبيـن المنظمـة وهـي:- قيـام الهيئـة الطالبـة للانتساب بمشروعات وبرامج مشـتركة، بمعاونـة الالكسـو لتحقيـق أهـداف مشـتركة مـع تكليف هذه الأخيرة للهيئة طالبة الانتساب بالقيام بمشروعات أو برامج معينة، وبأن يـتم تبادل الخبرات والدراسات والمعلومات ذات الاهتمام المشترك.

وهناك شروط يجب توافرها في الهيئة الطالبة للانتساب وهي:-

- أن تكون هيئة، أو مؤسسة، أو اتحاداً، وأن تكون عربيـة، وغـير حكومـي، وغـير تجارية ولاستهدف الـربح، وبـأن تكون أهـدافها، أو مـن بينهـا العنايـة بالتربيـة والثقافة والعلوم.

- أن لا تتضمن أهـدافاً، تتعـارض مـع ميثـاق الوحـدة الثقافيـة العربيـة، ودسـتور الالكسو.

- أن يكون لها وجود قانوني معترف به بالبلد الذي يحمل جنسيته، وأيضاً بـالبلاد التي يمارس فيها نشاطه.

- أن يكون طلب الانتساب مقدم من أعلى سلطة.

ويترتب على قبول طلبات الانتساب لهذه الهيئات التمتع ببعض الحقوق مقابل تحمل بعض الالتزامات:

الحقوق: دعوة الهيئة المنتسبة لحضور اجتماعات المؤتمر العام والمجلس التنفيذي، والاشتراك في المناقشات، دون أن يكون لها حق التصويت، وكذا دعوتها لحضور اجتماعـات اللجان، عند بحث مسائل يكون لها دور معين، وحقها في اقتراح موضوعات للعـرض عـلى المجلس التنفيذي، وحقها في الحصول عـلى التكلفـة الماليـة في حـال قيامهـا بتكليـف مـن المنظمة بتنفيذ مشروعات أو برامج، وحقها في الحصول على إعانة مالية

في حال قيامها بتنفيذ مشروعات أو برامج تقرها المنظمة.

الالتزامات: تتحمل الهيئة المنتسبة، نصيباً من الأعباء المالية، عند تعاونها مع المنظمة بمشروع أو برنامج مشترك، كما تتحمل الأعباء المالية المترتبة على معاونة المنظمة لها في القيام بمشروع أو برنامج معين. ويتم تحديد مساهمة المنظمة والهيئة في هذه الأحوال، بالاتفاق بين الطرفين.

مما سبق يتضح أن الالكسو قد استفادت فيما يبدوا، بشكل أو بأخر - بالنظم المقرة من قبل المؤتمر العام لليونسكو، بالأخص منها ما يتعلق بحقوق الأعضاء المنتسبين والتزاماتهم من جهة، وأيضاً بالتوجيهات الخاصة بعلاقات اليونسكو مع المنظمات الدولية غير الحكومية من جهة أخرى[1] - عند وضعها الأسس والقواعد المقرة من مؤتمرها العام، وذلك لضبط علاقة التعاون التي يمكن أن تقوم بين الهيئة الطالبة للانتساب وبين الالكسو، إلا أن تلك الاستفادة - المشروعة ولا جدال في ذلك - كانت فيما يبدو غير موفقة، ذلك أن اليونسكو، إنما استخدمت لفظ الأعضاء المنتسبين إليها للسماح بقبول الأقاليم التي لا تمارس بنفسها مسؤولية إدارة علاقاتها الخارجية كأعضاء منتسبين إلى المنظمة، ومعنى ذلك أننا هنا بصدد قبول دول ناقصة السيادة إلى عضوية اليونسكو، بينما استخدمت الالكسو لفظ

---

(1) انظر بهذا الخصوص:

حقوق الأعضاء المنتسبين والتزاماتهم، المقر من المؤتمر العام لليونسكو في دورته السادسة لعام 1951م.

توجيهات بشأن علاقة اليونسكو مع المنظمات الدولية غير الحكومية، المواقف عليها من المؤتمر العام لليونسكو عام 1960م.

وذلك في مرجع المؤتمر العام لليونسكو طبعة 1971م مرجع سابق ص 151،21.

الانتساب إليها للمنظمات والهيئات والاتحادات العربية غير الحكومية، أي لبعض من المنظمات غير الحكومية، باستثناء الدولية منها، وقد سبق أن تطرقنا لهذا الموضوع بشئ من الإيجاز، ضمن الباب الأول من هذه الأطروحة[1]. حيث توصلنا من خلاله إلى نتيجة مؤداها القول بأن عضوية تلك الهيئات بمنظمة الالكسو إنما هي ليست بعضوية منتسبة، حتى وإن قضى بذلك دستورها، إذ لا تعدوا في حقيقه الأمر إلا أن تكون عضوية مراقبة، تنشأ من خلال إقامة شبكة من علاقات التعاون الرسمية فيما بين هذه الأنواع من المنظمات، سواء أكانت منظمات حكومية أو غير حكومية.

وأخيراً يبدوا أن هذا الالتباس الحاصل في الالكسو في هذا الجانب علاوة على ما سبق ذكره هو أن دستور هذه الأخيرة، من خلال ما أوردة في بعض فقرات المادة السابقة، إنما كان له فيما يبدوا أثرة المباشر، على واضعي الأسس والقواعد المقرة من المؤتمر العام، بخصوص انتساب تلك الهيئات غير الحكومية العربية إلى المنظمة، وبهذا الصدد، فإني أرى بدايةً إيلاء الاهتمام بتعديل تلك الفقرات المتعلقة بالهيئات العربية غير الحكومية الطالبة الانتساب للمنظمة، بحيث تشمل تلك الفقرات كذلك الهيئات الدولية غير الحكومية المعنية بنفس نشاط الالكسو، مع استبعاد لفظ (أن تطلب الانتساب إلى المنظمة) واستبداله بلفظ (أن تطلب إقامة نوع من العلاقات بينهما) وستكون تلك الفقرات بكاملها كما يلي[2]:

(يجوز للمنظمات والهيئات والمؤسسات، والاتحادات، غير الحكومية،

---

[1] انظر الفقرة (ب)، العضوية بالانتساب ضمن المطلب الأول، الفصل الثاني من الباب الأول في هذه الأطروحة ص 100- 101.

[2] انظر المادة (7) من دستور الالكسو مرجع سابق ص 30- 31.

العربية أو الدولية، المعنية بنواحي النشاط التربوي والثقافي والعلمي، أن ترتبط مع الالكسو باتفاقات تعاون، لخدمة أهدافهما المشتركة، كما يجوز للمنظمة أن تعين بعضاً منها مالياً إذا لزم الأمر، بناءاً على قرار من المؤتمر العام)

فهذا النص المقترح في رأي سيكون متوافقاً إلى حد ما مع ما هو معمول به في المنظمات الموازية، كما أن من شأنه أيضاً القضاء على ما قد يحصل من تمييز في التعامل بين المنظمات الدولية غير الحكومية من جهة، وبين المنظمات والهيئات غير الحكومية العربية من جهة أخرى.

وعلى العموم فإنه يبدوا أن إعمال الأسس والقواعد المقرة من المؤتمر العام للالكسو لضبط علاقات المنظمات والهيئات والاتحادات العربية غير الحكومية، إنما يتجسد في مظهرة الأولي بحضور مثلي هذه الهيئات غير الحكومية لاجتماعات المؤتمر العام للالكسو، على اعتبار أن هذا حق أصيل من حقوقها المترتبة على قبول طلب الانتساب، وعلى هذا الأساس فإنه ينبغي أن يحضر عدد (12) من هذه الهيئات التي انتسبت فعلاً للمنظمة كما سبق أن تطرقنا لذلك انفاً، وبالتالي ينبغي أن يكون هذا العدد مرشح للزيادة نتيجة لانتساب هيئات جديدة أخرى. إلا أن ما نلاحظه بهذا الخصوص على أرض الواقع هو العكس تماماً، فبينما كان عدد الهيئات غير الحكومية العربية المشتركة في الدورة السادسة للمؤتمر العام للالكسو عام 1981م، هو عدد خمس من تلك الهيئات فقط، للإشتراك في هذه الدورة كمراقبين[1].

---

(1) وهي: - اتحاد مجالس البحث العلمي، اتحاد المعلمين العرب، اتحاد الجامعات العربية، اتحاد المؤرخين العرب، اتحاد الموزعين العرب.

- انظر بهذا الخصوص التقرير النهائي لأعمال المؤتمر العام للالكسو في دورته الاعتيادية

إلا أن هذا العدد قد انخفض بعد ذلك ليصل إلى ثلاث منها، في المؤتمر العام الدورة العاشرة عام 1989م[1]. أما في دورات المؤتمر العام (13،14) في الأعوام (1996م،1998م) فإنه لم يشترك كمراقب من تلك الهيئات في أي من هاتين الدورتين سوى هيئة واحدة هي: اتحاد الجامعات العربية[2]. بينما لم يشترك أي مراقب من تلك الهيئات في أعمال الدورة العادية الخامسة عشر للمؤتمر العام المنعقدة في يناير عام 2001م[3].

ولعل هذا الوضع والدور المتدني لمشاركة مثل هذه الهيئات غير الحكومية، مع ما يمكن أن يترتب على ذلك من حرمان اللاكسو في سبيل إحداث تعاون بينهما لتحقيق أهدافهما المشتركة، بل إن هذا الدور كما رأينا قد إختفى تماماً في احد تلك الاجتماعات. وهذا الأمر على ما يبدوا، قد أثار حفيظة الدكتور هشام نشابه عضو المجلس التنفيذي بالمنظمة عن الجمهورية اللبنانية، حيث تقدم إلى المجلس في دورته (72) بوثيقة تضمنت تصوراته لتطوير علاقة هذه المنظمة بالمنظمات غير الحكومية والمجتمع المدني،

---

(6) الجزء الأول، القرارات والتوصيات، إصدارات الالكسو تونس لعام 1981م ص 15- 17.

[1] هي: - اتحاد الجغرافيين العرب، اتحاد المؤرخين العرب، اتحاد الجامعات العربية.
- انظر بهذا الخصوص التقرير النهائي للمؤتمر العام للالكسو الدورة العادية (10) القرارات والتوصيات إصدارات الالكسو، تونس، ديسمبر 1989م ص 192- 193.

[2] انظر: التقرير النهائي لأعمال المؤتمر العام للالكسو الدورات العادية (14،13)، القرارات والتوصيات، إصدارات الالكسو، ديسمبر في الأعوام (1996م، 1998م) ص 131،163 بالترتيب.

[3] انظر: التقرير النهائي لأعمال المؤتمر العام (15) إصدارات الالكسو تونس لعام 2001م ص97.

حيث طالب المجلس باتخاذ قرار بدعوة المنظمة للقيام بدراسة مسحية عن المنظمات غير الحكومية في الوطن العربي، وإقامة علاقة تعاون مع بعضها لتنفيذ برامج مشتركة من اختصاص المنظمة، وتشجيع المجتمع المدني في البلاد العربية على إنشاء جمعيات تستجيب للحاجات الاجتماعية الملحة[1]. وقد أكد المدير العام للالكسو الأفكار التي طرحها عضو المجلس التنفيذي، مضيفاً بأن اليونسكو تعتمد هذا التوجه بشكل أساسي، في تعاملها مع المنظمات الدولية الغير حكومية، أما في الالكسو فعلى الرغم من محدودية التواجد الفعلي المؤثر للمنظمات غير الحكومية العربية في كثير من الدول العربية، فقد قامت المنظمة ببعض الجهد خلال الدورات المالية الأخيرة ومن ذلك إنشاء الشبكة العربية لمحو الأمية وتعليم الكبار، وكذا التعاون مع عدد من المنظمات غير العربية[2]. وعلى أيه حال فإنه يتضح أن دعوة عضو المجلس التنفيذي، قد لاقت إستجابه سريعة من قبل كل من المدير العام والمجلس التنفيذي على حد سواء، نظراً لما تمثله العلاقة بهذه المنظمات غير الحكومية من أهمية متزايدة، بالأخص عندما تكون اهتماماتها متوافقة مع أنشطة وأهداف المنظمات المتخصصة، وقد تمثلت تلك الاستجابة، في العديد من القرارات التي اتخذها المجلس التنفيذي بهذا

---

(1) انظر وثائق المجلس التنفيذي للالكسو الدورة (72) إصدارات تونس نوفمبر 2000م وثيقة رقم:م ت/د72/ و27 ص2.

(2) منها: اتحاد المعلمين العرب، الاتحاد العربي للتعليم التقني، الاتحاد العربي لرعاية الصم، اتحاد الجمعيات التربوية والنفسية في البلاد العربية، شبكة تطوير أعضاء هيئة التدريس بالجامعات، الشبكة العربية للتعليم المفتوح والتعليم عن بعد.

- انظر بهذا الخصوص: وثيقة المجلس التنفيذي الدورة (72) نفس المرجع السابق ص 4،3.

الخصوص في دوراته المتعاقبة، بدءاً من الدورة (72) عام 2000م وحتى الـدورة (83) عام 2006م وذلك على الرغم من أن هذا الموضوع مازال يتطلب المزيد من الجهـد لوضـع نظام متكامل ومن تلك القرارات التي أتخذها المجلس التنفيذي الأتي:-

في دورة المجلس (72) لسنة 2000م، اتخذ الأتي[1]:-

● دعوة الـدول العربية إلى تشجيع ودعـم مؤسسـات المجتمـع المدني العاملـة في المجالات التربوية والثقافية والعلمية.

● الطلب من المنظمة إجراء دراسات حـول المنظمات غيـر الحكوميـة ومؤسسـات المجتمـع المدني واتحاداتها العاملـة في الـدول العربيـة في مجالات اختصـاص المنظمة، وتشجيع تشكيل اتحادات عربية لهذه المؤسسات.

في دورة المجلس التنفيذي رقم (75)

عرضت المنظمة الوثيقة التي أعدتها الخبيرة المكلفـة مـن المنظمة بإعداد دراسـة (الجمعيات العربية الخصائص العامة - الواقع والآفاق) إلا أن أراء أعضاء المجلس التنفيذي فيما يبدوا قد تباينت، حول مفهوم مؤسسات المجتمع المدني، وحول مضمون هذه الوثيقة ذاتها، ولذلك قرر المجلس الأتي[2]:-

---

[1] انظر وثائق المجلس التنفيذي الدورة (67) إصدارات الالكسو تونس ديسمبر 2002م وثيقة رقم: م ت /د76/ و22.

- كذلك انظر وثائق المجلس التنفيذي دورة (72) نفس المرجع السابق وثيقة رقم: م ت /د72/ و27 ص 6 - 7.

[2] انظر وثائق المجلس التنفيذي الدورة (76)، إصدارات الالكسو لعام 2002م مرجع

التأكيد على أهمية التعاون بين المنظمة والمنظمات غير الحكومية ومؤسسات المجتمع المدني في الدول العربية التي تمارس مهام تدخل في اختصاص المنظمة وأولويات عملها، على أن يتم ذلك عبر اللجان الوطنية وبالتعاون مع الشبكة العربية للمنظمات الأهلية.

تكليف الأستاذ الدكتور هشام نشابه عضو المجلس التنفيذي عن لبنان - نائب رئيس المجلس التنفيذي - بإعداد وثيقة معمقة، حول مصطلح المجتمع المدني والطرق التي يمكن للمنظمة التعاون من خلالها مع هذه المؤسسات.

في دورة المجلس التنفيذي (76) لعام 2002م.

عرضت الوثيقة التي كلف بها نائب رئيس المجلس، على المجلس التنفيذي، وبعد الاطلاع عليها قرر المجلس الأتي[1].

دعوة المدير العام لوضع نظام يحدد المجالات التي يمكن للمنظمة أن تتعاون فيها مع المنظمات والجمعيات غير الحكومية، ويتم بموجب هذا النظام تصنيف هذه المنظمات والجمعيات إلى مراتب وفئات عضويتها في المنظمة.

دعوة المدير العام بالتعاون مع اللجان الوطنية العربية للتربية والثقافة والعلوم، لوضع لوائح بالمنظمات والجمعيات غير الحكومية في كل دولة

سابق وثيقة رقم: م ت /د76/ و22.

(1) انظر وثائق المجلس التنفيذي الدورة (78) إصدارات الالكسو تونس سبتمبر 2003م ص15.

- كذلك انظر وثائق المجلس التنفيذي الدورة (76) نفس المرجع السابق ص 1- 5 وحسب هذا المرجع الأخير، فإن الوثيقة التي أعدها نائب رئيس المجلس التنفيذي للالكسو، الدكتور هشام نشابه تضمنت المواضيع الآتية:- تعريف المجتمع المدني، مجالات عمل جمعيات المجتمع المدني، سبل التعاون المنظمة والمجتمع المدني.

عربية يمكن التعاون معها في تنفيذ بعض البرامج والمشاريع المقررة عبر اللجان الوطنية.

- وقد قامت المنظمة بمكاتبة اللجان الوطنية، لموافاتها بالبيانات الخاصة بالمنظمات والجمعيات غير الحكومية العاملة في نفس مجالات الالكسو.

في دورة المجلس رقم (78) لعام 2003م. تسلمت المنظمة حتى شهر سبتمبر من هذا العام ردود من ست لجان وطنية، ولذلك فإنه عندما تستكمل باقي الردود ستقوم المنظمة بتصنيف تلك المنظمات غير الحكومية، ومن ثم وضع نظام للتعاون معها[1].

وفي دورة المجلس التنفيذي رقم (83) المنعقدة خلال شهر مايو 2006م: أقر المجلس، دعوة المدير العام إلى مراجعة المعايير والضوابط في ضوء ما أبداه المجلس من آراء ومقترحات، وعرض الموضوع على المجلس في دورته القادمة[2].

مما سبق يتضح، أن تنظيم علاقة الالكسو بالمنظمات غير الحكومية ومؤسسات المجتمع المدني العاملة في نفس ميادين اختصاص المنظمة، بالرغم من تداول المجلس التنفيذي في معظم جلساته لحسم هذا الموضوع وذلك بوضع نظام يحكم مختلف أوجه العلاقات مع هذه المنظمات بفئاتها

---

(1) انظر وثائق المجلس التنفيذي للالكسو الدورة (72) نفس المرجع السابق ص15.
- وحسب هذا المرجع، فإن اللجان الوطنية التي قامت بتزويد المنظمة بالبيانات الخاصة بالمنظمات غير الحكومية حتى تاريخ انعقاد دورة المجلس التنفيذي هذه، فقد كانت الدول الآتية (الأردن، تونس، عمان، الكويت، لبنان، اليمن).

(2) انظر قرارات المجلس التنفيذي الدورة (83) إصدارات الالكسو تونس، مايو 2006م وثيقة رقم: م ت /د83/ و18 ص26.

المختلفة، وما استغرقه هذا الأمر من وقت قارب الست سنوات 2000م - 2006م، وربما لازال يتطلب الكثير من الوقت لحسمه بشكل نهائي. ففي رأي أن هذا الموضوع (قيد الدراسة والبحث)، وإن كان يمثل إشكالية بحد ذاته - ولا جدال في ذلك - إلا أنه مع ذلك ربما يظهر أننا أمام مشكل أعم وأشمل يشارك فيها كل من المجلس التنفيذي، الإدارة العامة، اللجان الوطنية في الدول الأعضاء، وبدرجات مختلفة، فبعض قرارات المجلس التنفيذي عامة، وغير محدودة بشكل دقيق، كما أن بعض قرارات الإدارة العامة قد تصيب أو تخطئ، ولذلك فإنها لم توفق فيما يبدوا في اختيار خبراء مختصون لوضع مثل هذه الدراسة، كما أن عدم الإلمام بالقواعد أو النظم الحاكمة لمثل هذا الموضوع الذي يعتمل في منظمة اليونسكو ومتابعة تفاصيله خلال مايقرب من نصف قرن مضى ـ من خبرة هذه المنظمة في هذا المجال، سلباً أو إيجاباً، فإن من شأن كل هذه الأمور وربما غيرها تطويل مدة الدراسة وقتل الكثير من الوقت بين أخذ ورد، مغفلين قيمة هذا الوقت الثمين ودورة في تخلف أو تقدم الأمم والشعوب المختلفة، إلا أني مع ذلك وفي قناعتي الشخصية أيضاً فإني أحمل اللجان الوطنية في الدول الأعضاء، معظم هذه الإشكالات، وذلك بسبب التأخير في الردود على المعلومات والبيانات المطلوبة منها، إذ بغير توفر تلك البيانات فلن تتمكن الالكسو من وضع نظام سليم يحدد أوجه التعاون بينها وبين المنظمات غير الحكومية على غرار ما يعتمل في منظمة اليونسكو، وهو ما سيتم تناوله في الفقرة التالية.

ثانياً: تطوير العلاقات الخاصة لليونسكو مع المنظمات غير الحكومية

اهتمت اليونسكو منذ نشأتها بتطوير علاقاتها مع المنظمات الدولية غير

الحكومية، إعمالاً للفقرة (4) من المادة الحادية عشر من الميثاق وتطورت هذه العلاقة أكثر بانعقاد أول مؤتمر لممثلي المنظمات الدولية غير الحكومية المتعاونة مع اليونسكو وذلك في فلورنسا بتاريخ 23 مايو عام 1950م، وذلك بهدف اجتذاب تعاون هذه المنظمات، وتنسيق الجهود معها تحقيقاً للمصالح المشتركة بين اليونسكو وهذه المنظمات[1] وقد بدء هذا التطور يأخذ بعداً أكثر تنظيماً، اعتباراً من عام 1960م، ففي هذا التاريخ اعتمد المؤتمر العام لليونسكو في دورته الحادية عشر التوجيهات المنظمة لعلاقة اليونسكو مع المنظمات الدولية غير الحكومية، وجرى تعديل هذه التوجيهات في دورة المؤتمر العام الرابعة عشر عام 1966م، وفي هذا التاريخ تحديداً، أنشئت لجنة المجلس التنفيذي المختصة بالمنظمات الدولية غير الحكومية، وذلك في دورة المجلس (72)، وشرعت في ممارسة مهامها في الدورة (73)، وقد استمر العمل بتلك التوجيهات المقرة من المؤتمر العام حتى عام 1995م، وفي هذا التاريخ اعتمد المؤتمر العام في دورته (28) إطار قانوني جديد، وجرى تعديلها من قبل المؤتمر العام عام 2001م[2].

ووفقاً للتوجيهات المعتمدة للمؤتمر العام سنه 1960م وتعديلاتها عام

---

(1) انظر بهذا الخصوص د. أحمد الصياد مرجع سابق ص116.
- ميشيل لاكوست، مرجع سابق ص45.

(2) انظر بهذا الخصوص
- مرجع المؤتمر العام لليونسكو طبعة 1971م، إصدارات اليونسكو لعام 1972م ص151
- المجلس التنفيذي لليونسكو طبعة 2002م إصدارات اليونسكو باريس ص 24،26،75.
- النصوص الأساسية طبعة 2004م مرجع سابق ص163.

1966م، فإن علاقة اليونسكو مع هذه المنظمات غير الحكومية، تنقسم إلى ثلاث فئات مختلفة (أ، ب، ج) وتقيم اليونسكو علاقاتها مع هذه المنظمات غير الحكومية وفقاً لطبيعة العلاقة التي تربطها، والفئة التي تنتمي إليها أي من هذه المنظمات غير الحكومية، فالمدرج من هذه الأخيرة في الفئة (أ) تربطها باليونسكو، علاقات تشاور واشتراك، والمدرج في الفئة (ب) تربطها، علاقة الإعلام والتشاور، والمدرج في الفئة (ج) تربطها، علاقة تبادل الإعلام. وتقتصر علاقة اليونسكو بهذه الفئة الأخيرة من المنظمات، على تبادل الوثائق والمنشورات، أما العلاقة مع الفئة (ب) فإنها تتسع، لتشمل تقديم المشورة والمساعدة في كل ما يتعلق بالدراسات، والاستقصاءات، والمطبوعات التي تقوم بها اليونسكو، بناءاً على طلب المدير العام، بينما تشمل العلاقة مع الفئة (أ) بالإضافة إلى ما سبق تعهد من هذه المنظمات بالتعاون الوثيق بتنمية أنشطتها المتصلة باختصاص اليونسكو، ومساعدتها لتحسين التنسيق الدولي بين أنشطة المنظمات غير الحكومية العاملة في ميدان واحد[1]. وقد تطورت علاقة اليونسكو مع

---

(1) انظر بهذا الخصوص

توجيهات بشأن علاقات اليونسكو مع المنظمات الدولية غير الحكومية، في مرجع المؤتمر العام طبعة 1971م مرجع سابق ص 151- 152 وحسب هذا المرجع ((تعتبر منظمة دولية غير حكومية - يمكن لليونسكو أن تقيم معها علاقات - كل منظمة دولية لم تنشأ عن طريق إتفاق بين الحكومات، وتتسم أهدافها ووظائفها بطابع غير حكومي، وأن تباشر نشاط في ميادين اختصاص اليونسكو، وأن تظم نسبة هامه من المجموعات والأفراد المهتمين ببعض أوجه نشاط المنظمة، وأن يكون لها أعضاء منتظمون في بلاد متعددة على الصعيد الإقليمي أو الدولي، وأن يكون لها جهاز إداري دائم له تكوين دولي))

كذلك انظر د. حسن نافعة العرب واليونسكو مرجع سابق ص 72- 73.

المنظمات غير الحكومية، فحتى عام 1974م كانت تـربط اليونسـكو علاقـات وثيقـة مع حوالي (306) من هذه المنظمات، منها عدد (192) بالفئتين (أ،ب) وعدد (114) بالفئـة (جـ)[1] وحتـى عـام 1981م كـان لهـذه المنظمـة علاقـات رسـمية مـع (481) منظمـة غـير حكومية منها عدد (21) في أفريقيا، (20) في آسيا، (14) في الدول العربيـة، (21) في أمريكـا اللاتينية، ومعنى هذا أن ما نسبته 15% تقريباً من هذه المنظمات موجود فعلاً في البلدان النامية، بينما تتركز النسبة الباقية (85%) من هـذه المـنظمات في أوروبـا[2]. وفي بدايـة عـام 1986م كان لليونسكو علاقة مع (534) منظمة غير حكومية، منها (263) منظمـة مدرجـة في الفئة (ب) والباقي مدرجة في الفئة (أ)، أما علاقة هذه الأخيرة، بالمنظمات العربيـة غـير الحكومية التي أبرمت اتفاقاً للتعاون معها فإنه يمكن حصرها بعدد تسع مـنظمات فقـط، وجميعها تدخل في إطار الفئة (ج)، وتبدو ضآلة ثقل المنظمات العربية غير الحكومية إذ لا تزيد نسبتها كثيراً عن 1% مقارنة بالعدد الإجمالي للمنظمات غير الحكومية التي لها علاقة باليونسكو، بينما المنظمات غير الحكومية ذات الطابع اليهودي أو الصـهيوني الصرف، فـإن معظمها تندرج في إطار الفئة (أ) أو الفئة (ب)[3]. وقـد زاد عـدد المـنظمات غـير الحكوميـة التي تربطها

---

(1) انظر لمحات عن اليونسكو ((اليونسكو باريس لعام 1974م)) مرجع سابق ص 52،49.

(2) انظر د. أحمد الصياد مرجع سابق ص 120- 121.

(3) انظر د. حسن نافعة العرب واليونسكو مرجع سابق ص 73، 135، 136.

وحسب هذا المرجع، فإن المنظمات العربية غير الحكومية التـي أبرمـت اتفـاق تعـاون مـع اليونسـكو هـي:- اتحـاد الحقوقيين العرب، الاتحاد العالمي للمدارس العربيـة الإسـلامية الدوليـة، الاتحـاد العـربي للألعـاب الرياضـية، الاتحـاد العربي للهيئات العاملة في رعاية الصم،

علاقات باليونسكو، بفئاتها الثلاث، حيث بلغت في نهاية عام 1989م عدد (570) وفي عام 1992م وصل عددها إلى (585)، ليرتفع العدد الإجمالي إلى (600) منظمة عام 1995م[1].

ويبدوا أن زياده أعداد المنظمات الدولية غير الحكومية، المرتبطة باليونسكو - على هذا النحو - طبقاً لتلك التوجيهات الصادرة عام 1960 وتعديلاتها اللاحقة، بالرغم من المزايا المتعددة الناجمة عن هذا التعاون الذي وصف بأنه كان مثمراً بوجه عام، إلا أنه بالمقابل من ذلك، فإن تلك العلاقات قد لا تخلو من عيوب، بل ربما من إثارة بعض الإشكالات، مما يعنى أن هذه الأمور، وربما غيرها، قد حدت باليونسكو، إلى أن تنكب، للبحث عن أنواع جديدة من العلاقات والتعاون تتلاءم على نحو أفضل مع تطور الوضع العالمي مع ما فرضه من تكثيف وتطوير للتعاون الفكري لليونسكو، كي تطور من سياساتها واستراتيجياتها، لتتلاءم مع تحديات القرن الحادي والعشرين، وقد تمخض هذا الوضع في بعض جوانبه في التفكير

اتحاد المحامين العرب، اتحاد الموزعين العرب، الاتحاد النسائي العربي العام، اتحاد وكالات الأنباء العربية، المركز العربي للدراسات الإعلامية للسكان والتنمية والتعمير.

- أما المنظمات غير الحكومية اليهودية أو الصهيونية الصرفة فمن أهمها:-

الاتحاد العالمي للطلبة اليهود، منظمة اغودات إسرائيل العالمية، المؤتمر اليهودي العالمي، المجلس الدولي لبناى بريت، المجلس الدولي للنساء اليهوديات، المجلس الدولي للهيئات اليهودية للأعمال الخيرية والرعاية الاجتماعية، المجلس الاستشاري للمنظمات اليهودية.

(1) انظر بهذا

د. أحمد الصياد، مرجع سابق، ص117.

اليونسكو ((نشاطها في مجال التربية عبر العالم)) إصدارات اليونسكو لعام 1994م مرجع سابق ص18.

ميشيل لاكوست، مرجع سابق ص 308،228.

عام 1995م بتحديد إطار قانوني جديد يحكم علاقة اليونسكو بالمنظمات الدولية غير الحكومية[1]. ففي هذا العام الأخير إعتمد المؤتمر العام في دورته الثامنة والعشرين التوجيهات الخاصة بعلاقة اليونسكو مع المنظمات غير الحكومية، وعدّلها في دورته الحادية والثلاثين عام 2001م، ووفقاً لهذه التوجيهات تعتبر منظمة دولية غير حكومية - يمكن لليونسكو أن تقيم معها علاقات رسمية - كل منظمة دولية لم تنشأ عن طريق إتفاق بين الحكومات وتتسم أهدافها ووظائفها وطريقة عملها بطابع غير حكومي، ولا تستهدف الربح، وأن تباشر نشاط أو أكثر ضمن اختصاص اليونسكو، ومن ثم المساهمة في تحقيق أهدافها وبأن تضطلع فعلاً بأنشطة على الصعيد الدولي ولديها على هذا الصعيد أعضاء منتظمون (جماعات أو أفراد) في مختلف المناطق الثقافية، وبأن يكون لها شخصية قانونية معترف بها، ومقر ثابت، ونظام أساسي معتمد بصورة ديمقراطية، وهيئة إدارية دائمة ذات صفة تمثيلية يتم تجديدها بصورة منتظمة وأن تكون قد أنشئت واضطلعت بأنشطة قبل تقديم طلب إنظمامها إلى فئة العلاقات الرسمية بأربع سنوات على الأقل[2].

---

(1) انظر بهذا الخصوص:

د. أحمد الصياد مرجع سابق ص 118،119.

د. حسن نافعة، العرب واليونسكو، مرجع سابق ص74.

ميشيل لاكوست، مرجع سابق ص228.

انظر موقع اليونسكو للمنظمات الدولية غير الحكومية على العنوان التالي:

http://portal.unesco.org/en/file_download.php/5a085df37ee3a44750e5be4a16ac17e8brochang.pdf

(2) انظر الفقرة (2) من (أولا) من التوجيهات الخاصة بعلاقة اليونسكو مع المنظمات الدولية غير الحكومية، في مرجع النصوص الأساسية طبعة 2004م مرجع سابق ص165.

وتهـدف اليونسـكو مـن تعاونهـا مـع هـذه المـنظمات الدوليـة غـير الحكوميـة، إلى الاستفادة من مشورتها ووثائقها ومن تعاونهـا التقنـي، ومضـاعفة هـذا التعـاون في إعـداد وتنفيذ برنامج اليونسكو، والى تشجيع نشـؤ مـنظمات جديـدة ممثلـة للمجتمـع المـدني في بعض أرجاء العالم (المعزولة أو الضعيفة)، والنهوض بأهداف اليونسكو بشكل عام[1]. وطبقـاً لهذه التوجيهات الجديدة، أصبحت اليونسكو تقسـم المـنظمات الدوليـة غـير الحكوميـة - بالنظر إلى أهداف كل منظمة وطبيعة تعاونها المحتمل مع اليونسكو - إلى نوعين رئيسـيين من العلاقات هما:

أ- العلاقات الرسمية، ب- العلاقات التنفيذية.

أولاً: العلاقات الرسمية

تقيم اليونسكو هذا النوع من العلاقات مع المنظمات الدولية غير الحكومية وتخضع هذه العلاقة لمعايير أكثر صرامة بحيث يتم قبول المـنظمات ذات التركيـب والبنـي الدوليـة حقاً، وهي إجمالاً تضطلع بأنشطة في مجـالات اختصـاص اليونسـكو، وتـبرهن عـلى إقامـة تعاون متواصل مع المنظمة في مختلف مراحل تخطـيط وتنفيـذ برامجهـا[2]. وتنقسـم هـذه العلاقة الرسمية إلى نوعين من العلاقات هما: علاقات التشـاور، وعلاقـات المشـاركة، وذلـك تبعاً لبنية وأهداف هذه المنظمات ولطبيعة تعاونها مع

---

(1) انظر الفقرات (4،3) من ديباجة التوجيهات الخاصة بعلاقة اليونسكو مع المـنظمات غـير الحكوميـة، في نفـس المرجع السابق ص 163- 164.

(2) انظر فقرة (5) من ديباجة تلك التوجيهات، في نفس المرجع السابق ص164.

كذلك انظر موقع المنظمات غير الحكومية على عنوان اليونسكو التالي:

http://portal.unesco.org/en/file_download.php/5a085df37ee3a44750e5be4a16ac17e8brochang.pdf

اليونسكو[1]، ويختص المجلس التنفيذي بالبت مرة كل عام، في قبول الطلبات، في هاتين الفئتين من العلاقات، أو في تطوير هذه العلاقات، بناءاً على التوصيات التي يقدمها المدير العام[2]. وإذا كانت سمة القبول في فئتي علاقات التشاور والمشاركة، تتصف بأنها صارمة إجمالاً، فإن هذا القبول مع ذلك يختلف في صرامته بين هاتين الفئتين من العلاقات، فالقبول في فئة علاقات المشاركة يخضع لشروط مشددة منها أن المجلس التنفيذي لا يقبل في هذه الفئة من العلاقات إلا عدد محدود جداً من المنظمات الجامعة ذات التشكيل الدولي الواسع التي تظم رابطات دولية مهنية متخصصة، وتتوافر لديها كفاءة مشهودة في ميدان هام من ميادين اختصاص اليونسكو، والتي ساهمت بانتظام مساهمة كبرى في نشاط هذه المنظمة[3]. أما القبول في علاقات التشاور فهي أقل تشدداً من سابقاتها، ذلك أن من ضمن شروط قبولها، أن تكون هذه المنظمات، قد أثبتت قدرتها على تقديم المشورة السديدة لليونسكو بناءاً على طلب هذه الأخيرة، بشأن المسائل التي تندرج في مجالات اختصاص هذه المنظمات، وقدرتها على أن تسهم من خلال أنشطتها إسهاماً فعالاً في تنفيذ برنامج اليونسكو[4]. ولذلك فإن المنظمات

---

(1) انظر الفقرة (1) من (أولاً) من تلك التوجيهات، في مرجع النصوص الأساسية 2004م مرجع سابق ص164.

(2) انظر الفقرة (1) من (سادساً) من تلك التوجيهات، بنفس المرجع السابق ص178.
كذلك انظر موقع اليونسكو عن المنظمات الدولية غير الحكومية على العنوان التالي:
http://portal.unesco.org/en/file_download.php/5a085df37ee3a44750e5be4a16ac17e8brochang.pdf

(3) انظر الفقرة (4) من (أولاً) من تلك التوجيهات، نفس المرجع السابق ص167.

(4) انظر الفقرة (3) من (أولاً) من تلك التوجيهات، نفس المرجع السابق ص166.

المقبولة في فئة علاقات المشاركة، تتمتع بمزايا أكثر، مقابل تحملها التزامات كثيرة ومتعددة، وذلك على العكس من المنظمات المقبولة في فئة علاقات التشاور، إذ تكون تلك المزايا والالتزامات أقل بطبيعة الحال[1].

ثانياً: العلاقة التنفيذية

وهذا النوع من العلاقات عبارة عن علاقة مشاركة مرنة ودينامية في إطار تنفيذ برامج اليونسكو[2]. والغرض من هذه العلاقة هو تمكين هذه الأخيرة من إقامة ومواصلة علاقات مشاركة مرنة مع أي منظمة من منظمات المجتمع المدني تعمل في ميادين اختصاصها على أي مستوى من المستويات، والاستفادة من قدراتها التنفيذية على الصعيد الميداني، ومن شبكاتها المعنية بنشر المعلومات، كما أن من شأن هذه العلاقات أن تشجع ظهور منظمات تمثيلية للمجتمع المدني، وتفاعلها على المستوى الدولي في بعض أنحاء العالم التي تكون فيها هذه المنظمات ضعيفة أو معزولة، ومن شأنها أخيراً أن تسمح بتقدير الكفاءة والفعالية التنفيذية للمنظمات غير الحكومية الدولية التي لم يسبق لليونسكو أن أقامت معها أي نوع من العلاقات سابقاً والتي ترغب في إنشاء علاقات رسمية مع اليونسكو[3].

وتحضى المنظمات الدولية غير الحكومية المرتبطة بعلاقات تنفيذية مع اليونسكو بتقدير بالغ وذلك بسبب حضورها النشط، ونشاطها الملموس في الميدان، والخبرة التي اكتسبتها، والصدى الذي تعطيه لاهتمام السكان،

---

(1) انظر الفقرات (8،7) من (أولاً) من تلك التوجيهات، نفس المرجع السابق ص 168- 171.

(2) انظر الفقرة (5) في ديباجة تلك التوجيهات، نفس المرجع السابق ص164.

(3) انظر الفقرة (1) في (ثانياً) من تلك التوجيهات، في المرجع السابق ص 171- 172.

ويمكن توجيه طلب القبول في هذه الفئة من العلاقات إلى المدير العام في أي وقت، ويتخذ قرار بشأنه في اقصر الآجال[1]. علاوة على النوعين الرئيسين من العلاقات (الرسمية والتنفيذية) السالف ذكرهما، فإنه يمكن لليونسكو أن تقيم كذلك علاقات غير رسمية مع منظمات غير حكومية أخرى[2]. كما يمكن لليونسكو أيضاً أن تقيم علاقات تعاون رسمية مع المؤسسات وغيرها من الهيئات المشابهة (إعمالاً لأحكام الفقرة (4) من المادة (11) من الميثاق، وبهذا الخصوص نجد أن المؤتمر العام في دورته (26) عام 1991م وافق على التوجيهات الخاصة بعلاقة المنظمة مع هذه المؤسسات والهيئات، وعدلها في دوراته (29،28) في الأعوام (1995م،1997م) غير ذات الصبغة الحكومية، التي تتوافر لديها موارد مالية خاصة بها تمكنها من الاضطلاع بأنشطه في مجالات اختصاص اليونسكو وذلك بموجب قرار يصدرة المدير العام لإقامة علاقة رسمية مع هذه المؤسسات، ذلك أنه إلى جانب انتمائها إلى الأوساط غير الحكومية، فإنها في الوقت ذاته تستوفي معايير خاصة: فهي منظمات لا تستهدف الربح، وهي منتشرة على الصعيد الدولي، وتسعى لتحقيق أهداف تتفق مع

---

(1) انظر موقع اليونسكو عن المنظمات الدولية غير الحكومية على العنوان التالي بتاريخ السحب 2006/09/28م.

http://portal.unesco.org/en/file_download.php/5a085df37ee3a44750e5be4a16ac17e8brochang.pdf

- كذلك انظر الفقرة الفرعية (11،) ضمن الفقرة (1) في (ثانياً) من تلك التوجيهات، نفس المرجع السابق ص171.

(2) انظر الفقرة (سابعاً) من تلك التوجيهات، مرجع سابق ص178.

المثل العليا لليونسكو، وتضطلع بأنشطة في بلاد متعددة، وتتوافر على وسائل الإعلام اللازمة للتعريف بأنشطتها، وتملك الشخصية الاعتبارية بموجب التشريع الوطني، وعلى ذلك فإن أي مؤسسة أو هيئة تستوفي هذه المعايير تستطيع أن تحضى ـ بوضع المؤسسات التي تقيم معها اليونسكو علاقات رسمية، شريطة أن تكون قد تعاونت من قبل مع المنظمة، وبعد استشارة سلطات الدولة العضو التي يقع على أراضيها مقر المؤسسة[1].

ومما يلاحظ على التوجيهات الجديدة الحاكمة لعلاقة اليونسكو بالمنظمات الدولية غير الحكومية الصادرة عام 1995م، واستهدفها، ضمن ما تهدف إليه من تحقيق توسع جغرافي أكبر للمنظمات غير الحكومية على المستوى الدولي، خاصة في المناطق التي تكون فيها هذه المنظمات ضعيفة أو معزولة أو غير موجودة، مع ما يترتب على هذا من دعم ضروري من قبل اليونسكو، وإعطاء دفعة قوية للتعاون بين المنظمات غير الحكومية، وبين اللجان الوطنية، إلا أنه لا يبدوا أن تقدماً قد حصل في ذلك خاصة في مجال التوسع الجغرافي للمنظمات غير الحكومية، حيث أن 15% من هذه المنظمات فقط موجودة فعلاً في البلدان النامية[2].

---

[1] انظر التوجيهات الخاصة بعلاقات اليونسكو مع المؤسسات وغيرها من الهيئات المشابهة، في نفس المرجع السابق ص 179- 181.
كذلك انظر موقع اليونسكو على العنوان التالي:

http://portal.unesco.org/en/file_download.php/5a085df37ee3a44750e5be4a16ac17e8brocha ng.pdf

كذلك انظر المجلس التنفيذي لليونسكو طبعة 2002م مرجع سابق ص26.
[2] انظر د. أحمد الصياد سابق ص121.

ومما يلاحظ كذلك في ظل هذه التوجيهات الجديدة، هو أنه قد أعيد تصنيف تلك المنظمات غير الحكومية منذ سنة 1995م وحتى عام 1999م، وبهذا الخصوص، يذكر الدكتور أحمد الصياد بأنه (يقدر حالياً عدد المنظمات التي أعيد تصنيفها في فئة العلاقات الرسمية بـ (89) منظمة، (176) منظمة من فئة العلاقات الميدانية، أضيف إليها بصفه مؤقتة (110) منظمة تنتظر تسوية وضعها القانوني، أما المنظمات التي لم تصنف في الفئتين المذكورتين، فإنها ستستمر بإقامة علاقة مع اليونسكو ولكن على أساس شكلي أي غير رسمي[1]). ومعنى هذا أن عدد (225) منظمة غير حكومية، لم يتم تصنيفها في الفئتين السابقتين وذلك من أصل 600 منظمة، وعليه فإن هذا قد يعني من الناحية الفعلية، أن اليونسكو قد استطاعت أن تخفض علاقاتها بهذا النوع من المنظمات وبنسبة 5,37%، وذلك على الرغم من أنها ستستمر بإقامة علاقة معها، ولكن على أساس شكلي، أو غير رسمي، في حين وصلت نسبة التخفيض في العلاقات بين اليونسكو والمنظمات غير الحكومية، بعد ذلك، إلى أقصى درجة لها، بتاريخ 2006/09/17م، إذ وصلت تلك النسبة إلى (3,80%) حيث وصل عدد المنظمات غير الحكومية التي لها علاقات رسمية باليونسكو، حتى هذا التاريخ الأخير إلى عدد (118) منظمة[2]. وذلك بسبب انتهاج هذه السياسة

---

[1] انظر د. أحمد الصياد نفس المرجع السابق ص120، وحسب هذا المرجع فإنه طبقا لتوجيهات عام 1960م وحتى عام 1995م وصل عدد المنظمات التي تقيم علاقات مع اليونسكو إلى (600) موزعة على ثلاث فئات (أ،ب،جـ) ص117م.

[2] انظر موقع اليونسكو على العنوان التالي (تاريخ السحب 2006/09/17م)
http://erc.unesco.org/ong/en/directorg/list_ong.asp
وحسب هذا الموقع فإن قائمة المنظمات الغير حكومية التي لها علاقة رسمية باليونسكو

الجديدة في العلاقات، التي اهتمت فيما يبدوا بشكل رئيسي على الكيـف، بـدلاً مـن الكم الهائل من تلك المنظمات غير الحكومية، وذلك من خلال وضع شروط ومعايير أكثـر صرامة لقبول دخول هذه المنظمات في إقامة علاقة مع اليونسكو، وقد تكون هذه الأخيرة محقه في ذلك، خاصة مع ما قد يرافق هـذا الكـم مـن إشكـالات تثيرهـا مختلف علاقـات التعاون، في ظل التجربة الطويلة لليونسكو مع هذه الأنواع من المنظمات غيـر الحكوميـة لما يربو عن نصف قرن من الزمان، مع ما رافق هذه الفترة - دون شك - من تقييم شامل لمختلف أوجه هذه العلاقات.

ثالثا: أهم الانتقادات والمشاكل التي تثيرهـا علاقـات التعـاون بيـن هـذه المنظمات المتخصصة وبين المنظمات الدولية غير الحكومية

إن سياسة إشراك المنظمات الدولية غير الحكومية ومؤسسـات المجتمع المدني، في عمل المنظمات الدولية العامة، أو المتخصصة، إنما أصبحت - كما أسلفنا - سياسة معتمدة، نظراً لما يوفره، دخول هذه المنظمات الأخيرة مـن إقامـة علاقـات تعـاون بينهـا وبيـن تلك المنظمات غير الحكومية، من مزايا عديدة، نظراً لاهتمام هذا النوع الأخير مـن المنظمات بالقضايا التي تهم عامة الناس في مختلف مجالات الحياة البشـرية باستثناء، المجال السياسي، حيث تشترط المنظمات المتخصصة لإقامة علاقة بينها وبين تلك المنظمات غير الحكومية، على أن تباشر هذه الأخيرة مجال أو أكثر من مجالات

هي:
العلاقات الرسمية خلال الاتحاد (26 منظمة)، علاقات المشاركة الرسـمية عـدد (19)، العلاقات الاستشارية الرسمية (51)، المؤسسات والمعاهد المشابهة عدد (10)، العلاقات الاستشارية الرسمية كشبكة عدد (8)، إطار العمل الأخرى عدد (4).

اختصاصاتها في التربية أو الثقافة أو العلوم أو الإعلام، وبأن تتسم أهدافها ووظائفها وطريقة عملها بطابع غير حكومي، وأن يكون لها موارد أساسية مكونة من مساهمات أعضائها، لضمان تشغيلها بانتظام، وأن لا تستهدف الربح[1]. ومع أن عمل المنظمات غير الحكومية لا يشمل العمل السياسي[2]. إلا أن تأثير علاقات التعاون، بين هذه الأخيرة، وبين المنظمات المتخصصة، ومنها اليونسكو قد يثر عدداً من المشكلات ذات الطابع السياسي، وهو ما يعتبر انعكاساً للأوضاع السياسية السائدة في بعض الدول[3]. كذلك فإنه بالرغم من أن الأساس الذي تقوم عليه المنظمات غير الحكومية، هو استقلالها عن الحكومات والجهات الرسمية، إلا أن الكثير منها يعتمد في أداء عملها أو استمرارها في العمل على المساعدات الحكومية، الأمر الذي قد يخرجها عن المهمة الأساسية التي أنشئت من أجلها[4]. وللتدليل على ما سبق، فقد رفضت الدول العربية بشكل قاطع أن يوجه المؤتمر العام الثالث لليونسكو الذي عقد في بيروت عام 1948م، دعوة المنظمات الدولية غير الحكومية التي تتبنى الإيديولوجية الصهيونية بشكل سافر، أو المرتبطة ارتباطاً عضوياً بحكومة إسرائيل وسياستها، كذلك أصرت العديد من الدول الأفريقية على اليونسكو - إبان حكم الفصل

(1) انظر الفقرة (2) من (أولاً) من التوجيهات الخاصة بعلاقة اليونسكو، في مرجع النصوص الأساسية 2004م مرجع سابق ص156م.

(2) انظر د. هشام نشابه، في وثائق المجلس التنفيذي للالكسو، الدورة (76) مرجع سابق ص2.

(3) انظر د. حسن نافعة، العرب واليونسكو، مرجع سابق ص74.

(4) انظر د. على يوسف الشكري، المنظمات الدولية والإقليمية والمخصصة، مرجع سابق ص288.

العنصري في جنوب أفريقيا - أن تقطع أي علاقة لها بالمنظمات الدولية غير الحكومية، التي تمارس بعض مظاهر التفرقة العنصرية، أو تقيم علاقات خاصة بحكومة جنوب أفريقيا[1]. كما أن الحاجة المادية وطبيعة عمل بعض هذه المنظمات، في أجواء يسودها النزاع، قد يجعلها غطاء ممتاز للجاسوسية، أو مصدر لتسريب المعلومات، بسبب قربها من الأحداث، دون أن تكون قاصده في ذلك، وربما كان النقد الأكبر الموجة لهذه المنظمات، هي اتخاذها من المنظمة غطاء ووسيلة لجمع المال والثراء[2].

علاوة على ذلك، فإن بعض المنظمات غير الحكومية، قصر- أحياناً في أداء واجباته كاملة، تجاه اليونسكو، لأسباب عديدة، بعضها لعجز بناها أو تباين سياستها، وأحيانا بسبب عدم اكتراثها، وضعف اهتمامها[3]. وتتلخص أوجه مختلف علاقات التعاون بين الايسيسكو وبعض المنظمات غير الحكومية كما يلي[4]:-

فالبعض من هذه المنظمات يلتزم بتعهداته والتزاماته المالية وبالمواعيد

---

(1) انظر د. حسن نافعة، نفس المرجع السابق وبنفس الصفحة.

(2) انظر د. على يوسف الشكري، نفس المرجع السابق وبنفس الصفحة.

(3) انظر د. أحمد الصياد، مرجع سابق ص118.

(4) انظر بهذا الخصوص:

- الايسيسكو والتعاون، الحصيلة والافاق (الجزء الأول) من 1982م - 1997م إصدارات الايسيسكو ص191،179،173،170،165،158،139،135.

- كذلك انظر الجزء الثاني، نفس المرجع السابق، ((فهرس قائمة اتفاقيات التعاون للمنظمات الأهلية غير الحكومية))

المحددة[1]. بينما البعض الأخر من هذه المنظمات، حتى وإن كانت علاقة التعاون معها توصف بأنها جديدة بشكل عام، فيما عداء بعض التأخير في مواعيد انجازها للأنشطة التي تقوم هي بتنفيذها[2]. والبعض من هذه المنظمات حصيلة التعاون معها جد متواضعة، بسبب محدودية الإمكانات المالية[3]. وتعتذر بعضها دوماً عن الوفاء بالتزاماتها لأسباب مختلفة[4]. بينما قد لا تبدي بعضها الحماس الكافي لتنفيذ الأنشطة التي تدخل في صميم اختصاص الايسيسكو، حيث تركز أعمالها على جوانب الدعوة الإسلامية[5]، وقد يكون تعثر التعاون مع بعض هذه المنظمات غير الحكومية، راجع إلى التقصير المشترك منها ومن المنظمة على حد سواء[6].

المطلب الثاني
علاقة المنظمات (اليونسكو، الالكسو، الايسيسكو) بالدول

تقيم المنظمات الدولية (اليونسكو، الالكسو، الايسيسكو) علاقات تعاون

---

(1) وهي: مركز جمعية الماجد للثقافة والتراث، الهيئة الخيرية الإسلامية العالمية (الكويت) نفس المرجع السابق ص165،170.

(2) وهي: منظمة الدعوة الإسلامية العالمية (السودان) نفس المرجع السابق ص173.

(3) وهي: أكاديمية العلوم لبلدان العالم الثالث، الأكاديمية الإسلامية للعلوم، نفس المرجع السابق ص 179،191.

(4) وهي: رابطة الجامعات الإسلامية، نفس المرجع السابق ص158.

(5) وهي: رابطة العالم الإسلامي، نفس المرجع السابق ص135.

(6) وهي: جمعية الدعوة الإسلامية العالمية، نفس المرجع السابق ص139.

مع الدول، سواء أكانت هذه الدول أعضاء أم غير أعضاء، في هـذه المـنظمات، وذلـك عن طريق إبرام المعاهدات والاتفاقيات ومذكرات التفاهم وغير ذلك من الأمور والوسـائل الأخرى، بهدف تنظيم أوجه التعاون التي قد تنشأ بين الدول وهذه المنظمات، ومـا يترتـب على ذلك من تحقيق المصالح والأهداف المشتركة لطرفي هـذه العلاقـات عـلى حـد سـواء. فبالنسبة للدول غير الأعضاء في هذه المـنظمات المتخصصـة فإنـه يمكـن أن تـؤدي علاقـات هذه الأخيرة، مع تلك الدول، إلى الإعلان عن رغبتها في الانضمام إلى أي من هذه المنظمات، لتصبح، بعد ذلك، الدولة التي جرى قبولها في أي منها، دولة عضـو منظمـة مـع مـا يترتـب على هذا القبول، من حقوق والتزامات يجري العمـل بهـا دون تمييـز بـين الدولـة الأصلية والمنظمة، من الناحية الجوهرية، رغم التباين من حيث الشكل، ذلك أن هذه الدولة التـي تم قبولها، قد خضعت لمعايير قانونية منها طلب الانظمام، وتـدارس الطلـب، ثـم القبـول بهذه العضوية، طبق الشروط والإجراءات الخاصة المنظِمة لـذلك في المواثيـق المنشـئة لأي من هذه المنظمات المتخصصة[1]. علاوة على ذلك فإن اليونسكو - بعكس كل مـن الالكسـو والايسيسكو - تقيم علاقـات مـع دول ناقصـة السيادة، حيـث تسـمح بقبـول الأقـاليم أو مجموعـات الأقـاليم التـي لا تمـارس بنفسـها مسؤولية إدارة علاقاتهـا الخارجيـة كأعضـاء منتسبين إلى المنظمة، وقد تم التطرق لهذه الأمـور بشـكل مفصـل، في البـاب الأول القسـم الأول من هذه الأطروحة[2]. كما أن الايسيسكو تتعاون مع دول غير أعضاء،

---

(1) انظر د. بلقاسم كريمني، نظرية المنظمات الدولية، مرجع سابق، ص157.

(2) انظر المطلب الأول من المبحث الأول ضمن الفصل الثاني من الباب الأول ص 100- 102.

ذلك أن من ضمن أهدافها في البلدان غير الإسلامية، التي يتواجد فيها جاليات مسلمة، إنما هو العمل على حماية الشخصية الإسلامية للمسلمين في تلك البلدان[1]. كما أن من مهام هذه المنظمة أيضاً، العمل على نشر الثقافة الإسلامية ولغة القرآن الكريم لغير الناطقين بها في جميع أنحاء العالم، وتشجيع جامعات البلدان الإسلامية وغير الإسلامية، عبر مساعدتها على إحداث كراسي ومعاهد وأقسام للعلوم والثقافة الإسلامية والتعاون الفعال فيما بينها[2]. كذلك فإن من مهام الالكسو - بالتعاون مع الدول الأعضاء - التعريف بالثقافة العربية الإسلامية، وبشؤون الفكر العربي المعاصر وبالقضايا العربية، كما تتعاون على نشر اللغة العربية والخط العربي وتيسير تعلمها في البلاد الأجنبية وفي البلاد الإسلامية بوجه خاص[3]. ومن مهام هذه الأخيرة أيضاً - بالتعاون مع الدول الأعضاء - تنسيق الجهود في سبيل التعاون الثقافي الدولي لتبادل الخبرات وتنظيم الاتصالات وإنشاء المؤسسات الثقافية في البلاد الصديقة، بالتعاون مع المنظمات الدولية، وبالأخص مع اليونسكو[4]. وتتعاون هذه الأخيرة مع الدول غير الأعضاء، إذ يخطر مديرها العام هذه الدول التي حددها المجلس التنفيذي ويدعوها إلى إرسال مراقبين عنها لحضور الدورات العادية والاستثنائية للمؤتمر العام[5].

- انظر حقوق الأعضاء المنتسبين والتزاماتهم في مرجع النصوص الأساسية لليونسكو طبعة 2004م مرجع سابق ص 23-24.

[1] انظر م4 فقرة (ز) من ميثاق الايسيسكو 2005م مرجع سابق ص11.

[2] انظر م5 الفقرات (أ،هـ) من ميثاق الايسيسكو المرجع السابق ص12.

[3] انظر م15 من ميثاق الوحدة الثقافية العربية مرجع سابق ص12.

[4] انظر م28 من ميثاق الوحدة الثقافية العربية مرجع سابق ص16.

[5] انظر م6 فقرة (4) من النظام الداخلي للمؤتمر العام لليونسكو في مرجع المؤتمر العام

وبالمثل فإنه يجوز لأي دولة من غير أعضاء منظمة المؤتمر الإسلامي أن تكـون عضـواً مراقباً بالايسيسكو[1].

أما علاقة هذه المنظمات المتخصصة مع الـدول الأعضـاء، فإنـه يحكـم هـذه العلاقـة المواثيق المنشئة لهذه المنظمات، المقرة من قبل كافه الـدول الأعضـاء بهـا، فهنـاك حقـوق والتزامات على الدول الأعضاء تجاه هذه المنظمات، كما أن على هذه الأخيرة كذلك العمـل على تحقيق الأهداف المناطه بها، عبر أجهزتها وفروعها المختلفة، لتحقيق المصالح المشتركة للدول الأعضاء، مقابل تحمل هذه الأخيرة للعديد من الالتزامات التـي منهـا: إمـداد هـذه المنظمات بالمساهمات المالية السنوية، وتزويدها بما تحتاج إليه من موارد بشريه من ذوي الكفاءات والتخصصات المطلوبة، لشغل مختلـف المسـتويات القياديـة، كالمـدراء العـامون، ومساعديهم، ومسئولي القطاعات والمديريات والأقسام، والوحـدات الأخـرى، مـن مـوظفين وخبراء وأخصائيين وغير ذلك من الوظائف والأصناف المختلفة، وكـل هـذه الوظـائف، إنمـا تتم كما هو معروف في ظل جو من المنافسة مع مراعاة قدر من التوزيع الجغـرافي العـادل بين الدول الأعضاء[2].

طبعة 2002م ص30.

(1) انظر م7 من ميثاق الايسيسكو نفس المرجع السابق ص13.

(2) انظر بهذا الخصوص:

- م9 فقرة (2)، م6 الفقرات (5،4،2،1) من ميثاق اليونسـكو في مرجـع النصـوص الأساسـية 2004م مرجـع سـابق ص 16،17،18.

- م9 الفقرات (2،1)، م6 الفقرات (6،4) من دستور الالكسو نفس المرجع السابق ص 29،30،32.

- م13، م17 فقرة (1) من ميثاق الايسيسكو 2005م مرجع سابق ص 17- 19.

ويتم تواصل هذه المنظمات، بالدول الأعضاء بها، عبر عدد من القنوات، من خلال، وفود الدول الأعضاء إلى المؤتمرات العامة، التي تعقدها هذه المنظمات، وأيضاً من خلال أعضاء المجالس التنفيذية المعتمدين من هذه الدول، لتمثيلها لدى هذه المنظمات، علاوة على ذلك فهنالك الوفود الدائمة المعتمدين لدى هذه الأخيرة، لتمثيل تلك الدول، إضافة إلى ما تنشئة هذه المنظمات، في بعض الدول الأعضاء من فروع، ومعاهد، ومراكز، ومكاتب تمثيلية وفقاً للإمكانات المادية، والبشرية، والضرورة الملحة التي تستوجب ذلك، وقد سبق تناول هذه المواضيع بشيء من التفصيل ضمن سياق القسم الأول من هذه الأطروحة.

أما أهم قناة لتواصل الدول الأعضاء بهذه المنظمات المتخصصة، إنما يأتي عبر اللجان الوطنية، حيث تعتبر هذه اللجان همزة الوصل النظامية والأساسية بين دولها، وبين المنظمات المعنية بالتربية والثقافة والعلوم، والإعلام على المستوى الدولي، والعربي، والإسلامي، أي بين المنظمات الثلاث (اليونسكو، الالكسو، الايسيسكو)، وعلى ذلك فإن مواثيق هذه المنظمات تنص على إنشاء اللجان الوطنية، فميثاق اليونسكو ينص على أن (تتخذ كل دولة عضو الترتيبات التي تلائم ظروفها الخاصة لإشراك هيئاتها الوطنية الرئيسية التي تعنى بشؤون التربية والعلم والثقافة في أعمال المنظمة، ويفضل أن يتم ذلك عن طريق تكوين لجنة وطنية تمثل فيها الحكومة وهذه الهيئات المختلفة)[1]. وينص دستور الالكسو كذلك بأن (تؤلف

---

[1] انظر م7 فقرة (1) من ميثاق اليونسكو، في مرجع النصوص الأساسية 2004م مرجع سابق ص17.

لجـان وطنيـة في كـل دولـه عضـو لتنظيـم التعـاون مـع المنظمـة)[1]. كـما أن ميثـاق الايسيسكو ينص بأن (تنشئ الدول الأعضاء لجاناً وطنيـة للتربيـة والعلـوم والثقافـة تقـوم بتوطيـد صـلات التعـاون بـين المنظمـة الإسـلامية - ايسيسـكو - وبـين الـوزارات والهيئـات والأفراد في الدول الأعضاء)[2]. فبفضل هذه النصوص القانونيـة ظهـرت اللجـان الوطنيـة إلى حيز الوجود، مباشره بعد ظهور اليونسكو عام 1946م إذ يعود لهذه الأخيرة فضـل السـبق في إنشاء هذه اللجان[3]. فقد ارتفع عـدد اللجـان الوطنيـة مـن (13) لجنـه عـام 1947م إلى عدد (78) لجنة عام 1958م[4]. وبحلول عام 2002م كانت (187) دولـه عضـو باليونسـكو - من أصل (188) دولة عضو - قد انشأت لجان وطنية، بالإضافة إلى ثلاثـة أعضـاء منتسـبين من أصل ستة أعضاء[5]. وتعتبر اللجان الوطنية التي تعمل حاليـاً - سـنة 2003م - في (190) من الدول الأعضاء، والأعضاء المنتسبين، سمه فريدة من نوعها في منظومـة الأمـم المتحـدة، ذلك أن اليونسكو هي المنظمة الوحيدة بين منظومه أسرة الأمم المتحدة، التي لديها لجـان وطنية في الدول الأعضاء[6]. وهذا بدوره ينطبق تماماً على كل

---

(1) انظر م7 من دستور الالكسو نفس المرجع السابق ص31.

(2) انظر م14 فقرة (1) من ميثاق الايسيسكو طبعة 2005م مرجع سابق ص18.

(3) إلا أن البدايات الأولى لإنشاء اللجان الوطنية إنما يعود إلى عشرينات القرن الماضي وتحديداً في عام 1922م.
- انظر بهذا الخصوص د. أحمد الصياد، مرجع سابق ص107.

(4) انظر ميشيل لاكوست، مرجع سابق ص77.

(5) انظر هيكلة اللجان الوطنية لليونسكو، إصدارات اليونسكو باريس لعام 2003م ص9.

(6) انظر هيكلة اللجان الوطنية نفس المرجع السابق وبنفس الصفحة.
انظر كذلك، ميشيل لاكوست، مرجع سابق وبنفس الصفحة.

من المنظمات المتخصصة (الالكسو، و الايسيسكو)، حيث تنفرد هاتين المنظمتين - دون سواهما من المنظمات الأخرى المنضوية في منظومة أسرة المنظمات المتخصصة التابعة لكل من جامعة الدول العربية ومنظمة المؤتمر الإسلامي - في أن لديهما أيضاً نفس اللجان الوطنية لليونسكو، إذ لم تعد هذه اللجان حكرا على هذه الاخيرة، بل أصبحت مطلبا ملحا لكل من الالكسو و الايسيسكو خاصة وان مواثيقهما قد أشارت إلى إنشاء هذه اللجان مثلما هو عليه الحال، تقريباً في ميثاق اليونسكو، إلا أن هذه الأخيرة مع ذلك - بعكس المنظمتين الموازيتين لها - بحكم خبرتها وبتجربتها الطويلة، مع اللجان الوطنية، وازدياد أعداد هذه اللجان بالتوازي تقريباً مع نفس عدد الدول الأعضاء المنظمة لليونسكو، وهو الأمر الذي استوجب على هذه الأخيرة، على ما يبدو، الاهتمام بشكل أكبر بهذه اللجان، وتوسيع دائرة اختصاصاتها، ثم ما أعقب ذلك من وضع النظم الحاكمة لتنظيم مجمل هذه العلاقات بين المنظمة، والدول الأعضاء، وهذه اللجان، وبهذا الخصوص نلاحظ، أن المؤتمر العام لليونسكو عام 1966م، كان قد شدد لأول مرة على أهمية زيادة فعاليه هذه اللجان وتوسيع اختصاصاتها[1]. وقد توج هذا الجهد فيما بعد إلى (ميثاق اللجان الوطنية) الذي جرى إقراره من المؤتمر العام في دورته العشرين بتاريخ 27-11-1978م[2]. ويعد هذا الميثاق

-

---

(1) انظر د. أحمد الصياد، مرجع سابق ص 109- 110.

(2) انظر ميثاق اللجان الوطنية لليونسكو، في مرجع النصوص الأساسية طبعة 2004م مرجع سابق ص 155- 161.

- يتكون هذا الميثاق، من ديباجه، وخمس مواد، تتحدث عن الهدف والمهام، ودور اللجان الوطنية تجاه الدول الأعضاء، والخدمات التي تقدمها اللجان الوطنية إلى اليونسكو، ومسئوليات الدول الأعضاء تجاه اللجان الوطنية، ثم مسئولية اليونسكو تجاه اللجان الوطنية.

الذي لم يطرأ عليه أي تعديل حتى سبتمبر عام 2006م - الوثيقة الرئيسية المنظمة لمجمل علاقات اللجان الوطنية بدولها، وبمنظمة اليونسكو، مع تحديد دور كل منها تجاه الطرف الآخر، ومع تحديد واضح لأهداف ومهام اللجان الوطنية، علاوة على ذلك فإن هذه الوثيقة، في تقديري، تعد مرجعاً أساسياً في كل من المنظمات الموازية (الالكسو، الايسيسكو)، رغم الفارق بين هاتين الأخيرتين، بطبيعة الحال في هذا الجانب، ومرد ذلك هو أن الالكسو خلال عقد الثمانينات من القرن الماضي، وتحديداً في عام 1987م، قامت بإعداد دليل عمل اللجان الوطنية العربية للتربية والثقافة والعلوم، بهدف إعانة العاملين بأمانات اللجان الوطنية، والقائمين على أمرها والمشاركين في أعمالها على القيام بواجبهم في المساهمة في أعمال المنظمات الدولية والإقليمية، وقد استندت الالكسو في إعداد هذا الدليل، على أهداف ومبادئ ميثاق اللجان الوطنية لليونسكو، ليشكل بذلك دليل العمل المعد من الالكسو، منهج وبرنامج عمل لتطبيق تلك المبادئ والأهداف والمسؤوليات لفائدة اللجان الوطنية العربية بشكل عام[1]. وقد أعادت هذه الأخيرة طباعة هذا الدليل عام 2003م، بعد إدخال التعديلات الضرورية عليه، وذلك في ضوء التعديلات، التي واكبت تطوير الوثائق الأساسية للعمل، خاصة بعد أن تعاظم دور اللجان الوطنية، وتطور وظيفتها كشريك أساسي

(1) انظر: دليل عمل اللجان الوطنية العربية للتربية والثقافة والعلوم، إصدارات الالكسو لعام 1987م مرجع سابق ص 32- 48.

- وقد اشتمل هذا الدليل على ثمان فقرات رئيسية تتعلق: بتعريف اللجان، وبدستورها، وفعاليتها، ومهامها، ومسئولياتها تجاه الدول، والمنظمة، ومسئوليات الدول الأعضاء، تجاه اللجان الوطنية، كما اشتمل على نموذج (قرار أو مرسوم) بخصوص إنشاء أو إعادة تشكيل اللجان الوطنية العربية، مع نموذج اللائحة الداخلية للجان الوطنية.

في عمل المنظمة، والمنظمات الأخرى الموازية لها. وقد جرى هذا التعديل، وإعادة ترتيب محتويات هذا الدليل - على أساس الخبرات العربية المكتسبة - وبما يسمح بالاستفادة منه بشكل وأسع في أعمال اللجان الوطنية العربية للتربية والثقافة والعلوم[1]. بينما تأتي منظمة الايسيسكو على عكس من سابقاتها، ذلك أنها فيما يبدوا قد رأت في الوثائق الصادرة عن كل من

---

(1) انظر: دليل عمل اللجان الوطنية للتربية والثقافة والعلوم، إصدارات الالكسو الطبعة المعدلة 2003م مرجع سابق ص7.

- وحسب هذا الدليل فإنه تم الاستعانة بخبرات الأستاذ/ محمود فؤاد عمران، الذي مارس العمل في اللجنة الوطنية المصرية لفترة تزيد عن ثلاثين عاماً، وقد كان له الفضل الأكبر في إعداد دليل عمل اللجان الوطنية عام 1987م.

- بينما جرى تعديل الدليل لعام 2003م، من قبل المنظمة، ممثله، بالأمانة العامة للمجلس التنفيذي والمؤتمر العام، وقد اشتمل هذا الدليل المعدل، بالإضافة إلى فقرات الدليل السابق، العديد من الفقرات الأخرى، أهمها: مسؤوليات اللجان الوطنية، تجاه المؤتمر العام، وتجاه المنظمة في حال الترشح لشغل الوظائف الشاغرة، وتجاه عضو المجلس التنفيذي ومسئولية هذا الأخير تجاه المنظمة، واللجان الوطنية، ثم مسئولية المنظمة تجاه عضو المجلس التنفيذي ص 37- 53.

- كما اشتمل هذا الدليل - مثل الدليل السابق - على مرفق نموذج (لقرار أو مرسوم) إنشاء أو إعادة تشكيل اللجنة الوطنية ويتكون من ديباجه وستة عشرة مادة، شملت، إنشاء اللجنة، وأهدافها، وتكوينها، والجمعية العمومية، وإجراءاتها، واختصاصاتها، ودورات انعقادها، والمكتب التنفيذي، واختصاصاته، والأمانة العامة واختصاصاتها، وأقسامها، ومهام مساعد الأمين العام، والاعتمادات المالية، ثم الجوانب الإجرائية المتعلقة بتنفيذ القرار ونشره في الجريدة الرسمية (نفس المرجع السابق ملحق رقم (5) ص 145- 156).

- كذلك انظر: دليل عمل اللجان الوطنية لعام 1987م ص 37- 43.

- كما اشتمل دليل اللجان الوطنية لعام 2003م - مثل الدليل السابق - على نموذج للائحة الداخلية للجنة الوطنية، حيث احتوى على خمسة أبواب، وشملت جميعها عدد (30) مادة.

- انظر المرجعين السابقين ص 44- 48 لعام 1987م، ص 157- 163 لعام 2003م.

(اليونسكو و الالكسو) ما يغنيها من عناء البحث في هذا الجانب، وقد تكون محقه، بعض الشيء في ذلك خاصة ،أن الدول الأعضاء بها - بما في ذلك لجانها الوطنية - هي أيضاً دول أعضاء في كل من المنظمتين الموازيتين لها، إلا أني مع ذلك أرى أنه ينبغي أن تسهم الايسيسكو في هذا الإطار لخدمه اللجان الوطنية العربية الإسلامية، لما من شأنه دعم وتعزيز قدراتها التنفيذية، وذلك لمواكبه التطورات المتسارعه، التي تشهدها هذه المنظمات المتخصصة ذاتها بما في ذلك التوسع الكبير الذي شهدته الايسيسكو في السنوات الخمس الماضية، وتحديداً منذ عام 2000م، وما سوف تشهده من توسع بعد انتقالها الفعلي إلى مقرها الجديد عام 2006م[1]. خاصة وأنه سيتزامن مع هذا الانتقال، كما هو متوقع، أن يقر المؤتمر العام - التاسع الذي سينعقد في الرباط خلال شهر ديسمبر من نفس العام السابق - مشروع الهيكل التنظيمي المقترح للمنظمة[2]. الذي جرى توسيعه ليتناسب، على ما يبدو، مع حجم التوسع البنيوي للمنظمة، في المقر الجديد، وفي الميدان من

---

(1) تم وضع حجر الأساس لبناء المقر الجديد للايسيسكو بتاريخ 2001/05/3م، وبدأ العمل فعلياً في البناء بتاريخ 2002/06/14م، وقدرت التكلفة الإجمالية للمشروع في البداية بمبلغ ستة مليون دولار، وربما يزيد هذا المبلغ بسبب الانخفاض المستمر لقيمة الدولار الأمريكي مقابل الدرهم المغربي.

- انظر بهذا الخصوص: وثيقة المجلس التنفيذي للايسيسكو الدورة (25)، الرباط في الفترة 24- 27 ديسمبر 2004م (تقرير المدير العام حول مشروع بناء المقر الدائم للمنظمة) البند (2.4) من مشروع جدول الأعمال ص 2،1.

(2) انظر: مشروع التقرير الختامي، للمجلس التنفيذي للايسيسكو، الرباط في الفترة من 12- 14 ديسمبر 2005م مرفق رقم (5).

- كذلك انظر: مشاريع تعديل كلاً من الميثاق والنظام الداخلي للمؤتمر العام، والمجلس التنفيذي، ونظام وضعيه الملاحظ، في مرفق (4) ص 1- 17.

خلال إنشاء فروع جديدة، وكل هذه الأمور، وغيرها الكثير إنما تتطلب من الايسيسكو، إيلاء أهمية خاصة، لتعزيز علاقاتها باللجان الوطنية بحيث يكون للدول الأعضاء، مندوبيات دائمة لديها، على غرار ما هو معمول به في المنظمتين الموازيتين لها، وهذا بدوره يتطلب بأن يكون لدى الايسيسكو ميثاق للجان الوطنية، أو على الأقل، دليل عمل للجان الوطنية في الدول الإسلامية الأعضاء، مثلما هو عليه الحال في الالكسو، على أن الرأي الراجح في هذا الجانب، ربما يتجه صوب أن تعد هذه الأخيرة، بالتعاون مع الايسيسكو ميثاق للجان الوطنية العربية والإسلامية، وبما يتلائم مع واقع وتطلعات عالمنا العربي والإسلامي، مع الاستفادة قدر الإمكان من خبرات منظمة اليونسكو في هذا الإطار.

وعلى العموم فإنه بالعودة إلى المواثيق المنشئة للمنظمات المتخصصة، تبين أن هذه المواثيق، كما سبق أن أشرنا، تنص على إنشاء اللجان الوطنية، إلا أن أيا من هذه المواثيق لم توضح طريقه إنشاء مثل هذه اللجان الوطنية، وذلك راجع فيما يبدو إلى الجدل الكبير الذي دار في أروقه اليونسكو، في بداية الأمر، حول الطريقة التي يمكن من خلالها إشراك الأوساط المعنية بشؤون التربية والثقافة والعلوم، داخل الدول الأعضاء، في أعمال ونشاطات اليونسكو، فقد طالبت بعض وفود الدول الأعضاء بأن يتضمن الميثاق التأسيسي النص على طريقه تشكيل اللجان الوطنية، بينما، طالب البعض، بأن تكون هذه اللجان حكوميه، رأى البعض الآخر، بأن تكون مستقلة تماماً عن الحكومات، وقد انتهى هذا الجدل بالاتفاق على حل وسط وهو، أن لا يحدد الميثاق طريقه جامدة لتشكيل مثل هذه اللجان، وبأن يترك أمر هذا

التشكيل للدول الأعضاء[1]. نظراً لتباين بيئتها السياسية والاجتماعية والاقتصادية، ولذلك فإنه لا يوجد على أرض الواقع لجنتان وطنيتان متماثلتان، بل انه يكاد أن يكون من المستحيل إيجاد نموذج عالمي وحيد قابل للتطبيق في جميع الحالات، وهذا الأمر هو ما تم فعلاً مراعاته في المادة السابعة من ميثاق اليونسكو[2]. وهو ما سارت عليه بعد ذلك كل من مواثيق الالكسو والايسيسكو، وقد أدى هذا الوضع بشكل عام إلى تباين اللجان الوطنية من لجنه لأخرى، سواء من حيث وضعها القانوني، أو من حيث الأهداف والمهام، أو التشكيل، أو من حيث علاقاتها بالمنظمات المتخصصة، أو حتى تنظيم هذه العلاقة داخل دولها على مستوى الوزارات ذات الصلة، ومنظمات المجتمع المدني والمؤسسات والأفراد المعنيين بأنشطة هذه المنظمات في مجالات التربية والثقافة والعلوم والإعلام... الخ وسيتم التطرق لهذه المواضيع وغيرها بدءاً بإنشاء اللجان، وتعريفها، وأهدافها، ومهامها، وتكوينها... وكما يلي:-

إنشاء اللجان الوطنية

تنشأ في كل دولة من الدول أعضاء هذه المنظمات المتخصصة (اليونسكو، الالكسو، الايسيسكو) - إعمالاً لمواثيقها - لجنه وطنية، وتتخذ هذه اللجنة من عاصمة البلد المعني مقراً لها، وبالرغم من أن اسم اللجنة الوطنية، ينسب عادة إلى اسم البلد المعني، إلا أن السمة البارزة، في مسميات هذه اللجان، إنما هو الاختلاف من لجنه لأخرى[3].

---

[1] انظر د. حسن نافعة، العرب واليونسكو، مرجع سابق ص 60-61.

[2] انظر: هيكله اللجان الوطنية لليونسكو مرجع سابق ص10.

[3] وعلى سبيل المثال لا الحصر فهناك بعض المسميات ومنها:

وعلى العموم فإن البدايات الفعلية في إنشاء اللجان الوطنية إنما يعود إلى عام 1922م وذلك في دول البلطيق كأداة إرتباط بين اللجنة الدولية للتعاون الفكري والمؤسسات العلمية في بلدانها[1]. ثم جاءت بعد ذلك مباشرة إنشاء اللجان الوطنية، من فكرة مؤداها أن اليونسكو، لا يمكن أن تضطلع بأي عمل فعال في مجالات التربية والعلم والثقافة والاتصال، دون أن تضمن تعاون الأوساط الفكرية والعلمية في الدول الأعضاء وفي المنظمة[2]. وهذا ما تجسد فعلاً من خلال المادة السابعة من الميثاق التأسيسي لليونسكو[3]. فهذه المادة - مثل مواد مواثيق كل من الالكسو والايسيسكو[4].

-

1- اللجنة الوطنية النمساوية لليونسكو 2- لجنة اليونسكو الوطنية لافريقيا الوسطى 3- لجنه كوستاريكا الوطنية لليونسكو 4- اللجنة الوطنية المصرية للتربية والعلم والثقافة 5- اللجنة الوطنية اليمنية للتربية والثقافة والعلوم 6- اللجنة الوطنية الفرنسية للتربية والعلم والثقافة (لليونسكو) 7- اللجنة الوطنية المكسيكية للتعاون مع اليونسكو 8- لجنة الاتحاد الروسي لليونسكو 9- لجنة اليونسكو الوطنية للملكة العربية السعودية.

- انظر بهذا الخصوص:

- هيكلة اللجان الوطنية لليونسكو نفس المرجع السابق (الجزء الثاني) صفحات إعلامية تفصيلية عن مجموعة مختارة من اللجان الوطنية (لا يوجد أرقام للصفحات) لهذا الجزء.

- كذلك انظر: لائحة اللجنة الوطنية اليمنية الصادرة بالقرار الجمهوري رقم (139) لعام 1995م.

- انظر م1 من نموذج (قرار أو مرسوم) بشأن إنشاء أو إعادة تشكيل اللجنة الوطنية، في مرجع دليل عمل اللجان الوطنية العربية الالكسو طبعة 2003م مرجع سابق ملحق رقم (5) ص 145.

(1) انظر د. أحمد الصياد، مرجع سابق ص107.

(2) انظر: موقع اليونسكو بخصوص العلاقات مع اللجان الوطنية على الموقع الآتي:-
http://unesdoc.unesco.org/images/0013/001323/132357e.pdf

(3) انظر م7 من ميثاق اليونسكو مرجع سابق ص17.

تترك للدولة العضو أمر تحديد الوضع القانوني للجنتها الوطنية، وموقع هذه اللجنة في إطار الإدارة الوطنية، وفقاً لطبيعة النظام السياسي[1]. إلا أنه طبقاً لأحكام المادة الرابعة من ميثاق اللجان الوطنية لليونسكو فإنه ينبغي لكل دوله عضو، أن توفر للجنتها الوطنية الوضع والبنى والموارد اللازمة لها، كي تتمكن من الاضطلاع بمسؤوليتها، تجاه المنظمة وتجاه الدولة المعنية[2]. ويتم هذا عادة من خلال عمل تشريعي أو تنفيذي داخلي (كالقرارات أو المراسيم، أو القوانين التي تصدرها الحكومات) فوجود وثيقة قانونية من هذا النوع يساعد اللجنة الوطنية على تأكيد سلطتها بين المنظمات الشريكة وتعزيز مكانتها ضمن الإدارة الوطنية[3]. وينبغي أن يشمل الوضع القانوني للجان الوطنية - ضمن مشتملا ته الأخرى - النص على منحها الاستقلال الوظيفي، وما تتمتع به من سلطات، تجاه الإدارات الوطنية، ومن قدره على تشجيع التعاون، بين الوزارات المعنية، الممثلة في هذه اللجان، كالخارجية والمالية والتخطيط والتعاون، وقد يتحقق هذا بفاعليه أكبر إذا ألحقت اللجان الوطنية بمجلس الوزراء، أو بمكتب رئيس الوزراء، لتجنب تبعيتها لوزارة واحده، وبهذا الخصوص فإنه يتضح من البيانات المتوفرة، أن نسبه 70%

---

(1) انظر: المواد (7، (14 فقرة (1)) من دستور الالكسو، وميثاق الايسيسكو، نفس المراجع السابقة ص 18،31 بالترتيب.

(1) انظر: هيكله اللجان الوطنية لليونسكو مرجع سابق ص14.

(2) انظر: م4 فقرة (1) من ميثاق اللجان الوطنية لليونسكو في مرجع النصوص الأساسية 2004م مرجع سابق ص159.

(3) انظر: هيكلة اللجان الوطنية نفس المرجع السابق وبنفس الصفحة.

- كذلك انظر موقع اليونسكو على الموقع الالكتروني نفس المرجع السابق
http://unesdoc.unesco.org/images/0013/001323/132357e.pdf

من اللجان الوطنية، هي لجان ملحقه بوزارة التربية، 20% بوزارة الخارجية، و 3% بوزارة الثقافة، 7% بإدارات ووكالات حكومية مختلفة أخرى[1].

إلا أن معظم اللجان الوطنية التي أنشئت مؤخراً أو أعيد تنظيمها منذ عهد قريب، فإنها تنزع إلى أن تكون ذات وضع مشترك بين الوزارات، لان ذلك يعطيها حرية العمل مباشرة مع جميع الهيئات الحكومية ذات الصلة بمجالات اختصاص اليونسكو، وهو ما يستجيب فعلا لاهتمام المجلس التنفيذي لهذه الأخيرة، حيث أوصى في دورته (136) بالأخذ بالبنية المشتركة بين الوزارات[2]. وتعمل اليونسكو على مساعده اللجان الوطنية الحديثة العهد بالإنشاء، أو إعادة التنظيم، ممن يعوزها القدر الكافي من المعدات اللازمة للقيام بوظائفها، ويمكن تقديم هذه المساعدة، في إطار برنامج المساهمة بشرط[3]:-

- أن تعطي اللجنة أولوية عالية لهذه المساعدة بين قائمة الطلبات المقدمة من البلد.
- أن يكون الطلب مشفوعاً بفواتير صوريه.
- أن يكون الطلب معقولاً، ولا يتضمن أجهزة مفرطة التطور أو أجهزة تكون قد قدمت في عهد قريب.

تعريف اللجان الوطنية

يعرف دليل عمل اللجان الوطنية العربية اللجنة الوطنية بأنها: النظير

---

(1) انظر: هيكله اللجان الوطنية المرجع السابق ص 15- 16 (بتصرف).

(2) انظر: مرشد عملي من أجل الجان الوطنية لليونسكو مرجع سابق ص67.

(3) انظر: نفس المرجع السابق 73.

للمنظمة على المستوى القطري الذي يضمن الوجود الدائم للمنظمة في الدول الأعضاء، وتعمل في إطار ما تخططه المنظمة لنشاطها على المدى البعيد أو المتوسط أو القريب، وهي أجهزة مستقلة تابعه للحكومات[1]. وعلى العكس من ذلك فإن إصدارات اليونسكو، لا تورد تعريف موحد ينطبق على جميع اللجان الوطنية، ذلك أن هذه اللجان في هذه الأخيرة، ليست جميعها لجان حكومية - مثل ما هو عليه الحال في الالكسو - حيث يتضح من البيانات المتوفرة أن 80% من اللجان الوطنية تعرف نفسها كلجان حكومية و14% كلجان شبه حكومية و 6% كلجان مستقلة[2]. ولاشك أن تعريف أو حتى تصنيف اللجان الوطنية بهذا الشكل إنما هو تصنيف نسبي، ذلك أن أساليب عمل هذه اللجان في الواقع إنما يتسم بالكثير من التنوع والتعقيد[3]. وربما يكون هذا هو السبب الذي حدى باليونسكو إلى تجنب الخوض في إيراد تعريف موحد وشامل للجان الوطنية، إلا أننا مع ذلك نجد أن هذا

---

(1) انظر: دليل عمل اللجان الوطنية العربية الطبعة المعدلة 2003م مرجع سابق ص37.

(2) انظر: هيكله اللجان الوطنية لليونسكو مرجع سابق ص15، وحسب هذا المرجع ص14 فإنه بات من المقبول به غالباً، وفقاً للدليل العملي للجان الوطنية (باريس 1999) تقسيم اللجان الوطنية إلى ثلاثة فئات رئيسية هي:

أ- اللجان الحكومية: وهي لجان تعمل أماناتها كجزء لا يتجزأ من الوزارات أو الهيئات الحكومية.

ب- اللجان شبه الحكومية: وهذه اللجان قد تكون منفصلة عن البنى الحكومية ولكنها تحتاج إلى دعم دائم من جانب الوزارات وغيرها من الهيئات الحكومية المشرفة، وبالأخص على الإمكانيات المالية والبشرية.

ج- اللجان المستقلة ذاتياً: وهذه اللجان تتمتع بقدر كبير من الاستقلال في إدارة أنشطتها وفقاً للقرارات السياسية التي تتخذها أجهزتها الإدارية.

(3) انظر: هيكله اللجان الوطنية نفس المرجع السابق وبنفس الصفحة.

الأمر، لا يخلو من إيراد بعض التعاريف، حيث تعرف تارة بأنها: هيئات تنشئها الحكومات بغرض القيام بدور (الجسور) التي تربط اليونسكو بالدول الأعضاء والمجتمع المدني، وهي بمثابة أماكن تجتمع فيها الهيئات الوطنية وطائفة واسعة من الخبراء الوطنيين المعنيين بمجالات اختصاص اليونسكو[1].

أهداف اللجان الوطنية

حددت الفقرة الأولى من المادة السابعة من ميثاق اليونسكو الهدف العام الذي تعمل على تحقيقه اللجان الوطنية، ويتمثل هذا الهدف، في اشراك الهيئات الوطنية الرئيسية التي تعنى بشؤون التربية والعلم والثقافة في أعمال المنظمة[2]. وقد فصل ميثاق اللجان الوطنية لليونسكو في مادته الأولى الفقرة الأولى ذلك الهدف حيث نص على أن (من مهام اللجان الوطنية إشراك مختلف الإدارات الوزارية والمرافق والمؤسسات والمنظمات والأشخاص الذي يعملون من أجل تقدم التربية والعلم والثقافة والإعلام، في أنشطه بحيث تمكن جميع الدول الأعضاء من:

الإسهام في صون السلم والأمن والرخاء المشترك للإنسانية بالمشاركة في أنشطه اليونسكو التي تستهدف تعزيز التعاون والتفاهم المتبادل بين الأمم وإعطاء دفعة قوية للتربية الشعبية ولنشر الثقافة وللمساعدة على صون المعرفة وتقدمها ونشرها.

الاشتراك على نحو متزايد في نشاط اليونسكو ولاسيما في إعداد وتنفيذ

(1) انظر: هيكله اللجان الوطنية لليونسكو نفس المرجع السابق ص9.
(2) انظر: م7 فقرة (1) من ميثاق اليونسكو في مرجع النصوص الأساسية 2004م مرجع سابق ص17.

برامجها[1].

وبناءا على ذلك فإن كل دوله تـنظم إلى عضـويه اليونسـكو، مـدعوه إلى إنشـاء لجنه وطنية، وفقا لظروف هـذه الدولـة وأفضـليتها، ويكـون الهـدف الرئيسي لهـذه الهيئة العمل على إشراك مختلف الـوزارات والوكـالات والمؤسسـات والمـنظمات غـير الحكومية والأفراد في نشاط المنظمة[2].

وبالرغم من تنوع اللجان الوطنية من حيث القـدرات والتشـكيل فإنهـا تسـعى جميعها لتحقيق أهداف متشابهه مثل:

تحسين صورة اليونسكو على المستوى الوطني وزيادة وعـي الجمهـور بأهـداف ومثل اليونسكو.

ربط الأولويات الوطنية لبلدانها بالرسالة الدولية للمنظمـة، وإقنـاع السـلطات الحكومية المناسبة وغيرها من الأطراف المعنية بمزايا الانتماء إلى اليونسكو.

إشراك الأوسـاط والطاقـات الفكريـة والثقافيـة في الـدول الأعضـاء في أنشـطه المنظمة، ولذلك فإن عـلى الـدول الأعضـاء أن تضـع في اعتبارهـا عنـد إنشـاء اللجنـة الوطنية أو إعادة تنظيمها، أن هذه اللجان ستعمل، ضمن أمور أخرى، لخدمـه هـذه الأهداف العامة، ويمكن توسيع نطـاق هـذه الأهـداف بحسـب مقتضيات الأمـور[3]. ويقضي دليل عمل اللجان الوطنية العربية، بأن الهدف من إنشاء اللجان الوطنية إنما هو بغرض تنظيم وتنسيق ودعم

---

(1) انظر: م1 فقرة (1) من ميثاق اللجان الوطنية لليونسكو نفس المرجع السابق ص156.

(2) انظر: هيكله اللجان الوطنية نفس المرجع السابق وبنفس الصفحة.

(3) انظر: هيكله اللجان الوطنية نفس المرجع السابق ص 18- 19.

التعاون بين المنظمة والدولة[1]. للمساهمة في إعداد السياسة العامة للمنظمة وإعداد خططها الطويلة والقصيرة وفي تنفيذ برامجها على المستوى القطري والعربي، ولذلك فهي تعتبر هيئات للمشورة والاتصال والإعلام والتنفيذ والشريك الأساسي للمنظمة في إعداد برامجها، ومشروعاتها وتنفيذها وتقييمها بالإضافة إلى مساهمتها الفعالة في التعريف بأهداف المنظمة، وبإشراك الأوساط الفكرية والعلمية في تنفيذ برامجها وأنشطتها، كما تعتبر القنوات الأساسية وحلقات الوصل ما بين المنظمة والدول الأعضاء[2].

مهام اللجان الوطنية

حدد الميثاق التأسيسي لليونسكو في فقرته الثانية من المادة السابعة، نوعين من المهام التي ينبغي أن تقوم بها اللجان الوطنية وهما:-

الدور الاستشاري: وذلك عن طريق تقديم المشورة إلى وفود هذه الحكومات إلى المؤتمر العام لليونسكو، والى ممثلي بلدانها ونوابهم في المجلس التنفيذي، والى حكوماتها فيما يتعلق بجميع المشكلات المتصلة بالمنظمة.

دور هيئات الاتصال: وذلك فيما يختص بجميع المسائل التي تهم المنظمة[3]. ويتم ذلك عن طريق إقامة صله دائمة بين أمانه اليونسكو

(1) إن لفظ الدولة، كما ورد بالدليل يعني أنها ممثله بـ (الوزارات والأجهزة والمؤسسات الحكومية العربية والقطرية الفنية للتربية والثقافة والعلوم) (دليل عمل اللجام الوطنية ص37).

(2) انظر: دليل عمل اللجان الوطنية العربية نفس المرجع السابق ص37.

(3) انظر: م7 فقرة (2) من ميثاق اليونسكو في مرجع النصوص الأساسية 2004م

والأطراف المعنية في الدول الأعضاء، من وكالات ومؤسسات حكوميه ومنظمات حكوميه وغير حكوميه وأفراد[1].

دور الإعلام والتنفيذ: أضيف هذا المهام إلى اللجان الوطنية إبان انعقاد الدورة الرابعة عشر للمؤتمر العام لليونسكو عام 1966م، بغرض التعاون في إعداد وتنفيذ برنامج اليونسكو، والتعريف بأهدافها وأنشطتها على الصعيد المحلى، والعمل على إنارة الرأي العام بها، لضمان وكفاله أوسع انتشار ممكن للمعلومات عن تلك الغايات والأهداف والبرامج[2].

وقد وسعت اختصاصات اللجان الوطنية بصدور ميثاق اللجان الوطنية لليونسكو عام 1978م لتشمل أيضاً المهام الآتية[3]:-

- أن تتعاون مع لجان وطنيه أخرى في دراسات مشتركه تتناول مسائل تهم اليونسكو.
- أن تشارك في تخطيط وتنفيذ الأنشطة التي يعهد بها إلى اليونسكو، والتي تنفذ بالتعاون مع مؤسسات أخرى في منظومة الأمم المتحدة.
- أن تضطلع بأنشطتها الخاصة المتصلة بالأهداف العامة لليونسكو.

ص17.

(1) انظر: هيكله اللجان الوطنية لليونسكو مرجع سابق ص19.

(2) انظر بهذا:

- هيكله اللجان الوطنية نفس المرجع السابق وبنفس الصفحة.
- مرشد عملي من أجل اللجان الوطنية مرجع سابق ص81.

(3) انظر: م1 الفقرات (2،3،4) من ميثاق اللجان الوطنية ليونسكو مرجع النصوص الأساسية 2004م ص 156-157.

- كذلك انظر: هيكله اللجان الوطنية لليونسكو مرجع سابق ص19.
- انظر أيضاً: مرشد عملي من أجل اللجان الوطنية لليونسكو مرجع سابق ص81- 82.

- أن تشارك في البحث عن مرشحين لوظائف اليونسكو وفي تدبير أماكن دراسة الحاصلين على منح المنظمة.

- أن تتعاون مع حكوماتها ومع المرافق والمنظمات والمؤسسات والشخصيات المعنية بالمسائل التي تدخل في اختصاص اليونسكو.

- أن تشجع مشاركة المؤسسات الوطنية الحكومية وغير الحكومية ومختلف الشخصيات في إعداد وتنفيذ برامج اليونسكو، بما يكفل استفادة المنظمة من كل المساعدات الفكرية والعلمية والفنية والإدارية اللازمة لها.

- أن تتعاون اللجان الوطنية فيما بينها ومع مكاتب اليونسكو ومراكزها الإقليمية، وبخاصة في البرامج التي تصمم وتنفذ على أساس مشترك، وقد يأخذ هذا التعاون، أشكال متنوعة كالإعداد والتنفيذ والتقييم أو أي شكل من أشكال التعاون الأخرى، كالمؤتمرات والاجتماعات وتبادل الزيارات والمعلومات والوثائق...الخ.

وقد تطورت مهام اللجان الوطنية لليونسكو عام 1991م حيث اعترف المؤتمر العام في دورته (26) باللجان الوطنية بوصفها أحد العناصر الرئيسية المشاركة في عمليه تحقيق اللامركزية، كما أعلن المؤتمر العام في دورته (27) عام 1993م بأن هذه اللجان تمثل أهم شركاء اليونسكو، خاصة مع التوسع التدريجي في حقل أنشطتها، لتشمل تعبئه الموارد من القطاعين العام والخاص، وتنويع أنشطتها التشاركية.

مما سبق نلاحظ أن أهداف ومهام اللجان الوطنية، كما تم استعراضها، إنما يبدوا أنه قد جرى الخلط بينهما، دون قصد، بالرغم من أهميه التفريق بينهما ذلك أن الهدف يمثل الغاية التي تطمح أي منظمة، أو هيئه، إلى

تحقيقها، بينما المهام مجرد توجيهات أو تعليمات يجب احترامها ومراعاتها أثناء وفي سبيل تحقيق تلك الغايات، وقد سبق تناول هذا الموضوع بشيء من التفصيل ضمن الباب الأول من القسم الأول من هذه الأطروحة[1]. ومرد هذا الخلط إنما يعود بداية لميثاق اللجان الوطنية لليونسكو، وهو ما انعكس على ما يبدوا على وثائق الالكسو. ولتوضيح هذا الأمر أقول بأن المادة السابعة من ميثاق اليونسكو قد نصت في فقرتها الأولى على الهدف العام من إنشاء اللجان الوطنية، ولا غبار في ذلك، وهو ما تعاملنا فعلا على أساسه، مثلما تعاملت به إصدارات اليونسكو ذاتها، وقد اعتمدنا عليها كمراجع عند تناول الأهداف والمهام السابق ذكرها، ونفس الأمر ينطبق أيضاً على مهام اللجان الوطنية كما أوردتها الفقرة الثانية من نفس المادة السابعة من ميثاق اليونسكو، وعلى كل حال فإن الأمور واضحة وجليه في هاتين الفقرتين، ولا اعتراض على أي منها، إلا أنه بالعودة إلى ميثاق اللجان الوطنية لليونسكو تبين لنا الآتي:-

أن المادة الأولى من هذا الميثاق والمعنونة بـ (الهدف و المهام) لم توضح في أي من فقراتها الأربع ما هو الهدف الرئيسي، وكذا الأهداف الفرعية التي ينبغي على اللجان الوطنية العمل على تحقيقها.

نصت الفقرة الأولى من نفس المادة كذلك، بالنص الصريح بأن (من مهام اللجان الوطنية... الخ) وقد سبق إيراد هذه الفقرة بالنص الكامل عند تناول أهداف اللجان آنفا - مما يدل على أن هذه الفقرة، هي فعلاً تتحدث عن مهام اللجان الوطنية، إلا أننا لو سلمنا بهذا الأمر، فإنه دون شك

---

[1] انظر د. أحمد أبو الوفاء، مرجع سابق ص87.
- انظر: الفصل الأول، المبحث الثاني، المطلب الثاني (وسائل المنظمات) ص72.

سينطبق تماماً على الفقرة الأولى من المادة السابعة من ميثاق اليونسكو، لتصبح هذه الفقرة الأخيرة وكأنها تتحدث عن مهام، وليس هدف، طالما لم يوضح الميثاق ذلك بشكل صريح، في أي من فقرات هذه المادة، وهذا بدوره سيتناقض مع ما جرى عليه العرف في مواثيق المنظمات الدولية، وفي أيه مواثيق أخرى، حيث يقدم دائماً الهدف على المهام، وهو ما التزم به ميثاق اليونسكو في مادته الأولى، مثل مواثيق سائر المنظمات الدولية، وهو الأمر الذي تم مراعاته أيضاً في المادة السابعة من الميثاق نفسه.

نخلص مما سبق إلى القول بأن ما ورد في الفقرة الأولى من المادة الأولى من ميثاق اللجان الوطنية لليونسكو، إنما تتحدث عن الهدف الرئيسي ـ الذي ينبغي أن تعمل اللجان الوطنية على تحقيقه، ولهذا فإنه ينبغي إصلاح هذا الخطأ غير المقصود، وذلك بحذف كلمه (مهام) الواردة في هذه الفقرة، واستبدالها بكلمه (تهدف) وبهذا يتحقق الانسجام ما بين الفقرة الأولى من المادة السابعة من ميثاق اليونسكو، وبين هذه الفقرة من ناحية، كما سيتحقق الانسجام كذلك بين هذه الفقرة الأخيرة، وبين الثلاث الفقرات الأخرى الواردة في ذات المادة من ميثاق اللجان الوطنية، على اعتبار أن هذه الثلاث الفقرات الأخيرة إنما هي وسائل أو مهام لتحقيق تلك الغايات (الأهداف) من ناحية أخرى. وهذا بدوره ينسجم تماماً مع تلك الأهداف والمهام التي سبق تناولهما آنفا بشكل عام، مع ملاحظه أن مهام اللجان الوطنية، كما تحدثت عنه هذه الثلاث الفقرات الأخيرة، قد جاءت فيما يبدو، غير متناغمة مع ما ورد في الفقرة الثانية من المادة السابعة من ميثاق اليونسكو، وكما سيتضح ذلك في الفقرة الآتية.

فقد حددت المادة السابعة في فقرتها الثانية من ميثاق اليونسكو، بعض

المهام الرئيسية التي ينبغي على اللجان الوطنية القيام بها لبلوغ أهدافها، مما يعني أنه كان ينبغي على واضعي ميثاق اللجان الوطنية لليونسكو، عند التطرق لمهام هذه اللجان، إعمال هذا النص، أو الاقتباس منه، أو على الأقل الإشارة إليه، عند ذكر تلك المهام، في ميثاق هذه اللجان، وبهذا يحدث في تقديري التناغم والانسجام، وأيضاً التكامل بين أحكام المادة السابعة من ميثاق اليونسكو مع أحكام ميثاق اللجان الوطنية، ذلك أن هذا الأخير إنما جاء كنتيجة مباشرة لميثاق اليونسكو ذاته، ولهذا فإننا قد تطرقنا آنفا لهذه المهام (التي أغفلها ميثاق اللجان الوطنية) في مقدمه المهام التي ينبغي على هذه اللجان تحقيقها، فهي مهام أصليه واردة في ميثاق المنظمة الأم (اليونسكو) ولهذا فإنها تسمو في تقديري على سواها من المهام الواردة في مواثيق أيه هيئات أو لجان منبثقة عن هذه المنظمة نفسها، إلا أن هذا الأمر مع ذلك لم يتم إهماله كليه من قبل اليونسكو، حيث نلاحظ بهذا الخصوص أن مثل هذه المهام - وان لم ترد في ميثاق اللجان الوطنية - إلا أنها تتبوؤ مركز الصدارة في الإصدارات المختلفة لليونسكو[1].

أن هذا الخلط بين الأهداف والمهام المذكورة آنفا، قد انعكس فيما يبدو على وثائق الالكسو، ذلك أن دليل عمل اللجان الوطنية العربية، كما هو ملاحظ في فقرته الأولى عند التطرق لأهداف اللجان الوطنية، فإن ذلك أيضا قد شمل بعض المهام دون أن يشير إلى ذلك واضعوا هذا الدليل[2]. وقد

---

(1) انظر: هيكله اللجان الوطنية لليونسكو مرجع سابق ص19.

- كذلك انظر موقع اليونسكو حول العلاقات مع اللجان الوطنية على موقع الآتي: (http://unesdoc.unesco.org/images/0013/001323/132357e.pdf (8-10-2006

(2) انظر: دليل عمل اللجان الوطنية العربية طبعة 2003م ص37.

تم تناول هذا الموضوع ضمن أهداف اللجان الوطنية. سابقا، وكما يتضح من خلال هذا السرد، وهو ما يتضح أكثر في (نموذج أو مرسوم) بشأن إنشاء أو إعادة تشكيل للجنة الوطنية[1]. وهو ما ينبغي العمل على تلافيه في الإصدارات القادمة للالكسو.

تكوين اللجان الوطنية

تختلف التكوينات البنيوية للجان الوطنية بشكل كبير من لجنه لأخرى، إذ لكل دولة عضو في هذه المنظمات المتخصصة، كما بينا، السيادة في تحديد بنيه لجنتها الوطنية، ويرتهن النموذج المعتمد على مجموعتين من العوامل، هما حجم عضويه اللجنة ومواردها، ومستوى القدرات الفكرية للبلد المعنى وأولوياته الخاصة[2]. ويرد في ميثاق اللجان الوطنية لليونسكو، في مادته الرابعة وصفاً موجزاً للأشخاص الـذين ينبغي أن تظمهم كل لجنه وطنية إلى عضويتها، كممثلين للإدارات الوزارية والمرافق، وغيرها من الهيئات المعنية بالتربية والعلم والثقافة والإعلام، بالإضافة إلى شخصيات مستقلة تمثل الأوساط المعنية[3]. ويحدد النظام القانوني المنشئ للجنة الوطنية، الصفة التمثيلية الواسعة النطاق، لأعضاء اللجنة، الوطنية، لضمان مشاركة جميع الأطراف الرئيسية المعنية، وحيث انه لا يوجد حجم مفضل لهذه العضوية، إذ قد تختلف مـن بلد لآخر، إلا انه ينبغي أن تمثل فيها على

---

[1] انظر: م2 في الملحق رقم (5) في دليل عمل اللجان الوطنية العربية نفس المرجع السابق ص146.

[2] انظر: هيكله اللجان الوطنية لليونسكو مرجع سابق ص24.

[3] انظر: م4 فقرة (2) من ميثاق اللجان الوطنية لليونسكو، في مرجع النصوص الأساسية 2004م مرجع سابق ص159.

أفضل وجه كل الموارد الفكرية التي يملكها البلد، في جميع مجالات اختصاص اليونسكو، مع مراعاة قدر من التوازن بين عدد الأعضاء الذين يمثلون الحكومة من جهة، والأعضاء الذين يمثلون المجتمع المدني من جهة أخرى، وهنا أيضا يتحقق التوازن بطرق تختلف من لجنه لأخرى، غير أن لديها جميعاً أعضاء معينين بحكم مناصبهم وآخرين معينين بصفتهم الشخصية[1]. ويجب أن يكون أعضاء اللجان الوطنية على مستوى عال من

---

[1] انظر: هيكلة اللجان الوطنية لليونسكو مرجع سابق ص 21- 23.

- وحسب هذا المرجع فإن حجم العضوية في بعض اللجان الوطنية قد يصل إلى أكثر من (200) عضو، بينما يقل عددهم في بعض اللجان عن عشرة أعضاء، كاملي العضوية ص21.

- كذلك انظر: مرشد عملي من أجل اللجان الوطنية لليونسكو مرجع سابق ص70.

- انظر موقع اليونسكو حول العلاقات مع اللجان الوطنية على الموقع الآتي:

http://unesdoc.unesco.org/images/0013/001323/132357e.pdf) بتاريخ 8 -10- 2006)

- وحسب المراجع السابقة فإنه ينبغي أن تشمل عضوية اللجنة الوطنية، علاوة على ممثلي الوزارات والهيئات والمؤسسات الحكومية، إمكانية تعيين الأشخاص الآتي بيانهم:-

1- المندوب الدائم لدى اليونسكو

2- الممثل في المجلس التنفيذي

3- ممثلو الفروع الوطنية للمنظمات الدولية غير الحكومية التي ترتبط بعلاقات رسمية مع اليونسكو.

4- ممثلو اللجان الوطنية للبرامج الدولية الحكومية الرئيسية لليونسكو (مثل: برنامج التحولات الاجتماعية (موست) وبرنامج الإنسان والمحيط الحيوي (الماب) والبرنامج الدولي لتنمية الاتصال... الخ).

5- ممثلو الهيئات الوطنية لتنسيق أندية اليونسكو ومراكزها وأنديتها.

6- الموظفون السابقون في أمانة اليونسكو.

7- شخصيات مستقلة تمثل الأوساط المعنية، العلميين، والكتاب، والصحفيين والفنانين.

الكفاءة والخبرة وبما يكفل تعاون ومسانده الوزارات والمرافق والمؤسسات الوطنية، والأشخاص الذين يستطيعون الإسهام في عمل اليونسكو[1]. ولكي تعمل اللجان الوطنية بصورة فعالة فإنه ينبغي أن يحدد نظامها القانوني بوضوح المسؤوليات المنوطة بها وتشكيلها وشروط عملها، والإمكانيات المتاحة لها، ويجوز للجان الوطنية أن تظم لجاناً تنفيذية ودائمة وأجهزة تنسيق، ولجان فرعية وأيه أجهزة مساعدة ضرورية أخرى، كما ينبغي أن تكون لكل لجنة وطنية كقاعدة عامة أمانه خاصة بها، فمهمة الأمانة هي أهم الأركان التنفيذية في هيكلية أي لجنة وطنية[2]. وقد نصح المؤتمر العام لليونسكو، في دورته الاعتيادية (26) عام 1991م الدول الأعضاء بأن تعمل على تعزيز لجانها الوطنية من خلال توسيع بناها بقدر ما تقتضيه الحاجة لكي تستجيب هذه البني لتنوع مجالات اختصاص المنظمة[3]. ولهذا فإننا نجد أن معظم اللجان الوطنية تحاول أن تنظم بنيتها وفقاً لبنيه اليونسكو وأنشطتها البرنامجية، أي أنها تتكون من:-

- جمعية عامة.

8- الفائزون بجوائز اليونسكو، وسفراء هذه الأخيرة للنوايا الطيبة.

-8 ممثلو وسائل الإعلام، والبرلمانات، والبلديات، وعالم الأعمال، ومنظمات الشباب، وكراسي اليونسكو الجامعية.

(1) انظر: م4 فقرة (2) من ميثاق اللجان الوطنية لليونسكو مرجع سابق ص159.

(2) انظر: هيكليه اللجان الوطنية لليونسكو مرجع سابق ص27

- كذلك انظر: م4 الفقرات (4،3) من ميثاق اللجان الوطنية لليونسكو نفس المرجع السابق وبنفس الصفحة.

(3) انظر: مشروع عملي من أجل اللجان الوطنية لليونسكو مرجع سابق ص69

- كذلك انظر: المجلس التنفيذي لليونسكو طبعة 2002م مرجع سابق ص26.

- لجنه تنفيذية أو مجلس تنفيذي.
- لجان مختصة بالبرنامج.
- لجان متخصصة.
- أفرقة عمل .
- الأمانة[1].

وفي هذا السياق فإننا سنتطرق إلى أهم التكوينات البنيوية للجان الوطنية، وتحديداً على ما يلي:-

- الجمعية العمومية.
- المكتب التنفيذي.

---

(1) انظر: موقع اليونسكو حول العلاقات مع اللجان الوطنية على الموقع الآتي:
http://unesdoc.unesco.org/images/0013/001323/132357e.pdf(2006/10/8)

- كذلك انظر:هيكله اللجان الوطنية لليونسكو مرجع سابق ص 24- 26.
- انظر أيضاً: مرشد عملي من أجل اللجان الوطنية مرجع سابق ص69.
- وحسب هذه المراجع فإن 77% من اللجان الوطنية تظم لجان برامج أو لجان متخصصة:

اللجان المختصة بالبرنامج: تتألف من أعضاء اللجنة الوطنية، وتعمل في مجالات تناظر مجالات اختصاص اليونسكو في التربية والعلم والثقافة والاتصال... الخ.

اللجان المتخصصة: عبارة عن لجان وطنية معنية بالبرامج الدولية الحكومية لليونسكو مثل (موست، الماب، بهد، وغيرها).

أفرقة العمل: تتألف من أخصائيين وخبراء في مجالات معينة، وهؤلاء لا يكونون عادة أعضاء رسميين في اللجنة الوطنية وتنشأ هذه الافرقة بصفة مؤقتة ولأغراض محددة، بمناسبة الاحتفال بسنة دولية، أو إحياء ذكرى حدث هام أو أداء مهمة معينة، كالحوار بين الحضارات على سبيل المثال.

- الأمانة العامة.

وذلك على اعتبار أن هذه هـي الصيغة الغالبـة في تكـوين الهياكـل التنظيميـة للجان الوطنيـة في مختلـف أنحـاء العـالم التابعـة لليونسـكو، ويجـوز لكـل دولـة أن تستنبط من الهياكل ما يناسب ظروفها إداريا وفنيا[1].

الجمعية العمومية

تعـد الجمعيـة العموميـة الجهـاز الأعـلى لاتخـاذ القـرارات في اللجنـة الوطنيـة وتشكل هذه الجمعية، من جميع أعضاء اللجنة الوطنية[2]. وتجتمع

(1) انظر: دليل عمل اللجان الوطنية العربية الطبعة المعدلة 2003م مرجع سابق ملحق رقم (5) ص 147- 156

- تتكون بنيه اللجنة الوطنية اليمنية للتربية والثقافة والعلوم من أ- الجمعية العمومية ب- الأمانة العامة ويرأسها وزير التربية والتعليم بحكم منصبة، ولها أمين عام، وأمين عام مساعد وعدد من الموظفين.

- انظر بهذا الخصوص لائحة تنظيم اللجنة الوطنية اليمنية الصادرة بـالقرار الجمهـوري رقـم 139 لعـام 1995م ص 3،5.

(2) انظر: هيكله اللجان الوطنية لليونسكو مرجع سابق ص24

- كذلك انظر: دليل عمل اللجان الوطنية للالكسو، مرجع سابق ملحق رقم (5) المواد (4،5) ص 147- 148 وحسب هذا المرجع الأخير، فإن الجمعية العمومية تشكل من:-

أعضاء بحكم مناصبهم، وهم

- وزير التربية والتعليم (في اغلب الأحيان) رئيساً أو الوزير المكلف باللجنة الوطنية.

- وكيل وزارة التربية والتعليم نائباً للرئيس. - وعضوية كلاً من وكلاء وزارات (الثقافة، الإعلام، البحث العلمي) وعدد من رؤساء الجامعات، وأربعة من عمداء الكليات (الآداب، العلوم، الهندسة، الحقوق)، وممثلي للمجالس العليا المعنية، وممثلين للصحافة والإذاعة والتلفزيون، والمسئول عن

مرة أو مرتين في السنة، ويرأس دوراتها رئيس اللجنة الذي يتم تعيينه من قبل الحكومة، كما قد يتم انتخابه من بين أعضاء اللجنة[1]. وعند غياب الرئيس يتولى نائبة رئاسة الجمعية، ولا يكون انعقادها صحيحاً، إلا بحضور نصف الأعضاء، وتتخذ قراراتها بالأغلبية المطلقة، وإذا تساوت الأصوات رجح الجانب الذي فيه الرئيس، ولا تنفذ قرارات الجمعية إلا بعد اعتمادها من الرئيس أو من ينوبه[2]. ويتم إعداد الوثائق الخاصة

المنظمات الدولية والإقليمية بوزارة الخارجية والأمين العام للجنة الوطنية.

أعضاء مختارون: يعين رئيس اللجنة عدد خمسة أعضاء من بين الأشخاص المهتمين بشؤون التربية، والثقافة، والعلوم والإعلام، وتكون مدة عضويتهم، ثلاث سنوات قابلة للتجديد بقرار من الوزير.

ج- ويجوز لرئيس اللجنة، دعوة من يرى من الأشخاص من ذوي الاختصاص من غير أعضائها للإسهام في دراسة القضايا التي تطرح، دون أن يكون لهم حق التصويت.

- كذلك انظر: القرار الجمهوري رقم (139) لسنة 1995م بشأن لائحة تنظيم اللجنة الوطنية اليمنية ص4،3 وحسب هذا المصدر: تعتبر الجمعية العمومية الجهاز الأعلى للجنة الوطنية وتتكون من:-

- وزير التربية والتعليم رئيساً - وعضوية كل من نواب وزراء(التربية، الخارجية، التخطيط والتنمية، الثقافة،الإعلام، الخدمة المدنية والإصلاح الإداري، المالية)، ومدراء مراكز(البحوث والتطوير التربوي، الدراسات اليمنية)، ورئيس جهاز محو الأمية وتعليم الكبار، وأمين عام اللجنة الوطنية، والأمين العام المساعد(مقرراً).

(1) انظر: هيكلية اللجان الوطنية لليونسكو نفس المرجع السابق ص24.

(2) انظر: المواد(8،6) في مرجع، دليل اللجان الوطنية العربية مرجع سابق، ملحق رقم (5) ص 148،150.

- وبحسب المواد(3،2) من اللائحة الداخلية للجنة الوطنية في ملحق رقم (6) في نفس المرجع السابق ص157

فإن رئيس اللجنة يحدد موعد الاجتماع ومكانه، ويبلغه الأمين العام إلى الأعضاء قبل موعد الاجتماع بأسبوع على الأقل.

بموضوعات جدول أعمال الجمعية من قبل المكتب التنفيذي، وللجمعية العمومية أن تشكل لجان فرعية متخصصة من بين أعضائها ومن غيرهم من رجال الفكر لبحث الموضوعات التي تدخل في اختصاصها، ومن هذه اللجان ما يغطي برامج المنظمات (اليونسكو، الالكسو، الايسيسكو) في المجالات التربوية والعلمية والثقافية وهذه اللجان هي:-

- لجنة التربية.
- لجنة العلوم.
- لجنة الثقافة والإعلام.
- لجنة المساعدات الفنية.

ويجوز تكوين لجان أخرى، كلما دعت الضرورة لذلك، بقرار من المكتب التنفيذي معمد من رئيس اللجنة، كما أن هذا الأخير يختار رئيس كل لجنه فرعية من بين أعضاء الجمعية العمومية ولا يجوز أن يقل عدد أعضاء اللجنة عن ثلاثة، يكون لها سكرتير من موظفي الأمانة العامة، ويوجه الأمين العام لعقد هذه اللجان كلما دعت الحاجة لذلك[1]. وهذه الأمور هي تقريباً وارده ضمن تشكيل الجمعية العمومية للجنة الوطنية اليمنية للتربية والثقافة والعلوم، مع اختلاف بسيط في تسمية اللجان، حيث ينبثق عن هذه الجمعية اللجان الأساسية الآتية:-

---

(1) انظر: المادة (3) من الباب الثاني، وكذا المواد(1 إلى 5) من الباب الثالث في الملحق رقم (6) نفس المرجع السابق ص 161،159

- وحسب المواد(5،3) من الباب الثالث، فإنه يجوز أن يشترك العضو الواحد في أكثر من لجنه، كما أن للامين العام ومساعده حضور اجتماعات اللجان، وتحدد مكافآت بدل حضور الجلسات من رئيس اللجنة ص 161،160.

- لجنه التربية والتعليم.
- لجنه العلوم والتكنولوجيا.
- لجنه العلوم الإنسانية والثقافة والتراث.
- لجنه البيئة والبرامج المستجدة.
- لجنه المشروعات والدراسات والاتفاقيات.

ويتم اختيار رؤساء وأعضاء هذه اللجان من ذوي المؤهلات والخبرات، بناءاً على اقتراح من الأمين العام ويتم تعينهم بقرار من رئيس اللجنة، لمدة عامين قابلة للتجديد مرة واحده، ولرئيس اللجنة إنشاء لجان فنية أخرى، كما أن لهذا الأخير - بناءاً على اقتراح الأمين العام - أن يصدر نظام العمل والمهام التفصيلية للجان الأساسية، وله أن يستعين بمن يراه من ذوي الاختصاص لحضور الجمعية العمومية، واللجان الأساسية، والقيام بمهام محددة وبمشورة أمين عام اللجنة[1]. وتعتبر اللجان المنبثقة عن الجمعية العمومية الجهاز الفكري الرئيسي للجنة الوطنية، حيث تجتمع فيها كافة الخبرات المتوفرة وتتفاعل فيما بينها، والمهمة الرئيسية للجان البرنامج، هي الإسهام في التفكير في برامج المنظمات المتخصصة، وتنفيذ أنشطتها، كما أنها في وضع يسمح لها بإسداء المشورة بشأن الأشخاص الذين يمكن أن يشاركوا في وفد البلد المعني إلى المؤتمرات العامة لهذه المنظمات[2].

---

(1) انظر: المواد(4 فقرة(ج) ، 5) من القرار الجمهوري بشأن تنظيم لائحة اللجنة الوطنية اليمنية مرجع سابق ص 4،3.

- كذلك انظر: قرارات وزير التربية والتعليم اليمني رقم (2 إلى 7) لعام 1996م بخصوص تشكيل اللجان الأساسية، وأيضاً اللائحة الداخلية للجمعية العمومية، واللجان الأساسية المنبثقة عنها.

(2) انظر: هيكليه اللجان الوطنية لليونسكو مرجع سابق ص25.

وعلى العموم فإن الجمعية العمومية تقوم بالعديد من المهام التي منها[1]:-

- رسم السياسة العامة والاستراتيجيات المتعلقة بإدارة أنشطة اللجنة الوطنية وأساليب تنفيذ الأهداف والمهام المنوطه بها.

- إعلام أعضاء اللجنة الوطنية بالتطورات الجديدة التي تطرأ في المنظمات المتخصصة، بما في ذلك قرارات هيئاتها الرئاسية ذات الصلة بعمل اللجان الوطنية.

- دراسة تقارير الأمانة العامة للجنة بشأن أنشطة المنظمات المتخصصة، وتقويم عملها وإقرار توصيات الأمانة بشأن الاستفادة من مشاريع عمل هذه المنظمات.

- الإشراف على سير عمل اللجنة الوطنية، وتقويم أنشطتها وإقرار لوائحها التنظيمية.

- المصادقة على الخطط والبرامج والسياسات التي تضعها الأمانة العامة لتنفيذ مهامها.

- مناقشة التقرير السنوي الذي تصدره الأمانة العامة عن أعمال اللجنة الوطنية.

- دراسة مشاريع الاتفاقيات والمعاهدات الدولية والعربية والإسلامية ذات

---

[1] انظر بهذا الخصوص:
- المادة (7) في الملحق رقم (5) من دليل عمل اللجان الوطنية العربية مرجع سابق ص 148- 149 (بتصرف).
- المادة (6) من لائحة تنظيم اللجنة الوطنية اليمنية مرجع سابق ص 4- 5.
- هيكلية اللجان الوطنية لليونسكو مرجع سابق ص24.

الصلة بالمنظمات المتخصصة، وتقديم التوصيات بشأنها إلى الجهات المختصة.

- دراسة الاتجاهات الحديثة والبحوث المتخصصة في مجالات التربية والثقافة والعلوم الصادرة عن المنظمات المتخصصة، وما يعقد تحت إشراف هذه الأخيرة من مؤتمرات واجتماعات وندوات وحلقات وما يصدر عنها من توصيات وقرارات ينبغي الاستفادة منها على المستوى الوطني.

- مناقشة التقارير التي سيتقدم بها وفد البلد إلى المؤتمرات العامة للمنظمات المتخصصة.

- دراسة وإقرار الموازنات التقديرية السنوية لأنشطة اللجنة وبرامج عملها، بما في ذلك اشتراكات المنظمات المتخصصة.

- دراسة وإقرار الدراسات التي تضعها اللجان الأساسية وتقارير الوفود المشاركة في المؤتمرات والاجتماعات.

- إصدار التوجيهات بشأن التنسيق بين اللجنة الوطنية والجهات الداخلية ذات العلاقة باختصاص اللجنة بغرض الاستفادة القصوى من أنشطة المنظمات المتخصصة، مع إقرار الحوافز والمكافآت للعمل البحثي المتصل بعمل اللجنة الوطنية.

الجدير بالذكر أن أداء الجمعية العمومية، واللجنة الوطنية بشكل عام إنما يتوقف على نوع العلاقة التي تربطها مع الهيئة المشرفة، إذ ينبغي أن تفهم هذه الأخيرة أن اللجنة الوطنية كيان يخدم الأوساط الفكرية في البلد، وحسب البيانات المتاحة فإن زهاء 71% من اللجان الوطنية يرأسها وزير بحكم منصبه، وهذا من شانه، ودون شك، توسيع نطاق سلطتها في الدوائر

الحكومية وبالتالي فإنه يزيد من قدرتها التنفيذية، وهذا بدورة يتطلب منه أن يكرس ما يكفي من الوقت والجهد لكي تتوافر للجنة رئاسة متواصلة وفعالة، كما ينبغي له العمل على ألا تصبح اللجنة مجرد جهاز فرعي من أجهزة الوزارة فتكتفي بتنفيذ التعليمات والتوجيهات الصادرة عن هذه الوزارة. وبشكل عام فإنه ينبغي أن يملك رئيس اللجنة، السلطة الفكرية والأخلاقية الكافية لتعبئة الموارد العلمية والثقافية المتوافرة في البلد[1].

المكتب التنفيذي

هو الهيئة التنسيقية للجنة الوطنية، ويشكل من عدد محدود من كبار أعضاء اللجنة، بقرار من الوزير رئيس اللجنة، وكما يلي:-

نائب الوزير(إن وجد) أو احد وكلاء وزارة التربية والتعليم.

عضوية كل من وكلاء وزارات (التعليم العالي، الثقافة، البحث العلمي، الإعلام، ورؤساء اللجان الفرعية المتخصصة، والأمين العام، والامنا العامين المساعدين)

وعادة ما يرأس اجتماعات هذا المكتب، رئيس اللجنة، أو الشخص الذي يعينه لذلك. ويجتمع المكتب بصورة متكررة مرة كل ثلاثة أشهر على الأقل، منها اجتماع قبل كل اجتماع للجمعية العمومية للإعداد لها، ويصح اجتماع هذا المكتب بحضور أي عدد من الأعضاء، وذلك من أجل تصريف شؤون السياسة العامة بسرعة وفي الوقت المناسب، ويتم إعداد مشروع جدول أعماله من قبل الأمانة العامة للجنة الوطنية، ويرسله الأمين العام إلى الأعضاء قبل اجتماع المكتب بأسبوع على الأقل، ولهذا المكتب أن يحيل ما

---

(1) انظر: هيكلية اللجان الوطنية مرجع سابق ص 15،16،17،26.

1002

يراه من المواضيع إلى اللجان الفرعية المختصة أو إلى الوزارات والهيئات المعنية لدراستها وإبداء الرأي وتقديم التوصيات بشأنها[1]. وعلى العموم فإن هذا المكتب يقوم بتنفيذ الاختصاصات الآتية[2]:-

- إعـداد مشـروع جـدول أعمـال الجمعيـة العموميـة، ومتابعـة تنفيـذ قـرارات وتوصيات هذه الجمعية.

- تنسـيق أوجـه نشـاط اللجنـة الوطنيـة في الدولـة ولـه أن يسـتعين بـالخبراء، والمساعدة في تحديد الأولويات الخاصة باللجنة على ضؤ الموارد المتوفرة.

- إرشاد قيادة اللجنة بشأن المسائل المتعلقة بالسياسة العامة وبرامج المنظمات.

- الإشراف على تنفيذ أنشطة اللجنة الوطنية، والبت في الاختصاصات المفوضة إليه من الجمعية العمومية.

- دراسة مشروع اللائحة الداخلية للجنة الوطنية قبل إقرارها من الجمعية

[1] انظر: المادة (9) من دليل عمل اللجان الوطنية العربية مرجع سابق ملحق رقم (5) ص150
- كذلك انظر: في نفس المرجع المواد(1، 2، 4) في الباب الثاني ملحق رقم (6) ص159
وحسب المادة (5) فإن مكافآت بدل حضور الجلسات تحدد من قبل الوزير رئيس اللجنة.
- انظر كذلك: هيكلية اللجان الوطنية مرجع سابق ص24.
وحسب هذا المرجع الأخير فإن هذا المكتب قد يجتمع بصورة متكررة من (3 - 10) مرات في السنة حسب البلدان.
[2] انظر: المادة (10) في دليل عمل اللجان الوطنية العربية ملحق رقم (5) نفس المرجع السابق ص151 (بتصرف)
- كذلك انظر: هيكلية اللجان الوطنية مرجع سابق ص 24 - 25 (بتصرف).

العمومية.

● اتخاذ الإجراءات اللازمة لمشاركة الدولة في إعداد وتنفيذ برامج المنظمات المتخصصة.

وبالرغم من أن غالبية اللجان الوطنية في مختلف دول العالم تظم في هيكلتها هذا المكتب التنفيذي، ومن هذه الدول في الوطن العربي على سبيل المثال لا الحصر ـ كلاً من مصر ـ الكويت، لبنان، السعودية، الأردن، بينما نجد أن هيكلية اللجنة الوطنية اليمنية تخلو من وجود هذا المكتب، رغم أهميته البالغة، ذلك انه في تقديري يعتبر الدينمو المحرك لكل من الجمعية العمومية والأمانة العامة للجنة الوطنية، بل قد يكون من ضمن الأسباب التي أدت إلى تعطيل الجمعية العمومية وعدم قيامها بالمهام المناطة بها راجع إلى عدم وجود هذا المكتب أصلاً خلافاً لما درجت عليه هياكل اللجان الوطنية، ولكي يكون هذا المكتب فاعلاً فإنه في رأي ينبغي أن يتولى رئاسته نائب وزير التربية، بحيث يظم إلى عضويته علاوة على ما سبق ذكرهم، بالنسبة لوضع اللجنة اليمنية بشكل خاص مدراء العموم ومستشاري اللجنة[1].

الأمانة العامة

الأمانة العامة هي: هيئة تنفيذية تعمل على أساس يومي في تنظيم وتنفيذ أنشطة اللجنة الوطنية، وهي تؤمن الاتصال الدائم بين الوزير رئيس اللجنة الوطنية وجمعيتها العمومية ومكتبها التنفيذي ولجانها من ناحية، وبين

---

(1) انظر: هيكلية اللجان الوطنية نفس المرجع السابق، الجزء الثاني (ص بدون)
- كذلك انظر: لائحة اللجنة الوطنية اليمنية نفس المرجع السابق.
- انظر أيضاً، الهيكل التنظيمي لأمانة سر اللجنة الوطنية الأردنية للتربية والثقافة والعلوم.

1004

المنظمات المتخصصة، والوزارات والمؤسسات المعنية بالبلد من ناحية أخرى، ويختلف حجم الأمانة وبنيتها ومواردها ومقرها من بلد لآخر، كما أن أغلب هذه الهيئات ملحقة بوزارات تعنى إما بالتربية والتعليم، أو الثقافة، أو الخارجية[1].

وقد حددت المادة الرابعة من ميثاق اللجان الوطنية، بعض القواعد الأساسية التي تسري على كل لجنة وطنية لكي تعمل بصورة فعالة، ومن هذه القواعد أن يكون لهذه اللجنة، أمانة دائمة تزود بهيئة موظفين رفيعي المستوى، يحدد وضعهم، ولاسيما الأمين العام، بوضوح، وتستمر خدمتهم لفترة تكفي لضمان الاستمرار اللازم للجنة، كما تزود بالسلطة والإمكانيات المالية اللازمة لتمكينها من الاضطلاع بصورة فعالة بالمهام التي ينص عليها ميثاق اللجان الوطنية لليونسكو، وبالتالي زيادة مشاركتها في أنشطة المنظمة[2]. وتتكون الأمانة العامة للجان الوطنية من:-

---

(1) انظر: هيكلية اللجان الوطنية لليونسكو مرجع سابق ص 26،25.

- كذلك انظر: وثيقة المجلس التنفيذي لليونسكو الدورة (164) باريس بتاريخ 24/ 4/ 2002م الأصل باللغة الانجليزية (وثيقة رقم 164 EX/ 39 ،2) page).

- انظر أيضاً. م11 من دليل عمل اللجان الوطنية مرجع سابق ملحق رقم (5) ص 152- 153.

وكذا م1 من نفس المرجع السابق ملحق رقم (6) الباب الرابع ص161.

(2) انظر م4 فقرة (4- ب) من ميثاق اللجان الوطنية في النصوص الأساسية 2004م مرجع سابق ص159.

- كذلك انظر الفقرة (4- أ) من هذه المادة المتعلقة بالوضع القانوني، الذي يحدد بوضوح المسؤوليات المناطة بها وشروط عملها والإمكانيات المتاحة لها.

الأمين العام.

مساعدين للامين العام، احدهما لشؤون اليونسكو، والآخر لشؤون الالكسو.

عدد كاف من الموظفين الفنيين للقيام بأعمال اللجنة الوطنية الفنية والإدارية في ضؤ احتياجات العمل، وتنشا بهذه الأمانة، شعبة لليونسكو، وأخرى للالكسو، وقسمين (للدراسات والبحوث، والشؤون الإدارية والمالية) ولكل من هذه الشعب والأقسام مهام محددة[1].

ومما يلاحظ في الوثائق السابق استعراضها والخاصة بكل من المنظمات اليونسكو، والالكسو فإن أي منهما لم تتطرق إلى منظمة الايسيسكو، وهو ما يؤكد صحة ما ذهبنا إليه، أي القول بضرورة أن يكون لها نظام أو دليل عمل لهذه اللجان الوطنية خاص بها وبالتنسيق مع الالكسو، إلا أن هذا الأمر مع ذلك لم يتم إهماله من قبل اللجان الوطنية العربية والإسلامية في الدول الأعضاء المنضوية في هاتين المنظمتين الأخيرتين، فعلى سبيل المثال لا الحصر فإن الهياكل التنظيمية في كل من اللجان الوطنية (المصرية، الكويتية، التونسية، اليمنية) تظم على الترتيب أقسام، أو شعب، أو مصالح، أو إدارات وذلك للثلاث المنظمات المتخصصة[2]. وعلى أيه حال فإن الأمانة العامة تحتاج إلى مقر وأجهزة

---

(1) انظر المواد (13،11) من دليل عمل اللجان الوطنية مرجع سابق ملحق (5) ص 151،154،155.

(2) انظر: هيكلية اللجان الوطنية لليونسكو مرجع سابق (الجزء الثاني) ص (بدون).

- انظر أيضاً هيكلية اللجنة الوطنية التونسية للتربية والعلوم والثقافة، المسلمه للباحث من اللجنة التونسية في شهر أبريل عام 2004م.

حديثة للمعلومات والاتصال لكي تضطلع بأعمالها بصورة فعالة، إلا أن أثمن موارد أي أمانة إنما يتمثل في طاقم موظفيها، الذين يؤدون العمل اليومي للجنة الوطنية بقيادة أمينها العام، وهناك ثلاثة عوامل ينبغي مراعاتها لدى إعداد وتنفيذ سياسة الموظفين في اللجنة (المثالية) وهي: الكفاءة، والاستمرارية، وحجم الموظفين، حيث تستخدم اللجان الوطنية في المتوسط عشرة موظفين، في حين تظم لجان وطنية أخرى أكثر من أربعين موظفاً[1]. وتتلقى اللجان الوطنية عادة ميزانياتها من الحكومة لتغطية تكاليف الموظفين والنفقات الجارية، والتكاليف التنفيذية، وتختلف هذه الميزانيات من بلد لآخر، فقد تبلغ ميزانية إحدى اللجان الوطنية سبعة مليون دولار في

- انظر لائحة تنظيم اللجنة الوطنية اليمنية مرجع سابق لعام 1995م.

وبحسب هذه اللائحة الأخيرة فإن الأمانة العامة للجنة الوطنية اليمنية، تشكل من أمين عام، بدرجة وكيل وزارة، وأمين عام مساعد، بدرجة وكيل وزارة مساعد، وتظم الأمانة إدارتين عامتين الأولى للمنظمات والعلاقات، والأخرى للدراسات وتبادل المعلومات، وكل من هاتين الإدارتين تحتويان على العديد من الإدارات والأقسام،منها ما يخص المنظمات المتخصصة الثلاث، كما يظم التنظيم الإداري أيضاً أربع إدارات مساعدة خاصة بمكتب الأمين العام، والشؤون المالية، والإدارية، وسكرتارية اللجان والمتابعة ص 6،7.

(1) يبلغ عدد موظفي الأمانة العامة للجنة الوطنية اليمنية حوالي خمسين موظفاً بمن فيهم الأمين العام والأمين العام المساعد، وهما من حمله الدكتوراه، وعدد (4) من حمله الدبلوم العالي بعد البكالوريوس، وواحد(ماجستير) وعدد (19) من حمله الشهادات الجامعية في مجالات (التربية، والتجارة، الآداب، الشريعة، والعلوم، واللغة الانجليزية، وعلوم الحاسوب) بالإضافة إلى دبلوم تربية عدد (واحد)، وعدد (13) من حمله الثانوية والإعدادية، بالإضافة إلى موظفي الخدمات المساعدة وعددهم (10)، وتشكل النساء ما نسبته 24% من إجمالي الموظفين.

- انظر بهذا الخصوص كشف بأسماء وبيانات الموظفين (إعداد إدارة الشؤون الإدارية باللجنة الوطنية اليمنية بتاريخ 2006/10/18م.

السنة، بينما لا تتجاوز الميزانية العادية للجنة أخرى أربعة ألف دولار[1].

وعلى أيه حال فإن الأمانات العامة للجان الوطنية تقوم بالعديد من المهام ومنها[2]:-

- وضع مشروعات اللوائح التنظيمية للجنة والإشراف على أعمالها المالية والإدارية.
- الإعداد لكل من الجمعية العمومية، والمكتب التنفيذي.
- ترشيح أعضاء الوفود الرسمية إلى المؤتمرات الدولية والإقليمية، والحلقات والندوات، وتزويدهم بالمعلومات ووجهات النظر الوطنية، لما يرد بجداول أعمالها وذلك للمشاركة الايجابية في هذه الملتقيات.
- دراسة التقارير المقدمة من وفد الدولة إلى المؤتمرات العامة للمنظمات المتخصصة وتقديم التوصيات بشان ما ورد بها إلى الجمعية العمومية.
- إعداد تقرير سنوي عن نشاطات الأمانة العامة واللجنة الوطنية ورفعه إلى الجمعية العمومية.
- المشاركة في إعداد وتنفيذ برامج المنظمات المتخصصة ووضع

---

(1) انظر بهذا الخصوص

- هيكلية اللجان الوطنية لليونسكو مرجع سابق ص27، 28، 29.
- وثيقة المجلس التنفيذي مرجع سابق رقم (164 EX/39، 2 page).
- وحسب هذه المراجع فإن 75% من اللجان الوطنية تستخدم البريد الالكتروني، وتنتفع 65% منها بالانترنت وانشات 20% منها مواقع خاصة بها على شبكة المعلومات، وتنشر 54% منها نشرات إعلامية، ويصدر 77% منها تقريراً سنوياً.

(2) انظر م12 من دليل عمل اللجان الوطنية مرجع سابق ملحق (5) ص 152- 153 (بتصرف).

التوصيات اللازمة عنها.

- تشكيل اللجان الفرعية المتخصصة والاتصال بالمؤلفين والباحثين لإعداد التقارير والبحوث التي تسهم بها الدولة في نشاط المنظمات المتخصصة.

- متابعة تنفيذ المعاهدات والاتفاقيات العربية والدولية ذات الصلة بالمنظمات المتخصصة، خاصة إذا كانت الدولة طرفاً فيها.

- دراسة ما تعرضه المنظمات المتخصصة، من مشروعات ذات فائدة للدول الأعضاء، في إطار خططها المرحلية، الطويلة، أو المتوسطة، أو القصيرة الأجل.

وبالإضافة إلى المهام والاختصاصات السالف ذكرها، فإنه يرد في دليل عمل اللجان الوطنية نوعين آخرين من تلك الاختصاصات التي ينبغي القيام بها من الأمانة العامة وهما[1]:-

- متابعة تنفيذ التوصيات أو القرارات التي تصدرها الجمعية العمومية.

- إعداد مشروع جدول أعمال الجمعية العمومية.

يلاحظ من هذه المهام الاخيرة أن هناك تداخل في الاختصاصات بين كل من الأمانة العامة، والمكتب التنفيذي، ذلك أن هذين الاختصاصين الأخيرين، هما في تقديري من الاختصاصات الأصيلة للمكتب التنفيذي، ولذلك فإنها أتت في مقدمة مهام هذا الأخير. إلا انه مع ذلك يمكن أن يكون هذين المهامين، في ذات الوقت من اختصاص الأمانة العامة، ولكن بعد

---

[1] انظر: م12 الفقرات (13،6) من اختصاص الأمانة العامة.
- و م10 الفقرات (2،1) من اختصاص المكتب التنفيذي.
وذلك في دليل عمل اللجان الوطنية مرجع سابق ملحق رقم (5) ص 151- 153.

إدخال بعض التعديلات اللازمة عليهما وكما يلي:-

- العمل على تنفيذ التوصيات والقرارات التي تصدرها الجمعية العمومية.
- إعداد المشروع الأولي (أو مسودة مشروع جدول الأعمال) لجدول أعمال الجمعية العمومية.
- لعرضها على المكتب التنفيذي، المعني بتقديمه إلى الجمعية العمومية، بعد حذف أو إضافة ما يراه مناسب.

الجدير بالذكر هو أن ديناميكية أي لجنة وطنية أنما تكاد تعتمد دوماً على أمينها العام فكيف يتم اختياره، وما هي شروط هذا الاختيار؟.

أمين عام اللجنة الوطنية

يعتبر الأمين العام للجنة الوطنية، القلب النابض لهذه اللجنة، فهو الدافع والمحرك الأول لنشاط اللجنة، بل أن حيوية أي لجنة وطنية إنما تتوقف إلى حد كبير على أمينها العام، وهذا بطبيعة الحال يتوقف على وتيرة إبدال الامنا العامين، وعلى ما إذا كانوا يشغلون المنصب بكل أبعادة، أم أنهم يراوحون خطاهم انتظاراً للمنصب التالي، ولذلك يجب أن يختار الأمين العام، بعناية ممن يتصف بالكفاءة، ويتميز بعقل متفتح، ولدية المعارف اللغوية المطلوبة، وممن اثبتوا بالفعل قدراتهم في مناصب أخرى، وذلك لتأدية المهام المطلوبة منه على أكمل وجه. وقد اتضح من البيانات المتوافرة عن اللجان الوطنية أن 74% من الامنا العامين يعملون على أساس التفرغ التام، وهذا هو بطبيعة الحال وضع اللجان الوطنية المثالية، ذلك أن هذه اللجان قد راعت أحد أهم المبادئ الأساسية التي ينبغي مراعاتها عند تعيين الأمين العام، أي التفرغ الكامل للعمل مع كفالة استقرارهم في العمل ولفترة

كافية، ولابد أن يكون الأمين العام على مستوى وظيفي رفيع في الإدارة الوطنية لتمكينه من الوصول إلى صانعي القرار في الحكومة بسهولة ويسر، ولتنمية علاقة وثيقة مع رئيس اللجنة، والاجتماع به بصورة منتظمة[1]. كما أن إقامة علاقة قوية مع الوفود الدائمة يزيد من قدرة اللجان الوطنية على القيام بدورها كهيئات استشارية وهيئات اتصال وهذا من شأنه مساعدة الدول الأعضاء على الاستفادة إلى أقصى حد من عضوية المنظمات المتخصصة[2]. وعلى أيه حال فإنه ينبغي أن يتمتع الأمين العام، بقدر كبير من الاستقلال الذاتي بما يتناسب مع طبيعة المهام المناطة به، ويذكر أن من بين العوامل التي تنال من فعالية الأمين العام، وبالتالي من فعالية اللجنة الوطنية ما يلي[3]:-

- إخضاع الأمين العام لسلطة سياسية بدلاً من اعتباره أخصائياً يؤدي وظائف تقنية مستقلة عن تلك السلطة.
- إغراقه في بنى إدارية مقيدة، تجعله يقضي جل وقته في أعمال كتابية روتينية.
- اعتبار منصبة منصباً شرفياً.

مما سبق نلاحظ أن مسالة التوفيق بين المطالبة بمركز وظيفي رفيع المستوى للامين العام، واشتراط أن يعمل بشكل مستقل عن تلك السلطة،

---

(1) انظر: هيكلية اللجان الوطنية لليونسكو مرجع سابق ص17.
- مرشد عملي من أجل اللجان الوطنية مرجع سابق ص77.
- وثيقة المجلس التنفيذي لليونسكو مرجع سابق (164 EX/39.2 page).

(2) انظر: هيكلية اللجان الوطنية نفس المرجع السابق وبنفس الصفحة.

(3) انظر: مرشد عملي من أجل اللجان الوطنية نفس المرجع السابق ص78.

ففي تقديري أن هذا ضرباً من المحال إن لم يكن مستحيل أصلاً، بالأخص في عالمنا العربي، وربما في العالم الثالث بشكل عام، والسبب في ذلك أن منح السلطة في المناصب الرفيعة، إنما تخضع في الغالب لشروط واعتبارات خاصة، قد لا يكون من بينها اشتراط الكفاءة والأمانة والنزاهة في تحمل المسؤولية، لذلك فإنها إنما تقترن في معظم الأحوال، باشتراط الخضوع التام، والموالاة، علاوة على الوضع الاجتماعي، والحزبي... الخ كمحددات يتم أخذها بعين الاعتبار تجاه الشخص الذي حضي-بالتعيين تجاه من منحوه هذه السلطة، فهي لا تمنح لوجه الله كما يقال، إلا أني مع ذلك أقول بإمكانية الجمع بين هذين الأمرين، في حالة واحدة فقط، وهو أن ينتخب الأمين العام من قبل الجمعية العمومية للجنة الوطنية، بناءاً على توصية من المكتب التنفيذي وذلك مثل ما يعتمل في المنظمات المتخصصة لانتخاب المدير العام. على أن يصدر قرار تعينه بعد ذلك، من رئيس اللجنة معتمداً من السلطة السياسة المعنية بالأمر حسب الأنظمة الوطنية المتبعة في كل بلد فهذا هو المخرج في رأي الشخصي-لحل هذا المشكل، في حين يرى الدكتور أحمد الصياد، بأن اختيار الأمين العام للجنة الوطنية إنما يمكن أن يتم من قبل زملائه في اللجنة أو من قبل السلطة التي تتبعها اللجنة[1].

وعلى العموم فإن التشريعات المنشئة للجان الوطنية، تحدد مسؤولياتها تجاه كل من الدولة والمنظمات المتخصصة، وكذا التزامات هاتين الأخيرتين تجاه اللجان الوطنية.

مسؤوليات الدول الأعضاء تجاه اللجان الوطنية: ينبغي لكل دولة عضو

---

(1) انظر د. أحمد الصياد مرجع سابق ص111.

أن توفر للجنتها الوطنية، الوضع والبنى والموارد اللازمة، وأن تظم كل لجنة وطنية ممثلين للوزارات المعنية، وغيرها من الهيئات والشخصيات المستقلة ذات الصلة، من أهل الرأي والفكر، ممن يتمتعون بكفاءة عالية، ويجوز لهذه اللجان أن تظم لجاناً تنفيذيه ودائمة وأجهزة تنسيق ولجان فرعية، وأن يكون لهذه اللجان أمانة عامة، ووضع قانوني يحدد بوضوح المسؤوليات، وأيضا لائحة تنظم أعمالها المختلفة ولابد أن يخصص لها ميزانية كافية تساعدها على أداء واجباتها... الخ[1].

مسؤوليات اللجان الوطنية تجاه الدول الأعضاء. تتمثل هذه المسؤوليات، في إشراك مختلف أجهزة الدولة والمؤسسات والأشخاص المعنيين في أنشطة وبرامج المنظمات المتخصصة، وكذا العمل على تشجيع التواصل مع هذه الهيئات المختلفة، والتعاون مع وفود حكوماتها إلى المؤتمرات العامة والاجتماعات التي تعقدها هذه المنظمات، والعمل على توثيق الصلة بين هذه الأخيرة وأجهزة الدولة ومؤسساتها ومختلف الشخصيات المعنية، مع كفالة نشر- المعلومات والتقارير الواردة، والتوصيات والقرارات وتشجيع مناقشاتها على ضؤ احتياجات البلد وأولوياته، والقيام بمتابعة الجهات المختصة بتسديد مساهمات الدولة في ميزانية هذه المنظمات المتخصصة، وغير ذلك من المهام والمسؤوليات

[1] انظر المادة (4) من ميثاق اللجان الوطنية لليونسكو في مرجع النصوص الأساسية 2004م مرجع سابق ص159.
- كذلك انظر الفقرة (تاسعاً) من دليل عمل اللجان الوطنية مرجع سابق ص47.
- كذلك انظر وثيقة المجلس التنفيذي لليونسكو مرجع سابق (164 EX/39، page 5).

الأخرى[1].

مسؤوليات اللجان الوطنية تجاه المنظمات المتخصصة. تكفـل اللجـان الوطنيـة الوجود الدائم للمنظمات المتخصصة، وتشكل هذه اللجان المصادر الأساسية والهامـة للمعلومات عن الاحتياجات والأولويات الوطنية في مجال اختصاص هـذه المـنظمات مع كفالة تنفيذ بعض أنشطة هذه الأخيرة، وإعلام الجمهور عـن أهـدافها وبرامجها وأنشطتها والإسهام في إعداد مشاريع برامجها، مع المشاركة في تقويم تلك البرامج[2].

مسؤوليات المنظمات المتخصصة تجاه اللجان الوطنيـة. وبهذا الخصوص فإنـه يتم إشراك اللجان الوطنية في إعداد وتنفيذ وتقيـيم بـرامج المـنظمات، كـما أن هـذه الأخيرة تشجع على إنشاء هذه اللجان، وتقدم لها المشورة الفنية والخـدمات، وتـوفير التدريب للمسئولين فيها والموظفين المهنيين، وتقدم لها العون المادي والمالي للحصول على المعدات، والاجتماعات الهامة، وتزويدها بالوثائق والمـواد الإعلاميـة، مـع القيـام بإبراز نشاط هذه اللجان في المجلات والنشرات الصادرة عـن هـذه المـنظمات، كـما تقوم هذه الأخيرة بتشجيع تبادل الزيارات بين العـامـلين في اللجان الوطنيـة وتنظيم الاجتماعات لهذه اللجان على المستوى الإقليمي ودون الإقليمي وغير ذلك[3].

---

[1] انظر المادة (2) من ميثاق اللجان الوطنية نفس المرجع السابق ص 157- 158.
- انظر أيضاً الفقرة (سادساً) من دليل عمل اللجان الوطنية مرجع سابق ص 42- 43.

[2] انظر المادة (3) من ميثاق اللجان الوطنية مرجع سابق ص 158- 159.
- كذلك انظر الفقرة (سابعاً) من دليل عمل اللجان الوطنية المرجع السابق ص 44- 45.

[3] انظر المادة (5) من ميثاق اللجان الوطنية مرجع سابق ص 160- 161.

وعلى أيه حال فإنه يجدر بنا بعد هـذا الاستعراض أن نتطـرق لأوجـه القصور والمصاعب التي لازالت تعاني منها اللجان الوطنية، بالرغم من الجهود التي تبـذل، إلا أن صلاحياتها وفعاليتها لازالت تتفاوت مـن دولة لأخرى، وتعـاني اللجـان الوطنيـة عملياً وبخاصة في البلدان النامية، من ضعف تمثيل أو غياب ممثلي الأوساط الفكرية والعلمية والمنظمات غير الحكومية، فبعض اللجان تمثل فيها المؤسسات فقط، بينما بعضها الآخر يظم أفراداً بصفتهم الشخصية، وتتمتع بعض اللجان الوطنيـة بقـدرة فعلية على التأثير وهي جيدة التجهيـز، وتمتلك مـوارد ماليـة كافيـة، بينما لا تتوفر للجان أخرى غير موارد بشرية ومادية متواضعة جداً، كما استطاعت بعض اللجان أن تقيم علاقات متينة في الأوساط المعنية في بلدانها، في حين لا تعمل لجان أخرى إلا كجزء من الهياكل الإدارية الوزارية، وبعض اللجان لا يحضى بأي قدر مـن الاستقلال أو من حرية الحركة المنفردة، ويفتقر بعضها إلى بنية وزارية، كما أن بعضها لا يبـدي إلا قدراً ضئيلاً من الحرص على أداء بعض وظائفها، وفي كثير مـن الحالات لا توجـد مثل هذه اللجان إلا على الورق فقط، ولا تجتمع بصفة دورية، وعادة ما تحل أمانـة سر هذه اللجان محل اللجان نفسها[1].

- كذلك انظر الفقرة (الرابعة عشر) من دليل عمل اللجان الوطنية مرجع سابق ص 52- 53.
- انظر أيضاً وثيقة المجلس التنفيذي لليونسكو مرجع سابق (page 3،EX/39 164).
(1) انظر بهذا الخصوص.
- د. حسن نافعة العرب واليونسكو مرجع سابق ص61.
- د. أحمد الصياد مرجع سابق ص 111- 112.
- وثيقة المجلس التنفيذي لليونسكو نفس المرجع السابق (page 2،EX/39 164).

علاوة على ما سبق فإن بعض اللجان الوطنية - مع الأسف - لا تعطي أولوية عالية لطلبات اليونسكو المتكررة، ويصدق هذا على المجهود الفكري الذي يسبق إعداد مشروع برنامج وميزانية المنظمة، وتخطيطها المتوسط الأجل، وأهمية مشاركة اللجان في إعداد مثل هذه الوثائق لإنارة الطريق أمام هذه المنظمة، وهذا بطبيعة الحال ينطبق في تقديري، على الطلبات المتكررة من قبل المنظمات(الالكسو و الايسيسكو)، في حين أن بعض اللجان، تكدس أكواماً من الوثائق والمطبوعات في أركان المكاتب لتتراكم عليها طبقات من الغبار ويتحول لونها إلى الأصفر لتقدم وجبات فاخرة لكافة أنواع الحشرات، وهذه ظاهرة أكثر شيوعاً مما يتصور[1].

إلا أن أكثر المصاعب التي تواجه اللجان الوطنية، إنما يتعلق بشحه الموارد المتاحة لها، فالعوائق المالية تمثل مشكلة خطيرة لغالبية اللجان الوطنية، فالظروف الاقتصادية، لاسيما في البلدان النامية، لا تسمح بزيادة ميزانيات تشغيلها، ولذلك نجد أن غالبية اللجان تعمل في ظروف تتسم بالنقص الدائم في الموارد المالية والبشرية، أو المعدات المناسبة (بل وانعدامها أحياناً)، ولا تتوافر للعاملين في الكثير من اللجان الوطنية الخبرة والمؤهلات اللازمة إلا فيما ندر، كما أن التغيرات المتكررة للموظفين ولاسيما للامنا العامين يحول دون إرساء القيادة والخبرة بصورة ثابتة لأمانات هذه اللجان، وهذا من شأنه إضعاف فعالية اللجنة الوطنية والتأثير في سير عملها[2]. علاوة على ما سبق فإن بعض اللجان الوطنية لا تقوم

- مرشد عملي من أجل اللجان الوطنية مرجع سابق ص82.

(1) انظر: مرشد عملي من أجل اللجان الوطنية نفس المرجع السابق ص 77،82.

(2) انظر وثيقة المجلس التنفيذي لليونسكو مرجع سابق وثيقة رقم (7، 3، 2)

بالرد على الاستبيانات التي ترسلها المنظمات بشكل منتظم[1]. بينما قد لا ترد بعض اللجان على تلك الاستبيانات نهائياً حسب علمي.

وبناءاً على ما سبق أقول بأن اللجان الوطنية تحتاج إلى المزيد من الاهتمام والرعاية وبشكل خاص، في بلدان العالم الثالث، ومنه عالمنا العربي والإسلامي، وبهذا الخصوص فإنه ينبغي على الدول الأعضاء بداية العمل على إصدار التشريعات الضرورية لمنح هذه اللجان الصلاحيات الكافية، كما يمكن العمل على إعادة تشكيل هذه اللجان وفق البنى المناسبة لكل بلد، مع الأخذ في الاعتبار البنى التي تتناسب وبنى المنظمات المتخصصة، وذلك لتحقيق أقصى قدر من الاستفادة من برامج هذه المنظمات مع دعمها بالكفاءات والأطر الفنية القادرة، وبالإمكانات المادية والتجهيزات، وزيادة ميزانيات العمل، مع إطالة فترة خدمة الامنا العامين لمدة أربع إلى خمس سنوات على الأقل، فهذه الأمور أساسية لكي تستطيع أي لجنة وطنية من تحقيق أهدافها الدستورية، وبالإضافة إلى ذلك فإنه ينبغي أن تقوم المنظمات المتخصصة، بدورها تجاه هذه اللجان وذلك بزيادة الاعتمادات المخصصة لأنشطتها، حيث يعتبر هذا الدعم مسالة أساسية

. page،EX/39164)

- كذلك انظر د. أحمد الصياد مرجع سابق ص112.

(1) انظر وثائق المؤتمر العام للالكسو الدورة (16) إصدارات الالكسو تونس ديسمبر 2002م ص4.

- وحسب هذا المرجع فقد دعا المؤتمر العام الدول العربية ولجانها الوطنية إلى الرد بصفة منتظمة وفي المواعيد المقررة على الاستبيانات التي ترسلها، حتى تصدر البيانات والكتب الإحصائية شاملة للدول العربية كافة.

لتحسين موارد هذه اللجان المادية والتقنية[1]. وبهذا الصدد نجد أن المؤتمر العام للالكسو، قد دعا مديرها العام، إلى تعزيز الاعتمادات المخصصة لدعم أنشطة اللجان الوطنية العربية، والعمل على ربطها بمواقع المنظمة، كما دعا إلى زيادة الاعتمادات المخصصة لدعم اللجان الوطنية، لتعزيز دورها كهمزة وصل كي تقوم بدورها في الإعلام عن المنظمة وأنشطتها ومتابعة تنفيذها[2]. ويحتل التعاون مع اللجان الوطنية مكانه خاصة في اهتمامات الايسيسكو، حيث تواجه أغلبية اللجان صعوبات كبيرة، تحول دون قيامها بالمهام المناطة بها على أحسن وجه وهو ما يؤكد الحاجة إلى مواصلة تقديم الدعم والمساعدة من أجل تطوير كفاءة العاملين، ولذلك فإن الايسيسكو تقدم الاستشارة الفنية والدعم المادي لهذه اللجان التي ترغب في وضع برامج تربوية أو علمية أو ثقافية[3]. كما يمكن أن تحصل اللجان الوطنية على تمويل من أمانة اليونسكو بطريقتين[4]:-

---

(1) انظر بهذا الخصوص.
- دليل عمل اللجان الوطنية مرجع سابق ص 38- 39.
- هيكلية اللجان الوطنية مرجع سابق ص15.
- وثيقة المجلس التنفيذي لليونسكو مرجع سابق (164 EX/39، page 7).

(2) انظر: وثائق المؤتمر العام للالكسو الدورة (16) نفس المرجع السابق ص 4،10.

(3) انظر: الخطة والموازنة 2004م - 2006م إصدارات الايسيسكو مرجع سابق ص291

(4) انظر: هيكلية اللجان الوطنية لليونسكو مرجع سابق ص29.
- كذلك انظر مشروع البرنامج والميزانية 2006م - 2007م لليونسكو مرجع سابق ص247.
- وحسب هذا المرجع الأخير فإن أشكال المساعدة المتعددة مثل خدمات الأخصائيين والخبراء الاستشاريين، ومنح وإعانات دراسية، ومطبوعات (غير المركبات)، ومؤتمرات،

يمكن أن تشارك المنظمة في تمويل أنشطه وطنية تنظمها الدولة العضو في إطار برنامج المساهمة، ويمكن أن تتخذ هذه المساعدة أشكال متعددة، وتقدم المساعدة في إطار هذا البرنامج عادة عن طريق اللجان الوطنية، وهي الهيئات التي تقدم هذه الطلبات، ثم ترفع في النهاية تقارير مالية، وتقارير عن الأنشطة الخاصة بالطلبات التي تتم الموافقة عليها.

ويمكن أن تدخل اللجان الوطنية في علاقات تعاقديه مع أمانة اليونسكو للقيام بأنشطه محددة في إطار البرنامج العادي للمنظمة، ولضمان الحصول على أموال من هذه الأخيرة، فإنه يتعين على اللجان الوطنية الوفاء بعدد من الشروط:

- يجب أن يكون لدى اللجان الوطنية حساب مصرفي خاص بها.
- لا ينبغي استخدام هذه الأموال إلا لمواجهه التكاليف التشغيلية المتصلة بأنشطة محددة.
- أن لا تستخدم هذه المبالغ بأي حال كبديل عن الميزانية العادية للجنة الوطنية.
- أن تقدم اللجان الوطنية، عند اللزوم، البرهان على أن أموال المنظمة قد أنفقت بأقصى كفاءة وفعالية.

وعلى العموم، فإن اللجنة الوطنية (المثالية) ينبغي أن تعمل بموجب القرارات التي تتخذها هيئاتها الإدارية المنتخبة ديمقراطياً، أو المعينة، وأن

واجتماعات، وحلقات تدارس، ودورات تدريبية ومساهمات مالية (غير مرتبات موظفي اللجنة الوطنية)، كما يمكن تقديم مساعدة طارئة في ظروف استثنائية ضمن مجالات اختصاص اليونسكو، ويقرر المدير العام شكل هذه المساعدة وحجمها بالتشاور مع اللجنة الوطنية، أو الحكومة المعنية.

تكون قادرة على رسم سياستها، وإدارة أموالها، وتنفيذ أنشطتها، وأن تكون قادرة على جمع موارد خارجة عن الميزانية لدعم عملياتها، فهذا ما يجعلها حلقه وصل حقيقية بين اليونسكو (والمنظمات المتخصصة الأخرى، الالكسو، والايسيسكو) وحكوماتها والمجتمع المدني[1].

الفصل الثاني
إدارة الأنشطة والخطط، وطرق تقييمها في المنظمات
(اليونسكو، الالكسو،الايسيسكو)

تقوم المنظمات الدولية المتخصصة (اليونسكو، الالكسو، الايسيسكو) بأداء المهام المناطه بها طبقاً للمواثيق المنشئة لها، وبحسب الأنظمة الداخلية المقرة في أي منها، كما تعمل هذه المنظمات على هدي وتوجيه هيئاتها الرئاسية المتمثلة في قرارات وتوصيات كل من المؤتمرات العامة والمجالس التنفيذية، وطبقاً لقرارات وتوصيات منظماتها السياسية، وبتنسيق كامل مع المنظمات المتخصصة المنبثقة عنها، مع الأخذ أيضاً، بعين الاعتبار قرارات وتوصيات المؤتمرات الوزارية المعنية بمجالات التربية،

(1) انظر هيكلة اللجان الوطنية نفس المرجع السابق ص16.

والثقافة، والعلـوم، والإعـلام والاتصـال، والبحـث العلمـي، وخـلاف ذلـك التـي تنعقد على المستوى الدولي (اليونسكو) أو عـلى مسـتوى منظومـة المـؤتمر الإسلامي (الايسيسكو)، أو على المستوى العربي (الالكسو)، علاوة على ذلك فإن هذه المنظمات المتخصصة تستند في أداء أنشطتها وإعـداد خططهـا البعيـدة المـدى أو المتوسطة أو القصيرة، على الاستراتيجيات المقرة ضمـن مجـالات عمـل هـذه المـنظمات، وبحسـب المدد الزمنية المعتمدة التي تغطيها هذه الاستراتيجيات إلى غير ذلك مـن المصادر والمراجع الأخرى، كما أن هذه المنظمـات المتخصصـة تقـوم في نهايـة كـل دورة ماليـة قصيرة أو في نهايـة كل خطة متوسطة أو بعيـده المـدى، بعمل تقيـيم لما تم تنفيـذه مـن تلك الخطط والأنشطة، للوقوف على مواقـع، القوة، أو الضعف التي صـاحبت عمليـة التنفيذ، ليتم العمل على تلافي أوجه القصور في الخطط الموالية وهكـذا... وعليه فإننـا سنتحدث في هذا الفصل عن إدارة البرامج والخطط في كل من اليونسكو والالكسـو، وذلـك ضـمن المبحـث الأول أما المبحـث الثـاني فسيخصـص لإدارة أنشـطة وخطـط الايسيسكو، وعن الطرق المتبعة لتقيـيم بـرامج وخطط هـذه المنظمات المتخصصة بشكل عام وكما يلي:-

المبحث الأول

إدارة البرامج والخطط المتوسطة في المنظمات (اليونسكو، الالكسو)

قامت المنظمات اليونسكو والالكسو خلال مسيرة حياتهما بتنفيـذ العديـد مـن الخطط حيث نفذت اليونسكو منذ عام 1953، وحتـى نهايـة عـام 2007 عـدد (27) خطة عمل مده كل منها عامين، كما نفذت منذ عام 1977 وحتى عـام 2007 عـدد خمس خطط متوسطة المدى، مده كل منها ست سنوات،

بينما نفذت الالكسو منذ عام 1970 وحتى عام 2006 عـدد (19) خطـة قصيرة مده كل منها عامين، علاوة على تنفيذ ثلاث خطط متوسطة المدى مده كل منها ست سنوات، وقد ضمت هذه الخطط الثلاث، خطة طويلة المدى لمده (18) عاماً، إعتباراً من عام 1984 وحتى عام 2001، أما الخطة المتوسطة المدى الرابعة (خطة العمل المستقبلي) فإنها تغطي الفترة من عام 2005 لتنتهي عام 2010، كما أن هذه الأخـيرة قد نفذت كذلك عدداً مـن الاسـتراتيجيات في مجال اختصاصها لمـا يربوا عـن (13) إسـتراتيجية، وعليـه فإننا سـنتطرق في هـذا المبحـث، عـن إدارة البرامج والميزانيـات والخطط المتوسطة الأجل لليونسكو (المطلب الأول) أما المطلب الثاني فسنتحدث فيه عن إدارة الخطط والبرامج والمشروعات الإستراتيجية للالكسو وكما يلي:-

المطلب الأول

إدارة البرامج والميزانيات والخطط المتوسطة الأجل باليونسكو

منذ تأسيس اليونسكو عام 1946م، تعمل المنظمة - استناداً إلى برامج موضوعة مقره من مؤتمرها العام، الذي يعقد مره كل عامين، إلا أن المنظمـة مـع ذلك بقت تمارس أعمالها وأنشطتها لمدة ست سنوات كاملة، أي حتى عام 1952م، بشكل شبه ارتجالي، أو بالأحرى تنفذ أعمالها ومشاريعها استناداً إلى خطة أو برنامج موضوع لمده سنة في أحسن الأحوال، وقد سجلت المنظمة عام 1953م مرحلة جديدة، وهامة على هذا الصعيد، شكلت انعطافاً جـذرياً فيما يتعلـق ببرمجـة أعمالها وأنشطتها الدولية، حيث بدأت في هذا العام، العمل في كل المجالات على قاعدة برنامج وموازنة مقرين لفترة

سنتين، وقد أثبتت تقارير المنظمة نجاعه هذا النظام الجديد ومرونته بما يسمح للمنظمة من تكييف أعمالها مع الظروف المتغيرة باستمرار، ولذلك فإن برنامج السنتين لازال هو لشكل المستخدم في المنظمة حتى الآن، وذلك بالرغم من أن المنظمة بدأت منذ عام 1968م بمحاولات أولية للبدأ بانتهاج سياسة تخطيط متوسطة الأجل تمتد لمدة ست سنوات، وهذا التخطيط بطبيعة الحال قد أثبت عند بدأ تنفيذه أنة يؤمن في النهاية قاعدة متينة لبرامج السنتين[1].

فقد طلب المؤتمر العام لليونسكو في دورته (15) عام 1968م، من أمانة المنظمة أن تشرع في إعداد تخطيط متوسط الأجل (م / 4) يشكل البرنامج كل سنتين (م / 5) واحد من حلقات تنفيذه، فكان موجز الخطة المتوسطة الأجل للسنوات (1971 - 1976)، خطوه أولى في هذا الاتجاه[2]. فقد اشتملت هذه الخطة على ثلاث ميزانيات تغطي كل منها سنتين، وترمي إلى تحقيق ثلاثة أهداف هي: السلام والتنمية، وتعزيز حقوق الإنسان، ومكافحة العنصرية والاستعمار[3]. وقد بحث المؤتمر العام لليونسكو الذي انعقد عام 1974 - بعد اختيار مدير عام جديد للمنظمة (أحمد مختار امبو) - وثيقة بعنوان (تحليل المشكلات وجدول الأهداف اللذان سيتخذان أساساً للتخطيط المتوسط الأجل) 1977 - 1982م، وتضم (59) هدفاً موزعاً بين (12) مشكله مجمعه، تحت أربعة موضوعات هي: احترام حقوق الإنسان،

---

[1] انظر: د. اسكندر الديك، اليونسكو والصراع الدولي حول الإعلام والثقافة، مرجع سابق ص17.

[2] انظر: مرشد عملي من أجل اللجان الوطنية لليونسكو مرجع سابق ص41.

[3] انظر: د. أحمد الصياد، اليونسكو، رؤية للقرن الواحد والعشرين، مرجع سابق ص62.

وإقامة نظام مؤات لإقرار السلام، وتقدم المعرفة، وتبادل المعلومات والاتصال بين الأشخاص والشعوب، وتنمية الإنسان والمجتمع، والتوازن والانسجام بين الإنسان والطبيعة[1]. وقد اعتمد المؤتمر العام لليونسكو في دورته الاعتيادية التاسعة عشره، التي انعقدت في كينيا نيروبي عام 1976، الخطة متوسطة الأجل الأولى للأعوام (1977 - 1982)، وقد اتسمت هذه الخطة بالوضوح والتحديد، إذ مهدت الطريق لبرمجة حقيقية، تضمنت تحليلاً عميقاً للمشكلات العالمية، بمساعده فريق من المفكرين، وقد جرى فيما بعد إعداد الخطط متوسطة الأجل، على أساس ردود الدول الأعضاء، والمنظمات الدولية الحكومية وغير الحكومية، وتهدف الخطة متوسطة الأجل إلى ربط أنشطة اليونسكو بالمشكلات العالمية في ضوء نهج متعدد المهام، والإسهام في وضع سياسات وإستراتيجيات غايتها إيجاد الحلول الملموسة والعملية للمشكلات العالمية، إذ لم يعد في الإمكان معالجة احتياجات الدول الأعضاء، دون ربطها بالمشكلات الكبرى التي تواجهها هذه الدول[2]. ومما لاشك فيه أن التخطيط البعيد المدى، قد شكل أحد العوامل التي أثرت كماً ونوعاً على برامج اليونسكو ومشاريعها، خاصة بعد الازدياد المطرد للدول الاشتراكية والنامية المنظمة إلى عضوية اليونسكو في عقدي الستينات والسبعينيات من القرن الماضي، ويمكننا تلمس هذا التأثير من خلال عرض النقاط الرئيسية لبرنامج المنظمة لعامي 1979 - 1980،

---

(1) انظر: ميشيل لاكوست، رحله جليلة لغاية عظيمة، مرجع سابق ص138.

(2) انظر: د. أحمد الصياد مرجع سابق ص 62 - 63.

- الباحث: عامر عبد الحسين الوائلي، إدارة المنظمات الدولية - دراسة وصفية تحليلية لمنظمة اليونسكو، مرجع سابق ص 136.

مقارنة مع برامج المنظمة الأولى التي اشتملت على عده محاور أهمها: التربية والتعليم، العلوم الطبيعية، العلوم الاجتماعية، النشاطات الثقافية، الإعلام والتبادل الحر للمعلومات، بينما تضمن البرنامج والميزانية لفترة هذين العامين الأخيرين، ضمن إطار الخطة متوسطة الأجل، على سبعة محاور رئيسية هي[1]:-

التربية: وقد اشتملت على العديد من البرامج الفرعية مثل: وضع التربية في خدمة تعزيز حقوق الإنسان والسلام عن طريق احترام حقوق الإنسان، وتقدير الذاتية الثقافية واحترامها، ومساعده اللاجئين وحركات التحرير الوطني، والتفاهم الدولي، والاهتمام بالمرأة وإشراكها في التنمية، والاهتمام بالسياسات التربوية والتعليم العالي والتكنولوجي، وتعليم الكبار ومحو الأمية، والتربية البيئية والسكانية.

العلوم الطبيعية وتطبيقاتها في مجالات التنمية: وقد اشتمل على متابعة نشاطات المنظمة المتعلقة بمؤتمر الأمم المتحدة لتسخير العلم والتكنولوجيا لأغراض التنمية، وتطوير العلم والتكنولوجيا من أجل تلبيه احتياجات ومتطلبات الإنسان عن طريق تأمين العلائق بين العلم والمجتمع وتوسيع البحوث والتدريب في مجال العلم والتكنولوجيا، واعتماد التنمية الريفية المتكاملة، ودراسة أوضاع الإنسان والبيئة، من خلال بحث موارد الطاقة والموارد المائية وماهية النظم البحرية المحيطية والساحلية وعلاقة الإنسان بمحيطة الحيوي.

العلوم الاجتماعية وتطبيقاتها: وتشمل: تطوير البني الأساسية

[1] انظر: د. اسكندر الديك، مرجع سابق ص 18 - 22.

والبرامج في مجال العلوم الاجتماعية وكذلك شبكات العلوم ومرافقها، ودراسة التنمية والتخطيط لها عن طريق وضع تفسير شامل للتنمية ودراسة الظروف الاجتماعية الثقافية المؤتية لعمليات التنمية الذاتية والمتنوعة، وبحث العلائق بين العلم والمجتمع وتقدير الذاتية الثقافية واحترامها، والتحليل الاجتماعي الاقتصادي وتخطيط التنمية، والبيئة والمستقرات البشرية والتربية البيئية والإعلام البيئي والسكان، وموقع التعليم والإعلام في مجال احترام حقوق الإنسان والسلام والتفاهم الدولي والبحث في دور القانون الدولي والمنظمات الدولية، وأوضاع المرأة ومشاركتها في التنمية، وكذلك دور الشباب ومشاركتهم في التنمية.

الثقافة والاتصال: وتشمل: معرفة الثقافات وصون التراث والقيم الثقافية والطبيعية وإحياؤها، وتقدير الذاتية الثقافية واحترامها واحترام حقوق الإنسان، وتطوير التنمية الثقافية من خلال المشاركة في الحياة الثقافية والإبداع الفني والفكري وإنشاء شبكات المعلومات ومرافقها، وتوسيع الاتصال بين الشعوب عن طريق تداول المعلومات والتبادل الإعلامي الدولي بشكل متكافئ وعادل بهدف تحقيق التفاهم الدولي، وتعزيز عملية الاتصال ودوره وتمتين البني الأساسية والتدريب في مجال الاتصال مع مشاركة أكبر للمرأة.

البرنامج العام للمعلومات: ويشمل: تنمية وتعزيز شبكات المعلومات ومرافقها على المستوى الوطني والإقليمي والدولي.

حقوق المؤلف: ويشمل: حقوق المؤلف والاتفاقيات الدولية والإحصاءات في هذا الصدد.

التعاون من أجل التنمية والعلاقات الخارجية: ويشمل: المنهج القطري والتعاون الإقليمي والخدمات المساندة للأنشطة الميدانية، والتعاون مع المنظمات والبرامج الدولية الحكومية وغير الحكومية والتعاون مع اللجان الوطنية.

أما الخطة المتوسطة الأجل الثانية (1984 - 1989)، فقد اعتمدها المؤتمر العام في دورته الاستثنائية الرابعة التي عقدت في باريس في كانون الأول عام 1982م، وقد تضمنت هذه الخطة أربعة عشر برنامجاً رئيسياً، وهي بهذه البرامج، إنما تكون قد حددت النهج العام الذي ينبغي أن تسير عليه المنظمة طوال فترة الخطة، وهذه البرامج بطبيعة الحال تتطرق لمختلف قضايا ومشاكل العصر ـ الرئيسية[1]. وهذه البرامج هي[2]:-

- تأمل في المشكلات العالمية ودراسات مستقبلية.

- التعليم للجميع.

- الاتصال في خدمة الإنسان.

- وضع سياسات التربية وتنفيذها.

- التعليم والتدريب والمجتمع.

- العلوم وتطبيقها في مجال التنمية.

- نظم المعلومات والانتفاع بالمعرفة.

- مبادئ العمل من أجل التنمية وأساليبه واستراتيجياته.

---

[1] انظر: بهذا الخصوص
- د. اسكندر الديك، مرجع سابق ص23.
- الباحث/ عامر عبد الحسين الوائلي، مرجع سابق ص138.
[2] انظر: ميشيل لاكوست، مرجع سابق ص175.

- العلم والتقانه والمجتمع.
- بيئة الإنسان والموارد الأرضية والبحرية.
- الثقافة والمستقبل.
- القضاء على التمييز، والتعصب، والعنصرية، والفصل العنصري.
- السلام والتفاهم الدولي، وحقوق الإنسان، وحقوق الشعوب.
- أوضاع المرأة.

وعلى العموم فإن هذه البرامج أو المحاور الرئيسية ستنعكس بالتالي على البرامج والميزانيات الثلاث للدورات المالية القصيرة التي تشتمل عليها هذه الخطة المتوسطة المدى، وبهذا الخصوص فإننا نجد من خلال تتبع أول دورة مالية للخطة متوسطة المدى الثانية، أي من خلال، البرنامج والميزانية لعامي (1984 - 1985) أنها قد اشتملت أيضاً على أربعة عشر برنامجاً رئيسياً، هي نفس البرامج الرئيسية المذكورة في الخطة متوسطة المدى، المذكورة آنفاً، حيث احتوت على (54) برنامجاً فرعياً، وهذه البرامج الفرعية هي[1]:-

- ضم البرنامج الرئيسي الأول البرامج الفرعية الآتية: برنامجين هما:
- إعداد دراسات وبحوث بشأن المشكلات العالمية، وإعداد دراسة مستقبلية دولية.
- ضم البرنامج الرئيسي الثاني: ستة برامج فرعية هي: تنمية التعليم الابتدائي وتجديده وتعزيز مكافحة الأمية، وتحقيق دمقراطية التعليم، وتعليم الكبار، وتكافؤ فرص الفتيات والنساء في مجال التعليم، والتوسع

---

(1) انظر: البرنامج والميزانية المعتمدان لليونسكو لعامي (1984 - 1985)، إصدارات المنظمة باريس، يناير عام 1984م ص 15- 465.

في التعليم وتحسينه في المناطق الريفية، وتعزيز حق بعض الجماعات الخاصة في التعليم.

- اشتمل البرنامج الثالث على ثلاثة برامج فرعية هي: دراسات في الاتصال، وتداول المعلومات تداولاً حراً وانتشارها على نطاق واسع وعلى نحو أفضل توازناً، وزيادة تبادل الأنباء والبرامج، وتنمية الاتصال.

- البرنامج الرابع وشمل أربعة برامج فرعية هي: الإسهام في وضع سياسات التربية وتنفيذها ودعم الكفاءات الوطنية في مجال تخطيط التربية وتنظيمها وإداراتها واقتصادياتها، وعلوم التربية وتطبيقاتها في تجديد العملية التربوية، وسياسات تـدريب العـاملين في التربيـة وأساليبه، والوسـائل والبنـى الأساسيـة وشبكات المعلومات والمرافق التعليمية والصناعات التربوية.

- البرنامج الخامس ويشمل ستة برامج هي: التربية والثقافة والاتصال، وتدريس العلوم والتكنولوجيا، والتعليم وعالم العمل، وتعزيـز التربيـة البدنيـة والرياضيـة، والتعليم العالي والتدريب والبحـوث، والعمل علـى تحقيـق تكامـل أفضـل بيـن أنشطة التدريب والبحوث.

- البرنامج السادس: ويشمل خمسة برامج فرعية هي: البحث والتدريب والتعاون الدولي في ميدان العلوم الطبيعية، والبحث والتدريب والتعاون الدولي في ميدان التكنولوجيا والعلوم الهندسية، والبحث والتـدريب والتعـاون الـدولي في بعـض المجالات الرئيسية للعلم والتكنولوجيا، وفي مجال العلوم الاجتماعية

والإنسانية، والبحث والتدريب والتعاون الإقليمي والدولي في بعض المجالات الرئيسية للعلوم الاجتماعية والإنسانية.

- البرنامج السابع ويشمل ثلاثة برامج هي: تحسين الانتفاع بالمعلومات، والتكنولوجيا الحديثة والتوحيد القياسي والربط بين نظم المعلومات، والبنى الأساسية والسياسات وأنواع التدريب اللازمة لمعالجة المعلومات المتخصصة ونشرها، ونضم ومرافق المعلومات والتوثيق في اليونسكو.
- البرنامج الثامن ويشمل ثلاثة برامج هي: دراسة التنمية وتخطيطها، والتعاون مع الدول الأعضاء من أجل تحديد المشروعات الإنمائية ذات الأولوية، وتنفيذ الأنشطة الإنمائية.
- البرنامج التاسع ويشمل برنامجين هما: دراسة وتحسين العلاقات بين العلم والتكنولوجيا والمجتمع، وسياسات العلم والتكنولوجيا.
- البرنامج العاشر ويشمل تسعة برامج هي: القشرة الأرضية وما تحتويه من الموارد المعدنية وموارد الطاقة، والأخطار الطبيعية، والموارد المائية، والمحيطات ومواردها، وتخطيط المناطق الساحلية والجزريه، والتخطيط العمراني وتخطيط موارد الأرض، والنظم الحضرية والنمو الحضري، والتراث الطبيعي، والتربية والإعلام في مجال البيئة.
- البرنامج الحادي عشر ويشمل أربعة برامج هي: التراث الثقافي، والذاتية الثقافية والعلاقات بين الثقافات، والإبداع والملكة الإبداعية، والتنمية الثقافية والسياسات الثقافية.
- الثاني عشر ويشمل ثلاثة برامج هي: دراسات وبحوث عن التحيز والتعصب والعنصرية، والعمل على مكافحة التحيز والتعصب والعنصرية في مجالات التربية والعلم والثقافة والاتصال، ومكافحة الفصل العنصري.

- الثالث عشر ويشمل أربعة برامج هي: صون السلام والتفاهم الدولي، واحترام حقوق الإنسان، والتربية من أجل السلام واحترام حقوق الإنسان وحقوق الشعوب، والقضاء على التمييز القائم على الجنس.
- الرابع عشر ويشمل برنامج واحد عن، أوضاع المرأة.

أما عن الخطة المتوسطة الأجل الثالثة للمنظمة للفترة من عام (1990 - 1995) فإننا نجد أن المؤتمر العام خلال دورته العادية الخامسة والعشرين عام 1989م، قد قام باعتماد هذه الخطة، التي شهدت بنيتها عمليه انتقائية صارمة لبرامجها، إذ هبطت بمجموع مجالات البرامج الرئيسية التي كانت معتمدة في الخطة السابقة إلى النصف من ذلك، حيث اشتملت هذه الخطة على سبعة برامج رئيسية، تكملها أربعة برامج مستعرضة، ويتفرع عن البرامج الرئيسية (18) برنامجاً فرعياً، ومشروعان حافزان، وقد استهدفت هذه الخطة، عملية دعم طابع الجمع بين التخصصات والاشتراك بين القطاعات في عمل المنظمة، كما أن هذه الخطة قد أناطت باليونسكو مهمة الاستجابة في مجالات اختصاصها لمشكلات العصر الكبرى، أي السلام والتنمية وحماية البيئة، وهذه البرامج الرئيسية والفرعية للخطة السالفة الذكر ما يلي[1]:-

---

(1) انظر: بهذا الخصوص

- ميشيل لاكوست، مرجع سابق ص227.
- مرشد عملي من أجل اللجان الوطنية لليونسكو، مرجع سابق ص41.
- الباحث/ عامر عبد الحسين الوائلي، مرجع سابق ص 146 - 149.
- مشروع البرنامج والميزانية لعامي (1992 - 1993)، المعروضة على دورة المؤتمر العام لليونسكو (26)، إصدارات المنظمة باريس لعام 1991 ص vii.

التربية والمستقبل: يتفرع عنها ثلاثة برامج فرعية هي: التعليم الأساسي للجميع، التربية للقرن الواحد والعشرين، تعزيز ومسانده تنمية التربية.

تسخير العلم لخدمة التقدم والبيئة: تفرع عنه ثلاثة برامج هي: العلم والتكنولوجيا من أجل التنمية، تخطيط استغلال البيئة والموارد الطبيعية، العلم والتكنولوجيا والمجتمع.

الثقافة في الماضي والحاضر والمستقبل: اشتمل على ثلاثة برامج هي: التعاون الثقافي الدولي وصون الذاتيات الثقافية، والثقافة من أجل التنمية، وصون التراث الثقافي وإحياؤه.

الاتصال في خدمة البشر: ويشمل ثلاثة برامج هي: حرية تداول المعلومات والتضامن، والاتصال من أجل لتنمية، والآثار الاجتماعية الثقافية للتكنولوجيا الجديدة في مجال الاتصال.

العلوم الاجتماعية والإنسانية في عالم متغير: ويشمل برنامجين هما: تنمية العلوم الاجتماعية والإنسانية على الصعيد الدولي، وتحليل التغير الاجتماعي في إسهامات العلوم الاجتماعية الإنسانية.

إسهام اليونسكو في الدراسات المستقبلية والاستراتيجيات المتعلقة بالتنمية: ويشمل برنامجين هما: البعد الإنساني للتنمية، والدراسات الإنمائية المستقبلية.

إسهام اليونسكو في السلام وحقوق الإنسان وفي القضاء على التمييز بكافة أشكاله: ويشمل برنامجين هما: السلام في عقول البشر وحقوق الإنسان والإسهام في القضاء على الفصل العنصري وسائر أشكال التمييز.

أما البرامج المستعرضة فهي: البرنامج العام للمعلومات، وتبادل المعلومات، والبرامج والخدمات الإحصائية، والدراسات المستقبلية، علاوة على المواضيع، الخاصة بالمرأة والشباب، والمشروعات الحافزة.

وبتتبع برامج وميزانية الدورة المالية القصيرة، الثانية، من هذه الخطة المتوسطة الأجل، وذلك لعامي (1992 - 1993)، نجد أنها كذلك قد احتوت بنيتها على سبعة مجالات رئيسية، تكملها الموضوعات والبرامج المستعرضة عدد (6)، ويتفرع عن البرامج الرئيسية عدد (18) برنامجاً فرعياً، ومشروعان حافزان، وكما يلي[1]:-

بالنسبة لعدد ومسميات البرامج الرئيسية في الخطة القصيرة، نجد أنها قد اشتملت على عدد سبعة برامج رئيسية، تحمل نفس مسميات البرامج الرئيسية للخطة المتوسطة الأجل السالف ذكرها.

كذلك فإن تلك البرامج الرئيسية، قد اشتملت أيضاً على عدد (18) برنامجاً فرعياً في هذه الخطة القصيرة، (1992 - 1993) مثلها في ذلك مثل الخطة المتوسطة الأجل، كذلك فإن السمة الغالبة من حيث مسميات هذه البرامج الفرعية، إنما هو التطابق بينهما بشكل عام، عدا بعض الاختلافات البسيطة وكما يلي:-

فهناك تغير في مسميات بعض البرامج الفرعية، إما بشكل جزئي، أو كلي، بين كل من الخطة متوسطة الأجل، والخطة القصيرة، وذلك لعدد خمسة برامج، حيث اشتملت هذه البرامج لهذه الخطة الأخيرة على المسميات الآتية:

---

(1) انظر: مشروع البرنامج والميزانية، المعروض على الدورة السادسة والعشرين للمؤتمر العام لليونسكو، إصدارات المنظمة، باريس لعام 1991م ص v - iii.

التربية للقرن الحادي والعشرين، التعليم العالي، تعزيز تقدم التربية، حرية تداول الأفكار عن طريق الكلمة والصورة، والتغير الاجتماعي، واستراتيجيات التنمية وآفاقها، ومسانده أقل البلدان نمواً.

يقابل هذه البرامج في الخطة متوسطة الأجل المسميات الآتية:-

التربية للقرن الواحد والعشرين، تعزيز ومسانده تنمية التربية، وحرية تداول المعلومات والتضامن، وتحليل التغير الاجتماعي في إسهامات العلوم الاجتماعية الإنسانية، والدراسات الإنمائية المستقبلية بالترتيب، وذلك في البرامج الفرعية التابعة للبرامج الرئيسية، الأول، والرابع، والخامس، والسادس.

بينما تتطابق بقية البرامج الفرعية في هذه الخطة القصيرة، مع البرامج الفرعية في الخطة المتوسطة الأجل بشكل عام.

ومما يلاحظ على الخطة المتوسطة الأجل الثالثة، بخصوص هبوط مجالات برامجها الرئيسية إلى النصف، وهو ما انعكس بالتالي على البرامج الفرعية، وأيضاً على برامج وميزانيات الخطط القصيرة، فإن هذا الإجراء له ما يبرره من وجهة نظري، حيث تم اعتماد الخطة المتوسطة الأجل الثانية كما رأينا عام 1982م لتغطي الفترة من عام (1984 - 1989) إلا أنه خلال هذه الفترة الممتدة على مدى ست سنوات، بعد اعتماد الخطة حدث الانسحاب من المنظمة لثلاث دول هي: أمريكا، وبريطانيا وسنغافورة، وذلك خلال الأعوام من (1984 - 1986)، وقد ترتب على هذا الانسحاب، فقدان المنظمة لما يربو عن ربع ميزانيتها السنوية، وهو الأمر الذي جعل المنظمة تمر بظروف مالية صعبة، ولولا وقوف بقيه دول العالم إلى جانب المدير العام، لمساندته في هذه الأزمة، لمنيت المنظمة بفشل لا يحمد عقباه،

إلا أن هذا الأمر مع ذلك في رأي الشخصي، قد جعل المنظمة تقلص نفقاتها بشكل واضح، بما في ذلك تقليص عدد الموظفين، وتقليص الإنفاق على الأنشطة والبرامج بشكل عام، وهو ما انعكس بالضرورة، على الخطة متوسطة المدى الثالثة (1990 - 1995)، وربما أستمر هذا الأمر، نحو ترشيد الإنفاق ليشمل الخطط التالية لها حتى عودة الولايات المتحدة الأمريكية إلى عضوية المنظمة عام 2003م ومن قبلها بريطانيا عام 1997م.

أما الإستراتيجية المتوسطة الآجل الرابعة (1996 - 2001) فقد اعتمدها المؤتمر العام في دورته (28) عام 1995م، ومما يلاحظ على هذه الإستراتيجية - التي سوف تهتدي بها اليونسكو مطلع الألفية الثالثة - أنها قد تخلت على النهج الذي كان متبعاً في الماضي بالنسبة لبنيتها التنظيمية، إذ كانت تعتمد بشكل رئيسي ـ على خططها العريضة للبرامج الرئيسية والفرعية لمختلف أوجه أنشطتها، كما سبق أن بينا ذلك، إلا أن النهج الذي أتبعته هذه الإستراتيجية، هو أنها تنقسم إلى خمسة أجزاء رئيسية هي[1]:-

الإعداد للقرن الحادي والعشرين: ويشمل: لمحة سريعة عن خمسين عاماً خلت، مشكلات وتحديات القرن الحادي والعشرين.

مهام اليونسكو: ويشمل: ملائمة الميثاق التأسيسي لمتطلبات العصر،

[1] انظر بهذا الخصوص:
- د. أحمد الصياد، مرجع سابق ص85.
- مرشد عملي من أجل اللجان الوطنية لليونسكو، مرجع سابق ص41.
- الإستراتيجية المتوسطة الأجل 1996 - 2001، إصدارات اليونسكو، باريس لعام 1996م.

ومنظمة ذات رسالة أخلاقية، واليونسكو والتعاون الفكري.

إستراتيجيات اليونسكو ويشمل: إستراتيجيتين رئيسيتين هما: -

إستراتيجيات للإسهام في التنمية: وتشمل: تعزيز التعليم المستمر للجميع، والمساعدة على تقدم المعارف ونقلها وتشاطرها، وإحياء التراث والنهوض بالثقافات الحية وتشجيع الإبداع، وتعزيز حرية تداول المعلومات وتنمية الاتصال.

إستراتيجيات للإسهام في بناء السلام وتشمل: تشجيع التربية من أجل السلام وحقوق الإنسان والديمقراطية والتسامح والتفاهم الدولي، وتعزيز حقوق الإنسان ومكافحة التمييز، ومسانده توطيد العمليات الديمقراطية، وتشجيع التعددية الثقافية وتحاور الثقافات، والإسهام في درء النزاعات وتوطيد السلام بعد انتهائها.

اليونسكو وشركاؤها: ويشمل: اليونسكو في دولها الأعضاء، واليونسكو وشركاؤها الدوليون.

مبادئ العمل: ويشمل: مبادئ يسترشد بها في اختيار الأنشطة، والفئات ذات الأولوية، واللامركزية، وخدمات الإعلام والنشر، وسير العمل في المنظمة.

إن التوجه الأول لهذه الإستراتيجية، سيؤكد على تعزيز التعليم الأساسي للجميع، كما أن غاية هذه الإستراتيجية ستكون تشجيع إصلاح نظم التعليم وإعادة بنائها وتحسين فعاليتها، كما ترمي الإستراتيجية إلى جعل اليونسكو منظمة مرنه ذات بنيه بعيده عن الترهل، وتتغلب فيها روح المبادرة والإبداع على الأساليب الروتينية. ذلك أن المبادئ الرئيسية التي ستوجه

سير العمـل في المنظمـة في بدايـة الألفيـة الثالثـة، إنمـا تتمثـل في الشـفافية، والمسؤولية وإمكانية المساءلة، وسـوف يكون الشـعار هـو الحـد مـن البيروقراطيـة واعتماد المزيد مـن التفكير والعمـل، وفي إطار هـذه الإستراتيجية ستواصل الأمانة تعزيز تعاونها مع اللجان الوطنيـة التي تضطلـع بـدور حاسم في تعبئـة الشـركاء في الدول الأعضاء[1].

وبشكل عام فإن التنميـة مـن أجـل السـلام، والسـلام مـن أجـل التنميـة، هـما المحـوران - المترابطان عضويـاً - اللذان بنيت حولهما إسـتراتيجية اليونسكو المتوسـطة الأجل للفترة (1996 - 2001)، كما عبر عن ذلك مدير عـام المنظمة الأسـبق (فيـدير يكومايور) مضيفـاً بأن الوصول إلى أشـد الفئات حرمانـاً، وأعـاده إدمـاج المسـتبعدين، وتيسـير ممارسة الحقوق المدنية ومشـاركة الجميـع في التنميـة، وتعلم العيـش معـاً والبناء معا، رغم الخلافات والاختلافات - تلك هي خلاصة الأهداف الرئيسـية التـي استلهمتها هذه الإستراتيجية[2].

ويأتي مشروع البرنامج والميزانية لعامي 2000 - 2001 (المعوض عـلى المؤتمر العام لليونسكو لاعتماده، وذلك في دورته العادية الثلاثون، المنعقدة في بـاريس عـام 1999) كثالث وأخر خطة قصيرة، تأتي ضمن إطار الخطة متوسطة الأجل الرابعة، السـالفة الذكر، فقد اشتملت خطة العامين هذه، عـلى أربعـة بـرامج رئيسـية، وأحـد عـشر مشروعاً مشتركاً بين القطاعات، وثمانية أنشطة مستعرضة، علاوة عـلى مشروع رئيسي مشترك

---

[1] انظر: الإستراتيجية المتوسطة الأجل لليونسكو 1996 - 2001 مرجع سابق ص 17، 43، 53، 59.
[2] انظر: تمهيد المدير العام لليونسكو على الإستراتيجية، نفس المرجع السابق.

بين التخصصات، انبثق عنه ثلاثة مشاريع فرعية، بينما انبثق عن البرامج الرئيسية الأربعة، تسعة برامج، تفرع عنها (19) برنامجاً فرعياً وكما يلي[1]:-أولاً: البرامج الرئيسية:

التعليم للجميع مدى الحياة، ويشمل: 1- التعليم الأساسي للجميع (تفرع عنه، توفير التعليم الأساسي لجميع الأطفال، وتعزيز محو الأمية والتعليم غير النظامي بين الشباب والكبار، وتعبئة الالتزامات والشراكات من أجل التعليم للجميع). 2- إصلاح التربية من منظور التعليم للجميع مدى الحياة (تفرع عنه، تجديد النظم التعليمية لمواكبة عصر المعلومات، وتجديد التعليم الثانوي العام والتعليم المهني، والتعليم العالي والتنمية).

تسخير العلوم لخدمة التنمية: ويشمل: 1- تقدم المعارف العلمية ونقلها وتشاطرها (يتفرع عنه، تقدم المعارف في مجال العلوم الأساسية والهندسية ونقلها وتشاطرها، وتقدم المعارف في مجال العلوم الاجتماعية والإنسانية ونقلها وتشاطرها) 2- العلوم والبيئة والتنمية الاجتماعية الاقتصادية (يتفرع عنه، علوم الأرض وإدارة النظم الأرضية والحد من الكوارث الطبيعية، والعلوم الايكولوجية وبرنامج الإنسان والمحيط الحيوي، والهيدرولوجيا وتنمية الموارد المائية، ولجنة اليونسكو لعلوم المحيطات، والتحولات الاجتماعية).

التنمية الثقافية: التراث والإبداع: ويشمل: 1- صون التراث الثقافي والطبيعي وإحياؤه (يتفرع عنه، صون التراث المادي وغير المادي

---

[1] انظر: مشروع البرنامج والميزانية لليونسكو لعامي 2000 - 2001، إصدارات المنظمة، مرجع سابق ص 1 - 251.

وإحياؤه، وتعزيز تطبيق الاتفاقية الخاصة بحماية التراث العالمي الثقافي والطبيعي). 2- النهوض بالثقافات الحية.

نحو مجتمع الاتصال والمعلومات للجميع: ويشمل: 1- حرية تداول الأفكار (يتفرع عنه، حرية التعبير والديمقراطية والسلام، ووسائل الإعلام والمعلومات والمجتمع). 2- سد الثغرة في مجال الاتصال والمعلومات (يتفرع عنه، تنمية الاتصال، وتنمية البنى الأساسية للمعلومات).

ثانياً: المشروع المشترك بين التخصصات: هو (نحو ثقافة السلام) يتفرع عنه (ثقافة السلام: حفز الوعي وإقامة الشراكات، والتربية من أجل ثقافة السلام، ثم من التفاعل بين الثقافات إلى التعددية الثقافية).

ثالثاُ: المشاريع المشتركة بين القطاعات وهي: أوضاع المعلمين وإعدادهم في مجتمع المعلومات، والتربية من أجل تطور مستديم (البيئة والسكان والتنمية)، والبرنامج العالمي للشمس (1996 - 2005)، وتعزيز النهوج المتكاملة في مجال البيئة والتنمية، والبيئة والتنمية في المناطق الساحلية والجزر الصغيرة، والتنمية البشرية من أجل تأمين أسباب العيش المستديم في مناطق المحيط الهادي، وإدارة التحولات الاجتماعية والبيئة في المدن، والقراءة للجميع، وسكان الكاريبي: إنتاج من إبداع الماضي ونسيج المستقبل، والتحديات الأخلاقية والقانونية والاجتماعية الثقافية التي يطرحها مجتمع المعلومات، علاوة على متابعة المؤتمر العالمي للعلوم.

رابعاً: الأنشطة المستعرضة: تتعلق، بأنشطة معهد اليونسكو للإحصاء، والاستباق والدراسات المستقبلية، وخدمات المنح الدراسية وشراء المعدات وأنشطة مسانده البرنامج ذات الصلة، وتنسيق الأنشطة المتعلقة بالنساء،

والشباب، وأفريقيا، وبأقل البلدان نمواً، والأنشطة الموجهة إلى الفئات ذات الأولوية.

إن هذه الخطة تشكل بداية الانتقال إلى، (برمجة موجهه نحو النتائج) وهي نتيجة طبيعية للانتقال من خطة متوسطة الأجل، إلى (إستراتيجية) متوسطة الأجل، فالمهم في البرمجة الإستراتيجية ليس اقتراح قائمة من الأنشطة الواجب تنفيذها، بقدر ما هو تحديد الأهداف والنتائج المتوقعة في نهاية فترة معينة، وبيان الاستراتيجيات الواجب إتباعها لإحراز هذه النتائج. كما أن النهج المشترك للمشاريع بين القطاعات، فإن هذه المشاريع تصمم وتنفذ بصفة مشتركة من جانب فريق مشترك بين القطاعات، وهذا النهج وإن كان قد استحدث منذ عقدين في إطار مشروعات مثل الجزر الصغيرة والمناطق الساحلية، إلا أنه قد وسع نطاقه في هذه الوثيقة ليشمل مجالات جديدة أخرى، كما هو موضح في الخطة، بينما كان الهدف من استحداث المشروع المشترك بين التخصصات (نحو ثقافة السلام) تسليط الضوء على ما تقوم به اليونسكو من إسهام في بناء السلام، بالعمل على تغيير السلوكيات، وترسيخ القيم، والحفز على إجراء التغيرات المؤسسية التي لابد منها لاجتثاث الجذور العميقة للعنف والاستبعاد والنزاع، وبهذا الصدد فإنه ينبغي أن يكون ماثلاً أمامنا بأنه لا استتباب للسلام، ولا استدامة لتنمية، ما لم يصبح المواطنون - جميع المواطنين، رجالاً ونساء - شركاء في إقامتهما بأصواتهم وبأعمالهم، وهذا هو جوهر رسالة إستراتيجية اليونسكو السابقة، ولا يزال صحيحاً لاجتياز عتبه القرن الجديد[1]. وهذا فعلاً ما أكدته

(1) انظر: مشروع البرنامج والميزانية لليونسكو 2000 - 2001 مرجع سابق ص XVIII - XII.

الإستراتيجية المتوسطة الأجل، الخامسة لليونسكو للأعوام 2002 - 2007 (المعتمدة من المؤتمر العام في دورته الحادية والثلاثون عام 2001)، حيث ركزت على موضوع موحد هو (إسهام اليونسكو في تحقيق السلام والتنمية البشرية في عصر العولمة، من خلال التربية والعلوم والثقافة والاتصال، كما تهدف إلى الربط بين مجالات البرنامج الرئيسية الأربعة من أجل تحقيق غرض عام مشترك، كما أنها تحدد ولأول مره، اثنا عشر هدفاً استراتيجياً للمنظمة كلها، بواقع ثلاثة أهداف لكل برنامج، وقد بني حول هذه الأهداف الإستراتيجية موضوعان مستعرضان يشكلان حتماً عنصراً أساسياً في جميع البرامج وسيتواصل اعتمادهما طوال السنوات الست القادمة، وهما: القضاء على الفقر، ولاسيما الفقر المدقع، وإسهام تكنولوجيا المعلومات والاتصال في تطوير التعليم ولعلوم والثقافة، وفي بناء مجتمع المعرفة، ويشكل هذان الموضوعان أيضاً منطلقاً لتعزيز العمل المشترك بين القطاعات بصورة أكبر من ذي قبل، في المقر والميدان على حد سواء)[1].

وتظهر هذه الإستراتيجية بشكل عام ضمن ستة أقسام هي:-

الأول: يشمل مقدمة المدير العام، وإسهام اليونسكو في تحقيق السلام والتنمية البشرية في عصر العولمة، من خلال التربية والعلوم والثقافة والاتصال، مستعرضاً في هذا الإطار الآتي:

1- الوضع العالمي 2- رسالة اليونسكو 3- توفير الإمكانات.

الثاني: التربية، وتشتمل على ثلاثة أهداف إستراتيجية هي:-

- تعزيز التعليم باعتباره حقاً من الحقوق الأساسية المنصوص عليها في

(1) انظر: الإستراتيجية المتوسطة الأجل لليونسكو للفترة 2002 - 2007 المعتمدة من المؤتمر العام في دورته (31) إصدارات المنظمة، باريس لعام 2002 ص ii - i.

الإعلان العالمي لحقوق الإنسان.

- تحسـين نوعيـة التعلـيم، مـن خـلال تنـوع المضامين والأساليب وتعزيز القيم المشتركة على صعيد العالم.

- تعزيز التجريب والتجديد ونشر وتشاطر المعلومات وأفضل الممارسات وتشجيع الحوار بشأن السياسات في مجال التعليم.

الثالث: العلوم، ويشتمل على ثلاثة أهداف إستراتيجية هي:-

- تعزيز المبادئ والمعايير الأخلاقية التي يسترشد بها في تحقيـق التنمية العلمية والتكنولوجية والتحول الاجتماعي.

- تحسين الأمن البشري من خلال تأمين إدارة أفضل للبيئة والتغير الاجتماعي.

- تحسين القدرات العلمية والتقنية والبشرية على المشاركة في مجتمعـات المعرفـة الناشئة.

الرابع: الثقافة، وتشمل أهدافه الإستراتيجية:

- تشجيع أعداد وتطبيق صكوك تقنينية في المجال الثقافي.

- صون التنوع الثقافي وتشجيع الحوار بين الثقافات والحضارات.

- تعزيز الروابط بين الثقافة والتنمية من خلال بناء القدرات وتشاطر المعارف.

الخامس: الاتصال والمعلومات، وتشمل أهدافه الإستراتيجية:

- تشجيع التداول الحر للأفكار والانتفاع العام بالمعلومات.

- تشجيع التعبير عن التعدديـة والتنـوع الثقـافي في وسـائل الإعلام وفي الشبكات العالمية للمعلومات.

- تأمين فرص الانتفاع بتكنولوجيا المعلومات والاتصال للجميع ولا سيما فيما يتعلق بمواد النفع العام.

- السادس: الموضوعان المستعرضان وهما:

- القضاء على الفقر، ولاسيما الفقر المدقع.

- إسهام تكنولوجيات المعلومات والاتصال في تطوير التربية والعلوم والثقافة، وفي بناء مجتمع المعرفة.

وبشكل عام فإننا نجد بين ثنايا هذه الأقسام، أن الإستراتيجية تشتمل كذلك في إطار كل هدف إستراتيجي، تسعى المنظمة إلى تحقيقه، مجموعة من الأهداف الإستراتيجية الفرعية، مع بيان النتائج المتوقعة لكل هدف، علاوة على بعض البرامج الطليعية للمنظمة، عن المحيطات، والتراث العالمي، بالإضافة إلى الأهداف الدولية للتنمية، وأهداف دكار الستة، والمبادرة العالمية من أجل التعليم للجميع... الخ[1].

ومما يلاحظ على البرنامج والميزانية المعتمدان للدورات المالية القصيرة للأعوام (2002 - 2003)، (2004 - 2005) اللتين تأتيان كأول وثاني خطتين معتمدتين، تندرجان في إطار الإستراتيجية المتوسطة الأجل الخامسة، السالف ذكرها، أن هاتين الخطتين القصيرتين، قد احتوت كلتيهما، على البرامج الرئيسية، المتعلقة بالتربية، والعلوم (الطبيعية، والاجتماعية والإنسانية)، والثقافة، والاتصال والمعلومات، وقد انبثق عن البرامج الرئيسية في الخطة المعتمدة لعامي 2002 - 2003 عدد (12) برنامجاً، تفرع عنها عدد (19) برنامجاً فرعياً، وتفرع عن هذه الأخيرة، عدد (62)

---

[1] انظر: الإستراتيجية المتوسطة الأجل 2002 - 2007 المرجع السابق ص 1 - 63.

محوراً من محاور العمل، علاوة على سبعة (برامج، ومشاريع وأنشطة مشتركة). كما أن الموضوعين المستعرضين وهما: القضاء على الفقر ولاسيما الفقر المدقع، وإسهام تكنولوجيا المعلومات والاتصال في تطوير التعليم والعلوم والثقافة وفي بناء مجتمع المعرفة، قد انبثق عن هذا الأخير عدد (13) برنامجاً فرعياً، موزعة على أربعة برامج رئيسية، في حين أنه انبثق عن الموضوع الأول عدد (21) برنامجاً فرعياً، وزعت على خمسة برامج رئيسية هي مجمل برامج الخطة[1]. بينما انبثق عن البرامج الرئيسية في الخطة المعتمدة لعامي (2004 - 2005) عدد (13) برنامجاً، تفرع عنها عدد (22) برنامجاً فرعياً، تفرع عنها أيضاً (73) محوراً من محاور العمل، علاوة على عدد (18) نشاطاً (موزعاً بين أنشطة، ومشاريع طليعية، ومعاهد، ومراكز وسياسات، وأنشطة مشتركة... الخ)، كما أن نفس الموضوعين المستعرضين المذكورين آنفاً، قد انبثق عنهما، عدد (18) برنامجاً فرعياً، موزعة بين أربعة برامج رئيسية بالنسبة للموضوع الأول، بينما انبثق عن الموضوع الثاني عدد (23) برنامجاً فرعياً، موزعة على خمسة برامج رئيسية هي مجمل برامج الخطة المعتمدة[2].

وبشكل عام فإنه يتضح من البرامج المعتمدة في أي من هاتين الخطتين، التشابه في الخطوط العامة الرئيسية لهذه البرامج، وأيضاً في الكثير من البرامج الفرعية، ومحاور العمل الأخرى، وهذا شيء طبيعي،

---

[1] انظر: البرنامج والميزانية المعتمدان لليونسكو للأعوام (2002 - 2003) إصدارات المنظمة باريس لعام 2002 ص 11 - 241.

[2] انظر: البرنامج والميزانية المعتمدان لليونسكو للأعوام (2004 - 2005) إصدارات المنظمة باريس لعام 2004 ص 35 - 252.

لان أياً من هاتين الخطتين، إنما استمدت برامجها ومشاريعها من الخطوط العامة للاستراتيجيات المعتمدة والمشمولة في إطار الإستراتيجية المتوسطة الأجل 2002 - 2007، وبناءاً على ذلك فإننا سنتطرق للخطوط العامة والفرعية لبرامج الخطة والميزانية المعتمدة لعامي 2004 - 2005، فقط، وبشيءٍ من التفصيل وكما يلي:-

فقد اعتمد المؤتمر العام لليونسكو برنامج وميزانية عامي 2004 - 2005 في الدورة الثانية والثلاثون للمؤتمر العام المنعقد في باريس عام 2003، وتوزعت البرامج الرئيسية والفرعية لهذه الخطة كما يلي:-

البرنامج الرئيسي- الأول: التربية: ويشمل برنامجين هما: 1- التعليم الأساسي للجميع (يتفرع عنه، التركيز على الأهداف الرئيسية، ودعم استراتيجيات التعليم للجميع) 2- بناء مجتمعات التعلم (يتفرع عنه، ما بعد تعميم التعليم الابتدائي، والتعليم والعولمة). وقد تفرع عن هذه البرامج، عدد (15) محوراً من محاور العمل، غطت معظم مجالات أنشطة التربية، علاوة على الموضوعين المستعرضين المتعلقين، بالقضاء على الفقر لاسيما الفقر المدقع، وإسهام تكنولوجيا المعلومات والاتصال في تطوير التعليم والعلوم والثقافة وفي بناء مجتمع المعرفة، وقد تفرع عن هذين الموضوعين عدد (9) برامج، علاوة على ما سبق فإن معاهد اليونسكو الستة العاملة في ميدان التربية، تقوم بدور لايستهان به للإسهام في تنفيذ هذه البرامج والأنشطة وفي غيرها من محاور العمل الأخرى[1].

البرنامج الرئيسي الثاني: العلوم الطبيعية: ويشمل برنامجين هما: 1-

---

(1) انظر: البرنامج والميزانية المعتمدان لليونسكو 2004 - 2005 مرجع سابق ص 35 - 81.

العلوم والبيئة والتنمية المستدامة (يتفرع عنه (5) برامج هي: التفاعلات في مجال المياه: النظم المعرضة للخطر والتحديات الاجتماعية، والعلوم الايكولوجية: تنمية رعاية البشر ـ للطبيعة، وعلوم الأرض: تحسين فهم الكتلة الأرضية وتعزيز الوقاية من الكوارث، وتأمين أسباب العيش المستدام في الجزر الصغيرة والمناطق الساحلية، ولجنة اليونسكو الدولية الحكومية لعلوم المحيطات (كوي).2- بناء القدرات في مجال العلوم والتكنولوجيا من أجل التنمية (يتفرع عنه، بناء القدرات في مجال العلوم الأساسية والهندسة، وتسخير السياسات العلمية والتكنولوجية لأغراض التنمية المستدامة).

وقد تفرع عن هذه البرامج (22) محور عمل، بالإضافة إلى عدد (8) من الأنشطة الطليعية الأخرى، علاوة على الموضوعين المستعرضين السالف ذكرهما، وقد تفرع عنهما عدد (8) برامج[1].

البرنامج الرئيسي الثالث: العلوم الاجتماعية والإنسانية: وقد اشتمل على أربعة برامج هي:-

- أخلاقيات العلوم والتكنولوجيا مع التركيز على أخلاقيات البيولوجيا.

- تعزيز حقوق الإنسان ومكافحة التمييز.

- الاستشراف والفلسفة والعلوم الإنسانية والأمن البشري.

- إدارة التحولات الاجتماعية: برنامج موست - المرحلة الثانية.

وقد تفرع عن هذه البرامج عدد (11) محور من محاور العمل، بالإضافة إلى عدد (5) من الأنشطة والبرامج الطليعية، بينما إشتمل الموضوعين المستعرضين على عدد (8) من البرامج الفرعية[2].

---

[1] انظر: البرنامج والميزانية نفس المرجع السابق ص 85 - 140.

[2] انظر: البرنامج والميزانية المعتمدة لليونسكو 2004 - 2005 مرجع سابق ص 145

البرنامج الرئيسي الرابع: الثقافة: وقد إشتمل على ثلاث برامج هي: 1- تعميم مراعاة التنوع الثقافي في جداول أعمال السياسات العامة على الصعيد الوطني والدولي. (يتفرع عنه، ترويج إعلان اليونسكو العالمي بشأن التنوع الثقافي وتنفيذ خطه العمل الخاصة به، وتوثيق الروابط بين السياسات الثقافية والسياسات الإنمائية). 2- إسهام اليونسكو في حماية التنوع الثقافي العالمي من خلال صون التراث الثقافي والطبيعي (يتفرع عنه، ترويج وتطبيق الاتفاقية الخاصة لحماية التراث الثقافي والطبيعي، وحماية التنوع الثقافي من خلال صون التراث الثقافي بجميع أشكاله وعن طريق العمل التقنيني). 3- حماية التنوع الثقافي عن طريق الإبداع والتنمية. (يتفرع عنه، تشجيع الفنون والصناعات الحرفية لخدمه أغراض التنمية المستدامة، وتعزيز دور الإبداع الثقافي في التنمية البشرية والاقتصادية). وقد تفرع عن هذه البرامج عدد (12) محوراً من محاور العمل، بالإضافة إلى مشروعين طليعيين، علاوة على الموضوعين المستعرضين ببرامجهما الستة المتفرعة عنهما[1].

البرنامج الرئيسي الخامس: الاتصال والمعلومات: وقد إشتمل على برنامجين هما: 1- تعزيز الانتفاع المنصف بالمعلومات والمعارف من أجل التنمية ولاسيما المعلومات والمعارف المندرجة في الملك العام (يتفرع عنه، تعزيز التدابير الرامية إلى تضييق الفجوة الرقمية وتشجيع الدمج الاجتماعي، وتسخير تكنولوجيات المعلومات والاتصال لأغراض التعليم، وتعزيز التعبير عن التنوع الثقافي واللغوي من خلال الاتصال والمعلومات.

- 178.

(1) انظر: البرنامج والميزانية المرجع السبق ص 183 - 214.

2- تعزيز حرية التعبير وتنميه الاتصال (يتفرع عنه، تعزيز حرية التعبير واستقلاليه وسائل الإعلام وتعدديتها، ودعم تنميه وسائل الاتصال). وقد تفرع عن هذه البرامج عدد (13) محورا من محاور العمل، بالإضافة إلى ثلاثة أنشطه طليعيه، علاوة على موضوع مستعرض واحد هو، إسهام تكنولوجيا المعلومات والاتصال في تطوير التعليم والعلوم والثقافة وفي بناء مجتمع المعرفة، والبرامج المتفرعة عنه وعددها عشره برامج[1].

المطلب الثاني
إدارة الخطط والبرامج والمشروعات الإستراتيجية بالالكسو

قامت المنظمة العربية (الالكسو) منذ نشأتها عام 1970 طبقاً لميثاق الوحدة الثقافية ودستور المنظمة بالعمل على تحقيق الأهداف المنوطة بها، من خلال إعداد الدورات والخطط المالية القصيرة لمده عامين بدءاً بالدورة الأولى عامي 1970 - 1971 وقد استمرت في إعداد هذه الخطط القصيرة في عملها حتى الآن، إذ بلغت هذه الخطط منذ نشأة المنظمة وحتى نهاية عام 2006م عدد (18) خطة، وقد اعتمدت المنظمة منذ عام 1984 خطة طويلة المدى تغطي مدة 18 سنة بحيث تتوزع هذه الخطة الطويلة المدى إلى ثلاث خطط متوسطة المدى تغطي كل منها عدد (6) سنوات، وبحيث تنتهي هذه الخطط الثلاث المتوسطة المدى بنهاية الخطة طويلة المدى أي عام 2001م، كما اعتمدت المنظمة خطة رابعة متوسطة المدى عام 2005

---

(1) انظر: البرامج والميزانية المرجع السابق ص 219 - 252.

- 2010، علاوة على هذه الخطط الطويلة المدى والمتوسطة والقصيرة، قامت المنظمة بوضع العديد من الاستراتيجيات المتخصصة التي غطت مختلف مجالات العمل التربوي والعلمي والثقافي، والإعلام والاتصال، إذ بلغ عدد هذه الاستراتيجيات منذ نشأه المنظمة وحتى نهاية عام 2006 حوالي 15 إستراتيجية. وعليه فإننا سنتطرق لمختلف مجالات إدارة الخطط والبرامج والاستراتيجيات وذلك منذ نشأه المنظمة وحتى نهاية عام 2006م من خلال فقرتين، تتناول الأولى، الخطط والمشروعات الإستراتيجية، وسنخصص الثانية لإدارة الخطط الطوية والمتوسطة والقصيرة المدى وكما يلي:-

أولاً: إدارة الخطط والمشروعات الإستراتيجية

شرعت الالكسو منذ نشأتها في إعداد الاستراتيجيات المتخصصة في مجال عملها، حيث تم بناء هذه الاستراتيجيات، كي تنهض المنظمة بالمهام والمسؤوليات المناطة بها صوب تحقيق الأسس الشاملة لتنمية المجتمع العربي لبلوغ الأهداف التي حددها ميثاق ودستور المنظمة، وكان سبيلها إلى ذلك علاوة على وضع الخطط الطويلة والمتوسطة والقصيرة المدى، هو وضع وبناء هذه الاستراتيجيات على أساس من استقراء الواقع العربي والتعرف إلى القضايا والمشكلات التي تواجهه في مختلف النواحي التربوية والعلمية والثقافية، وبهذا الصدد فإننا نجد أن المنظمة قد قامت بإعداد الاستراتيجيات المتعلقة، بمحو الأمية، وتطوير التربية، والعلوم والتقانه، والخطة الشاملة للثقافة العربية، والخطة المتوسطة المدى لنشر اللغة العربية والثقافة العربية الإسلامية عام 1985م، والنظام العربي الجديد للاعلام والاتصال عام 1987، والخطة القومية للترجمة، والرؤية المستقبلية للتعليم،

وتطوير التعليم العالي، وكذا الاستراتيجيات الخاصة بالتكنولوجيا الحيوية، والتوثيق والمعلومات، والتربية السابقة على المدرسة الابتدائية، والتنوع البيولوجي، والتعليم عن بعد، وسيتم التطرق لمعظم هذه الاستراتيجيات، وبشيء من الإيجاز قد الإمكان وكما يلي:-

إستراتيجية تطوير التربية العربية

شرعت المنظمة العربية (الالكسو) منذ تأسيسها عام 1970م بوضع إستراتيجية تطوير التربية العربية، حيث صدر عن مؤتمر وزراء التربية والتعليم والمعارف الـذي انعقد في صنعاء عام 1972م، قراراً بوضع هذه الإستراتيجية، وقد قامت المنظمة منذ ذلك الحين برعاية هذا المشروع القومي الذي أشرف عليه نخبة مـن كبار التربـويين والمفكرين العرب، فقد دعا قرار المؤتمر هذا إلى تشكيل لجنة عربية برئاسة الـدكتور محمد أحمد الشريف وزير التعليم والتربية في ليبيا، وتم اختيـار أعضـاء اللجنـة مـن كبار المفكرين العرب بالتشاور مع المجلس التنفيذي، وقد أجـاز المـؤتمر العـام الاستثنائي للالكسو في دورته غير العادية الأولى بالخرطوم بتاريخ 2 أغسطس 1978م، الطبعة الأولى للتقرير الشامل للجنة وضع الإستراتيجية، وقد نص المـؤتمر في قـراره بشأن هذا التقرير على تبني الإستراتيجية وعلى ضرورة الأخذ بها والاهتداء بمقوماتها لتطوير التربية في كل الأقطار العربية، كما نص القـرار عـلى أن تقـوم اللجنـة بإعـداد التقرير للطبع آخذه بعين الاعتبار الملاحظات التي جاءت في محاضر اللجنـة التي خصصها المؤتمر لدراسته، وعلى أيه حال فإن الطبعة الأولى بشكلها النهائي قد خرجت إلى الوجود بتاريخ ديسمبر عام 1979م، وقد اشتملت هذه الإستراتيجية عـلى تسـعة فصول، تناولت، إدارة التغيير، والماضي الحي،

والتحدي والصمود، وواقع التربية العربية وانجازاتها ومشكلاتها، وعالم اليوم والغد، وطبيعة الإستراتيجية ومبادئها، وعناصرها وبدائلها، وأسبقيات ونماذج في إطار الإستراتيجية المقترحة، وتنفيذ الإستراتيجية وسبله ووسائله، علاوة على الملاحق والتصدير والتقديم، وبشكل عام فإن هذه الإستراتيجية قد استهدفت تحديد مسار التربية في الوطن العربي وفق خصائص المجتمع العربي، وهويته وتطلعاته وآماله المستقبلية، وتفاعله مع الحضارة العالمية، حيث تركز على عده مبادئ واتجاهات أساسية منها: المبدأ الإنساني، ومبدأ التربية للإيمان، والمبدأ القومي في التربية، والمبدأ التنموي، والمبدأ الديمقراطي، ومبدأ التربية المتكاملة، ومبدأ الأصالة والتجديد... الخ، وتأتي قيمة هذه الإستراتيجية - كما عبر عن ذلك المدير العام للمنظمة - كقيمة كل فكر لا تكمن في صحتها أو سلامتها وحدها، ولكن تكمن في الاقتناع بها والإرادة في ممارستها، والقدرة على ترجمتها وتطبيقها، وهي بعد ذلك عمل إنساني يكتمل وهو يتحرك ويمارس بالتقويم والدراسة الموضوعية والملائمة الصحيحة بين الواقع والممكن في عملية تكيف وتكامل[1]. ولذلك فقد انعقد الاجتماع الثاني لوكلاء وزارات التربية

---

(1) انظر بهذا الخصوص: إستراتيجية تطوير التربية العربية (تقرير لجنة وضع إستراتيجية لتطوير التربية في البلاد العربية) تنفيذ المنشأة الشعبية للنشر والتوزيع والإعلان الطبعة الأولى عام 1979م ص2.
- الجدير بالذكر أن لجنة وضع إستراتيجية تطوير التربية في البلاد العربية، قد قدمت التقرير المجمل لهذه الإستراتيجية حيث قامت المنظمة بإصداره في شهر أكتوبر عام 1977م.
- انظر بهذا الخصوص: إستراتيجية تطوير التربية العربية (التقرير المجمل)، إصدارات الالكسو أكتوبر عام 1977.
- انظر: المنظمة العربية 1970 - 1987م، مرجع سابق ص48.

العرب، بدعوة من الالكسو - باستضافة دولة قطر في الفترة من 18 - 22 إبريل عام 1981م - تنفيذاً لقرار المؤتمر العام، الـذي دعـا إلى تنظيم مـؤتمر تربـوي دوري ينعقد على المستوى القومي كل عامين، لمراجعة تطوير الأنظمة التربوية، مـن حيـث انسجامها مع الإستراتيجية الموضوعة، ومطالب التنمية الشاملة، وفقـاً للأهـداف القومية، والتحقق من إنجازاتها ودراسة مسائلها الرئيسية وتقويم حركتها باستمرار، وقد سعى هذا الاجتماع إلى تحقيق الأهداف الآتية[1]:-

متابعـة مرحلـة الانطـلاق في تنفيـذ الإستراتيجية والمواءمـة بـين الاستراتيجيات القطرية والاستراتيجيات القومية.

توضيح خط السير في المرحلة التالية.

الاطلاع على ما قطعته كل دولة عربية، من أشواط في سبيل تنفيذ متضمنات الإستراتيجية، وبخاصة توصيات الاجتماع الأول للوكلاء الذي انعقد في الرياض في شهر يناير عام 1979م.

استعراض مشروع، خطة لتوحيد أسس المنـاهج والخطط الدراسية في ضوء إستراتيجية تطوير التربية العربية وإثراؤه بالنقاش والحوار.

وقد أصدرت الالكسو عام 1995 النسخة المراجعة لهذه الإستراتيجية، حيث شكلت المنظمة قبل ذلك وتحديداً في النصف الأول مـن عـام 1990م فريق يتـولى مراجعة الإستراتيجية، وذلك بعد أن أقر المؤتمر العام مشروع

- انظر: المنظمة العربية للتربية والثقافة والعلوم، إصدارات الالكسو تونس عام 1981م ص32.

[1] انظر: التقرير النهائي، للاجتماع الثاني لوكلاء وزارات التربية العرب حول (نحو تنفيذ إستراتيجية التربية العربية)، إصدارات الالكسو، تونس، إبريل عام 1981م ص1.

هذه المراجعة ومنحة الأولوية الأولى بين مشروعات الدورة المالية 1990 - 1991م لان التربية لا تستطيع أن تكون في منأى عن المستجدات والمتغيرات والتحديات الجديدة التي عرفها المستوى الدولي والعربي، وبعد أن تم انجاز الأبحاث التي تفي بهذا الغرض، عملت المنظمة على مراجعة الإستراتيجية، حيث اشتمل هذا التقرير على ستة فصول، تناول الأول الواقع العالمي وانعكاسه على الواقع العربي وتطلعاته، وتضمن الفصل الثاني الواقع العربي حاضراً ومستقبلاً وانعكاسه على مسيره التربية، وكان واقع التربية في الوطن العربي من حيث الكم والكيف موضوع الفصل الثالث، وتناول الفصل الرابع المشكلات الأساسية التي تعاني منها التربية العربية وسبل معالجتها، وتضمن الفصل الخامس خلاصة وافية للإستراتيجية، أما الفصل السادس والأخير فقد أشتمل على سبل إنفاذ الإستراتيجية على المستويين القطري والقومي[1].

كذلك أقرت المنظمة تحديث هذه الإستراتيجية، بالتعاون مع جمعية الدعوة الإسلامية العالمية، وفق رؤى علمية وتربوية لا تمس الجوهر، ولكنها تتناول المستجدات، وقد تم تشكيل لجنة فنية من المنظمة والجمعية لمتابعة عملية التحديث، وقدم مشروع تحديث الإستراتيجية إلى اجتماع خبراء موسع عقد بالقاهرة خلال الفترة من 25 - 27 مايو 2004، وفي ضؤ نتائج هذا الاجتماع عهد إلى الدكتور عبد الجبار توفيق البياتي (وزير تربية وتعليم عالي سابق) بالتحرير النهائي وإجراء التغييرات التي اقترحها المجتمعون، وقد عرضت وثيقة إستراتيجية تطوير التربية، على المجلس

(1) انظر: مراجعة إستراتيجية تطوير التربية العربية، أعداد/ عبد الله عبد الدائم، تونس، إصدارات الالكسو، إدارة التربية، لعام 1995 ص 5 ، 9 - 200.

التنفيذي في دورته (80)، حيث اتخذ المجلس قرار بدعوة المدير العام إلى مراجعة الوثيقة على ضوء الآراء والملاحظات التي ستبديها الدول على المشروع، وعرض الأمر مجدداً على المجلس في دورته القادمة على أن يتم عرض الأمر بعد ذلك على المؤتمر العام في دورته القادمة، لتفويض المجلس في اعتماد هذه الإستراتيجية وذلك خلال الدورة المالية للمنظمة لعامي (2004 - 2005)[1].

الإستراتيجية العربية لمحو الأمية وتعليم الكبار

أعد الجهاز العربي لمحو الأمية وتعليم الكبار، هذه الإستراتيجية، وأقرها مؤتمر الإسكندرية الثالث عام 1976م، وذلك بعد دراسات وبحوث ميدانية في الواقع العربي وعلى ضؤ التجارب العالمية، وقد أبرزت هذه الإستراتيجية مفهوماً جديداً للامية باعتبارها أمية حضارية تشمل الأمية الأبجدية (المفهوم التقليدي)، وانطلاقاً من هذا المفهوم، فقد اعتمدت الإستراتيجية العربية وسائل جديدة لمحو الأمية تقوم على مفهوم (المواجهة الشاملة)، وذلك لمحو الأمية أبجدياً وحضارياً[2] وقد أقر هذه الإستراتيجية المؤتمر العام للالكسو سنة 1978م، وهي ترتكز على جملة مبادئ أهمها[3]:-

(1) انظر: وثائق المؤتمر العام للالكسو الدورة (17)، المرجع السابق، وثيقة رقم (27) ص 2 - 4.

(2) انظر: بهذا الخصوص - خطة العمل المستقبلي للالكسو 2005 - 2010 مرجع سابق ص 20 - 21.

- المنظمة العربية للتربية والثقافة والعلوم، إصدارات الالكسو، تونس لعام 1981م ص34.

(3) انظر: المنظمة العربية للتربية والثقافة والعلوم، 1970 - 1987م إصدارات الالكسو، تونس لعام 1987 ص47.

- المفهوم الحضاري للامية.

- المواجهة الشاملة وربط خطط محو الأمية بخطط التنمية الشاملة في الوطن العربي.

- سد منابع محو الأمية بتعميم التعليم الابتدائي.

- قومية العمل العربي في مجال محو الأمية.

- توجيه الجهود الشعبية والجماهيرية وتوظيفها في حركة عون ذاتي في معركة محو الأمية.

- القرار السياسي ودورة في الحملة الشاملة لمحو الأمية.

- تحقيق التكامل بين التعليم المدرسي وغير المدرسي.

- المتابعة والتقويم المستمران لكل مراحل وخطوات التنفيذ.

وعلى الرغم من الجهود الكبيرة التي بذلت في إطار تنفيذ هذه الإستراتيجية منذ (25) عاماً خلت، إلا أن النتائج لازالت دون مستوى الطموحات، ولذلك فقد جرت مراجعة لهذه الإستراتيجية، حيث تم وضع إستراتيجية تعليم الكبار في الوطن العربي، وتم أقرارها في شهر إبريل عام 2000م، وأعقبها مباشرة وضع الخطة العربية لتعليم الكبار في شهر أكتوبر من العام نفسه، ويعود التفكير بوضع إستراتيجية تعليم الكبار في الوطن العربي، إلى مؤتمر الإسكندرية السادس الذي انعقد عام 1994م حيث أوصى بضرورة العمل على إعداد هذه الإستراتيجية لتسترشد بها الدول العربية في مواكبة التغير السريع في عصر جديد هو عصر ـ ثورة المعلومات وتفجر المعرفة والثورة التكنولوجية المبنية على التقدم العلمي، واستجابة لذلك فقد قامت الالكسو بإدراج مشروع الإستراتيجية ضمن

مشروعات الدورة المالية 1995 - 1996[1] وقد أصدر المجلس التنفيذي للمنظمة خلال دورته العادية (71) الذي انعقد بتونس خلال شهر إبريل عام 2000م، قراره بالموافقة على اعتماد هذه الإستراتيجية، بتفويض من المؤتمر العام، وتتكون إستراتيجية تعليم الكبار في الوطن العربي من خمسة أجزاء رئيسية يتناول الجزء الأول: المفاهيم، والبدائل، والمجالات، وهذه الإستراتيجية لا تطرح سقفاً زمنياً لتنفيذها - كما كان عليه الحال في الإستراتيجية السابقة - بقدر ما تطرح رؤى وأفكار تسترشد بها الدول العربية لاستيعاب ما تراى ضرورة استيعابه وفق احتياجاتها وقدراتها، إلا أن المنظمة مع ذلك ترى بأن قناعتها الأساسية، تؤكد على أهمية مراجعة الإستراتيجية بحلول عام 2010 لتقويمها وتحديثها، أما الجزء الثاني فإنه يتناول العوامل المؤثرة في صياغة الإستراتيجية، وبالذات طبيعة العصر- وأوضاع المجتمع العربي وإشكالياته وتطلعاته، ويتناول الجزء الثالث، واقع تعليم الكبار في الوطن العربي، منذ البدايات الأولى، مع استعراض لتجارب الدول العربية، وخلاصة هذه التجارب، ويناقش الجزء الرابع: المنطلقات الأساسية للإستراتيجية، كالتوجه الإنساني، والجذور، والنظرة المستقبلية، والعلمية، والواقعية، والبعد النفسي- والتنمية، والتكامل والتنسيق بين التعليم المدرسي وغير المدرسي والاستمرارية وأولوية محو الأمية كجزء أساسي من تعليم الكبار، ويعرض الجزء الخامس، محاور الإستراتيجية في أربعة عشر محوراً، إضافة إلى مراحل تنفيذ الإستراتيجية، التي احتوت على أربع

---

(1) انظر: إستراتيجية تعليم الكبار في الوطن العربي، إصدارات الالكسو تونس لعام 2000 ص 11 - 290.

- كذلك انظر: خطة العمل المستقبلي للالكسو، نفس المرجع السابق وبنفس الصفحة.

مراحل هي بمثابة مؤشرات للهياكل والبنى على المستوى القطري والعربي، وتوسيع مجالات البحث العلمي ومؤسساته وتقنياته والتنمية الابتكاريه والإبداعية في مجال تعليم الكبار[1].

كما وضعت الالكسو كذلك الخطة العربية لتعليم الكبار، وذلك لفائدة العاملين في مجال تعليم الكبار، والمهتمين والباحثين العرب، حيث تم بنائها ووضعها في ضوء إستراتيجية تعليم الكبار في الوطن العربي، وهي خطة مفصله تعالج قضايا تعليم الكبار في علاقاته وتداخلاته مع مختلف السياقات المرتبطة به. وبشكل عام فقد تضمنت هذه الخطة ثلاثة عشر ـ محوراً من المحاور والمشروعات، شملت بعد المقدمة، على الإطار العام للخطة، والتنسيق بين المؤسسات التعليمية، والجامعة المفتوحة، والتدريب المستمر، والتنمية المهنية، وشبكة المعلومات والخطط الإستراتيجية، مع وضع خريطة للبرامج التعليمية والتدريبية، وبرامج لجميع الأقطار العربية... الخ[2] وقد تم عرض هذه الخطة على مؤتمر الإسكندرية السابع حول تعليم الكبار الذي عقد في مدينة أبو ظبي، الإمارات العربية، خلال الفترة من 30 سبتمبر إلى 3 أكتوبر عام 2000م لمناقشتها وإقرارها واقتراح الآليات اللازمة لتنفيذها وقد تمت الموافقة على الخطة في صورتها الحالية[3].

إستراتيجية تطوير العلوم والتقانه في الوطن العربي

تهدف هذه الإستراتيجية إلى العمل على إزالة الفجوة بين العالم

---

[1] انظر: إستراتيجية تعليم الكبار في الوطن العربي، إصدارات الالكسو عام 2000 مرجع سابق ص 12 - 13.

[2] انظر: الخطة العربية لتعليم الكبار، إصدارات الالكسو، تونس لعام 2001 ص 1 - 203.

[3] انظر: الخطة العربية لتعليم الكبار، نفس المرجع السابق ص 9، 12، 13.

الصناعي والوطن العربي في مجالات العلم والتقانه وإزالة التبعية العلمية وإحراز القدرة الذاتية على تحقيق الطفرة في هذه المجالات. كما تهدف إلى تعبئة قطاعات المجتمع من صانعي قرار ومستثمرين ومنفذين ومستفيدين من منظومة العلم والتقانه لتعظيم أدوارهم في الجهد العلمي والتقاني العربي على المستويين القطري والقومي، والى تعظيم القدرات العربية العلمية والتقانيه المبدعة، وتعزيزها للاندفاع في تحقيق الطفرة الحضارية المنشودة، وأيضاً لدعم التفاعلات بين منظومات العلم والتقانه والإنتاج بما يخدم الغايات العربية العامة، وتعالج هذه الإستراتيجية المجالات الآتية[1]:-

- التعرف على الواقع العربي العلمي والتقاني وبيئته.
- حاجيات التنمية العربية الشاملة ودور العلم والتقانه في تلبيتها.
- توطين التكنولوجيا واستنبات العلم عربياً.
- تعريب العلوم، تعليماً وتعلماً وإنتاجاً، وتوحيد مصطلحاتها.

وقد شرعت الالكسو في وضع هذه الإستراتيجية عام 1982م، وشارك في وضعها خمسة وسبعون عالماً، من سبعة عشر بلداً عربياً، واستغرق إعدادها زهاء أربع سنوات إمتدت من عام 1983 حين أكتمل تشكيل لجنة الإستراتيجية وحتى عام 1987م عندما أنجزت وثيقة الإستراتيجية، وقد أحالت المنظمة وثيقة هذه الإستراتيجية إلى المؤسسات المعنية في الدول العربية من أجل دراستها وإبداء الرأي وإرسال ملاحظاتها إلى المنظمة

---

(1) انظر: بهذا الخصوص: إستراتيجية تطوير العلوم والتقانيه في الوطن العربي، إصدارات مركز دراسات الوحدة العربية، لبنان، الطبعة الأولى، أغسطس عام 1989 ص224.

- المنظمة العربية للتربية والثقافة والعلوم من 1970 - 1987م، إصدارات الالكسو، تونس، 1987م ص49.

وتفويض المدير العام باعتمادها، وقد صدرت وثيقة الإستراتيجية في صيغتها النهائية عن المنظمة ومركز دراسات الوحدة العربية بوصفة الناشر في شهر مايو عام 1989م[1]. وقد صدرت هذه الإستراتيجية في قسمين (واحتوت على 641 صفحة) وأشتمل القسم الأول منها على خمسة فصول، تناولت، المدخل العام إلى العلوم والتقانه والحضارة، ودور العلوم والتقانه في التنمية، والواقع العربي العلمي والتقاني وبيئته، والاتجاهات المستقبلية العلمية والتقانيه العالمية والعربية، والاستراتيجيات الإجمالية لتطوير العلوم والتقانه، أما القسم الثاني: الاستراتيجيات الفرعية، فقد أشتمل على سبعة فصول، تناولت: إستراتيجيات العلوم والتقانه في فروع الصناعة، وفي قطاع الأمن القومي والصناعات الحربية، وفي قطاع الزراعة والغذاء، وفي قطاع الخدمات (النقل، التشييد، الصحة، التربية، البيئة) وفي قطاع الأنشطة الاجتماعية، وإستراتيجيات الوظائف، والوسائل، أما البعد الزمني لهذه الإستراتيجية فإنه يمتد على نحو عقدين من الزمان[2].

الخطة الشاملة للثقافة العربية

تناولت هذه الخطة مفهوم الثقافة على أنها تعبير عن هوية الأمة وتأكيداً لوحدتها، وقد رسمت معالم التنمية الثقافة العربية الواحده في إطار التنمية الشاملة، وحددت أسس العمل الثقافي العربي، ومن هذه الأسس، تنمية القيم الروحية، وإحياء التراث، والعناية باللغة العربية، ودعم أواصر الوحدة

---

(1) انظر: د. صبحي القاسم، العلوم والتقانه في الوطن العربي، الواقع والتطلعات، الجزء الأول، إصدارات الالكسو تونس لعام 2003 ص 11،13.

(2) انظر: إستراتيجية تطوير العلوم والتقانه في الوطن العربي، إصدارات مركز دراسات الوحدة العربية، مرجع سابق ص 1 - 641، ص226.

القومية، وضمان الحرية الثقافية وتوطيدها، وتحقيق الأمن الثقافي، وحوار الثقافة العربية مع الثقافات الأخرى والتعاون معها، ومقاومة الغزو الثقافي الصهيوني وجميع أشكال التبعية الثقافية، وأشارت الخطة إلى وسائل تحقيق التنمية الثقافية، عن طريق تمويل الأنشطة الثقافية وإداراتها، وإقامة التشريعات الثقافية، وإنشاء الصناعات الثقافية، وإسهام جماهير الشعوب العربية في إبداع الثقافة والإفادة منها، وإحداث التكامل بين أجهزة الثقافة وأجهزة التربية والعلم والإعلام، ودور الدولة في التنمية الثقافية[1]. وقد بادرت المنظمة فور الإعداد لهذه الخطة، بعرضها على الدورة الخامسة لمؤتمر الوزراء المسؤولين عن الشؤون الثقافية في الوطن العربي، الذي أنعقد بتونس في الفترة من 26 - 28 نوفمبر عام 1985م وقد أقر هذا المؤتمر الموافقة على الخطة الشاملة للثقافة العربية، للاسترشاد بها في العمل الثقافي على المستويين القومي والقطري في المدى القريب والمتوسط والبعيد، ودعا المؤتمر المدير العام للالكسو إلى اتخاذ الوسائل الكفيلة لنشرها على أوسع نطاق ممكن حتى يتسنى دراستها وإثراؤها في اجتماعات وندوات فكرية، كما دعا الدول الأعضاء إلى الأخذ بها في خططها للتنمية الثقافية، وفقاً لإمكاناتها، على أن تعتبر هذه الوثيقة والبرامج التي تنبثق عنها، إسهاماً من الدول العربية والمنظمة، في العقد العالمي للتنمية الثقافية الذي سيبدأ عام 1988م، كما أتخذ المؤتمر العام للالكسو، قراره المماثل بالموافقة على هذه الخطة، أثناء انعقاده بمدينة تونس في الفترة من 21 - 24 ديسمبر عام 1985م[2].

---

(1) انظر: المنظمة العربية للتربية والثقافة والعلوم 1970 - 1987، مرجع سابق ص48.

(2) انظر: الخطة الشاملة للثقافة العربية، إصدارات الالكسو، تونس، لعام 1990 ص 18،17.

وقد ظهرت الطبعة الأولى من هذه الخطة عام 1986، واستمر موضوع هذه الخطة وما تفرع منها من قرارات وتوصيات، موضوعاً مستمراً على جداول أعمال كل المؤتمرات الوزارية التالية، وذلك على الرغم من أن المنظمة قد عملت على نشرها إلى جميع الدول العربية، غير أن ذلك لم يحقق فيما يبدو الانتشار المأمول الذي قصد إليه السادة الوزراء، وهو جعل الخطة في متناول جميع القراء، وجميع المثقفين والمعنيين بشؤون الثقافة، لذلك أصدر السادة الوزراء، خلال الدورة السابعة للمؤتمر الذي عقد بالرباط في الفترة من 10 - 13 أكتوبر 1989م قراراً ينص على (دعوة المنظمة إلى مواصلة الجهود في اتخاذ الوسائل الكفيلة بنشر الخطة وتعميمها والتوعية بها، على أوسع نطاق ممكن على المستويات القومية والقطرية، وذلك بإصدارها كاملة أو مجزأة في كتيبات كي يتسنى اقتناؤها للسواد الأعظم من المثقفين)، وقد اقتصرت طبعة عام 1990، على إصدار الجزأين الأولين منها، وهما الجزأن المشتملان على مداخل الخطة وعلى القرارات والتوصيات[1]. وقد احتوت الخطة الشاملة للثقافة العربية على قسمين: اشتمل الأول منها (بعد مقدمة المدير العام) على التقرير النهائي الذي، تطرق إلى مواضيع، تصدير الخطة، والثقافة العربية في إطارها القومي والعالمي، والهوية الثقافية العربية، والخطة الثقافية الشاملة، وأسس ووسائل العمل للخطة الشاملة، أما القسم الثاني: التوصيات، فقد تطرق إلى، الواقع والمستقبل، وعناصر السياسات والبرامج والمشاريع الإقليمية والقومية، والثقافة بوصفها (تراثاً قومياً، وإبداعاً، وتعبيراً، وعملية، إنسانية،

---

(1) انظر د. مسارع الراوي، المدير العام السابق للالكسو، في مقدمته على الخطة الشاملة للثقافة العربية، مرجع سابق ص 9 - 10.

ودفاعيـة، وصـناعية)، والثقافـة والقـوى البشـرية، وتفاعلهـا مـع القطاعـات الأخرى.[1]

الإستراتيجية العربية للتكنولوجيا الحيوية

شهد الربـع الأخيـر مـن القـرن العشـرين اهتمامـاً عالميـاً في التقانـات الحيويـة وتطبيقاتهـا الهامـة، في مجالات الزراعـة والصـناعة، والطـب والطاقـة، والمحافظـة علـى البيئـة، ممـا بعـث علـى الأمل بـأن هـذه التقانـات قـادرة علـى دفـع عجلـة التنميـة في الدول الناميـة، لتسـاهم مسـاهمة كـبيرة في تذليـل العديد مـن الصعوبـات التـي تسـعى معظـم الدول إلى معالجتهـا، مثـل تـوفير الغـذاء، والقضـاء علـى الأمـراض، والأوبئـة،و خاصـة الوراثيـة منهـا، وتوفـير الطاقـة مـع المحافظـة علـى حمايـة البيئـة، وغيرهـا مـن المشـاكل التـي تئـن تحـت وطأتهـا شعـوب العالـم الثالث.[2] فامتلـاك التكنولوجيـا الحيويـة والهندسـة الوراثيـة، بمالهـا مـن قـدرات كـبيرة علـى التـدخل في تركيـب المـادة الوراثيـة للكائنـات الحيـة، وإكسابهـا صفات لـم يكـن مـن الممكـن أن تكتسبهـا بـالطرق التقليديـة، سـيفتح آفاقـاً رحبـة في تربيـة الكائنـات الحيـة واستخدامـاتها، وسـيعمل علـى توسـيع الفجـوة التكنولوجيـة بين العالـم المتقـدم والعالـم النامـي، إننـا نواجـه تحديـات كـبيرة تتطلـب تنظيـم الجهـود بتخطيـط واع، وعمـل عربـي مشـترك دؤوب، حتـى لا نتخلـف عن اللحـاق بعصـر التكنولوجيـا الحيويـة والهندسـة الوراثيـة.[3] إن عالمنـا العربـي الـذي يشـكل في مجموعة كتلة اقتصادية

---

(1) انظر: الخطة الشاملة للثقافة العربية، مرجع سابق ص 1 - 455.

(2) انظر: د. علي الطيب الأزرق، مدير إدارة العلوم في الالكسو في مقدمـة، الإسـتراتيجية العربية للتكنولوجيا الحيويـة، إصدارات الالكسو تونس لعام 1993 ص7.

(3) انظر: د. عادل عبد الحميد عز، وزير الدولة للبحث العلمي (مصر) في تصديره على

واجتماعية وبشرية كبيرة، ويتمتع بميزات جغرافية، طبيعية ومادية وموارد بيولوجية عظيمة ومتنوعة أصبح لزاماً عليه أن يحزم أمره، ويرسم خطاً واضحاً للسير في تطوير قدراته وإمكاناته، كي يلحق بالركب الذي سبقته إلية دول ومجموعات إقليمية عديدة[1].

وعلى العموم فإن فريق الدراسة لهذه الإستراتيجية قد ضم (18) عالماً، علاوة على المقرر، ومنسق المشروع، وقد احتوت الإستراتيجية (بعد المقدمة والتصدير، والتقديم، وموجز الدراسة) على ستة فصول، تناول الأول: مفهوم التكنولوجيا الحيوية، تطورها، وآثارها، وتطبيقاتها وتناول الثاني: حاجة الوطن العربي من التكنولوجيا الحيوية، بينما خصص الثالث لاستعراض أوضاع التكنولوجيا الحيوية في الأقطار العربية، وتطرق الرابع لإستراتيجية تطوير التكنولوجيا الحيوية في الوطن العربي، وتناول الخامس: التنظيم المقترح لتطوير التكنولوجيا الحيوية على المستويين القطري والعربي. وتطرق السادس: لأولويات العمل العربي في مجالات التكنولوجيا الحيوية، في كل من مجال الزراعة وإنتاج الغذاء، والصناعة، والصحة العامة وصناعة الدواء، والبترول والطاقة الحيوية والبيئة[2].

إستراتيجية التوثيق والمعلومات في الوطن العربي

أدركت المنظمة العربية منذ وقت مبكر، أهمية المعلومات، كأحد أهم

الإستراتيجية العربية للتكنولوجيا الحيوية، المرجع السابق ص9.

[1] انظر: د. المنجي أبو عزيز، رئيس أكاديمية البحث العلمي والتكنولوجيا (مصر)، في تقديمه على الإستراتيجية العربية للتكنولوجيا الحيوية، المرجع السابق ص11.

[2] انظر: الإستراتيجية العربية للتكنولوجيا الحيوية، إصدارات الالكسو، تونس لعام 1993 ص 1 - 128.

مكونـات الخطـط والاسـتراتيجيات التـي أعدتها المنظمـة في مجالات التربيـة والثقافة والعلـوم، وغيرهـا مـن المجـالات الأخرى، وقد بينـت دراسـة تكامل هـذه الاستراتيجيات مع إستراتيجية التوثيـق والمعلومات، أهميـة هـذه الإستراتيجية التـي تنطلق من تحليل واقع قطاع المعلومات القائم، وتسعى إلى تقديم إطار دينامي يوفر بدائل ومقترحات، لتحقيق الفاعلية والاقتصاد وتلبيـة الاحتياجات المستقبلية.

وتعتمد هذه الإستراتيجية في جوهرها على محتوى الدراسات الرئيسية السـت التـي نوقشت في ندوه إستراتيجية التوثيـق والمعلومـات في الـوطن العربي، التـي عقدتها المنظمة بتونس في الفترة من 7 إلى 10 ديسـمبر1993[1]. ويمتد المـدى الزمنـي لإعداد هذه الخطة، والمصادقة عليها إلى عام 1996م، حيث خصص الثلاثة الأشهر الأولى مـن هذا العام لطباعة الإستراتيجية بعد مراجعتها مـن قبـل خبراء في المنظمـة وخارجها، وعلـى أن تقوم المنظمة بعد ذلك لإرسالها إلى الـدول الأعضـاء، ومن ثم تلقي ردود الدول خلال الربع الثالث من العام نفسه، كي يتسنى للمنظمة طبـع الإستراتيجية في صيغتها النهائية ومن ثم عرضها على المؤتمر العام للمصادقة عليها[2].

وقد اشتملت هذه الإستراتيجية على جزئين، أحتوى الجزء الأول منها على سبعة فصول تناولت: التخطيط والتشريع، والمـوارد البشـرية، وتطوير مرافق المعلومات، وتقاسم الموارد والتعاون العربي، واستخدام تقنيات المعلومات والاتصال، والخدمات والمستفيدون، والإطار الزمني لتنفيذ

---

(1)   انظر: إستراتيجية التوثيق والمعلومات وخطط العمل المستقبلي، إصدارات الالكسو، تونس لعام 1997م ص 1 - 3.
(2)   انظر: إستراتيجية التوثيق والمعلومات، المرجع السابق، الجزء الأول ص90.

المشاريع والبرامج في ضوء منطلقات الإستراتيجية، بينما يحتوي الجزء الثاني: على وقائع ودراسات ندوه إستراتيجية التوثيق والمعلومات[1].

الخطة القومية للترجمة

بذلت الالكسو منذ نشأتها عام 1970م جهوداً متواصلة لتنشيط حركة الترجمة وتنسيق نشطها في الوطن العربي، حيث تم استحداث وحده للترجمة في نطاق إدارة الثقافة بالمنظمة منتصف عام 1981م، كما تبنت المنظمة المركز العربي للتعريب والترجمة والتأليف والنشر الذي يعمل في العاصمة السورية دمشق من بداية عام 1990م، كما تمثل عمل وحدة الترجمة في إصدار كتاب، (دراسات عن واقع الترجمة في الوطن العربي في جزأين، وكذا دليل المترجمين ومؤسسات الترجمة والنشر، كما قامت بوضع الخطة القومية للترجمة المنشورة عام 1985م وقد وافق المجلس التنفيذي على هذه الخطة في دورته (30) عام 1982م، ووافق عليها مؤتمر الوزراء المسؤولين عن الشؤون الثقافية، في دورته الرابعة، بالجزائر عام 1983، كما أقرها المؤتمر العام للمنظمة في هذا العام الأخير، وقامت الالكسو بتنفيذ ما استطاعت تنفيذه من أحكام هذه الخطة وفقاً لإمكانياتها المتاحة، ثم توقفت عن ذلك أواخر عام 1985م، بسبب إلغاء وحده الترجمة، وقد لوحظ أن الجهات المختصة في الدول العربية، لم تبذل الجهد المطلوب لتنفيذ هذه الخطة، لذلك أصدر مؤتمر الوزراء المسؤولين عن الشؤون الثقافية في الوطن العربي، أثناء انعقاد الدورة التاسعة، بلبنان مطلع عام

---

[1] انظر: إستراتيجية التوثيق والمعلومات، وخطط العمل المستقبلي في الوطن العربي، المرجع السابق، الجزء الأول الإستراتيجية، ص 1 - 97، والجزء الثاني: وقائع ودراسات ندوه الإستراتيجية ص 1 - 298.

1994، توصية، تضمنت دعوه المنظمة إلى تحديث الخطة القومية للترجمة التي سبق إقرارها عام 1983م، على أن تقدم للمؤتمر العام للمنظمة في دورته القادمة، فوضعت إدارة الثقافة بالتعاون مع خبراء استبانه مفصلة لاستطلاع أوضاع الترجمة في الوطن العربي، وزعتها على الدول العربية وعلى خبراء في تلك الدول لملئها، كما كلفت المنظمة عدداً من الخبراء العرب لكتابة محاور الخطة، علاوة على ذلك شكلت المنظمة لجنة لتحرير الخطة المستحدثة، حيث اجتمعت هذه اللجنة بدمشق مع ممثل إدارة الثقافة، وذلك في المركز العربي للتعريب، وقدمت هذه اللجنة مشروع الخطة القومية للترجمة، وأعيد النظر فيها بإدارة الثقافة لوضعها في صيغتها النهائية[1]. وقد احتوت هذه الخطة على تسعة فصول، تناولت، المبادئ الأساسية، ومنطلقات الخطة وأهدافها، وأسس، ووسائل الخطة، وآلية تنفيذها، مع خطة عمل لإنشاء معهد نموذجي لإعداد المترجمين، والخطة المفصلة الخاصة باختيار الكتب للترجمة، وترجمة العلوم إلى العربية وتعريب تدريسها، وإنشاء شبكة اتصال عربية حول الترجمة وتوثيق الكتب المترجمة، بالإضافة إلى الملاحق الأربعة للخطة[2].

رؤية مستقبلية للتعليم في الوطن العربي

كلفت الالكسو الدكتور نادر فرجاني، بإعداد ورقة (نحو رؤية مستقبلية للتعليم قبل الجامعي في الوطن العربي) ونوقشت هذه الورقة في اجتماع خبراء عقد بتونس في شهر يوليو 1997م، ثم نقحت بناءاً على مناقشات الاجتماع، وقدر رأي اجتماع الخبراء هذا، أن يرتكز إعداد رؤية مستقبلية

---

[1] انظر: الخطة القومية للترجمة، إصدارات الالكسو، تونس لعام 1996 ص 5 - 8.

[2] انظر: الخطة القومية للترجمة، إصدارات الالكسو، تونس لعام 1996 ص 5 - 203.

للتعليم في الوطن العربي، معرفياً، بالإضافة إلى الورقة الأساسية، على محورين هما: استطلاع أراء وزارات التربية والتعليم والمعارف العربية عن واقع التعليم وبدائل مستقبلة، وعلى أن يتم إعداد مجموعة من أوراق العمل الخلفية، في مجالات مختلفة من منظومة التعليم، حيث تم تكليف خبراء بارزين من بلدان عربية مختلفة[1]. وقد شكلت الورقة الأساسية ومجموعة أوراق العمل الخلفية، والتقارير الإحصائية والقطرية، الواردة إلى المنظمة من مصر، وسوريا، وتونس، وقطر، وعمان، وفلسطين، والكويت، منتجاً مهما في حد ذاته، ومراجعة واسعة لأوضاع التعليم في البلدان العربية، وقام على تركيب حصيلة الأوراق والتقارير في صياغة أولى فريق عمل يظم الدكاترة (حامد عمار، نبيل نوفل ، ناد فرجاني (منسق الفريق)، وتم طرح الصياغة الأولى للمناقشة على اجتماع للخبراء العرب، الذي انعقد في مسقط في شهر مايو عام 1998م، وتم في هذا الاجتماع تنقيح الصياغة الأولى، ليتم عرضها بعد ذلك على المؤتمر الأول لوزراء

---

(1) أنجزت أوراق العمل الخلفية التالية:

- المحتوى الإنساني والحضاري والاجتماعي للتعليم، د. محمد جواد رضا (العراق).
- رؤية للعالم في القرن (21) ودور العرب فيه، د. محمد محمود الإمام (مصر).
- السياسات المستقبلية للتعليم في ضؤ الخبرات العربية والدولية، د. عبد الله عبد الدائم (سويا).
- تربية المعلمين: مدخل للإصلاح، د. محي الدين توق (الأردن).
- الاستخدام الناجح لتقانات التعليم الحديثة، د. معين جملان (البحرين).
- التعليم قبل المدرسي، د. عائشة بلعربي (المغرب).
- خصوصية ذوي الاحتياجات الخاصة، د. بدر عمر العمر (الكويت).
- تحسين التعليم المهني والفني، د. محمد بن شحات الخطيب (السعودية).
- نمط المدرسة العربية المتوافق مع ترقية رأس المال البشري، د. وهيبه فارع (اليمن).
- التغيرات المطلوبة في النسق الاقتصادي والاجتماعي السياسي، د. الواثق كمير (السودان).

التربية العرب الذي انعقد في طرابلس في 5 ديسمبر من العام السالف ذكره وقد أوصى المؤتمر بأن تقوم المنظمة بإحالة الوثيقة مجدداً على الدول العربية لاستيفاء الملاحظات عليها، وقد قامت لجنة مؤلفة من الدكاترة، يونس ناصر، حسن حطاب، وحياه الوادي، بدراسة ردود الدول، وتنقيح الوثيقة على ضؤ تلك الردود للوصول بها إلى الصياغة النهائية[1].

وتحتوي هذه الوثيقة (بعد التصدير والتمهيد) على سبعة محاور، ضمت، المحتوى الإنساني للتربية، والسياق العالمي والإقليمي للتربية، وأهم دروس التجربة العالمية في تطوير التعليم، والتوجهات الإستراتيجية، وسياسات نشر التعليم وتجويده، ومجالات نشر التعليم وتجويده (وقد إشتمل هذا المحور، على العديد من المواضيع المتعلقة بتقانات التعليم الحديثة، وتعليم الكبار، والتعليم قبل المدرسي، وذوو الاحتياجات الخاصة - بالتركيز على المتفوقين - والتعليم الفني والمهني، وتكوين المعلمين، والمدرسة والمجتمع، والتعليم العالي)، بينما ضم المحور السابع والأخير: في الحاجة وإمكان الإنفاذ[2]. ويخلص هذا المحور إلى التذكير بأن التفكير الجسور يبقى مفتاح النجاح في إنفاذ الرؤى المستقبلية المقرة، كذلك فإن الأهداف الكبرى تتطلب أعمالاً من حجمها. وبالمقابل فإن الركون إلى تتالي الحلول السهلة، سلوك قصير النظر، لا يمكن أن يؤدي إلى انجازات ملموسة في الأجل الطويل، وقد يجر كوارث غير محسوبة[3].

---

(1) انظر: رؤية مستقبلية للتعليم في الوطن العربي (الوثيقة الرئيسية) إصدارات الالكسو عام 2000 ص 5 - 7.

(2) انظر: رؤية مستقبلية لتعليم في الوطن العربي، المرجع السابق، ص 5 - 75.

(3) انظر: في نفس المرجع السابق ص75.

الإستراتيجية العربية للتربية السابقة على المدرسة الابتدائية

تولى الالكسو التعليم السابق على المدرسة الابتدائية (رياض الأطفال) اهتماماً متزايداً منذ نشأه المنظمة، وذلك على اعتبار، أن الطفل، هو الجيل القادم، بل انه الاستمرار البشري، وهو منطلق التربية والتعليم، فقد عنيت المنظمة بهذا الجانب، حيث عمدت منذ البداية، إلى وضع خطة شاملة للتربية ما قبل المدرسة في الوطن العربي، وذلك في إطار إستراتيجية تطوير التربية العربية، وقد أتمت المنظمة دراسة شاملة لواقع هذه التربية في الوطن العربي، وهي تقوم الآن بدراسة لاستخلاص خطة شاملة من المعطيات الميدانية في ضؤ مبادئ تلك الإستراتيجية[1]. وبالفعل فقد ظهرت الصيغة الأولى، للإستراتيجية العربية للتربية السابقة على المدرسة الابتدائية عام 1996، حيث صاغها وحررها الدكتور عبد الله عبد الدائم، وقام عدد من الأساتذة المرموقين بإعداد الدراسات المرجعية لها[2].

وفي إطار الجهود المتواصلة التي تبذلها المنظمة لمراجعة الإستراتيجية العربية للتربية السابقة على المدرسة الابتدائية، وتنفيذاً لقرار المؤتمر العام في دورته (13) وقرار المجلس التنفيذي في دورته (70)، قامت المنظمة

(1) انظر: المنظمة العربية للتربية والثقافة والعلوم، إصدارات الالكسو لعام 1981م مرجع سابق ص34.

(2) وهم الدكاترة: بلال الجيوسي، سهام بدر، سهام الصويغ، عبد الله عبد الدائم، عبد التواب يوسف، عبد العزيز الشتاوي، فاروق الروسان، كافية رمضان، كوثر كوجك، محمد خالد الطحان، محمود عابدين، محمود قنبر، فرماوي محمد فرماوي، وقام بمهمه تنسيق المشروع الدكتور/ محمود أحمد السيد.

- انظر بهذا الخصوص: مراجعة الإستراتيجية العربية للتربية السابقة على المدرسة الابتدائية (مرحلة رياض الأطفال) إصدارات الالكسو، تونس لعام 2000 ص6.

بالتعاون مع الدكتورة، فائزة يوسف عبد المجيد، عميده معهد الدراسات العليا للطفولة في مراجعة وثيقة الإستراتيجية، ثم أرسلت الوثيقة المراجعة والوثيقة الأصلية إلى الدول العربية لإبداء ملاحظاتها، وتحديث البيانات والأرقام الواردة في الوثيقة الأصلية، إلا أن الردود التي تلقتها المنظمة لم تتضمن البيانات الإحصائية الكافية، لذلك شكلت المنظمة لجنة داخلية مؤلفة من مدير إدارة برامج التربية، يونس ناصر، ومنسقة المشروع الأستاذة، حياة الوادي، وخبيري الإدارة، الدكتور يحي الصايدي، والدكتور حسن حطاب، علاوة على الخبيرة التي قامت بالمراجعة الأولى، وقد تولت هذه اللجنة دراسة ملاحظات الدول، ومتابعة جمع البيانات الإحصائية من جديد، وإعداد الفصل الخاص بالنواحي الكمية واستكمال المراجعة النهائية. وقد وافق المجلس التنفيذي في دورته (71) على الإستراتيجية المعدلة وفق الملاحظات التي أبداها ودعا إلى تعميمها على الدول العربية للاستفادة منها في وضع خططها وبرامجها المستقبلية[1].

وتحتوي هذه الإستراتيجية بصيغتها الجديدة، على ستة فصول تناولت: موضوع الإستراتيجية وإطارها ودواعيها، وواقع رياض الأطفال في الوطن العربي، وثقافة الطفل في مرحلة رياض الأطفال، والأطفال ذوو الاحتياجات الخاصة في الوطن العربي، والطفولة العربية بين الماضي والحاضر والمستقبل، وسبل إنفاذ الإستراتيجية (على المستوى القطري، والعربي)، بالإضافة إلى المقدمة، وملحق الإستراتيجية[2].

---

[1] انظر: مراجعة الإستراتيجية العربية للتربية السابقة على المدرسة الابتدائية، مرجع سابق ص 5 - 6.

[2] انظر: مراجعة الإستراتيجية، نفس المرجع السابق ص 5 - 80.

1070

الإستراتيجية العربية للتنوع البيولوجي (دراسة تحليلية)

تولي الالكسو القضايا البيئية أهمية بالغة، وليس أدل على ذلك حرص المنظمة بأن تكون السباقة في التطبيق العملي لاتفاقية التنوع البيولوجي على مستوى الوطن العربي، حيث أعدت لذلك برنامجاً متكاملاً لتطوير التعاون الإقليمي العربي للمحافظة على التنوع البيولوجي وصونه واستخدام عناصره على نحو قابل للاستمرار، ولمساعده الدول العربية على تنفيذ الاتفاقية الدولية لصون التنوع البيولوجي، الذي جرى توقيعها، في مدينة (ريودي جانيرو بالبرازيل) عام 1992، أثناء إنعقاد مؤتمر الأمم المتحدة لبيئة والتنمية (مؤتمر قمة الأرض)[1]. كما قامت المنظمة بتكليف الأستاذ الدكتور سمير غبور، أستاذ الموارد الطبيعية لوضع إستراتيجية عربية للتنوع البيولوجي بهدف رسم الأسس العلمية والعملية كوحدة متكاملة للوطن العربي في هذا المجال[2].

وعلى العموم فإن هذه الإستراتيجية، تحتوي على ثمانية أبواب، علاوة على المقدمة والملخص والتقديم، والملاحق، وقد تطرقت هذه الأبواب إلى، جهود الالكسو في مجال التنوع البيولوجي، وتسليط الأضواء عليه، وعلى اقتصادياته، والإنسان والتنوع البيولوجي، وما قبل اتفاقية ريو وما بعدها، وتمويل الاتفاقية، والاتفاقيات الدولية والتنمية، بينما تطرق الفصل الثامن: الإستراتيجية العربية للتنوع البيولوجي، إلى العديد من النقاط، بدءاً بقيمة

---

[1] انظر: الإستراتيجية العربية للتنوع البيولوجي (دراسة تحليلية) إعداد الدكتور / سمير إبراهيم غبور (جامعة القاهرة) ، إصدارات الالكسو، تونس لعام 2001 ص 13.7.

[2] انظر: د. البهلول اليعقوبي، مدير برامج العلوم والبحث العلمي في الالكسو، في تقديمة على الإستراتيجية العربية للتنوع البيولوجي المرجع السابق ص 5 - 6.

التنوع البيولوجي، والحاجة إلى إستراتيجية عربية موحده، والعناصر الأساسية لهذه الإستراتيجية، والخطط التنفيذية، والبرامج والأنشطة المقترحة للالكسو من أجل وضع هذه الإستراتيجية موضع التنفيذ[1].

الإستراتيجية العربية للتعليم عن بعد

يعرف التعليم عن بعد بأنه عمليات تنظيمية ومستجدة تشبع احتياجات المتعلمين من خلال تفاعلهم مع الخبرات التعليمية المقدمة لهم بطرق غير تقليدية تعتمد على قدراتهم الذاتية، وذلك من خلال استخدام تكنولوجيا الوسائط التعليمية المتعددة دون التقيد بزمان أو مكان محددين، ودون الاعتماد على المعلم بصورة مباشرة، وتقوم الفكرة الأساسية لهذا النوع من التعليم على أساس تقديم فرص التعليم والتدريب لكل من يريد، في الوقت الذي يريد، والمكان الذي يريد، دون التقيد بالطرق والوسائل التقليدية المستخدمة في العملية التعليمية العادية، ويهدف هذا النوع من التعليم ضمن ما يهدف إليه، العمل على توفير فرص التعليم والتدريب للراغبين والقادرين من الفئات التي فاتها الالتحاق بمؤسسات ومعاهد التعليم الضمني التقليدية لأسباب اقتصادية أو اجتماعية أو سياسية، أو جغرافية، أو غير ذلك، أما أنماط التعليم عن بعد فإنه يمكن إيجازها، كما يلي[2]:-

---

(1) انظر: الإستراتيجية العربية للتنوع البيولوجي، المرجع السابق ص (5 - 154) ، (107 - 121).

(2) انظر: مشروع الإستراتيجية العربية للتعليم عن بعد، إصدارات الالكسو، تونس لعام 2002 ص 34، 35، 36، 37.

- وبحسب هذا المرجع ص37 فإن:

أ - التعليم بالمراسلة: يقوم على استخدام المادة المطبوعة وإرسالها عن طريق البريد إلى الدارسين الذين يقومون بدراستها، والتعليق عليها، ثم يقومون بإرسال هذه التعليقات، وما

1- التعليم بالمراسلة   2- التعليم المتفاعل عن بعد

3- تكنولوجيا الوسائط المتعددة   4- التعلم المرن

وعلى أية حال فإن البلاد العربية قد بدأت التفكير في استخدام هذا النوع من التعليم في منتصف الستينات من القرن الماضي، إذ كانت مصر أول دوله ترتاد هذا الميدان عام 1969م.

كما أن الالكسو فكرت بمشروع إنشاء جامعة عربية مفتوحة عام 1976م إلا أنه لم يظهر حتى الآن. ثم جاءت التجربة الفلسطينية بإنشاء جامعة القدس المفتوحة عام 1986م، وأنشئت الإمارات العربية المتحدة فروع لجامعة القدس في كل من دبي وأبو ظبي، وأنشئت ليبيا الجامعة الليبية المفتوحة عام 1987م، وتبع ذلك إنشاء معهد التكوين عن بعد بتونس، كما أنشئ بالجزائر المركز الوطني للتعليم المهني عن بعد عام 1990م،

يثيرونه من تساؤلات إلى المعلمين عن طريق المراسلات البريدية أيضاً، وهكذا تكتمل دائرة الاتصال بين الدارسين والمشرفين والمعلمين.

ب- تكنولوجيا الوسائط المتعددة: يعتمد هذا النمط على استخدام النص المكتوب، والتسجيلات السمعية والبصرية بمساعدة الحاسوب عن طريق الأقراص المرنة أو المدمجة أو الهاتف أو البث الإذاعي أو التلفزيون في توصيل المعلومات للدارسين.

جـ- التعليم المتفاعل عن بعد: يقوم هذا النمط على إجمالي التفاعل بين المتعلم والمعلم عن بعد، من خلال المؤتمرات المرئية، والاتصالات البيانية المسموعة والمرئية، وقنوات التعليم التي تبثها الأقمار الصناعية.

د- التعلم المرن: وهذا النمط يجمع بين الوسائط المتعددة التفاعلية، ثم يقوم بتخزين المعلومات على شبكة الاتصال العالمية، حتى يكون الدارسون قادرون على استقبالها في أي وقت يشاءون، وذلك من خلال الأقراص المدمجة التفاعلية، وشبكة الانترنت، والفصل الدراسي الافتراضي، والمكتبات والكتب الالكترونية، وقواعد البيانات عند الطلب، والمناقشات بالاتصال المباشر، ومقررات تحت الطلب، وخلاف ذلك.

وأنشئت منظمة السودان للتعليم المفتوح عام 1984م، إلا أن الدروس المستفادة من تجارب الدول العربية في هذا المجال من التعليم مع ذلك، لا يزال في مراحله الأولى، حيث أن مؤسسات التعليم عن بعد محدودة العدد ولا تتناسب مع عدد السكان، علاوة على أن معظم التجارب التي تمت في هذه الدول، قد انصبت على التعليم الجامعي والعالي، ولم تهتم كثيراً بمراحل التعليم العام أو قبل الجامعي، كما أن معظم الكوادر العلمية التي تعمل في هذا المجال غير مؤهلة تأهيلاً علمياً لهذا النوع من التعليم[1].

وفي هذا الإطار فإن هذه الإستراتيجية تحتوي على بابين، يضمان ستة فصول، تناولت: ضرورة التجديد التعليمي ودواعيه، والتعليم عن بعد كنظام تربوي، ومنظومة هذا النوع من التعليم عربياً وعالمياً، وفلسفة ومنطلقات الإستراتيجية وأهدافها، ومكوناتها، وآليات تنفيذها وتقييمها ومراجعتها[2]. وقد تم عرض مشروع هذه الإستراتيجية على المجلس التنفيذي في دوراته المتتالية من الدورة 76 وحتى 79، وأعادت المنظمة النظر في المشروع، على ضوء الملاحظات والآراء التي أبديت من الدول العربية، وأعضاء المجلس التنفيذي، وتم عرض المشروع على المؤتمر العام التاسع للوزراء المسؤولين عن التعليم العالي والبحث العلمي حيث أبدى موافقته عليها، وبعد إحاطة المجلس التنفيذي بهذه الموافقة أثناء انعقاد دورته العادية (79)، أصدر قراره بدعوة المنظمة إلى عرض هذه الإستراتيجية على المؤتمر العام للمنظمة في دورته العادية (17) عام 2004 لإقرارها بعد مراجعتها

(1) انظر: مشروع الإستراتيجية العربية للتعليم عن بعد، المرجع السابق ص 44 - 51.

(2) انظر: مشروع الإستراتيجية، نفس المرجع السابق ص 2 - 201.

وإدخال التعديلات اللازمة[1].

إستراتيجية تطوير التعليم العالي في الوطن العربي

أعدت الالكسو مشروع هذه الإستراتيجية وعرضته على المجلس التنفيذي في دورته (76)، وقد أصدر المجلس قراراً بدعوة المنظمة إلى إعادة النظر في المشروع على ضؤ الملاحظات التي وردت من الدول العربية، ومن أعضاء المجلس. وقد تم عرض مشروع هذه الإستراتيجية بعد ذلك على المؤتمر التاسع للوزراء المسؤولين عن التعليم العالي والبحث العلمي المنعقد بدمشق في الفترة من 15 - 18 ديسمبر 2003م، وقد صدر عن هذا المؤتمر (23) توصية عامة، ومنها: الموافقة على وثيقة الإستراتيجية العربية لتطوير التعليم العالي ودعوه الدول العربية لاتخاذ الإجراءات المناسبة للاستفادة من المضامين والمعطيات الأساسية للإستراتيجية، والعمل على توفير البيئة المناسبة لتطبيقها. وقد أحيط المجلس التنفيذي في دورته (79) علماً بهذه الموافقة، كما قامت المنظمة بمراجعتها وفقاً لملاحظات المجلس لعرضها على المؤتمر العام للاعتماد وذلك في دورته العادية (17) عام 2004م[2].

الإستراتيجية العربية للثقافة العلمية والتقانيه

أعدت الالكسو مشروع هذه الإستراتيجية، وقامت بعرضه على المجلس التنفيذي في دورته (80)، وقد اتخذ المجلس قرارا، وافق فيه على

(1) انظر: وثائق المؤتمر العام للالكسو الدورة العادية (17) إصدارات المنظمة 2004، وثيقة رقم (12).

(2) انظر: وثائق المؤتمر العام للالكسو، الدورة (17)، المرجع السابق، الوثيقة (13)، والوثيقة (11) ص 1 - 4.

التوجيهات الرئيسية لهذا المشروع، داعياً المدير العام إلى إعادة صياغة مشروع الإستراتيجية على ضؤ آراء وملاحظات الدول، وما أبداه أعضاء المجلس من ملاحظات وتوجيهات، وطلب المجس من المؤتمر العام تفويضه في اعتماد هذه الإستراتيجية، وذلك خلال الدورة المالية 2005 - 2006.

ومما يجدر ذكره بخصوص هذه الإستراتيجية، هو أن مشاريع المنظمة للدورة المالية 2001 - 2002 كانت قد تضمنت البدء في إعداد، إستراتيجية عربية للثقافة العلمية والتقانية، كما قامت المنظمة بإعداد ملامح الإستراتيجية ومحاورها، وتم إنجاز (17) ورقة علمية حول هذه المحاور، خلال الدورة المالية 2003 - 2004، وذلك بدعم من جمعية الدعوة الإسلامية العالمية والمكتب الليبي للبحوث والتطوير[1].

ثانياً: إدارة الخطط الطويلة والمتوسطة والقصيرة المدى في الالكسو

تعتبر فترة التأسيس التي تمر بها أي منظمة دولية من أصعب المراحل في حياة المنظمة، وهذا ما ينطبق فعلاً على منظمة الالكسو إذ تعد فترة التأسيس التي مرت بها من أدق وأصعب مراحل حياتها، فقد استمرت فترة التأسيس هذه منذ نشأه المنظمة في 25 يوليو 1970 وحتى ديسمبر 1975، وهي الفترة التي تولى فيها الإدارة المدير العام المؤسس، معالي المرحوم الدكتور/ عبد العزيز السيد، فقد استطاع هذه المدير بفضل خبرته الرائدة من إنشاء الأجهزة الإدارية والفنية، واختيار العاملين الأكفاء واستيعاب الأجهزة التي كانت قائمة قبل نشؤ المنظمة، ضمن هيكلها التنظيمي الجديد وفي إداراتها المختلفة، كما تم تعزيز الإمكانيات وتوسيع الاختصاصات، وتنظيم

(1) انظر: وثائق المؤتمر العام للالكسو، نفس المرجع السابق، الوثيقة رقم (28).

أوجه العلاقات بين المنظمة والدول الأعضاء، والمنظمات الإقليمية والدولية، كما استطاعت المنظمة خلال هذه الفترة من وضع الخطط والنظم الإدارية السليمة لممارسة نشاطها وتنفيذ برامجها، وعقد مؤتمراتها، علاوة على تنشيط انعقاد المؤتمرات الوزارية العربية المعنية بمجالات عمل المنظمة، حيث كان من ثمار انعقاد هذه المؤتمرات، إقرار وضع إستراتيجية تطوير التربية العربية عام 1972[1]. كما قامت المنظمة خلال فترة التأسيس هذه من إنجاز ثلاث دورات مالية مده كل منها عامين (باستثناء الدورة الأولى) (1970 - 1971) وحتى الدورة الثالثة (1974 - 1975)، وقد أنجزت المنظمة خلال هذه الدورات الثلاث عدد (176) برنامجاً في مجالات التربية والثقافة والعلوم، والخدمات[2]. وبالرغم من أن المنظمة قد استمرت في انتهاج إعداد خططها وبرامجها لفترة عامين، إذ بلغت هذه الميزانيات والبرامج كما أسفلنا منذ نشأه المنظمة حتى عام 2006 عدد 18 خطة، إلا أن المنظمة مع ذلك واعتباراً من عام 1975 بدأت بانتهاج التخطيط بعيد المدى، حيث أصدر المؤتمر العام للمنظمة في دورته الرابعة التي انعقدت بالقاهرة بتاريخ 27 ديسمبر عام 1975م قراراً يقضي- بوضع تصور شامل لنشاط المنظمة على المدى البعيد، وبناءاً على ذلك قامت المنظمة بتشكيل لجان متعددة للخبراء والمختصين، وقامت باستشارة الحكومات العربية لوضع هذا التصور الشامل، حيث تم عرض هذه الوثيقة بعد ذلك بصورتها المكتملة على المؤتمر العام في دورته العادية الخامسة التي عقدت بتونس في الفترة من 24 - 29 ديسمبر عام 1979م، وقد وافق

---

(1) انظر: المنظمة العربية للتربية والثقافة والعلوم 1970 - 1987، مرجع سابق ص 6 - 7.

(2) انظر: المنظمة العربية للتربية والثقافة والعلوم 1970 - 1995، مرجع سابق ص21.

المؤتمر العام على هذه الوثيقة كإطار صالح لنشاط المنظمة على المدى البعيد، وطلب عرضها على الدول الأعضاء لإبداء ملاحظاتها عليها، كما أحال المؤتمر هذه الوثيقة على المجلس التنفيذي للنظر في أسلوب تطبيقها، وقامت المنظمة بدورها بعرض وثيقة التصور الشامل على الدول الأعضاء، وتم تعديلها وفقاً للمقترحات الواردة من الدول، وقدمت للمجلس التنفيذي بصورتها النهائية، وقد طلب المجلس وضع خطة لتطبيق هذا التصور، وقد وافق المجلس التنفيذي في دورته (26) التي انعقدت بتونس بشهر ديسمبر عام 1980م على الإطار الزمني الذي تقدمت به المنظمة لتطبيق التصور الشامل على المدى البعيد وفق خطط مرحلية طويلة المدى ومتوسطة المدى وخطط قصيرة، كما دعى المدير العام لوضع خطة متكاملة لتطبيق التصور الشمل وفق الإطار الزمني الذي تمت الموافقة عليه، وقد وافق المجلس التنفيذي بعد ذلك في دورته (32) على الإطار العام المقترح من الإدارة، وطلب من المدير العام وضع خطة تنفيذ التصور الشامل لعمل المنظمة على المدى البعيد بصورتها المتكاملة وفق الإطار العام الذي تمت الموافقة عليه وعرضها على المجلس في جلسته القادمة تمهيداً لعرضها على المؤتمر العام القادم، وعلى ضؤ ذلك بادر المدير العام، بتشكيل لجان متخصصة من الخبراء العرب من أعلى المستويات العلمية المشهود لهم بالعلم والخبرة في مجالات عمل المنظمة لاستكمال الخطة، وقد دعا المجلس التنفيذي في دورته (33) التي انعقدت بتونس في الفترة من 12 - 24 ديسمبر 1983م، المدير العام إلى إحالة الدراسة على الدول الأعضاء لإبداء الرأي حولها، بينما درس المؤتمر العام في دورته (7) التي انعقدت بتونس في الفترة من 19 - 24 ديسمبر من العام السالف ذكره، محتويات الخطة المقترحة

وملاحظات الدول العربية، وفوض المجلس التنفيذي لاتخاذ قرار بشأنها. وقد وافق المجلس التنفيذي في دورته (37) التي عقدت بتونس في الفترة من 1 - 9 يوليو 1985 على المرحلة الأولى لخطة تنفيذ التصور الشامل في ضؤ مقترحات الدول ودعى المدير العام إلى إعدادها بصورتها النهائية وتوزيعها على الدول الأعضاء[1].

مما سبق نلاحظ أن المنظمة العربية (الالكسو) قد بليت بلاءاً شـديداً في رأي من قبل كل من المجلس التنفيذي والمؤتمر العام على حد سواء، لعدم تحديدهما مـا ينبغي على المنظمة القيام به بشكل واضح منذ إقرار المؤتمر العام عام 1975 الشروع في إعداد هذا النهج الطويل المدى، بالرغم من أن المنظمة خلال فترة حياتها منذ هذا العام الأخير وحتى عام 1988م قد شهدت نقلة كبيرة، أثنـاء تـولي زمـام القيـادة بهـا مديرها العام الدكتور/ محي الدين صابر، وعلى كـل المسـتويات والأصـعدة، خاصـة فيما يتعلق بالتخطيط الاستراتيجي، كما رأينا وفي غير ذلك من المجالات الأخرى، رغم التعثرات والانقسامات العربية التي حدثت خلال هذه الفترة، وقد ترتب على ذلك أن فترة إعداد الخطة البعيدة المدى 1984 - 2001 والخطة المتوسطة المدى الأولى من عام 1984 - 1989، بما في ذلك وضع التصور الشامل في تنفيذ نشاط المنظمة، على المدى البعيد، قد أستغرق قرابة عشر سنوات،

_____

[1] انظر: بهذا الخصوص

- الخطة متوسطة المـدى الأولى لتنفيـذ التصـور الشـامل لنشاط المنظمـة علـى المـدى البعيـد 1984 - 1989م، إصدارات الالكسو، تونس لعام 1985 ص 5 - 6.

- المنظمة العربية للتربية والثقافة والعلوم 1970 - 1987، مرجع سابق ص 88 - 89.

- مجموعات قرارات المجلس التنفيذي، المجلد الثاني، مرجع سابق ص 185.

وهي فترة كبيرة ليس في حياه الأمم والشعوب فحسب بل في حياة معظم المنظمات الدولية، التي تحتسب للوقت ألف حساب لأنه ذو قيمة وثمن، تحسب له الدول المتقدمة قيمته عكس دول العالم الثالث.

وعلى أيه حال فإن هذه الفترة تتجاوز مدة ولاية المدير العام للالكسو نفسه بمدة عامين تقريباً - باستثناء فترة تولي الدكتور محي الدين صابر - ذلك أن مده تولي المدير العام للالكسو، إنما هي لمده أربع سنوات قابلة للتجديد لمرة واحدة فقط[1]. كما أن تلك الفترة تتجاوز أيضاً مده الخطة المتوسطة المدى نفسها والمحددة بست سنوات في الالكسو، كما في اليونسكو، فهل تستحق عملية إعداد وإقرار هذه الوثيقة كل هذا الوقت؟ أم أنه كان ينبغي وضع خطة متوسطة المدى، بحيث تخصص فقط حول كيفية إعداد وإقرار الخطة البعيدة المدى، يليها بعد ذلك إعداد خطة أو خطتين قصيرتي المدى، لوضع تصورات تنفيذ الخطة الطويلة المدى؟ ثم كيف تمخض هذا المولود الجديد؟ وهل نفذت الخطوط والتصورات العامة لتنفيذه كما خطط له حتى عام 2001م؟ وكل هذه التساؤلات إنما ستتضح معالم الإجابة عنها تباعاً ضمن سياق هذه الفقرة.

وعلى العموم فإن الخطة المتوسطة المدى الأولى، في تنفيذ التصور الشامل لنشاط المنظمة على المدى البعيد، يشتمل بعد التمهيد والمقدمة على ثلاثة أجزاء، ضم الجزء الأول منها: الإطار النظري للخطة (رسالة المنظمة، وأهدافها العامة، والواقع العربي، والخطط المرحلية، أما الجزء الثاني: فقد ضم الخطة بعيده المدى الأولى، حيث أحتوى هذا الجزء، على

(1) انظر: م6 من دستور الالكسو، مرجع سابق ص28.

محاور هذه الخطة، مع تحديد أولويات خطة عمل كـل قطاع مـن قطاعـات المنظمة، المتعلقة، بالتربية، والثقافة والعلوم الاجتماعية، والإعلام والاتصال، والتوثيـق والمعلومات، والعلوم الطبيعية والتكنولوجيا وضم الجزء الثالـث: الخطة متوسطة المدى الأولى، وقد أشتمل هذا الجزء على محاور الخطة المتوسطة المدى الأولى، علاوة على تحديد أولويات عمل كل قطاع من القطاعات السالف ذكرها[1].

وتهدف الخطـة البعيدة المدى (1984 - 2001) إلى استكمال الاستراتيجيات القطاعية في مجالات عمل المنظمة ووضع السياسات والخطط والتشريعات اللازمـة لتنفيذ هذه الإستراتيجية، وإقامة المؤسسات الفنية القومية لتنفيذ هذه الإستراتيجية مع إنشاء الأجهزة الإدارية للتنسيق بين هذه المؤسسـات لتنطلـق بعقلانية واندفاع وصولاً إلى مرحلة الإسهام والإبداع[2]. أما الخطط المرحلية للخطة طويلة المدى فإنها تنقسم إلى خطط متوسطة المدى وخطط قصيرة المدى على النحو الأتي[3]:-

- خطط طويلة المدى تمتد كل واحده منها لمده (18) سنة وتبـدأ الأولى منهـا في عام 1984 لتنتهي في مطلع القرن الجديد.

- تحتوي كل خطـة طويلة المدى على ثلاث خطط متوسطة المـدى تمتـد كـل واحد منها على ست سنوات.

- وتحتوي كل خطة متوسطة المدى على ثلاث خطط قصيرة تمتد

---

[1] انظر: الخطة متوسطة المدى الأولى في تنفيذ التصور الشامل لنشاط المنظمة على المدى البعيد، مرجع سابق ص 5 - 185.

[2] انظر: الخطة متوسطة المدى، نفس المرجع السابق ص27.

[3] انظر: نفس المرجع السابق ص26.

كل واحده منها عامين فتتطابق حينئذ مع الميزانيات الدورية للمنظمة.

وقد حددت لكل خطة من هذه الخطط الوسائل الفنية والإدارية والتنظيمية المساعدة على تنفيذها، أما أهداف التصور الشامل لنشاط المنظمة فإنه يتمثل في الأتي[1]:-

- تنمية الموارد البشرية في الوطن العربي، وإعداد الإنسان العربي القادر المنتج.
- النهوض بأسباب التنمية الاجتماعية والاقتصادية المتصلة ببنيه المجتمع العربي وتنظيمه.
- النهوض بأسباب التنمية العلمية باعتبارها أحد الأسس الجوهرية في بناء الحضارة المعاصرة وتحقيق التنمية الشاملة.
- النهوض بأسباب تنمية البيئة الطبيعية في البلاد العربية لتمكينها من المحافظة على مصادرها الطبيعية وحسن التعامل معها.
- توثيق التفاعل بين الفكر العربي الإسلامي والخبرات العربية من جهة والفكر العالمي والتجارب المعاصرة من جهة أخرى، تمكيناً للأمة العربية من المشاركة في التقدم البشري.
- تنمية الثقافة العربية الإسلامية داخل البلاد العربية وخارجها.

المشاركة في الجهود المبذولة عربياً ودولياً، لتنمية وسائل الإعلام والاتصال وتنظيم المعلومات وتوثيقها، وتيسير تداولها، وتحقيق ديمقراطيتها ، بما ينمي التعاون والتفاهم بين البشر.

---

(1) انظر: المنظمة العربية للتربية والثقافة والعلوم 1970 - 1987، مرجع سابق ص46.

وتهتم الخطة بعيده المدى بالتعرف الوثيق على الواقع العربي في مجالات اختصاص المنظمة، وتعمل على تقويم هذا الواقع، بهدف رفع كفايته وذلك وفق المحاور الآتية[1]:-

استكمال الخطة القومية الشاملة والسياسات العامة.

استكمال السياسات والتشريعات وتطوير الوسائل والأساليب الفنية وإنشاء المؤسسات القومية والنوعية.

قومية المعرفة: تقوم هذه الفكرة على أساس من التكافل يكون فيه رأس المال العربي عاملاً مشتركاً وأساسياً في تكوين القدرة البشرية العربية، انطلاقاً من أن الإنسان العربي هو رأس مال بشري مشترك وطاقة من طاقاتها في كل المجالات والمواقع.

- نشر اللغة العربية والثقافة العربية الإسلامية في الخارج.
- التعاون العربي والدولي.

أما محاور الخطة المتوسطة المدى الأولى، فإنها تدور حول المحاور الآتية[2]:-

- دراسة وتحليل واقع ممارسات الوطن العربي في مجالات عمل المنظمة.
- استكمال الاستراتيجيات القطاعية في مجالات عمل المنظمة.
- مراجعة وتطوير السياسات والخطط والتشريعات القائمة في الوطن العربي.
- تطوير المؤسسات العربية القائمة في مجالات تخصص المنظمة

---

[1] انظر: الخطة المتوسطة المدى، المرجع السابق ص 31 - 33.

[2] انظر: نفس المرجع السابق ص 67 - 69.

والعمل على إنشاء المؤسسات القومية لتنفيذ الاستراتيجيات والسياسات القومية المقرة.

- التصدي للمشكلات الحادة التي تواجه البلاد العربية في مجالات سعي المنظمة وابتكار الوسائل والأساليب الملائمة لحلها.
- مواصله الجهود في ميدان التعاون العربي والدولي في مجالات التربية والثقافة والعلوم والإعلام والتوثيق.

وفي هذا الإطار فإن وثيقة التصور الشامل لنشاط المنظمة على المدى البعيد تعرض أولويات عمل المنظمة خلال الخطة بعيده المدى في كل قطاع من قطاعاتها على ضؤ الواقع العربي في مجالات تلك القطاعات وعلى أساس المبادئ المعتمدة في تطوير هذا الواقع، كما تعرض كذلك بيان مجالات سعي القطاعات المختلفة إلى بيان مجالات عملها خلال الخطة المتوسطة المدى الأولى والتي تم اختيارها وفق الأولويات المحددة في الخطة بعيده المدى، حيث تمثل نقاط وصول مستقبلية تسعى المنظمة إلى بلوغها في نهاية هذه الخطة المتوسطة الأولى لتمكن بالتالي من اختيار مجالات عمل الخطة المتوسطة الثانية في ضؤ النتائج التي تحققت خلال تنفيذ الخطة المتوسطة الأولى[1]، وبناءاً على ذلك فقد حددت أولويات عمل القطاعات في ظل الخطة طويلة المدى كما يلي[2]:-

قطاع التربية

تم اختيار (10) مجالات لعمل هذا القطاع تمثل أولوية عمله في كل من

(1) انظر: د. محي الدين صابر، في مقدمته على الخطة المتوسطة المدى الأولى، مرجع سابق ص8.

(2) انظر: الخطة متوسطة المدى الأولى في تنفيذ التصور الشامل، مرجع سابق ص 34 - 63.

مجالات التعليم الأساسي، والتعليم الثانوي، والتعليم العالي، ومحو الأمية والتعليم الموازي للكبار، وتطوير الكفاية الداخلية والخارجية للتربية، والتعريب واعتماد العربية الفصيحة، وتطوير التربية للعلم والتقنية، وتطوير مهنه التعليم، والإدارة التربوية، والتمويل.

قطاع الثقافة والعلوم الاجتماعية

تم اختيار كذلك (10) مجالات لعمل هذا القطاع، كأولوية لعمله في مجالات، التخطيط الشامل للثقافة العربية، والحفاظ على الهوية الثقافية العربية وتوفير الأمن الثقافي، وصيانة التراث الثقافي العربي الإسلامي والتعريف به، وتنمية اللغة العربية ونشر الثقافة العربية الإسلامية في الخارج، والثقافة والتنمية الاجتماعية والاقتصادية، والتشريعات والاتفاقيات الخاصة بالتنمية الثقافية، وثقافة الطفل والشباب والمرأة، والصناعات الثقافية، وتعزيز الحوار الثقافي العربي مع الثقافات الأخرى.

أولويات الإعلام والاتصال

تتمثل في (4) أولويات في مجالات، تطوير البنى الأساسية للإعلام والاتصال وترشيد استخدامها، وتنمية وسائل الإعلام، والتدفق الإعلامي، والصورة العربية في الإعلام الداخلي والخارجي.

أولويات التوثيق والمعلومات

تتمثل في (3) أولويات في مجالات، توفير وتعريب الركائز التقليدية والآلية في مجال المعلومات في الوطن العربي وتطويرها، وتطوير العمل الببليوغرافي في الوطن العربي، وإنشاء برامج ونظم ومؤسسات المعلومات وتطويرها.

قطاع العلوم الطبيعية والتكنولوجيا

تم اختيار (10) مجالات لعمل هذا القطاع، كأولوية لعملة في مجالات، التخطيط الشامل لتطوير العلوم والتكنولوجيا وتعريبها، وتنمية وإدارة الموارد البشرية العربية العلمية والتكنولوجية، وإنشاء البنى الأساسية الضرورية، والاستخدام الأمثل للتكنولوجيا، ونقل المعرفة العلمية والتكنولوجية، وتنمية الموارد الطبيعية وحماية البيئة العربية، وصنع المعرفة العلمية والتكنولوجية، والتثقيف العلمي والتكنولوجي في المجتمعات العربية، وتنمية الطاقات العلمية والتكنولوجية العربية، وتأثير العلوم والتكنولوجيا على فئات المجتمع وحياه المواطن وثقافته.

وقد استمرت أولويات عمل قطاعات المنظمة كما أسلفنا، وبنفس عدد مجالاتها، هي أولوية لعملها كذلك ضمن الخطة المتوسطة المدى الأولى (1984 - 1989) إلا أنه علاوة على تلك الأولويات فإنه قد تفرع عنها في هذه الخطة الأخيرة كذلك عدداً من البرامج الفرعية بلغت (526) برنامجاً خصص العدد الأكبر منها لقطاع الثقافة والعلوم الاجتماعية، بواقع (182) برنامجاً، يليه قطاع التربية بعدد (130) برنامجاً، ثم قطاع العلوم الطبيعية والتكنولوجيا بواقع (112) برنامجاً، والإعلام والاتصال عدد (72) برنامجاً، والتوثيق والمعلومات (30) برنامجاً[1].

وفي هذا الصدد فإن برامج هذه الخطة متوسطة المدى الأولى، قد تم توزيعها، ضمن ثلاث خطط قصيرة المدى مده كل منها عامين بدءاً من الدورة القصيرة الأولى 1984 - 1985 وانتهاءاً بالدورة القصيرة الثالثة

(1) انظر: الخطة متوسطة المدى، المرجع السابق ص 67 - 185.

1988 - 1989، التي تنتهي مع نهاية الخطة المتوسطة المـدى الأولى، وكـما هـو معلوم فإن هذه الخطط القصيرة، إنما يتم اعتمادها من قبل المـؤتمر العـام للمنظمـة ولكل خطة على حده، كل فترة عامين، وتأتي هذه الخطط القصيرة المدى أكثر وضوحاً في تحديد برامج المنظمة ومشروعاتها، وتقسم هذه الخطط أوجه نشاط المنظمـة إلى قطاعـات رئيسـية تخـدم مجـالات عمـل المنظمـة الرئيسـية في جميـع القطاعـات والوحدات السالف ذكرها[1].

وعلى أيه حال فإنه في نهاية الخطة المتوسطة الأولى، ينبغـي أن تقـوم المنظمـة، بتقويم ما تم إنجازه من هذه الخطة، للوقوف على الصعوبات والعقبات التي حالت دون تنفيذ بعضاً من خططها وبرامجها، للعمل على تـلافي ذلـك في الخطـة المتوسـطة المدى الثانية وعلى ضؤ المستجدات التي قـد تـبرز في الواقـع العـربي والـدولي، وبهـذا الخصوص نجد أن تقارير الالكسو تفصح عند تقييمها للخطة المتوسطة المـدى الأولى، أن البرامج التي ضمتها محاور هذه الخطة قد جاءت مفصله بعض الشيء إلا أنهـا لم تكن محددة بالمقدار الذي يتيح ترجمتها بيسر إلى برامج محددة في المحتـوى والمـدة في إطار الميزانية والبرنامج لكـل فـترة عـامين مـن الفـترات الـثلاث التـي تتفـرع عـن الخطة، بل جاءت تلك البرامج عامة، بـل طويلـة المـدى أقـرب إلى أن تكـون أهـدافاً لسياسة تربوية، أو اتجاهات لخطة طويلة المـدى، ولـذلك فإنـه لم يـتم وضـع خطـة متوسطة المدى ثانية، كما هو محدد لها من عام 1990 - 1995 ضمن الخطة طويلـة المدى، إذ رأت المنظمة أن الخطوط العريضة والأهداف العامـة المتضـمنة في الخطـة الأولى يمكن اعتمادها إطاراً نظرياً

(1) انظر: د. إبراهيم عبد العزيز الشدي، المرجع السابق ص 92- 93.

يسمح بالاستمرار في التنفيذ دونما حاجة إلى وضع خطة متوسطة ثانية، وبذلك أمتد السقف الزمني للخطة متوسطة المدى الأولى إلى عام 1997 مستغرقة بذلك 13 سنة[1].

علاوة على ما سبق فإن هناك سبباً آخر لتبرير امتداد الخطة المتوسطة المدى الأولى لتشمل الخطة متوسطة المدى الثانية - وربما يكون هذا السبب هو الأقوى من السبب السالف ذكره - وهو أن المنظمة لم تستكمل برامج الخطة المتوسطة المدى الأولى على النحو المرجو والملائم، إذ بلغ العدد الإجمالي للمشروعات المطلوب تنفيذها خلال هذه الخطة المتوسطة والسنوات الثلاث الأولى من الخطة المتوسطة الثانية عدد (1062) مشروعاً نفذ منها (651) مشروعاً، بنسبه تنفيذ بلغت 3،61% في حين بلغ عدد المشروعات غير المنفذة (411) مشروعاً بنسبة 7،38 %[2].

ونظراً للمتغيرات العالمية العربية (بعد حرب الخليج الثانية) التي حصلت خلال الفترة المتعلقة بتنفيذ مرحلة الخطة المتوسطة الثانية، وما أنجر عنها من تحديات جديدة، استدعت المنظمة بالضرورة إلى إعادة النظر في مجمل مجالات عملها، وإدخال الإصلاحات عليها، وتحديث أساليبها، ولهذه الأسباب، وربما لغيرها الكثير، قامت المنظمة بوضع، وثيقة معالم التحديث ومحاورة عام 1994م، وقد أجاز المؤتمر العام في دورته العادية

(1) انظر: الخطة متوسطة المدى الثالثة (1997 - 2002)، إصدارات الالكسو، تونس لعام 1995 ص21.
- كذلك انظر: خطة العمل المستقبلي (2005 - 2010)، إصدارات الالكسو، تونس، يناير 2004 ص22.
(2) انظر: الخطة متوسطة المدى الثالثة، المرجع السابق وبنفس الصفحة.

(12) التي انعقدت في ديسمبر من هذا العام خطة التطوير والتحديث هذه، كما تم إعداد الخطة المتوسطة المدى الثالثة، وفقاً لمقتضيات هـذه الوثيقة، ووفقـاً لمحاور الخطة بعيده المدى الأولى للمنظمة[1]. وقد بنيت خطـة التطوير والتحديث لعمل المنظمة على أربعة محاور رئيسية، وأربعة بـرامج مشـتركة بـين المحـاور، وقـد اشتملت المحاور على عدد (17) برنامجاً أساسياً، و (9) برامج رافده، وقد انبثق عـن البرامج الأساسية (90) برنامجاً فرعياً بينما انبثق عن البـرامج الرافده عـدد (26) برنامجاً فرعياً، أما البرامج المشتركة فإنه قد تفرع عنها (30) برنامجاً فرعياً وكما يلي[2]:-

المحور الأول: التربية في عالم متغير

يشمل هذا المحور عدد أربعة برامج أساسية، وثلاثة برامج رافده، حيث تتعلـق البرامج الأساسية حول: تحديث الفكر التربوي العربي، وتعميم التعليم الأساسي ومحو الأمية، وتطوير التعليم الثانوي والتقني والمهني، وتحسـين نوعيـة التعليـم العـالي، وينبثق عن هذه البرامج الأساسية عدد (25) برنامجاً فرعياً، أما البرامج الرافده فإنها تتمحور حول، العناية باللغة العربية وتطوير أساليب تدريسها، والارتقاء بمهنه التعليم، ودعم التجارب التربوية الرائدة في البلاد العربية، وينبثق عـن هـذه البرامج عدد (13)

---

[1] انظر بهذا الخصوص:- دليل عمل اللجان الوطنية العربية، الطبعة المعدلة 2003، مرجع سابق ص56.
- المنظمة العربية للتربية والثقافة والعلوم 1970 - 1995 مرجع سابق ص33.
- الخطة متوسطة المدى الثالثة 1997 - 2002، مرجع سابق ص26.
[2] انظر: المنظمة العربية للتربية والثقافة والعلوم 1970 - 1995، مرجع سابق ص 33 - 45.

برنامجاً فرعياً.

المحور الثاني: الثقافة العربية ودورها في تعزيز الوحدة العربية والتنمية الشاملة

يشمل هذا المحور على ستة برامج أساسية، وثلاثة برامج رافده، إذ تتعلق البرامج الأساسية حول: دعم عوامل الوحدة الثقافية العربية، وتنمية الثقافة العربية المعاصرة، وإحياء التراث الثقافي العربي الإسلامي وصيانة معالمه التاريخية ونشر ـ عيونه، ونشر اللغة العربية والتعريف بالثقافة العربية الإسلامية خارج الوطن العربي، والحوار بين الثقافة العربية والثقافات الأخرى، والإفادة من وسائل الاتصال الحديثة في التعريف بالثقافة العربية، وينبثق عن هذه البرامج (31) برنامجاً فرعياً، بينما تتمحور البرامج الرافده حول: البعد الثقافي، ومعالجة المفاهيم والأطروحات السياسية الدولية المستخدمة بما يتلاءم مع البيئة العربية، وإنشاء المكتبة المركزية القومية وينبثق عن هذه البرامج عدد (8) برامج فرعية.

المحور الثالث: العلم والتقانه من أجل التنمية

يضم هذا المحور أربعة برامج أساسية، وبرنامج رافد، وتتمحور البرامج الأساسية حول: بناء قاعدة علمية عربية لنقل المعرفة العلمية والتقانه وتوطينها واستنباتها، وتشجيع البحث العلمي وتوظيفه في خدمة المجتمع واحتياجات التنمية، وتطوير التقنيات المحلية واستخداماتها في تنمية المجتمع، وتنمية وإدارة الموارد الطبيعية وحماية البيئة ومكافحة التصحر، وينبثق عن هذه البرامج (23) برنامجاً فرعياً، أما البرنامج الرافد فهو بث المعرفة العلمية وترسيخها ينبثق عنه برنامجين فرعيين.

المحور الرابع: المعلومات والاتصال وتحديات المستقبل

يحتوي هذا المحور على ثلاثة برامج أساسية وبرنامجين رافدين، حيث تشمل البرامج الأساسية، إقامة الشبكة العربية للمعلومات التربوية والثقافية والعلمية وربطها بالشبكات العالمية المتخصصة في هذه المجالات، وتطوير وتحديث خدمات المعلومات وأدواتها ونظمها، والاتصال وتنمية المجتمع العربي، يتفرع عن هذه البرامج (11) برنامجاً فرعياً، أما البرامج الرافده فإنها تتعلق، بتنسيق أعمال المكتبات العربية بأصنافها كافة ودور الأرشيف المركزية العربية، وتحسين تقنيات الطباعة ووسائل النشر، وقد تفرع عنها ثلاثة برامج فرعية.

البرامج المشتركة بين المحاور الأربعة

تحتوي البرامج المشتركة بين المحاور الأربعة السالف ذكرها على أربعة برامج تتعلق، بتعميم التعريب وتطوير الترجمة في الوطن العربي، وتنمية الموارد البشرية والعناية بالفئات الخاصة (ذوي المواهب المتميزة، والمعوقين)، والدراسات الإستراتيجية والمستقبلية، والتعاون العربي الدولي، ويتفرع عن هذه البرامج (30) برنامجاً فرعياً.

وعلى أيه حال فإن الخطط الثلاث القصيرة المدى، في ظل الخطة متوسطة المدى الثانية والتي بدأت بالخطة القصيرة الأولى لعامي 1990 - 1991، فإنه يفترض أن تنتهي الخطة الثالثة القصيرة المدى مع نهاية عامي (1994 - 1995) أي مع نهاية الخطة المتوسطة المدى الثانية، إلا أن هذا الأمر لم يتم بالشكل الذي خطط له حيث انتهت الخطة القصيرة الثالثة فعلاً خلال عامي (1995 - 1996) ويرجع السبب في ذلك إلى أن المجلس الاقتصادي والاجتماعي بالجامعة العربية، قرر توحيد سنة الميزانيات لتبدأ

بالسنة الفردية بدلاً من السنة الزوجية، بدء من عام 1993 وقد أقر المؤتمر العام للمنظمة في دورته العادية الحادية عشر هذا الأمر، ولذلك ظهرت سنة 1992 كفترة مالية قائمة بذاتها، وهو ما ترتب عليه بالضرورة كذلك من تغيير المدى الزمني للخطة المتوسطة المدى الثالثة، إذ كان مخطط لها الفترة من 1996 إلى عام 2001م إلا أنها تغيرت لتصبح بعد ذلك من عام 1997 لغاية عام 2002[1]. وقد أقر المؤتمر العام للمنظمة في دورته (12) عام 1994 هذا التغيير الزمني للخطة المتوسطة المدى الثالثة، كما أقر الموافقة على التوجيهات العامة لمشروع هذه الخطة - بعد إحاطته علماً بقرارات المجلس التنفيذي في دوراته العادية (60،59) وعلى ضوء المقترحات الواردة من الدول الأعضاء حول مشروع الخطة - وفوض المجلس التنفيذي لاعتمادها في صيغتها الجديدة في دورته القادمة، وعلى ضوء هذا التفويض أصدر المجلس التنفيذي في دورته (62) قراره باعتماد الخطة المتوسطة المدى الثالثة (1997 - 2002) في صيغتها الجديدة على أن تضع المنظمة في الاعتبار ما أثير من ملاحظات من أعضاء المجلس والدول الأعضاء[2].

وعلى العموم فإنه قد حددت لهذه الخطة العديد من الأهداف ومنها[3]:-

المساهمة في تحديث الفكر العربي في مجالات عمل المنظمة استناداً

---

(1) انظر: بهذا الخصوص: المنظمة العربية للتربية والثقافة والعلوم 1970 - 1995، مرجع سابق ص19.
- دليل عمل اللجان الوطنية العربية المعدل 2003، مرجع سابق ص56.

(2) انظر: الخطة متوسطة المدى الثالثة، مرجع سابق ص 5 - 7.

(3) انظر: الخطة المتوسطة المدى الثالثة، المرجع السابق ص 31 - 33.

إلى القيم العربية الإسلامية، وتبيان الدور الريادي لفكر الأمة العربيـة الإسـلامية في مسيرة الحضارة البشرية، وتعزيز الروابط القومية، وترسيخ مفهـوم السـلام القـائم على العدل، والتصدي لمشكلات الأمية، والعناية باللغة العربيـة، والـربط الوثيـق بـين مجالات عمل المنظمة والتنمية في الوطن العربي، ومواكبة التطورات العالمية في مجال المعلوماتية والاتصال وغيرها من العلوم المعاصرة، والنهوض بالبحث العلمي، وتنميـة القوى البشرية، والحفاظ على الأمن الثقافي العربي، والتنمية البيئية والموارد الطبيعية، وتعزيز التعاون بين المنظمة وغيرها من المـنظمات والمؤسسـات العاملـة في مجـالات عمل المنظمة على المستوى القومي والدولي.

ومما يلاحظ على محاور وبرامج الخطة متوسطة المدى الثالثة (1997 - 2002)، هو أن هذه الخطة وبالرغم من أنه تم إعدادها وفقـاً لمحـاور الخطـة بعيـده المـدى الأولى للمنظمة، ووفقاً لمقتضيات خطة التطوير والتحديث، كـما سـبق أن بينـا ذلـك آنفاً، إلا أن الخطة المتوسطة المدى الثالثة مع ذلك تكـاد تكـون صـورة طبـق الأصـل، لوثيقة خطة التطوير والتحديث، سواء من حيـث المسـميات أو الاعـداد وذلـك فـيما يتعلق بالمحاور الرئيسية، والبرامج المشتركة بين القطاعات، والبرامج الأساسية والبرامج الرافده، أما الاستثناء من ذلك فهو زيادة البرامج الفرعية المنبثقة عن كل من الـبرامج الأساسية والرافده في الخطة المتوسـطة المـدى الثالثـة، إذ بلغـت بالترتيـب (37،122) برنامجاً، بزيادة قدرها (11،32) برنامجاً، مقارنة بخطة التطـوير والتحـديث، في حـين كانـت الـبرامج المتفرعـة عـن الـبرامج المشـتركة في هـذه الخطـة الأخـيرة عـدد (30) برنامجاً، مقابل (15) برنامجاً فرعياً في

الخطة المتوسطة الثالثة[1]. وعلى أيه حال فإنه قد تفرع عن هذه الخطة الأخيرة، مثل سابقاتها، ثلاث خطط قصيرة، تغطي الفترة الزمنية للخطة المتوسطة الثالثة، بدءاً من الدورة المالية 1997 - 1998 وإنتهاءاً بالدورة 2001 - 2002، وبتتبع برامج هاتين الدورتين الماليتين الأخيرتين، نجد أنه ينطبق عليها نفس الملاحظات تقريباً، التي أبدينها على الخطة متوسطة المدى الثالثة، وذلك من حيث مسميات المحاور الرئيسية، والبرامج المشتركة، والأساسية، والرافده، مع الإقرار بوجود خلافات بسيطة في إعداد البرامج الفرعية، المنبثقة عن تلك البرامج من خطة لأخرى[2].

وبالرغم من أن الالكسو قد بدأت بإعداد خطة متوسطة جديدة منذ عام 2001م إلا أن التطبيق الفعلي لهذه الخطة لم يبدأ إلا منذ عام 2005م، وبهذا الخصوص نجد أن المنظمة قد غيرت مسمى الخطة المتوسطة المدى إلى (خطة العمل المستقبلي) لتغطي الفترة من عام 2005 وحتى عام 2010 أي لمده ست سنوات مثلها في ذلك مثل الخطط المتوسطة المدى السابقة إذ تعتبر هذه هي الخطة الرابعة منذ نشأه المنظمة وحتى عام 2010م. وتعد خطة العمل المستقبلي هذه ثمرة جهود مجموعة من الخبراء والمتخصصين في الوطن العربي سواءاً ممن شاركوا في ندوه الكويت في يونيو 2001 أو ممن ساهموا في الحلقة العلمية التي عقدت بالقاهرة لهذا الغرض في فبراير

---

(1) انظر: الخطة المتوسطة المدى الثالثة، مرجع سابق ص 37 - 91.

(2) انظر بهذا الخصوص: مشروع الميزانية والبرنامج لعامي 1997 - 1998، إصدارات الالكسو، ديسمبر 1996 ص 49 - 308.

- مشروع الميزانية والبرنامج لعامي 2001 - 2002، إصدارات الالكسو، تونس نوفمبر 2000 ص 77 - 205.

عام 2002 أو ممن عملوا على إعادة صياغتها في ضؤ ما ورد من ملاحظات الدول الأعضاء، وأعضاء المجلس التنفيذي واللجان الوطنية، واللجنة التي تكونت بتوصية من المجلس التنفيذي والتي انكبت لإعداد الصياغة الأخيرة بالقاهرة في شهر إبريل عام 2003م[1]. وكانت المنظمة قبل ذلك قد قامت بعرض مشروع هذه الخطة على مؤتمر الوزراء المسؤولين عن الشؤون الثقافية في الوطن العربي في شهر أكتوبر عام 2002 حيث وافق على هذه الخطة[2]. بينما دعى المؤتمر العام للمنظمة في دورته العادية (16) التي انعقدت بتونس في شهر ديسمبر من العام السالف ذكره، المدير العام إلى تشكيل لجنة من بين أعضاء المجلس التنفيذي بالإضافة إلى من يراه من الخبراء لإعادة صياغة الخطة في ضؤ القرار الذي أتخذه المجلس التنفيذي، وما أبداه المؤتمر وما ستبديه الدول من آراء وملاحظات وعرضها على المجلس في دورته (78)، كما فوض المؤتمر العام المجلس التنفيذي باعتماد هذه الخطة في صيغتها النهائية، مع تفويضه كذلك بإجراء التعديلات اللازمة على الهيكل التنظيمي والنظم واللوائح الداخلية بما يحقق تنفيذ هذه الخطة[3]. وقد أقر المجلس التنفيذي في دورة إنعقاده (78) في شهر سبتمبر 2003م الموافقة على اعتماد خطة العمل

---

(1) انظر: د. النجي بوسنينه، في تقديمة على خطة العمل المستقبلي للمنظمة 2005 - 2010 مرجع سابق ص 11 - 12.

(2) انظر: مؤتمر الوزراء المسؤولين عن الشؤون الثقافية في الوطن العربي الدورة (13) الذي إنعقد في عمان الأردن في الفترة من 23 - 24 أكتوبر عام 2002، إصدارات الالكسو تونس لعام 2003 ص22.

(3) انظر: التقرير النهائي للمؤتمر العام للالكسو الدورة العادية (16) إصدارات الالكسو، مرجع سابق (القرارات) ص 71 - 72.

المستقبلي للمنظمة للفترة من عام 2005 - 2010 بعد إجـراء التعديلات التـي أبداها أعضـاء المجلـس التنفيذي، ودعـى المـدير العـام إلى إعـداد مشـروع ميزانيـة وبرنامج الدورة الماليـة 2005 - 2006 على أسـاس هـذه الخطـة، كمرحلة أولى مـن مراحل تنفيذها[1].

وعلى أيه حـال فإن الـدورة الماليـة القصيرة 2003 - 2004 قد اعتبرت بمثابة مرحلة انتقاليـة بـين الخطـة طويلـة المـدى الأولى 1984 - 2002 والخطة المستقبلية 2005 - 2010 وقد استندت المنظمة في إعدادها لمشروع هـذه الخطة على ملامح المشـروعات والبرامج التي وافق عليها المجلس التنفيذي، كما وافق عليها كذلك المؤتمر العـام في دورتـه العاديـة (15) التي انعقدت بتونس في الفـترة مـن 20 - 22 ينـاير 2001م مع مراعاة ما ورد بقـرار المـؤتمر مـن توجيهـات، تتعلـق بدعوة المنظمـة إلى اعتماد مشروع رئيسي واحد أو مشروعين رئيسيين لكل دورة مالية، تتحقق فيها نتائج ملموسة، وبدعوة المدير العام إلى إعادة النظر في ترتيب الأولويات على مستوى كـل قطاع ومنحة أولوية أولى لمحو الأمية في برامج التربية، والتعريف بـالتراث الحضاري للأمة على شبكات المعلومات العالمية، واستخدام تقنيات المعلومات في مجال الاتصال ومواجهه ندرة المياه والتصحر في قطاع العلوم، مع تصنيف مشروعات وبرامج الدورة المالية على أساس أن تكون برامج قابلة للانجاز[2]. وبموجب هذه القرارات،

---

[1] انظر: قرارات المجلس التنفيذي للالكسو الدورة (78)، إصدارات الالكسو، مرجع سابق ص 8 - 9.

[2] انظر: التقرير النهائي لأعمال المؤتمر العام للالكسو في دورته العادية (15)، إصدارات الالكسو، مرجع سابق ص71.

قامت المنظمة بايلاء برامج هذه الدورة أهمية كبيرة، لضمان تحقيق نتائج ملموسة تعود بالنفع على مجموع الدول الأعضاء في المنظمة، مع إيلاء أهمية خاصة للأولويات التالية ومنها[1]: استكمال تنفيذ برامج الخطة المنتهية وربطها بالخطة الجديدة، واحترام أولويات القطاعات كما حددها المجلس التنفيذي والمؤتمر العام والمؤتمرات الوزارية، والتصدي لحملات الاتهام التي يتعرض لها العرب والمسلمون، مع التركيز على التكامل بين القطاعات بتنفيذ المشاريع المشتركة، وتخفيض عدد المشروعات من 130 إلى 90 مشروعاً، ومراعاة المستجدات العالمية التي طرأت في الفترة الأخيرة، والتركيز على المشروعات ذات الصبغة القومية لتشكل ما نسبته 90 %.

وعلى العموم فإن خطة العمل المستقبلي 2005 - 2010 تحتوي (بعد مقدمة المدير العام) على قسمين: يشمل الأول منها على ثلاثة فقرات تتعلق بكل من: رسالة المنظمة وأهدافها، والواقع والتحديات، وأولويات الخطة، أما القسم الثاني: فقد اشتمل على فقرتين: تتعلق أولاهما بمجالات العمل المستقبلي، والثانية، بمتطلبات تنفيذ الخطة[2]. وقد أوضحت هذه الخطة الأولويات العامة لعمل المنظمة خلال الفترة التي تغطيها هذه الخطة كما يلي[3]:-

تعزيز الوحدة الثقافية بين أجزاء الوطن العربي، والمساهمة في تنشئه

(1) انظر: مشروع الميزانية والبرنامج لعامي 2003 – 2004 المعروض على دورة المجلس التنفيذي الدورة (75) إصدارات الالكسو إبريل 2002 ص 7 - 8.

(2) انظر: خطة العمل المستقبلي 2005 - 2010 مرجع سابق ص 7 - 111.

(3) انظر: خطة العمل المستقبلي، نفس المرجع السابق ص 45 - 47.

جيل عربي واع ومستنير مخلص للوطن، ودعم مختلف مراحل التربية والتعليم وتطوير محتوياتها ومناهج عملها، وإحياء التراث العربي والمحافظة عليه ونشره وتوزيعه، وتطوير قطاع العلوم والبحث العلمي، ودعم استخدام التقانات المتطورة للاتصال والمعلومات في مختلف مجالات عمل المنظمة، ونشر اللغة العربية الفصحى ورفع مستواها في الوطن العربي وبين الجاليات العربية في البلاد الإسلامية والعالم. وسوف تعمل المنظمة خلال نشاطها المستقبلي، في أربعه مجالات هي: مجال التربية، والثقافة، والعلوم والبحث العلمي، والاتصال والمعلومات، علاوة على مجال خامس هو: مجال البرامج المشتركة، وترتكز خطه العمل في هذا المجال الأخير على أربعه برامج مشتركه، بينما تعمل المنظمة في الأربعة المجالات الأخرى، عن طريق تحقيق (13) هدفا استراتيجيا، وقد وضعت الخطة لكل هدف من هذه الأهداف الإستراتيجية، ولكل برنامج مشترك الموجهات الرئيسة التي تحدد الإطار العام لمجالات عمل المنظمة في هذا الهدف أو البرنامج خلال سنوات الخطة، ومن هذه الموجهات سوف تنبثق المشروعات التي تضمها وثيقة البرنامج والميزانية لكل دوره من الدورات الثلاث للخطط القصيرة، بدءا بالدورة المالية الأولى (2005- 2006)، وانتهاءا بالدورة الثالثة (2009 - 2010)، كما بحثت الخطة متطلبات التنفيذ من حيث إعادة النظر في الهيكل التنظيمي، وكذا في النظم الإدارية الحاكمة لعمل الأجهزة الإدارية والقائمين عليها، وانتهاءا بتقويم تنفيذ الخطة، أما الأهداف الإستراتيجية والبرامج المشتركة فهي كما يلي[1]:-

(1) انظر نفس المرجع السابق ص 63 - 111.

- كذلك انظر دليل عمل اللجان الوطنية طبعه 2003 مرجع سابق ص60.

مجال التربية

تعمل المنظمة في هذا المجال عن طريق تحقيق الأهداف الإستراتيجية التالية:-

- التصـدي لمشـكلات الأمية في الـوطن العـربي، واستحداث نسـق مؤسسي ـ للتعليم المستمر، فائق المرونة، دائب التطور.

- تعزيز حق المواطن العربي في التعليم بكافة مستوياته، وأنواعه، ومراحله.

- تعزيز جودة التعليم قبل العالي وتجديد المنظومة التربوية.

- الارتقاء بنوعية التعليم العـالي وزيـادة فعاليتـه في خدمـة تنميـة المجتمـع العربي.

في مجال الثقافة: حددت الأهداف الإستراتيجية الآتية:-

- إبراز ودعم عوامـل وحـده الثقافـة العربيـة، ودعـم العمـل الثقـافي العربي المشترك.

- التعريـف بالثقافـة العربيـة الإسلامية، وإبـراز جوانبها المضيـئة والتصدي العلمي لمحاولات النيل منها.

- المشاركة في صياغة المعايير الضرورية لبناء مجتمع المعرفة علـى إمتداد الوطن العربي.

- في مجال العلوم والبحث العلمي: حددت الأهداف الإستراتيجية التالية:

- تطوير دور العلم والتقانه في تحقيق التنمية في الوطن العربي.

- حماية البيئة العربية والحفاظ عليها.

- تبسيط العلوم ونشر الثقافة العلمية.

في مجال الاتصال والمعلومات: حددت الأهداف الإستراتيجية التالية:

- تيسـير اسـتخدام تقانـات الاتصـال والمعلومـات للأغـراض التعليميـة والثقافيـة والعلمية والارتقاء بخدمات التوثيق.

- تقليص فجوه التقانه الرقمية بين أقطار الوطن العربي ودول العالم المتقدم.

- معالجة المعلومات تقنياً وإتاحتها لكافة شرائح المجتمع العربي ودول العالم.

في مجال البرامج المشتركة

تم تحديد أربعة برامج مشتركة هي:-

- العناية باللغة العربية ودعم تعليم اللغات الأخرى.

- الدراسات المستقبلية الاستشرافية على المستوى القومي.

- تنسيق جهود التعريب في الأقطار العربية.

- تنمية الموارد البشرية بالتعاون مع الأقطار العربية وتقديم الخبرة للأقطار التـي تحتاج إليها.

المبحث الثاني

إدارة أنشطة وخطط الايسيسكو، وطرق تقييم الخطط في المنظمات (اليونسكو، الالكسو، الايسيسكو)

قامت الايسيسكو خلال مسيرة حياتها الممتدة من عام 1982 وحتى عـام 2006 بتنفيذ (9) خطط عمل قصيرة المدى، منهـا (7) خطـط ثلاثيـة مـده كـل منهـا ثـلاث سنوات، علاوة على خطة ثنائية (لمده عامين) وخطة لمده عام واحد، وقد نفـذت في إطار هذه الخطط الثلاثية خطتين متوسطتي المدى مده

كل منها (9) سنوات وذلك منذ عام 1991 وحتى نهاية عام 2009، بحيث تضم هذه الخطة المتوسطة المدى ثلاث خطط عمل ثلاثية قصيرة، كما نفذت المنظمة عدد عشر إستراتيجيات شملت جميع مجالات واختصاص المنظمة.

وعلى أيه حال فإن منظمة الايسيسكو - مثلها مثل كل من المنظمات الموازية لها، اليونسكو، والالكسو - تقوم بتقويم الأنشطة والبرامج والخطط القصيرة والمتوسطة المدى نهاية كل خطة، مع تقديم تلك التقارير التقييميه إلى هيئاتها الرئاسية، مع استعراض شامل لأهم الأنشطة المنفذة، من حيث الكم والكيف، وعن الجهات التي تتولى مسؤولية التقويم، سواء تم بواسطة وحداتها الإدارية المعنية بهذه التقييمات (التقييم الداخلي) أو عبر لجان المراقبة الخارجية، أو عن طريق اللجان الوطنية، أو حتى من قبل المشاركين المستفيدين من هذه الأنشطة، أو من المراكز الخارجية المعنية بمثل هذه التقييمات، أو ممن يتم انتدابهم لهذا العمل من الخبراء (التقويم الخارجي). وعليه فإن كل هذه المواضيع وخلافها سيتم إيرادها ضمن هذا المبحث، بدءاً بإدارة الخطط والبرامج والمشروعات الإستراتجية في الايسيسكو (المطلب الأول) وإنتهاءاً بتقييم برامج وخطط هذه المنظمات المتخصصة (المطلب الثاني) وكما يلي:-

المطلب الأول

إدارة الخطط والبرامج والمشروعات الإستراتيجية بالايسيسكو

قامت المنظمة الإسلامية (الايسيسكو) منذ نشأتها في مايو عام 1982م بالعمل على تحقيق الأهداف المنوطة بها بشتى السبل والوسائل، كما قضى

بذلك ميثاق المنظمة وأنظمتها ولوائحها الداخلية، حيث قامت بإعداد الخطط القصيرة والثلاثية والمتوسطة المدى، وما ترافق أو تزامن مع وضع هذه الخطط، من وضع للاستراتيجيات حيث بلغ أجمالي الاستراتيجيات التي وضعتها المنظمة خلال مسيرة حياتها الممتدة من عام 1982 - وحتى نهاية عام 2006 عشر إستراتيجيات غطت مختلف المجالات التربوية والعلمية والثقافية، وغير ذلك من المجالات الأخرى الداخلة ضمن اختصاصات المنظمة، كما نفذت المنظمة خلال هذه الفترة سبع خطط ثلاثية، يسبقها خطة تأسيسية لمده عام، وخطة ثنائية لمده عامين، علاوة على خطتين متوسطتي المدى مده كل منها تسع سنوات بدءاً من عام 1991 وحتى عام 2009م. وعليه فإننا سنتطرق لمختلف مجالات إدارة خطط وبرامج وإستراتيجية المنظمة منذ نشأتها وحتى نهاية عام 2006 من خلال فقرتين هما: إدارة الخطط والمشروعات الإستراتيجية، ثم إدارة الخطط والبرامج الرئيسية وكما يلي:-

أولاً: إدارة الخطط والمشروعات الإستراتيجية

لعل من بين أهم الأهداف الرئيسية التي تتبناها الايسيسكو منذ نشأتها، إنما تمثل في قيامها بالتخطيط المستقبلي للنهوض بمجالات اختصاصاتها، حيث وضعت عشر استراتيجيات مع آليات تنفيذها خلال فترة حياتها الممتدة حتى عام 2006، وقد غطت هذه الاستراتيجيات مجالات التربية، والثقافة، والعلوم والتكنولوجيا، والعمل الثقافي الإسلامي في الغرب، والثقافة الإحيائية، وتدبير الموارد المائية، والتقريب بين المذاهب الإسلامية، والاستفادة من الكفاءات المسلمة في الغرب، والتعليم العالي، والتكافل الثقافي الإسلامي. وسنقوم بعرض هذه الاستراتيجيات وبشكل موجز - قدر

الإمكان - وكما يلي[1]:-

إستراتيجية تطوير التربية في البلاد الإسلامية

قامت الايسيسكو منذ بدأ حياتها ببلورة وإعداد مشروع تربوي إسلامي هدفه المحافظة على القيم الإسلامية وتنشئة أجيال قادرة على الحفاظ على هويتها ومعتقداتها الدينية، فكان تشكيل لجنة من كبار التربويين في الدول الأعضاء للقيام بالدراسة اللازمة لوضع هذه الإستراتيجية، على أن تستفيد هذه اللجنة من الاستراتيجيات التي سبق وأن وضعتها المنظمات المتخصصة وبعض الدول الأعضاء، وعند انتهاء اللجنة من إعداد المشروع الأولى لهذه الإستراتيجية، عقدت ندوه لخبراء من جميع الدول الأعضاء، وممثلين عن العديد من المنظمات الدولية والإقليمية وذلك بالدوحة قطر في الفترة من 12 - 15 /6/ 1988م، حيث تم إقرار هذا المشروع في هذه الندوة بعد إجراء التعديلات اللازمة عليه، وقدم هذا المشروع بعد ذلك إلى المؤتمر العام الثالث للايسيسكو الذي انعقد في الأردن عام 1988م، وقد اعتمد المؤتمر هذا المشروع كإستراتيجية لتطوير التربية في البلاد الإسلامية[2]. وتتضمن هذه الإستراتيجية تقديم المدير العام للمنظمة وتفاصيل البرنامج وجدول الأعمال، وكذا وثيقة العمل الرئيسية المقدمة من الايسيسكو بالإضافة إلى وثيقة عمل قدمها الدكتور غلام ثاقب (من معهد التربية،

---

[1] انظر: الكتاب التوثيقي بمناسبة الذكرى الفضية لتأسيس الايسيسكو مايو 1982 - مايو 2007 إصدارات المنظمة لعام 2007 ص 47 - 48.

[2] انظر: عشر سنوات في خدمة العالم الإسلامي، مرجع سابق ص19.
- كذلك انظر: المؤتمر العام الثاني للايسيسكو، إسلام أباد سبتمبر 1985م، مشاريع البرنامج لخطة العمل الثلاثية 1985 - 1988م إصدارات المنظمة لعام 1985م ص11.

جامعة لندن) وقد اختتمت هذه الإستراتيجية بالتوصيات والتقرير الختامي، علاوة على الجلسة الختامية وقائمة بأسماء المشتركين، وتنطلق هذه الإستراتيجية مستعرضة الأوضاع التربوية في دول العالم الإسلامي، متلمسة في نفس الوقت جوانب القوة في الأنظمة التعليمية للاستفادة منها، مشخصة كذلك لامهات المشاكل التي تعاني منها هذه الدول، والتي تشمل مختلف مكونات النظام التعليمي، فهناك الصعوبات الاقتصادية والمالية والديموغرافية ومشاكل الشغل إلى الصعوبات السياسية والمؤسساتية والإدارية والاجتماعية وما ينجم عن هذه الصعوبات والأوضاع من مشاكل جمة لعل أهمها مشكله الأمية، والتمدرس الناقص، وسوء مردوديه النظام التعليمي، وقله الاعتمادات المالية، وضعف البنى التربوية، ورداءه التسيير التربوي والإداري[1]. وتحدد الإستراتيجية الغاية من التربية على المستوى الفردي والجماعي بما تتوخاه من تكوين روحي وفكري وخلقي ونفسي، وما ترمي إليه من بث روح البناء والتضامن، مستعرضة بذلك خصوصيات المراحل المختلفة في النظام التربوي الإسلامي المنشود بدءاً بالتركيز على التعليم الأساسي فالثانوي بشقية العلمي والتقني (وربط هذا النوع من التعليم بالتكوين المؤهل للشغل) فالتعليم العالي. وتخلص الإستراتيجية إلى تقديم رؤية واضحة حول إدارة وتسيير التربية وتطوير التعليم إدارة وتمويلاً وتخطيطاً وبما يؤدي إلى تعزيز التعاون والتكامل بين سائر الأقطار الإسلامية[2].

(1) انظر: إستراتيجية تطوير التربية في البلاد الإسلامية، منشورات المنظمة الإسلامية، مطبعة النجاح الدار البيضاء، المغرب، لعام 1990 ص27 - 34.

(2) انظر: عشر سنوات في خدمة العالم الإسلامي، المرجع السابق ص 21 - 22.

وقد جرى مراجعة هذه الإستراتيجية في عامي 1998، 1999م، بهدف تحديثها لتتلاءم مع المستجدات التي حدثت خلال مسيرة العمل، ومساعده الدول الأعضاء في مواجهة تحديات القرن الواحد والعشرين في مجال العمل التربوي[1].

الإستراتيجية الثقافية للعالم الإسلامي

إن هذه الإستراتيجية تأتي ضمن أولويات كل من منظمة المؤتمر الإسلامي، والمنظمة الإسلامية، حيث كان مؤتمر القمة الذي انعقد بمكة والبلاغ الصادر عنه الانطلاقة الأولى لمشروع الإستراتيجية، وفي مؤتمر القمة الإسلامي بالكويت، وضع رئيس اللجنة الدائمة للإعلام والشؤون الثقافية، أمام المؤتمر تصوراً أولياً عن هذا المشروع، عرض فيما بعد أمام الاجتماع الأول لوزراء الثقافة المنعقد بدكار عام 1989م، وفي هذا الاجتماع عهد إلى لجنة من الخبراء الحكوميين القيام بإعداد هذه الإستراتيجية انطلاقاً من الشريعة الإسلامية[2]. وكان قد سبق للايسيسكو إدراج هذا الموضوع ضمن خططها الثلاثية من عام (1985 - 1991)، بناءاً على توصية اللجنة الدائمة للإعلام والشؤون الثقافية (دكار 1983)

---

[1] تم إدراج برنامج مراجعة هذه الإستراتيجية، ضمن البرامج التربوية في الخطة الثلاثية 1998 - 2000 حيث كان من ضمن النتائج المتوقعة، إصدار الوثيقة المرجعية لإستراتيجية تطوير التربية في البلاد الإسلامية، وذلك خلال سنوات تنفيذ الخطة 1998 - 2000.
- انظر بهذا: مشروع الخطة والموازنة الثلاثية للايسيسكو للأعوام 1998 - 2000، إصدارات المنظمة، ديسمبر 1997م ص124.

[2] انظر: تقرير الدكتور/ عز الدين العراقي، أمين عام منظمة المؤتمر الإسلامي، المقدم للمؤتمر الإسلامي الثاني لوزراء الثقافة، الرباط 12 - 14 نوفمبر 1998 ص 1،2.

كما قامت بعقد اجتماعين لهذا الغرض بالرباط عامي 1990،1988[1].

وتسهيلاً لمهمة لجنة الخبراء الحكوميين، شكل أمين عام منظمة المؤتمر الإسلامي فريق عمل من الخبراء ومن هيئات متخصصة من بينها الايسيسكو، عهد إليه بوضع تصور شامل لمشروع الإستراتيجية، وقد عقد الفريق عده اجتماعات كان آخرها بمركز الأبحاث باسطنبول في يناير 1990، وفي هذا الاجتماع تم إرسال المشروع إلى الدول الأعضاء لإبداء الملاحظات عليه، كما درسته لجنة الخبراء الحكوميين بالقاهرة، مع ما توصلت به من ملاحظات للدول الأعضاء وذلك في يونيو 1990، وقد قامت هذه اللجنة بإعداد تصور واسع لمشروع الإستراتيجية على ضوء ملاحظات الدول الأعضاء، وقد أوصى فريق الخبراء الأمانة العامة بتكوين فريق عمل من المتخصصين الحكوميين لإعداد الصيغة النهائية[2]. وحرصاً من المنظمتين المؤتمر الإسلامي، والايسيسكو على تنسيق الجهود وترشيد إنفاق المال العام الإسلامي، تم الاتفاق عام 1990 على تشكيل لجنة خبراء من أجل وضع مشروع موحد للإستراتيجية الثقافية وخطة عمل للعالم الإسلامي وقد عقدت هذه اللجنة اجتماعين في جده، مايو 1991، وفي الرباط سبتمبر من العام نفسه وقد نتج عن هذين الاجتماعين مشروع الإستراتيجية الثقافية للعالم الإسلامي، وتم اعتماده من قبل لجنة الخبراء الحكوميين، وصادقت عليه اللجنة الدائمة للإعلام في دكار نوفمبر 1991م واعتماد المؤتمر العام الرابع للايسيسكو في نوفمبر من نفس العام،

---

(1) انظر: تقرير الدكتور/ عبد العزيز التويجري مدير عام الايسيسكو، المقدم إلى المؤتمر الإسلامي لوزراء الثقافة الرباط 1998م ص1.

(2) د. عز الدين العراقي، المرجع السابق ص 3،2.

واعتمدها مؤتمر القمة الإسلامي السادس (دكار 9 - 12 ديسمبر 1991)[1].

وتشتمل هذه الإستراتيجية على مقدمة وخمسة فصول يتضمن الفصل الأول منها على المفاهيم، والخصائص، والمصادر، بينما يتضمن الثاني على الأهداف، ويعالج الفصل الثالث قضايا الثقافة الإسلامية، أما الفصل الرابع فإنه يتناول مجالات عمل الثقافة الإسلامية، ويتطرق الفصل الأخير إلى وسائل تنفيذ الخطة. ويرصد العديد من المحددات الإستراتيجية للثقافة الإسلامية، بدءاً بتحديد المفهوم الإسلامي للوجود، والقيم الإسلامية، والتحديات التي تواجه الثقافة الإسلامية. بينما تتوزع مجالات عمل الثقافة الإسلامية عبر العديد من المحاور، بدءاً بالإنتاج الفكري، واللغة العربية ولغات الشعوب الإسلامية، والآداب والعلوم الإنسانية، والإعلام ووسائل الاتصال، والتربية والتعليم، ودور المسجد وإعداد الأئمة في نشر الثقافة الإسلامية، ودور الأسرة المسلمة كذلك في نشر ـ هذه الثقافة، وأهمية ثقافة الطفل المسلم والتركيز على البحث العلمي، والتراث الإسلامي عامة والفلسطيني خاصة، والفنون والحرف، والثقافة الشعبية، والحوار الثقافي، والجاليات الإسلامية بالخارج... الخ[2].

وتعتبر هذه الإستراتيجية بمثابة بوصلة للعمل الثقافي الإسلامي، فهي تخطيط علمي في غاية الصرامة والدقة والإحكام ترسم الخريطة الثقافية بالمعنى العام للثقافة، وتضع أمام الحكومات والمنظمات والهيئات والأفراد

---

[1] د. عبد العزيز التويجري، المرجع السابق ص2.
- كذلك انظر: 10 سنوات في خدمة العالم الإسلامي، مرجع سابق ص22.
[2] انظر: الإستراتيجية الثقافية للعالم الإسلامي، إصدارات الايسيسكو لعام 1997م، مطبعة المعارف الجديدة، الرباط المغرب لعام 1997 ص 1 - 104.

والجماعات معالم الطريق نحو ممارسة الفعل الثقافي المؤثر في البيئة والمجتمع والإنسان المسلم في الحاضر والمستقبل[1]. إلا أن ما يلاحظ على هذه الإستراتيجية هو أنها لم تأخذ طريقها بعد إلى واقع التنفيذ الفعلي، حيث أشار أمين عام منظمة المؤتمر الإسلامي، (الأسبق) بأن مؤتمرات القمة السابع والثامن قد أكدا على ضرورة شروع الدول الأعضاء كافة في تطبيق الإستراتيجية ووضعها موضع التنفيذ مشيراً في نفس الوقت إلى الصعوبات والمشاكل التي أعاقت انطلاق المشروع، مما حدا بمنظمة المؤتمر الإسلامي بتاريخ 2 مارس 1998 القيام بتكليف الايسيسكو بتحمل مسؤولية تطبيق الإستراتيجية، وساند هذا الرأي قرار المؤتمر الإسلامي الثاني لوزراء الثقافة المنعقد بالرباط في نوفمبر من نفس العام، وقد جدد هذا التكليف في مؤتمر القمة الإسلامي التاسع الذي انعقد بالدوحة قطر من 12 - 14 نوفمبر سنة 2000م، وعلى أن يتم التنسيق مع الأمانة العامة لمنظمة المؤتمر الإسلامي[2]. ومما تجدر الإشارة إليه بخصوص هذا الموضوع هو أن المنظمة الإسلامية تعمل على ضوء الإستراتيجية الثقافية للعالم الإسلامي في برامجها وخطط عملها الثلاثية المتعاقبة، وفي رسم الخطة متوسطة المدى للسنوات من 2001 - 2009م[3].

كما أن الايسيسكو قامت باستضافة الاجتماع الأول للمجلس الاستشاري

[1] انظر: عشر سنوات في خدمة العالم الإسلامي، مرجع سابق ص22.

[2] انظر: د. عز الدين العراقي، المرجع السابق ص 4،5.
- كذلك انظر: قرارات مؤتمر القمة الإسلامي التاسع (قطر) 12 - 14 نوفمبر عام 2000 بشأن المنظمة الإسلامية ص 25،85.

[3] انظر: د. عبد العزيز التويجري، التقرير المقدم للمؤتمر الثاني لوزراء الثقافة الإسلامي، مرجع سابق ص3.

(الـذي تـم تشـكيلة لتنفيـذ الإسـتراتيجية الثقافيـة بنـاءاً عـلى توصيـة اللجنـة الخماسـية - المنعقـدة في الفـترة مـن 15 - 17 يونيـو 1998م - المنبثقـة عـن المـؤتمر التنسيقي لوزراء الثقافة في الدول الإسـلامية المنعقـد في اسـتكهولم بتـاريخ 30 مـارس 1998، ويتكون هذا المجلـس مـن الـدول الآتيـة: السـعودية، المغـرب، مصر، إيـران، ماليزيا، اندونيسيا، السـنغال، مـالي، بوركينافاسـو) لتنفيـذ الإسـتراتيجية الـذي انعقـد بالربـاط في الفـترة مـن 2 - 3 أكتـوبر عـام 2000 مـن أجـل وضـع آليـات لتنفيـذ الإسـتراتيجية[1]. وقـد وافـق مـؤتمر القمـة الإسـلامي التاسـع عـلى تشـكيل المجلـس الاستشـاري لتنفيـذ الإسـتراتيجية الثقافيـة، داعيـاً الـدول الأعضـاء الراغبـة في تنفيـذ مشاريع ثقافية التقدم إلى المجلـس الاستشـاري بمشـاريع مدروسـة بشـكل دقيـق كي يتـولى دراسـتها والعمـل عـلى تنفيـذها بالتشـاور مـع منظمـة المـؤتمر الإسـلامي، والايسيسـكو، والبنك الإسلامي للتنمية، على أن تقوم الايسيسـكو بعـد ذلـك بتعمـيم المشـاريع المعنيـة عـلى الـدول الأعضـاء والجهـات المانحـة بغيـة جمـع المـال الـلازم لتنفيذها وتحت إشرافها[2]. وقد قام بتجديد هذه الإستراتيجية، المؤتمر الإسلامي الرابـع لوزراء الثقافة، الذي عقد في الجزائر عام 2004م[3].

إستراتيجية تطوير العلوم والتكنولوجيا في البلدان الإسلامية

قامـت المنظمـة الإسـلامية (الايسيسـكو) واللجنـة الدائمـة للتعـاون العلمـي والتكنولـوجي (الكومسـتيك) المنبثقـة عـن مـؤتمر القمـة الإسـلامي بإعـداد مشروع إستراتيجية لتطوير العلوم والتكنولوجيا في البلدان الإسلامية، وقدم

---

(1) انظر: قرارات مؤتمر القمة الإسلامي التاسع الذي انعقد في قطر، مرجع سابق ص26.

(2) انظر: نفس المرجع السابق وبنفس الصفحة.

(3) انظر: الكتاب التوثيقي بمناسبة الذكرى الفضية للايسيسكو، مرجع سابق ص47.

هذا المشروع إلى المؤتمر الإسلامي الرابع والعشرين لوزراء الخارجية المنعقد في جاكرتا ديسمبر 1996[1]. وبناءاً على طلب من الايسيسكو والكومستيك تولى الدكتور مصباح الدين شامي الرئيس السابق لمؤسسة العلوم الباكستانية إعداد وثيقة عمل (مشروع الإستراتجية) حيث تم إرسال هذا المشروع إلى الدول الأعضاء والى العلماء المرموقين، وقد درست لجنة من الخبراء ملاحظات الدول التي وردت على الايسيسكو، وكذا ردود الشخصيات العلمية وذلك في اجتماع بمقر أمانة الكومستيك بإسلام أباد في الفترة من 26 - 29 مايو 1997م، وفي ضوء ذلك قامت هذه اللجنة بوضع الإستراتيجية في صيغتها النهائية[2] (لتشكل إطاراً نظرياً ملتئم الجوانب للنهوض بالبحث العلمي، وللأخذ بأسباب التقدم التكنولوجي على صعيد العالم الإسلامي مما يعد مكسباً ثميناً لهذا العالم يقتضي- حسن استثماره ليحقق أهدافه ويقود إلى الازدهار المنشود[3]. وقد اعتمد مؤتمر القمة الإسلامي الثامن الذي انعقد بطهران في الفترة من 9 - 11 ديسمبر 1997 هذه الإستراتيجية، كما أعتمد المجلس التنفيذي للايسيسكو هذه الإستراتيجية أثناء انعقاد دورة المجلس (18) بالرباط، المغرب في ديسمبر عام 1998م[4].

---

(1) انظر: 15 سنه من الانجازات، إصدارات الايسيسكو مرجع سابق ص54.

(2) انظر: مشروع الإستراتيجية المقدم من الايسيسكو والكومستيك لعام 1997 ص1.

(3) انظر: نص الرسالة السامية لعاهل المغرب، جلالة الملك محمد السادس، الموجهة إلى المشاركين في المؤتمر الدولي حول المرأة المسلمة الذي انعقد في فاس المغرب في مارس عام 2000.

- في مرجع: إستراتيجية تطوير العلوم والتكنولوجيا في البلدان الإسلامية، نسخة مزيده ومنقحة لعام 2000 ص xi.

(4) انظر: آليات تنفيذ إستراتيجية تطوير العلوم والتكنولوجيا في البلدان الإسلامية، المعروضة

وحرصاً على إيجاد آلية ملائمة لتطبيق الإستراتيجية، دعت اللجنة الدائمة للتعاون العلمي والتكنولوجي إلى عقد اجتماع يضم علماء مرموقين وذلك في باكستان (مارس 1999) حيث تمخض عن هذا الاجتماع توصيات محددة لتطبيق الإستراتيجية، وبناءاً على ذلك قامت الايسيسكو بإعداد الصيغة الأولية لآليات التنفيذ التي عرضتها على الاجتماع التنسيقي لوزراء التعليم العالي والبحث العلمي الذي انعقد على هامش المؤتمر العالمي للعلوم في بودابيست هنغاريا في شهر يونيو 1999م[1].

وقد أصدر الاجتماع التنسيقي الأول لوزراء العلوم والتعليم العالي والبحث العلمي في الدول الأعضاء بمنظمة المؤتمر الإسلامي، القرار رقم (5) القاضي بدعوة الايسيسكو والكومستيك لتحديث الأرقام والبيانات الإحصائية الواردة في الإستراتيجية كي تنسجم مع واقع البلدان المعنية وقامت الايسيسكو إثر ذلك بتحديث الأرقام والبيانات الاحصائية التي نشرت في صيغة منقحة للإستراتيجية في شهر مارس عام 2000م، كما شكل الاجتماع التنسيقي بموجب القرار رقم (7) لجنة علمية مؤلفة من ممثلي ست دول هي ماليزيا، السنغال، الأردن، بنجلادش، الكامرون، المغرب، بالإضافة إلى الايسيسكو والكومستيك من أجل دراسة ملاحظات الدول الأعضاء بشأن آليات تنفيذ الإستراتيجية وإعادة صياغتها على ضؤ تلك الملاحظات[2]. وقد اعتمد المؤتمر الإسلامي الأول لوزراء التعليم العالي

على الاجتماع التنسيقي لوزراء العلوم والتعليم العالي والبحث العلمي، وذلك على هامش المؤتمر العالمي للعلوم المنعقد في بودابست هنغاريا في 28 يونيو 1999م ص1.

(1) انظر: نفس المرجع السابق وبنفس الصفحة.

(2) انظر: آليات تنفيذ إستراتيجية تطوير العلوم والتكنولوجيا في البلدان الإسلامية (النسخة

والبحث العلمي الذي عقد بالرياض في الفترة من 15 - 18 أكتوبر 2000، الصيغة المعدلة لإستراتيجية تطوير العلوم والتكنولوجيا واليات تنفيذها كما قرر المؤتمر تكليف الايسيسكو بمهمه تنفيذها وأوصى بإنشاء مجلس إستشاري لتطبيقها[1].

وقد اعتمد مؤتمر القمة الإسلامي التاسع الذي انعقد بالعاصمة القطرية بتاريخ 12 - 14 نوفمبر عام 2000 الصيغة المعدلة لهذه الإستراتيجية واليات تنفيذها طبقاً للقرارات الصادرة عن المؤتمر الإسلامي الأول لوزراء التعليم العالي والبحث العلمي[2].

وتتضمن هذه الإستراتيجية مقدمة وخمسة فصول، يتناول الفصل الأول نشأه العلوم في العالم الإسلامي، وتحديد الآثار المترتبة على التكنولوجيا الجديدة، بينما تطرق الفصل الثاني للتنمية البشرية في البلدان الإسلامية، أما الفصل الثالث فيستعرض الحالة الراهنة للعلوم والتكنولوجيا في البلدان الإسلامية، مع تحديد مكامن الضعف والنواقص التي ينبغي التغلب عليها من أجل تطويع التكنولوجيا، وتطوير ثقافة البحث والتنمية، مع التركيز على تدريس العلوم والتكنولوجيا في جميع مراحل التعليم، وذلك لتحصيل المعارف التقنية الجديدة، ويحدد الفصل الرابع النهج اللازم إتباعه لبناء القدرات التكنولوجية، وتحديد الصالح منها للاقتناء، أما الفصل الخامس

المنقحة) المقدمة من الايسيسكو والكومستيك لعام 2000 ص 6،5.

(1) يتكون المجلس الاستشاري من (9) دول تتداول العضوية فيه كل 3 سنوات، ويعهد الي هذا المجلس دراسة المشاريع الكفيلة بوضع الإستراتيجية موضع التنفيذ بالتنسيق مع الايسيسكو، ويتكون المجلس من الدول الآتية حاليا: السعودية، المغرب، مصر، باكستان، إيران، ماليزيا، السنغال، الغابون، أوغندا.

(2) انظر: قرارات مؤتمر القمة الإسلامي التاسع، الدوحة قطر، مرجع سابق ص116.

فيتناول انعكاسات تدابير التنفيذ ومن ثم إلى التوصيات والملاحـق والجداول المرفقة[1].

وعلـى العمـوم فـإن الاستراتيجيات الثـلاث السـالف ذكرهـا، إنمـا تشكل تلك الاستراتيجيات الأركان الرئيسية لإستراتيجية المعرفة التي تنبع من خصوصيات الهوية الحضارية للأمة الإسلامية، والتي تلبي احتياجات التنمية البشرية بما تقدم مـن إطار معرفي متكامل للنهضة التربوية والعلمية والثقافية، محدده بذلك معالم الطريق أمام واضعي السياسات الوطنية في هذه المجالات الحيوية الهامة[2].

إستراتيجية العمل الثقافي الإسلامي في الغرب

قامت المنظمة الإسلامية (الايسيسكو) انطلاقاً من الأهداف المنوطة بهـا، بـدعم الجاليات والأقليات الإسلامية التي استقرت في الدول الغربية بشكل عـام، حيث خصصت المنظمة حيزاً هاماً في خططها وبرامجها التربوية والعلمية والثقافية مقدمـة بذلك دعمـاً للمؤسسـات التربويـة لهـذه الجاليات، كـما سـعت إلى توحيد الجهـود وتنسيق المواقف بين العاملين في مجال العمل الثقافي والتربوي الإسلامي في أوروبـا، حيث نظمت الايسيسكو بهذا الخصوص ثلاثة اجتماعـات في كـل مـن فرنسـا عام 1993، واسبانيا عام

---

[1] انظر: إستراتيجية تطوير العلوم والتكنولوجيا في البلدان الإسلامية، النسخة المنقحة عام 2000 مرجع سابق ص 1 - 51.

[2] انظر: د. عبد العزيز التويجري، الأمة الإسلامية في مواجهه التحدي الحضاري، منشورات الايسيسكو، مطبعة المعارف، الرباط، لعام 1998م ص 22.

- كذلك انظر: د. عبد العزيز التويجري، الايسيسكو ومستقبل العالم الإسلامي في آفاقه التربوية والعلميـة والثقافيـة منشورات المنظمة، مطبعة المعارف الجديدة، الرباط لعام 1999م ص 14.

1113

1996 وبلجيكا عام 1997، علاوة على عقد اجتماع تنسيقي للمراكز الثقافية والجمعيات الإسلامية عام 1998م، وقد أكدت هذه الاجتماعات على ضرورة إعداد إستراتيجية للعمل الثقافي الإسلامي في أوروبا. وبناءاً على ذلك فقد شكلت الايسيسكو لجاناً لوضع الاقتراحات التي عهدت بها المنظمة إلى لجنة من الخبراء تضم كلاً من الدكتور/ العزي وافي، والدكتور/ عبد الله الخياري والأستاذ/ محمد بريش، الذين وضعوا مشكورين الصياغة المقترحة الجديدة لهذه الإستراتيجية[1]. وقد اعتمد مؤتمر القمة الإسلامي التاسع الذي انعقد في الدوحة قطر عام 2000م إستراتيجية العمل الثقافي الإسلامي في الغرب[2]. وتشتمل هذه الإستراتيجية على سبعة فصول، خصصت على التوالي لكل من: الدواعي، والأهداف، والمنهجية، والمفاهيم، وخصائص الغرب الثقافية وتصوره عن الإسلام، وتشخيص الأوضاع الاجتماعية والثقافية، ومكونات الإستراتيجية في المجالات الاجتماعية، التربوية والتعليمية، والثقافية، والدعوية، والإعلامية، كما انتهت

---

(1) انظر: تقديم الدكتور/ عبد العزيز التويجري على إستراتيجية العمل الثقافي الإسلامي في الغرب إصدارات الايسيسكو لعام 2001م ص3.

- كذلك انظر: مشروع الخطة والموازنة الثلاثية للايسيسكو للأعوام 1998 - 2000م إصدارات المنظمة ديسمبر عام 1997م ص 255 - 256.

- وبحسب هذا المرجع الأخير وبنفس الصفحات، فانه في إطار برنامج تطبيق هذه الإستراتيجية، فقد تم تخصيص مبلغ موازنة قدرة (88500) دولار لعقد الاجتماع التنسيقي للمراكز الثقافية عام 1998م وكذا تقديم الدعم إلى خمس مؤسسات خلال عامي 1999 - 2000م.

(2) انظر: الكتاب التوثيقي بمناسبة الذكرى الفضية للايسيسكو، مرجع سابق ص47.

الإستراتيجية، لوضع آليات التنفيذ، ثم الخاتمة وفهرس المصادر والمراجع[1].

إستراتيجية تدبير الموارد المائية في العالم الإسلامي

أعتمد مؤتمر القمة الإسلامي العاشر الذي عقد في بوتراجايا بماليزيا عام 2003م هذه الإستراتيجية[2]. إلا أن بلورة مشروع آليات تنفيذ هذه الإستراتيجية، قد جاء متأخراً فيما يبدو لبعض الوقت، حيث عقدت بهذا الخصوص لجنة من الخبراء الذين انتدبوا لبلورة آليات تنفيذ هذه الإستراتيجية، في مقر الايسيسكو في الفترة من 15 - 16 سبتمبر عام 2005م، وقد ترأس هذا الاجتماع الدكتور/ هادي عزيز زاده المدير العام المساعد للايسيسكو، وقد ضمت لجنة الخبراء هذه، (12) خبيراً من كل من: مصر، السودان، الأردن، المغرب، اليمن، جامبيا، السنغال، بنغلادش، لبنان، تونس، فلسطين، مالي، وينتظر أن تعرض المنظمة مشروع آليات تنفيذ هذه الإستراتيجية بعد بلورتها على ضؤ نتائج هذا الاجتماع وذلك على كل من المجلس التنفيذي والمؤتمر العام لاعتماده. وتركز آليات تنفيذ هذه الإستراتيجية على التنمية المستدامة للموارد المائية، من حيث الإدارة المائية المتكاملة، وتخفيض مستوى التلوث، ودعم البحث العلمي، وإنشاء بنك للمعطيات وشبكة معلومات، والاهتمام بالتدريب وتطوير القدرات البشرية والتمويل، والتعاون، وتحليل النظم والتشريعات لإدارة متكاملة لهذه الموارد، ورفع الوعي المائي، وتقييم الموارد المائية والمحافظة عليها، وقد صدر عن هذه اللجنة بعض التوصيات من أهمها: إقامة نظم مراقبة تستهدف توفير

---

(1) انظر: إستراتيجية العمل الثقافي الإسلامي في الغرب، إصدارات الايسيسكو لعام 2001 ص 3 - 104.

(2) انظر: الكتاب التوثيقي بمناسبة الذكرى الفضية للايسيسكو، مرجع سابق ص47.

معلومات قابلة للمقارنة، والعمل على جرد الاستغلال بصفة دورية، ونشر ـ المعطيات، وإحداث شبكة مراقبة للمياه الجوفية والصحية، وإعطاء أهمية للموارد العابرة للحدود... الخ[1].

إستراتيجية تطوير التقانه الإحيائية في العالم الإسلامي

اعتمد هذه الإستراتيجية مؤتمر القمة الإسلامي العاشر في بوتراجايا، ماليزيا عام 2003م[2].

إستراتيجية التقريب بين المذاهب الإسلامية

اهتمت المنظمة الإسلامية، بموضوع أدب الاختلاف في الإسلام، اهتماماً خاصاً، وقد تجسد هذا الاهتمام من خلال تنظيم عدد من الندوات العلمية، ومن هذه الندوات على سبيل المثال: الندوة التي عقدتها المنظمة بالتعاون مع جامعة الزيتونة بتونس في الفترة من 8 - 10 ديسمبر 1998م، حيث أجتمع في هذه الندوة عدداً من العلماء والفقهاء ومن مختلف المذاهب الفقهية، وذلك بهدف تقوية الروابط العلمية والفكرية، وتبادل الآراء بين العلماء، والسعي إلى التقريب بين المذاهب الفقهية ولتدارس إمكانية الاستفادة من آثار الاختلاف في فروع الشريعة الإسلامية الايجابية، وإمكانية تلافي الآثار السلبية والتخفيف منها، وبهذا الخصوص فاني أتفق تماماً مع ما ذهب إليه الدكتور عبد العزيز التويجري، وهو أن الاختلاف في فروع الشريعة الإسلامية لم يكن، في بداية ظهوره وفي عصور الاجتهاد سبباً في النزاع أو الفرقة والانقسام، بل إن ذلك كان وسيلة إلى البحث عن الحق والوصول إليه، ولذلك أنتج آثار إيجابية، استفاد منها المسلمون فائدة

---

(1) انظر: نشرة الايسيسكو العدد (66) إصدارات المنظمة لشهر يناير عام 2006 ص24.

(2) انظر: الكتاب التوثيقي، المرجع السابق وبنفس الصفحة.

عظيمة، ولكن الاختلاف بدأ يأخذ منعطفاً آخر في العصور المتأخرة، إذ أصبحت الآثار تبرز في الجانب السلبي في كثير من الأحيان[1]. علاوة على ما سبق فإن الايسيسكو كذلك، قد قامت بإدراج، برنامج: التقريب بين المذاهب الإسلامية، وذلك ضمن برامج الثقافة والاتصال للأعوام 1998 - 2000 حيث يهدف هذا البرنامج إلى وضع الأسس الفكرية والعلمية للتقريب بين المسلمين على اختلاف مذاهبهم الفكرية والى التعامل مع هذا الاختلاف تعاملاً إيجابياً واعتباره عنصراً من عناصر اغناء الثقافة الإسلامية، كما يهدف إلى التخفيف من غلو التعصب المذهبي لدى عامة الناس وتهيئتهم لفهم الاختلافات واستيعابها. على أن يتم تنفيذ هذا النشاط من خلال عقد اجتماع دولي لوضع إستراتيجية للتقريب بين المذاهب الإسلامية، عام 1998، مع ترجمة ونشر أعمال الاجتماع وتوزيعها عام 1999م[2]. وقد اعتمد مؤتمر القمة الإسلامي العاشر المنعقد في ماليزيا عام 2003م هذه الإستراتيجية[3].

إستراتيجية الاستفادة من الكفاءات المسلمة في الغرب

قامت الايسيسكو بإدراج هذه الإستراتيجية ضمن الخطة والموازنة للأعوام 1998 - 2000 على شكل برنامج، بغرض الاستفادة من القدرات البشرية والمادية لدى العقول المهاجرة في الغرب في تنمية العالم الإسلامي،

---

(1) انظر: د. عبد العزيز التويجري، مدير عام الايسيسكو، في تقديمه عن كتاب، أدب الاختلاف في الإسلام، إصدارات المنظمة، مطبعة بني ازناس، سلاء، الرباط، المغرب عام 2000 ص9.

(2) انظر: مشروع الخطة والموازنة الثلاثية للايسيسكو 1998 - 2000 مرجع سابق ص254.

(3) انظر: الكتاب التوثيقي بمناسبة الذكرى الفضية للايسيسكو، مرجع سابق ص47.

ولتعزيز الروابط والصلات بين المهاجرين المسلمين وأوطانهم الأصلية، وبحيث يتم تنفيذ هذا النشاط من خلال عقد اجتماع خبراء لوضع هذه الإستراتيجية وذلك خلال عام 1999م، وعلى أن يتم نشر الإستراتيجية عام 2000م[1]. وقد اعتمد مؤتمر القمة الإسلامي العاشر هذه الإستراتيجية عام 2003م بمدينة بوتراجايا ماليزيا[2].

إستراتيجية التكافل الثقافي الإسلامي

تم إدراج هذه الإستراتيجية ضمن الخطة والموازنة الثلاثية للايسيسكو للأعوام (2001 - 2003) حيث تمثلت الخطوة الأولى من تنفيذ هذا النشاط في تحديد إطار الخطط والاستراتيجيات الخاصة بتنشيط أولويات التكافل الثقافي، وبهذا الخصوص ستتعاون الايسيسكو مع مؤسسات منظومة المؤتمر الإسلامي ومؤسسات محلية، في إقامة حلقة دراسية تضم ممثلي الوزارات المكلفة بالثقافة في 45 دولة عضو وممثلين عن الأقليات التي تعيش في البلدان غير المسلمة، علاوة على تشكيل لجنة من الخبراء للقيام بإعداد مشروع هذه الإستراتيجية ليتم بعد ذلك تبنيها من قبل المؤتمر الإسلامي الثالث لوزراء الثقافة[3]. وقد تم اعتماد هذه الإستراتيجية من قبل المجلس لاستشاري لتنفيذ الإستراتيجية الثقافية للعالم الإسلامي الذي انعقد في الجزائر في شهر نوفمبر عام 2006، وسيتم عرضها بعد ذلك للمصادقة

---

(1) انظر: مشروع الخطة والموازنة الثلاثية للايسيسكو للأعوام (1998 - 2000) مرجع سابق ص254.

(2) انظر: الكتاب التوثيقي بمناسبة الذكرى الفضية للايسيسكو، مرجع سابق ص47.

(3) انظر: الخطة والموازنة الثلاثية للايسيسكو للأعوام 2001 - 2003، مرجع سابق ص 196 - 197.

عليها من قبل الدورة الخامسة للمؤتمر الإسلامي لوزراء الثقافة[1].

إستراتيجية تطوير التعليم العالي في العالم الإسلامي

إعتمد هذه الإستراتيجية المؤتمر الإسلامي الثالث لوزراء التعليم العالي والبحث العلمي الذي انعقد في الكويت عام 2006م[2].

ثانياً: إدارة الخطط والبرامج الرئيسية

قامت الايسيسكو منذ نشأتها في مايو عام 1982 بأداء المهام المناطه بها، عبر خطط قصيرة، ومتوسطة المدى، إذ وصل مجموع الخطط القصيرة التي نفذتها المنظمة منذ نشأتها وحتى نهاية عام 2006 عدد (9) خطط منها (7) خطط ثلاثية، وخطة تأسيسية لمده عام، يليها خطة ثنائية لمدة عامين، علاوة على خطتين متوسطتي المدى مده كل منها (9) سنوات، وتحتوي كل منها على ثلاث خطط قصيرة كل واحدة منها ثلاث سنوات، حيث تغطي الخطة المتوسطة المدى الأولى من عام 1991 - 2000 بينما تغطي الخطة الثانية من عام 2001 وحتى عام 2009.

فقد استطاع معالي الدكتور/ عبد الهادي بو طالب، المدير العام المؤسس للايسيسكو، تنفيذ خطة العمل التأسيسية لمده سنة من عام 1982 - 1983م، وخطة العمل الثانية لعامي 1983 - 1985، والخطة الثلاثية الأولى 1985 - 1988، ثم الخطة الثلاثية الثانية 1988 - 1991، كما تم وضع الخطة متوسطة المدى الأولى من عام 1991 - 2000، ولما كانت فترة التأسيس هذه هي من أصعب المراحل التي تمر بها سائر المنظمات الدولية، نظراً للجهود الكبيرة التي تتطلبها هذه المرحلة، بدءاً ببناء الهيكل

---

[1] انظر: الكتاب التوثيقي للايسيسكو، نفس المرجع السابق ص48.

[2] انظر: الكتاب التوثيقي، نفس المرجع السابق وبنفس الصفحة.

التنظيمي، والعمل على توفير الإمكانيات المادية والبشرية، وإرساء قواعد العمل وبناء الأنظمة واللوائح الداخلية الحاكمة والمنظمة لانطلاق العمل في المنظمة، وبطبيعة الحال فإن الأجهزة السيادية المتمثلة في كل من المجلس التنفيذي والمؤتمر العام، يقوم كل منهما حسب المهام المناطه به، باعتماد تلك الخطط والأنظمة، وبهذا الخصوص نجد أن المجلس التنفيذي قد وافق على الخطة التأسيسية التي دخلت حيز التنفيذ خلال السنة الأولى، كما قام بالمصادقة على الخطة الثانية التي نفذت خلال السنتين المواليتين 1983 - 1985 كما صادق عليها المؤتمر العام الأول للمنظمة الذي انعقد بالدار البيضاء في شهر يونيو عام 1983، وبالرغم من الظروف الصعبة التي مرت بها المنظمة خلال الثلاث سنوات الأولى من عمرها، إلا أنها مع ذلك قد استطاعت خلال الدورة الثانية 1983 - 1985 من وضع عدد (6) برامج رئيسية، تم تحديدها كأهداف ينبغي على المنظمة العمل على تنفيذها، يتفرع عن هذه البرامج (19) برنامجاً فرعياً، علاوة على تنفيذ أنشطة خارج البرامج، وتظهر البرامج الرئيسية والفرعية كما يلي:[1]-

استكمال الهياكل الأساسية للمنظمة، ويشمل هذا البرنامج ثلاثة برامج فرعية، تتعلق بإنشاء كل من المكتبة، ومركز (بنك) المعلومات، ووحدة التصوير المطبعي.

دعم الثقافة الإسلامية الأصيلة ومكافحة الغزو الفكري، ويشتمل على

---

[1] انظر: نشرة الايسيسكو عدد خاص عن المؤتمر العام الثاني إسلام أباد باكستان من 3 - 5 سبتمبر 1985، إصدارات المنظمة لشهر نوفمبر عام 1985 ص11.

- كذلك انظر: المنظمة الإسلامية للتربية والعلوم والثقافة (ايسيسكو) الميزانية عن سنتي 1983 - 1985 ص 3 - 20.

(6) برامج فرعية، تتعلق بمجلة المنظمة، ومكافحة الأمية وتعليم الكبار في بعض الدول الإسلامية، مع إقامة دورة تدريبية لمدرسي التربية الإسلامية واللغة العربية في أفريقيا وآسيا، وتدعيم مدارس التعليم الديني والقران الكريم وتحسين أساليب التعليم بها، ودعم أقسام الدراسات الإسلامية في الجامعات الإسلامية بالكتاب الإسلامي، مع تصحيح المعلومات والدراسات التي تكتب عن الإسلام في الموسوعات العالمية والمراجع الأخرى.

جعل الثقافة الإسلامية محور مناهج التعليم.

تقوية التعاون العلمي والتربوي والثقافي بين الدول الأعضاء، ويشمل هذا البرنامج على (7) برامج فرعية: تتعلق بمعادلة الشهادات المدرسية والجامعية بين الدول الإسلامية، وتطوير تدريس العلوم في عدد من الدول الإسلامية، وتنظيم تبادل الطلبة والأساتذة والمحاضرين في العلوم، وتطوير المختبرات العلمية، ودعم المؤسسات الثقافية والتربوية والعلمية لفلسطينيين، ومساهمة المنظمة في اللقاءات المتعلقة باختصاصاتها داخل منظمة المؤتمر الإسلامي وخارجها، علاوة على الطباعة والنشر.

المحافظة على التراث الإسلامي ومعالم الحضارة الإسلامية.

تعزيز الشخصية الإسلامية للمسلمين في البلدان غير الإسلامية، ويشمل هذا البرنامج على دعم المؤسسات التعليمية والثقافية للمسلمين في البلدان غير الإسلامية. علاوة على الأنشطة خارج البرامج. وقد ناقش المجلس التنفيذي خطة المنظمة للفترة الثلاثية الأولى 1985 - 1988 وذلك في دورته الخامسة التي انعقدت بالرباط في الفترة من 30 إبريل إلى 4 مايو عام 1985، وقام بالمصادقة عليها بعد إدخال التعديلات اللازمة، وتنضوي برامج خطة العمل هذه على أربعة أهداف (برامج رئيسية) يتفرع عنها عدد

(18) برنامجاً فرعياً، علاوة على (11) برنامجاً مشتركاً وكما يلي[1]:-

توثيق التعاون التربوي والعلمي والثقافي بين الدول الأعضاء: يتفرع عنه (5) برامج فرعية تتعلق بتطوير إستراتيجيات تربوية وعلمية وثقافية للبلدان الإسلامية، وتنمية اللغات الرسمية ودعم تدريس لغة القران الكريم، وتبادل الأساتذة والطلبة بين الدول الأعضاء، وتبادل المعلومات عن طريق بنك المعلومات ودورية المنظمة وغيرها من البرامج، مع دعم المؤسسات التربوية والثقافية للجماعات الإسلامية في الدول غير الأعضاء.

تشجيع البحث والتأليف والترجمة والنشر، يتفرع عنه (4) برامج فرعية تتعلق بدعم البحوث التربوية والعلمية والثقافية، ونشر كتب مرجعية في التربية والعلوم والثقافة، وترجمة الكتب الإسلامية من اللغات الإسلامية وإليها، وتبسيط عيون التراث الإسلامي وإيجازها.

تدعيم التنمية التربوية والعلمية والثقافية، يكرس لتحقيق هذا البرنامج (4) برامج فرعية تتعلق: بتطوير مناهج تدريس العلوم، وتطوير المختبرات في المدارس، ودورات تدريبية للمدرسين والمتخصصين، ودراسة التطبيقات التربوية للإعلاميات والالكترونيات.

العناية بالثقافة الإسلامية ومؤسساتها وهياكلها التقليدية: يكرس لتحقيقه عدد (5) برامج فرعية عن طريق: تدعيم المدارس القرآنية ومدارس التعليم الديني، والعناية بالمخطوطات الإسلامية، وتصحيح المعلومات والدراسات

[1] انظر بهذا الخصوص
- نشرة الايسيسكو عدد خاص، المرجع السابق ص 42 - 45.
- المؤتمر العام الثاني للايسيسكو من 3 - 5 سبتمبر 1985 مشاريع البرامج لخطة العمل الثلاثية 1985 - 1988، إصدارات المنظمة لعام 1985 ص 1 - 12.

التي تكتب عن الإسلام، واتخاذ المساجد مراكز لتـدريس محـو الأميـة وتعليم الكبار، مع جعل الثقافة الإسلامية محور مناهج التعليم.

أما البرامج المشتركة فتنقسم إلى نوعين:

برامج تستهدف استكمال الهياكل الأساسية للمنظمة، وتتفرع إلى ثلاثة بـرامج تتعلق بتنمية بنك المعلومات، وتطوير وحده التصوير، وتوسيع المكتبة.

بينما تتعاون أقسام المنظمة على تحقيق عـدد (8) أنشطة مشتركة: تتعلق: بدعم المؤسسات التربوية في فلسطين، والاحتفاء بكبـار المفكرين المسلمين، وتنظيم الندوات الإسلامية وإنتاج برامج ثقافية مصورة وتبادلها، ودعم المؤسسـات التعليميـة والثقافية للمسلمين في البلدان غير الإسلامية، وتبـادل الطلبة والأسـاتذة بيـن الـدول الأعضاء، وتبسيط عيون التراث الإسلامي، ودعم دور النشر الإسلامية.

علاوة على ما سبق فإن الايسيسكو قد نفذت خلال خطة العمل الثلاثية الثانية (1988 - 1991)، من الدورات التدريبية وورش العمل والاجتماعات والنـدوات عـدد (67) نشـاطاً، بلـغ عـدد المشاركين والمستفيدين منها (1383) مشـاركاً، وبلـغ عـدد المطبوعات تأليفاً وترجمة عدد (41) مطبوعاً، وبشكل عام فإن عدد الأنشطة المنفذة من خطة العمل الثنائية (1983 - 1985) إلى خطة العمل الثلاثية الثانية 1988 - 1991 قد بلغت (191) نشاطاً، بلغ عدد المستفيدين منها (2374) مشاركاً، بينما بلـغ عـدد المطبوعات تأليفاً وترجمة عدد (90) مطبوعاً، كما قدمت المنظمة خـلال هـذه الفترة عدد (105) منحة دراسية لفائدة الطلاب المسلمين مده كل منها

(4) سنوات[1].

وقد شرعت الايسيسكو في عقد التسعينات من القرن الماضي بإعداد الخطة متوسطة المدى الأولى للفترة من 1991 - 2000 وذلك استجابة لقرار المجلس التنفيذي الذي وافق على الشروع في إعداد هذه الخطة، وتشتمل هذه الخطة على ثلاث خطط ثلاثية، بدءاً بالخطة (1991 - 1994) على أن تتبعها خطتين ثلاثيتين للسنوات (1994 - 1997)، (1997 - 2000)، إلا أنه قد تم تعديل المدى الزمني لهاتين الخطتين الأخيرتين في الواقع لتصبحا (1995 - 1997)، (1998 - 2000) حيث أقر المجلس التنفيذي في دورته (14) المنعقدة بالرباط في الفترة من 22 - 27 نوفمبر عام 1993 من ضمن قراراته توصية المؤتمر العام بالموافقة على زيادة في الموازنة بمقدار السدس لتغطية الفترة الانتقالية الواقعة بين نهاية الخطة الثلاثية السابقة في 30 /6/ 1994 وبداية الخطة الثلاثية الجديدة (1995 - 1997) حيث يبدأ التنفيذ الفعلي لهذه الأخيرة اعتباراً من 1 /1/ 1995م، وقد ترتب على ذلك تعديل المدى الزمني للخطة الثلاثية الأخيرة، للخطة المتوسطة المدى، للأعوام من 1998 وحتى عام 2000، كما أقر المجلس التنفيذي في هذه الدورة دعوه المدير العام إلى إعداد المشروع النهائي للخطة والموازنة الثلاثية (1995 - 1997)، وقد أقر المجلس في دورته (15) التي انعقدت بدمشق في الفترة من 19 - 24 نوفمبر عام 1994 هذه الخطة، وأوصى المؤتمر العام في دورته الخامسة بالمصادقة عليها، علماً بأنها استمرار للخطة المنصرمة (1991 -

---

(1) انظر: 15 سنة من الانجازات إصدارات الايسيسكو لعام 1997، مرجع سابق ص 21، 41، 65.

1994[1]. وقد استقت هذه الخطة الثلاثية الأخيرة أهدافها من المبادئ والأهداف العامة لخطة العمل المتوسطة المدى تأكيداً للعلاقة الجدلية بين الخطتين وهذه الأهداف هي[2]:-

- العمل على إيجاد نسق بين النظم التربوية والسياسات الثقافية داخل العالم الإسلامي.

- دعم التضامن الإسلامي من خلال تشجيع البحث العلمي والتربية العلمية والمهنية وتوظيفهما من أجل التنمية.

- تطوير مفاهيم الذاتية الثقافية والتربوية للعالم الإسلامي.

- صون التراث الثقافي والحضاري الإسلامي وتعميق دورة في الحفاظ على الذاتية الثقافية للعالم الإسلامي.

- التأكيد على المبدأ الإسلامي الخاص بحق الأفراد والجماعات في التعليم والثقافة لتمكينهم من المساهمة بشكل فعال في التنمية الشاملة.

- المساهمة في تحقيق تضامن إسلامي عن طريق دعم الدول الأعضاء لامتلاك القدرات وأسباب التقدم في المجالات الحيوية للتنمية كالعلوم والتكنولوجيا والمعلومات ووسائل الاتصال.

- تشجيع تبادل الخبرات بين الدول الأعضاء لمساعدتها على مواكبة التقدم التربوي والعلمي والثقافي في المجالات الحيوية للتنمية.

---

[1] انظر بهذا الخصوص
- خطة العمل الثلاثية 1991 - 1994، إصدارات الايسيسكو مرجع سابق ص5.
- الخطة والموازنة للأعوام 1995 - 1997، إصدارات الايسيسكو، مرجع سابق قرار رقم: م.ت 14 / 93 / ق (3.1)
والقرار رقم: م.ت 15 / 94 / ق (3.1) ص2.
[2] انظر: خطة العمل الثلاثية 1991 - 1994، مرجع سابق ص6.

وعلى العموم فإن الخطة الثلاثية (1991 - 1994) قد اشتملت على عدد 27 برنامجاً رئيسياً، في مجالات التربية والعلوم والثقافة والاتصال، تفرع عنها عدد (108) من البرامج الفرعية، بينما تقلص عدد البرامج الرئيسية في الخطة والموازنة الثلاثية (1995 - 1997) إلى (19) برنامجاً، تفرع عنها (87) برنامجاً فرعياً وكما يلي[1].

في مجال التربية

اشتملت الخطتين الثلاثيتين على 21 برنامجاً رئيسياً، ضمت الخطة الأولى منها عدد 15 برنامجاً، في حين ضمت الخطة الأخيرة عدد (6) برامج، وتتعلق هذه البرامج بكل من: دعم تعليم اللغة العربية في البلاد غير الناطقة بها وفي المهجر، ودعم المدارس القرآنية، وتطوير التربية، والتعليم التقني والمهني، والتربية للجميع، وتطوير التعليم الأساسي، والتربية في خدمة التنمية الشاملة، وترسيخ الهوية الإسلامية من خلال البرامج التعليمية، والمعونة الخاصة في مجال التربية، وتشجيع الدراسات والبحوث التربوية، وتشجيع تبادل المناهج والاختصاصيين، والتعاون في مجال إعداد وتدريب المدرسين، وتعليم لغات الشعوب الإسلامية، والمعلوميات والتربية، ومحو الأمية وتعليم الكبار، والتوجه الإسلامي لمناهج التعليم، والاجتماعات واللقاءات... الخ.

وقد تفرع عن هذه البرامج عدد (81) برنامجاً فرعياً، ضمت الخطة الأولى منها (55) برنامجاً.

[1] انظر بهذا الخصوص: الخطة والموازنة 1995 - 1997، مرجع سابق ص 5 - 115.
- خطة العمل الثلاثية 1991 - 1994، مرجع سابق ص 7 - 77.

في مجال العلوم

احتوت الخطتين على 12 برنامجاً رئيسياً، حيث توزعت هـذه الـبرامج بـينهما بالتساوي، وتتعلق هذه البرامج في أي من هاتين الخطتين: بتطوير التعليـم العلمـي والتقني، ودعم البحوث العلمية وتعزيز الاتصال بين العلماء، وتدريب الأطر العلمية، ودعم الجماعات الإسلامية في الدول غير الأعضاء، وحمايـة البيئـة والمحافظـة علـى الموارد الطبيعية، والعلم والتكنولوجيا والمجتمع في مواجهه تحديات القرن الواحد والعشرين. وقد انبثق عن هـذه الـبرامج (45) برنامجاً فرعيـاً، ضـمت الخطـة الأولى منها (21) برنامجاً.

في مجال الثقافة والاتصال

ضمت الخطتين الثلاثيتين عدد (13) برنامجاً رئيسياً، احتوت الخطة الأولى منها على عدد (6) برامج مقابل (7) برامج للخطة الأخيرة، وهذه البرامج تتعلق في أي من هاتين الخطتين: بالمحافظة على الذاتية الثقافية للعالم الإسلامي، والتعريـف بـالتراث الثقافي الإسلامي والحفاظ عليه، وإبراز دور الثقافة في مسلسل التنمية، وتوفير الأمـن الثقافي داخل العالم الإسلامي وخارجـة، وتوظيـف وسـائل الاتصـال لنشر ـ الثقافـة الإسلامية، وتكثيف التعاون الثقافي داخل العالم الإسلامي وخارجة، علاوة علـى تنميـة الاتصال في العالم الإسلامي في هذه الخطة الأخيرة، وينبثق عـن هـذه الـبرامج عـدد (69) برنامجاً فرعياً منها 32 في الخطة الأولى.

وعلى أيه حال فإنه كان ينبغي إعداد الخطة والموازنـة الثلاثيـة للأعـوام 1998 - 2000 وفقاً للخطوط العامة للخطة المتوسطة المدى الأولى (1991 - 2000)، إذ تعتبـر هذه الخطة الثلاثية هي الخطة الأخيرة التي

سيتم تنفيذها في إطار الخطة المتوسطة المدى الأولى إلا أن هذا الأمر لم يتم بالشكل الذي خطط له، وبهذا الخصوص نجد أن المجلس التنفيذي في دورته (16) قد وجه المنظمة بأن تتبنى عدداً من المشاريع الحضارية الكبرى، وأن تساهم في بلورة عناصر الفكر الحضاري الإنساني المطروحة على الساحة الدولية وأن تستفيد من الإمكانات الحديثة التي توفرها شبكات المعلومات الدولية، ودعا المجلس الإدارة العامة إلى الأخذ بهذه التوجيهات في إعداد الخطة والموازنة للأعوام 1998 - 2000 وهو الأمر الذي أدى إلى إعادة النظر في الخطة المتوسطة المدى الأولى للمنظمة، ولذلك قام المدير العام بتشكيل لجنة داخلية برئاسة المدير العام المساعد، علاوة على تشكيل لجنة خارجية من كبار مفكري العالم الإسلامي، وذلك لمراجعة الخطة متوسطة المدى الأولى، وإعداد الخطوط العريضة لمشروع الخطة الثلاثية 1998 - 2000[1]. وقد درس المجلس التنفيذي في دورته (17) التي انعقدت بالرباط في الفترة من 1 - 6 ديسمبر عام 1996، مشروع خطة العمل الثلاثية، ومراجعة الخطة المتوسطة المدى السالف ذكرهما، وقد قرر المجلس في هذه الدورة، دعوة المدير العام إلى إعادة صياغة التوجيهات والآراء التي تضمنها تقرير اللجنة الخارجية بشأن مراجعة الخطة متوسطة المدى (1991 - 2000) وذلك بعد إدخال التعديلات التي أقترحها أعضاء المجلس التنفيذي، كما أقر المجلس تشكيل لجنة ثلاثية من ممثلي، السنغال، مصر، ماليزيا، لدراسة مشروع الخطة

(1) انظر: مشروع الخطة والموازنة للأعوام 1998 - 2000 المعروضة على الدورة (6) للمؤتمر العام للايسيسكو إصدارات المنظمة الرياض في الفترة من 6 - 9 ديسمبر 1997، وثيقة رقم م.ت 18 / 97 / 3،1 ص 1 - 3.

الثلاثية (1998 - 2000) ومشروع تعديل الخطة متوسطة المدى، ووضعهما في صياغتهما النهائية وعرضهما على الدورة (18) للمجلس لإقرارهما ورفعهما إلى الدورة السادسة للمؤتمر العام للموافقة عليهما، كما أقر المجلس اعتماد توجيهات أعضائه لإعداد الخطة متوسطة المدى القادمة للمنظمة (2001 - 2009) واستشارة الدول الأعضاء بشأنها[1]. وقد أقر المجلس التنفيذي في دورته (18) في ديسمبر 1997 اعتماد خطة عمل المنظمة كما في مشروع الخطة والموازنة الثلاثية 1998 - 2000 وتوصية المؤتمر العام في دورته (6) بإقرار هذه الخطة، كما أقر المجلس توصية المؤتمر العام بأن تكون المراجعة التي تمت للخطة متوسطة المدى الحالية للمنظمة للأعوام 1991 - 2000 كما يعكسها مشروع الخطة والموازنة للأعوام 1998 - 2000 منطلقاً لإعداد الخطة متوسطة المدى القادمة للمنظمة للأعوام 2001 - 2009[2]. وقد صادق المؤتمر العام على التوصيات المرفوعة إليه من قبل المجلس التنفيذي[3]. وفي الدورة العادية (19) لهذا الأخير، التي انعقدت بالرباط عام 1998، قدم المدير العام إلى هذه الدورة الوثيقة المتعلقة بدراسة الخطوط العريضة لمشروع الخطة متوسطة المدى 2001 - 2009، موضحاً بأن مشروع هذه الخطة لن يكون، بأي حال، بديلاً عن خطط العمل الثلاثية التي تضعها المنظمة، ولا

(1) انظر: التقرير النهائي للمجلس التنفيذي الدورة (17) إصدارات الايسيسكو ديسمبر 1996 ص 20 - 22.

(2) انظر: التقرير الختامي للمجلس التنفيذي الدورة (18)، الرياض 29 نوفمبر إلى 4 ديسمبر 1997 ص 21 - 22.

(3) انظر: التقرير الختامي للمؤتمر العام السادس للايسيسكو، الرياض، في الفترة من 6 - 9 ديسمبر 1997، المرفق رقم (10) ص 3 - 4.

بديلاً عن الاستراتيجيات الثلاث التي أعدتها، لتطوير التربية، وللثقافة ولتطوير العلوم والتكنولوجيا، وإنما هي إطار عام يتضمن مجموعة من التصورات للاتجاهات الكبرى التي ينبغي أن يسير فيها عمل المنظمة خلال العشرية الأولى من القرن الحادي والعشرين، وبعد مداولات المجلس حول هذا الموضوع، قام باتخاذ بعض القرارات ومنها[1]:-

توصية المدير العام بتوجيه الخطوط العريضة للخطة متوسطة المدى مع ملاحظات أعضاء المجلس التنفيذي إلى جهات الاختصاص في الدول الأعضاء لإبداء ملاحظاتها عليها وإعادتها إلى المنظمة خلال أربعة أشهر.

تفويض المدير العام بتشكيل لجنة مكونة من ستة خبراء يمثلون مختلف المناطق الجغرافية، لتقوم بدراسة ملاحظات الدول الأعضاء وإعداد مشروع الخطة متوسطة المدى في صيغتها التي تعرض على المجلس في دورته (20).

تفويض المدير العام بإعداد الخطوط العريضة لمشروع الخطة الثلاثية للأعوام (2001 - 2003) انطلاقاً من مشروع الخطة متوسطة المدى المعدلة لعرضها على المجلس في دورته العشرين.

وقد أقر المجلس التنفيذي في دورته (21) عام 2000م اعتماد مشروع خطة العمل الثلاثية والموازنة للأعوام 2001 - 2003 مع الأخذ بعين الاعتبار ملاحظات المجلس واقتراحاته ومراعاة الأولويات واحتياجات الدول الأعضاء عند التنفيذ، كما أوصى المجلس المؤتمر العام باعتمادها[2].

---

[1] انظر: التقرير الختامي للمجلس التنفيذي الدورة (19) الرباط في الفترة من 19 - 24 نوفمبر عام 1998 ص 15 - 16.

[2] انظر: التقرير الختامي للمجلس التنفيذي الدورة (21) الرباط من 16 - 20 نوفمبر عام

وهو ما حدث فعلاً، إذ صادق المؤتمر العام السابع للمنظمة عام 2000 على مشروع هذه الخطة الثلاثية، كما صادق على مشروع الخطة متوسطة المدى للأعوام 2001 - 2009[1]. كما صادق المجلس التنفيذي على مشروع الخطة والموازنة الثلاثية للأعوام 2004 - 2006 (وهي الخطة الثلاثية الثانية التي تنفذ في إطار الخطة متوسطة المدى الثانية (2001 - 2009) وأوصى المؤتمر العام الثامن للايسيسكو بالمصادقة عليها، وأيضاً بالموافقة على زيادة موازنة مشروع الخطة بنسبة 52،6 % استجابة لقرار مؤتمر القمة الإسلامي في دورته العاشرة (ماليزيا أكتوبر عام 2003)[2].

وقد صادق المؤتمر العام في دورته (8) التي عقدت بطهران في الفترة من 27 إلى 29 ديسمبر من العام نفسه، على مشروع الخطة الثلاثية للأعوام 2004 - 2006 مع الأخذ بعين الاعتبار ملاحظات المجلس التنفيذي والمؤتمر العام، ومراعاة الأولويات واحتياجات الدول الأعضاء عند التنفيذ، وقد أشاد المؤتمر العام بالمنهجية التي اعتمدتها المنظمة والمبنية على رؤية إستراتيجية شاملة تجمع بين التخصصات، وتتميز بالتكامل والتناسق وبالتطوير والتجديد[3].

وعلى العموم فإن الخطة متوسطة المدى 2001 - 2009 قد اشتملت

2000 ص 23 - 24.

[1] انظر: التقرير الختامي للمؤتمر العام السابع للايسيسكو، الرباط من 22 - 24 نوفمبر عام 2000، تقرير لجنة البرامج ص 2،3.

[2] انظر: التقرير الختامي للمجلس التنفيذي الدورة (24) طهران في الفترة من 21 - 25 ديسمبر عام 2003، قرارات الدورة ص5.

[3] انظر: التقرير الختامي للمؤتمر العام للايسيسكو الدورة (8) طهران في الفترة من 27 - 29 ديسمبر عام 2003، قرارات الدورة ص 32 - 33.

على عدد (37) مجالاً، ضم مجال التربية منها عدد (12) ومجال العلوم (9) ومجال الثقافة (3)، ومجال الإعلام والاتصال (13)، علاوة على العديد من البرامج الفرعية، المتفرعة عن هذه المجالات الرئيسية، وهذه المجالات الرئيسية هي الآتي[1]:-

مجالات التربية: وقد ضم (12) مجالاً هي: تعزيز تدريس التربية الإسلامية،محاربة آفة الأمية، توفير التعليم الأساسي للجميع، الاستيعاب الكامل في تعليم عام إلزامي، التربية والعمل في إطار التعليم الإلزامي للجميع، التوسع في التعليم العالي والجامعي والتنوع في برامجه ومؤسساته، الاهتمام بتربية الفئات ذات الاحتياجات الخاصة وتعليمها، توفير عناصر الجودة في العملية التعليمية في جميع المؤسسات النظامية وغير النظامية، تطوير برامج إعداد المعلمين وتدريبهم، تشجيع الجهود الأهلية والمنظمات غير الحكومية، توفير قيادات العمل في الإدارة المدرسية والتعليمية، التطوير المستمر للنظام التربوي.

مجال العلوم: ضم هذا عدد (9) مجالات هي: التعليم العلمي والتقاني والمهني، وتطوير تعليم المرأة في مجال العلم والتقانه، تعزيز البحث العلمي والتنمية، تنمية الموارد الطبيعية وحماية البيئة، بناء القدرات التقانيه، تعزيز الثقافة العلمية، تشجيع البحث في العلوم الاجتماعية والإنسانية، تعزيز التضامن عن طريق التعاون العلمي، التقدم العلمي في ضؤ الشريعة الإسلامية.

---

(1) انظر: مشروع الخطة المتوسطة المدى للأعوام 2001 - 2009، المعروضة على دورة المجلس التنفيذي للايسيسكو (20) في الفترة من 22 - 27 نوفمبر عام 1999 ص 1 - 58.

مجال الثقافة: ضم ثلاثة مجالات هي: تنمية الثقافة المستدامة، ثقافة التنمية المستدامة، السياسات الثقافية.

مجال الإعلام والاتصال: ضم (13) مجالاً هي: ثقافة المعلومات من أجل التنمية، النهوض بثقافة المعلومات والاتصال، تطوير البحث في مجال المعلومات والاتصال في العالم الإسلامي، والإعلام والاتصال الجماهيريان، والنهوض بالمنتوجات الإعلامية والاتصالية الجماهيرية في الدول الأعضاء، والمعلومات والتوثيق: التمكن من اكتساب المعرفة لأغراض التنمية، وتعزيز تطوير خوادم المعلومات العلمية والتقنية والواقعية، وتطوير شبكة نقل البيانات وتعميم ولوجها، وتطوير المكتبات ومراكز التوثيق، والارتقاء بالموارد البشرية العاملة في نظم المعلومات العلمية والتقنية، والمشاركة في الحوار العالمي بشأن إشكاليات مجتمع المعلومات، والنهوض بالأنظمة الوطنية للمعاملات المالية، والنهوض بالاتصال المؤسسي للايسيسكو وبمواردها من المعلومات والتوثيق والاتصال.

أما الخطتين الثلاثيتين الأولى (2001 - 2003) والثانية (2004 - 2006) فقد اشتملت الأولى على (30) حقل عمل مقابل (29) حقل عمل في الثانية، وقد تفرع عن حقول عمل هاتين الخطتين عدد (83) محور عمل في كل منها، علاوة على عدد (240) من المشروعات والبرامج الفرعية في الأولى مقابل (238) في الخطة الثانية (وبطبيعة الحال فإن هذه الحقول والمحاور والبرامج الفرعية والمشروعات قد تم إعدادها وفقاً للخطوط العريضة المتضمنة في الخطة المتوسطة المدى الثانية (2001 - 2009) وقد اشتملت حقول العمل الرئيسية في كل من الخطتين الثلاثيتين على

مسميات الحقول الآتية[1]:-

البرامج التربوية

ضمت كل من الخطتين عدد (5) مجـالات، تطرقـت، لمحـو الأميـة، والتعلـيم في خدمة التنمية المستدامة في كل منها، وكذا التعليم النافع، والتربيـة ومواكبـة العصر، وخصوصية التعليم في الدول الإسلامية في الخطة الأولى، يقابل ذلك في الخطة الثانيـة، التعليم للجميع، والتعليم العالي، والتربية وخدمة المجتمع.

برامج العلوم

احتوت الخطتين على عدد (10) حقول عمل ضمت الأولى منها عدد (4) مقابل (6) في الخطة الثانية، وقد تطرقت هذه الحقول في الخطة الأولى، للبحـث مـن أجـل التنميـة العلميـة والتقانيـه، وتعزيـز تـدريس العلـوم والتقانـه، والمـوارد الطبيعيـة والتنمية، بينما تطرقت حقول الثانية، لبناء قدرات البحث العلمي، وتعزيـز القـدرات التقانيه، واحتياجات التعليم العلمـي والتقـاني في القـرن الواحـد والعشرـين، والبيئـة والتنمية المستدامة للمـوارد الطبيعيـة، ومركـز الايسيسـكو لتعزيـز البحـث العلمـي، عـلاوة عـلى ذلـك فـإن الخطتـين تشـتركان في مجـال واحـد هـو، العلـوم الاجتماعيـة والإنسانية.

---

(1) انظر بهذا الخصوص

- الخطة والموازنة الثلاثية 2001 - 2003، إصدارات الايسيسكو، مرجع سابق ص 1 - 310.
- الخطة والموازنة الثلاثية 2004 - 2006، إصدارات الايسيسكو، مرجع سابق ص 1 - 343.

برامج الثقافة والاتصال

احتوت كل من الخطتين على عدد (4) مجالات، تطرقت في الأولى، للذاتية الثقافية الإسلامية، والتقانه في خدمة التنمية الشاملة، والثقافة الإسلامية الفاعلة والمتفاعلة، والقدرات الاتصالية للبلدان الإسلامية، بينما تطرقت في الثانية لكل من، البعد الثقافي للتنمية المستدامة، والإعلام والاتصال في العالم الإسلامي، والثقافة في العالم الإسلامي بين الوحدة والتنوع، والإسهام المتجدد للثقافة الإسلامية في الحضارة الإنسانية.

برامج العلاقات الخارجية والتعاون

اشتملت أنشطة هذه الإدارة على (4) مجالات في أي من هاتين الخطتين، حيث تطرقت هذه المجالات في كلا الخطتين على، التعاون العربي الإسلامي والدولي، وتطوير المؤسسات التربوية والعلمية والثقافية والاجتماعية في كل من القدس الشريف، وسرايفو، وتفعيل التعاون مع اللجان الوطنية للدول الأعضاء.

برامج مركز المعلومات والتوثيق

احتوت أنشطة هذا المركز على (3) مجالات عمل في هاتين الخطتين،

اشتملت الخطة الأولى منها على مجالين هما: المعلومات والاتصال من أجل التنمية في العالم الإسلامي، وقدرات هذا الأخير في مجال الأخذ بناصية المعرفة، بينما اشتملت الخطة الثانية على مجال وحيد هو، تطوير التقانات الحديثة للمعلومات والاتصال والتوثيق في الدول الأعضاء.

برامج التخطيط والمتابعة والتقييم

تضمنت أنشطة هذه الإدارة على عدد (4) مجالات في هاتين الخطتين، حيث تطرقت الخطة الأولى لثلاثة مجالات تتعلق، بالدراسات التمهيدية لإعداد خطط المنظمة ومشاريعها، وتطوير آليات المتابعة والتقييم الداخلي والخارجي، وبعثات التقييم الخارجي، بينما تطرقت الثانية، لآليات التخطيط والدراسات والتقييم.

برامج الصحافة

اشتملت أنشطة المنظمة في هذا النوع من البرامج على مجالين في كل خطة، تطرقت في أي منها، لإصدارات المنظمة، والتغطية الإعلامية لأنشطتها.

برامج الترجمة

احتوت الخطة الثلاثية الثانية على حقلين من حقول العمل، تتعلق، بتعزيز مصلحة الترجمة بالموارد البشرية وأدوات العمل، والمشاركة في أهم الملتقيات الخاصة بالترجمة التحريرية والفورية، بينما احتوت الخطة الأولى على برنامجين حمل الأول منها نفس مسمى حقل العمل الأول في الخطة الثانية، أما البرنامج الآخر فقد خصص، لتجهيز مقر المنظمة بوسائل الترجمة الفورية.

برنامج المنح الدراسية

يعد هذا البرنامج من البرامج المستمرة، حيث تسعى المنظمة من خلاله العمل على تشجيع الطلبة المتفوقين على استكمال دراستهم في مختلف المجالات التربوية والعلمية، وبحسب الإمكانيات والوسائل المتاحة للمنظمة.

البرامج العامة المشتركة بين التخصصات والمديريات

تطرقت الخطة الثلاثية الأولى لأربعة حقول عمل تناولت، التنمية

وقضايا البيئة والصحة والسكان، والثقافة الإسلامية وقضايا الإنسان والمجتمع، والإعلام والاتصال في العالم الإسلامي، والعناية بالفئات الخاصة. وقد تفرع عن هذه الحقول عدد (18) محور من محاور العمل، و (37) من البرامج والمشروعات الفرعية. بينما تطرقت الخطة الثانية، لثلاثة برامج رئيسية (هي بمثابة حقول عمل وتم التعامل معها على هذا الأساس ضمن الإحصاء العام لحقول العمل في كلا الخطتين الأولى والثانية)، وهذه البرامج الرئيسية هي: تصحيح صورة الإسلام والمسلمين وانعكاسات المتغيرات الدولية عليها، وتعزيز ثقافة العدل والسلام، وتقنيات الاتصال في خدمة التنمية الشاملة للدول الأعضاء، وقد تفرع عن هذه البرامج الرئيسية عدد (13 حقل من حقول العمل، وهو ما يعد خروجاً عن التقسيم المتبع في الخطة للبرامج الأخرى ولذلك تم إهمال هذه الحقول، وذلك على اعتبار أنها لاتعدوا إلا أن تكون ضمن المحاور المعتمدة مثلها مثل سائر المحاور المتفرعة عن حقول العمل الأخرى، وخلاصة القول هو أننا قد تعاملنا مع الثلاثة البرامج الرئيسية وكأنها حقول عمل، وهو ما كان في رأي ينبغي إتباعه.

المطلب الثاني

تقويم برامج وخطط المنظمات (اليونسكو، الالكسو، الايسيسكو)

تتوافر المنظمات اليونسكو، الالكسو، كما أسلفنا على وحدات إدارية تعني بعملية التقويم، فهناك مرفق الإشراف الداخلي باليونسكو الايسيسكو، ووحده التقويم والاستشراف في الالكسو، ومديرية التخطيط والمتابعة والتقييم في الايسيسكو، وقد سبق التطرق لمهام هذه الوحدات، في القسم

الأول من هذا البحث[1]. إلا أنه مع ذلك لا ينبغي أن يفهم أن عملية تقييم أنشطة وبرامج وخطط هذه المنظمات المتخصصة ينحصر فقط على هذه الوحدات الإدارية، ومرد ذلك أن عملية التقويم بمعناها الشمولي إنما يقوم بها سائر الوحدات المشمولة ضمن الهياكل التنظيمية لهذه المنظمات سواء أكان ذلك ضمن وحدات الإدارات العامة الكائنة في مقار المنظمات أو في الأجهزة والمعاهد والمراكز الخارجية التابعة لها، وتتحدد درجة المسؤولية الملقاة على كل وحده تنظيمية بحسب المهام المناطه بها تنظيمياً أو تكليفاً (من قبل المدير العام المعني، أو الرئيس المباشر لها)، وبتظافر أعمال جميع وحدات التنظيم المكونة للهياكل التنظيمية لأي من هذه المنظمات المتخصصة، وفي ظل المواثيق والنظم الداخلية والمرجعيات المقرة، فإنه يبرز إلى حيز الوجود خطط عمل المنظمات القصيرة أو المتوسطة أو البعيدة المدى، وإعداد الاستراتيجيات، وإقامة المؤتمرات الوزارية المتخصصة، والندوات والورش، وإصدار الكتب المتخصصة، والمجلات والنشرات الدورية، وخلاف ذلك من وثائق ومرجعيات العمل الأخرى، وكل هذه الأعمال إنما تتم في إطار الانعقاد الدوري للهيئات الرئاسية لهذه المنظمات المتمثلة في كل من المؤتمر العام والمجلس التنفيذي، بمشاركة وفود الدول الأعضاء ومندوبيها ولجانها الوطنية، ودور المنظمات السياسية (الأم لهذه المنظمات) ووكالاتها المتخصصة، وسائر العلاقات الحاكمة لمختلف المنظمات الدولية الحكومية وغير الحكومية المرتبطة بعلاقات تعاون مع هذه المنظمات المتخصصة، وما ينتج عن مختلف هذه الأنشطة

---

(1) انظر المطلب الثاني من المبحث الأول، الفصل الثاني من الباب الثاني، ضمن القسم الأول من هذا البحث.

والأعمال من تقارير عديدة يقدمها مدراء العموم، إلى الهيئات الرئاسية، عن مختلف أنشطة هذه المنظمات، علاوة على التقارير المعدة من قبل مراجعي الحسابات، ولجان المراقبة الداخلية، إلى غير ذلك من التقارير الأخرى، وخلاصة الأمر أن هذه الخطط والتقارير في مجملها تمثل منظومة متكاملة تتضافر بشكل أو بآخر لتقديم صورة متكاملة وواضحة عن أنشطة وأعمال هذه المنظمات وذلك خلال كل فترة زمنية محددة، وكما سيتضح ذلك تباعاً.

وعلى أيه حال فإن عمليات التخطيط والتنفيذ والتقييم هي في واقع الأمر جزءاً لا يتجزأ من حياتنا اليومية (كما عبر عن ذلك مدير عام اليونسكو)، فكل عنصر من هذه العناصر يغني الأخر ويغتني به، وهذا يعني أن خبرة الماضي تساعد دوماً في رسم المستقبل، وما يجب علينا أن نفعله هو أن نظهر هذا الواقع بمزيد من الوضوح في تقاريرنا، ثم إن البرمجة المبنية على تحقيق النتائج لا بد وأن تفضي في الوقت المناسب إلى إعداد التقارير استناداً إلى النتائج فهذا هو الهدف الذي نصبوا إليه[1]. وعلى أيه حال فإن التقويم يعد من العناصر الأساسية لعملية التخطيط، بل إنه أحد العناصر الحاسمة للتعرف على كفاءة التنفيذ[2]. ويعرف التقييم بأنه عمليه تأمل تنظيمي تعد بمنهجية وموضوعية مدى تحقق النتائج على ضؤ ملائمة المشروعات/ البرامج الجارية والمنجزة وكفاءتها وتأثيرها واستدامتها، وهو يعنى بقياس تقدير النتائج والآثار أكثر مما يعنى بتوفير المخرجات، وهو يقوم على حصر ما تم تحقيقه إيجابياً كان أم سلباً. ولكنه يقوم أيضاً على

---

(1) انظر: مقدمة المدير العام لليونسكو في تقرير المدير العام عن نشاطات المنظمة في عامي 2000 - 2001 إصدارات المنظمة باريس لعام 2002 ص هـ.

(2) انظر: الخطة متوسطة المدى الثالثة للالكسو 1997 - 2002 مرجع سابق ص89.

حصر آليات التنفيذ وقيوده ونقاط ضعفه، وعلى كشف المجالات التي لم يحرز فيها تقدم[1]. وإذا كان التقييم في اليونسكو مسؤولية مشتركة بين مكتب الإشراف الداخلي وقطاعات البرنامج ومعاهد اليونسكو والمراكز والمكاتب الميدانية، بالإضافة إلى مكتب التخطيط الاستراتيجي، والمرافق المركزية كطرفين رئيسيين، إلا أنه مع ذلك ينبغي أن يتولى مكتب الإشراف الداخلي المسؤولية الأولى عن عملية التقييم، وأن يحسن مستوى التقييمات ويضمن جودتها، وتقع على هذا المكتب مسؤولية العمل على أن تنتشر في المنظمة برمتها رؤية موحدة للتقييم، علماً بأن نجاح التقييم يتوقف قبل كل شيء على إجماع جميع الإطراف المعنية على أهميته وفائدته[2].

وعلى العموم فإن المتتبع للطرق والإجراءات المتبعة لتقويم المجالات الرئيسية لأنشطة هذه المنظمات المتخصصة منذ عقدي الثمانينات والتسعينات من القرن الماضي سيلاحظ أن أياً من المنظمات اليونسكو، الالكسو، الايسيسكو ليس لها أي خطة إستراتيجية معتمده للتقييم، وقد استمرت كل من المنظمات الالكسو والايسيسكو على هذا الحال حتى مطلع القرن الحالي وتحديداً إلى نهاية عام 2006، بينما أعدت اليونسكو إستراتيجية للتقييم تشمل فترة الإستراتيجية المتوسطة الأجل للأعوام (2002 - 2007)، وتهدف هذه الإستراتيجية إلى تكوين ثقافة متينة للتقييم والى تحسين نوعية عمليات التقييم في المنظمة، وهي تطلق ولأول مرة دورة تقييم مدتها 6 سنوات لمواكبة الإستراتيجية المتوسطة الأجل، كذلك فإنها

(1) انظر: إستراتيجية التقييم في اليونسكو، وثيقة المجلس التنفيذي رقم 165 EX / 19 باريس بتاريخ 5 / 9 / 2002 ص 3 (الأصل إنجليزي).

(2) انظر: إستراتيجية التقييم، نفس المرجع السابق ص 10،5.

تقدم معايير واضحة لتحديد أولويات التقييم[1]. وبالرغم من عدم توافر المنظمات الالكسو والايسيسكو على أي خطة إستراتيجية معتمده للتقييم، إلا أن هاتين المنظمتين مع ذلك تمتلكان إطارا نظرياً ومعرفياً مقراً من هيئاتها الرئاسية، وهذا الإطار النظري وإن كان يتسم بالثبات إلى حد كبير في الايسيسكو منذ العقد الأخير من القرن الماضي وحتى الآن، نظراً لثبات قياده المنظمة ممثله بمديرها العام الدكتور/ عبد العزيز التويجري، طيلة هذه الفترة، إلا أن واقع الحال في الالكسو يظهر عكس ذلك، حيث أن هذه الأخيرة تمتلك إطاراً معرفياً وتنظيرياً ممتازاً وذلك منذ العقدين الأخيرين من القرن الماضي وحتى الآن، إلا أن هذا الإطار المعرفي مع ذلك لم يثبت على حال واحده (مثلما هو عليه الحال في الايسيسكو) فبينما نجده في بعض الفترات يقوى، نجده في فترات لاحقة يضعف، ثم يقوى تارة أخرى، وهكذا بل أننا لا نبالغ إذا قلنا بأن الالكسو ربما كانت السباقة إلى فكرة تقييم الخطط الطويلة والمتوسطة المدى، خلال العقدين الأخيرين المشار إليهما آنفاً، إلا أنها في تقديري مع ذلك لم تتمكن من ترجمة تلك الأفكار التنظيرية المتعلقة بالتقييم إلى واقع عملي، مثلما هو عليه الحال في إستراتيجية اليونسكو الحالية للتقييم (2002 - 2007).

الجدير بالذكر هو أن البدايات الأولى لعرض نتائج تقييم أعمال هذه المنظمات المتخصصة على مؤتمراتها العامة إنما يعود في اليونسكو إلى الدورة (21) للمؤتمر العام الذي إنعقد في بلغراد عام 1980 فقد وضع المدير العام تحت تصرف هذا المؤتمر (وثيقة عن تقييم البرنامج) علماً بأن

---

[1] انظر: نفس المرجع السابق ص1.

هذه هي المرة الأولى التي يدرج فيها التقييم في جدول أعمال المؤتمر العام كبند منفصل، وهو الأمر الذي يبرر أهمية المهام المطلوب إنجازها في هـذا الشـأن[1]. أما في الالكسو فإننا نجد أن مؤتمرها العام في دورته العادية الخامسـة، التـي انعقـدت عـام 1979، قد أصدر توصيته إلى المنظمة بأن تقوم بتقويم برامجها ومشروعاتها وتقـديم هذا التقويم إلى كل دورة جديـدة مـن دورات المـؤتمر العـام حتـى يمكـن عـلى ضـؤ التقويم إقرار المشروعات الجديدة والموافقة عـلى اسـتمرا المشـايع المسـتمرة[2]. بيـنما بدأت الايسيسكو بإعداد التقارير التقييميه عن أعمالها اعتباراً من عام 1994، تنفيذاً لقرار المجلس التنفيذي في دورته (12) عام 1991 حيـث تضـمن القـرار شـكر المـدير العام على جهوده في سبيل تقييم عمل المنظمة، ودعوته إلى رفع الوثيقة رقـم (م. ت 12 / 91 / 5. 2) إلى المؤتمر العام للبت فيها على ضؤ مقترحات المـدير العـام، ودعـى المجلس المدير العام إلى جعل هذا التقييم الداخلي والخارجي على حد سواء، مستمراً وتقديمه بشكل دوري إلى دورات المجلس التنفيذي التي تسبق مباشرة دورات المؤتمر العام العادية لتقييم الخطة المنتهية، وتخفيف التكليـف المترتبـة عـلى ذلـك إلى أكـبر قدر ممكن. وعلى ضؤ هذا القرار قـدم المـدير العـام أول تقريـر تقييمـي عـن عمـل المنظمة، حول تنفيذ الخطة (1991 - 1994) إلى دورة المجلس التنفيذي

(1) انظر: أحمد مختار إمبو، بناء المستقبل، اليونسكو وتضامن الأمم، إصدارات اليونسكو باريس لعام 1981 مرجع سـابق ص24.

(2) انظر: وثائق المؤتمر العام للالكسو الدورة العادية (11) إصدارات المنظمة تونس لعام 1991 المرفق رقم (10) وثيقة رقم: م ع / د ع 11 (1991) و 10 - 1.

(15) عام 1994، كما قدم المدير العام تقاريره التقييمية التالية عـن تنفيذ الخطة الثلاثية (1995 - 1997) إلى دورة المجلس (18) التي انعقدت قبيل الـدورة (6) للمؤتمر العام سنة 1997، وقدم التقرير الثالث المتعلق بتنفيذ الخطة (1998 - 2000) إلى دورة المجلس (21) التي عقدت قبيل الدورة (7) للمـؤتمر العـام سنة 2000، كما قدم التقرير التقييمي الرابع حول تنفيذ الخطة (2001 - 2003) إلى دورة المجلس (24)، وتم رفع نسخة من هذا التقييم إلى الـدورة (8) للمـؤتمر العام التي انعقدت مباشرة بعد دورة المجلس في ديسمبر عام 2003م، مع الأخـذ بعيـن الاعتبار ملاحظات المجلس التنفيذي بخصوص تضمين التقرير المزيد مـن المعطيـات المتعلقة بالتقييم الخارجي للبرامج والأنشطة المنفذة، والإشـارة إلى البـرامج والنشـطة التـي لم تتمكن المنظمة من تنفيذها في إطار خطة العمل مـع ذكر الأسـباب التـي أدت إلى ذلك[1]. ولعل ما يحمد له في الالكسو هو أنها عندما قامت بوضع أو ل خطة بعيده المدى لنشاطها من عام 1994 - 2001، ثم ما تزامن مـع ذلك مـن وضع خطة أولى متوسطة المدى للأعوام (1984 - 1989)، على أن تتبعهـا خطتين أخريين متوسطتي المدى، بحيث تنتهي الخطة المتوسطة الثالثة بنهاية الخطة بعيده المدى. كانت تدرك منذ البداية أهمية تضمين تلك

---

[1] انظر بهذا الخصوص

- تقرير المدير العام حول تقييم عمل المنظمة للسنوات 2001 - 2003 المقدم لدورة (8) للمؤتمر العام للايسيسكو طهران 27 - 29 ديسمبر 2003، وثيقة رقم: م ع 8 / 2003 / 8. 2.

- تقرير المدير العام حول تقييم عمل المنظمة للسنوات 2001 - 2003 المقدم لدورة المجلس التنفيذي (24) طهران مـن 21 - 25 ديسمبر، 2003 وثيقة رقم: م ت 24 / 2003 / 7. 2 وكذا قرار المجلس قم: م ت 12 / 91 / ق 5. 2.

الخطط التصورات العامة الخاصة بموضوع تقييم تلك الخطط، وأنه امتداداً للخطة المتوسطة المدى الأولى، تبدأ الخطة المتوسطة المدى الثانية، بتقويم ما أنجز خلال الخطة الأولى، لتستكمل برامجها حيثما نشأت الحاجة إلى ذلك، وتواصل هذه الخطة تقويم الواقع وتحديد حاجاته المتجددة في مجالات عمل المنظمة، ومتابعة للخطة المتوسطة الثانية، تبدأ الخطة المتوسطة المدى الثالثة، بتقويم ما أنجز خلال تلك الخطة وتستكمل برامجها وتتابع تقويم الواقع العربي المتجدد في مجالات عمل المنظمة، وقد روعي في اختيار محاور ومجالات العمل في هذه الخطط المرحلية، التعرف على مسار التنفيذ، وإتاحة الفرصة لتعديل هذا المسار في الوقت المناسب بالأخص عندما يتعلق الأمر بعقبات تحول دون إمكانية التنفيذ أو كلما ظهرت حاجات جديدة، مع التأكيد على أهمية التقويم المستمر لنتائج أداء البرامج[1]. فقد كانت هذه الأفكار السالف ذكرها فيما يتعلق بالتقويم لهذه الخطط المتوسطة، إنما يندرج بطبيعة الحال في تقديري ضمن الإطار التنظيري، لما ينبغي عمله، أما من حيث التنفيذ فتشير وثائق المنظمة (حول تقويم الخطتين السابقتين المتوسطتي المدى) بأنها قد قامت بتقويم ما تم تحقيقه من هذه التوجيهات وذلك في دراستها المعنونة (التصور المستقبلي لمهام المنظمة في ضوء تجربتها خلال الفترة من 1984 - 1994)، مضيفة بأنه يمكن الرجوع للمقدمة التحليلية لتنفيذ برامج ومشروعات المنظمة

---

(1) انظر بهذا الخصوص: الخطة متوسطة المدى الأولى في تنفيذ التصور الشامل لنشاط المنظمة على المدى البعيد إصدارات الالكسو 1985 مرجع سابق ص 27 - 28.

- الخطة متوسطة المدى الثالثة 1997 - 2002، إصدارات الالكسو 1995 مرجع سابق ص 22 - 23.

للـدورات المالية القصيرة (1984 - 1985) وحتى الـدورة (1990 - 1991) والسنة الانتقالية 1992 التي تناولت ما تم تنفيذه من برامج الخطتين الأولى والثانية بالتحليل والتقويم[1]. وقد سبق أن بينـا أن الخطة متوسطة المدى الثانية (1990 - 1995) لم يتم إعدادها أصلاً، حيث أستمر تنفيذ الخطة الأولى لأكثر من ضعفي المدة المقررة لها (13 سنة) ليصل تنفيذها إلى عام 1997، وكما رأينا فإنه قد تخلل هذه الفترة، وتحديداً في عام 1994 استحداث خطة لتطوير وتحديث العمل بالمنظمة، وقد أعدت الخطة المتوسطة المدى الثالثة للأعـوام (1997 - 2002)، لتستوعب مـن خـلال البرامج الفرعيـة التـي تـم تحديـد أوجهها في خطـة التطـوير والتحـديث، مشروعات محدده (خلال الدورات الثلاث القصيرة التي تشتمل عليها) تؤدي إلى تحقيق أهداف المحاور الأربعة وتوجهاتها والتي بـدورها تستكمل أهداف الخطة طويلة المدى السالف ذكرها[2].

مما سبق يتضح أن عمليه تقيـيم الخطة المتوسطة الأولى والـثلاث السنوات الأولى من الخطة المتوسطة الثانية، فإنها في تقديري كانت دون مستوى الطموحات المأمولة منها، وربما يعود السبب في ذلك إلى أن الفترة مـن عـام 1988 وحتى نهاية عام 1992م قد شهدت فترة انتهاء ولاية الـدكتور محي الـدين صابر، المـدير العـام للمنظمة، وتقلد المدير الجديد الدكتور مسارع الراوي مهام منصبة منذ عـام 1989 لتنتهي فترة ولايته

---

[1] انظر: الخطة المتوسطة المدى الثالثة للالكسو، مرجع سابق ص 22 - 23.

[2] انظر: بهذا الخصوص

- المنظمة العربية للتربية والثقافة والعلوم 1970 - 1995 مرجع سابق ص 45.

- المنظمة العربية لتربية والثقافة والعلوم 1970 - 2000 مرجع سابق ص 44.

الأولى عام 1992م ويحل محله مدير عام جديد هو الأستاذ محمد الميلي، كل هذه الأمور في تقديري قد أوجدت ارتباكاً في العمل في المنظمة برمته، بما في ذلك عمليه التقويم ذاتها، علاوة على عدم تمكن المنظمة ربما من الإفصاح بشفافية عن حقيقة ما يعتمل فيها على أرضي الواقع، إذ ربما تلجأ المنظمة أو تفضل مناقشة بعض الأمور الهامة أو التي تعتبرها على جانب كبير من الأهمية أمام هيئاتها الرئاسية وذلك في جلسات مغلقة، وما أكثرها بالأخص أثناء انعقاد بعض دورات المجلس التنفيذي، أما في اليونسكو فإنها على العكس تماماً حيث تنشر بكل شفافية جميع نقاط الضعف أو القوة التي صاحبت تنفيذ أنشطتها، إذ تشير وثائق المنظمة بأنه عندما أنشئ مكتب الإشراف الداخلي عام 2001، كان من الواضح أن ثقافة التقييم في اليونسكو ضعيفة نسبياً وأن نوعية الكثير من التقييمات الجارية آنذاك كانت منخفضة، فمن الناحية العملية، كان هناك اعتماداً كبيراً على التقييمات التي تتولى أمرها القطاعات، حيث كان مديرو البرامج هم الذين يتخذون القرارات بشأن ما ينبغي تقييمه، ويختارون المقيمين ويديرون عملية التقييم برمتها، وذلك في كثير من الأحيان دون الرجوع إلى وحدات التقييم المركزية (التي كانت توفر الدعم لوظيفة التقييم قبل إنشاء مكتب الإشراف الداخلي)، ولم يكن هذا الوضع يهيئ الظروف المثلى لإجراء تقييمات موضوعية ومستقلة وموثوقة، ولم تكن هناك أي خطة إستراتيجية أو دورة ثابتة للتقييم[1].

وعلى العموم فإن إستراتيجية اليونسكو للتقييم الحالية 2002 - 2007 تصنف التقييمات بثلاثة أصناف هي[2]:-

(1) انظر: إستراتيجية التقييم في اليونسكو، مرجع سابق ص1.

(2) انظر: إستراتجية التقييم في اليونسكو، مرجع سابق ص 5 - 6.

- التقييم بحسب الجهة المنفذة: ويشمل: أ- التقييم الداخلي أو الذاتي ب- التقييم الخارجي أو المستقل.
- التقييم بحسب التوقيت: ويشمل: أ- التقييم منتصف المدة ب- التقييم الختامي جـ - التقييم اللاحق.
- التقييم بحسب النطاق: ويشمل: أ- تقييم المشروع ب- التقييم القطاعي جـ - التقييم الموضوعي د- تقييم البرامج هـ - تقييم السياسات و- التقييم الاستراتيجي ز- تقييم العمليات

وبالمقابل من ذلك نجد أن الخطة المتوسطة المدى الثالثة للالكسو 1997 - 2002 قد تطرقت إلى الأنواع المختلفة للتقويم كما يلي[1]:-

التقويم الداخلي والخارجي 2- التقويم الكمي والنوعي 3- التقويم المرحلي والنهائي

وتضيف هذه الخطة بأنه لا يوجد أسلوب واحد أفضل للتقويم، وإنما المهم أن يعتمد التقويم على مجموعة متكاملة تضم الثلاثة الأنواع الأنفة الذكر. في حين نجد أن خطة العمل المستقبلي للالكسو 2005 - 2010 قد تطرقت لأنواع التقويم كما يلي[2].

1- التقويم التمهيدي 2- التقويم البنائي 3- التقويم النهائي 4- التقويم الداخلي 5- التقويم الخارجي. بينما نجد أن تقييم عمل الايسيسكو لخططها منذ الخطة الثلاثية 1991 - 1994 وحتى الخطة 2004 - 2006، قد اعتمدت على التقييم الداخلي والخارجي على حد سواء وجعله مستمراً، تنفيذاً لقرار المجلس التنفيذي، ومصادقة المؤتمر العام عليه ويتعرض

(1) انظر: الخطة متوسطة المدى الثالثة للالكسو 1997 - 2002 مرجع سابق ص 89 - 90.

(2) انظر: خطة العمل المستقبلي للالكسو 2005 - 2010 مرجع سابق ص 109 - 111.

التقرير التقيمي، بطبيعة الحال، لتقييم النتائج (الكمي والكيفي) وأهم النتائج المحققة في مجالات العمل[1].

بناءاً على ما سبق فإنه يمكن إيراد تعريفات موجزة لأنواع التقييمات المتبعة في هذه المنظمات المتخصصة وكما يلي[2]:-

أولاً: التقييم الداخلي أو الذاتي

وهو تقييم يضطلع به مباشرة الموظفون الذين يشاركون في إعداد البرامج والمشروعات وفي تنفيذها وإدارتها في اليونسكو، كما أن هذا النوع من التقويم في الالكسو، يتم من قبل المشاركين في كل نشاط وما تقوم به الإدارة من تقويم لبرامجها ومشروعاتها من أجل قياس مدى كفاءة هذه

---

(1) انظر بهذا الخصوص

- تقييم عمل الايسيسكو للخطة الثلاثية 1991 - 1994 المقدم لدورة المجلس التنفيذي (15) عام 1994م الوثيقة م. ت 15 / 94 / 4. 3 وكذا قرار المجلس: م ت 12 / 91 / ق 5. 2.
- تقرير المدير العام حول تقييم عمل المنظمة للسنوات 2001 - 2003 المقدم للدورة (8) للمؤتمر العام للايسيسكو مرجع سابق ص83.
- تقرير المدير العام للايسيسكو حول تقييم عمل المنظمة للسنوات 2004 - 2006 المقدم لدورة المجلس التنفيذي (27) ديسمبر 2006 ص 60، 76.

(2) انظر بهذا الخصوص

- إستراتيجية التقييم في اليونسكو، مرجع سابق ص 5 - 6.
- تقرير المدير العام للايسيسكو حول تقييم خطة العمل للسنوات 2001 - 2003 المعروضة على المؤتمر العام (8) مرجع سابق ص2.
- تقرير المدير العام للايسيسكو حول تقييم عمل المنظمة للسنوات 2004 - 2006 المقدم لدورة (9) لمؤتمر العام مرجع سابق ص60.
- الخطة المتوسطة المدى الثالثة للالكسو 1997 - 2002 مرجع سابق ص 89 - 91.
- خطة العمل المستقبلي للالكسو 2005 - 2010 مرجع سابق ص 109 - 111.

المشروعات في تحقيق أهدافها.

ثانياً: التقييم الخارجي أو المستقل

يقوم بهذا النوع في اليونسكو أشخاص لا يشاركون مباشرة في إعداد البرامج وفي تنفيذها وإدارتها بينما تتولى هذا النوع في الالكسو الأجهزة الرقابية للمنظمة، ويستمد من آراء المستفيدين ومن خلال نتائج أعمال لجان التقويم التي يشكلها المدير العام أو المجلس التنفيذي أو المؤتمر العام لتقويم أنشطة محددة أو جهاز من أجهزة المنظمة، وذلك بحسب الخطة المتوسطة المدى 1997 - 2002 بينما تطرقت خطة العمل المستقبلي 2005 - 2010 لهذا النوع من التقويم، قصد تعرف فاعليه هذه البرامج وكفاءتها الخارجية، ومدى وفائها باحتياجات الدول الأعضاء، والأثر النهائي للبرامج والمشروعات في إحداث تغيير حقيقي في مجالات نشاطها في الدول الأعضاء.

ثالثاً: التقييم الكمي والكيفي

يقوم التقييم الكمي على أساس قياس عدد المشروعات أو البرامج المنفذة ونسبة التنفيذ، على مستوى كل سنة، أو على مستوى الخطة ككل، بينما يتعرض التقييم الكيفي لكفاءة التنفيذ والمردوديه المباشرة وغير المباشرة للأنشطة والبرامج، كما يشمل أساليب التنفيذ والنتائج النهائية وعلاقتها بالأهداف في كل من الالكسو والايسيسكو، كما يشمل التقييم الكيفي في هذه الأخيرة إبراز الرأي في أهم القضايا التي تهم العالم الإسلامي والمجتمع الدولي، كما أن غرض التقييم الكيفي والكمي للأنشطة المنفذة في الايسيسكو، سواء في إطار التقييم الداخلي أو الخارجي، إنما يتم ذلك بالاستناد إلى آراء المشاركين واللجان الوطنية والتقارير الواردة على

المنظمة من الخبراء المشرفين والمؤطرين ومراكز التعليم والتدريب.

رابعاً: التقييم بحسب التوقيت

وبهذا الخصوص نجد أن هناك التقييم التمهيدي (السابق على التنفيذ) في الالكسو، وهذا النوع يتعلق بتقويم العوامل المختلفة في مواقع العمل التي يمكن أن تؤثر في تنفيذ الخطة ومدى وفائها بغايات وأهداف العمل، كما أن هذه الأخيرة تعمل التقويم البنائي (لمراحل تنفيذ الخطة) لمتابعة التقدم المحرز في مختلف مراحل خطة العمل ومستوياتها بحيث يتوفر لكل مرحلة لاحقة واقع مخرجات العمل في المرحلة التي تسبقها. وهناك التقييم في منتصف المدة في اليونسكو، حيث يجري في منتصف مده البرنامج أو المشروع المعني، كما أن هذه الأخيرة تعمل التقييم الختامي، عند نهاية تنفيذ البرنامج أو المشروع المعني، مثلها في ذلك مثل الالكسو، حيث تعمل هذه الأخيرة التقويم النهائي، بعد تنفيذ مراحل الخطة، للوقوف على مدى تحقيق الخطة لأهدافها ولإستراتيجية العمل في المنظمة، كما تراعي الخطة نوعية التقويم من حيث الجهات المشاركة في التقويم ليشمل، التقويم الداخلي والخارجي، وهناك التقييم اللاحق في اليونسكو، وهو يجري بعد انتهاء البرنامج أو المشروع بسنتين أو أكثر عندما تكون قد اتضحت نتيجته وبان تأثيره.

خامساً: التقييم بحسب النطاق

وهذا النوع من التقييمات في اليونسكو، يشتمل على العديد من التقييمات، منها ما يتعلق بتقييم المشروع: وهو تقييم يجري لمشروع واحد، والتقييم القطاعي: وهو يجري للبرامج في قطاع أو قطاع فرعي، والتقييم الموضوعي: وهو تقييم يعالج موضوعاً محدداً يمكن أن يكون مستعرضاً

عبر عده قطاعات أو مناطق جغرافية، وتقييم البرامج: وهو تقييم يجري للبرامج، أي لمجموعة من الأنشطة تخضع للإدارة ذاتها، وهناك تقييم السياسات: وهو تقييم جامع لعده مشروعات أو برامج تتناول قضايا محددة تتعلق بالسياسات على المستوى القطاعي أو الموضوعي، أما التقييم الاستراتيجي: فإنه يمكن القيام به، إذا كان الموضوع بطبيعته ذو انعكاسات مترابطة وهامه، أو بسبب تضارب الآراء بشأن القضايا التي تحتاج إلى حل، علاوة على تقييم العمليات: وهو تقييم يجري للبرامج أو المشروعات لتقدير فعاليه ونجاعه عمليات أو طرائق معينة مثل المؤتمرات أو المنح الدراسية.

وبالرغم من أن هذه الأنواع الأخيرة من التقييمات قد برزت حصراً في إستراتيجية اليونسكو، إلا أن هذا البروز مع ذلك لا يخفي حقيقة اعتمال معظم هذه التقييمات بشكل أو بآخر في كل من المنظمات الالكسو والايسيسكو.

وعلى أيه حال فإن إستراتيجية التقييم في اليونسكو، تتطرق للمبادئ الأساسية التي ينبغي أن يسترشد بها التقييم وهي[1]:-

ينبغي أن يزود التقييم قطاعات البرنامج والمكاتب الميدانية بدلالات على حدوث أو عدم حدوث تقدم في بلوغ أهداف البرنامج وتحقيق نتائجه، وعن كفاءة التنفيذ وفاعليته.

يجب أن يشمل التقييم أنشطة البرنامج العادي للمنظمة وأنشطتها الخارجة عن الميزانية.

---

(1) انظر: إستراتيجية التقييم في اليونسكو، مرجع سابق ص 2 - 3.

يجب أن تكون مشاركة الأطراف المعنية سمة أساسية في كافة مراحل عمليات التقييم في اليونسكو، ويجب أن تحدد بوضوح أدوار مشاركة كل من الأطراف المعنية والشركاء، وأن تتم الموافقة عليها في بداية العملية.

يجب أن يدمج التقييم في بنى التنظيم والإدارة في اليونسكو بحيث يبرز دورة الحاسم في قياس الأداء وفي المساءلة.

يجب أن يدمج التقييم في تطوير السياسة العامة في المرحلة المناسبة من دورة تخطيط البرنامج، للتأكد من أن الدروس المستخلصة من عمليات التقييم تستخدم في تخطيط البرامج والمشروعات المقبلة.

ينبغي أن يستخدم التقييم كأداة رئيسية لإدارة المعارف في المنظمة.

وبالعودة إلى التقارير المقدمة من قبل المدير العام لليونسكو عن أنشطة المنظمة في الأعوام (2000 - 2001)، (2004 - 2005)، والمبلغة إلى كل من الدول الأعضاء والمجلس التنفيذي، فإننا نجد أن هذه التقارير تشتمل (بعد مقدمة المدير العام، وملاحظة للقارئ) على جزأين، يتضمن الجزء الأول: تقرير عن تنفيذ البرنامج، وإدارة المنظمة، واللامركزية، والسياسة العامة، ومسانده تنفيذ البرنامج، بينما يتضمن الجزء الثاني: على الخلاصة والاستنتاجات، وتتعرض مواضيع هذه التقارير للانجازات التي تم تحقيقها على مستوى كل بند من بنود التقرير، وعن التحديات التي واكبت التنفيذ، وقد تطرق المدير العام في تقريره عن نشاط عامي 2000 - 2001 على أنه بالرغم من أن هذا التقرير أكثر صرامة وإلى حد ما من حيث التقييم الذاتي، وأكثر إيجازاً في كل ما هو ليس بجوهري، ومع ذلك فإن هذا التقرير لا يزال دون ما نطمح جميعاً إلى أن يكون عليه كوثيقة تقدم لمحة شاملة وسريعة عن نشاط المنظمة على مدى عامين من الزمن، أما عن

تقرير المدير العام عن نشاط المنظمة لعامي 2004 - 2005، فإنه حسب رأيه،أغزر من حيث مادته، وأشد صرامة من حيث التقييم الذاتي، وأيسر استخداماً بفضل استخدام صيغة التقرير التلخيصي الجامع[1].

وبالإضافة إلى إستراتيجية التقييم التي تمتاز بها اليونسكو، فإننا نجد كذلك أن هذه الأخيرة تمتاز أيضاً عن مثيلاتها من المنظمات الموازية (الالكسو والايسيسكو) بأن البرنامج والميزانية المعتمدان لها للفترات المالية (2002 - 2003)، (2004 - 2005) قد تضمن الذيل التاسع في أي منها على خطة للتقييم لفترة العامين، تستند إلى إستراتيجية التقييم في اليونسكو، وستركز عمليات التقييم المدرجة في الخطة (2002 - 2003) على تحديد النتائج الرئيسية للبرنامج من حيث تأثيرها على فئات أو عمليات مستهدفة ومحددة بصورة واضحة وعلى أهم مواطن القوة، ومواطن الضعف مع ذكر أسبابها الأساسية،وسيتيح هذا النهج استخلاص الدروس للاستفادة منها في البرامج المقبلة من أجل اتخاذ التدابير التصحيحية اللازمة للبرامج التي لا تزال قيد التنفيذ، وسوف تسند بعض عمليات التقييم إلى نتائج عمليات المراجعة، كما أن خطة عامي 2004 - 2005 تشمل بالإضافة إلى عمليات التقييم القطاعية، على عدد من عمليات التقييم الموضوعية المتعلقة بالموضوعين المستعرضين، ويتضمن عناصر التقييم في هاتين الخطتين على موضوعات محددة ومختارة في مجالات التربية، والعلوم الطبيعية،

---

(1) انظر بهذا الخصوص: تقرير المدير العام عن نشاط المنظمة في عامي 2000 - 2001، مرجع سابق ص 1 - 295 وكذا ص هـ مقدمة المدير العام

- تقرير المدير العام لليونسكو عن نشاط المنظمة عامي 2004 - 2005 مرجع سابق ص 1 - 79، ص7 مقدمة المدير العام.

والعلوم الاجتماعية والإنسانية، والثقافة، والاتصال والمعلومات، علاوة على قطاع العلاقات الخارجية والتعاون في الخطة الأخيرة، وتتضمن خطة التقييم على بيان بالموضوع والقضايا والمشكلات الرئيسية التي سيتناولها التقييم، وهذه البيانات توضح، الوحدة المسؤولة، وتكاليف التقييم التقديرية، وتاريخ تقديم تقرير التقييم[1]. وتتضمن تقارير المدير العام للايسيسكو حول تقييم عمل المنظمة للأعوام (2001 - 2003)، (2004 - 2006) المرفوعة إلى كل من المجلس التنفيذي، في دوراته (27،24) والى المؤتمر العام في دوراته (9،8) للأعوام 2003، 2006م، على جزأين، يتناول الأول منها: عرض المعطيات وتحليلها، ويشمل هذا الجزء، بعد التقديم، على فقرات تناولت، أهم عناصر التجديد في الخطط، وأهم الانجازات التي حققتها المنظمة بين دورات المؤتمرات العامة (8،7)، (9،8) وعن أهم المؤتمرات والملتقيات الدولية التي واكبت تنفيذ الخطط الثلاثية، وتوزيع أنشطة تلك الخطط، حسب طبيعتها ووسائل العمل المعتمدة لتنفيذها، ومجالات العمل، ومحاورها، ومخصصاتها المالية التقديرية، والتعاون الإسلامي العربي والدولي، أما الجزء الثاني: فقد خصص لتقييم النتائج (الكمي والكيفي)، وأهم النتائج المحققة في مجالات العمل التربوية، والعلمية، والثقافية، والاتصالية، ومع اللجان الوطنية، والقدس، وسرايفو، والمعلومات والتوثيق[2].

---

[1] انظر بهذا الخصوص
- البرنامج والميزانية المعتمدان لليونسكو 2002 - 2003 مرجع سابق ص 268 - 270
- البرنامج والميزانية المعتمدان لليونسكو 2004 - 2005 مرجع سابق ص 339 - 347.
[2] انظر بهذا الخصوص

وبالرغم من أن الايسيسكو، قد قامت بتفريغ عدد (2000،1700) استبانه، وذلك لتعزيز نهجها التقييمي، بخصوص تنفيذ الخطتين الثلاثيتين الأنف ذكرهما بالترتيب، إلا أن هذه الاستبانات لم تشمل أنشطة المنظمة المنفذة، لأسباب عديدة، منها عدم إرجاع بعض المشاركين للإجابات المطلوبة، أو عدم إرجاعها من جهات الاختصاص معبأة إلى المنظمة، إلا أن النتائج التي حققتها المنظمة مع ذلك كانت في معظمها جيده، كما تشير إلى ذلك وثيقة تقييم الخطة (2001 - 2003)، أما الخطة (2004 - 2006) وإن كانت غالبية الآراء والملاحظات التقييمية قد أشارت بمردوديه الأنشطة المنفذة، إلا أن هناك أراء وملاحظات رأي فيها بعض المشاركين أن هناك أهداف لم تتحقق كلها، وأن بعض المضامين لم تستجب بالقدر الكبير إلى حاجاتهم، وإن أساليب التنفيذ كانت إلى حد ما مناسبة أو غير مناسبة، مقترحين بذلك تطوير وسائل التنفيذ وتوسيع قاعدة المشاركين، ورفع مستوى التعويضات الممنوحة للمتدربين والمدة الزمنية المخصصة لبعض الأنشطة التدريبية، واختيار أماكن أنسب للتنفيذ. وعلى أيه حال فإن خطط تقييم نشاط الايسيسكو مثلها مثل خطط تقييم أنشطة المنظمات

- تقرير المدير العام حول تقيم عمل المنظمة للأعوام 2001 - 2003 المقدم للدورة (8) للمؤتمر العام مرجع سابق ص 1 - 132.
- تقرير المدير العام حول تقييم عمل المنظمة للأعوام 2004 - 2006 المقدم للدورة (9) للمؤتمر العام مرجع سابق ص 1 - 77.
- تقرير المدير العام حول تقييم عمل المنظمة للأعوام 2001 - 2003 المقدم للدورة (24) للمجلس التنفيذي مرجع سابق ص 1 - 132.
- تقرير المدير العام حول تقييم عمل المنظمة للأعوام 2004 - 2006 المقدم للدورة (27) للمجلس التنفيذي مرجع سابق ص 1 - 77.

الموازية (اليونسكو والالكسو) تتضمن الجوانب الايجابية في التنفيذ، وكذا الصعوبات التي صاحبت ذلك، أو التي حالت دون تمكن المنظمة من تنفيذ بعض الأنشطة، وبشكل عام فإن المنظمة قد تمكنت من تنفيذ (849 نشاطاً) من عدد الأنشطة المبرمجة البالغ عددها (1235) نشاطاً في الخطة الثلاثية الأولى السالفة الذكر، وذلك إلى نهاية شهر يونيو 2003، بنسبة تنفيذ بلغت (74،68 %) بينما تحسنت نسبة تنفيذ الأنشطة في الخطة الثلاثية الأخيرة لتصل إلى نسبة (7،85 %) حيث بلغ عدد الأنشطة المنفذة (1252 نشاطاً) من أصل (1461 نشاطاً مبرمجاً)[1].

أما بخصوص تقويم برامج ومشروعات الالكسو للدورة المالية 2001 - 2002، وكذا الدورات السابقة منذ عام 1997 حتى 2002 وكذا الدورة المقبلة 2003 - 2004، فإننا نجد أن المؤتمر العام للمنظمة في دورته (15) عام 2001، قد اتخذ قراراً بدعوة المنظمة لوضع آلية للتقويم الإجمالي للبرامج والمشروعات وقياس آثارها على الدول الأعضاء في المنظمة، كما اتخذ المؤتمر في هذه الدورة، توصية بدعوة المنظمة لتوفير آلية للتقويم الشامل المتكامل الذاتي والخارجي للمشروعات من حيث التصميم والتخطيط والتنفيذ[2]. وتنفيذاً لذلك بادرت الإدارة العامة، بالتعاون

---

(1) انظر بهذا الخصوص

- تقرير المدير العام حول تقييم عمل المنظمة 2001 - 2003 المقدم للدورة (8) للمؤتمر العام مرجع سابق ص 20، 84، 85، 91.

- تقرير المدير العام حول تقييم عمل المنظمة 2004 - 2006 المقدم للدورة (9) للمؤتمر العام مرجع سابق ص 76،61.

(2) انظر بهذا الخصوص: وثائق المجلس التنفيذي للالكسو الدورة (76) ديسمبر 2002، مرجع سابق وثيقة رقم (32) (ملخص الوثيقة).

- وثائق المؤتمر العام للالكسو الدورة العادية (16)، ديسمبر 2002 مرجع سابق وثيقة رقم (8) (ملخص الوثيقة).

مع خبراء في التقويم إلى وضع بطاقات تقويم جديدة للأنشطة لاستخدامها في إعداد التقارير المتعلقة بعمل التقويم الداخلي، وربط ذلك بعملية التقويم الخارجي، كما وجهت المنظمة مراسلات إلى اللجان الوطنية من أجل إشراكها في عملية تقويم المشروعات المنفذة خلال الدورة المالية 2001 - 2002، وقد تمت الاستفادة من أجوبة اللجان في إعداد التقرير التقويمي لمشروعات وبرامج المنظمة، كما تم تكليف مجموعة من الخبراء المختصين في التقويم الخارجي بتقويم مشروع كبير عن كل إدارة فنية، حيث تم إعداد تقارير تقويمية لهذه المشروعات لعرضها على أصحاب المعالي رؤساء الوفود العربية في المؤتمر العام في دورته العادية (16)، وتعتزم الإدارة مواصلة تنفيذ خطتها في تفعيل التقويم الخارجي لمشروعات وبرامج المنظمة، وذلك بوضع جدوله زمنية لتقويم المشروعات خلال الدورة المالية 2003 - 2004 والتركيز على عمليات التقويم الميداني والاستعانة بأعضاء المجلس التنفيذي واللجان الوطنية والتعرف على أراء المستفيدين من النشاط أثناء تنفيذ المشروعات[1]. وعلى أيه حال فإن الالكسو قد قامت بإعداد تقويم كمي للمشاريع التي أنجزتها المنظمة في إطار الخطة متوسطة المدى الثالثة (1997 - 2002)، قدمته إلى الدورة (16) للمؤتمر العام[2].

---

(1) انظر: في نفس المرجعين السابقين، وبنفس الوثائق (32) ، (8)، الفقرة: ثانياً: الخاصة بوضع آليات لتقويم أنشطة المنظمة خلال الدورة (2001 - 2002) والدورات المقبلة ص 3 - 4 في كلا المرجعين.

(2) انظر: وثائق المؤتمر العام للالكسو الدورة (16) وثيقة قم (8)، المرجع السابق، ملحق رقم

كما قامت الالكسو أيضاً بوضع المقدمة التحليلية لتنفيذ برامج ومشروعات المنظمة للدورة المالية 2001 - 2002 وذلك أما المجلس التنفيذي في دورته (76) في ديسمبر 2002، وتشتمل هذه المقدمة على أربعة أجزاء (علاوة على المقدمة) تناول الجزء الأول منها: التحليل العام لميزانية الدورة المالية، وتضمن الجزء الثاني: لتحليل الموقف التنفيذي لمشروعات وبرامج الدورة، وتناول الجزء الثالث: التقويم الذاتي لبرامج ومشروعات الدورة المالية بينما أشتمل الجزء الرابع على ملحقين، خصص الأول لبطاقات المشروعات والبرامج لتلك الدورة، في حين ضم الملحق الثاني قائمة الخبراء الذين تمت الاستعانة بهم في تنفيذ برامج ومشروعات المنظمة خلال الدورة المالية 2001 - 2002[1]. الجدير بالذكر هو أن المقدمة التحليلية قد ركزت على تحليل جميع أوجه النشاط العادي في المنظمة، بخلاف الأنشطة المنفذة من مصادر خارجة عن الموازنة العادية، مما يعني أن هذه المقدمة التحليلية ستكون نتائجها التقييمية غير مكتملة عن جميع أنشطة المنظمة، وهو ما ينبغي في رأي العمل على تلافيه في الخطط التقويمية المقبلة. وعلى أيه حال فإن الالكسو قد اعتمدت، ضمن هذه المقدمة

---

(2) ص 1 - 46.

- وبحسب هذا المرجع فقد أعدت التقرير التقويمي للخطة متوسطة المدى 1997 - 2002 الأستاذة نجوى الفزاع، خبيرة التقويم الوطني التونسي   للتجديد البيداغوجي والبحوث التربوية، وهي خبيرة غير متفرغة في التقويم الخارجي لدى اليونسكو، يتم الرجوع إلى هذا التقرير للمزيد من   التفصيلات).

[1] انظر: المقدمة التحليلية لتنفيذ برامج ومشروعات الالكسو للدورة المالية 2001 - 2002 المعروضة على دورة المجلس التنفيذي (76)،   إصدارات المنظمة تونس ديسمبر 2002 ص 5 - 150.

التحليلية، في عملية التقويم على منهجية تمحورت حول العناصر الآتية:-

1- الإعداد والتخطيط للنشاط 2- النتائج التي حققها النشاط

3- تأثير النشاط في وضع المستفيدين 4- ظروف تنفيذ النشاط

5- الفائدة والتعديلات المستقبلية للنشاط.

ويتضح من خلال تحليل البيانات التقويمية للمشروعات والبرامج المنفذة خلال الدورة المالية 2001 - 2002 العديد من المؤشرات، فيما يتعلق بالنتائج المحققة، أو التي لم تتحقق بعد، وعن صعوبات التنفيذ، وما أسفرت عنه نتيجة التقويم من توصيات يمكن اعتمادها أثناء التخطيط المستقبلي لعمل المنظمة وكما يلي[1]:-

فيما يتعلق بالنتائج المحققة

تشير بيانات المنظمة، بأن النشاطات المنفذة حقت النتائج المنتظرة منها، وغطت الحاجات المرجوة ضمن مرحلة التخطيط والإعداد للنشاط، كما أن هذه النتائج هي كذلك ملائمة للأهداف المطلوب الوصول إليها، كما أوضحت البيانات بأن أغلب المشروعات لها فائدة كبيره للدول العربية وأنها في صلب عمل واهتمامات المنظمة.

فيما يتعلق بصعوبات التنفيذ

أوضحت البيانات أن صعوبات التنفيذ قد تمثلت في تأجيل تنفيذ بعض النشاطات، بعد اعتذار بعض الجهات المستضيفة لتلك الأنشطة، وأيضاً قله الموارد المخصصة للمشروعات، كما مثل عدم وفاء الخبراء بالتزاماتهم عائقاً أمام حسن سير عمليه التنفيذ في بعض برامج ومشروعات الدورة

(1) انظر: المقدمة التحليلية، نفس المرجع السابق ص 5، (50 - 53)، (54 - 57).

المالية، علاوة على الصعوبات المتصلة بمرحلة الإعداد والتخطيط للنشاط، حيث أن هناك بعض المشروعات، لم تتقيد بالعناصر الموضوعية للتخطيط والإعداد للنشاط نظراً لطبيعتها الخاصة، أو لصعوبة تطبيق هـذه العناصر عـلى عمليـة الإعـداد والتخطيط لها. كما أن غياب البيانات الإحصائية الدقيقة والشاملة حول مجالات عمل المنظمة في الـوطن العـربي لا يساعد عـلى بلـورة تصـور واضح يضبط عمليـة الإعـداد أو يربطها بأهداف كمية وأخرى نوعية للأنشطة والبرامج المزمع تنفيذها.

أما النتائج التي لم تتحقق بعد

فتشير بيانات المنظمة، بأن التغييرات التي سيحدثها النشـاط في الـدول العربيـة المستفيدة منه، فإنه لا يمكن التحقق منها في المرحلة الحالية، وأنه يجب انتظار فـترة زمنية معينة لإعطاء مؤشر موضوعي حول هذا العنصر الهام في التقويم، كـما أنه لا يمكن في الوقت الراهن قياس التأثير الكمـي لهـذه الأنشـطة، والوصـول إلى بيانات إحصائية دقيقة بشأنها، بل أنه يجب انتظار نتائج البحـوث الميدانيـة التي تعتـزم المنظمة إجراءها وفق برنامج عملها التقويمي للـدورة الماليـة 2003 - 2004، والتي صادق عليها المجلس التنفيذي في دورته (75).

التوصيات التي أسفرت عنها نتيجة التقويم

أسفرت عملية تحليل البيانات التقويمية لمشروعات وبـرامج الـدورة 2001 - 2002 على بروز العديد من الملاحظات القيمـة التـي يمكـن اعتمادهـا أثنـاء الإعـداد والتخطيط المستقبلي لعمل المنظمة منها:-

● وضع آلية واضحة بخصـوص معرفـة رأي الجهـات المشاركة في النشاطات بخصوص المشروعات والبرامج المقدمة إليها.

- التعـاون مـع اللجـان الوطنيـة في بلـورة منظومـة تقويميـة تسـاعد اللجنـة الوطنية على تقويم كل نشاط تم تنفيذه بالتعاون معها.

- دعـم التعـاون القـائم بـين المنظمـة واللجـان التنفيذيـة وأعضـاء المجلـس التنفيذي.

- ضرورة التأكد من إيفاء الخبراء بالتزاماتهم السـابقة قبل تكليفهم بإعداد الدراسات والتقارير ووضع مقاييس واضحة في اختيـارهم للقيـام بالأعمال المكلفين بها.

- ضرورة التقليل أكثر ما يمكن من الاستبانات في عملية التقويم، والتعويض عـن ذلـك بمهـمات ميدانيـة لخبراء مـن خـارج المنظمـة للوصول لتقويم موضوعي شامل يساعد في تطوير الجدوى من المشروعات.

ولعل السؤال الذي يبرز بعد هذا السرد، هو لماذا لم تتمكن المنظمة مـن تقييم كامل خطتها للدورة المالية 2001 - 2002 بالرغم مـن أن المنظمـة قـد اسـتعانت في تنفيذ برامج ومشروعات هذه الدورة بعدد (373) خبيراً، مـن بينهم (9) خبراء مـن جامعات ودول أجنبية[1]. ثم اليس هذا العدد الضخم من الخبراء مبالغ فيه؟ وهل تـم تقييم أدائهم، وما نتائج ذلك التقييم، وهل نفذت المنظمـة وعـدها للمضي ـ قدماً في مواصله تنفيذ خطتها لتفعيل التقويم الخارجي لمشروعاتها وبرامجها، وهل قامت المنظمة بوضع جدوله زمنية لتقويم مشروعاتها خلال الـدورة الماليـة 2003 - 2004؟ لأنها إن فعلت ذلك، فإنها في تقديري ربما تتمكن من تقويم برامج ومشروعات هـذه الخطة،

---

[1] انظر: المقدمة التحليلية لتنفيذ برامج ومشروعات الالكسو لعامي 2001 - 2002 مرجع سابق ص 134 - 150.

في نهاية فترتها المالية، مثلما هو عليه واقع الحال في الايسيسكو، حيث تمكنت هذه الأخيرة، بفضل ثبات خططها التقييمية، من تقييم الخطط الثلاثية، وتقديمها في نهاية كل خطة إلى هيئاتها الرئاسية، وهو ما ينبغي أن يحتذى به في الالكسو. أما عن تقويم برامج ومشروعات هـذه الأخيـرة للـدورة الماليـة 2003 - 2004 فإننا نجـد أن وثائق المنظمة المعروضة على المؤتمر العام في ديسمبر 2004، تشير بأن الإدارة العامـة قد حرصت على تقويم كل المشروعات المنفذة لتصل نسبة التقويم إلى (100 %) حيث تم تقويم (40) مشروعاً هي مجموع المشاريع المنفذة بالكامل، وقد تركـزت نتائج التقويم في جل المشروعات على درجة التقويم وهي درجة ممتاز ودرجة جيد جداً، كما تم عرض نتائج التقويم الخارجي لبعض مشروعات الإدارات الفنيـة خـلال نفس الدورة[1].

وكما يتضح من هذا التقرير المختصر المعروض على أعلى هيئة رئاسية للمنظمة أنه قد ابتعد عن التقييم الكمي، لبرامج ومشروعات الدورة المالية، حيث لم يوضح التقرير عدد المشروعات المبرمجة للدورة المالية، ثم ما نفذ منها، وعن نسبة التنفيـذ الحقيقية تبعاً لذلك، وهو ما كان ينبغي إظهاره.

وعلى العموم فإن الالكسو منـذ الـدورة الماليـة (1970 - 1971) وحتى الـدورة (1999 - 2000) فإنها قد أنجزت خلال هذه الفترة من الأنشطة المتمثلة في المؤتمرات والنـدوات والـدورات التدريبيـة والبحـوث والدراسـات ومختلـف الإصـدارات، مـا مجموعه (2900) نشاطاً في مجالات عملها، في

---

[1] انظر: وثائق المؤتمر العام للالكسو الدورة (17) ديسمبر 2004 مرجع سابق وثيقة رقم (7) ص 1 - 3.

التربية (1031) نشـاطاً، وفي مجـال الثقافـة (1116) نشـاطاً، وفي مجـال العلـوم (534) نشاطاً، (219) نشاطاً في مجال الخدمات[1]. بيـنما تمثـل حصـاد الأربـع سـنوات من إنجازات هـذه الأخـيرة منـذ عـام 2001 وحتـى عـام 2004 مـا مجموعـه (662) نشاطاً[2]. أما في الايسيسكو فقد بلغت الدورات التدريبية وورش العمل والاجتماعـات والندوات ما مجموعه (2127) نشاطاً، علاوة على عدد (614) من الكتب والدراسات المؤلفـة والمترجمـة، ليصبح مجمـوع أنشـطة المنظمـة (2741) نشـاطاً، منـذ الخطـة التأسيسية الأولى (1982 - 1983) وحتى خطة العمل الثلاثية (2004 - 2006)[3].

أما بخصوص أنشطة اليونسكو، ففي تقديري أن أي باحث، اعتماداً على جهوده الذاتية، وإمكانياته المحددة، فإنه سيكون عاجزاً عن إيـراد مجمـوع مـا نفذتـه هـذه المنظمة من نشاط، على وجه الدقة، خلال ستين عاماً خلت من عمر المنظمـة وذلـك منذ نشأتها وحتى عام 2006، ولذلك فإن ما سيتم إيراده من تنفيـذ بعـض الأنشـطة إنما هو على سبيل المثال فقط، فقد أصدرت اليونسكو أول مجلد في سلسـلة (التربيـة في العالم) عام 1955م، وخلال الفترة من عام 1965 وحتى عـام 1970م، اسـتفاد مـن مشورة اليونسكو ومعونتها الفنية في مجال المباني المدرسية (24) بلـداً مـما أفضى إلى إيجاد (92000) مقعد جديد بالمدارس، كما قدمت المنظمة حتى عام

---

(1) انظر: المنظمة العربية للتربية والثقافة والعلـوم 1970 - 2000 مرجـع سـابق ص 38 مـع ملاحظـة أنـه مـن مجمـوع الأنشطة المذكورة بعالية، كان هناك عدد (146) نشاطاً خلال الدورة (1999 - 2000) لا تزال قيد التنفيذ.

(2) انظر: حصاد أربع سنوات من الانجازات، والمبادرات، إصدارات الالكسـو للأعـوام 2001 - 2004، تـونس 2004 ص 9 - 82.

(3) انظر: الكتاب التوثيقي بمناسبة الذكرى الفضية لتأسيس الايسيسكو، مرجع سابق ص 103.

1971م بموجب برنامجها لمساعده الدول على إنشاء المكتبات ومراكز التوثيق والمحفوظات، ومساعدات إلى (100) بلد، عن طريق ما يقرب من (240) بعثه من الخبراء، مما أدى إلى إنشاء ما يربو على (60) مؤسسة ومشروعاً رائداً، وساعدت المنظمة في الفترة من عام 1960 وحتى عام 1973، بدعم من برنامج الأمم المتحدة للتنمية (70) مؤسسة لتدريب المهندسين والتقنيين المتخصصين، أسهمت من تخريج ما يقرب من 20000 شخص، كما أدى اهتمام المنظمة بالتعليم الابتدائي في أمريكا اللاتينية إلى إنشاء أكثر من 2000 كلية لإعداد المعلمين، علاوة على ذلك فقد دعيت المنظمة لعمل نشاطات رائده في مجالات عديدة من برنامجها، ولذلك قامت بإعداد مؤلف دولي فريد عن (تاريخ البشرية) حيث شارك في إعداد المجلدات الستة (التي تناولت تطور الإنسان العلمي والثقافي منذ عصور ما قبل التاريخ حتى القرن العشرين) أكثر من ألف أخصائي من (62) بلداً، وقد استغرق إنجاز هذا العمل (18) عاماً، وحتى عام 1976، أتمت المنظمة نشر الأطلسي- الجيولوجي للعالم الذي يضم (21) خريطة، ويغطي كل القارات والقطب الجنوبي والمحيطين الهادي والأطلسي- وقد تطلب هذا العمل (12) عاماً من الجهد[1]. كما قامت اليونسكو بإعداد (التاريخ العام لإفريقيا) تحت إشراف لجنة علمية دولية، حيث كان من المقرر أن تظهر الأجزاء الأولى من هذا المؤلف في عامي (1975م ، 1976م)، وقد صدر حتى عام 1990 ستة مجلدات من المجلدات الثمانية المقررة للطبعة الرئيسية بالانجليزية (نشر مشترك) كما ينشر باللغات الفرنسية، والعربية،

---

(1) انظر: (لمحات عن اليونسكو) اليونسكو باريس لعام 1974 مرجع سابق ص 53 - 55.
- ميشيل لاكوست، رحلة جليلة مرجع سابق ص 67، (144 - 145).

والاسبانية، والبرتغالية، والصينية، كما نشرت المنظمة عام 1988 اثنا عشر مجلداً من مجموعه (محفوظات أدب أمريكا اللاتينية والكاريبي في القرن العشرين) وقد بدأ إصدار هذه المجموعة عام 1983 بمعاونة صندوق اليونسكو لتعزيز الثقافة، وقد كان تفكيك معبد أبي سنبل وإعادة تركيبة في مأمن من مياه النيل أضخم عمل لإنقاذ آثار النوبة بمصر، حيث نفذت بجمع أكثر من 40 مليون دولار أمريكي من مصادر دولية عامة وخاصة من تكلفة إجمالية بلغت ما يقارب (70) مليون دولار أمريكي[1].

وقد بلغ مجموع ما أصدرته اليونسكو منذ نشأتها وحتى عام 1986م، أكثر من (7000) عنوان تغطي جميع مجالات اختصاص المنظمة، وتم نشرها بسبعين لغة ووزعت في (150) بلداً، أما عدد مطبوعات اليونسكو الصادرة منذ عام 1996 وحتى عام 2001 فإنها تبلغ ما مجوعة (1166) مطبوعاً[2]. كما أصدرت المنظمة خلال عامي 2004 - 2005 قرابة (700) مصنف، من أنواع الكتب والدوريات والمواد التعليمية والكتب التدريبية والمجلات والنشرات الإعلامية وملخصات السياسة العامة والأقراص المقروءة بالليزر ومواقع شبكة الويب وأفلام الفيديو[3].

---

(1) انظر: ميشيل لاكوست، المرجع السابق ص 89، 220، 268

- لمحات عن اليونسكو، نفس المرجع السابق ص55.

(2) انظر: بهذا الخصوص

- تقرير المدير العام لليونسكو 2000 - 2001 إصدارات المنظمة لعام 2002 مرجع سابق ص178.

- ميشيل لاكوست، مرجع سابق ص192.

(3) انظر: وثيقة المجلس التنفيذي لليونسكو رقم 172 EX / 22 بتاريخ 29 / 7 / 2005.

الخاتمة

إن المنظمات الدولية المتخصصة بالتربية والثقافة والعلوم، اليونسكو الالكسو، الأيسيسكو، التي أنشأتها الدول أعضاء هذه المنظمات كوكالات متخصصة منبثقة عن منظماتها السياسية (الأمم المتحدة، جامعة الدول العربية؛ منظمة المؤتمر الإسلامي) لتحقيق الأغراض المناطة بها في الجوانب التربوية والعلمية والثقافية، وغير ذلك من الجوانب الأخرى ذات الصلة بهذه الأنشطة، إنما برزت إلى حيز الوجود بعد أن صادقت الدول الأعضاء المنشئة لها على مواثيق إنشائها حيث دخلت هذه المواثيق فعلا حيز النفاذ بعد التوقيع عليه من عدد معين من الدول، كما تقضي بذلك وثائق إنشائها، لتستأثر هذه الدول المنشئة بشرف السبق في التأسيس واكتسابها للعضوية الأصلية، وبحيث يترك المجال مفتوحا لانضمام بقية الدول الراغبة في ذلك ضمن ضوابط واعتبارات محددة، سواء أكان ذلك على المستوى العالمي (اليونسكو) والعربي (الألكسو) أو الإسلامي (الأيسيسكو). وبقيام هذه المنظمات المتخصصة، وأعمالا لمواثيق إنشائها، فقد عملت منذ نشأتها على تنظيم كياناتها الهيكلية والتنظيمية، بالتزامن مع توفير الموارد البشرية والمادية، بدءا بتعيين الدول أعضاء هذه المنظمات للمدير العام المعني في أي منها، على اعتبار أنه الرئيس الإداري الأعلى للمنظمة، يناط به العديد من المهام والاختصاصات، يساعده العديد من الموظفين الذين يشملهم الهيكل التنظيمي في الإدارات العامة وفروعها المختلفة، وكما رأينا فإن هذه الإدارات العامة يتم تقسيم هياكلها التنظيمية إلى العديد من القطاعات والإدارات والأقسام والوحدات التي تعني كل منها

بجانب معين من جوانب الأنشطة المحددة لها ضمن مجالات اختصاصاتها، وأنشطتها الفنية والإدارية، المالية، والرقابية، والعلائقية وغير ذلك من الأنشطة الحاكمة لمختلف أوجه مجالات وأعمال هذه المنظمات، ولكي تقوم هذه المنظمات بأداء مهامها على أكمل وجه، نجد أن الدول الأعضاء قد منحتها العديد من الامتيازات والحصانات الدبلوماسية لها ككيانات قانونية مادية، وأيضا للعاملين بها كل حسب مستواه ودرجته ووضعه كموظف دولي في أي منها، كما أن الدول الأعضاء قد خصصت لهذه المنظمات ميزانيات سنوية محددة للصرف على أوجه أنشطتها حيث تحملت هذه الدول عبء هذه الموارد المالية بنسب محددة لكل دولة حسب إمكانياتها ودخلها القومي، متيحة في نفس الوقت المجال لهذه المنظمات (ضمن حدود وضوابط معينة) من الحصول على موارد إضافية أخرى لتمكينها من أداء رسالتها كما يجب، وقد تعهدت الدول الأعضاء بعدم التدخل أو التأثير فيما يعد من صميم الاختصاص الداخلي لهذه المنظمات، متعهدة أيضا باحترام الصفة الدولية للمدير العام المعني في أي منها وللعاملين معه، وعدم التأثير على حسن أدائهم لعملهم، ذلك أن هدف جميع الدول أعضاء هذه المنظمات المتخصصة، إنما يتمثل في أن تتمكن هذه المنظمات من العمل على تحقيق أهدافها بشتى السبل والوسائل المحددة في مواثيق إنشائها ووفقا لأنظمتها ولوائحها الداخلية، ولتحقيق هذه الغايات فإننا نجد أن هذه المنظمات على غرار ما هو معمول به في سائر دول العالم يحكمها نظام قانوني خاص بها لتصريف أعمالها وتنظيم هياكلها وسلطاتها الرئاسية والإدارية، بدءا بأعلى سلطة سيادية "المؤتمر العام" يليه المجلس التنفيذي، ثم الإدارة العامة، في أي منها، وقد جعل لكل من هذه السلط الثلاث اختصاصات ومهام محددة،

روعي فيها التكامل والاتساق بـروح مـن المسـؤولية، والمثـابرة، وبمـا يـؤدي إلى حسن أداء هذه المنظمات لمهامها واختصاصاتها على أفضل وجه.

فالمؤتمر العام وهو أعـلى سـلطة رئاسية في هـذه المـنظمات، يمثل إلى حـد ما السلطة الرئاسية للدول إذ يعمل بمثابة مجلس رئاسة وفي نفس الوقت فإنه يعمل بمثابة برلمان أيضا كونه المعني بـإقرار ورسم السياسة العامة، وإصـدار التشـريـعات التنظيمية والفنية، والمالية والإدارية، ومختلف الجوانب الإجرائية ذات الصلة بالمهام والاختصاصات المنوطة به يساعده في أداء مهامه الجهاز السيادي الثاني "المجلس التنفيـذي"، وكمـا رأينا فإن هـذا المجلس هـو الآخر ينـاط بـه العديد مـن المهـام والاختصاصات، وهو يعمل بمثابة مجلس إدارة يشرف عـلى تنفيـذ السياسـة العامـة، كما رسمها وأقرها المـؤتمر العام بمـا في ذلك الإشراف عـلى تنفيذ الخطط والبرامج المقرة، كما أنه يعمل على حسن متابعة تنفيذ مهام واختصاصات الإدارة العامة، كما رسم لها من الجهاز السيادي الأول، علاوة على ما أقره كذلك هذا المجلس مـن مهام ونظم تنظيمية وإدارية أخرى داخله ضمن مجال اختصاصه، وذلك لتتبع حسن سـير العمل التنظيمي والتنفيـذي الفني والإداري، عـلى الجهاز الرئيسي- الثالـث، الإدارة العامة، فهذا الجهاز الأخير، بالغ الأهميـة كونه المعني بتنفيذ السياسات والخطط والبرامج والأنشطة المقرة من قبل الجهازين السالف ذكرهما، بل إن الإدارة العامة في أي من هذه المنظمات يمكن أن تشبه وإلى حد ما الجهاز الحكومي في الدول، إذ يمثل المدير العام رئاسة الحكومة يساعده العديد مـن المـوظفين الـدوليين، لتحمل المهام والمسـؤوليات المناطـة بهذا الجهـاز في الجوانب التربويـة، والعلميـة والثقافيـة، وفي جوانب الاتصال والمعلومات، والتوثيق، والجوانب الفنية والإدارية

والمالية والرقابية، وتنظيم العلاقات بين هذه المنظمات وبين الدول ومع سائر المنظمات الدولية الحكومية وغير الحكومية. وكما عرفنا فإن هذه المنظمات المتخصصة هي المنظمات الوحيدة (ضمن منظومة المنظمات الدولية المتخصصة المنبثقة عن كل من الأمم المتحدة، وجامعة الدول العربية، ومنظمة المؤتمر الإسلامي) التي تتوافر على وحدات قانونية، تعنى بذات النشاط، في معظم إن لم يكن في جميع الدول أعضاء هذه المنظمات، وبهذا الخصوص فإننا نجد أن اللجان الوطنية للتربية والثقافة والعلوم التي أنشأتها الدول أعضاء هذه المنظمات، لتكون همزة الوصل النظامية والوحيدة بين هذه الدول وبين هذه المنظمات الدولية المتخصصة، إنما تعتبر وبحق تجسيدا صادقا لمدى الروابط العلائقية القائمة بين هذه الدول الأعضاء وبين هذه المنظمات، بل إن هذه للجان الوطنية تعد في رأي بمثابة منظمات متخصصة في هذه الدول الأعضاء تقوم بنفس الأنشطة التي تقوم بها المنظمات المتخصصة ذاتها، بل إن فاعلية هذه الأخيرة، تتوقف إلى حد كبير على فاعلية اللجان الوطنية نفسها، وتفاعلها معها بحكم اتصالها المباشر داخل دولها بالوزارات والمصالح والمؤسسات المعنية بالنواحي التربوية والعلمية والثقافية والمعلومات والاتصال، وبتواصلها مع المنظمات الحكومية وغير الحكومية، ومع مؤسسات المجتمع المدني في الدول الأعضاء، مثلما هو عليه الحال في تواصل المنظمات الدولية المتخصصة التي نحن بصدد الحديث عنها مع منظماتها السياسية، ومع سائر الدول الأعضاء وغير الأعضاء، ومع مختلف المنظمات الدولية الحكومية وغير الحكومية، ومع مؤسسات المجتمع المدني العاملة في نفس مجالات وأنشطة هذه المنظمات المتخصصة علاوة على ما سبق فإن هذه الأخيرة، قد أنشأت

لها فروعا وأجهزة، ومعاهد ومكاتب إقليمية أو وطنية أعمالا لمواثيقها، وذلك في بعض الدول الأعضاء وبحيث تظم هذه الفروع ضمن نطاق عملها مجموعة من الدول المتجانسة إقليميا على مستوى القارات أو المناطق المختلفة، بحيث تعمل هذه الفروع جنبا إلى جنب مع منظماتها الأم لتنفيذ أنشطتها وبرامجها وخططها المقرة، وذلك في مجالات محددة، تخصصية أو تمثيلية، أو كليهما معا أو ما إلى ذلك من المجالات الجامعة بين التخصصات على المستوى القطري أو الإقليمي أو القومي أو الدولي، وكل حسب نطاق عملها الجغرافي المحدد لها بطبيعة الحال.

أما عن فاعلية هذه المنظمات المتخصصة فإنه يعتمد على حسن العلاقات فيما بينها لإجراء المشاورات وإبرام الاتفاقات، لتنفيذ أنشطة مشتركة في مجالات اختصاصاتها، سواء أكان ذلك على مستوى الدول العربية، المنظوية في عضوية الالكسو، أو الدول الإسلامية الأعضاء في الأيسيسكو، على اعتبار أن هذه الدول أعضاء هاتين الأخيرتين هي دول أعضاء كذلك في المنظمة الدولية اليونسكو.

علاوة على ذلك فإن فاعلية هذه المنظمات تزداد قوة كلما تمكنت من الحصول على أكبر قدر من الموارد الإضافية الخارجة عن موازناتها الاعتيادية، سواء أكانت هذه الموارد من دول أعضاء أو غير أعضاء، أو من منظمات دولية حكومية أو غير حكومية أو من مؤسسات أو هيئات أو حتى من أشخاص عاديين، وذلك بهدف تنفيذ أنشطة متفق عليها سلفا أو لدعم هذه المنظمات للارتقاء بتنفيذ أنشطتها، أو بعضا من تلك الأنشطة المحددة ضمن برامج عملها، وبهذا الخصوص فإننا نجد أن هذه المنظمات تحرص بأن لا يكون لهذه الموارد الإضافية أي تأثير سلبي على أهداف

وعمل هذه المنظمات. على أن المورد الرئيسي الذي تنهض عليه هذه المنظمات لتحقيق أهدافها إنما يتمثل في اشتراكات الدول الأعضاء، إذ عن طريق تحصيل وإدارة هذا المورد تتمكن هذه المنظمات من إدارة أنشطتها وبرامجها وخططها الإستراتيجية القصيرة أو المتوسطة أو البعيدة المدى، وما يتطلبه وضع مثل هذه الخطط والأنشطة من تظافر جهود كل من الإدارة العامة والمجلس التنفيذي والمؤتمر العام في أي من هذه المنظمات سواء من حيث البدأ في الإعداد والتخطيط لهذه الأنشطة وما تمر به من مراحل مرورا بأخرى ثانية لإقرارها لتدخل بذلك مرحلة التنفيذ الفعلي لتلك الخطط حسب المدى الزمني المحدد لها مع الأخذ بعين الاعتبار دور كل من اللجان الوطنية والمنظمات الحكومية وغير الحكومية ذات الصلة بهذه المنظمات وبأنشطتها وتعاونها معها كلما طلب منها ذلك تخطيطا وتنفيذا، ثم ما يصاحب هذه الأنشطة والخطط بالضرورة من القيام بإجراء المقارنات الخاصة بنسب التنفيذ، مع القيام بالرقابة السابقة والمصاحبة أو اللاحقة على نفقات تلك الأنشطة والخطط بشقيها الرقابي الداخلي الذي يتم من قبل المنظمة المعنية ذاتها، أو الرقابي الخارجي من قبل المراجعين القانونيين للحسابات الختامية السنوية لجميع أوجه نفقات ميزانيات هذه المنظمات، ثم ما يترتب على ذلك من إعادة تقييم للخطط والأنشطة لتصحيح الانحرافات وتلافي أوجه القصور، والأخذ بالإيجابيات بل والعمل على تطويرها استعدادا للخطط والأنشطة الجديدة القادمة. وهكذا يستمر عمل هذه المنظمات ويتطور باستمرار بتطور نظمها القانونية وهياكلها التنظيمية وآليات عملها ونضمها المالية وأطرها القيادية الفنية والإدارية، بالتزامن مع تطور مواردها حتى تتمكن من تنفيذ أنشطتها وخططها المرحلية، وكل هذه

الأمور إنما تتضافر صوب بلوغ الأهداف المحددة في مواثيق هذه المنظمات. وباستعراضنا لهذه المواضيع بشكل تفصيلي نكون قد تعرفنا على مجمل الطرق المتبعة لإدارة المنظمات الدولية المتخصصة بالتربية والثقافة والعلوم اليونسكو، الألكسو، الأيسيسكو، وهو ما يجيب بشكل واضح -في تقديري- على الشق الأول من الإشكالية الرئيسية موضوع البحث، وأيضا على جميع التساؤلات الفرعية المنبثقة عنها. أما الشق الثاني من الإشكالية المطروحة قيد البحث، فقد حاولت جاهدا وبقدر ما أملك من خبرات وفي حدود استطاعتي من أن أجيب عليه بشكل أو بآخر، بصورة تفصيلية أو إجمالية مع التسليم بأن هناك صعوبة بالغة في تقديري لقياس مدى النجاح المحقق بشكل دقيق للوصول إلى تلك الغايات، ذلك أنه لا يوجد عامل أو مجموعة من العوامل المحددة يمكن قياسها من حيث الكم أو الكيف للاعتماد عليه كحكم نهائي في هذا الموضوع، كما أن نسب تنفيذ الأنشطة والخطط كما تظهره تقارير هذه المنظمات، وإن كان يعطي مؤشرا وإلى حد ما حول قدرة هذه المنظمة أو تلك من تنفيذ نسبة عالية من أنشطتها المقرة مقارنة بما خطط له، إلا أنه مع ذلك ينبغي أن لا يتم الاعتماد عليه للجزم بأن هذه المنظمات قد حققت أهدافها اعتمادا على هذه المعطيات فقط.

خلاصة ما في الأمر أن هذه المنظمات المتخصصة تعمل على تحقيق أهدافها بشتى السبل والوسائل، حيث تتظافر مجموعة كبيرة من العوامل للوصول بها صوب تحقيق هذه الغايات، بدءا بوفاء الدول الأعضاء بسداد اشتراكاتها السنوية بانتظام، واهتمام هذه الدول باختيار الأطر القيادية ذات الكفاءة العالية المتخصصة لتمثيلها في المؤتمرات العامة، والمجالس التنفيذية، والمندوبين الدائمين، مع إعطاء الأولوية الأولى لاختيار المدير

العام المعني في أي من هذه المنظمات وذلك من المشهود لهم بالخبرة والكفاءة والنزاهة والمقدرة الفنية والإدارية على إدارة العمل وتحمل المسؤولية، لأن نجاح المنظمة أو فشلها يتوقف على هذا التعيين، مع أعطاء نفس الأهمية من قبل المنظمات نفسها لاختيار مسؤولي الوظائف القيادية الفنية والإدارية، وبشكل عام الوظائف الخاضعة للتوزيع الجغرافي، مع تحديد فترتين زمنيتين على الأكثر لتولي مثل هذه الوظائف، ذلك أن تطعيم المنظمة بدماء جديدة ومتجددة ذات كفاءة عالية، على أوسع نطاق جغرافي ممكن، هو الضمان الوحيد لبقاء هذه المنظمات شامخة شابة بعيدة عن الترهل والشيخوخة.

وحسبي في هذا البحث أني قد تمكنت من إضافة لبنة هامة في مجال إدارة المنظمات الدولية المتخصصة بالتربية والثقافة والعلوم، إلا أن موضوع البحث في عموميته مع ذلك سيظل قابلا - كأي عمل بحثي - لمزيد من البحوث والدراسات التي تستكمل بنيانه، مما يدعونا إلى طرح التساؤل مرة أخرى، وهو إلى أي مدى تمكنت هذه المنظمات من تحقيق أهدافها؟ عله يجد إجابة وافية أكثر عمقا وأدق تخصصا من هذا البحث.

الملاحق

- الهيكل التنظيمي لليونسكو
- الهيكل التنظيمي للالكسو
- الهيكل التنظيمي للايسيسكو
- قائمة الدول الأعضاء باليونسكو
- الميثاق التأسيسي لليونسكو
- ميثاق الوحدة الثقافية العربية، ودستور الالكسو
- ميثاق الايسيسكو

الهياكل التنظيمية

قائمة الدول الأعضاء
والأعضاء المنتسبين في اليونسكو
في 1 كانون الثاني / يناير 2006

الاتحاد الروسي	21 نيسان / أبريل 1954
اثيوبيا	1 تموز / يوليو 1955
أذربيجان	3 حزيران / يونيو 1992
الأرجنتين	15 أيلول / سبتمبر 1948
الأردن	14 حزيران / يونيو 1950
أرمينيا	9 حزيران / يونيو 1992
اريتريا	2 أيلول / سبتمبر 1993
اسبانيا	30 كانون الثاني / يناير 1935
استراليا	4 تشرين الثاني / نوفمبر 1946
استونيا	14 تشرين الأول / أكتوبر 1991
إسرائيل	16 أيلول / سبتمبر 1949
أفغانستان	4 أيار / مايو 1948
اكوادور	22 كانون الثاني / يناير 1947
ألبانيا	16 تشرين الأول / أكتوبر 1958
ألمانيا	11 تموز / يوليو 1951
الامارات العربية المتحدة	20 نيسان / أبريل 1972
أنتيغا وبربيودا	15 تموز / يوليو 1982

أندورا	20 تشرين الأول / أكتوبر 1993
اندونيسيا	27 أيار / مايو 1950
أنغولا	11 آذار / مارس 1977
أوروغواي	8 تشرين الثاني / نوفمبر 1947
أوزبكستان	26 تشرين الأول / أكتوبر 1993
أوغندا	9 تشرين الثاني / نوفمبر 1962
أوكرانيا	12 أيار / مايو 1954
إيران (جمهورية - الإسلامية)	6 أيلول / سبتمبر 1948
ايرلندا	3 تشرين الأول / أكتوبر 1961
آيسلندا	8 حزيران / يونيو 1964
إيطاليا	27 كانون الثاني / يناير 1948
بابوا غينيا الجديدة	4 تشرين الأول / أكتوبر 1976
باراغواي	20 حزيران / يونيو 1955
باكستان	14 أيلول / سبتمبر 1949
بالاو	20 أيلول / سبتمبر 1999
البحرين	18 كانون الثاني / يناير 1872
البرازيل	4 تشرين الثاني / نوفمبر 1946
بربادوس	24 تشرين الأول / أكتوبر 1968
البرتغال	12 آذار / مارس 1965
بروني دار السلام	17 آذار / مارس 2005
بلجيكا	29 تشرين الثاني / نوفمبر 1946

بلغاريا	17 أيار / مايو 1956
بليز	10 أيار / مايو 1982
بنغلاديش	27 تشرين الأول / أكتوبر 1972
بنما	10 كانون الثاني / يناير 1950
بنين	18 تشرين الأول / أكتوبر 1960
البهاما	23 نيسان / أبريل 1981
بوتان	13 نيسان / أبريل 1982
بوتسوانا	16 كانون الثاني / يناير 1980
بوركينا فاسو	14 تشرين الثاني / نوفمبر 1960
بوروندي	16 تشرين الثاني / نوفمبر 1962
البوسنة والهرسك	2 حزيران / يونيو 1993
بولندا	6 تشرين الثاني / نوفمبر 1946
بوليفيا	13 تشرين الثاني / نوفمبر 1946
بيرو	21 تشرين الثاني / نوفمبر 1946
بيلاروس	12 أيار / مايو 1954
تايلاند	1 كانون الثاني / يناير 1949
تركمنستان	17 آب / أغسطس 1993
تركيا	4 تشرين الثاني / نوفمبر 1946
ترينيداد وتوباغو	2 تشرين الثاني / نوفمبر 1962
تشاد	19 كانون الأول / ديسمبر 1960
توغو	17 تشرين الثاني / نوفمبر 1960

21 تشرين الأول / أكتوبر 1991	توفالو
8 تشرين الثاني / نوفمبر 1956	تونس
29 أيلول / سبتمبر 1980	تونغا
5 حزيران / يونيو 2003	تيمور - ليشتي
7 تشرين الثاني / نوفمبر 1962	جامايكا
15 تشرين الأول / أكتوبر 1962	الجزائر
7 أيلول / سبتمبر 1993	جزر سليمان
22 آذار / مارس 1977	جزر القمر
25 تشرين الأول / أكتوبر 1989	جزر كوك
30 حزيران / يونيو 1995	جزر مارشال
27 حزيران / يونيو 1953	الجماهيرية العربية الليبية
11 تشرين الثاني / نوفمبر 1960	جمهورية افريقيا الوسطى
22 شباط / فبراير 1993	الجمهورية التشيكية
6 آذار / مارس 1962	جمهورية تنزانيا المتحدة
4 تشرين الثاني / نوفمبر 1946	الجمهورية الدومينيكية
16 تشرين الثاني / نوفمبر 1946	الجمهورية العربية السورية
14 حزيران / يونيو 1950	جمهورية كوريا
18 تشرين الأول / أكتوبر 1974	جمهورية كوريا الشعبية الديمقراطية
25 تشرين الثاني / نوفمبر 1960	جمهورية الكنغو الديمقراطية
9 تموز / يوليو 1951	جمهورية لاو الديمقاطية

	الشعبية
28 حزيران / يونيو 1993	جمهورية مقدونيا اليوغوسلافية السابقة
27 أيار / مايو 1992	جمهورية مولدوفا
12 كانون الأول / ديسمبر 1994	جنوب افريقيا
7 تشرين الأول / أكتوبر 1992	جورجيا
31 آب / أغسطس 1989	جيبوتي
4 تشرين الثاني / نوفمبر 1946	الدنمارك
9 كانون الثاني / يناير 1979	دومينيكا
15 شباط / فبراير 1978	الرأس الأخضر
7 تشرين الثاني / نوفمبر 1962	رواندا
27 تموز / يوليو 1956	رومانيا
9 تشرين الثاني / نوفمبر 1964	زامبيا
22 أيلول / سبتمبر 1980	زمبابوي
3 نيسان / أبريل 1981	ساموا
15 شباط / فبراير 1983	سانت فنسنت وغرينادين
26 تشرين الأول / أكتوبر 1983	سانت كيتس ونيفيس
6 آذار / مارس 1980	سانت لوسيا
12 تشرين الثاني / نوفمبر 1974	سان مارينو
22 كانون الثاني / يناير 1980	ساوتومي وبرنسيبي
14 تشرين الثاني / نوفمبر 1949	سري لانكا

السعودية (المملكة العربية)	4 تشرين الثاني / نوفمبر 1946
السلفادور	28 نيسان / أبريل 1948
سلوفاكيا	9 شباط / فبراير 1993
سلوفينيا	27 أيار / مايو 1992
السنغال	10 تشرين الثاني / نوفمبر 1960
سوازيلاند	25 كانون الثاني / يناير 1978
السودان	26 تشرين الثاني / نوفمبر 1956
سورينام	16 تموز / يوليو 1976
السويد	23 كانون الثاني / يناير 1950
سويسرا	28 كانون الثاني / يناير 1949
سيشل	18 تشرين الأول / أكتوبر 1976
سيراليون	28 آذار / مارس 1962
شيلي	7 تموز / يوليو 1953
صربيا والجبل الأسود [1]	20 كانون الأول / ديسمبر 2000
الصومال	15 تشرين الثاني / نوفمبر 1960
الصين	4 تشرين الثاني / نوفمبر 1946
طاجيكستان	6 نيسان / أبريل 1993
العراق	21 تشرين الأول / أكتوبر 1948
عمان	10 شباط / فبراير 1972

---

(1) في شباط / فبراير 2003، تم تغيير اسم جمهورية يوغسلافيا الاتحادية إلى صربيا والجبل الأسود.

غابون	16 تشرين الثاني / نوفمبر 1960
غامبيا	1 آب / أغسطس 1973
غانا	11 نيسان / أبريل 1958
غرينادا	17 شباط / فبراير 1975
غواتيمالا	2 كانون الثاني / يناير 1950
غيانا	21 آذار / مارس 1967
غينيا	2 شباط / فبراير 1960
غينيا الاستوائية	29 تشرين الثاني / نوفمبر 1979
غينيا بيساو	1 تشرين الثاني / نوفمبر 1974
فانواتو	10 شباط / فبراير 1994
فرنسا	4 تشرين الثاني / نوفمبر 1946
الفلبين	21 تشرين الثاني/ نوفمبر 1946
فنزويلا	25 تشرين الثاني / نوفمبر 1946
فنلندا	10 تشرين الأول / أكتوبر 1956
فيتنام	6 تموز / يوليو 1951
فيجي	14 تموز / يوليو 1983
قبرص	6 شباط / فبراير 1961
قطر	27 كانون الثاني / يناير 1972
قيرغيزستان	2 حزيران / يونيو 1992
كازاخستان	22 أيار / مايو 1992
الكامرون	11 تشرين الثاني / نوفمبر 1960

كرواتيا	1 حزيران / يونيو 1992
كمبوديا	3 تموز / يوليو 1951
كندا	4 تشرين الثاني / نوفمبر 1946
كوبا	29 آب / أغسطس 1947
كوت ديفورا	27 تشرين الأول / أكتوبر 1960
كوستاريكا	19 أيار / مايو 1950
كولومبيا	31 تشرين الأول / أكتوبر 1947
الكونغو	24 تشرين الأول / أكتوبر 1960
الكويت	18 تشرين الثاني / نوفمبر 1960
كيريباتي	24 تشرين الأول / أكتوبر 1989
كينيا	7 نيسان / أبريل 1964
لاتفيا	14 تشرين الأول / أكتوبر 1991
لبنان	4 تشرين الثاني / نوفمبر 1946
لكسمبرغ	27 تشرين الأول / أكتوبر 1947
ليبيريا	6 آذار / مارس 1947
ليتوانيا	7 تشرين الأول / أكتوبر 1991
ليسوتو	29 أيلول / سبتمبر 1967
مالطة	10 شباط / فبراير 1965
مالي	7 تشرين الثاني / نوفمبر 1960
ماليزيا	16 حزيران / يونيو 1958
المجر	14 أيلول / سبتمبر 1948

مدغشقر	10 تشرين الثاني / نوفمبر 1960
مصر	4 تشرين الثاني / نوفمبر 1946
المغرب	7 تشرين الثاني / نوفمبر 1956
المكسيك	4 تشرين الثاني / نوفمبر 1946
ملاوي	27 تشرين الأول / أكتوبر 1964
الملديف	18 تموز / يوليو 1980
المملكة المتحدة لبريطانيا العظمى وايرلندا الشمالية	1 تموز / يوليو 1997
منغوليا	1 تشرين الثاني / نوفمبر 1962
موريتانيا	10 كانون الثاني / يناير 1962
موريشيوس	25 تشرين الأول / أكتوبر 1968
موزمبيق	11 تشرين الأول / أكتوبر 1976
موناكو	6 تموز / يوليو 1949
ميانمار	27 حزيران / يونيو 1949
ميكرونيزيا (ولايات - الموحدة)	19 تشرين الأول / أكتوبر 1999
ناميبيا	2 تشرين الثاني / نوفمبر 1978
ناورو	17 تشرين الأول / أكتوبر 1996
النرويج	4 تشرين الثاني / نوفمبر 1946
النمسا	13 آب / أغسطس 1948
نيبال	1 أيار / مايو 1953

النيجر	10 تشرين الثاني / نوفمبر 1960
نيجيريا	14 تشرين الثاني / نوفمبر 1960
نيكاراغوا	22 شباط / فبراير 1952
نيوزيلندا	4 تشرين الثاني / نوفمبر 1946
نيوي	26 تشرين الأول / أكتوبر 1993
هاييتي	18 تشرين الثاني / نوفمبر 1946
الهند	4 تشرين الثاني / نوفمبر 1946
هندوراس	16 كانون الأول / ديسمبر 1947
هولندا	1 كانون الثاني / يناير 1947
الولايات المتحدة الأمريكية	1 تشرين الأول / أكتوبر 2003
اليابان	2 تموز / يوليو 1951
اليمن	2 نيسان / أبريل 1962
اليونان	4 تشرين الثاني / نوفمبر 1946

الأعضاء المنتسبون

آروبا	20 تشرين الأول / أكتوبر 1987
توكيلاو	15 تشرين الأول / أكتوبر 2001
جزر الأنتيل الهولندية	26 تشرين الأول / أكتوبر 1983
جزر فيرجين البريطانية	24 تشرين الثاني / نوفمبر 1983
جزر كايمان	30 تشرين الأول / أكتوبر 1999
ماكاو (الصين)	25 تشرين الأول / أكتوبر 1995

الميثاق التأسيسي لمنظمة
الأمم المتحدة للتربية والعلوم والثقافة

اعتمد هذا الميثاق التأسيسي في لندن في 16 نوفمبر/ تشرين الثاني 1945 وعدله المؤتمر العام في دوراته الثانية والثالثة والرابعة والخامسة والسادسة والسابعة والثامنة والتاسعة والعاشرة والثانية عشرة والخامسة عشرة والسابعة عشرة والتاسعة عشرة والعشرين والحادية والعشرين والرابعة والعشرين والخامسة والعشرين والسادسة والعشرين والسابعة والعشرين والثامنة والعشرين والتاسعة والعشرين والحادية والثلاثين.

إن حكومات الدول الأطراف في هذا الميثاق التأسيسي تعلن باسم شعوبها أنه:

لما كانت الحروب تتولد في عقول البشر، ففي عقولهم يجب أن تبنى حصون السلام، ولما كان جهل الشعوب بعضها لبعض مصدر الريبة والشك بين الأمم على مر التاريخ وسبب تحول خلافاتها إلى حروب في كثير من الأحيان، ولما كانت الحرب العظمى المروعة التي انتهت مؤخراً قد نشبت بسبب التنكر للمثل العليا للديمقراطية التي تنادي بالكرامة والمساواة والاحترام للذات الإنسانية، وبسبب العزم على إحلال مذهب عدم المساواة بين الأجناس محل هذه المثل العليا عن طريق استغلال الجهل والانحياز، ولما كانت كرامة الإنسان تقضي نشر الثقافة وتنشئة الناس جميعاً على مبادئ العدالة والحرية والسلام، وكان هذا العمل بالنسبة لجميع الأمم واجباً مقدساً ينبغي القيام به في روح من التعاون المتبادل، ولما كان السلم المبني على مجرد الاتفاقات الاقتصادية والسياسية بين الحكومات لا

يقوى على دفع الشعوب إلى الالتزام به التزاماً أجماعياً ثابتاً مخلصاً، وكان من المحتم بالتالي أن يقوم هذا السلم على أساس من التضامن الفكري والمعنوي بين بني البشر، لهذه الأسباب، فإن الدول الموقعة على هذا الميثاق، إذ تعتزم تأمين فرص التعليم تأميناً كاملاً متكافئاً لجميع الناس، وضمان حرية الانصراف إلى الحقيقة الموضوعية والتبادل الحر للأفكار والمعارف، تقرر تنمية العلاقات ومضاعفتها بين الشعوب تحقيقا لتفاهم أفضل بينها، ولوقوف كل شعب منها بصورة أدق وأصدق على عادات الشعوب الأخرى، وبناء على ذلك تنشئ الدول بموجب هذا الميثاق منظمة الأمم المتحدة للتربية والعلم والثقافة، لكي تسعى عن طريق تعاون أمم العالم في ميادين التربية والعلم والثقافة، إلى بلوغ أهداف السلم الدولي، وتحقيق الصالح المشترك للجنس البشري، وهي الأهداف التي أنشئت من أجلها منظمة الأمم المتحدة والتي ينادى بها ميثاقها.

المادة الأولى أهداف المنظمة ومهامها

تستهدف المنظمة المساهمة في صون السلم والأمن بالعمل، عن طريق التربية والعلم والثقافة، على توثيق عرى التعاون بين الأمم، لضمان الاحترام الشامل للعدالة والقانون وحقوق الإنسان والحريات الأساسية للناس كافة دون تمييز بسبب العنصر ـ أو الجنس أو اللغة أو الدين، كما أقرها ميثاق الأمم المتحدة لجميع الشعوب. ولهذه الغايات فإن المنظمة:

تعزز التعارف والتفاهم بين الأمم بمساندة أجهزة إعلام الجماهير وتوصي لهذا الغرض بعقد الاتفاقات الدولية التي تراها مفيدة لتسهيل حرية تداول الأفكار عن طريق الكلمة والصورة؛

تعمل على تنشيط التربية الشعبية ونشر الثقافة:

بالتعاون مع الدول الأعضاء بناء على رغبتها، ومعاونتها على تنمية نشاطها التربوي، وبإقامة التعاون بين الأمم لكي يتحقق بالتدريج المثل الأعلى في تكافؤ فرص التعليم لجميع الناس دون تمييز بسبب العنصر ـ أو الجنس أو بسبب الوضع الاقتصادي أو الاجتماعي، وباقتراح الأساليب التربوية المناسبة لتهيئة أطفال العالم أجمع للاضطلاع بمسؤوليات الإنسان الحر.

تساعد على حفظ المعرفة وعلى تقدمها وانتشارها:

بالسهر على صون وحماية التراث العالمي من الكتب والأعمال الفنية وغيرها من الآثار التي لها أهميتها التاريخية أو العلمية، وبتوصية الشعوب صاحبة الشأن بعقد اتفاقيات دولية لهذا الغرض، وبتشجيع التعاون بين الأمم في جميع فروع النشاط الفكري وتبادل المشتغلين في مجالات التربية والعلم والثقافة على النطاق الدولي وتبادل المطبوعات والأعمال الفنية والمواد العلمية وسائر المواد الإعلامية، وبالاعتماد على وسائل التعاون الدولي الملائمة لكي يتيسر ـ للشعوب جميعها أن تطلع على ما ينشره كل شعب منها.

وحرصاً على تأمين استقلال الثقافات والنظم التربوية وسلامتها وتنوعها المثمر في الدول الأعضاء، ليس للمنظمة أن تتدخل في أي شأن يكون من صميم السلطان الداخلي لهذه الدول.

المادة الثانية الأعضاء

يحق للدول الأعضاء في منظمة الأمم المتحدة أن تنضم إلى عضوية

منظمة الأمم المتحدة للتربية والعلم والثقافة.

مع مراعاة أحكام الاتفاق الذي سيعقد بين هذه المنظمة وبين منظمة الأمم المتحدة، والذي تتم الموافقة عليه طبقاً للمادة العاشرة من هذا الميثاق، يجوز قبول الدول غير الأعضاء في منظمة الأمم المتحدة كأعضاء في المنظمة بناء على توصية المجلس التنفيذي وموافقة المؤتمر العام على تلك التوصية بأغلبية ثلثي الأصوات.

يجوز قبول الأقاليم أو مجموعات الأقاليم التي لا تمارس بنفسها مسؤولية إدارة علاقتها الخارجية كأعضاء منتسبين، إذا وافق المؤتمر العام على ذلك بأغلبية ثلثي الأعضاء الحاضرين والمصوتين، وكان طلب الانضمام قد قدم بالنيابة عن كل إقليم أو مجموعة من هذه الأقاليم، من الدولة العضو أو السلطة التي تمارس مسؤولية إدارة علاقتها الخارجية أيا كانت هذه السلطة. ويحدد المؤتمر العام طبيعة ونطاق حقوق الأعضاء المنتسبين والتزاماتهم.

إن الدول الأعضاء في المنظمة التي توقف عن ممارسة حقوقها وامتيازاتها المترتبة على عضويتها في منظمة الأمم المتحدة توقف أيضا، بناء على طلب هذه الأخيرة، عن ممارسة الحقوق والامتيازات الملازمة لعضويتها.

تفقد الدولة العضو في المنظمة عضويتها فيها تلقائيا إذا فصلت من منظمة الأمم المتحدة.

يجوز لكل دولة عضو في المنظمة أو لكل عضو منتسب إليها أن ينسحب منها بموجب إشعار يوجهه إلى المدير العام. ويصبح هذا الانسحاب نافذا في يوم 31 ديسمبر/ كانون الأول من العام التالي للعام الذي وجه

خلاله الإشعار، ولا ينجم عـن هـذا الانسحاب أي تغيير في الالتزامـات المالية المترتبة على الدولـة صاحبة الشـأن تجـاه المنظمـة حتى التاريخ الـذي يصبح فيه الانسحاب نافذا. وفي حالة انسحاب عضو منتسب، يوجه الإشعار باسمة مـن قبـل الدولة العضو أو السلطة التي تمارس مسؤولية إدارة علاقاتـه الدوليـة أيـا كانـت هـذا السلطة.

يحق لكل دولة عضو أن تعين مندوبا دائما لها لدى المنظمة.

يقدم المندوب الـدائم للدولـة العضو أوراق اعتماده إلى مـدير عـام المنظمة، ويتولى مهامه رسميا اعتبارا من تاريخ تقديم أوراق الاعتماد.

المادة الثالثة هيئات المنظمة

تتكون المنظمة من المؤتمر العام والمجلس التنفيذي والأمانة.

المادة الرابعة المؤتمر العام

ألف - تشكيله

يتألف المؤتمر العام من ممثلي الدول الأعضاء في المنظمة. وتعين حكومـة كـل دولة عضو عددا من الممثلين لا يتجاوز الخمسة يختارون بعد التشاور مـع اللجنـة الوطنية، إن وجدت، أو مع المؤسسات والهيئات التربوية والعلمية والثقافية.

باء - مهامه

يحدد المؤتمر العام خطوط سياسة المنظمة والنهج العام الذي تسلكه ويبت في البرامج التي يعرضها عليه المجلس التنفيذي.

يدعو المـؤتمر العـام، كلـما اقتضى ـ الأمر ووفقا للنظام الـذي يضعه، إلى عقـد مؤتمرات دولية على مستوى الدول بشأن التربية أو العلوم الطبيعية أو

الإنسانية أو نشر المعارف. ويجوز للمؤتمر العام أو المجلس التنفيذي أن يدعو، وفقا للنظام الذي يضعه المؤتمر، إلى عقد مؤتمرات غير حكومية بشأن هذه الموضوعات ذاتها.

عندما يوافق المؤتمر العام على مقترحات ينبغي عرضها على الدول الأعضاء، فعليه أن يميز بين التوصيات الموجهة إلى الدول الأعضاء وبين الاتفاقيات الدولية التي يلزم التصديق عليها من قبل الدول الأعضاء، ويكتفي في الحالة الأولى بالأغلبية البسيطة، بينما ينبغي الحصول في الحالة الثانية على أغلبية الثلثين. وعلى كل دولة من الدول الأعضاء أن تعرض التوصيات أو الاتفاقيات على الجهات الوطنية المختصة خلال عام واحد يبدأ من تاريخ انتهاء دورة المؤتمر العام التي اعتمدت خلالها هذه التوصيات أو الاتفاقيات.

مع مراعاة أحكام الفقرة 6 - (ج) من المادة الخامسة، يسدي المؤتمر العام مشورته لمنظمة الأمم المتحدة بشأن النواحي التربوية والعلمية والثقافية للمسائل التي تهم الأمم المتحدة، وذلك وفقا للشروط والإجراءات التي تعتمدها الجهات المختصة في كلتا المنظمتين.

يتسلم المؤتمر العام ويدرس التقارير التي ترسلها الدول الأعضاء إلى المنظمة عما تتخذه من تدابير بشأن التوصيات والاتفاقيات المشار إليها بالفقرة 4 أعلاه، أو ملخصات تحليلية لهذه التقارير إذا قرر المؤتمر ذلك.

ينتخب المؤتمر أعضاء المجلس التنفيذي، ويعين المدير العام بناء على توصية من المجلس التنفيذي.

جيم - التصويت

لكل دولة عضو صوت واحد في المؤتمر العام. وتتخذ القرارات

بالأغلبية البسيطة إلا في الحالات التي توجب فيها أحكام هذا الميثاق أو أحكام النظام الداخلي للمؤتمر العام الحصول على أغلبية الثلثين. ويقصد بالأغلبية، أغلبية الأعضاء الحاضرين والمصوتين.

لا يجوز لأي دولة عضو أن تشترك في التصويت في المؤتمر العام إذا كان مجموع الاشتراكات المستحقة عليها يفوق مبلغ المساهمة المالية المطلوبة منها عن السنة الجارية والسنة التقويمية التي تسبقها مباشرة.

على أنه يجوز للمؤتمر العام أن يأذن لهذه الدولة العضو بالاشتراك في التصويت إذا رأى أنها تخلفت عن الدفع بسبب ظروف خارجة عن إرادتها.

دال - إجراءات الاجتماع

يجتمع المؤتمر العام في دورة عادية مرة كل سنتين. ويجوز أن يجتمع في دورة استثنائية إذا قرر ذلك بنفسه أو بناء على دعوة المجلس التنفيذي أو على طلب ثلث الدول الأعضاء على الأقل.

يحدد المؤتمر العام، أثناء كل دورة، مكان انعقاد دورته العادية التالية، ويحدد أيضا مكان انعقاد دورته الاستثنائية إذا كان هو نفسه الذي بادر بالدعوة إليها. وفيما عدا ذلك من الحالات فإن المجلس التنفيذي هو الذي يحدد مكان الانعقاد.

يعتمد المؤتمر العام نظامه الداخلي، وينتخب في كل دورة رئيسه وسائر أعضاء مكتبة.

ينشئ المؤتمر العام اللجان الخاصة والفنية وغير ذلك من الهيئات الفرعية التي يراها ضرورية لأداء مهمته.

يتخذ المؤتمر العام الترتيبات الكفيلة بتمكين الجمهور من حضور الاجتماعات وفقا لما يضعه من قواعد وأحكام.

هاء - المراقبون

يجوز للمؤتمر العام، بناء على توصية من المجلس التنفيذي ومع مراعاة أحكام النظام الداخلي، أن يدعو بأغلبية ثلثي الأصوات ممثلي المنظمات الدولية، ولا سيما ممثلي المنظمات المشار اليها في الفقرة 4 من المادة الحادية عشرة، لحضور دورات معينة للمؤتمر العام أو للجانه، بصفة مراقبين.

عندما يوافق المجلس التنفيذي على قبول هذه المنظمات الدولية غير الحكومية أو شبة الحكومية للاستفادة من ترتيبات التشاور، وفقا للإجراءات المبينة في الفقرة 4 من المادة الحادية عشرة، فإن هذه المنظمات تدعى إلى إيفاد مراقبين عنها إلى دورات المؤتمر العام واجتماعات لجانه.

المادة الخامسة   المجلس التنفيذي

ألف - تشكيل المجلس التنفيذي

يشكل المجلس التنفيذي من ثمان وخمسين دولة عضوا ينتخبها المؤتمر العام، ويحضر ـ رئيس المؤتمر العام جلسات المجلس التنفيذي بحكم منصبه وبصفة استشارية.

يشار إلى الدول الأعضاء المنتخبة أعضاء في المجلس التنفيذي فيما يلي بعبارة (أعضاء المجلس التنفيذي).

يعين كل عضو في المجلس التنفيذي ممثلا واحد له. ويجوز له أيضا أن يعين له نوابا.

وعلى عضو المجلس التنفيذي، عندما يختار من يمثله في المجلس التنفيذي، أن يحرص على تعيين شخص من ذوي الكفاءة في مجال أو أكثر

من مجالات اختصاص اليونسكو وممن تتوافر لديهم الخبرة والمقدرة اللازمتان للقيام بالمهام الإدارية والتنفيذية الملقاة على عاتق المجلس. ومراعاة لأهمية الاستمرارية، يعين كل ممثل لمدة تفويض عضو المجلس التنفيذي، ما لم تطرأ ظروف استثنائية تقتضي ـ إبداله. ويضطلع النواب الـذين يعينهم كـل عضـو في المجلس التنفيذي بكافة مهام ممثل العضو في حال غيابه.

عندما يباشر المؤتمر العام انتخاب الأعضاء في المجلس التنفيذي فعليه أن يراعي تنوع الثقافات والتوزيع الجغرافي العادل.

يشغل الأعضاء في المجلس التنفيذي مقاعدهم ابتداء مـن تـاريخ انتهاء دورة المؤتمر العام التي يتم فيها انتخابهم حتى نهاية الدورة العادية الثانية التالية التي يعقدها المؤتمر العام. وينتخب المؤتمر العام، في كل دورة من دوراته العادية، العـدد المطلوب من أعضاء المجلس التنفيذي لشغل المقاعد التي ستصبح شاغرة في نهايـة الدورة.

يجوز إعادة انتخاب أعضاء المجلس التنفيذي. ويعمل أعضاء المجلس التنفيـذي الذين يعاد انتخابهم على تغيير ممثليهم في المجلس.

إذا انسحب عضو في المجلس التنفيذي من المنظمـة، فإن عضويته في المجلـس التنفيذي تنتهي في التاريخ الذي يصبح فيه الانسحاب نافذا.

باء - مهامه

يعد المجلس التنفيذي جداول أعمال دورات المؤتمر العام ويدرس برنامج عمـل المنظمة وتقديرات الميزانية الخاصة بهذا البرنامج التي يعرضها عليه المدير العام وفقا للفقـرة 3 مـن المـادة السادسـة، ثـم يقـوم بعرضـها علـى المـؤتمر العـام مشفوعة بالتوصيات التي يراها مناسبة.

يباشر المجلس التنفيذي أعماله تحت سلطة المؤتمر العام ويكون مسؤولا أمامه عن تنفيذ البرنامج الذي يقره المؤتمر. ويتخذ المجلس التنفيذي، وفقا للقرارات الصادرة عن المؤتمر العام، ومع مراعاة الظروف التي قد تستجد بين دورة وأخرى من دورات المؤتمر العادية، جميع التدابير اللازمة لتأمين قيام المدير العام بتنفيذ البرنامج تنفيذا فعالا رشيدا.

يجوز للمجلس التنفيذي في الفترات الواقعة بين دورات المؤتمر العام العادية، أن يقوم لدى منظمة الأمم المتحدة بالمهام الاستشارية التي تنص عليها الفقرة 5 من المادة الرابعة، بشرط أن يكون المؤتمر قد سبق له أن عالج المسألة موضوع الاستشارة من حيث المبدأ، أو أن يكون الحل الذي تقتضيه هذه المسألة منبثقا من قرارات صادرة عن المؤتمر.

يوصي المجلس التنفيذي المؤتمر العام بقبول أعضاء جدد في المنظمة.

يضع المجلس التنفيذي نظامه الداخلي، مع مراعاة قرارات المؤتمر العام في هذا الشأن وينتخب هيئة مكتبه من بين أعضائه.

يجتمع المجلس التنفيذي في دورة عادية أربع مرات على الأقل كل فترة عامين، ويجوز له أن يجتمع في دورة استثنائية بناء على دعوة مباشرة من رئيسة أو على طلب ستة من أعضاء المجلس التنفيذي.

يقدم رئيس المجلس التنفيذي باسم هذا المجلس إلى كل دورة من دورات المؤتمر العام العادية التقارير التي يتعين على المدير العام وضعها عن نشاط المنظمة وفقا لأحكام الفقرة 3 (ب) من المادة السادسة مشفوعة أو غير مشفوعة بتعليقات المجلس.

يتخذ المجلس التنفيذي كافة الترتيبات اللازمة لاستشارة ممثلي الهيئات الدولية أو الأشخاص المؤهلين الذين يعنون بالمسائل الواقعة في دائرة

اختصاصه.

يجوز للمجلس التنفيذي أن يطلب بين دورة وأخرى مـن دورات المـؤتمر العـام مشورة محكمة العدل الدولية بشأن القضايا القانونيـة التـي تنشـأ في نطـاق أعمال المنظمة.

يمارس المجلس التنفيذي كذلك الصلاحيات التي يخوله إياها المؤتمر العام باسم المؤتمر كله.

المادة السادسة الأمانة

تتكون الأمانة من مدير عام ومن العدد اللازم من الموظفين.

يقترح المجلس التنفيذي شخص المدير العام ويعينه المـؤتمر العـام لمـدة أربـع سنوات وفقا للشروط التي يقرها المؤتمر. ويجوز تعيين المدير العام لمدة أربع سنوات أخرى ولكن لا يجوز تعيينه من جديد لفترة لاحقة. والمدير العام هو الرئيس الإداري الأعلى للمنظمة.

يشترك المدير العام أو من ينيبه عنه في حالة غيابه، في جميع اجتماعات المـؤتمر العام والمجلس التنفيذي ولجان المنظمة، دون أن يكون لـه حـق التصـويت. ويقدم اقتراحات بشأن التدابير التي ينبغي للمؤتمر العام والمجلس التنفيذي اتخاذها، ويعـد مشروع برنامج عمـل المنظمـة مصحوبا بتقـديرات الميزانيـة الخاصـة لهـذا البرنامج تمهيدا لعرضه على المجلس.

يعد المدير العام تقارير دورية عن أعمال المنظمة ويرسلها إلى الـدول الأعضـاء وإلى المجلس التنفيذي. ويقرر المؤتمر العام الفترات التي تشملها هذه التقارير.

يعين المدير العام موظفي الأمانة وفقا لنظام الموظفين الذي ينبغي عرضة علـى المؤتمر العام لاعتماده. ويجري تعيين الموظفين على أوسع

نطاق جغرافي ممكن بشرط أن تتوافر فيهم أعلى صفات النزاهة والكفاية والمقدرة الفنية.

تتسم مسؤوليات المدير العام والموظفين بطابع دولي بحت، ولا يجوز لهم أثناء تأدية واجباتهم أن يطلبوا أو أن يتلقوا تعليمات من أية حكومة أو أية سلطة خارجة عن المنظمة، وعليهم ألا يقوموا بأي عمل من شأنه أن يمس مركزهم كموظفين دوليين. وتتعهد جميع الدول الأعضاء في المنظمة باحترام الطابع الدولي الذي تتسم به مسؤوليات المدير العام والموظفين، وبألا تحاول التأثير عليهم أثناء قيامهم بمهامهم.

ليس في أحكام هذه المادة ما يمنع المنظمة من عقد اتفاقات خاصة، ضمن نطاق منظمة الأمم المتحدة، لإنشاء خدمات مشتركة أو تعيين موظفين مشتركين أو لتبادل الموظفين.

المادة السابعة هيئات التعاون الوطنية

تتخذ كل دولة عضو الترتيبات التي تلائم ظروفها الخاصة لإشراك هيئاتها الوطنية الرئيسية التي تعني بشؤون التربية والعلم و الثقافة، في أعمال المنظمة. ويفضل أن يتم ذلك عن طريق تكوين لجنة وطنية تمثل فيها الحكومة وهذه الهيئات المختلفة.

تقوم اللجان الوطنية أو هيئات التعاون الوطنية، حيثما وجدت، بدور استشاري لدى الوفود الوطنية إلى المؤتمر العام، ولدى ممثلي بلدانها ونوابهم في المجلس التنفيذي، ولدى حكوماتها فيما يتعلق بجميع المشكلات المتصلة بالمنظمة، كما أنها تقوم بدور هيئات الاتصال فيما يختص بجميع المسائل التي تهم المنظمة.

يجوز للمنظمة أن تنتدب أحد موظفي الأمانة، بناء على طلب دولة

عضو وبصفة مؤقتة أو دائمة، لكي يشترك في أعمال اللجنة الوطنية لتلك الدولة.

المادة الثامنة التقارير التي تقدمها الدول الأعضاء

ترسل كل دولة عضو إلى المنظمة، في المواعيد وبالشكل الـذي يقرره المـؤتمر العام، تقارير عن القوانين والأنظمة والإحصاءات المتعلقة بمؤسساتها ونشاطها في ميادين التربية والعلم والثقافة، وعما تتخذه من تدابير بشأن التوصيات والاتفاقيات المشار إليها في الفقرة 4 من المادة الرابعة.

المادة التاسعة الميزانية

تتولى المنظمة إدارة شؤون الميزانية.

يوافق المؤتمر العام نهائيا على الميزانية، ويحـدد مقـدار المسـاهمة الماليـة لكل دولة من الدول الأعضاء، وذلك مع مراعاة الأحكام التي قد تنص عليها في هذا الشأن الاتفاقية المعقودة مع منظمة الأمم المتحدة وفقا للمادة العاشرة من هذا الميثاق.

يجوز للمدير العام أن يقبل مباشرة مساهمات طوعيـة أو هبـات أو وصـايا أو إعانات من الحكومات أو المؤسسات العامة أو الخاصة أو الجمعيات أو الأفراد، عـلى أن يخضع ذلك للشروط المنصوص عليها في النظام المالي.

المادة العاشرة العلاقات مع منظمة الأمم المتحدة

ترتبط هذه المنظمة في أقرب وقت ممكن بمنظمة الأمم المتحدة، فتصبح إحدى وكالاتها المتخصصة المنصوص عليها في المادة السابعة

والخمسين من ميثاق الأمم المتحدة. وتكون هذه العلاقات موضوع اتفاق يعقد مع منظمة الأمم المتحدة وفقا لأحكام المادة 63 من ميثاقها، ويعرض على المؤتمر العام لهذه المنظمة للموافقة عليه. وينبغي أن يتضمن الاتفاق أيضا الوسائل الكفيلة بإقامة تعاون فعال بين المنظمتين في سعيهما إلى تحقيق أهدافهما المشتركة، وأن يكفل في الوقت نفسه الاستقلال الذاتي للمنظمة في مجالات اختصاصها المنصوص عليها في هذا الميثاق التأسيسي. ويمكن أن ينص هذا الاتفاق فيما ينص عليه، على الأحكام المتعلقة بموافقة الجمعية العامة للأمم المتحدة على ميزانية المنظمة وعلى تمويلها.

المادة الحادية عشر العلاقات مع سائر المنظمات والوكالات الدولية المتخصصة

يجوز للمنظمة أن تتعاون مع غيرها من المنظمات والوكالات الدولية الحكومية المتخصصة التي تتوافق مهامها وأعمالها مع مهام المنظمة وأعمالها. وتحقيقا لهذه الغاية يجوز للمدير العام أن يقوم، تحت إشراف المجلس التنفيذي، بإنشاء علاقات عمل فعالة مع هذه المنظمات والوكالات، وتشكيل ما يلزم من اللجان المشتركة لضمان التعاون الفعال معها. ويخضع كل اتفاق يعقد مع هذه المنظمات أو الوكالات المتخصصة لموافقة المجلس التنفيذي.

كلما رأى المؤتمر العام والجهات المختصة في أية منظمة أو وكالة دولية حكومية متخصصة تسعى إلى أهداف مماثلة لأهداف المنظمة وتمارس أعمالا تدخل في اختصاصها، أنه من المرغوب فيه تحويل موارد ومهام تلك المنظمة أو الوكالة إلى منظمة الأمم المتحدة للتربية والعلم والثقافة، فإنه يجوز للمدير العام أن يعقد بموافقة المؤتمر العام ما يلزم من

اتفاقات يقبلها الطرفان.

يجوز للمنظمة أن تتخذ الترتيبات المناسبة بالاتفاق مع أي منظمة دولية حكومية أخرى لتبادل التمثيل في اجتماعات كل من المنظمتين.

يجوز لمنظمة الأمم المتحدة للتربية والعلم والثقافة أن تتخذ ما تراه من الترتيبات المناسبة لتسهيل التشاور وتأمين التعاون مع المنظمات الدولية غير الحكومية التي تعنى بأمور تقع ضمن دائرة اختصاصها، وأن تدعوها إلى القيام بمهام معينة. ويدخل في نطاق هذا التعاون اشتراك ممثلين لهذه المنظمات بطريقة مناسبة في أعمال اللجان الاستشارية التي يشكلها المؤتمر العام.

المادة الثانية عشر الوضع القانوني للمنظمة

تسري على هذه المنظمة أحكام المادتين 104 و 105 من ميثاق منظمة الأمم المتحدة المتعلقة بالوضع القانوني للمنظمة المذكورة وبامتيازاتها وحصاناتها.

المادة الثالثة عشرة التعديلات

تصبح التعديلات التي يقترح إدخالها على هذا الميثاق التأسيسي ـ نافذة بمجرد موافقة المؤتمر العام عليها بأغلبية الثلثين. غير أن التعديلات التي تنشأ عنها تغييرات أساسية في أهداف المنظمة أو التزامات جديدة على الدول الأعضاء، ينبغي أن تحظى بعد هذا بموافقة ثلثي الدول الأعضاء قبل أن تصبح نافذة. ويقوم المدير العام بإبلاغ نصوص مشروعات التعديل للدول الأعضاء قبل عرضها على المؤتمر العام بستة أشهر على الأقل.

يحق للمؤتمر العام أن يعتمد بأغلبية الثلثين النظام اللازم لتنفيذ أحكام هذه المادة.

المادة الرابعة عشرة تفسير الميثاق التأسيسي

النصان الانجليزي والفرنسي لهذا الميثاق التأسيسي متساويا الحجية.

يحال كل مشكل أو نزاع بشأن تفسير هذا الميثاق التأسيسي إلى محكمة العدل الدولية أو هيئة تحكيمية للبت فيه، وذلك حسبما يقرره المؤتمر العام وفقاً لنظامه الداخلي.

المادة الخامسة عشرة نفاذ الميثاق التأسيسي

يعرض هذا الميثاق التأسيسي للقبول، وتودع وثائق القبول لدى حكومة المملكة المتحدة.

يودع هذا الميثاق التأسيسي في محفوظات حكومة المملكة المتحدة حيث يظل باب التوقيع عليه مفتوحا، ويجوز التوقيع عليه قبل إيداع وثائق القبول أو بعده. ولا يعد القبول صحيحا إلا إذا سبقه أو تلاه التوقيع. ومع ذلك، فليس على الدول التي تنسحب من المنظمة إلا أن تودع وثيقة قبول جديدة لكي تعود إلى عضويتها.

يصبح هذا الميثاق التأسيسي نافذا عندما يقبله عشرون من الموقعين عليه، وتصبح حالات القبول اللاحقة نافذة فور حدوثها.

ترسل حكومة المملكة المتحدة إلى جميع أعضاء منظمة الأمم المتحدة وإلى المدير العام إشعارا بتسلم كل وثائق القبول وبتاريخ نفاذ هذا الميثاق التأسيسي وفقا لأحكام الفقرة السابقة.

وإثباتا لما تقدم، وضع الموقعون أدناه والمفوضون من قبل حكوماتهم لهذا الغرض، توقيعاتهم على هذا الميثاق التأسيسي بنصيه الانجليزي والفرنسي ـ علما بأن النصين متساويا الحجية.

حررت هذه الاتفاقية في لندن من أصل واحد باللغتين الانجليزي

والفرنسية في اليوم السادس عشر من نوفمبر/ تشرين الثاني عام ألف وتسعمائة وخمسة وأربعين، وسترسل حكومة المملكة المتحدة نسخا معتمدة مطابقة للأصل إلى حكومات جميع الدول الأعضاء في الأمم المتحدة.

ميثاق الوحدة الثقافية العربية
ودستور المنظمة

استجابة للشعور بالوحدة الطبيعية بين أبناء الأمة العربية، وإيمانا بأن وحدة الفكر والثقافة هي الدعامة الأساسية التي تقوم عليها الوحدة العربية، وبأن الحفاظ على التراث الحضاري العربي وانتقاله بين الأجيال المتعاقبة و تجديده على الدوام هو ضمان تماسك الأمة العربية ونهوضها بدورها الطليعي الإبداعي في مجال الحضارة الإنسانية والسلام العالمي المبني على أسس العدل والحرية والمساواة.

وتنفيذا لما جاء في ميثاق جامعة الدول العربية ومتابعة لما حققته المعاهدة الثقافية التي أبرمت بين الدول العربية سنة 1945.

واعتزازا بانضمام أجزاء من الوطن العربي إلى جامعة الدول العربية بعد خلاص هذه الأجزاء من ربقة الاستعمار.

وتطلعا إلى استعادة العرب أراضيهم المقدسة المغتصبة واستكمالهم حريتهم في سائر أجزاء وطنهم، وانطلاقا لما حققه مؤتمر الذروة بين ملوك العرب ورؤسائهم من وحدة الهدف ووحدة الصف في مجالات واسعة من حياة الأمة العربية.

ولما للتعاون في ميادين التربية والثقافة والعلوم ورقيها من آثار فعالة في الإنسان والمجتمع العربي والقومية العربية على الصعيد العالمي.

وبما يؤدي إليه هذا التعاون من ضمان حقوق الإنسان العربي في التعليم والحرية والكرامة والرفاهية وتمكينه من الإسهام في خدمة مجتمعه.

وبما يؤدي إليه هذا التعاون من تطور هذا المجتمع وتقدمه على أسس

متينة من قيمه الروحية الأصيلة، ومن العلوم الحديثة وتطبيقاتها.

وبما يؤدي إليه هذا التعاون من إبراز الشخصية العربية في المجال العالمي وقدرتها على الوقوف في وجه قوى الشر العالمية المتمثلة في الاستعمار والصهيونية، وإسهامها في إقرار السلام العالمي، وقيامها بدورها التاريخي في بناء الحضارة الإنسانية وتقدمها.

توافق الدول العربية على الميثاق التالي للوحدة الثقافية العربية:

المادة الأولى

يكون هدف التربية والتعليم:

تنشئة جيل عربي واع مستنير، مؤمن بالله، مخلص للوطن، يثق بنفسه وأمته، ويدرك رسالته القومية والإنسانية، ويتمسك بمبادئ الحق والخير والجمال، ويستهدف المثل العليا الإنسانية في السلوك الفردي والجماعي.

جيل يهيئ لأفراده أن تنمو شخصياتهم بجوانبها كافة، ويملكوا إرادة النضال المشترك و أسباب القوة والعمل الإيجابي، متسلحين بالعلم والخلق، كي يسهموا في تطوير المجتمع العربي والسير به قدما في معارج التطور والرقي، وفي تثبيت مكانة الأمة العربية المجيدة، وتأمين حقها في الحرية والأمن والحياة الكريمة.

وتعمل الدول الأعضاء على رسم الفلسفة التربوية العربية التي تنهض بهذا الهدف العام، وعلى تعيين أهداف التربية في جميع مراحل الدراسة، وإبرازها في مجال العمل والتنفيذ بما يحقق ما تعقده الأمة العربية على تربية شبابها من آمال.

المادة الثانية

تتعاون الدول الأعضاء تعاونا كاملا في ميادين التربية والثقافة والعلوم وإرساء دعائمها على أساس من التكافل والتكامل، وتعمل بصفة خاصة على تنسيق أنظمتها التعليمية وتطويرها. وعلى تبادل الخبراء والمعلومات وثمرات البحوث العلمية والتقنية، وتبادل الأساتذة والمدرسين ين والخبراء وقبول الطلبة بالمدارس والمعاهد والجامعات، وتقديم المساعدات التقنية والمشاركة في إنشاء معاهد البحوث ومراكزها، وعقد المؤتمرات والحلقات الدورية والتدريبية، وتيسير انتقال المطبوعات العربية، وتنسيق ألوان النشاط الرياضي والفني، وتحقيق التعاون بين الهيئات والمجالس المختصة بهذه الشؤون حكومية وغير حكومية.

المادة الثالثة

توافق الدول الأعضاء على تطوير الأجهزة الثقافية بجامعة الدول العربية (الإدارة الثقافية ومعهد المخطوطات العربية ومعهد الدراسات العربية العالية) إلى منظمة واحدة تشملها جميعا في نطاق جامعة الدول العربية تسمى " المنظمة العربية للتربية والثقافة والعلوم " وفقا للدستور الذي يقره مجلس الجامعة بناء على مقترحات المؤتمر الثاني لوزراء المعارف والتربية والتعليم لتتولى هذه المنظمة تنظيم الجهود المشتركة التي تقوم بها الدول الأعضاء في سبيل تحقيق هذا الميثاق وفقا لدستورها.

المادة الرابعة

تعمل الدول الأعضاء على بلوغ مستويات تعليمية متماثلة عن طريق تنسيق أنظمة التعليم فيها، وبخاصة توحيد السلم التعليمي وتوحيد أسس

المناهج، وخطط الدراسة، والكتب المدرسية، ومستوى الامتحانات وقواعد القبول، وتعادل الشهادات، وأساليب إعداد المعلمين وإدارة المؤسسات التعليمية.

المادة الخامسة

توافق الدول الأعضاء على تنسيق التعليم الجامعي والعالي، ومراكز البحوث، ومعاهده الجامعية فيما بينها بحيث يسهل تبادل الخبرات في هذا المجال. وتعمل الدول على توحيد الدرجات العلمية أو تعادلها، وعلى تنشيط البحث العلمي.

ويشكل مجلس أعلى لتنسيق التعليم الجامعي في الوطن العربي بالتعاون مع الجامعات والجهات المسؤولة عن التعليم العالي، لتحقيق هذا التنسيق من جميع وجوهه.

كما تعمل المنظمة على إنشاء اتحاد للجامعات العربية، وتشجع الجامعات العربية على الانتساب إليه.

المادة السادسة

تتعاون الدول الأعضاء على تطوير أنظمة التعليم فيها بالعمل على تحقيق إلزام التعليم في مرحلته الابتدائية على الأقل، ومحو الأمية، وتيسير التعليم الثانوي وتنويعه وتمكين ذوي الاستعدادات من التعليم العالي، والعناية بالتعليم الفني.

على ان يتم ذلك ضمن مخطط عام يهدف إلى التنمية الاجتماعية والاقتصادية للبلاد العربية.

المادة السابعة

تتفق الدول الأعضاء فيما بينها على تبادل إنشاء المعاهد العلمية والتعليمية والمراكز الثقافية في بلادها وخاصة المعاهد العلمية ذات التخصص الدقيق. وُتعنى بإصدار المجلات الدورية في مختلف ميادين العلوم.

المادة الثامنة

تعمل الدول الأعضاء على تنشئة الأجيال الصاعدة على التمسك بمبادئ الدين.

المادة التاسعة

توافق الدول الأعضاء على النهوض بتعليم البنات وفقا للمبادئ الدينية والقيم العربية والتقدم العلمي الحديث، مع مراعاة تزويد هذا التعليم بما تقتضيه رسالة المرأة بأن تكون أما ومواطنة صالحة في المجتمع لها من الحقوق وعليها من الواجبات ما يتمشى مع مسؤولياتها في المجتمع.

المادة العاشرة

توافق الدول الأعضاء على أن تكون اللغة العربية لغة التعليم والدراسات والبحث في مراحل التعليم كلها، وعلى الأقل في المرحلتين الابتدائية والثانوية، وفي الوقت نفسه تعمل الدول العربية على توثيق صلة طلابها بالثقافة الأدبية والعلمية والفنية الحديثة ومساعدتهم على إتقان الوسائل اللغوية التي تمكنهم من استيعاب هذه الثقافة.

المادة الحادية عشرة

تعمل الدول الأعضاء في المجال الثقافي على تعريف أبنائها بالأحوال

الاجتماعية والاقتصادية والثقافية والسياسية في سائر البلاد العربية، وذلك بواسطة الكتب المدرسية وبواسطة التليفزيون والإذاعة والتمثيل والصحافة أو بغيرها من وسائل، وبإنشاء متاحف للحضارة والثقافة العربية وبإمدادها بما ييسر نجاحها، وبإقامة معارض دورية للفنون والمنتجات الأدبية ومهرجانات عامة ومدرسية في البلاد العربية.

المادة الثانية عشرة

توافق الدول الأعضاء على تأليف "الكتاب الأم " الذي يعد المرجع الرئيسي لما يؤلف من الكتب المدرسية في تاريخ البلاد العربية وحضارتها وجغرافيتها ولغتها وأدبها ومقومات المجتمع العربي.

المادة الثالثة عشرة

تؤكد الدول الأعضاء أهمية العناية بإعداد المعلم العربي روحيا بتزويده بالمبادئ الدينية والقيم العربية الأصيلة، وقوميا بتزويده بالثقافة العربية، ومهنيا بتزويده بأحدث النظريات التربوية وطرق التربية والتعليم، وعلميا بتزويده بأساس علمي متين في مواد تخصصه، وذلك إيمانا بأن المعلم هو من أهم العوامل في تنفيذ السياسة التعليمية وتحقيق التطور القومي والإصلاح الاجتماعي.

المادة الرابعة عشرة

تساعد الدول الأعضاء، وفقا لأوضاعها ونظمها الخاصة على إنشاء منظمة للمعلمين في كل منها، لتعمل هذه المنظمات على ترقية مستوى المهنة التعليمية، ورفع مستوى المعلم العربي، على أن يجمع هذه المنظمات اتحاد المعلمين العرب.

المادة الخامسة عشرة

تتعاون الدول العربية فيما بينها على إحياء التراث العربي -الفكري والفني - والمحافظة عليه. ونشره وتيسيره للطالبين بمختلف الوسائل وعلى ترجمة روائعه إلى اللغات الحية، وعلى التعريف بالثقافة العربية الإسلامية، وبشؤون الفكر العربي المعاصر وبالقضايا العربية الحاضرة، كما تتعاون على نشر ـ اللغة العربية والخط العربي وتيسير تعلمها في البلاد الأجنبية وفي البلاد الإسلامية خاصة.

المادة السادسة عشرة

تعمل الدول الأعضاء على تنشيط الجهود التي تبذل لترجمة عيون الكتب الأجنبية القديمة والحديثة وتنظيم تلك الجهود، كما تعمل على تنشيط الإنتاج الفكري في البلاد العربية بمختلف الوسائل، كإنشاء معاهد للبحث العلمي والأدبي وتنظيم مسابقات في التأليف ووقف جوائز على المتفوقين من أهل العلم والأدب والفن.

المادة السابعة عشرة

توافق الدول العربية على أن تسعى إلى توحيد المصطلحات العلمية والحضارية، وعلى أن تساعد حركة التعريب بما يحقق إغناء اللغة العربية مع المحافظة على مقوماتها، وذلك بالتعاون مع المكتب الدائم للتعريب بالرباط التابع للمنظمة العربية للتربية والثقافة والعلوم ليقوم برسالته على خير وجه ممكن، وكذلك بالتعاون مع ما قد ينشأ من هيئات مماثلة.

المادة الثامنة عشرة

تعمل الدول الأعضاء على إنشاء مجلس للمجامع اللغوية تمثل فيه

المجامع العربية والمكتب الدائم للتعريب والعلماء المتخصصون، ويعنى هـذا المجلس على وجه الخصوص بتوحيد المصطلحات العلمية وتنسيقها ونشرها.

المادة التاسعة عشرة

توافق الدول الأعضاء على أن تعمل على توثيق الصـلات بـين دور الكتـب فيهـا ومتاحفها العلمية والتاريخية والفنية بشتى الوسائل، كتبـادل المؤلفـات والفهـارس والقطع الأثرية ذات النسخ المتعددة وتبادل الفنيين وبعثات التنقيب عن الآثار كـما تتعاون في مجال الكشف عن الآثار وصـيانتها والتعريـف بهـا والإعـلام عنهـا وحسن استثمارها للأغراض التربوية والثقافية والعلمية.

المادة العشرون

تتعاون الدول العربية على تبادل الخبرات الثقافية الخاصة بالموسيقى والمسرـح والسينما والفنون الشعبية والصحافة ووسائل الإعلام المختلفة، وتعمـل عـلى تسـجيل هذه الفنون ورعايتها وتنسيق جهود العاملين فيها وتبادل خبراتهم.

المادة الحادية والعشرون

تعمل الدول الأعضاء عـلى أن تضع كل منهـا تشريـعا لحمايـة الملكيـة الأدبيـة والعلمية والفنية لما ينتج في هذه الميادين في كل دولة من دول الجامعة العربية.

المادة الثانية والعشرون

تتفق الدول الأعضاء على إصدار قانون إيداع للمطبوعات وعلى إنشاء

مراكز للتسجيل في كل دولة منها، على أن ترسل كل دولة إلى مركز التسجيل في المنظمة العربية للتربية والثقافة والعلوم بيانات وافية عن كل مطبوع، وفقا لبطاقة خاصة، موحدة يعدها المركز، ثم يقوم المركز بإصدار نشرات ببلوجرافية دورية تتضمّن ما طبع في الدول الأعضاء.

المادة الثالثة والعشرون

توافق دول الجامعة العربية على تبادل الأساتذة والمدرسين والخبراء بين معاهدها العلمية بالشروط العامة والفردية التي تتفق عليها، على أن تعتبر مدة الخدمة لمن هو موظف حكومي من المدرسين أو الأساتذة والخبراء الذي يشملهم التبادل كأنها في حكومته، ومع حفظ حقه من حيث المنصب والترقية والتقاعد، وكذلك تيسرـ انتقال غير الموظفين وتعاقدهم تعاقدا فرديا مع الحكومات أو المؤسسات التي تحتاج إلى خدماتهم، على أن يتم ذلك عن طريق الجهة المختصة وتبعا للأنظمة الموضوعة لذلك.

المادة الرابعة والعشرون

توافق الدول الأعضاء على تبادل الطلاب والتلاميذ بين مدارسها ومعاهدها التعليمية و تيسير قبولهم، على قدر إمكانياتها، في المراحل والصفوف المناسبة ومع مراعاة الأنظمة المتبعة فيها.

وريثما يتحقق توحيد الأسس المشار إليها في المادة الرابعة من هذا الميثاق تعمل الدول، مع احتفاظها بأنظمة التعليم العامة فيها، على تعادل أو توحيد الشهادات في مراحل الدراسة المختلفة. ويمكنها أن تعقد اتفاقيات بعضها مع بعض لتيسير ذلك. وكذلك تقدم كل دولة التسهيلات الممكنة للدولة أو الدول الأعضاء التي ترغب في إنشاء بيوت لإقامة طلبتها فيها.

المادة الخامسة والعشرون

تتعاون الدول الأعضاء على تلبية الحاجات الثقافية في البلاد العربية التي تكـون في حاجة إليها، وتتبادل المساعدات الفنية بعضها مع بعض.

المادة السادسة والعشرون

تعمل الدول الأعضاء على تشجيع الرحلات الثقافيـة والكشـفية والرياضية بين البلاد العربية وذلك في المناطق التي تسمح الحكومات بارتيادها وفقا لإمكانياتها مـع العمل على تيسير أسباب ذلك.

المادة السابعة والعشرون

تتخذ الدول الأعضاء الوسائل اللازمة للتقريب بين اتجاهاتها التشريعية التربوية والثقافية وتوحيد ما يمكن توحيده منها، وإدخال الدراسات القانونيـة المقارنة للبلاد العربية في مناهج جامعاتها ومعاهدها.

المادة الثامنة والعشرون

تتعاون الدول الأعضاء على تنسـيق جهودهـا في سبيل التعاون الثقـافي الـدولي وخاصـة مـع منظمـة اليونسـكو، عـلى تبـادل الخبرات وتنظيـم الاتصالات وإنشاء المؤسسات الثقافية في البلاد الصديقة.

المادة التاسعة والعشرون

يصدق على هذا الميثاق مـن الـدول الموقعـة بـالتطبيق لنظمها الدسـتورية في اقرب وقت ممكن وتودع وثائق التصديق بالأمانة العامة لجامعة الدول العربية التي تعد محضرا بإيداع وثيقة تصديق كل دولة وتبلغه إلى الدول المتعاقدة.

المادة الثلاثون

يجوز للبلاد العربية التي ليست أعضاء في جامعة الـدول العربيـة أن تنضـم إلى هذا الميثاق بإعلان يرسل منها إلى الأمـين العـام لجامعـة الـدول العربيـة الـذي يبلـغ انضمامها إلى الدول المتعاقدة الأخرى.

المادة الحادية والثلاثون

يعمل بهذا الميثاق بعد شهر من إيداع وثائق التصديق عليه من ثلاث دول مـن الدول الأعضاء.

المادة الثانية والثلاثون

يجوز لأية دولة ملتزمة بهذا الميثاق أن تنسحب منه وذلك بمقتضى إعلان يرسل إلى الأمين العام للجامعة العربية وينتج الإعلان أثره بعد سنة من تاريخ إرساله.

بغداد في 16 شوال 1383 هـ - 29 فبراير شباط 1964

دستور

المنظمة العربية للتربية والثقافة والعلوم

المادة الأولى

أغراض المنظمة:

هدف المنظمة هو التمكين للوحدة الفكرية بين أجزاء الوطن العربي عن طريق التربية والثقافة والعلوم ورفع المستوى الثقافي في هذا الوطن حتى يقوم بواجبه في متابعة الحضارة العالمية والمشاركة الايجابية فيها.

ولتحقيق ذلك الهدف فإن المنظمة تعمل على:

تنسيق الجهود العربية في ميادين التربية والثقافة والعلوم.

النهوض بالتعليم والثقافة، وذلك بالتعاون مع الدول الأعضاء، بناء على طلبها، للنهوض بالفكر إلى المستوى الذي يتيح للعرب حياة فكرية تمكنهم من تحمل ما تقتضيه الحرية من مسؤوليات.

تشجيع البحث العلمي في البلاد العربية والعمل على إيجاد هيئة من الباحثين.

اقتراح المعاهدات وجمع المعلومات والحقائق والبيانات الخاصة بتنفيذ المعاهدات التربوية والثقافية والعلمية والفنية التي تبرم بين البلاد العربية.

المساعدة على تبادل الخبرات والخبراء والمعلومات والتجارب التربوية والثقافية والعلمية والمعونات الفنية وتنسيق هذا التبادل.

المساهمة في الحفاظ على المعرفة وتقدمها ونشرها، ذلك:

بالمحافظة على التراث العربي وحمايته ونشره سواء كان مخطوطات أو تحفا فنية أو أثرية وبإنشاء المعاهد ذات التخصص الدقيق مع إتاحة

الإمكانيات اللازمة للقيام برسالتها على أتم وجه ممكن.

والمعاهد التي تبث روح القومية العربية وتعد جيلا من الباحثين المتخصصين في الحضارة العربية وفيما يهم العرب في العصر ـ الحديث من قضايا الفكر البشري، وبتشجيع التعاون بين الأمة العربية والأمم الأخرى في جميع نواحي النشاط الفكري، وبالأخذ بطرق التعاون الدولي التي من شأنها أن تجعل المادة المطبوعة أو المنشورة التي ينتجها أي عضو بالمنظمة في متناول الناس جميعا.

المادة الثانية

العضوية:

تشمل عضوية جامعة الدول العربية الحق في عضوية المنظمة العربية للتربية والثقافة والعلوم، ويحق للبلاد العربية من غير أعضاء الجامعة العربية أن تطلب الانضمام مستقبلاً.

المادة الثالثة

الأجهزة:

تتألف المنظمة من مؤتمر عام ومجلس تنفيذي وإدارة عامة، وما يضم إليها أو ينشأ بها من معاهد وأجهزة أخرى.

المادة الرابعة

المؤتمر العام:

أ) تشكيله:

يتألف المؤتمر العام من ممثلي الدول الأعضاء بالمنظمة وتعين حكومة كل عضو خمسة مندوبين على الأكثر من ذوي الاختصاص في التربية

والثقافة والعلوم.

ويرأس المؤتمر العام رؤساء الوفود على التوالي وفق النظم المتبعة في مجلس جامعة الدول العربية.

ب) اختصاصاته:

يحدد المؤتمر العام الخطوط الرئيسية لعمل المنظمة، ويتخذ القرارات بشأن البرامج التي يقدمها إليه المدير العام بالاتفاق مع المجلس التنفيذي.

يقرر المؤتمر العام دعوة الدول العربية إلى عقد مؤتمرات متخصصة على النطاق العربي للتربية والثقافة والعلوم، ويجوز للمؤتمر العام أو للمجلس التنفيذي أن يقرر الدعوة أيضا إلى عقد مؤتمرات غير حكومية تتناول نفس الموضوعات ويجوز أن يدعى إلى المؤتمرات العربية علماء متخصصون من البلاد الأجنبية بوصفهم خبراء أو مراقبين.

يقدم المؤتمر العام مشورته إلى مجلس جامعة الدول العربية في النواحي التربوية والثقافية والعلمية التي تهم المجلس.

يتلقى المؤتمر العام التقارير التي ترسلها إليه الدول الأعضاء بصفة دورية ويقوم بدراستها.

ينتخب المؤتمر العام أعضاء المجلس التنفيذي كما يعين المدير العام للمنظمة من بين مرشحي الدول الأعضاء بناء على اقتراح المجلس التنفيذي.

يوافق المؤتمر العام على مشروع الميزانية الذي يقدمه إليه المدير العام للمنظمة بالاتفاق مع المجلس التنفيذي.

ج) التصويت:

لكل دولة عضو صوت واحد في المؤتمر العام، وتتخذ القرارات

بالأغلبية المطلقة إلا في الحالات التي تنص فيها أحكام هـذا الدستور عـلى اشتراط أغلبية الثلثين.

د) نظام العمل:

يجتمع المؤتمر في دورات عادية مرة كل سنتين ويجوز أن يجتمع في دورات غير عادية إذا قرر هذا أو إذا دعي بواسطة المجلس التنفيذي أو بنـاء عـلى طلـب مقـدم مـن ثلـث عـدد الـدول الأعضـاء عـلى الأقل فتبين فيـه الأسبـاب الداعيـة للاجتماع والموضوعات التي يراد بحثها.

مقر اجتماع المؤتمر العام في كل دورة عادية هو المقر الرئيسي للمنظمة العربيـة للتربية والثقافة والعلوم، ويجوز للمجلـس التنفيذي أن يقـرر عقـد الـدورة العاديـة للمؤتمر العام في أحدى الدول الأعضاء بناء على دعوة منها ويحدد المؤتمر العام مكان انعقاد الدورة غير العادية إذا كان هو الداعي إلى عقدها وإلا فإن المجلس التنفيذي هو الذي يتولى ذلك.

يقرر المؤتمر العام لائحته الداخلية الخاصة به.

يشكل المؤتمر العام لجانا خاصة ولجانا فنية وغير ذلـك مـن اللجان التـي يـرى ضرورة تشكيلها لتحقيق أغراضه.

هـ) المراقبون:

يجوز للمؤتمر بناء على توصية المجلس التنفيـذي، وبأغلبيـة ثلثـي الأصـوات، أن يدعو لحضور دورات معينة يعقدها المؤتمر أو لجانه، ممثلين لهيئات دولية حكوميـة أو غير حكومية وذلك بصفة مراقبين.

المادة الخامسة

المجلس التنفيذي:

أ) تشكيله:

يقوم المؤتمر العـام بتشـكيل المجلـس التنفيـذي مـن بـين مرشـحي كـل الـدول الأعضاء ويختار عضوا من كل دولة، ويضم إليهم رئيس المؤتمر العام بصفة استشارية ويحضر المدير العام للمنظمة أو من ينيبه اجتماعات المجلس، كما يدعو المدير العام مساعديه لحضور هذه الاجتماعات لتقديم البيانات التي تدخل في اختصاصهم.

على المؤتمر العام أن يختار أعضاء المجلس التنفيذي من الأشخاص المشهود لهـم بالكفايـة في التربيـة والثقافـة والعلـوم والمـؤهلين بخبرتهم وكفـايتهم لأداء واجبـات المجلس الإدارية والتنفيذية، وعلى المؤتمر العام أن يراعي كـذلك تنـوع الاختصاصـات ولا يجوز أن يكون بالمجلس أكثر من عضو واحد من دولة عضو وذلك باستثناء رئيس المؤتمر.

على انه يجوز لدولة أن تجعل من بين أعضاء وفدها عضوا من دولة أخرى فإذا وقع عليه اختيار المؤتمر العام أعتبر ممثلا للدولة التي اختارته.

تبدأ عضوية المجلس التنفيذي من تاريخ انتهاء دورة المؤتمر العام التـي انتخـب أعضاؤها فيها وتمتد إلى نهاية الدورة العادية التالية للمؤتمر العام ويجوز تجديدها.

في حالة خلو مقعد أحد أعضاء المجلس التنفيذي يعين المجلس من يحـل محلـه للمدة الباقية من فترة عضويته بنـاء عـلى ترشيح الدولة التي كـان يمثلها العضـو السابق. وعلى الحكومة التي تتولى الترشيح والمجلس التنفيذي

مراعاة الاعتبارات التي ذكرت بالفقرة (2) من هذه المادة.

ب- اختصاصات المجلس التنفيذي

يعـد المجلس التنفيـذي جـدول أعمـال المـؤتمر العـام ويدرس برنـامج العمـل بالمنظمة وتقديرات الميزانية اللازمة له والتي يقدمها إليه المدير العام طبقا للفقرة (3) من المادة السادسة.

يقوم المجلس التنفيذي بعمله تحت أشراف المؤتمر العام، ويكون مسؤولا عـن متابعة تنفيذ البرنامج الذي وافق عليه المؤتمر العام ويتخذ المجلس التنفيـذي جميـع الإجراءات الضرورية لضمان تنفيذ البرامج بواسطة المدير العام وطبقا لقرارات المؤتمر العام، ومع مراعاة ما يطرأ من ظروف بين الدورتين العاديتين.

يجوز أن يقوم المجلس التنفيذي في الفترة بين الـدورات العاديـة للمـؤتمر العـام بتقديم المشورة لمجلس جامعة الدول العربية.

يوصي المجلس التنفيذي المؤتمر العام بقبول الأعضـاء الجـدد – غـير الأعضـاء في الجامعة العربية - في المنظمة.

بدون اخلال بقرارات المؤتمر العام يقر المجلس التنفيذي لائحته بنفسه.

يجتمع المجلس التنفيذي في ثلاث دورات عادية على الأقل في الدورة المالية (كل عامين) ويجوز أن يعقد دورة خاصة بدعوة من رئيسة أو بناء عـلى طلـب مـن ثلـث أعضائه تبين فيه الأسباب الداعية للاجتماع والموضوعات التي يراد بحثها.

يقدم رئيس المجلس التنفيذي بالنيابة عن المجلس إلى المـؤتمر العـام في دوراتـه العادية التقارير الخاصة بأعمال المنظمة التي يطلب من المدير العام إعـدادها طبقـا لأحكام المادة السادسة (فقرة 3) ويجوز أن تكون تلك التقارير

مصحوبة بملاحظاته عليها.

يمارس أعضاء المجلس التنفيذي الاختصاصات المفوضة إليهم مـن المـؤتمر العـام بالنيابة عن المؤتمر كله، مع كونهم ممثلين لحكوماتهم.

الأمانة العامة للمجلس التنفيذي والمؤتمر العام:

الأمانة العامة جهاز خاص للمجلس التنفيذي والمـؤتمر العـام يرأسـه أمـين عـام يتولى شؤون أمانة المجلس والمؤتمر العام، وذلك وفق مـا يقضي ـ بـه النظام الـداخلي للمجلس التنفيذي والمؤتمر العام.

المادة السادسة

المدير العام:

يعين المدير العام طبقا لأحكام المادة الرابعة (ب - 5) مـن هـذا الدسـتور لمـدة أبع سنوات قابلة للتجديد مرة واحدة فقط.

ويعتبر المدير العام الموظف الإداري الرئيسي للمنظمة وهو وحدة المسؤول أمـام المؤتمر العام والمجلس التنفيذي عن جميع أعمال المنظمة.

يشارك المدير العام أو من ينيبه في جميـع اجتماعـات المـؤتمر العـام والمجلـس التنفيذي دون أن يكون له الحق في التصويت، كما يشارك المدير العام أو مـن ينيبـه في لجـان المـؤتمر دون أن يكون لـه الحـق في التصـويت ويتولى المـدير العـام وضع مقترحات يتخذ بشأنها المؤتمر العام والمجلس التنفيذي ما يريانه مناسبا.

كما أنه يعد مشروع برنامج لعمل المنظمة مصحوبا بتقديرات الميزانيـة اللازمـة له ويعرضه على المجلس التنفيذي.

يعد المدير العام تقارير دورية عن أعمال المنظمة ويبلغها إلى الدول

الأعضاء ويعرضها على المجلس التنفيذي لمناقشتها ويحدد المؤتمر العام الفترات التي تتناولها هذه التقارير.

يعين المدير العام نوابه ومديري الإدارات بالتشاور مع المجلس التنفيذي ويكون تعيين باقي الموظفين بالإدارة العامة والأجهزة الأخرى بقرار من المدير العام طبقا لنظام شؤون الموظفين الذي يعتمده المؤتمر العام بناء على اقتراح المجلس التنفيذي، ويكون تعيين الموظفين على أوسع نطاق ممكن بين جميع أبناء البلاد العربية مع مراعاة المستويات اللائقة من حيث الكفاية والقدرة في مجال التخصص.

يكون تعيين الإداريين ومعاوني الخدمة وفصلهم بقرار من المدير العام.

تكون مسؤوليات المدير العام والموظفين ذات طابع عبي عام وعليهم في أدائهم لواجباتهم ألا يتلقوا تعليمات من أية حكومة أو من أية سلطة خارجة عن المنظمة وعليهم أن يمتنعوا عن أي عمل فيه مساس بمركزهم كموظفين في المنظمة العربية للتربية والثقافة والعلوم، وتتعهد كل دولة عضو بالمنظمة أن تحترم الطابع العربي لمسؤوليات المدير العام والموظفين، وذلك طبقا لنظام خاص ينص عليه في اللائحة الداخلية.

المادة السابعة

الإدارة العامة:

تتكون الإدارة العامة للمنظمة من الإدارات والأجهزة والمراكز والمعاهد التي يتضمنها الهيكل التنظيمي والذي يصدر بقرار من المؤتمر العام بناء على اقتراح المجلس التنفيذي، ويبين الهيكل التنظيمي للمنظمة اختصاصات الإدارات والأجهزة والمراكز والمعاهد والأمانة العامة للمجلس التنفيذي والمؤتمر العام، ويضم التنظيم الإداري لكل منها.

المندوبون الدائمون:

ويكون لكل دولة مندوب دائم لدى المنظمة.

اللجان الوطنية العربية:

تؤلف لجان وطنية في كل دولة عضو لتنظيم التعاون مع المنظمة.

الهيئات العربية غير الحكومية المعنية بنواحي النشاط التربوي والثقافي والعلمي:

ويجوز لبعض الهيئات والمؤسسات والاتحادات المعنية بالتربية والثقافة والعلوم أن تطلب الانتساب إلى المنظمة كما يجوز أن تعين المنظمة بعضها ماليا إذا لزم الأمر ويكون كل ذلك بقرار من المؤتمر العام.

المادة الثامنة

تقارير الدول الأعضاء:

ترسل كل دولة عضو إلى المنظمة تقريراً دوريا عن تطورات النشاط التربوي والثقافي والعلمي فيها، ويشتمل على التشريعات والإحصاءات والبرامج والمشروعات المتعلقة بهذه الميادين.

المادة التاسعة

أنصبة المنظمة وميزانيتها:

تتكون الموارد المالية للمنظمة من:

أنصبة الدول الأعضاء التي تحدد على أساس نصيب كل دولة في ميزانية جامعة الدول العربية على أن تتحمل الدول الأعضاء في المنظمة كامل ميزانيتها.

الحساب الخاص الذي يتكون من الهبات والتبرعات ويتكون منه

الصندوق الخاص للتنمية الثقافية للبلاد العربية.

يوافق المؤتمر العام على الميزانية التي تعد عن عامين كاملين ويعمل بها من أول يناير من العام الأول إلى أخر ديسمبر من العام الثاني وعلى توزيع أنصبة الدول الأعضاء في مالية المنظمة.

يجوز للمدير العام بموافقة المجلس التنفيذي أن يتسلم الهبات والتبرعات من الحكومات والمؤسسات الحكومية والخاصة ومن الأفراد وتودع هذه الهبات والتبرعات في حساب خاص بالمنظمة.

توضع للمنظمة لائحة مالية خاصة يوافق عليها المؤتمر العام الذي له حق مراقبة التنفيذ.

المادة العاشرة

العلاقة بجمعة الدول العربية:

تعتبر المنظمة العربية للتربية والثقافة والعلوم وكالة متخصصة في نطاق جامعة الدول العربية، ويوضع نظام خاص يحدد الصلة بين جامعة الدول العربية والمنظمة، بما يحقق التعاون الفعال بينهما ويمكن المنظمة من أداء رسالتها التي نص عليها ميثاق الوحدة الثقافية العربية ودستورها.

المادة الحادية عشرة

العلاقات مع الهيئات والوكالات الدولية الأخرى المتخصصة:

يجوز للمنظمة تبادل التمثيل في الاجتماعات التي تعقدها المنظمات الأخرى التي تعمل بين الحكومات.

يجوز للمنظمة التشاور والتعاون مع هيئات دولية غير حكومية تهتم بأمور تقع ضمن اختصاص هذه المنظمة، ويجوز لها أن تدعو هذه الهيئات

للقيام بمهام محددة.

ويجوز أن يشمل هذا التعاون أشراك ممثلي هـذه المـنظمات اشراكـا مناسـبا في أعمال المؤتمر العام.

المادة الثانية عشرة

الوضع القانوني للمنظمة:

يتمتع أعضاء المؤتمر العام للمنظمة ومجلسها التنفيذي وأعضاء لجانها وموظفو المنظمة بالامتيازات والحصانة الديبلوماسية أثنـاء قيـامهم بعملهـم وتكـون مصـونة حرمة المباني التي تشغلها هيئات المنظمـة العربيـة للتربيـة والثقافـة والعلـوم وذلـك تطبيقا للمادة 14 من ميثاق جامعة الدول العربية.

المادة الثالثة عشرة

تعديل دستور المنظمة:

يوافق المـؤتمر العـام عـلى المقترحـات الخاصـة بتعـديل هـذا الدسـتور بأغلبيـة الثلثين، ويشترط في التعديلات التي تستدعي إجراء تعديل أساسي في أهداف المنظمة أو التزامات جديدة على الدول الأعضاء أن يوافـق عليهـا بعـد موافقـة المـؤتمر العـام بأغلبية ثلثي الدول الأعضاء وذلك قبل أن تنفذ. ويبلغ المدير العام للمنظمة مشروع التعديل المقترح إلى الدول الأعضاء قبل دراسته بواسطة المؤتمر العام بستة أشهر على الأقل.

المادة الرابعة عشرة

يصدق على هذا الدستور مع التصديق عـلى ميثـاق الوحـدة الثقافيـة العربيـة وفقا للمادة التاسعة والعشرين مـن الميثـاق ويصـبح الدسـتور نافـذا بعـد شـهر مـن إيداع وثائق التصديق على الميثاق وعليه من ثلاث دول.

ميثاق

المنظمة الإسلامية

للتربية والعلوم والثقافة

ميثاق المنظمة الإسلامية للتربية والعلوم والثقافة - إيسيسكو - المصادق عليه من قبل المؤتمر التأسيسي المنعقد في مدينة فأس في عام 1402هـ/1982م، والمعدل من قبل المؤتمر العام الاستثنائي المنعقد بمدينة الرباط عام 1407هـ/1986م، والمؤتمر العام الرابع المنعقد في مدينة الرباط عام 1412هـ/1991م، والمؤتمر العام الخامس المنعقد في مدينة دمشق عام 1415هـ/1994م، والمؤتمر العام السادس المنعقد في مدينة الرياض عام 1418هـ/1997م.

ديباجة

عكف وزراء خارجية الدول الأعضاء في منظمة المؤتمر الإسلامي أثناء اجتماعات مؤتمرهم المتتالية، على بلورة فكرة إنشاء منظمة متخصصة في التربية والعلوم والثقافة. وأحالوا اقتراح إنشائها على مؤتمر القمة الإسلامي الثالث المنعقد في الطائف/مكة عام 1400هـ/1981م، فاعتمده، استجابة لتطلعات الأمة الإسلامية في إقامة جهاز فعال يسعى لترسيخ التضامن والتعاون والتكامل بين شعوبها في ظل مبادئ الإسلام السمحة وقيمة الفاضلة.

إن حكومات الدول الأطراف في هذا الميثاق:

إيماناً منها بالإسلام عقيدة سمحة، وثقافة بانية، وحضارة إنسانية، ومنهجاً للحياة.

وتأكيداً على ما يمثله الإسلام من قوة روحية وأخلاقية وثقافية وحضارية، كان لها، ولا يزال، إسهام بناء بالغ الأهمية في إثراء الحضارة الإنسانية.

وتأسيساً على ما أولاه الإسلام للمعرفة ولطلب العلم من مكانة سامية.

والتزاماً منها بالنهوض بالتربية والعلوم والثقافة لتحقيق التعارف وتقوية الإخاء والصداقة ونشر السلم بين شعوب العالم.

واستجابة لتطلعات الأمة الإسلامية وأمالها في تحقيق التعاون والتضامن والتقدم والازدهار في ظل مبادئ الإسلام السمحة.

واستقبالاً منها للقرون القادمة بتحدياتها العلمية والثقافية والتقانية دون تفريط في تراث ماضيها المجيد.

ووعياً منها بالعرى الوثاق التي تجمع شعوب الأمة الإسلامية المتمثلة في وحدة العقيدة والقيم الروحية والأخلاقية والثقافية المشتركة.

وسعياً منها للحفاظ على الوحدة الثقافية والخصائص اللغوية والحضارية لشعوب الأمة الإسلامية.

وحرصاً على نشر القيم التربوية والعلمية والتقانية والثقافية البانية، لمواجهة تحديات العصر ومشاكله.

ورغبة في تقوية الحوار المثمر مع الثقافات الأخرى لتحقيق التعايش الحضاري الذي يكفل احترام الذاتية الثقافية للشعوب كافة.

واعترافاً بمبادئ المساواة والتضامن والتكافل لتقوية التعاون فيما بينها للنهوض بالتربية والعلوم والتقانة والثقافة والاتصال بالوسائل الملائمة كافة.

تتفق على وضع هذا الميثاق للمنظمة الإسلامية للتربية والعلوم والثقافة - إيسيسكو-.

الباب الأول

مبادئ عامة

المادة 1: الاسم والتعريف

الاسم: المنظمة الإسلامية للتربية والعلوم والثقافة، ويطلق عليها في هذا الميثاق اسم (المنظمة الإسلامية - إيسيسكو -).

التعريف: المنظمة الإسلامية - إيسيسكو - هيئة دولية تعمل في إطار منظمة المؤتمر الإسلامي، وهي متخصصة في ميادين التربية والعلوم والثقافة والاتصال.

المادة 2: المقر

الرباط عاصمة المملكة المغربية هي مقر المنظمة الإسلامية - إيسيسكو - وللمنظمة أن تنشئ مراكز ومكاتب أو مؤسسات تابعة لها أو تحت إشرافها في أي بلد أخر بقرار من المؤتمر العام، وبناء على اقتراح من المجلس التنفيذي للمنظمة الإسلامية - إيسيسكو -.

المادة 3: اللغات

لغات العمل بالمنظمة الإسلامية - إيسيسكو - هي العربية والانجليزية والفرنسية. وتعتبر اللغات الثلاث متساوية الحجية لتفسير هذا الميثاق. وفي حالة الاختلاف، يخذ بالتفسير الذي تقره لغتان إحداهما اللغة العربية. وإذا لم يتوفر هذا الشرط، فإن النص الأصلي هو المعتمد.

المادة 4: الأهداف

تشتمل أهداف المنظمة الإسلامية - إيسيسكو - على ما يلي:

تقوية التعاون وتشجيعه وتعميقه بين الدول الأعضاء في ميادين التربية

والعلوم والثقافة والاتصال.

تطوير العلوم التطبيقية واستخدام التقانة المتقدمة في إطار القيم والمثل العليا الإسلامية الثابتة.

تدعيم التفاهم بين الشعوب الإسلامية والمساهمة في إقرار السلم والأمن في العالم بشتى الوسائل، ولا سيما عن طريق التربية والعلوم والثقافة والاتصال.

تدعيم التكامل والسعي للتنسيق بين المؤسسات المتخصصة التابعة لمنظمة المؤتمر الإسلامي في مجالات التربية والعلوم والثقافة والاتصال وبين الدول الأعضاء في المنظمة الإسلامية - إيسيسكو -، تدعيماً للتضامن الإسلامي.

جعل الثقافة الإسلامية محور مناهج التعليم في جميع مراحله ومستوياته.

دعم الثقافة الإسلامية، وحماية استقلال الفكر الإسلامي من عوامل الغزو الثقافي والتشويه، والمحافظة على معالم الحضارة الإسلامية وخصائصها المتميزة.

حماية الشخصية الإسلامية للمسلمين في البلدان غير الإسلامية.

المادة 5: الوسائل

لكي تحقق المنظمة الإسلامية - إيسيسكو - الأهداف المحددة لها، عليها أن تستخدم الوسائل الآتية:

العمل على نشر الثقافة الإسلامية ولغة القرآن الكريم لغير الناطقين بها في جميع أنحاء العالم من خلال التعاون مع المنظمة العربية للتربية والثقافة والعلوم، ومع المنظمات والهيئات الإسلامية المعنية، وذلك بوضع الخطط

ودعم المشروعات المناسبة.

دعم المنظمات التي تهتم بشؤون التربية والعلوم والثقافة والاتصال بما يخدم أهداف المنظمة الإسلامية - إيسيسكو -.

دعم الجامعات والكليات والمعاهد المتخصصة في علوم القرآن الكريم واللغة العربية والثقافة الإسلامية، سواء أكانت أهلية أم عامة، وتحسين مناهجها ومقرراتها وكتب الدراسة وأساليب التعليم الخاصة بها، لتحقيق التكامل الثقافي.

دعم المراكز والمؤسسات المتخصصة لرعاية النشاط العلمي والتربوي الذي يقوم به أفراد أو هيئات أو جمعيات خيرية أو مراكز إسلامية تعنى بنشر الثقافة الإسلامية وتعليم القرآن الكريم واللغة العربية، وتشجيع ودعم جهود الدول الأعضاء في تنمية برامج التعليم والتدريب التقني والتطبيقي وتشجيع الباحثين والمخترعين المسلمين.

تشجيع جامعات البلدان الإسلامية وغير الإسلامية عبر مساعدتها على إحداث كراسي ومعاهد وأقسام للعلوم والثقافة الإسلامية والتعاون الفعال فيما بينها.

تشجيع البحوث والدراسات والتكوين اللازمة لتطوير التعليم في البلاد الإسلامية وتحسينه وإضفاء الصبغة الإسلامية على كل مظاهر الفن والثقافة والحضارة.

تنظيم المؤتمرات والندوات والدورات الدراسية، وتشجيع إنشاء المعاهد والمؤسسات العلمية والتعليمية بالتعاون مع الحكومات ومنظمة المؤتمر الإسلامي، والهيئات والمنظمات العاملة في ميادين التربية والعلوم والثقافة والاتصال.

الباب الثاني

العضوية والتعاون مع الدول

الأعضاء العاملون

المادة 6:

تصبح كل دولة عضو أو ملاحظ في منظمة المؤتمر الإسلامي، عضواً في المنظمة الإسلامية - إيسيسكو - بمجرد موافقتها على الميثاق، ولا يحق لأية دولة غير عضو أو غير ملاحظ في منظمة المؤتمر الإسلامي، أن تكون عضواً في المنظمة الإسلامية - إيسيسكو -.

الأعضاء الملاحظون

المادة 7:

تتمتع بصفة ملاحظ (مراقب) كل دولة عضو في منظمة المؤتمر الإسلامي وليست عضواً في المنظمة الإسلامية - إيسيسكو - بمجرد إخطار هذه المنظمة بذلك.

ويجوز لأي دولة من غير أعضاء منظمة المؤتمر الإسلامي، سواء أكانت تتمتع بصفة ملاحظ (مراقب) بها أم لا تتمتع، أن تكون عضواً ملاحظاً (مراقباً) بالمنظمة الإسلامية - إيسيسكو -.

كما يجوز للمنظمات والهيئات والاتحادات أن تتمتع بصفة ملاحظ (مراقب).

ويشترط في الحالتين الأخيرتين تقديم طلب إلى المدير العام، ويعرض على المؤتمر العام مشفوعاً برأي المجلس التنفيذي.

ويضع المؤتمر العام نظام الأعضاء الملاحظين وشروطه.

ولا يتمتع بحق التصويت في المؤتمر العام إلا الدول الأعضاء في المنظمة الإسلامية - إيسيسكو -.

المادة 8: الحصانات

تتمتع المنظمة الإسلامية - إيسيسكو - في أشخاص المسؤولين عنها والعاملين بها وفي مبانيها ومكاتبها و وثائقها ورسائلها، بالحماية والحصانات القانونية والامتيازات التي تتمتع بها منظمة المؤتمر الإسلامي، وتلك التي ينص عليها اتفاق المقر المبرم بين المنظمة الإسلامية - إيسيسكو - وحكومة المملكة المغربية.

الباب الثالث

أجهزة المنظمة

المادة 9:

تتكون المنظمة الإسلامية - إيسيسكو - مما يلي:

- المؤتمر العام.

- المجلس التنفيذي.

- الإدارة العامة.

- المؤتمر العام

المادة 10:

يتألف المؤتمر العام من ممثلي الدول الأعضاء في المنظمة الإسلامية - إيسيسكو - الذين تعينهم حكومات الدول الأعضاء. ويراعى في اختيارهم أن يكونوا من العاملين في ميادين التربية والعلوم والثقافة والاتصال.

تشكيل مكتب المؤتمر:

ينتخب المؤتمر في كل دورة رئيساً له وثلاثة نواب للرئيس ومقرراً ورؤساء اللجان العاملة في المؤتمر، ويشكلون مكتب المؤتمر بالإضافة إلى رئيس المجلس التنفيذي.

القرارات:

لكل دولة الحق في صوت واحد. وتتخذ القرارات بالأغلبية النسبية من الأعضاء الحاضرين المصوتين بما لا يتعارض مع المادة (20) من الميثاق.

اجتماعات المؤتمر:

يجتمع المؤتمر العام في دورة عادية مرة كل ثلاث سنوات، ويجوز أن يجتمع في دورة استثنائية بناء على:

- قرار من المؤتمر العام.
- طلب من المجلس التنفيذي للمنظمة الإسلامية - إيسيسكو -.
- طلب من ثلث الدول الأعضاء.
- طلب من المدير العام للمنظمة الإسلامية - إيسيسكو - مشفوعاً بموافقة ثلث الدول الأعضاء على الأقل.

حضور المؤتمر:

للامين العام لمنظمة المؤتمر الإسلامي أو من ينوب عنه، حق حضور المؤتمر العام، وكذلك للهيئات المنبثقة عن منظمة المؤتمر الإسلامي، حق حضور المؤتمر العام طبقاً للنظام المحدد للعضو الملاحظ (المراقب) في المنظمة الإسلامية - إيسيسكو -.

اختصاصات المؤتمر

المادة 11:

يختص المؤتمر العام بما يلي:

- وضع السياسة العامة لعمل المنظمة الإسلامية - إيسيسكو -.

- إقرار خطط وبرامج عمل المنظمة وموازنتها التقديرية ومشاريع تنفيذها.

- مناقشة التقارير والاقتراحات المقدمة من الدول الأعضاء وما يتقدم به المجلس التنفيذي من توصيات واتخاذ القرارات المناسبة بشأنها.

- اعتماد النظام الداخلي للمؤتمر العام.

تعديل وإقرار اللوائح الداخلية لسير أعمال المؤتمر، وكذلك اللوائح المالية للمنظمة الإسلامية - إيسيسكو -، واللوائح الخاصة بشؤون العاملين بها، مع الأخذ بعين الاعتبار تطبيق نصوص اللوائح المعمول بها في الأمانة العامة لمنظمة المؤتمر الإسلامي.

النظر في جميع المسائل التي لا يختص بها جهاز معين من أجهزة المنظمة الإسلامية - إيسيسكو.

تحديد علاقة المنظمة الإسلامية - إيسيسكو - بالمنظمات الإسلامية والعربية والدولية والوكالات المتخصصة، سواء أكانت حكومية أم غير حكومية، وذلك وفقاً لأحكام الاتفاقات الثنائية في هذا الشأن.

مناقشة وإقرار مشروع الموازنة والبرامج والحساب الختامي للمنظمة الإسلامية - إيسيسكو -.

تشكيل لجان مؤقتة محددة الصلاحية للقيام بدراسة معينة.

انتخاب المدير العام للمنظمة الإسلامية - إيسيسكو - لمدة ثلاث سـنوات قابلـة للتجديد. ويحدد النظام الداخلي للمؤتمر العام شروط الترشيح وقواعد الاختيار.

اعتماد أعضاء المجلس التنفيذي للمنظمة الإسلامية - إيسيسكو - الـذين يجب أن يكونوا من ذوي الكفاءة في القضايا الإسلامية والعلوم والتربيـة والفنون والآداب والاتصال، وممن تتوفر لديهم الخبرة والمقدرة اللازمتان للقيام بمهام المراقبة والتنفيـذ المنوطة بالمجلس.

المجلس التنفيذي

المادة 12:

أولاً: تشكيل المجلس:

يشكل المجلس التنفيذي مـن ممثل لكـل دولـة مـن الـدول الأعضاء. ولرئيس المؤتمر العام بحكم منصبه أن يحضر جلسـات المجلس التنفيـذي بصـفة استشارية. وكذلك للأمين العام لمنظمة المؤتمر الإسلامي أو من ينيبه أن يحضر جلسـات المجلـس التنفيذي. ويحضر المدير العام للمنظمة الإسلامية - إيسيسكو - أو من يُنيبه جلسات المجلس، كـما يـدعو المدير العـام معاونيـه وممـثلي الأجهـزة الخارجيـة للمنظمـة الإسلامية - إيسيسكو - لحضور هـذه الاجتماعـات لتقـديم البيانـات التي تـدخل في اختصاصهم.

تعين الدول الأعضاء ممثليها في المجلس التنفيذي من الشخصيات المسلمة مـن ذوي الكفاءة في مجالات العلـوم أو التربيـة أو الفنـون أو الآداب أو الاتصال، وممـن تتوفر لديهم الخبرة والمقدرة اللازمتان للقيام بمهام

المراقبة والتنفيذ المنوطة بالمجلس، ويحق لكل دولة تغيير ممثلها في أي وقت.

ثانياً: اختصاصات المجلس:

يضع اللوائح الإدارية الداخلية للمنظمة الإسلامية - إيسيسكو - عدا ما يختص به المؤتمر العام.

يعين المدير العام المساعد لمدة ثلاث سنوات قابلة للتجديد لمرة واحدة، بناء على ترشيحه من المدير العام. ويحدد النظام الداخلي للمجلس التنفيذي شروط الترشيح وقواعد الاختيار.

يعد مشروع جدول أعمال اجتماعات المؤتمر العام بناء على اقتراح يقدمه المدير العام، ويدرس عمل المنظمة وتقديرات الموازنة، ويقدم التوصيات المناسبة إلى المؤتمر العام.

يتخذ، وفقاً للقرارات الصادرة عن المؤتمر العام، جميع التدابير اللازمة لتأمين قيام المدير العام بتنفيذ برامج المنظمة الإسلامية - إيسيسكو - تنفيذاً فعالاً.

الإدارة العامة

المادة 13:

يقوم على رأس الإدارة العامة مدير عام ينتخبه المؤتمر العام لمدة ثلاث سنوات قابلة للتجديد.

ويحدد النظام الداخلي للمؤتمر العام شروط الترشيح وقواعد الاختيار لهذا المنصب.

ويعتبر المدير العام رئيس الجهاز الإداري للمنظمة الإسلامية -

إيسيسكو - والمسؤول أمام المجلس التنفيذي والمؤتمر العام، وله السلطة المباشرة على جميع العاملين بالإدارة العامة.

إذا أصبح منصب المدير العام شاغراً بسبب الاستقالة أو العجز أو أي سبب أخر، تسند مهمة التسيير العادي للإدارة العامة ومتابعة تنفيذ البرامج إلى المدير العام المساعد. وينعقد المؤتمر العام في أجل أقصاه سنة لانتخاب مدير عام جديد.

اللجان الوطنية والهيئات العاملة في إطار

المنظمة الإسلامية - إيسيسكو -

المادة 14:

تنشئ الدول الأعضاء لجاناً وطنية للتربية والعلوم والثقافة تقوم بتوطيد صلات التعاون بين المنظمة الإسلامية - إيسيسكو - وبين الوزارات والهيئات والأفراد في الدول الأعضاء.

يجوز أن ترتبط بالمنظمة الإسلامية - إيسيسكو - هيئات تعمل في ميادين التربية والعلوم والثقافة والاتصال، سواء أكانت تحمل اسم هيئة أم مؤسسة أم مركز أم ما إلى ذلك، وذلك بقرار من المؤتمر العام للمنظمة الإسلامية - إيسيسكو - أو من المؤتمر الإسلامي لوزراء الخارجية، وموافقة المجالس التأسيسية والجمعيات العمومية لتلك الهيئات، ويعرض الأمر على المؤتمر العام للمنظمة الإسلامية - إيسيسكو - ليحدد مدى علاقة الهيئة المنضمة بالمنظمة الإسلامية - إيسيسكو - وأجهزتها المختلفة.

للمنظمة الإسلامية - إيسيسكو - أن ترسل ممثلاً عنها لحضور اجتماعات المجالس العمومية لهذه الهيئات لضمان التنسيق وعدم التعارض

بين نشاطها وسياسة المنظمة الإسلامية - إيسيسكو - ومشروعاتها.

تعين الدول الأعضاء مندوبين دائمين لها لدى المنظمة وفق إمكانات كل دولة.

الهيئات غير الحكومية

المادة 15:

تشجع المنظمة الإسلامية - إيسيسكو - الهيئات غير الحكومية والمؤسسات ذات الطابع الشعبي على العمل في ميادين التربية والعلوم والثقافة والاتصال وتؤيد نشاطها وتدعمه.

الموازنة

المادة 16:

تعد الموازنة لمدة ثلاث سنوات، ويعمل بها لكل سنة ابتداء من أول شهر يناير إلى أخر شهر ديسمبر من السنة نفسها، وتنفذ بعد إقرارها من المؤتمر العام طبقاً لمقتضيات النظام المالي للمنظمة الإسلامية - إيسيسكو.

ويعد المدير العام تقريراً سنوياً عن الموازنة والحساب الختامي يقدمه إلى المجلس التنفيذي في الدورة التي تعقب دورة المجلس الموالية لاختتام السنة المالية. ويتضمن تقرير السنة المالية مقترحات المدير العام حول تنفيذ الموازنة وكذا ملاحظاته على الحساب الختامي.

الموارد

المادة 17:

موارد المنظمة الإسلامية - إيسيسكو - تشمل ما يلي:

أنصبة الدول الأعضاء فيها، وتحدد بنفس النسب التي تساهم بها كل

منها في موازنة منظمة المؤتمر الإسلامي، إلى أن يصدر المؤتمر العام قراراً بتعديلها.

الموارد التي توفرها اتفاقيات التعاون المبرمة بين المنظمة الإسلامية - إيسيسكو - وجهات أخرى.

الإعانات والتبرعات التي تقدمها الدول الأعضاء أو غير الأعضاء، أو الهيئات أو الأفراد، أو أية موارد أخرى. وفي هذه الحالة يحق للمجلس التنفيذي قبولها لأهداف معينة متى كانت غير متعارضة مع أهداف وأنظمة المنظمة الإسلامية - إيسيسكو -. وألا يكون لهذه الأهداف أي تأثير سلبي على المنظمة الإسلامية - إيسيسكو - في أداء وظائفها. ويجب عرض قرار المجلس في هذا الشأن على المؤتمر العام في أول اجتماع له مشفوعاً بجميع الحيثيات قصد الموافقة عليه أو إلغائه.

النفقات

المادة 18:

نفقات المنظمة الإسلامية - إيسيسكو - تشمل ما يلي:

- التزاماتها الناتجة عن عقود أو قرارات أو برامج سابقة ملزمة لها.

- الإعانات والمساعدات التي تقدمها للمؤسسات والهيئات التي تشرف عليها.

- التزاماتها الناتجة عن المشروعات التي ساهمت فيها مع جهات أخرى حكومية أو غير حكومية.

- التزاماتها إزاء العاملين والموظفين الدائمين بها أو الأشخاص الذين تكلفهم بمهمة خاصة.

الحسابات

المادة 19:

يتولى المدير العام تحـت إشراف المجلـس التنفيـذي، إعـداد الحسـاب الختـامي وتقديمه للمؤتمر العام في اجتماعه الدوري العادي. ويعين المجلس لجنة مراقبة ماليـة مؤلفة من ممثلي خمس دول من الدول الأعضاء بالتناوب لمدة ثلاث سنوات، لتدقيق حسابات المنظمة الإسلامية - إيسيسكو -.

وللجنـة المراقبـة الماليـة الحـق في الاطـلاع عـلى جميـع الـدفاتر والمسـتندات والاستفسار مـن المجلس التنفيذي أو المـدير العـام أو المـوظفين المسـؤولين، عـن أيـة معلومات تراها ضرورية للقيام بواجبها. ويجب أن يتم تـدقيق الحسـابات مـن قبـل اللجنة سنوياً للتأكد من صحة الموازنة والحسابات.

وتقدم لجنة المراقبة المالية تقريرها للمدير العام الـذي يحيلـه بـدورة مشفوعاً بملاحظاته على المجلس التنفيذي قبل أن يرفعه المجلس التنفيذي للمؤتمر العام في أول جلسة له، وللمؤتمر العام الحق في مناقشة لجنة المراقبة المالية.

الباب الرابع

أحكام ختامية

المادة 20: التعديلات

تصبح التعديلات التي يقترح إدخالها عـلى هـذا الميثاق نافذةً بمجرد موافقـة المؤتمر العام عليها بأغلبية الثلثين. غير أن التعديلات التي تنشأ عنها تغييرات أساسية في أهداف المنظمة الإسلامية - إيسيسكو - أو التزامات جديدة عـلى الـدول الأعضـاء، ينبغي أن تحظى بعد هذا، بموافقة ثلثي الدول

الأعضاء قبل أن تصبح نافذة. ويقوم المدير العام بإبلاغ نصوص مشروعات التعديل للدول الأعضاء قبل عرضها على المؤتمر العام بستة أشهر على الأقل.

يحق للمؤتمر العام أن يعتمد بأغلبية ثلثي الأصوات، النظام اللازم لتنفيذ أحكام هذه المادة.

المادة 21:

يودع هذا الميثاق في محفوظات حكومة المملكة المغربية، وتودع نسخة أصلية منه في الإدارة العامة للمنظمة الإسلامية، حيث يظل باب التوقيع عليه مفتوحاً، وتصبح حالات الانضمام الجديدة نافذةً فور حدوثها طبقاً لمقتضيات المادة (6) من هذا الميثاق.

المادة 22: التحكيم

يحال أى نزاع أو خلاف بشأن تفسير هذا الميثاق على هيئة تحكيمية إسلامية يشكلها المؤتمر العام.

قائمة المراجع

أولاً: المراجع العامة

1. القران الكريم.

2. صحيح البخاري، الجزء الخامس، والعاشر، مطبعة بولاق، مصر- طبعة قديمة بدون تاريخ.

3. صحيح مسلم، أحاديث رقم (2586) ، (2585) مطبعة بولاق، مصر- طبعة قديمة بدون تاريخ.

4. د/ عبد الملك عوده، وآخرون، الثقافة الإسلامية، الطبعة السابعة، مكتبه الإرشاد صنعاء، الجمهورية اليمنية لعام 1999م.

5. د/ محمد عماره، عن عبد الرحمن الكواكبي، دار الوحدة للطباعة والنشر- لبنان طبعة أولى لعام 1984م.

6. د/ محمد طلعت الغنيمي، قانون السلام في الإسلام، الإسكندرية، منشأه المعارف لعام 1989م.

7. د/ محمد فواد إبراهيم، وآخرون، موسوعة عالم المعرفة، المجلد الثالث، شركة تراد كسيم، سويسرا (جنيف) لعام 1985م.

8. د/ أبو خلدون ساطع الحصري، أراء وأحاديث في العلم والأخلاق والثقافة، مركز دراسات الوحدة العربية، بيروت، طبعة ثانية لعام 1985م.

9. د/ أحمد الرشيدي، الوظيفة الإفتائية لمحكمة العدل الدولية، القاهرة، الهيئة المصرية العامة للكتاب لعام 1993م.

10. د/ محمد طلعت الغنيمي، الوسيط في قانون السلام، منشأه المعارف، مصر- لعام 1982م.

11. هاني الخير، أشهر الاغتيالات السياسية في العالم، الجزء الأول، دار الكتاب العربي دمشق سوريا لعام 1985م.

12. د/ محمد حركات، التدبير الاستراتيجي والمنافسة ، رهانات الجودة الكلية بالمقاولات المغربية، مطبعة فضالة المحمدية، المغرب، لعام 1997م.

13. د/ عبد الحق عقله، مدخل لدراسة القانون الإداري وعلم الإدارة، الجزء الأول المبادئ الأساسية لدراسة القانون الإداري وعلم الإدارة، كليه الحقوق، الرباط المغرب لعام 1998م.

14. د/ حمادة محمد بدوي متولي، ضمانات الموظفين الدوليين، دراسة مقارنه، الدار الناشر وبلد النشر (بدون) لعام 2004.

15. د/ سيد إسماعيل علي، الفكر التربوي العربي الحديث، عالم المعرفة، الكويت، مطابع الرسالة   العدد (113).

16. د/ عبد العزيز سنبل، التربية في الوطن العربي على مشارف القرن (21) الطبعة (1)، المكتب الجامعي الحديث، الإسكندرية لعام 2002م.

17. د/ مصطفى سلامه حسين، ازدواجية المعاملة في القانون الدولي العام، دار النهضة العربية، القاهرة لعام 1987م.

18. د/ برهان غزال، وآخرون، الأهداف القومية والدولية لجامعة الدول العربية، نشر بموافقة من الأمانة العامة للجامعة، سوريا، عام 1953م.

19. د/ لبنان هاتف الشامي، وآخرون، أسس الإدارة الدولية، مدخل إستراتيجي لوظائفها الإدارية، المركز القومي، للنشر، الطبعة (1)، الأردن عام 2001م.

20. عشر ـ سنوات في خدمة العالم الإسلامي، منشورات الايسيسكو، شركة بابل للطباعة المغرب، لعام 1992م.

21. د/ محي الدين صابر، قضايا الثقافة العربية المعاصرة، الدار العربية للكتاب ليبيا لعام 1983م.
22. خطب الدكتور/ عبد الهادي بو طالب (المدير العام الأسبق للايسيسكو)، إصدارات المنظمة لعام 1992م.
23. المعجم الموحد لمصطلحات التجارة والمحاسبة، إصدارات الالكسو ضمن سلسلة المعاجم الموحدة رقم (10) لعام 1995م.
24. معهد البحوث والدراسات العربية، خمسون عاماً من العطاء (1952 - 2002) إصدارات المعهد، القاهرة لعام 2002م.
25. كلمات ومواقف 1976 - 1977م الجزء الأول، إصدارات المنظمة العربية (الالكسو) الطبعة (2)، تونس لعام 1988م.
26. دليل اتحاد جامعات العالم الإسلامي، تصميم وإخراج الايسيسكو، مطبعة اليت سلاء، الرباط،المغرب لعام 2002م.
27. د/ حسن أحمد غلاب، والأستاذ/ محمد باكحيل، دراسات في التنظيم المالي والمحاسبي الموحد، المعهد القومي للإدارة العامة صنعاء، شركة دار التنوير للطباعة والنشر، الجزء الأول، بيروت لبنان لعام 1985م.
28. د/ محمد لطفي حسونه، د/ أحمد عمر باشموس، الحسابات الحكومية والقومية في الجمهورية العربية اليمنية (سابقاً)، دارسة نظرية تطبيقية، (جامعة صنعاء، كلية التجارة والاقتصاد، مطابع الأهرام التجارية القاهرة عام 1982م).
29. د/ عوف محمد الكفراوي، الرقابة المالية في الإسلام، مكتبه ومطبعة الإشعاع الفنية مصر، طبعة أولى لعام 1997م.

30. د/ متولي محمد الجمل، د/ محمد السيد الجزار، أصول المراجعة، دراسة حالات تطبيقية متنوعة، الجزء الثاني، مصر العربية، لعام 1979م.

31. د/ محمد محمد الجزار، المراقبة الداخلية (أسلوب تحقيق الرقابة الوقائية وتنمية الكفاية) مكتبة عين شمس، القاهرة لعام 1978م.

32. مناهج وتقنيات الرقابة على المال العام (المبادئ التوجيهية الأوروبية المتعلقة بتطبيق معايير الانتوساي) ترجمة الدكتور/ محمد حركات، المغرب طبعة (1) لعام 2001م.

33. د/ متولي محمد الجمل، محمد محمد الجزار، أصول المراجعة وأنظمة المراقبة الداخلية، الجهاز المركزي للكتب الجامعية والمدرسية والوسائل التعليمية، مصر- طبعة 1978م.

34. د/ عصام مرعي، تعريب وتقديم (مجموعة سابا وشركاهم)، قواعد المحاسبة الدولية (لجنة قواعد المحاسبة الدولية) دار العلم للملايين، بيروت، لبنان، الطبعة (1) فبراير 1987م.

35. د/ عمر بوزيان، العلاقات الدولية، طبعة (1)، الدار البيضاء، المغرب عام 1994م.

36. الايسيسكو والتعاون، الحصيلة والأفاق، الجزء (2،1) من عام (1982 - 1997م) إصدارات المنظمة مديرية العلاقات الخارجية والتعاون.

37. لائحة اللجنة الوطنية اليمنية للتربية والثقافة والعلوم، الصادرة بالقرار الجمهوري رقم (139) لعام 1995م.

ثانياً: المراجع المتخصصة:

1. د/ منى محمود مصطفى، التنظيم الدولي العالمي بين النظرية والممارسة، دار مصر للطباعة لعام 1982م.

2. د/ عبد العزيز سرحان، المنظمات الإقليمية، دار النهضة العربية، مصر، طبعة أولى لعام 1975م.

3. د/ عبد الواحد الناصر، المؤسسات الدولية، مدخل لدراسة مؤسسات العلاقات الدولية، مطبعة ساليما كراف المغرب، الطبعة (4) لعام 1994م.

4. د/ عبد السلام عرفه، التنظيم الدولي، منشورات الجامعة المفتوحة، المكتب الجامعي الحديث الإسكندرية، الطبعة الثانية لعام 1997م.

5. د/ أحمد الرشيدي، منظمة المؤتمر الإسلامي، دراسة قانونية سياسية، إصدارات مركز البحوث والدراسات السياسية، مصر، الطبعة الأولى لعام 1997م.

6. د/ أحمد أبو الوفاء، جامعة الدول العربية كمنظمة دولية إقليمية، دار النهضة العربية، القاهرة طبعة أولى لعام 1999م.

7. د/ حسن نافعة، الأمم المتحدة في نصف قرن، عالم المعرفة، المجلس الوطني للثقافة الكويت عدد (202) لعام 1995م.

8. د/ أحمد فارس عبد المنعم، جامعة الدول العربية (1945م - 1985م)، إصدارات مركز دراسات الوحدة العربية، بيروت طبعة أولى عام 1986م.

9. د/ وائل أحمد علام، منظمة المؤتمر الإسلامي، دراسة قانونية لنظام ونشاط المنظمة، دار النهضة العربية القاهرة عام 1996م.

10. د/ محمد رضا الديب، المنظمات الدولية، جامعة عين شمس، الرسالة الدولية للطباعة طبعة أولى لعام 1999م.

11. د/ أحمد صالح الصياد، اليونسكو رؤية للقرن (21)، دار الفارابي بيروت لبنان، طبعة أولى لعام 1999م.

12. ميشيل كونيل لاكوست، مسيره نحو غاية جليلة، اليونسكو من عام 1946 إلى عام 1993م، إصدارات مركز دراسات الوحدة العربية، لبنان لعام 1997م.

13. أضواء على المستقبل في مراه الماضي، عمل اليونسكو في المنطقة العربية، إصدارات اليونسكو باريس لعام 1997م.

14. المنظمة العربية للتربية والثقافة والعلوم في عيدها (30)، إصدارات (الالكسو) للأعوام (1970 - 2000م).

15. د/ مفيد محمود شهاب، جامعة الدول العربية، ميثاقها وانجازاتها، دار نافع للطباعة، مصر لعام 1978م.

16. د/ مصطفى سلامه حسين، المنظمات الدولية، الدار الجامعية، لبنان لعام (بدون).

17. د/ محمد سعيد الدقاق، النظرية العامة لقرارات المنظمات الدولية، منشأه المعارف الإسكندرية، مصر لعام 1968م.

18. د/ مصطفى سيد عبد الرحمن، المنظمات الدولية، مطبعة حمادة، مصر 2000 - 2001م.

19. المنظمة العربية للتربية والثقافة والعلوم في عيدها (25) اليوبيل الفضي ـ من عام 1970 - 1995م.

20. د/ عبد العزيز سرحان، الأصول العامة للمنظمات الدولية، دار النهضة العربية مصر، الطبعة الأولى، 1967 - 1968م.

21. د/ على يوسف الشكري، المنظمات الدولية والإقليمية المتخصصة، إيتراك للطباعة والنشر والتوزيع، مصر، الطبعة الأولى، عام 2002م.

22. جامعة الدول العربية، الأمانة العامة (مجموعة المعاهدات والاتفاقيات) التي أعدتها إدارة الشؤون القانونية بالأمانة العامة للجامعة تونس عام 1985م.

23. د/ حازم محمد عتلم، المنظمات الدولية الإقليمية والمتخصصة، دار النهضة العربية القاهرة لعام 2001م، وكذا الطبعة الثانية لعام 2002.

24. د/ محمد سامي عبد المجيد، أصول القانون الدولي العام، منشأه المعارف الإسكندرية، مصر الطبعة الخامسة لعام 1995م.

25. د/ عبد الكريم علوان خضر، الوسيط في القانون الدولي العام، الكتاب الرابع، المنظمات الدولية، مكتبه دار الثقافة للنشر والتوزيع، الأردن طبعة أولى لعام 1997م.

26. د/ محمد حافظ غانم، مبادئ القانون الدولي العام، مطبعة النهضة الجديدة القاهرة لعام 1967م.

27. د/ حامد سلطان، وآخرون، القانون الدولي العام، الطبعة الثالثة، دار النهضة العربية لعام 1984م.

28. د/ مفيد شهاب، المنظمات الدولية، الطبعة العاشرة، دار النهضة العربية، القاهرة لعام 1990م.

29. د/ اسكندر الديك، اليونسكو والصراع الدولي حول الإعلام والثقافة، المؤسسة الجامعية للدراسات والنشر والتوزيع، لبنان، الطبعة الأولى لعام 1993م.
30. دليل عمل اللجان الوطنية للتربية والثقافة والعلوم، الطبعة المعدلة، إصدارات الالكسو لعام 2003م.
31. د/ أحمد ابو الوفاء، الوسيط في قانون المنظمات الدولية، دار النهضة العربية، القاهرة الطبعة الخامسة لعام 1998م.
32. جامعة الدول العربية، الواقع والطموح، إصدارات مركز دراسات الوحدة العربية طبعة ثانية، بيروت، لبنان لعام 1992م.
33. دليل عمل اللجان الوطنية العربية للتربية والثقافة والعلوم، إصدارات الالكسو تونس لعام 1987م.
34. د/ إبراهيم أحمد شلبي، التنظيم الدولي، المنظمات الدولية والإقليمية المتخصصة، الدار الجامعية بيروت لبنان لعام 1986م.
35. لمحات عن اليونسكو، إصدارات اليونسكو باريس لعام 1974م.
36. د/ بلقاسم كريمني، نظرية المنظمات الدولية، مطبعة المعارف، الطبعة الرابعة المغرب لعام 1994م.
37. د/ محمد المجذوب، التنظيم الدولي النظرية والمنظمات العالمية والإقليمية المتخصصة منشورات الحلبي الحقوقية، لبنان لعام 2005م.
38. د/ حسن نافعه، العرب واليونسكو، إصدارات المجلس الوطني للثقافة والفنون والآداب، الكويت، العدد (135)، مارس 1989م.
39. د/ عروبه جبار عبد الخزرجي، منظمة المؤتمر الإسلامي، دار الفكر العربي، لبنان، الطبعة الأولى عام 2005م.

40. د/ إبـراهيم محمـد العنـاني، المـنظمات الدوليـة العالميـة، المطبعـة التجاريـة الحديثة، القاهرة عام 1997م.

41. د/ بشير أحمد سعيد، وآخرون، اليونسكو والقرن الحادي والعشرين، إنجازات وتحديات، ليبيا،الطبعة (1) لعام 2005م.

42. عدنان نصراوين، اليونسكو ومهمة بناء حصون السلام في عقول البشر، مطـابع الدستور التجارية، عمان، الأردن عام 1997م.

43. د/ بشير أحمد سعيد، وآخرون، ليبيا، واليونسكو خمسـون عامـاً مـن التعـاون 1953 - 2003م، منشورات اللجنة الوطنية الليبية للتربيـة والثقافـة والعلـوم الطبعـة (1) لعام 2003م.

44. المنظمة العربية للتربيـة والثقافـة والعلـوم، إصـدارات الالكسـو، تـونس لعـام 1981م.

45. د/ بطرس بطرس غالي، التنظيم الدولي، الطبعة (1)، مكتبـه الانجلـو المصريـة، القاهرة لعام 1956م.

46. روبرت. س. جوردان، المنظمات الدولية المتخصصة، ترجمـة ثابـت رزق اللــه مراجعه د/ إبراهيم عبده، الناشر، سجل العرب لعام 1979م.

47. مرشد عملي من أجل اللجان الوطنية لليونسكو، ترجمة السيد محمد عـثمان، إصدارات اليونسكو باريس لعام 1996م.

48. جاك حلاق، مساهمه المعهـد الـدولي للتخطـيط التربـوي رقـم (33)، العولمـة، حقوق الإنسان والتربية، إصدارات المعهد الدولي للتخطـيط التربـوي بـاريس لعـام 1999م، تمت الترجمة والطباعة والنشر بإشراف مكتب اليونسكو الإقليمي للتربيـة في الدول العربية بيروت عام 2000م.

49. الموجز التعليمي العالمي 2004 مقارنه إحصائيات التعليم عبر العالم، إصدارات معهد اليونسكو للإحصاء، مونتريال لعام 2004م.

50. منظمة اليونسكو والتربية، ترجمه وطباعة ونشر مكتب اليونسكو الإقليمي بيروت لبنان،   الطبعة العربية لعام 2000م.

51. اليونسكو، نشاطها في مجال التربية عبر العالم، إصدارات اليونسكو باريس لعام 1994م.

52. إدارة التوثيق والمعلومات بالمنظمة العربية للتربية والثقافة والعلوم، خطتها، أهدافها، نشاطها، إصدارات الالكسو، تونس لعام 1994م.

53. د/ محمد عزيز شكري، جامعة الدول العربية ووكالاتها المتخصصة بين النظرية والواقع   طبعة أولى عام 1975م.

54. دور الإدارة الثقافية بجامعة الدول العربية والمنظمة العربية (الالكسو) في تطوير التربية بالوطن العربي، إصدارات الالكسو تونس لعام 1988م.

55. قرارات مجلس جامعة الدول العربية المجلد الثالث، الدورات من (35 إلى 43)، إعداد، مكتب الأمين العام، مركز التوثيق والمعلومات لعام 1988م.

56. الورقة المرجعية بعنوان (مبادئ توجيهيه مقترحة لتقييم الاحتياجات في أطار مبادرة القرائية من أجل التمكين) المقدمة للاجتماع الإقليمي الذي انعقد بالعاصمة اليمنية صنعاء في الفترة من 27 - 30 مارس 2006م.

57. اجتماع الخبراء حول المبادرة الإقليمية لتطوير مشروعات التعليم والتدريب المهني والتقني في الدول العربية، بيروت ديسمبر 2002م.

58. رؤيـة مستقبلية للتعليم في الـوطن العـربي: الوثيقـة الرئيسـية المعروضـة عـلى المؤتمر الأول لـوزراء التربيـة والتعليم والمعارف العـرب (طـرابلس ديسـمبر 1998م) إصدارات الالكسو لعام 2000م.

59. أحمد مختار امبو، بناء المستقبل، اليونسكو وتضامن الأمم، إصدارات المنظمة باريس لعام 1981م.

60. محمـد لبيـب شـقير، المـنظمات العربيـة المتخصصـة، ومشـكلات علاقاتهـا بالجامعة العربية، وعلاقاتها فيما بينها، في مرجع جامعـة الـدول العربية الواقع والطموح إصدارات مركـز دراسـات الوحـدة العربيـة الطبعـة الثانيـة، بـيروت، لبنـان 1992م.

61. د/ عبد اللـه الاشعل، أصول التنظيم الإسلامي الـدولي، القاهرة، دار النهضـة العربية لعام 1988م.

62. د/ مصطفى أحمـد فـواد، المـنظمات الدوليـة، النظريـة العامـة، دار الجامعـة الجديدة للنشر، الإسكندرية، مصر لعام 1998م.

63. هيكلة اللجان الوطنية لليونسكو، إصدارات اليونسكو باريس لعام 2003م.

ثالثاً: الأطروحات والرسائل العلمية

1. الباحث/ عامر عبد الحسين حسـن الـوائلي، إدارة المـنظمات الدوليـة، دراسـة وصفية تحليلية، لمنظمـة الأمـم المتحـدة للتربيـة والعلـوم والثقافـة (اليونسـكو)، أطروحة ، تقدم بها الباحث إلى مجلس كلية الإدارة والاقتصاد، جامعة بغداد، جـزء من متطلبات نيل درجة دكتوراه الفلسفة في الإدارة العامة لعام 1998م.

2. د/ عبد العزيز الشدي، الخطط التربوية للمنظمات التربوية الدولية والإقليمية (دراسة تقويمية) إصدارات مكتب التربية العربي لدول الخليج، طبعة أولى الرياض، السعودية، لعام 1999م.(الأصل رسالة الدكتوراه، تحولت إلى كتاب فيما بعد).

3. الباحث/ لطوف العبد اللـه، تطور الفكر التربوي، في خطط المنظمة العربية للتربية والثقافة والعلوم، منذ عام 1970 وحتى عام 2002م، رسالة دكتوراه، غير منشورة، من جامعة تونس، كليه العلوم الإنسانية والاجتماعية، قسم علوم التربية لعام 2004م.

4. الباحثة/ نهال فواد فهمي، مشكلات الإدارة الدولية، دراسة تطبيقية على الأمانة العامة للأمم المتحدة، رسالة مقدمة لنيل درجة دكتور الفلسفة في الإدارة العامة، جامعة القاهرة، كلية الاقتصاد والعلوم السياسية، قسم الإدارة العامة لعام 2000م.

5. الباحث/ أحمد عبد اللـه عبده اليماني، الموظف الدولي في ضوء أحكام القانون الدولي العام المعاصر، أطروحة لنيل دكتوراه الدولة في القانون العام، جامعة الحسن الثاني الدار البيضاء،كليه العلوم القانونية والاقتصادية والاجتماعية، المغرب للعام 1999 - 2000م.

6. الباحث/ مورو محمد، منظمة اليونسكو، وعلاقاتها مع المغرب، بحث لنيل، دبلوم الدراسات العليا في القانون العام، رسالة غير منشورة (ماجستير) جامعة محمد الخامس، كليه العلوم القانونية والاقتصادية والاجتماعية، الرباط، المغرب للعام الجامعي 1986 - 1987م.

7. الباحث/ عبد الفتاح عمور، المملكة المغربية، ومنظمة الأمم المتحدة للتربية والعلم والثقافة (اليونسكو)، رسالة دبلوم السلك العالي، المدرسة

الوطنية للإدارة العمومية، الفوج الرابع عشر، الرباط، المغرب، (غير واضح في صورة الرسالة العام الجامعي).

8. الباحثة: رشيده الياداري، بحث لنيل دبلوم المعهد العالي للصحافة، بعنوان، الدور الإعلامي للمنظمة الإسلامية، المعهد العالي للصحافة، الرباط، المغرب لعام 1987 - 1988م.

9. الباحث/ خالد محمد عبد الرحمن عسيري، الجهود التربوية للمنظمة الإسلامية، متطلب تكميلي للحصول على الماجستير، جامعة أم القرى، السعودية، لعام 1417هجرية.

10. الباحث/ عبد المجيد سعيد مصلح العسالي، إدارة المنظمات الدولية، المنظمة الإسلامية للتربية والعلوم والثقافة (الايسيسكو نموذجاً)، رسالة غير منشورة، لنيل دبلوم الدراسات العليا المعمقة في القانون العام (ماجستير)، جامعة محمد الخامس، كليه العلوم القانونية والاقتصادية والاجتماعية، الرباط، المغرب، للسنة الجامعية 2000 - 2001م.

11. الباحث/ محمد أحمد المرشد، منظمة المؤتمر الإسلامي، بحث لنيل دبلوم الدراسات العليا المعمقة في القانون العام، رسالة غير منشورة، جامعة محمد الخامس، لعام 1984م.

12. الباحث/ الحاج مسعود محمد، العلاقات الدولية في إطار منظمة المؤتمر الإسلامي، دبلوم دراسات عليا معمقة، في القانون العام، جامعة محمد الخامس، الرباط، المغرب، ابريل 1986م.

13. الباحثة/ عليا سيد أحمد، منظمة المؤتمر الإسلامي من أجل تحقيق وحدة سياسية واقتصادية، رسالة لنيل دبلوم الدراسات العليا، المدرسة الوطنية للإدارة، الرباط، المغرب، لعام 1991 - 1992م.

14. الباحث/ إبن الشرفي العربي، الانسحاب من المنظمات الدولية، رسالة لنيل دبلوم السلك العالي، المدرسة الوطنية للإدارة، الرباط، المغرب لعام (غير واضح).

15. الباحث/ غسان يوسف مزاحم، المنظمات العربية المتخصصة في نطاق الجامعة العربية، رسالة ماجستير منشورة، جامعة القاهرة، دار نافع للطباعة عام 1976م.

رابعاً: وثائق وأنظمة ولوائح، وإصدارات المنظمات المتخصصة:

1 - المواثيق والأنظمة الداخلية والهياكل التنظيمية.

1. ميثاق الأمم المتحدة، والنظام الأساسي لمحكمة العدل الدولية، مكتب الإعلام نيويورك، دارالشعب، القاهرة، فبراير 1978م.

2. الميثاق التأسيسي لمنظمة الأمم المتحدة للتربية والعلوم والثقافة اليونسكو، في مرجع النصوص الأساسية، إصدارات اليونسكو باريس لعام 2004م.

3. ميثاق الوحدة الثقافية العربية ودستور المنظمة العربية للتربية والثقافة والعلوم إصدارات الالكسو تونس لعام 1995م.

4. ميثاق المنظمة الإسلامية للتربية والعلوم والثقافة، في مرجع ميثاق الايسيسكو وأنظمتها ولوائحها الداخلية، إصدارات المنظمة، الطبعة العربية، لعام 2005م.

5. النصوص الأساسية لليونسكو، إصدارات المنظمة باريس طبعة 1998م.

6. النظام الأساسي لموظفي المنظمة العربية للتربية والثقافة والعلوم، إصدارات الالكسو، تونس لعام 1996م.

7. النظام الداخلي للمجلس التنفيذي للايسيسكو، إصدارات المنظمة، مطبعة المعارف الجديدة، الرباط، المغرب لعام 1997م.

8. نظام موظفي المنظمة الإسلامية، المعتمد من المؤتمر العام في دورته العادية الثامنة إصدارات الايسيسكو لعام 2004م.

9. الهيكل التنظيمي للإدارة العامة للايسيسكو المعدل من قبل المجلس التنفيذي في دورته العشرين، إصدارات الايسيسكو لعام 1999م.

10. الهيكل التنظيمي للمنظمة العربية للتربية والثقافة والعلوم، إصدارات الالكسو تونس لعام 2004م.

11. نظام وضعيه الملاحظ كما اعتمده المؤتمر العام للمنظمة الإسلامية، في دورته السادسة، مطبوعات الايسيسكو لعام 1995م.

12. الميثاق التأسيسي لليونسكو في مرجع المؤتمر العام، إصدارات المنظمة باريس لعام 2002م.

13. ميثاق المنظمة الإسلامية الايسيسكو، المقر من المؤتمر العام السادس، مطبعة المعارف الجديدة، الرباط لعام 1995م.

14. ميثاق اتحاد جامعات العالم الإسلامي، إعداد الايسيسكو، مطبعة فضالة المحمدية المغرب لعام 2002م.

15. النظام الداخلي للمؤتمر العام لاتحاد جامعات العالم الإسلامي، أخراج الايسيسكو، مطبعة فضالة، المحمدية، المغرب لعام 2002م.

16. النظام الداخلي للمجلس التنفيذي لاتحاد جامعات العالم الإسلامي، إخراج الايسيسكو، مطبعة فضالة المحمدية، المغرب لعام 2002م.

17. النظام المالي لاتحاد جامعات العالم الإسلامي، أخراج الايسيسكو،مطبعة فضالة المحمدية المغرب لعام 2002م.

18. ميثاق جامعة الدول العربية، في مرجع الدكتور عبد السلام عرفه، التنظيم الدولي، الطبعة الثانية 1997م.
19. ميثاق منظمة المؤتمر الإسلامي في مرجع الدكتور/ أحمد الرشيدي، منظمة المؤتمر الإسلامي لعام 1997م.
20. النظام المالي والمحاسبي الموحد للمنظمات العربية المتخصصة (المعدل) إصدارات الالكسو مايو 2001م.
21. نظام موظفي الايسيسكو لعام 2005 في مرجع، ميثاق المنظمة وأنظمتها ولوائحها الداخلية إصدارات المنظمة لعام 2005م.
22. النظام الأساسي لموظفي المنظمة العربية للتربية والثقافة والعلوم (الالكسو) إصدارات المنظمة تونس، لشهر مارس عام 2004م.

2 - وثائق المؤتمرات العامة

1. التقرير النهائي للمؤتمر العام للمنظمة الإسلامية (التأسيسي)، فاس، المغرب، إصدارات المنظمة لشهر مايو 1982م.
2. التقرير الختامي للمؤتمر العام السابع للايسيسكو، إصدارات المنظمة نوفمبر عام 2000م.
3. التقرير الختامي للمؤتمر العام الثاني للمنظمة الإسلامية، منشورات الايسيسكو سبتمبر عام 1985م.
4. التقرير الختامي للمؤتمر العام للايسيسكو الدورة الثامنة، طهران، إصدارات المنظمة ديسمبر 2003.
5. تقرير المؤتمر العام الاستثنائي الأول للمنظمة الإسلامية (ايسيسكو) لعام 1986م.

6. وثائق المؤتمر العام للمنظمة العربية (الالكسو) الدورة (17)، إصدارات المنظمة تونس ديسمبر 2004.

7. التقرير النهائي الدورة العادية (15) للمؤتمر العام للالكسو، القرارات والتوصيات، إصدارات المنظمة، تونس يناير 2001م.

8. التقرير النهائي للمؤتمر العام للالكسو الدورة العادية السادسة القرارات والتوصيات الجزء الأول ديسمبر 1981م.

9. التقرير النهائي للمؤتمر العام الدورة العاشرة، القرارات والتوصيات، إصدارات الالكسو تونس ديسمبر 1989م.

10. التقرير النهائي للمؤتمر العام للالكسو في دورته العادية (14) القرارات والتوصيات، إصدارات المنظمة ديسمبر 1998م.

11. مشروع التقرير الختامي للمؤتمر العام لاتحاد جامعات العالم الإسلامي، إصدارات الايسيسكو، فبراير 1998م.

12. التقرير النهائي للمؤتمر العام للالكسو الدورة (16) القرارات والتوصيات، الجزء الأول،إصدارات المنظمة تونس، ديسمبر 2002م.

3- وثائق المجالس التنفيذية

1. وثائق المجلس التنفيذي للمنظمة العربية الالكسو، الدورة العادية (72)، إصدارات المنظمة نوفمبر عام 2000م.

2. التقرير الختامي للمجلس التنفيذي للايسيسكو في دورته الاعتيادية (24) طهران، إصدارات المنظمة لشهر ديسمبر 2003م.

3. التقرير الختامي للمجلس التنفيذي للايسيسكو الدورة (20)، إصدارات المنظمة نوفمبر 1999م.

4. التقريـر الختـامي للمجلـس التنفيـذي للايسيسكو الـدورة (17)، إصدارات المنظمة ديسمبر 1996م.

5. التقريـر الختـامي للمجلـس التنفيـذي للايسيسكو الـدورة (16) إصدارات المنظمة ديسمبر 1995م.

6. وثائق المجلـس التنفيـذي للالكسو الـدورة العاديـة (66) إصدارات المنظمـة تونس 1997م.

7. وثائق المجلـس التنفيـذي للالكسو الـدورة (76) إصدارات المنظمة تـونس ديسمبر 2002م.

8. وثائق المجلس التنفيذي للالكسو الدورة (59) إصدارات المنظمة تونس يوليو 1994م.

9. وثائق المجلس التنفيذي للالكسو الدورة (50) إصدارات المنظمة تونس يوليـو 1990م.

10. مجموعة قرارات المجلس التنفيذي للالكسو المجلد الرابع مـن الـدورة (50 - إلى 66) إصدارات المنظمة ابريل 1998م.

11. مجموعة قرارات المجلس التنفيذي للالكسو المجلد الثاني مـن الـدورة (16 إلى 30) إصدارات المنظمة يوليو 1999م.

12. التقريـر الختـامي للمجلـس التنفيـذي للايسيسكو الـدورة (21)، إصدارات المنظمة الرباط نوفمبر 2000م.

13. وثائق المجلس التنفيذي للالكسو الدورة (83) إصدارات المنظمة، تونس، مايو 2006م.

14. وثائق المجلس التنفيـذي للالكسو الـدورة (78)، إصـدارات المنظمـة، تـونس سبتمبر 2003م.

15. التقرير الختامي للمجلس التنفيذي للايسيسكو الدورة (25) إصدارات المنظمة ديسمبر 2004.
16. مشروع التقرير الختامي للايسيسكو الدورة (26) إصدارات المنظمة ديسمبر 2005.
17. التقرير الختامي للمجلس التنفيذي للايسيسكو الدورة (22) إصدارات المنظمة 2001م.
18. التقرير الختامي للمجلس التنفيذي للايسيسكو الدورة (23) إصدارات المنظمة ديسمبر 2002.
19. التقرير الختامي للمجلس التنفيذي للايسيسكو الدورة (19) إصدارات المنظمة لعام 1998م.
20. وثيقة المجلس التنفيذي لليونسكو (EX / 4 - Darft 34C / 3 174) بتاريخ 17 / 3 / 2006 الأصل انجليزي.
21. وثيقة المجلس التنفيذي لليونسكو رقم (EX / 18 171) بتاريخ 31 / 3 / 2005 باريس.
22. وثيقة المجلس التنفيذي لليونسكو رقم (EX / 5 - part III 164 بتاريخ 29 / 4 / 2002 الأصل انجليزي ، بخصوص تقرير المدير العام عن عمليه إصلاح اللامركزية الجزء الثالث المقدم لدورة المجلس التنفيذي (164) تقرير رقم (5).
23. وثيقة المجلس التنفيذي لليونسكو رقم (EX / 5 - part II 161) بتاريخ 18 / 5 / 2000الاصل انجليزي (تقرير المدير العام عن عملية الإصلاح اللامركزية الجزء الثاني المقدم لدورة المجلس 161 تقرير رقم 5).

24. تقرير المدير العام لليونسكو المقدم للمجلس التنفيذي في دورته 164 تقرير رقم (11 بتاريخ 25 / 4 / 2002 وثيقة رقم (164 11 /EX) الأصل باللغة الفرنسية.

25. وثيقة المجلس التنفيذي لليونسكو 161 31 / EX بتاريخ 22 / 3 / 2001 الأصل انجليزي.

26. وثيقة المجلس التنفيذي لليونسكو 174 27 / EX بتاريخ 3 / 3 / 2006 الأصل انجليزي بخصوص تقرير مراجع الحسابات الخارجي عن عمليات مراجعة الأداء التي أجريت فترة عامي 2004 / 2005.

27. وثيقة المجلس التنفيذي لليونسكو 164 28 / EX بتاريخ 11 / 4 /2002.

28. تقرير المدير العام لليونسكو عن الوضع المالي للمنظمة في عامي 2004 - 2005 في وثيقة المجلس التنفيذي 175 31 / EX بتاريخ 11 / 8 / 2006 الأصل انجليزي.

29. وثيقة المجلس التنفيذي لليونسكو 176 48 / EX بتاريخ 28 / 3 / 2007 الأصل انجليزي بخصوص تقارير وحدة التفتيش المشتركة.

30. وثيقة المجلس التنفيذي لليونسكو 174 29 / EX بتاريخ 23 / 2 / 2006 عن ملاحظات المدير العام على تنفيذ إستراتيجية مرفق الإشراف الداخلي عامي 2004 - 2005.

31. وثيقة المجلس التنفيذي لليونسكو 175 33 / EX بتاريخ 25 / 8 / 2006 الأصل انجليزي. بخصوص: تقرير المراجع الخارجي للحسابات عن متابعة تنفيذ التوصيات الواردة في التقارير السابقة.

32. وثيقة المجلس التنفيذي لليونسكو رقم 171 EX / 32 بتاريخ 28 / 2 / 2005 تقرير مراجع الحسابات الخارجي عن عمليه مراجعة الأداء في فتره عامي 2004 - 2005.

33. وثيقة المجلس التنفيذي لليونسكو رقم 170 EX / 23 بتاريخ 20 / 8 / 2004 تقرير المدير العام عن التوزيع الجغرافي لموظفي الأمانة.

4- تقارير مدراء العموم ولجان المراقبة والحسابات الختامية

1. التقرير المالي للمدير العام للايسيسكو وحسابات الإقفال للأعوام 2001 - 2003، المقدم لدورة المؤتمر العام (8) ديسمبر 2003م.

2. التقرير المالي للمدير العام للايسيسكو وحسابات الإقفال للسنة المالية 2004، المقدم لدورة المجلس التنفيذي (26) الرباط، ديسمبر 2005م.

3. تقرير المدير العام للايسيسكو عن مساهمات الدول الأعضاء في المنظمة للسنوات (2003 - 2005) المقدم لدورة المؤتمر العام (9) ديسمبر 2006.

4. تقرير المدير العام للايسيسكو عن مساهمات الدول الأعضاء، المقدم لدورة المجلس التنفيذي (22) ديسمبر 2001م.

5. تقرير المدير العام للايسيسكو عن مساهمات الدول الأعضاء في موازنة المنظمة، المقدم لدورة المجلس التنفيذي (25)، الرباط، ديسمبر 2004م.

6. تقرير المدير العام للايسيسكو للأعوام 2004 - 2006 حول تقييم عمل المنظمة، المقدم لدورة المؤتمر العام (9) ديسمبر 2006م.

7. التقرير المالي للمدير العام للايسيسكو وحسابات الإقفال، وتقارير شركة التدقيق، ولجنة المراقبة المالية، المقدم لدورة المجلس التنفيذي (26) عن السنة 2004، إصدارات المنظمة ديسمبر 2005م.

8. التقرير المالي للمدير العام للايسيسكو وحسابات الإقفال، وتقارير، شركة التدقيق، ولجنة المراقبة المالية عن السنة المالية 2005 المقدم لدورة المجلس التنفيذي (27)، ديسمبر 2006م.

9. التقرير المالي للمدير العام للايسيسكو، وحسابات الإقفال، للسنة المالية 2003م، وتقرير شركة التدقيق، وتقرير لجنة المراقبة المالية، إصدارات المنظمة ديسمبر 2004.

10. التقرير المالي للمدير العام للايسيسكو وحسابات الإقفال، وتقرير شركة التدقيق، وتقرير لجنة المراقبة المالية، المقدم لدورة المجلس التنفيذي (28) الرباط يوليو 2007م.

11. تقرير المدير العام للالكسو عن أنشطة المنظمة خارج البرامج، المقدم لدورة المؤتمر العام (16) تونس، ديسمبر 2002م.

12. أنشطة اليونسكو الممولة من خارج الميزانية، دليل عملي، إصدارات المنظمة لعام 2004م.

13. المشروعات والبرامج الممولة من مصادر خارج الميزانية لعامي 2001 - 2002 المقدم لدورة المجلس التنفيذي للالكسو في دورته (72) تونس، نوفمبر 2000م.

14. الحساب الختامي للالكسو للعام المالي 2001، إصدارات المنظمة تونس لعام 2002م.

15. الحساب الختامي للالكسو للعام المالي 2004، إصدارات المنظمة تونس لعام 2005م.

16. الحساب الختامي للالكسو للعام المالي2005، إصدارات المنظمة تونس لعام 2006م.

17. التقرير الختامي للمؤتمر العام (8) للايسيسكو، إصدارات المنظمة، ديسمبر 2003م.

18. تقرير المدير العام حول تقييم عمل المنظمة للسنوات 2001 - 2003، إصدارات الايسيسكو، ديسمبر 2003.

19. تقرير هيئة الرقابة المالية للالكسو، إصدارات المنظمة عن العام المالي 2001م.

20. تقرير هيئة الرقابة المالية للالكسو، إصدارات المنظمة عن العام المالي 2002م.

21. تقرير هيئة الرقابة المالية للالكسو، إصدارات المنظمة عن العام المالي 2003م.

22. تقرير هيئة الرقابة المالية للالكسو، إصدارات المنظمة عن العام المالي 2005م.

5- الخطط والموازنات والاستراتيجيات

1. الميزانية والبرنامج للالكسو لعامي 2005 - 2006 إصدارات المنظمة لعام 2004م.

2. الخطة والموازنة للايسيسكو للأعوام 2004 - 2006، المصادق عليها من المؤتمر العام الثامن للمنظمة طهران ديسمبر 2003م.

3. مشروع البرنامج والميزانية لليونسكو للدورة المالية 2006 - 2007، إصدارات المنظمة باريس لعام 2005م.

4. مشروع البرنامج والميزانية لليونسكو للدورة المالية 1992 - 1993م، إصدارات المنظمة باريس لعام 1991م.

5. البرنامج والميزانية لليونسكو للدورة المالية1984 - 1985م، إصدارات المنظمة باريس لعام 1984م.

6. مشروع البرنامج والميزانية لليونسكو للدورة المالية 2000 - 2001 إصدارات المنظمة باريس عام 1999م.

7. مشروع الميزانية والبرنامج للالكسو لعامي 1997 - 1998م، المقدم لدورة المؤتمر العام (13) إصدارات المنظمة ديسمبر 1996م.

8. مشروع الميزانية والبرنامج للالكسو لعامي 1990 - 1991م، إصدارات المنظمة تونس عام 1989م.

9. مشروع الميزانية والبرنامج للالكسو لعامي 2003 - 2004 المعروضة على دورة المجلس التنفيذي في دورته (76) تونس، ديسمبر 2002م.

10. الخطة والموازنة للايسيسكو للأعوام 2001 – 2003م المقرة من المؤتمر العام في دورته (7) بالرباط نوفمبر عام 2000.

11. البرنامج والميزانية المعتمدان لليونسكو للدورة المالية 2004 - 2005، إصدارات المنظمة باريس لعام 2003

12. البرنامج والميزانية المعتمدان لليونسكو للدورة المالية 2002 - 2003، إصدارات المنظمة باريس لعام 2002.

13. الخطة والموازنة للايسيسكو للأعوام 1998 - 2000 المقر من المؤتمر العام السادس ديسمبر عام 1997م.

14. مشروع الخطة والموازنة للايسيسكو للأعوام 2007 - 2009 المقر من المؤتمر العام التاسع ديسمبر 2006م.

15. مشروع الميزانية والبرنامج للالكسو لعامي 1999 - 2000 المعروضة على المجلس التنفيذي الدورة (68) ديسمبر عام 1998م.

16. مشروع الميزانية والبرنامج للالكسو لعامي 2001 - 2002 المعروضة على المجلس التنفيذي الدورة (71) ابريل عام 2000.

17. مشروع الخطة المتوسطة المدى للايسيسكو للأعوام 2001 - 2009، مرجع المؤتمر العام الدورة (7) نوفمبر عام 2000.

18. الإستراتيجية المتوسطة الآجل لليونسكو للأعوام 2002 - 2007، إصدارات المنظمة باريس لعام 2002م.

19. إستراتيجية تعليم الكبار في الوطن العربي، إصدارات الالكسو، تونس، لعام 2000م.

20. الخطة العربية لتعليم الكبار، إصدارات الالكسو، تونس، لعام 2001م.

21. مراجعة إستراتيجية تطوير التربية العربية، إعداد الدكتور عبد الله عبد الدائم، إصدارات الالكسو، تونس لعام 1995م.

22. إستراتيجية تطوير التربية العربية في البلاد العربية، إصدارات الالكسو، تنفيذ المنشأة الشعبية للنشر والتوزيع والإعلان، الطبعة الأولى عام 1979.

23. إستراتيجية تطوير التربية العربية (التقرير المجمل) إصدارات الالكسو أكتوبر 1977م.

24. نحو تنفيذ إستراتيجية التربية العربية، التقرير النهائي، للاجتماع الثاني لـوكلاء وزارات التربية العرب، إصدارات الالكسو، إدارة التربية إبريل 1981م.

25. إستراتيجية عربيـة للتكنولوجيـا الحيويـة، إصدارات الالكسـو تـونس، عام 1993م.

26. الإستراتيجية الثقافية للعالم الإسلامي، إصدارات الايسيسكو مطبعة المعارف الجديدة، المغرب لعام 1997م.

27. الخطة الشاملة للثقافة العربية، إصدارات الالكسو لعام 1990م.

28. إستراتيجية تطوير العلوم والتكنولوجيا في البلاد الإسلامية، النسخة المنقحة إصدارات الايسيسكو لعام 2000.

29. إسـتراتيجية تطـوير العلـوم والتكنولوجيـا في البلـدان الإسلامية، إصدارات الايسيسكو لعام 1997م.

30. آليـات تنفيـذ إستراتيجية تطوير العلـوم والتكنولوجيا في البلـدان الإسلامية إصدارات الايسيسكو يوليو 1999م.

31. الخطة متوسطة المدى الأولى للالكسو 1984 - 1989م، إصدارات المنظمة تونس لعام 1985م.

32. الإستراتيجية العربية للتنوع البيولوجي (دراسة تحليلية) إصدارات الالكسو تونس لعام 2001م.

33. رؤيـة مسـتقبلية للتعليـم في الـوطن العـربي (الوثيقـة الرئيسـية) إصدارات الالكسو تونس لعام 2000م.

34. إسـتراتيجية العمـل الثقـافي الإسـلامي في الغرب، إصدارات الايسيسكو لعـام 2001م.

35. آليـات تنفيـذ إستراتيجية تطوير العلـوم والتكنولوجيا في البلـدان الإسـلامية نسخة منقحة، إصدارات الايسيسكو لعام 2000م.

36. إستراتيجية التوثيق والمعلومات في الوطن العربي، إصـدارات الالكسـو تـونس 1997م.

37. خطة العمل المستقبلي للالكسو (2005 - 2010)، إصدارات المنظمـة تـونس، يناير 2004م.

38. نحـو إستراتيجية لتطوير التربيـة في البلاد الإسلامية، إصدارات الايسيسكو مطبعة النجاح الجديدة، الدار البيضاء، المغرب لعام 1990م.

39. الإستراتيجية المتوسطة الآجل لليونسكو (1996 - 2001)، إصدارات المنظمـة باريس لعام 1996م.

40. الخطة المتوسطة المـدى الثالثة للالكسو 1997 - 2002، إصدارات المنظمة، تونس أغسطس 1995م.

41. مشروع الإستراتيجية العربية لتطوير التعليم العالي، المعتمد من المؤتمر التاسع للوزراء المسؤولين عن التعليم العالي والبحث العلمي في الوطن العربي، إصدارات الالكسو لعام 2003م.

42. مشروع الإستراتيجية العربية للتعليم عن بعد، إصدارات الالكسو تونس لعام 2002م.

43. مراجعة الإستراتيجية العربية للتربية السابقة على المدرسة الابتدائيـة، مرحلـة رياض الأطفال، إصدارات الالكسو، تونس لعام 2000م.

44. الخطة القومية للترجمة، إصدارات الالكسو، تونس لعام 1996م.

6 - اتفاقيات ومذكرات التفاهم

1. اتفاقية المقر المبرمة بين حكومة الجمهورية التونسية والمنظمة العربية للتربية والثقافة والعلوم بتاريخ 5 / 8 / 2000م.

2. اتفاقية المقر المبرمة بين المنظمة الإسلامية للتربية والعلوم والثقافة، وبين حكومة المملكة المغربية بتاريخ 31 / 10 / 1988م.

3. مذكره التفاهم الموقعة بين الأمانة العامة لمنظمة المؤتمر الإسلامي، والمنظمة الإسلامية الايسيسكو، بالعاصمة السورية دمشق بتاريخ 27 / 11 / 1994م.

4. الاتفاقيات المبرمة بين الالكسو والمنظمات والهيئات العربية والإقليمية والدولية، إصدارات المنظمة تونس لعام 2002م.

5. الاتفاق المعقود بين اليونسكو والأمم المتحدة، في مرجع النصوص الأساسية لليونسكو إصدارات المنظمة لعام 2004م.

6. اتفاق التعاون بين الايسيسكو واليونسكو الموقع بين المنظمتين في كل من الرباط بتاريخ 31 أغسطس 1984م وباريس بتاريخ 10 يوليو 1985م.

7. اتفاق التعاون بين الالكسو والايسيسكو الموقع في الرباط بتاريخ 27 نوفمبر عام 1984م.

7- المجلات والنشرات

1. مجله الإسلام اليوم، إصدارات الايسيسكو العدد (1) لشهر ابريل عام 1983م.

2. نشرة المنظمة الإسلامية (الايسيسكو) العدد (30) لشهر مارس عام 1997م.

3. نشرة المنظمة الإسلامية (الايسيسكو) العدد (48) لشهر أكتوبر عام 2001م.

4. نشرة المنظمة الإسلامية (ايسيسكو) عدد خاص بمناسبة انعقاد والمؤتمر العـام الثاني للمنظمة   في إسلام أباد (باكستان) لعام 1985م.

5. نشرة الايسيسكو العدد (36) إصدارات المنظمة لشهر ديسمبر 1998م.

6. نشرة الايسيسكو العدد (37) إصدارات المنظمة لشهر ديسمبر 1998م.

7. نشرة الايسيسكو العدد (46) إصدارات المنظمة لشهر إبريل 2001م.

8. نشرة الايسيسكو العدد (47) إصدارات المنظمة لشهر يوليو 2001م.

9. نشرة الايسيسكو العدد (45) إصدارات المنظمة لشهر يناير 2001م.

10. النشـرة الإعلاميـة للايسيسـكو العـدد (57)، إصـدارات المنظمـة لشهر ينـاير 2004م.

11. التربية اليوم، نشرة فصلية يصدرها قطـاع التربيـة في اليونسكو، العـدد الأول، إبريل - يونيو   لعام 2002م.

خامساً: مراجع من مواقع الشبكة الدولية (الانترنت)

1. على حويلي: في مقالة له بعنوان: هـل تتحـول اليونسكو إلى حصـان طروادة أمريكي؟ صحيفة دار الحياة، العنوان على الانترنت.

http://www.daralhayat.com/opinion/10-2003/013-14p10-02.txt/story...15/10/2003

2. د/ حسن نافعه: في مقالة له بعنوان: اليمين الأمريكي المتطرف واليونسكو: انسحاب مغرور وعودة متغطرسة، في صحيفة دار الحياة، العنوان على الانترنت على الموقع

http://www.daralhayat.com/opinion/10-2003/1007-08poy-01.txt/story...08/10/2003

3. السيرة الذاتية للمدير العام الحالي لليونسكو على الشبكة الدولية على الموقع الأتي

http://portal.unesco.org/en/ev.php-url-id=32503&url-do=do_printpage&url_section=201.html 10/7/2006 بتاريخ

4. موقع اليونسكو على الشبكة الدولية على الموقع التالي

http://unesdoc.Unesco.org/images/0013/001309/130907e.pdf

5. موقع اليونسكو للمنظمات الدولية غير الحكومية على الموقع

http://portal.Unesco.org/en/file-download.php/5a085df37ee3a44750e5be4a16ac/7e8 Brochang.pdf

6. موقع اليونسكو

http://erc.Unesco.org/ong/en/directorg/list_ong.asp

7. موقع اليونسكو بخصوص العلاقات مع اللجان الوطنية

http://unesdoc.Unesco.org /images/001323/132357e.pdf

سادسا: المراجع باللغة الانجليزية

1- HANSKELSEN. The low of the United Nation، Stevens & Sons .LTD. London. 1964

2- UNESCO: On THE Eve of It's 40th Anniversary' Paris، 1985 .

، London ، Heart Co. ، Bureaucracy ، Int ،Thomas George Wiss -3
1975
Statute and Rules of ، Commission ،The International Civil Service -4
. 1987. ICSC / 1 / Rev. 1، UN ،procedure
. 2000، Staff Regulations and Staff Rules ،Unesco -5
public Enterprise & Economic Development Routledge & ،Hanson -6
1965، London ،Kegenpaul

الفهرس